G. SCHUTTEN X

FRÉDÉRIQUE

Judith Krantz

FRÉDÉRIQUE

1993 – De Boekerij – Amsterdam

Oorspronkelijke titel: Till we meet again (Crown Publishers, Inc., New York)
Vertaling: Annet Mons
Omslagontwerp: Julie Bergen

De uitgever prijst zich gelukkig toestemming te hebben gekregen voor het citeren van de volgende teksten:

'Till We Meet Again', door Richard A. Whiting en Raymond B. Egan; copyright 1918 by Warner Brothers, Inc. Copyright hernieuwd. All rights reserved. Toestemming voor opname verleend door Warner/Chappel Music, Inc.

CIP- gegevens Koninklijke Bibliotheek, Den Haag

Krantz, Judith

Frédérique / Judith Krantz ; [vert. uit het Engels door Annet Mons]. – Amsterdam : De Boekerij
Vert. van: Till we meet again. – New York : Crown, 1988. – 1e dr. Nederlandse uitg.: 1989.
ISBN 90-225-1270-3
NUGI 340
Trefw.: romans ; vertaald.

© 1988 by Judith Krantz
© 1989, 1993 voor de Nederlandse taal: ECI, Vianen

Voor de honderden vrouwelijke piloten, uit een groot aantal landen, die van september 1939 tot november 1945 bij de Engelse Air Transport Auxiliary hebben gevlogen. Deze geweldige vrouwen waren in Groot-Brittannië onontbeerlijk bij het overbrengen van vliegtuigen van de Royal Navy en de Royal Air Force. Zij hebben bewezen dat vrouwen alles konden besturen wat vleugels had, van gevechtsvliegtuigen tot viermotorige bommenwerpers, en dit met veel deskundigheid, moed en uitstekende veiligheidscijfers.

Voor Steve, nogmaals, met veel liefde, gisteren, vandaag en morgen.

Ik ben veel dank verschuldigd aan de mensen die me hebben geholpen de gegevens op te zoeken die de noodzakelijke achtergrond van dit verhaal vormen.

Lettice Curtis, Brits piloot en voormalig eerste officier bij de Air Transport Auxiliary. Ze was een van de eerste vrouwen die zich bij de ATA aansloten en een van de laatsten om te vertrekken, na zes intensieve dienstjaren in oorlogstijd. Haar latere werk als geschiedkundige op het gebied van de luchtvaart heeft geresulteerd in het boek *The Forgotten Pilots*, een onschatbare bron van feiten en gegevens over de ATA.

Claire Walters, Amerikaans piloot, directeur-eigenaar van de Claire Walters Flight Academy in Santa Monica, Californië. Claire Walters is een van de beste vlieginstructeurs. Haar edelmoedigheid, geduld, toewijding, warmte en goede humeur kennen geen grenzen.

Ann Wood, Amerikaans piloot en voormalig eerste officier bij de Britse Air Transport Auxiliary.

Edna Gardner White, Amerikaans piloot van het eerste uur en lid van de Ninety-Nines, Inc., de internationale vereniging van vrouwelijke piloten.

Betty H. Gillies, Amerikaans piloot van het eerste uur en lid van de raad van advies van de Ninety-Nines, Inc.

Virginia Oualline, archivaris van het documentatiecentrum van Ninety-Nines, Inc.

Monsieur Pierre Belfond, directeur van Editions Belfond, Parijs. Toen ik hem naar boeken over het variététheater in Parijs vroeg, stuurde hij me vijfendertig zeldzame prachtexemplaren.

Monsieur Alexandre Tolstoi van het Franse consulaat in Los Angeles.

Madame Marianne Bain uit Los Angeles.

Mr. David Campbell van het Ritz in Parijs. Met zijn karakteristieke flair heeft hij de meest belangrijke deuren in Champagne voor me open laten gaan.

Monsieur Bertrand Mure, president en directeur-generaal van Ruinart Champagne.

Monsieur Edmund Maudière, eerste wijnmaker van Moët & Chandon.

Janey, Comtesse de la Boutetière, van Moët & Chandon.

Mr. en Mrs. Anthony Hughes van Moët & Chandon, Château de Saran, Epernay.

H. Glenn Buffington, schrijver, luchtvaarthistoricus en lid van de raad van advies van het documentatiecentrum van Ninety-Nines, Inc.

Dr. Karim Valji.

Mrs. Edwina Lloyd. Er bestaat geen betere assistente.

8

Proloog

Hoe was het mogelijk dat ze vandaag zestig werd, vroeg Eve, vicomtesse Paul-Sébastian de Lancel en de meest vooraanstaande dame in de provincie Champagne, zich af, als ze al sinds vanmorgen vroeg in een vrolijke, uitgelaten stemming verkeerde, die net zo feestelijk was als een boomgaard in volle bloei die onder een vakantiehemel heen en weer wiegde in de wind. Voor het ontbijt was ze naar buiten geglipt, zoals ze dat elke morgen deed, om de wijnstokken te inspecteren die het dichtst bij het Château de Valmont, het domein van de Lancels, stonden. Het warme voorjaarsweer van april 1956 had een ongewoon groot aantal druiventrossen aan de wijnstokken doen ontspruiten. Overal in deze vruchtbare streek, van de kleine wijngaardjes van de arbeiders tot de grote bezittingen van de makers van de *Grands Marques* van champagne, zoals Lancel, Moët & Chandon en Bollinger, had het bericht van deze overvloed zich van de ene frisgroene heuveltop naar de andere verspreid.

Haar blijdschap had niets te maken met de mogelijkheid van een grote oogst, bedacht Eve de Lancel toen ze zich aan het eind van de middag kleedde voor het galadiner ter ere van haar verjaardag. De oogst was altijd problematisch, een overvloed in het voorjaar gaf geen enkele garantie voor een hoge opbrengst in het najaar. Deze dag was ze dansend begonnen omdat haar voltallige gezin op Valmont bijeen was om haar verjaardag te vieren.

Gisteravond, om één minuut voor middernacht, was ze negenenvijftig geweest. Een minuut later was ze zestig geworden. Waarom was haar leeftijd vandaag niet negenenvijftig plus een paar uur, vroeg Eve zich af. Moest je echt zestig zijn om met zekerheid te weten dat zestig een onzinnig getal was, wanneer het verband hield met jou, wát de wereld hier ook van mocht denken? Was dit een universeel geheim, dat werd gedeeld door iedereen die zestig werd om vervolgens tot de conclusie te komen dat hij of zij zich nog als ... tja, misschien tweeëndertig voelde? Of voelde zij zich nog jonger, laten we zeggen ... vijfentwintig? Ja, vijfentwintig kwam aardig in de buurt, besloot Eve, toen ze zich kritisch bekeek in de goedverlichte spiegel van haar toilettafel. Ze rekende snel uit. Op haar vijfentwintigste was haar man eerste secretaris van de Franse ambassade in Australië, haar dochter Delphine was toen drie en haar jongste dochter, Freddy, gedoopt Marie-Frédérique, pas anderhalf. Het was een jaar vol moederlijke zorgen geweest, dat ze niet graag over zou willen doen, besloot ze dankbaar.

Freddy en Delphine waren allebei op Valmont, volwassen vrouwen met eigen kinderen, vrouwen die vanmorgen op het château waren gearriveerd – Delphine uit Parijs, Freddy uit Los Angeles – en ze waren dusdanig omringd geweest door echtgenoten, kinderen, kindermeisjes en bagage, dat ze waarschijnlijk nu pas klaar waren met uitpakken. Eve's schoonzoons hadden beloofd de kinderen zo lang mogelijk buiten te laten spelen. Op dit moment waren er geen andere familieleden dan de Lancel-vrouwen in het château en Eve kreeg opeens de behoefte haar dochters bij zich te hebben. Ze belde en haar kamenier kwam haar slaapkamer binnen.

'Josette, wil je alsjeblieft mijn dochters vragen naar mijn zitkamer te komen, en vraag Henri glazen en champagne te brengen, rosé uiteraard, de 1947.'

Geen van beide meisjes zou ten volle begrijpen dat een champagne rosé millésimé de meest voortreffelijke mousserende wijn was die deze planeet ooit had voortgebracht, maar Eve was niet in de stemming hun dit uit te leggen. Het diner werd vanavond ongewoon vroeg geserveerd, aangezien al haar kleinkinderen, voorzover ze rechtop aan een tafel konden zitten, aanwezig zouden zijn. Nu, om vijf uur in de middag, was een opwekkend glas champagne heel geschikt voor het half uur dat ze nog hadden, vóór de lawaaierige terugkeer van de mannen en de jongens.

Eve sloeg een ruime, met stroken afgezette ochtendjas om van een bijzondere kleur roze tafzijde, bijna – zo niet helemaal – een flamingoroze dat al het schuine voorjaarszonlicht weerspiegelde en haar haar bijna – zo niet helemaal – dezelfde rossige gloed verleende die het tot enkele jaren geleden had bezeten.

Ze was ouder geworden, dat besefte Eve terdege, maar ze was er uitstekend uit blijven zien. Haar fijngebouwde lichaam bewoog met de stijl en natuurlijke gratie van een vrouw die als meisje de laatste jaren van het Edwardiaanse tijdperk had meegemaakt, toen lichaamshouding bijna net zo belangrijk was als de onbetwistbare schoonheid die haar ouders zorgvuldig nooit hadden geprezen. Eve trok haar wenkbrauwen op, terwijl er een halfspottende glimlach over haar lippen gleed bij de gedachte aan de langvervlogen onschuld van die bitterzoete dagen van voor de Eerste Wereldoorlog.

'Moeder?' klonk Delphine's stem vanuit de deuropening van haar zitkamer.

'Kom binnen, liefje,' riep Eve naar haar oudste dochter, en ze liep haastig van haar slaapkamer naar haar zitkamer. Delphine zeilde naar binnen in

10

een weelderige witzijden ochtendjas die, net als al haar andere kleren, van Dior kwam, en ze liet zich dankbaar in een diepe brokaten stoel zakken.
'O, wat is het heerlijk om hier te zijn,' verzuchtte ze.
'Je ziet eruit alsof je lichtelijk gevloerd bent, liefje.'
'O, moeder, wáárom heb ik toch zoveel kinderen?' riep Delphine uit, kennelijk zonder een antwoord te verwachten. 'Goddank is de tweeling nu tien en weet die zich aardig te vermaken . . . maar de anderen! Paul-Sébastian en Jean-Luc hebben de hele dag gekibbeld. Als de volgende nu maar een meisje is!' Ze klopte hoopvol op haar buik. 'Ik heb zo langzamerhand wel een meisje verdiend, vind je ook niet?'
Ze keek op naar Eve, alsof haar moeder het antwoord op die vraag kon geven. De vermoeidheid had geen effect gehad op Delphine's doorschijnende schoonheid. Niets kon afbreuk doen aan de onweerstaanbare plaatsing van haar enorme ogen, die heel ver uit elkaar stonden onder haar gladde, brede voorhoofd. Niets kon verandering brengen in de manier waarop haar lippen aan de hoeken omhoogkrulden in een eeuwig geheimzinnige glimlach, of in de afstand van de V-vormige haarlok op haar voorhoofd tot aan haar kin, die resulteerde in een hartvormig gezicht dat door miljoenen werd aanbeden. Delphine was de meest beroemde filmactrice van Frankrijk. Met haar achtendertig jaar stond ze op het hoogtepunt van haar carrière, want de immer verstandige Fransen vinden een vrouw na haar vijfendertigste fascinerender dan in de onrijpheid van de vroege jeugd.
'Zo langzamerhand kan het niet anders dan een dochter zijn,' antwoordde Eve en ze streelde Delphine even over haar bruine haar.
Henri bracht het dienblad met glazen en champagne binnen. 'Zal ik hem openmaken, madame?' vroeg hij aan Eve.
'Nee, dank je, ik doe het zelf,' antwoordde ze en gebaarde dat hij kon gaan. De traditie wilde dat de châtelaine van Valmont, de vrouw des huizes, altijd degene was die bij plechtige gebeurtenissen de eerste fles openmaakte en inschonk, en dit intieme moment met haar dochters was voor Eve plechtiger dan het diner van die avond, hoe gala dat ook mocht zijn.
'Waar is Freddy?' vroeg ze aan Delphine, die wellustig kreunend met haar glanzende hoofd en tengere armen achterover in een stapel brokaten kussens lag.
'Die is bezig haar kinderen in bad te doen. Ik kan me gewoon niet voorstellen dat Freddy binnen twee jaar tijd twee jongetjes heeft geproduceerd. Die wil zeker haar schade inhalen.'
'Kon hun kinderjuffrouw ze niet in bad stoppen?' informeerde Eve.
'Anders wel, ja,' antwoordde Delphine geamuseerd. 'Die arme vrouw is bijna tienduizend kilometer van Californië hierheen gesleept, maar nu kan Freddy haar eigen nageslacht niet in de steek laten.'
'Wie gebruikt hier mijn naam ijdel?' vroeg Freddy, toen ze met haar bekende zwierige tred de kamer binnenkwam. Op haar zesendertigste leek

ze meer dan ooit op een vrouwelijke Robin Hood. Er lag een levendige directheid in haar speelse kwajongensogen, een zorgeloze uitbundigheid in de manier waarop ze met een stralende onbekommerdheid in haar glimlach bereid was elke uitdaging te aanvaarden. Ze zwaaide met een haarborstel. 'Delphine, heb medelijden met mij. Doe iets met m'n haar, het kan niet schelen wat! Jij bent zo handig en je weet dat ik volslagen hopeloos ben.' Freddy liet zich lenig in een andere stoel vallen. Ze zwaaide haar in een natgespetterde, witte linnen broek gehulde benen hoog over de zijleuning, waarbij ze een korte, opwindende arabeske in de lucht beschreven. Alleen al door de manier waarop Freddy zich bewoog, vond Eve, kon je zien dat ze in de wieg was gelegd om met welk vliegtuig dan ook te kunnen vliegen.

Het haar van haar dochter was zo rood als een ouderwetse, glanzend gepoetste koperen casserole. Het was zo vlammend van kleur dat ze, overal waar ze verscheen, aller ogen tot zich trok, het was zo koppig en weerbarstig dat geen enkele kapper ooit bij machte was geweest het te temmen. Geduren-de Freddy's eigenzinnige, opzienbarende carrière als een van 's werelds beste piloten, tijdens al haar doldrieste, roemrijke jaren in de Tweede We-reldoorlog, had slechts een vliegeniershelm dat hoofd vol haar in bedwang weten te houden, en dan nog alleen tot het moment dat ze hem weer afzette.

Eve bezag haar twee verbazingwekkend verschillende maar even onstui-mige, dappere, weerspannige en extravagante dochters, die de tijd op zo gelukkige wijze tot vrouwen had getransformeerd. 'Willen jullie een glas champagne met me drinken?' zei ze en bukte zich om de fles Lancel '47 te ontkurken met een snelle draaibeweging van de opener die generaties gele-den speciaal voor deze taak was ontworpen. Ze schonk haar eigen glas halfvol, draaide het bedreven rond om de wijn uit zijn sluimering op te wekken en zag hoe het witte schuim onder het oppervlak van de lichtroze vloeistof verdween. Eve nam een slokje, vond hem subliem, zoals ze had verwacht, en schonk behendig de drie glazen vol. Ze gaf er een aan Freddy en een aan Delphine.

'Ik zal nooit die eerste keer vergeten dat ik champagne heb geproefd,' zei Freddy. 'Dat was hier buiten op het terras, toen we allemaal voor de eerste keer uit Californië op bezoek kwamen. Welk jaar was dat, moeder?' Ze kreeg iets ongewoon nostalgisch in haar blik. Haar ogen waren intens en indringend hemelsblauw.

'1933,' zei Eve. 'Jij was pas dertien, maar je grootmoeder bepaalde dat je er niet te jong voor was.'

'Wat heeft overgrootmoeder gezegd?' vroeg een stem vanuit de deurope-ning, toen Annie, Freddy's veertien jaar oude dochter, de kamer binnen-stapte, gehuld in een spijkerbroek en een herenoverhemd met opgerolde mouwen. 'En waarom ben ik niet uitgenodigd op dit feest?'

'Hoor jij niet buiten bij de anderen te zijn, Annie?' vroeg Freddy, in een poging als een echte moeder te klinken.

'Lijk ik soms op een pappie of een kleverig klein jochie?' vroeg de lange, speelse Annie met haar engelachtige, onbeschaamde grijns. 'Ik ben in deze familie het enige meisje van mijn generatie en ik wens me niet in te laten met die meute. Ik heb op mijn kamer gezeten. Ik ben zelfs een half uurtje in slaap gevallen. Ik ben van plan de hele nacht op te blijven – of dat zóu ik doen als er hier iemand was om mee te dansen die geen familielid was.' Annie bekeek het drietal met genoegen. Ze beschouwde zichzelf als verreweg de meest bezadigde en verstandige van alle Lancel-vrouwen – zelfs, in sommige opzichten, meer volwassen dan haar aanbeden grootmoeder.

'Wat trek je aan voor het diner, Annie?' vroeg Eve.

'Ik heb niets om aan te trekken,' zei Annie, droevig haar hoofd met krullen schuddend.

'Je hebt twee koffers vol kleren bij je,' lachte Freddy.

'Maar niets dat echt geschikt is voor deze gelegenheid. Oma, mag ik eens in uw kast snuffelen?'

'Neem eerst een glas champagne,' stelde Eve voor. Er was niets dat zij Annie kon ontzeggen, zelfs geen Balenciaga, hoe ongepast dat ook mocht zijn voor een veertienjarige.

Annie bekeek de wijn belangstellend. Ze had nooit eerder champagne gedronken, maar elke keer dat ze iets voor het eerst proefde, mocht ze volgens de Franse traditie een wens doen. Ze rimpelde haar betoverende neus en nam een grote teug, proefde deze zorgvuldig, zoals ze de anderen had zien doen, en slikte hem bedachtzaam door.

'Hmmmm.' Ze deed een stille wens en bukte zich om nog een teugje te nemen.

'Heb je er iets bijzonders aan gemerkt?' vroeg Eve.

'Ja. Het gaf een bepaalde smaak in mijn mond en daarna, toen ik het had doorgeslikt, was er nog een andere smaak, een soort gloed achter in mijn keel.'

'Dat,' zei Eve, 'is alleen mogelijk omdat het een volmaakte champagne is. Het wordt de afdronk genoemd.'

Annie nam nog een slok, zette haar glas neer en verdween in de richting van de grootste kleerkast in de slaapkamer.

'Dat kind is de enige van jullie met een aangeboren smaak,' vertelde Eve opgewonden aan haar dochters. 'Geen van jullie heeft in al die jaren ooit de afdronk opgemerkt. Freddy – wat dacht je ervan om Annie volgende zomer hierheen te sturen om haar in te wijden in de champagnebereiding? Eens zal iemand het Huis Lancel over moeten nemen.'

'Ik denk dat ze volgende zomer wil leren vliegen, maar als ze er zin in heeft . . . ach, waarom niet?'

Annie kwam terug uit de slaapkamer met een kleerhanger met daaraan een rode chiffon jurk met smalle schouderbandjes boven een klein, strak bovenlijf. De schouderbandjes en de ceintuur, die rond de smalle taille was geknoopt, waren bezaaid met bergkristallen. Ze glinsterden met een onverwachte frisheid, alsof er juist een schijnwerper op werd gericht. De rok van de rode jurk zweefde door de lucht, de lagen chiffon van verschillende lengtes vormden een wapperende zoomlijn. Zelfs op een hangertje had de jurk iets magisch, alsof hij een eigen leven leidde, alsof er een verhaal achter school en, op de een of andere manier, een gecompliceerde persoonlijkheid, een veelvoud van identiteit.

'Oma, kijk eens! Ik heb deze jurk nog nooit gezien . . . hij is fantastisch! En ik wed dat-ie me als gegoten zit,' zei Annie veelbetekenend.

'Waar heb je die jurk gevonden?' vroeg Eve geschokt.

'Helemaal achter in de kast. Hij knipoogde naar me.'

'Ik . . . was vergeten dat hij er hing. Het is een oude jurk, Annie . . . hij moet wel . . . o, meer dan veertig jaar oud zijn.'

'Het kan me niet schelen hoe oud hij is, hij is veel mooier dan een nieuwe. Wanneer heeft u hem aan gehad?'

'Ik heb hem niet gedragen, Annie . . . hij was van Maddy.'

Delphine en Freddy bogen zich gefascineerd naar voren. Dus dit was de beroemde jurk die Maddy had gedragen, dacht Delphine, een jurk die deel uitmaakte van het familieschandaal waarover ze jaren geleden had gehoord. Ze had die jurk nooit eerder te zien gekregen, hoewel ze er wel veel over had gehoord, zelfs meer dan haar lief was. Freddy was geïntrigeerd. Ze wist natuurlijk wel wat over Maddy, maar ze had nooit gedacht dat een jurk zo levend kon zijn, bijna alsof er iemand anders in de kamer aanwezig was. Ze was zelf sterk gehecht aan een bepaalde rode jurk, die ze nooit weg zou kunnen gooien, maar het was niet in haar opgekomen dat haar moeder zo sentimenteel zou kunnen doen over een jurk van Maddy.

Eve schonk de vier glazen nog eens vol. 'Ik vind dat we op Maddy moeten drinken,' verklaarde ze, met een stralende en speelse blik in haar ogen en een blosje op haar wangen. Wat haar dochters ook mochten denken dat ze over Maddy wisten, ze zouden nooit in staat zijn te begrijpen waarom ze die jurk had bewaard. Er waren dingen die je nooit helemaal kon overbrengen . . . een ook niet van plan was over te brengen.

De Lancel-vrouwen hieven het glas. 'Op Maddy!' zeiden ze.

'Wie het ook mag zijn,' voegde Annie eraan toe, toen ze haar glas hief . . .

1

Eve Coudert stak haar briefje van vijf frank uit naar de kaartjesverkoper. Ze gaf hem een nonchalante glimlach toen ze betaalde voor een tochtje met de heteluchtballon die lag verankerd op het enorme grasveld van La Maladière, even buiten Dijon, waar de grote Luchtvaartshow van 1910 zijn laatste dag beleefde.

'Bent u alleen, mademoiselle?' vroeg hij verbaasd. Het gebeurde niet vaak dat zo'n jonge vrouw zonder begeleiding was, vooral wanneer het zo'n aantrekkelijke jonge vrouw was. Hij bekeek haar vol belangstelling, overzag snel en met kennersblik haar charmes. Ze keek hem van onder de rand van haar strohoed aan met een paar grijze ogen die donker genoeg waren om de duivel in verleiding te brengen, met wenkbrauwen die schuin omhoog gingen als de vleugels van een vogel. Haar zware chignon onthulde haar dat niet te omschrijven viel, maar dat een betoverende gloed tussen rood en goud had, en haar volle, glimlachende mond was even natuurlijk roze als haar wangen.

'Mijn man heeft hoogtevrees, monsieur,' zei ze, en ze glimlachte enigszins dubbelzinnig, als om de kaartjesverkoper duidelijk te maken dat ze heel goed besefte dat hij geen hoogtevrees had en dat ze hem bewonderde om zijn moed.

Aha, dacht hij met genoegen, deze betoverende jonge bruid uit de provincie is lang niet zo onschuldig als ze wordt verondersteld te zijn, maar zonder verdere vragen te stellen gaf hij Eve het kaartje dat haar recht verleende op een tocht, en hij pakte haar bij de gehandschoende hand en hielp haar galant in de mandachtige, gevlochten gondel, die groot genoeg was om vijf mensen te bevatten.

Ze hield met haar ene hand haar witte piqué rok bijeen en met de andere greep ze naar haar elegante, breedgerande hoed, die met slappe roze trosrozen van zijde was afgezet. Ze tikte nerveus met haar puntige veterlaarsjes en wachtte tot de tientallen zakken zand, die de enorme rode ballon aan de grond hielden, waren verwijderd. Ze keek zorgvuldig níet naar haar medepassagiers om. Eve keerde hun haar rug toe, leunde tegen de rand, die tot haar middel reikte, en duwde haar kin stevig in haar hoge stijve kraag met baleinen, zodat de zijden bloemblaadjes ervan duidelijk afstaken tegen haar zachte huid en haar gezicht bijna schuil deden gaan.

Het was zondag, 25 augustus, en het was een bijzonder warme middag, maar Eve huiverde van nauwelijks bedwongen ongeduld terwijl de helpers schreeuwend heen en weer holden. Plotseling steeg de enorme rode ballon met een volledig onverwachte snelheid geruisloos op in de lucht.

Eve was zo verbijsterd door de magische wijze waarop ze omhoogschoten dat ze geen oog had voor de mooie oude hoofdstad van Bourgondië, waarover koning Frans I had uitgeroepen: 'O! Die prachtige stad met honderd torens.' Ze keek strak naar de verre blauwe horizon, verbaasd door de eerste glimp die ze opving van de verre streep van groene en gele velden die elke seconde breder werd.

Wat is de wereld toch éindeloos gróót, dacht ze, overweldigd door dezelfde kinderlijke verbazing die iedereen in de gondel onderging. Eve vergat de voorzichtigheid waarmee ze zich resoluut afzijdig had gehouden van de drie mannen die eveneens een kaartje voor deze tocht hadden gekocht en ze draaide zich om en staarde in vervoering naar het panorama waardoor ze zo wonderbaarlijk werd omringd.

Onbewust opende ze haar armen om te proberen de hemel te omhelzen. Maar juist op dat moment van onbedwingbare impulsiviteit werd de ballon gegrepen door een plotselinge windvlaag. Haar hoed werd losgerukt van de speld die hem op haar hoofd hield en zweefde weg door de lucht.

'O, nee!' riep Eve uit, luid en ongelovig, zodat alle mannen haar aankeken. Ze zagen een hevig geschrokken meisje wier onhandig geconstrueerde chignon door de wind werd gegrepen, zodat haar haar nu in alle windrichtingen uiteen wapperde. De aanblik van haar gezicht en het lange haar dat tot haar taille reikte, verried haar leeftijd even duidelijk als haar hoed die verborgen had gehouden.

'Mademoiselle Coudert!'

'Eve!'

'Goedendag, monsieur Blondel, goedendag monsieur Martineux,' zei Eve met trillende lippen, in een poging de beleefde glimlach te tonen, waarmee ze gewoonlijk deze vrienden van haar vader begroette bij de zeldzame gelegenheden dat ze hen ontmoette, want Eve Coudert was pas veertien en had zelfs nog niet de leeftijd bereikt waarop ze haar moeder bij theevisites mocht helpen om taartjes te presenteren. 'Is dit niet opwindend?' vervolgde ze, op een zo volwassen en beheerst mogelijke toon.

'Laat die onzin maar zitten, Eve,' sputterde Blondel verontwaardigd. 'Wat doe je hier? Waar is je gouvernante? Hebben je ouders enig idee wat . . . nee, natuurlijk niet!'

Eve schudde haar hoofd. Het had geen enkele zin te proberen uit te leggen dat ze tot elke prijs met die ballon omhoog wilde, dat ze gedurende de drie

16

eerste zeldzaam opwindende dagen van de Luchtvaartshow met stijgend ongeduld had gewacht, dat ze het moment had aangegrepen waarop haar vader naar een zieke patiënt werd geroepen en haar moeder haar gebruikelijke middagdutje deed om aan haar gouvernante, mademoiselle Helene, te ontsnappen ... nee, op de een of andere manier leek het weinig zin te hebben hem dat allemaal te vertellen.

'Ik ben hier,' zei ze kalm, nu ze wist dat ze de onvermijdelijke prijs zou moeten betalen, 'omdat iedereen zegt dat wij Fransen eindelijk het luchtruim hebben veroverd, en ik wilde dat zelf wel eens zien.'

Blondels mond viel open, de twee andere mannen deden geen moeite hun lachen te onderdrukken. Martineux bedacht dat het enige kind van dokter Didier Coudert onmiskenbaar een brutale kat was, maar haar aanwezigheid verleende wel een bijzondere charme aan dit buitengewone moment.

'Blondel,' zei hij met enig gezag, 'mademoiselle Coudert kan hier niets overkomen. Wanneer we op aarde zijn teruggekeerd, zal ik persoonlijk zorgen dat ze veilig thuiskomt.'

'Denkt u, monsieur, dat we eerst nog naar mijn moeders ... naar mijn hoed kunnen zoeken?' vroeg Eve.

'Ik denk dat die hoed nog op eigen gelegenheid door de lucht zweeft, mademoiselle. Hij ging in zuidelijke richting, naar Nuits-Saint-George, als ik me niet vergis. Maar we kunnen het proberen.'

'Dank u, monsieur,' zei Eve dankbaar. Als ze nu die hoed maar konden vinden, dan zou haar moeder misschien niet zo boos zijn als ze had gevreesd. Maar zelfs als hij door een geit was opgegeten, dan was het het waard geweest, wat er ook verder mocht gebeuren, om door de lucht te hebben gezweefd en eindelijk de grootsheid van deze wereld te hebben aanschouwd.

Ze kon zich niet voorstellen hoe het moest voelen om een van de piloten te zijn die overal uit Frankrijk waren gekomen om deel te nemen aan de grote race van Dijon; piloten als Marcel Hanriot, nog maar net zestien jaar oud, die al de meeste prijzen had gewonnen. Die waaghals had zelfs al sneller dan een kilometer per minuut gevlogen. Desalniettemin, peinsde Eve, toen de ballon begon te dalen en ze neerkeek op de vijfentwintigduizend mensen die ver beneden haar krioelden, desalniettemin was ook zij opgestegen in het luchtruim, had ook zij verder gekeken dan de vertrouwde grenzen uit haar jeugd. Door deze luttele minuten voelde ze een band met alle avonturiers van het luchtruim, een band die ze nooit zou kunnen vergeten.

Dokter Didier Coudert, Eve's vader, was een drukbezet man. Hij was gespecialiseerd in aandoeningen van de lever, een goedgekozen terrein in een land waar leverproblemen vier keer meer voorkwamen dan in enig ander land ter wereld, aangezien het goede leven uiteindelijk altijd zijn tol eist. Hij was dol op Eve, hoewel hij het betreurde dat hij geen zoon had, maar hij had

17

het veel te druk met zijn praktijk om enige aandacht aan haar opvoeding te kunnen besteden. Dat was het terrein van zijn vrouw, en als zij, na Eve's escapade bij de Luchtvaartshow, het nodig oordeelde Eve's onverzadigbare nieuwsgierigheid naar deze wereld te onderdrukken door alle boeken uit zijn bibliotheek achter slot en grendel te houden gedurende de volgende, gevaarlijk beïnvloedbare jaren van het meisje, maakte hij geen enkel bezwaar.

De familie Coudert woonde in een bijzonder fraai huis in de Rue Buffon, een schitterende straat in het hartje van de oude stad Dijon. Dokter Coudert, een moderne man, bezat de eerste Dion-Bouton automobiel van de stad. Maar hij had ook nog steeds een koetsier en twee mooie paarden, zodat zijn vrouw, Chantal, haar gebruikelijke bezoekjes kon afleggen met de glanzende, donkergroene coupé, zoals ze dat vanaf hun trouwdag had gedaan.

Chantal Coudert, erfgename van een groot fortuin, beheerde haar huishouding met strakke hand. Lang voordat Eve, op haar veertiende, het onderwerp werd van geschokte roddelpraatjes, was het voor haar al zonder meer onmogelijk ergens alleen naar toe te gaan. Sinds dat onvoorstelbare avontuur had haar gouvernante haar zelfs niet toegestaan ongechaperonneerd met een vriendin een kopje chocolade te drinken tijdens een visite die door hun moeders was geregeld. Ze werd begeleid wanneer ze met een ander meisje in het Parc de la Colombière wandelde, of in de tuinen van Arquebuse; ze werd nauwlettend in de gaten gehouden wanneer ze een zeldzaam spelletje tennis speelde; ze werd zelfs gechaperonneerd als ze te biecht ging in de nabijgelegen kathedraal van Saint Bénigne. Eve werd verondersteld voortdurend in gevaar te zijn door de uitbundigheid van haar karakter.

Zoals de meeste meisjes van haar stand, leefde Eve in een wereld vol vrouwen. Het werd onnodig geoordeeld haar serieus op een school te laten studeren. Haar leraren kwamen aan huis, en de belangrijkste van hen was een dominicaner zuster die Frans onderwees en een beetje wiskunde, geschiedenis en aardrijkskunde. Ze had een dansleraar, een muziekleraar en een schilderleraar, die haar lesgaven onder het oog van mademoiselle Helene. Alleen haar zanglessen bij de hoogeerwaarde professor Dutour, van het conservatorium, vonden niet plaats in het huis in de Rue Buffon.

In de herfst van 1912 zat Chantal Coudert in haar luxueuze, met gaslampen verlichte boudoir warme chocolade te drinken en het allesoverheersende probleem van haar dochter te bespreken met haar zuster, de barones Marie-France de Courtizot, die op bezoek was uit Parijs.

Waarom, vroeg Eve's moeder zich met gebruikelijke wanhoop af, beschouwde Marie-France, wier verbintenis met niet één kind was gezegend, zich als een autoriteit betreffende de verzorging en de opvoeding van Eve, over wie ze sprak als 'haar favoriete nichtje', alsof ze haar deze eer uit tientallen mededingsters had toebedeeld? Uiteraard verbeeldde Marie-France zich te veel . . . dat was normaal voor een dochter uit de welgestelde bourgeoisie die erin was geslaagd een baron aan de haak te slaan en zich in de adelstand te laten verheffen . . . je kon verwachten dat Marie-France zich dan te veel ging verbeelden, daar had ze zelfs het recht toe, maar een huwelijk op zich verleende haar nog niet het recht zich te beschouwen als expert in zaken waarover alleen een moeder uit ervaring kon spreken.

'Je maakt je onnodig zorgen, mijn lieve Chantal,' zei de barones; ze bette haar lippen met een fraai linnen servet en nam nog een roomsoesje. 'Eve is een fantastisch meisje en ik heb er het volste vertrouwen in dat ze die wilde streken uit haar kinderjaren te boven is.'

'Ik wou dat ik daar zo zeker van was als jij, vooral omdat niemand van ons werkelijk weet wat er in haar hoofd omgaat,' antwoordde Chantal Coudert met een zucht. 'Kende maman onze gedachten, Marie-France? Je moet wel een slecht geheugen bezitten.'

'Onzin. Maman is veel te streng voor ons geweest. Natuurlijk vertelden we haar niets . . . niet dat er iets te vertellen viel.'

'Ik heb geprobeerd Eve op te voeden zoals wij zijn grootgebracht. Je kunt gewoon niet voorzichtig genoeg zijn.'

'Wil je nou echt beweren, Chantal,' riep de barones uit, 'dat alles wat je Eve ooit over haar toekomst als getrouwde vrouw hebt verteld "doe wat je man van je vraagt" is geweest?'

'Waarom zou ze meer moeten weten? Was die raad niet voldoende? Je bent echt te veel een Parisienne geworden, Marie-France.'

De barones zette haastig haar kopje aan haar lippen. Ze vond het altijd enig als haar keurige oudere zuster zo preuts deed.

'Als Eve achttien wordt, laat je me dan in Parijs een bal voor haar geven?' stelde ze voor.

'Natuurlijk, Marie-France. Maar niet voordat ze een bal in Dijon heeft gehad, anders zouden de mensen zich beledigd voelen. Ik moet rekening houden met de Amiots, de Bouchards, de Chauvots, de . . .'

'De Gauvins, de Clergets, de Courtois, de Morizots . . . liefje, ik weet precies wie er op dat bal zullen zijn, ik kan de gezichten zelfs al voor me zien. Ik stel me al de pasgewassen jongeheren van de school van St. François de Salles voor, hoe ze een stoet van versbesnorde mannelijkheid vormen. Daarna een winter vol uitbundige pret, zoals alleen Dijon die kan bieden. Het Rode-Kruisbal! Het St.-Cyr-bal! Wat een kolossale uitbundigheid! Om nog maar te zwijgen van de liefdadigheidsbazars, de concerten, en zelfs – aangezien Eve zo goed rijdt – een uitnodiging voor de jacht in het bos van Chatillon. Hoe moet ze in vredesnaam al die opwinding overleven?'

'Je kunt lachen wat je wilt, Marie-France. De meeste meisjes zouden alles overhebben voor zulke vooruitzichten als zij heeft,' zei madame Coudert met een superieur gevoel. Wie van hen beiden bezat er tenslotte een dochter?

'Hoe laat moet dat kind thuis zijn?' vroeg de barones, en ze keek naar buiten, naar de donker wordende hemel.

'Ze kan nu elk moment thuis zijn. Ik heb tegen mademoiselle Helene gezegd dat professor Dutour hun voldoende tijd moest laten om voor het donker de stad door te zijn.'

'Beweert hij nog steeds dat ze zo'n opmerkelijke stem heeft?'

'Ja, inderdaad, maar aangezien ze die nooit zal gebruiken, behalve op een muziekavondje of om zichzelf aan de piano te amuseren, vraag ik me af of die lessen niet gewoon tijdverspilling zijn. Maar Didier wilde dit nu eenmaal per se.' Madame Coudert sprak op de toon van een vrouw die met een despoot is getrouwd, een toon die beide zusters gebruikten wanneer ze het over hun goedafgerichte echtgenoten hadden.

'Tante Marie-France!' riep Eve blij uit, toen ze met veel lawaai de kamer binnenkwam. Toen ze haar tante een reeks enthousiaste kussen gaf, constateerde de Parisienne dat de natuurlijke blos van dit meisje net zo hevig was als die van een modieuze cocotte; dat haar dikke, krullende haar, dat nog steeds los op haar rug hing, van een niet te imiteren kleur was, een waardevolle kleur, die niet zou verbleken als dat van de meeste roodharigen, of dof zou worden als van een brunette; het was echt rossig haar, stralend, glanzend haar dat zelfs een gewoon meisje fascinerend zou maken. En haar ogen! Donker, als kolen in het vuur.

Eve was in de afgelopen twee maanden zo snel gegroeid dat ze nu een hoofd groter was dan haar moeder, zag Marie-France de Courtizot toen ze haar observatie vervolgde. Er school iets intrigerend onrustigs, iets onmiskenbaar extravagants in het zelfbewustzijn van dat meisje. Eve droeg haar enkellange rok en haar eenvoudige blouse met zoveel natuurlijke zelfverzekerdheid en stijl dat ze eerder een heel jonge hertogin kon zijn dan een kind van zestien. Ze móest Eve echt vóór haar achttiende naar Parijs halen. Paquin zou haar kleden met de geestigheid en de fantasie die ze verdiende, en Worth zou een baljurk voor haar maken. Waarom zou Eve geen fantastisch huwelijk sluiten? Ja, zelfs nog beter dan dat van haarzelf. Het was eeuwig zonde als ze haar leven in het claustrofobische, conservatieve wereldje van Dijon moest verdoen.

'Schat van me,' zei ze zacht, toen ze de kussen beantwoordde. 'Wat ben je toch mooi.'

'Bederf haar niet, Marie-France,' zei haar zuster waarschuwend. 'Eve, omdat je tante er is mag je ons vanavond bij het eten gezelschap houden, maar het is alleen voor deze ene keer.'

'Dank u, maman,' zei Eve ingetogen.

'Nu, Eve, mag je iets voor ons zingen,' vervolgde madame Coudert, blij dat ze tegenover haar irritante zuster kon pronken.

Eve liep naar de piano die haar moeder in de hoek had staan, ging zitten, dacht even na en begon toen, met een ondeugend glimlachje dat ze niet kon onderdrukken, te zingen:

> *Return to your Argentinian sky*
> *Where all the women are divine*
> *To the sound of your music so sly*
> *Go, go dance your tango!*

'Eve! Leer je zúlke dingen bij professor Dutour?' riep haar tante, die minstens net zo geschokt was door het heftige, sensuele ritme van Eve's hese stem, een stem als van ruwe zijde en donkere honing, als door de woorden zelf.

'Natuurlijk niet. Hij wil dat ik aria's zing uit *La Bohème*. Maar dit is veel grappiger. Ik hoorde het op straat, toen ik naar huis liep. Vindt u het niet leuk, tante?'

'Nee, helemaal niet,' antwoordde de barones. Ze gaf het niet graag toe, maar misschien was het toch terecht dat Chantal zich zo ongerust maakte over Eve. Dat een maagd een tango had gehoord was al erg genoeg, maar om er dan ook nog een te zingen! En met zo'n stem, zo'n . . . suggestieve stem!

'En twaalf, twáálf zakdoeken van het mooiste linnen, geborduurd met haar toekomstige initialen,' somde Louise, het dienstmeisje van de familie Coudert, enthousiast op, toen Eve en zij op een zaterdagmiddag in het vroege voorjaar van 1913 in de oude botanische tuin achter de kathedraal liepen te wandelen.

'Maar als ze nou nooit hoeft te niezen?' vroeg Eve om een einde te maken aan het opsommen van de details van de linnenuitzet die net voor de toekomstige bruid, Diane Gauvin, dochter van de buren, was besteld.

Louise trok zich niets van haar aan. Ze was gepromoveerd tot Eve's chaperonne toen mademoiselle Helene vier maanden geleden, tot ieders verbazing, het huishouden had verlaten om met een weduwnaar te trouwen die als verkoper bij de Pauvre Diable, het grootste warenhuis van de stad, werkte.

'Zes dozijn theedoeken, zes dozijn doeken voor de kristallen glazen, vier dozijn schorten voor het personeel en wat de tafellakens betreft heb je geen idee . . .'

'O, vast wel,' zei Eve geduldig. Louise was altijd haar favoriet binnen de huishouding geweest, al vanaf haar komst, tien jaar geleden. In die tijd was Louise net zo oud geweest als Eve nu, bijna zeventien, maar ze had gelogen dat ze vierentwintig was, om die baan te kunnen krijgen. Ze had een verweerde huid, een stevig lichaam, dat in staat was zestien uur per dag te werken zonder moe te worden, en een rond gezicht met een ernstige mond.

21

Eve had direct het meelevende en vriendelijke karakter van dit nieuwe personeelslid onderkend en vanaf Louise's eerste dagen hadden die twee een vriendschap ontwikkeld die niet ongebruikelijk was in een wereld waarin kinderen overwegend thuis zaten en hun ouders weinig te zien kregen. Ze waren bondgenoten geworden tegenover de oppermachtige mademoiselle Helene, ze waren vertrouwelingen geworden in een huis waarin ieder van hen voortdurend werd verteld wat te doen, en ze waren in de loop der jaren intieme vriendinnen geworden, want ieder van hen had iemand nodig om vrijuit tegen te kunnen spreken.

'Ik begrijp niet waarom Diane gaat trouwen,' zei Eve en ze raakte een forsythiaknop aan, de enige bloesem die er tot nu toe te zien was. 'Haar verloofde is zo lelijk.'

'Het is een verstandig meisje, die mademoiselle Diane, en ze weet dat het belangrijkste is dat je een goede man vindt, niet een knappe.'

'Begin jij nou ook al! Dat had ik niet van je gedacht, Louise. Wat maakt hem zo goed, buiten de grootte van het fortuin van zijn vader? Wil je soms zeggen dat elke man met twee benen, twee armen, zonder grote wratten en met een grote erfenis in het vooruitzicht, een begerenswaardige echtgenoot is?'

'Ik wou dat ik iemand had gevonden, zelfs al had hij wratten,' zei Louise met een grijns, berustend in het feit dat een arm dienstmeisje van zevenentwintig geen huwelijkskansen had.

'Ik heb helemaal geen zin in een echtgenoot. Ik wil non worden, of verpleegster, of missionaris, of suffragette, of . . . of . . . ach, weet ik veel!' zei Eve heftig.

'U krijgt een echtgenoot, of u wilt of niet, omdat uw moeder u wil uithuwelijken voordat u negentien bent, en als zij het niet doet, dan doet uw tante het wel, dus u kunt maar beter gelijk aan die gedachte wennen, arme mademoiselle.'

'Waarom? Waarom?' riep Eve en ze rukte de tak met het tere geel van de struik, met een heftigheid die Louise deed schrikken. 'Ik wil niet trouwen, waarom moet ik dat? Waarom kan niemand me met rust laten?'

'Als u er eentje was uit een gezin met vijf of zes kinderen, dan zou u misschien nog uw zin kunnen krijgen – elke familie heeft een ongehuwde tante nodig om al die dingen te doen waar niemand tijd voor heeft – maar u bent enig kind en uw ouders krijgen geen kleinkinderen tenzij u trouwt, dus waarom zou u zich verzetten tegen iets dat onvermijdelijk is?'

'O, Louise, ik ben doodsbang dat ik net zo'n leven zal krijgen als dat van mijn moeder . . . niets dan op bezoek gaan en bezoek krijgen, niets wat verandert dan de mode van mijn schoenen. Het is gewoon onverdraaglijk, een toekomst met niets anders om op te hopen dan mijn ouders gelukkig te maken door kinderen te krijgen . . . ben ik dáárvoor geboren?'

'Wanneer het zover is, zult u alles vergeten wat u nu zegt en dan wordt u een moeder, net als de meeste vrouwen, en daar bent u dan meer dan tevreden mee,' antwoordde Louise. 'Ik zal u over drie jaar herinneren aan wat u zojuist hebt gezegd, en dan zult u weigeren mij te geloven, dan zult u echt alles hebben vergeten.'

'Het is niet eerlijk! Als de tijd je gelukkig maakt met dingen waar je een hekel aan hebt ... dan zeg ik dat het niet goed is om volwassen te worden! Ik moet iets geweldigs doen ... iets groots en iets dappers, iets opwindends ... iets wilds, Louise, wilder dan ik me zelfs maar kan voorstellen!'

'Soms heb ik ook dat gevoel, mademoiselle Eve ... maar ik weet dat het komt doordat het voorjaar in de lucht zit en het is vanavond waarschijnlijk volle maan, en als we niet gauw naar huis gaan wordt uw moeder nog ongerust.'

'Hol dan in ieder geval met me mee, laten we kijken wie er het eerst is ... ik ga dóód als ik niet even kan hollen,' riep Eve.

'Dat gaat niet ... madame Blanche en haar man zijn net achter ons de hoek om gekomen.' Louise stak haar waarschuwing tegen de lucht af, want Eve was al weggesneld, te ver op het pad vooruit om haar nog te kunnen horen.

Eve's voorstellingsvermogen leed honger door de gepaste boeken die haar moeder haar te lezen gaf. Het modetijdschrift *La Gazette du Bon Ton,* dat madame Coudert haar toestond te bekijken, ging over vrouwen van een andere planeet, vrouwen die even decoratief en onwerkelijk waren als exotische vogels, in hun zachte Poiret- en Doucet-kleding in fantastische kleuren, die soepel en zeldzaam sierlijk vanaf hoge tailles en tunieken omlaagvielen naar voeten die op die van haremdames leken.

Ze ontdekte echter dat haar vader zijn exemplaar van de belangrijkste krant in Dijon, *Le Bien Public,* altijd zorgeloos in zijn studeerkamer liet slingeren nadat hij hem 's ochtends had ingekeken. Deze krant werd haar venster naar de wereld en ze ontwikkelde een techniek die haar in staat stelde hem elke morgen weg te toveren, voordat zijn kamer werd gedaan, en hem mee te nemen naar haar kamer om hem daar te lezen wanneer ze een paar minuten voor zich alleen had.

Midden in de zomer van 1913 was Dijon een vrolijke, gastvrije en welvarende stad, die voorbereidingen trof voor de viering van de nationale feestdag op 14 juli. De stad resoneerde als een enorme speeldoos. Overal, van elke straathoek, klonken melodieën; van de zangers en pianisten in de tientallen cafés; uit de restaurants; uit de muziektenten op de pleinen; vanaf de renbaan, de *vélodrome* genaamd; vanuit het permanente circus Tivoli; en, meest opwindend van al, de muziek van de openbare optredens van de band van het 27ste Regiment Infanterie van het Franse leger, dat in de Caserne Vaillant was gestationeerd.

Wanneer Eve en Louise zo'n drie keer per week van het huis van de familie Coudert naar dat van professor Dutour liepen, passeerden ze diverse zones met steeds andere muziek, en zonder dit te beseffen veranderde Eve haar manier van lopen. Nu liep ze op een wals, dan weer op een mars, op het ritme van een liedje dat vanaf een terras of uit een café klonk, een liedje dat, net als alle andere, in Parijs was ontstaan. Ze neuriede tijdens het lopen en Louise had de grootste moeite haar ervan te weerhouden hardop de woorden mee te zingen die ze snel had opgepikt.

Eve's rusteloosheid en ontevredenheid over haar leven waren sinds dit voorjaar steeds sterker geworden. Louise kon nauwelijks wachten tot Eve's achttiende verjaardag haar op slag in een nieuwe wereld zou storten, een wereld waarin ze zou worden overweldigd door de aandacht van jongemannen, opgewonden door nieuwe kleren en in beslag genomen door nieuwe vrienden. Er zou eindelijk een abrupt einde komen aan het nerveuze, moeizame, bijna ondraaglijke wachten op het laatste hoofdstuk van Eve's veel te lang gerekte kinderjaren. Het meisje stond zo dicht op het punt volwassen te worden, dacht Louise, dat het heel begrijpelijk was dat ze in zo'n verwarring verkeerde, zo geprikkeld en zo grillig alsof er onweer in de lucht zat.

Hoewel ze wist dat haar plaats in het leven van Eve zou verdwijnen, woog het verantwoordelijkheidsbesef bij Louise zo zwaar dat ze bijna wenste dat mademoiselle Helene weer terug was in het huis. Binnenkort zou haar taak afgelopen zijn. Nog een paar maanden, zei ze tegen zichzelf, en dan kon ze opgelucht ademhalen.

Op de morgen van 3 juli 1913 bekeek Eve de voorpagina van *Le Bien Public* en sloeg daarna snel de pagina's van het dichtbedrukte dagblad om, op zoek naar de rubriek met het overzicht van alle amusement in de stad. Ten slotte vond ze de aankondiging van de langverwachte komst van een Parijse variétégroep in het Alcazar-theater, het belangrijkste in Dijon. Eve slaakte een kreet van opluchting. Ze was er nooit zeker van geweest dat ze echt zouden komen.

Maandenlang hadden affiches dit buitengewone bezoek aangekondigd. Zelfs een keurige jongedame die zo beschermd was opgegroeid als Eve, wist dat het moderne variététheater in Parijs een belangrijke plaats begon in te nemen in de amusementswereld van Europa. In 1900 was de Olympia als eerste opengegaan en het enorme succes ervan had geresulteerd in de Moulin Rouge, de Grande Hippodrome, het Alhambra en een aantal andere, minder grootse en minder luxueuze etablissementen.

Het Riviera hoorde bij deze variététheaters van de tweede garnituur en de leiding van het Alcazar was erin geslaagd de hele Riviera-groep naar Dijon te halen. Zelfs het bezoek van Buffalo Bill en zijn circus, in het jaar van Eve's geboorte, had niet zoveel belangstelling en opwinding veroorzaakt bij de burgers van deze stad, die dol waren op afleiding.

Eve stortte zich op Louise, die bezig was haar bed op te maken. 'Ze komen, ze zullen hier over een week zijn,' zei ze, blozend van blijdschap.

'En ik zeg wat ik gisteren ook heb gezegd, en vorige week en nog honderd andere keren: uw moeder zal u nooit laten gaan. Vorig voorjaar vond ze u nog te jong toen uw vader u mee wilde nemen naar de opera. Maar een variététheater . . . nooit! Niet voor een meisje van uw stand. Wie weet wat voor taal die komieken gebruiken, wie weet waar die liedjes over zullen gaan?'

'Louise, hou toch op. Je weet best dat ik op straat alle soorten liedjes heb gehoord,' zei Eve, heftig haar hoofd schuddend.

'Ik zeg alleen wat uw moeder zou zeggen.'

'Maar ik móet erheen, dat heb ik je al wekenlang verteld.'

'Ik begrijp u niet, mademoiselle Eve. U wilt maar niet luisteren. Binnenkort bent u een volwassen vrouw. Wanneer u getrouwd bent, kunt u doen wat u wilt, zolang uw man u maar vergezelt, de arme man, wie het ook mag zijn, of een andere dame . . . als u iemand kunt vinden die net zo wispelturig is als u. U bent dan vrij om elke dag van de week naar het variététheater te gaan als u dat zo graag wilt, maar u weet best dat het nu onmogelijk is, dus laat me los zodat ik dit bed verder op kan maken.'

'Dus je gaat niet met me mee, Louise?'

'Heb ik dat niet al steeds gezegd, vanaf het moment dat u dat idee in dat hoofd van u had gezet?'

'Ik dacht dat je wel van gedachten zou veranderen wanneer het zeker was dat het Riviera-gezelschap echt zou komen.'

'Ik blijf erbij,' zei Louise, zonder ook maar iets van een compromis in haar blik.

'Dan ga ik wel alleen.'

'O ja? En hoe, als ik vragen mag?'

'Ik ben echt niet van plan je dat te vertellen,' zei Eve hooghartig. 'Het is me drie jaar geleden, toen ik net veertien was, anders wél gelukt met een ballon op te stijgen. Als ik dát kon, beste vrouw, denk je dan echt dat het me niet zou lukken om in de Rue des Godrans te komen, een kaartje voor het Alcazar te kopen en binnen te stappen? Ik denk dat je me onderschat.'

Louise ging met een wanhopige blik op haar gezicht op het bed zitten dat ze probeerde op te maken. Ze wist dat ze een keuze moest maken. Óf ze zou alle regels moeten overtreden die madame Coudert had opgesteld en veel andere waar ze niet aan had gedacht, door Eve stiekem mee te nemen naar een middagvoorstelling, óf ze zou moeten berusten in het feit dat haar pupil er op de een of andere manier, de Heer mocht weten hoe, in zou slagen om alleen te gaan.

Van die twee mogelijkheden leek de tweede haar veruit de ergste. Een mooi meisje in haar eentje in het Alcazar zou ongetwijfeld worden aangestaard, aangesproken, misschien zelfs oneerbare voorstellen krijgen te verduren. Geen fatsoenlijke vrouw, zelfs geen volksmeisje, zou het in haar hoofd halen in haar eentje naar een variététheater te gaan. Louise besefte dat haar keuze reeds was gemaakt, zoals Eve heel goed begreep, te oordelen naar de taxerende blik in haar ogen en de veelbetekenende, plagerige glimlach rond haar lippen.

Een half uur voordat het kleurig beschilderde brandscherm werd opgetrokken gingen ze op hun plaats zitten. Eve had haar opvallende haar strak weggestopt in een stevige chignon met daarover een hoed die Louise haar had moeten lenen en die op drie plaatsen was vastgespeld. Het orkest speelde de melodie van *C'est pour vous*, een liedje waarvan ze niet wisten dat het door Irving Berlin was geschreven en eerst *Everybody's Doing It* had geheten. Om hen heen klonk geroezemoes en getik van voeten. Alle plaatsen in de zaal waren bezet en Louise voelde zich enigszins gerustgesteld toen ze zag dat er nog veel andere vrouwen aanwezig waren en dat sommigen kinderen bij zich hadden.

Eve, die van pure opwinding ijskoude handen en voeten had, ondanks de hitte in het theater, bestudeerde het programma dat haar beloofde waar ze zo lang van had gedroomd: zangers, allerlei soorten zangers.

Professor Dutour zei vaak tegen zijn vrouw dat Eve Coudert zijn hart had gebroken. Dat zo'n begaafd meisje, een meisje dat elke aria die voor een alt was geschreven kon zingen, met zo'n warme en rijke stem terwijl ze daarnaast moeiteloos het bereik van een mezzosopraan kon halen, een meisje dat probleemloos van blad kon zingen, dat uitgerekend zó'n meisje zo nodig populaire deuntjes wilde zingen, liedjes die voor het gewone volk waren geschreven. Het ging zijn begrip te boven.

Hij vond het werkelijk pervers, deze voorliefde voor eenvoudige, gemakkelijk in het gehoor liggende muziek, ja, zoals hij zijn geduldige vrouw vertelde terwijl hij steeds verontwaardigder werd, muziek die hij alleen maar goedkoop kon noemen. Niet vulgair, nee, Eve Coudert had nimmer vulgaire liedjes zijn studio binnengebracht, maar het waren liedjes die haar niet meer moeite kostten dan het beetje adem dat ze eraan verspilde.

Eve probeerde niet langer haar voorkeur voor alledaagse liedjes aan de professor te verklaren. Hij was het enige publiek dat ze had en op de een of andere manier verlangde ze hevig naar publiek, ook al bestond dat slechts uit één persoon.

Hoe meer straatliedjes ze zong, hoe groter haar verlangen werd om de liedjes die ze had opgepikt eens door vakmensen te horen zingen, op een echt podium, om te zien hoe ze dat precies deden, welke gezichten ze erbij trokken, wat ze met hun handen en voeten deden, hoe ze waren gekleed en hoe ze met het publiek communiceerden.

Thuis zong ze vaak voor zichzelf, wanneer haar ouders niet thuis waren, waarbij ze zich opsloot voor de bedienden.

Ze zette zo laag mogelijk in, zonder recht te doen aan de warme en intieme klank van haar stem, daarna begon ze aan een tremolo die ze aanhield tot ze hem nauwelijks nog kon beheersen. Ten slotte liet Eve de melodie stijgen, octaven hoger, naar haar volle alt, tot hij tegen haar verhemelte scheen te klapwieken. Wanneer ze liedjes van het volk zong voelde ze zich ongebonden en vrij. Ze kon haar eigen fantasie in die melodieën leggen aangezien ze geheel onwetend was hoe deze door anderen werden geïnterpreteerd.

Toen het programma eindelijk begon, dacht Eve niet langer aan het theater, vergat ze Louise die grimmig naast haar zat, hoorde ze niets van de opgetogen kreten van het publiek. Ze concentreerde zich volledig op wat er op het podium gebeurde.

Het tempo van de revue lag met opzet heel hoog, zodat als de ene act geen succes had, hij reeds was opgevolgd door een andere eer het publiek het besefte. Vier mannen die fietsend op eenwielers elkaar behendig gouden cirkels toewierpen, werden vervangen door een magere vrouw in een knalgroene jurk die met een rauwe stem half zingend en half sprekend twee tragische en dramatische monologen afstak; veertien danseressen met roze ruches, hoge hoeden, bontkragen en kattestaarten dwarrelden dansend over het toneel en verdwenen om plaats te maken voor een dikke man die met een hoge schelle stem zo snel dubieuze liedjes zong dat uitsluitend de meest gevatte toeschouwers alle dubbelzinnigheden doorhadden, hoewel hij van tevoren naar hen knipoogde en na de meest gewaagde coupletten met een grote zakdoek zijn gezicht afveegde. Een acrobatische danseres die in Egyptische draperieën was gehuld, haalde een reeks verbazingwekkende toeren uit terwijl de ene sluier na de andere op de grond viel, tot haar ten slotte weinig meer restte dan een vleeskleurig balletpak, dat de burgers van Dijon de adem benam. Ze verdween van het toneel om plaats te maken voor zes knappe meisjes in soldatenuniformen die unisono patriottische liederen zongen terwijl ze rondhuppelden en zoveel mogelijk been lieten zien. Het grote orkest zweeg niet één keer, zelfs niet als het decor werd verwisseld.

Eve begon wat teleurstelling en verbazing te voelen. Als kind was ze wel naar het circus geweest, voordat ze daar te groot voor werd, maar ze was totaal niet voorbereid geweest op dit vaudeville-achtige allegaartje van een variététheater waarvan ze ... tja, ze wist niet goed wát had verwacht, maar zeker niet deze wervelwind van spektakel louter om het spektakel, en ook niet deze onverteerbare verzameling vertoningen die bijeen was gebracht voor een maximum aan uitbundige, lawaaierige verwarring.

Plotseling hield het orkest op met spelen en ging het gordijn even dicht. Toen het weer werd opgehaald, was er één enkele schijnwerper gericht op een piano die op het donkere toneel stond. Vanaf de linkerkant kwam een jonge man te voorschijn die op de pianokruk ging zitten. Hij wendde zich naar het publiek, boog zijn hoofd even en kondigde plechtig de titel van zijn lied aan.

'*Folie*,' zei hij. 'Een van mijn favoriete liederen, van de onsterfelijke Fysher.'

Toen hij met een bariton die gedempt was door emotie de eerste langzame, dromerige regel van *I only dream of her, of her, of her* begon te zingen, werd het heel stil in het Alcazar. Alle tumult van het variététheater verdween toen de toeschouwers in de ban raakten van dat mysterie van die ene menselijke stem.

Hoe de man erin slaagde gestalte te geven aan Fyshers klassieke, maar onbeduidende klaagzang over een onbeantwoorde liefde, zodat het een gebeurtenis werd die niemand onberoerd liet, was onbegrijpelijk, maar het was net zo'n tastbare realiteit als de piano waarop hij zichzelf begeleidde.

Na *Folie* zong hij *Reviens*, een langzame wals met een klaaglijk refrein: 'Kom terug, mijn liefste, de vreugde die ik mis, kom terug, kom terug, mijn liefste,' en daarna zong hij, eindelijk met een glimlach: *I know a Blonde* en het volledige Alcazar barstte los in een daverend applaus. Hij stond op en boog, onberispelijk in zijn donkere pak met dichtgeknoopt vest waarboven een gouden horlogeketting nog net zichtbaar was onder een hoge witte boord en een donkere das. De sobere kleding en het witte overhemd benadrukten eens te meer zijn korte donkere haar, dat glad naar achteren was geborsteld.

Eve en Louise zaten te ver weg om het gezicht van de zanger duidelijk te kunnen zien; hij was een studie in zwart en wit toen het publiek aandrong op drie toegiften, waarbij ze hem pas lieten gaan toen het orkest een polka inzette en een groep acrobaten het podium op tuimelde om de piano weg te rollen.

'Mademoiselle Eve, ik moet echt toegeven dat dát de moeite waard was. Ja, dit zal me echt bijblijven, dat ben ik met u eens,' zei Louise op een toon die ze met de beste wil niet mopperend kon laten klinken. Ze keek naar Eve om haar instemming te zien. De stoel aan het gangpad was leeg. 'Eve!' schreeuwde Louise geschokt, maar de pauze was begonnen en het publiek liep in de gangpaden, om buiten wat frisse lucht te scheppen voor het tweede gedeelte zou beginnen.

Eve holde naar voren en ze was zo enthousiast en vastbesloten dat ze geen moment aarzelde toen ze bij de deur die toegang gaf tot de ruimten achter het toneel, belandde terwijl de andere toeschouwers de hal in stroomden. Ze keek nogmaals op haar programma, vond de naam die ze zocht, duwde de deur open, keek om zich heen naar iemand die hier de leiding had en stapte toen naar een in aanmerking komende man die een klembord in de hand hield.

'Monsieur Marais verwacht me, monsieur. Kunt u me alstublieft zijn kleedkamer wijzen?' Haar stem, hoewel ze dit niet besefte, was die van haar wereldse tante Marie-France.

'Dáár, de tweede deur links, madame ... eh ... mademoiselle?'

'Dat gaat u niets aan, monsieur,' antwoordde ze, waarbij ze op de een of andere manier de juiste woorden wist te vinden om hem te verzekeren dat ze het recht had achter de schermen te komen.

Ze klopte op de deur.

'Binnen,' riep Alain Marais, en ze stormde de kleedkamer in, om vervolgens als aan de grond genageld te blijven staan terwijl de deur met een klap achter haar dichtviel. De zanger stond met ontbloot bovenlijf, met zijn rug naar haar toe. Zijn jasje, vest, kraag, das en zijn drijfnatte overhemd had hij uitgetrokken en lagen op een stoel naast zijn toilettafel. Hij veegde zijn nek met een handdoek af.

'Gooi me eens een fatsoenlijke grote handdoek toe, Jules. Nog één toegift in dat stoombad en er zou alleen nog maar een plasje modder van me zijn overgebleven. Jezus, Dijon in een hittegolf . . . ze hoorden me dubbel te betalen.'

'Monsieur, u bent subliem!' flapte Eve eruit, met haar ogen op de grond gericht.

Hij draaide zich met een ruk om en gromde verbaasd. Toen grijnsde hij, pakte een grote handdoek, en droogde zich verder af. Eve waagde het op te kijken, en slechts de deur achter haar rug voorkwam dat ze wankelde bij de aanblik van zijn naakte gespierde borst met zwart haar dat tussen zijn tepels door naar zijn broekriem liep. Zijn geheven arm toonde haar de pluk haar in zijn oksel, die hij stevig afdroogde met de handdoek. Ze had nooit eerder in haar leven de naakte borst van een man gezien. Zelfs op de warmste dagen van de zomer droegen de arbeiders van Dijon een hemd wanneer ze op straat bezig waren. Ze was evenmin zo dicht in de nabijheid geweest van een transpirerende man. Het effect, de rauwe sensualiteit van de geur van zijn zweet in deze kleine kamer, trof haar even heftig als een klap. Eve was diep getroffen, hoewel ze niet goed wist waarom en waardoor. Ze wist nu alleen dat ze hevig bloosde.

' "Subliem". Zó goed? Dank u, mademoiselle . . . of is het madame?'

'Mademoiselle. Ik moest het u zeggen . . . ik wilde u niet storen, ik wist niet dat u zich ging verkleden . . . maar u heeft zo prachtig gezongen! Ik heb nog nooit zo iets moois, zo iets geweldigs gehoord!'

'Ik ben geen lid van de Opéra in Parijs hoor, ik ben maar een zanger uit een variététheater, u bewijst me al te veel eer,' zei hij, gecharmeerd door haar loftuitingen, waar hij heimelijk mee instemde. Alain Marais was gewend aan bezoek in zijn kleedkamer, vrouwen die meestal in giechelende groepjes kwamen, nadat ze onder elkaar hadden gewed dat niemand het zou durven. Maar dit meisje uit Dijon met die vreselijke hoed had iets bijzonders dat hem intrigeerde. Hij schoot snel een schoon overhemd aan en pakte een schoon gesteven kraag.

'Ga toch even zitten, dan kleed ik me verder aan. Hier is een stoel,' zei hij overredend, aangezien ze geen aanstalten maakte om bij de deur weg te gaan. Zijn worsteling bij het vastmaken van de knoopjes was bijna net zo'n intieme handeling als de aanblik die hij had geboden toen hij zich afdroogde met die handdoek. Hij maakte het snel af, knoopte een stropdas om zijn nek en bood haar wat water te drinken aan, dat hij uit een kan in het enige glas schonk.

'U zult dit glas moeten gebruiken, ze bieden weinig luxe in het Alcazar,' zei hij, toen hij zijn glas aanbood, alsof het de gewoonste zaak van de wereld was om uit het glas van een vreemde te drinken. Eve dronk gretig en keek hem toen, voor het eerst, in het gezicht. Hij had uitzonderlijk zwart haar, uitzonderlijke donkere ogen en een blik als van een struikrover met gevoel voor humor; het was een ongewoon gezicht, trots, zelfs hooghartig, maar toch een gezicht dat elk moment in lachen kon uitbarsten. Hij was echter jonger dan ze vanaf een afstand had gedacht, waarschijnlijk achter in de twintig.

Haar blik was gretig, vol hartstochtelijke nieuwsgierigheid. Een man die zo ongegeneerd halfnaakt tegenover een vrouw kon staan, die haar uit zijn glas liet drinken, die zong . . . o, die zong zoals ze niet had kunnen dromen . . . ze moest zich aan elke seconde van deze ontmoeting vastklampen, dacht ze, wanhopig bij de gedachte dat het tweede bedrijf straks zou beginnen.

'Zet die hoed eens af,' beval Alain Marais. 'Ik kan niet eens zien hoe je eruitziet, met die Schwarzwalder Kirschtorte op je hoofd.' Oordelend naar de hoed en de lichte cape die ze van Louise had moeten lenen, vermoedde hij dat Eve op een vrije middag naar het variététheater was gekomen. Waarschijnlijk werkte ze als verkoopster in een winkel, dacht Alain Marais.

Eve maakte haar hoed, die met een enkele stijve veer was versierd, los en liet hem op de grond vallen. Hij had haar haar tot aan haar oren bedekt, en ook een groot gedeelte van haar voorhoofd was eronder verborgen geweest. Het was zo'n opluchting hem af te kunnen zetten dat het gewicht van de cape plotseling even ondraaglijk was. Ze liet hem van zich afglijden en zat de jonge zanger nu aan te kijken met al haar brutale, frisse schoonheid, maar zonder de nadrukkelijke aanwezigheid van een vrouw die zich bewust is van haar macht.

Eve was net zo onwetend over het effect van hoe ze eruitzag, als een wilde die zonder spiegel is opgegroeid. Haar uiterlijk was nimmer geprezen of bewonderd door haar ouders of de bedienden of haar leraren. In het oude Dijon vond men dat het daar nog vroeg genoeg voor was tegen de tijd dat een meisje achttien werd.

'Mijn God!' riep Alain Marais uit en zweeg vol verbazing. Met dit gebaar van Eve verdween zijn muffe kleedkamer en zag hij een meisje dat net zo onverwacht mooi was als een witte seringeboom die om de hoek van een doodgewone straat stond te bloeien. Hij was verrukt door de verrassing van dit meisje, dat in een geheime tuin thuishoorde. Hij schoof zijn stoel wat dichterbij, boog zich naar voren en lichtte haar kin met zijn hand op zodat hij haar wat beter kon zien. Voor het eerst keek hij haar recht in de ogen en zag haar blik waarin het licht van de onschuld zo was vermengd met wilde, verwarde vrijpostigheid dat hij verward en sprakeloos was. Zijn vingers gleden zacht over de ronding van haar kin over de rand van haar kaak naar haar oor en vervolgens omhoog naar de klamme wortels van haar haar. Toen bracht hij in een opwelling die te sterk was om te weerstaan, zijn andere hand omhoog en gleed met de vingers van beide handen door het vochtige haar bij haar slapen. Eve huiverde maar protesteerde niet toen ze zijn handen daar voelde waar nog geen enkele man haar had aangeraakt. Ze was als een gevangene, ze had haar hoofd niet kunnen verroeren als ze dat had gewild.

'Dat is beter, hè?' vroeg hij zacht en ze kon zelfs niet instemmend knikken.

'Zeg eens "ja, Alain",' drong hij aan.

'Ja, monsieur,' fluisterde ze verkrampt.

'Alain,' herhaalde hij, niet wetend dat voor Eve het uitspreken van zijn voornaam bijna net zo'n taboe was als het feit dat ze in haar eentje naar hem toe was gekomen.

'Alain. Alain ... Alain,' zuchtte ze en vatte moed. 'Ja, Alain. Dat is beter.'

'Maar mademoiselle, hoe kunt u me Alain noemen als u me niet uw naam hebt verteld?' zei hij ernstig en speelde nu met de lokken van haar haar, plukte ze hier en daar los.

'Mijn naam is Eve,' zei ze en sprong toen overeind omdat de deur van de kleedkamer plotseling openging.

'Alain, Claudette heeft weer een aanval ... een complete beroerte, ze beweert dat ze niet meer op kan komen. Ik dacht dat jij haar misschien een beetje tot bedaren kon brengen,' zei Jules, de toneelmeester, ongerust. 'Het spijt me dat ik je moet storen, maar je weet hoe ze is. Het komt door deze helse hitte. De afgerichte zeehonden maken een lawaai dat ze wel olifanten lijken.'

'Is er in godsnaam dan niemand anders, Jules?' zei Alain kwaad. 'En leer jij ooit dat je op een deur hoort te kloppen?'

'Ze wil naar niemand anders luisteren. Kom op, Alain, ga even mee. Ik heb je echt nodig, anders duurt deze pauze nog tot het diner.'

'Wie is Claudette?' vroeg Eve.

'Die tragische zangeres, dat verhipte mens.'

'Die magere oude dame in het groen?'

'Precies. Helaas heeft ze bedacht dat ik op haar lang geleden gestorven zoon lijk. Eve, kom je me hier vanavond weer bezoeken, in de pauze?'

'Ja.'

'Mooi zo.'

'Alain, schiet nou op!' schreeuwde Jules.

'Tot vanavond,' zei Alain en liep achter de toneelmeester aan.

Eve keek geschokt om zich heen. Ze had niet moeten beloven vanavond hier terug te komen. Ze had het onmogelijk niet kunnen beloven. Niets van wat er was gebeurd had mogen gebeuren. Ze had het onmogelijk niet kunnen laten gebeuren. Haar wereld stortte om haar heen in elkaar.

Aarzelend raakte ze de voorwerpen op de toilettafel aan; de borstel, het talkpoeder, het rechte scheermes, de dasspeld, het horloge en de ketting die Alain in de haast nog niet om had gedaan, en de handdoek waarmee ze hem zijn nek had zien afdrogen toen ze hier binnenkwam. Ze raapte hem op en bracht hem naar haar gezicht. Hij rook naar hem, was doortrokken van zijn zweet. Ze legde haar lippen op de vochtige stof en snoof diep. De geur maakte haar draaierig van verlangen, en meer dan verlangen. De eerste golf van zuiver fysieke begeerte pakte haar op alsof ze een zwemster was in een onbekende zee, en spoelde over haar heen, wierp haar enige minuten lang ondersteboven op de bodem van de diepte, tot ze verzwakt achterbleef, alsof ze bijna was verdronken.

Met het instinct van iemand die voor zijn leven vecht, raapte Eve haar hoed op, propte hem op haar hoofd, wierp de cape over haar arm, holde de kleedkamer uit, rende door de hal van het theater en ging weer op haar plaats zitten voordat de pauze was afgelopen. Twee minuten later arriveerde Louise, hijgend, opgewonden en woedend.

'Hoe kon u dit toch doen, mademoiselle Eve! Hoe kón u me zó ongerust maken! Ik was werkelijk óp van de zenuwen, ik heb overal gezocht . . . waar hebt u toch gezeten?'

'O, Louise, het spijt me vreselijk! Ik werd halverwege dat laatste liedje opeens erg misselijk . . . ik moest snel naar de wc, echt waar. Kunnen we nu naar huis gaan? Ik voel me nog steeds akelig. Het is hier gewoon te druk en te vol. Ik kan niet tegen die warmte. Kom, laten we gaan voordat ze weer beginnen.'

'U ziet er niet goed uit, u bent helemaal wit en u rilt, dat is duidelijk. Kom maar gauw mee. Dit is geen plaats voor u, dat weet u nu ook. Ik hoop dat dit idiote uitstapje een goede les voor u is geweest.'

'Dat was het, Louise, dat verzeker ik je.'

2

Alain Marais was niet onbekend met affaires achter de schermen. In elke stad waar hij zong was wel een bewonderend, gewillig vrouwspersoon om zijn losbandige begeerten te bevredigen, maar tot hij Eve ontmoette had hij nimmer een meisje gekend dat weigerde om na de voorstelling zelfs maar met hem te gaan dineren.

'Een dekhengst als jij verdoet zijn tijd aan zo eentje, Alain,' merkte Jules spottend op. 'Je bent deze hele week 's avonds alleen thuisgekomen . . . ik heb je nog nooit zo lang zonder een vrouw gezien. Dat nieuwe grietje van je wacht niet eens tot het doek voor je laatste buiging is gezakt of ze rent al door de artiestenuitgang naar buiten. Ik wed dat ze thuis een jaloerse man heeft, eentje die laat moet werken. Je mag hopen dat hij haar niet een keertje achterna komt.'

'Daar maak ik me geen zorgen over,' zei Alain met een knipoog. 'Ze heeft nog nooit een man gehad.'

'Maak mij wat wijs!'

'Echt waar. Ze is volslagen onervaren. Ongerept. Een maagd, Jules. Heb je ooit gehoord dat er zo iets als een maagd kan bestaan, makker? Of heb jij daar in je smerige leven nooit de kans toe gehad?'

'Zo, dus dát bezielt je! Ik verbaasde me al over je geduld. Ik hoef geen maagd, hoor.'

'Mijn arme Jules, heb je nooit de kans gehad de eerste man in het leven van een vrouw te zijn? Het is de moeite van het wachten meer dan waard, neem dat maar van mij aan.'

'Je bent zo brutaal als de duivel, Alain, maar ik weet zeker dat je dit bijzondere grietje niet kunt versieren.'

'Zullen we erom wedden, ouwe jongen?'

'Uitstekend. Vijftig frank als het je niet lukt voordat we weer uit Dijon vertrekken.'

'Afgesproken,' zei Alain lachend, vol zelfvertrouwen. Zijn vriend Jules had al veel van zulke weddenschappen met hem verloren. Je zou toch denken dat hij zich nu wel vaak genoeg had gebrand om zijn geld niet wéér zo lichtzinnig op het spel te zetten.

Geen wonder dat Jules geen begrip had voor de uitdaging die een maagd bood, vond Alain. Zoals de meeste mannen was de toneelmeester te grof, te haastig. Hij had geen idee hoe geweldig het was als je wist dat geen man zijn handen of lippen daar had gelegd waar jij kwam. Wanneer hij eraan dacht raakte hij al opgewonden. In de wereld van het variététheater bestonden geen maagden. Slechts wanneer het Riviera-gezelschap op reis was kon Alain hopen er een te vinden, en dan nog heel zelden, want alle vrouwen die zich achter de schermen waagden waren bijna zonder uitzondering getrouwd. Ze wisten wat er in de wereld omging en wat ze precies van hem wilden en wat er van hén als tegenprestatie werd verwacht. Ze boden enige afwisseling maar er was weinig pikants aan, wanneer vanaf het eerste moment duidelijk was wat het einddoel zou zijn.

Er waren zo weinig verrassingen in dit leven, vond Alain, dat je er echt iets van moest maken als je er eentje trof. De geheimzinnige maagd in Dijon was vooral verrukkelijk door haar heerlijke, overduidelijke onschuld, een onschuld die hij haar tot dusver had laten behouden aangezien het duidelijk was dat overhaaste daden van zijn kant haar zouden afschrikken, waardoor het spel direct afgelopen zou zijn.

Drie dagen na zijn weddenschap met Jules had Alain nog niets ondernomen en bleef hij zich kwellen met zijn eigen zelfbeheersing. Wanneer Eve 's avonds bij hem kwam, verdween de geparfumeerde, stoffige wereld van achter het toneel. De zanger vergat dat enkele meters verderop een wanordelijke troep opgeschilderde dansmeisjes, dieren en acrobaten stond te wachten om hun plaats voor het voetlicht in te nemen. Hij hoorde zelfs niet het gesmoorde rumoer van de menigte mannen en vrouwen met wie hij de hele dag grapjes maakte en kibbelde. De kleine ruimte waarin hij met Eve zat werd de enige realiteit; de verborgen, beschaduwde tuin waarin hij zich haar had voorgesteld toen hij haar voor het eerst oplettend had bekeken, werd op de een of andere manier tastbaar, en zijn begeerte werd heviger, op een manier die hem bijna evenveel genot verschafte als de bevrediging.

Hij bedacht hoe heerlijk het leven zou zijn als een ervaren *coquette* hem bijna net zo hevig zou kunnen opwinden als de zwaarbewaakte deugd van deze charmante demoiselle uit de provincie dit deed. Dit ongekende wachten was op perverse wijze bijna net zo prikkelend als welke overgave dan ook. Maar het Riviera-gezelschap had nog maar enkele dagen Dijon voor de boeg en hij moest die weddenschap met Jules nog winnen. Alain wenste bijna dat hij die verdraaide weddenschap niet was aangegaan. Hij wenste bijna dat hij weer terug was in Parijs en Eve achtergelaten had, net zo onwetend en ongerept als altijd. Maar daarvoor was ze veel te begeerlijk, en hij had een reputatie op te houden.

De tuin van de familie Coudert was van de straat afgescheiden door zwaar bewerkte houten hekken die 's nachts op slot gingen. Overdag maakten Emil en zijn vrouw Jeanne, de bewakers, die in een *loge*, een klein huisje op de binnenplaats, woonden, het hek open wanneer er iemand naar binnen of naar buiten reed, maar voetgangers hoefden slechts aan te bellen bij het poortje dat in de hekken was gemaakt. De sleutel van deze deur, die 's nachts eveneens op slot ging, hing binnen aan een ring, naast Emil en Jeanne's eigen voordeur die in de geschiedenis van dit huis nooit op slot was geweest. Waarom ook?

In de Coudert-huishouding ging iedereen om tien uur naar bed. Dokter Coudert stond 's ochtends vóór zes uur op om zich voor te bereiden op zijn ronde in het ziekenhuis en madame Coudert organiseerde haar huishoudelijke taken in overeenstemming met zijn dagindeling. In de zomermaanden bleven ze na het diner vaak thuis, wanneer het sociale leven in de stad in de hitte lag te suffen. In ieder geval werd Eve niet mee gevraagd voor hun avondvisites.

Het was voor Eve heel eenvoudig geweest om te doen alsof ze naar bed ging, en vervolgens haar kamer uit te glippen zodra het stil was in huis, de deur van de *loge* open te doen, de sleutel van het poortje te pakken en te voet naar het Alcazar te snellen. Er waren geen voorzorgsmaatregelen getroffen om haar hiervan te weerhouden, aangezien de mogelijkheid van zo'n vrijheid van conventies niet bestond in een wereld waarin bepaalde sociale regels onvoorwaardelijk in acht werden genomen.

Alain had Jules opdracht gegeven Eve door de artiesteningang, in het steegje, binnen te laten, zodat ze het tweede bedrijf van de voorstelling vanuit de coulissen kon volgen. Die eerste avond arriveerde ze bij het Alcazar toen de rest van het gezelschap op het toneel stond. Eve en Alain zaten op de twee stoelen die naast de toilettafel het enige meubilair vormden, en ze praatten, waarbij Eve zeldzaam bekoorlijk leek, zoals ze daar zat in een houding die duidelijk maakte dat hij haar niet nogmaals mocht benaderen.

'Waarom kun je na afloop van de voorstelling niet met me naar een café?' had hij gevraagd. 'Waarom moet je meteen weer naar huis?'

'Ik woon hier niet dicht in de buurt,' antwoordde Eve zonder aarzeling, want ze had haar verhaal goed voorbereid. 'Ik werk in een winkel voor damesschoenen, helemaal aan de andere kant van de stad. De eigenares, mademoiselle Gabrielle, geeft me naast mijn salaris ook kost en inwoning. Het is een ouwe vrijster, heel godsdienstig, heel ouderwets en heel chagrijnig. Ze doet om middernacht alles op slot en ik ben meteen mijn baan kwijt als ik dan niet binnen ben.'

'Heb je geen familie?'

'Ik ben wees,' loog ze zonder het minste schuldgevoel. Ze wist, zonder te weten waarom ze hier zo zeker van was, dat hoe minder ze Alain over zichzelf vertelde, hoe beter het was.

Eve wist zelf niet goed wat haar was overkomen. Ze was volledig in de war, de verbindingen tussen haar geest en haar lichaam waren dusdanig overweldigd door nauwelijks begrepen boodschappen dat haar hele wezen een wirwar van angstaanjagende opwinding was.

De maaltijd met Louise, na hun terugkeer uit het Alcazar, was als het leren van een nieuwe taal geweest. Wetend dat ze die avond naar het theater zou gaan, was ze vergeten hoe ze zichzelf moest zijn, hoe ze het meisje dat Eve Coudert heette moest zijn. Ze wist hoe ze met vork en mes moest omgaan, en hoe ze het zout moest doorgeven, maar dat was het maximum dat ze kon opbrengen. Al haar krachten waren samengebald in een onmetelijke roes, al haar gedachten waren geconcentreerd op de oorzaak van die roes: Alain Marais.

De volgende week gleden de uren bij daglicht als in een mist aan haar voorbij. Soms waren er spelletjes tennis met de jongens en meisjes die ze haar hele leven had gekend, twee keer waren er picknicks in de bossen buiten Dijon, met voltallige gezinnen en hun bedienden die erop uitgingen met hun rijtuig of met de gezinsautomobiel, die 'omnibus' heette, voor een copieuze lunch die minder plechtstatig dan anders werd geserveerd, maar Eve beleefde alles slechts automatisch, als in een niet volledig zichtbare verdwazing, terwijl haar gedachten bij de vorige avonden waren, en bij de avond die zou komen. Ze staakte haar lessen bij professor Dutour. Ze was niet in staat zich tot klassieke muziek te dwingen wanneer haar gedachten slechts de refreinen van Alains liederen zongen. Haar langdurige intimiteit met Louise verbleekte als een herinnering uit haar kinderjaren, aangezien ze niets kon zeggen over de enige persoon die in haar gedachten was. Het was niet zo dat ze echt afwezig was, maar meer dat ze wat vaag werd, een verbleekte versie van Eve Coudert, zachtmoedig, gehoorzaam en zwijgzaam.

's Avonds, wanneer ze door het poortje was ontsnapt en door Dijon naar het Alcazar holde, was ze zo gedreven, zo waanzinnig van spanning tegen de tijd dat ze op Alains kleedkamerdeur klopte, dat ze de grootste moeite had om rustig adem te halen, om haar stem normaal te laten klinken. Ze trof hem meestal bijna volledig gekleed voor zijn tweede nummer, waarbij zijn Engelse vest en jasje, die hij onveranderlijk bij zijn optreden gebruikte, nu op een haakje hingen in plaats van op een stoel te liggen.

Eve durfde niet van huis te gaan voordat de gaslamp bij haar ouders om tien uur was gedoofd. Alains tweede *tour de chant* begon vlak voor elf uur, het laatste nummer van de show. Zelfs al holde ze elke meter van de afstand tussen haar huis en het theater, dan was het nog te ver om het in minder dan vijftien minuten te doen. Dat liet hun elke avond slechts een half uur en het lichtzinnige schrikbeeld dat ze van mademoiselle Gabrielle had geschilderd, met het buitensluiten om middernacht, begon voor Eve een nachtmerrie te worden en voor Alain een groot obstakel, maar ze bleef zich eraan vastklampen met hetzelfde onberedeneerde instinct dat haar ertoe had gebracht het te bedenken.

Madame Chantal Coudert las de brief van haar zuster en gaf hem toen aan haar man, met een raadselachtige uitdrukking op haar gezicht.

'Wil je dit even lezen, liefste,' zei ze.

Hij las de brief en gaf hem terug. 'Dat klinkt geweldig. Ik denk dat ik wel wat tijd kan vrijmaken. Mijn assistent kan het werk in het ziekenhuis afhandelen en ik kan mijn afspraken verschuiven. Er is nog nooit iemand binnen een paar dagen aan zijn lever bezweken. Ik denk dat het goed voor ons is om er eens uit te zijn ... ik vrees dat je voor vakanties met het verkeerde soort man bent getrouwd, maar ik denk dat ze me nu wel even kunnen missen.'

'Misschien, maar hoe moet het met Eve?'

'Die is ook uitgenodigd, wat is het probleem?'

'O, het is gewoon te lastig,' pruilde Chantal Coudert. 'Ten eerste heeft ze helemaal geen geschikte kleren voor Deauville. Alles wat ze draagt is gemaakt door madame Clotilde, die tot september weg is. En er is hoe dan ook geen tijd om op de valreep nog iets voor haar te vinden.'

Ze bladerde met stijgende teleurstelling door de brief.

'Zelfs als Eve wel geschikte kleren had,' zuchtte ze, 'denk ik niet dat we haar met ons mee konden laten gaan. Marie-France schrijft dat de groep uitsluitend uit mensen van onze leeftijd bestaat. Het was heel vriendelijk van haar om Eve ook uit te nodigen, maar er is niets dat een feestje zo kan bederven als de gedachte dat er een jong meisje met grote oren rondhangt. De heren weten niet waar ze tegen haar over moeten praten, of ze zeggen de verkeerde dingen, en de dames willen in alle rust kunnen roddelen. Zij zou daar misplaatst zijn. Dat weet jij net zo goed als ik. Als er nu nog andere jongelui bij waren ... maar nee, we kunnen niet gaan.' Ze stopte de brief spijtig terug in de envelop.

'Ik ben het niet met je eens, liefste. Laat Eve hier bij Louise blijven. Ze heeft toch allerlei tennisafspraken, dacht ik, en een stuk of wat picknicks? Nou dan, waarom zouden wij een paar dagen in de frisse lucht en de zeewind moeten ontberen omwille van een meisje wier leven weldra met niks anders dan afspraakjes en nieuwe kleren is gevuld?'

'Ik vind het zo sneu voor haar,' zei madame Coudert, zonder veel overtuiging.

'Onzin. Schrijf haar direct en zeg dat we morgen komen. Ik zal meteen de trein naar Deauville reserveren.'

'Als jij het zegt, Didier.'

'Dat zeg ik en zo is het.' Hij gaf haar een kus en trok zijn autohandschoenen aan, in een uitstekend humeur. Chantals aarzelingen sierden haar ongetwijfeld, maar ze waren ook een beetje onnozel. Gelukkig hield hij van onnozele vrouwen, dat had hij altijd al gedaan en dat zou hij altijd blijven doen. Ze waren een troost na een dag hard werken, zoals intelligente vrouwen dat niet konden zijn.

'Vanavond hoef ik niet snel terug,' zei Eve triomfantelijk, toen ze Alains kleedkamer binnenkwam. Ze had het onverwachte en plotselinge vertrek van haar ouders aangegrepen als een duidelijk teken dat mademoiselle Gabrielle overbodig was geworden.

'Heeft die ouwe tang een beroerte gekregen of is ze gestikt in al d'r heiligheid?' vroeg Alain. 'Of heb je eindelijk besloten dat je niet langer voor Assepoester wilt spelen?'

'Geen van beide. Mademoiselle Gabrielle is een paar dagen naar haar zuster. Ze heeft me de sleutel van het huis gegeven. Ik kan niet te lang weg blijven, want dan merken de buren het misschien en dan vertellen ze het haar als ze terug is, maar in ieder geval gaat de deur niet om middernacht op slot.' Opgetogen liet Eve hem de sleutel zien van het poortje van de Rue Buffon.

Alain keek ernaar, met sceptische blik. Hoe goed Eve ook haar best had gedaan op haar verhaal over mademoiselle Gabrielle, hij geloofde er niets van. Na avond aan avond samen te hebben gepraat, had hij inmiddels begrepen dat ze niet was wat ze voorwendde te zijn.

Vanavond droeg Eve, voor het eerst sinds ze achter de schermen kwam, een nieuwe hoed met een brede rand en een keine bol, van een mooie kwaliteit lichtgekleurd stro en afgezet met een smalle band van zwart fluweel, een hoed die ze had geleend zodra haar moeder naar Normandië was vertrokken. Ze besefte het niet, dacht Alain, maar deze hoed bevestigde slechts alle verdenkingen die hij jegens haar koesterde.

Eve was een rijk meisje, daar was hij van overtuigd, door de manier waarop ze sprak, door alle tekenen die een goede opvoeding ongemerkt meegeeft aan de houding en manier van doen van iemand die bevoorrecht is opgegroeid, hoe beschermd dit ook mag zijn geweest. Ze was van hoge komaf, wilde dit om de een of andere reden niet laten blijken, maar nu, met deze dure hoed, deze hoed waaronder haar gezicht een lichte blos vertoonde, was het haar duidelijk aan te zien. Als Eve ervaring met schoenwinkels had, dacht hij, dan was het als klant van een *bottier* die maatwerk leverde.

Maar hij had niet verder gevraagd en was niet van plan het nu te doen. Laat haar haar geheimen bewaren . . . dat was veel beter. Hij was bij een vrouw nergens bang voor, behalve dat ze hem in haar dagelijks leven zou betrekken. Dat moest tot elke prijs worden vermeden. Hij liet zijn veroveringen nooit over hun echte problemen praten, over hun man of hun kinderen, want zelfs door ernaar te luisteren liep je het risico verstrikt te raken.

'Kun je na afloop van de voorstelling met me meegaan om ergens iets te eten?' vroeg hij, voor het eerst zeker wetend dat ze zou instemmen, en dat werd ook hoog tijd want hij moest die weddenschap met Jules nog winnen, en een snelle, geforceerde stoeipartij in zijn kleedkamer zou weliswaar voldoende zijn voor de termen van die weddenschap, maar het zou hem beroven van het speciale genoegen dat hij zichzelf had beloofd sinds hij die eerste keer het haar van dit appetijtelijke meisje had aangeraakt.

'Alleen als we ergens een heel rustig en discreet plekje kunnen vinden. Je weet hoe ze in zo'n kleine stad zijn . . . zelfs nu mademoiselle Gabrielle weg is, loop ik het risico door een klant te worden gesignaleerd, en die zou het haar vast vertellen. Weet jij een klein donker plekje?'

'Ik vind er wel een, dat beloof ik je.'

'Had je dit in gedachten?' vroeg Alain, terwijl hij om zich heen keek naar de ruimte met het lage plafond en de dikke muren, waarvan het voordeel dat het er koel was, moest opwegen tegen de nadelen van alle armoedigheid zoals hij die niet meer had meegemaakt sinds het begin van zijn carrière. Hij had een tafeltje in een hoek bemachtigd, tegenover een versleten muurbank, zo ver mogelijk bij de bar vandaan, en hij bestelde het beste souper dat de menukaart bood en de beste fles wijn die hij op de kleine wijnkaart kon ontdekken.

'Het is volmaakt,' zei Eve. Het was de eerste keer dat ze ooit 's avonds in een café was, de eerste keer dat ze met een man op een bankje zat, de eerste keer dat er voor haar in een openbare gelegenheid een fles wijn werd besteld. Ze keek om zich heen en besefte dat er onder de andere klanten niemand was die mogelijk tot de wereld van haar ouders kon behoren, en ze ontspande zich met een zucht van verlichting.

'Drink eens wat van je wijn,' zei hij tegen haar.

'Sta me toe uit jouw glas te drinken,' antwoordde ze op gedempte toon, en hij hield zijn adem in toen hij door een golf van begeerte werd overspoeld. Had Eve enige idee wat zulke woorden bij een man konden uitrichten? Natuurlijk niet, dacht hij, ze begreep niet dat haar spontane opwellingen zo ophitsend konden zijn, anders was ze wel voorzichtiger geweest.

Hij bood haar zijn glas aan en zag hoe ze de wijn met een genoegen dronk alsof het een premier cru was, hoe ze het glas in één keer bijna leegdronk, want hoe brutaal ze ook mocht zijn geweest om hierheen te komen, toch had Eve behoefte aan wat extra moed.

Ze kende de Alain van achter de schermen, de man die haar over Parijs vertelde en hoe hij zonder een officiële muzikale opleiding en ondanks de tegenwerking van zijn arbeidersfamilie de ster van het Riviera-gezelschap was geworden; ze had vanuit de coulissen, met een intensiteit die haar zichzelf deed vergeten, de Alain Marais gezien die liefdesballaden zong en haar met zijn stem betoverde; maar ze besefte plotseling dat er een derde Alain was, een knappe, modieuze man met een strohoed en een chic geruit zomerpak en een zacht overhemd, een man die zo opvallend knap was, zo'n typische Parijzenaar, zo werelds van allure dat vrouwen die hem niet kenden zich op straat hadden omgedraaid om hem na te kijken toen ze bij het theater vandaan waren gelopen.

Hij was het soort man dat ze in Dijon anders nooit had ontmoet, hij was hier vreemd, niet op zijn plaats, even exotisch als een reiziger die in een land komt dat primitiever is dan zijn eigen land. Ze vroeg zich af wat hij in haar zou zien, dat hij haar toestond hem elke dag te bezoeken, waarbij hij Jules had opgedragen niemand anders op zijn deur te laten kloppen. Ze wist plotseling niet goed hoe ze met deze derde Alain Marais moest omgaan, met deze vreemde uit een andere wereld. Waar moest ze met hem over praten? Die halfuurtjes in zijn kleedkamer waren zo snel voorbijgegaan omdat ze wisten dat Jules om precies kwart voor elf zou verschijnen om Alain te waarschuwen voor zijn tweede *tour de chant* en dat ze dan afscheid moesten nemen, maar vanavond zou de avond niet op dergelijke wijze worden besloten.

'Mag ik nog een slokje wijn?' vroeg ze, en dronk gretig.

'Houdt mademoiselle Gabrielle er in ieder geval een goede wijnkelder op na?' vroeg Alain. Hoever zou ze met dat verhaal gaan? Voor zo'n weinig wereldwijs meisje dronk Eve haar wijn met veel smaak.

'O, zeker. Het is haar enige luxe. Nee, dat is niet eerlijk. Ze zet ook uitstekende maaltijden op tafel. Al die tijd dat ik voor haar werk heb ik nooit honger geleden.'

'Maar dat is niet voldoende om je jeugd aan op te offeren. Wil je niets beters, Eve? Je bent vast niet van plan de rest van je leven aan het verkopen van schoenen te besteden.'

'Natuurlijk niet,' antwoordde ze opvliegend. Waarom had ze niet aan iets grootsers als beroep gedacht, iets verheveners? 'Weet je,' ging ze haastig verder, 'het is de meest chique schoenwinkel in dat deel van de stad. We hebben uitsluitend de beste klanten, de aardigste mensen.'

'Ben je niet van plan te trouwen? Of regelt mademoiselle Gabrielle dat ook voor je?' Haar leugens amuseerden hem dusdanig dat hij haar meer vragen bleef stellen dan eigenlijk verstandig was.

'O!' Eve was sprakeloos over deze belediging. Alles in haar leven was erop gericht geweest haar te doen beseffen welk waardevol stukje mens zij was, hoe zorgvuldig ze werd voorbereid op een uitstekende verbintenis. Ze was beslist niet van plan aan alle plannen en verlangens van haar ouders mee te werken zonder voor haar eigen onafhankelijkheid op te komen, maar de gedachte dat er iemand werd verondersteld het recht te hebben over haar te beslissen was onverdraaglijk.

'Het spijt me. Dat had ik niet moeten vragen,' zei Alain snel, toen hij haar woede zag. 'Aan de andere kant zou ik het graag willen weten.'

'Waarom? Welk verschil maakt dat?' zei ze nijdig.

'Gewoon uit nieuwsgierigheid,' antwoordde hij nonchalant. 'We hebben het altijd over mij. Ik weet helemaal niets over jou, niets bijzonders. Het maakt een wat eenzijdige indruk, die vriendschap tussen jou en mij.'

'O.' Eve besefte plotseling dat een onbekend, modieus kostuum de Alain die zij uit de kleedkamer kende, niet had doen verdwijnen. Ze keek hem van opzij aan.

'Dus die naam geef jij eraan, wanneer een meisje elke avond als een dwaas door Dijon holt om jou te horen zingen en daarna weer de hele weg in het donker naar huis terug moet hollen ... vriendschap?'

'Hoe moet ik het anders noemen wanneer een meisje avond na avond op een harde houten stoel zit te kijken alsof ze gillend weg zal rennen wanneer ik ook maar iets naar haar toe zou schuiven om haar met een vinger aan te kunnen raken?'

'Ik weet het niet,' zei Eve langzaam. Ze legde haar hand op de zijne en streelde die zacht. 'Ik weet het echt niet. Maar jij hebt zoveel meer ervaring dan ik, dat als jij zegt dat het vriendschap is, het dat wel moet zijn.'

'Doe dat niet!' riep hij en trok snel de hand weg die zij had bedekt.

'Wat doen?' fluisterde ze.

'Mijn God, je bent nog erger dan de ergste flirt die er ooit heeft bestaan.' Hij greep haar hand. 'Doe dit! Hier, voel mijn hart, voel hoe het klopt ... denk je dat het altijd zo klopt? Denk je dat jij me kunt aanraken wanneer je dat wilt, zonder dat ik je ooit mag kussen?'

'Misschien ... mag je me wel kussen,' zei Eve langzaam, 'maar je hebt het nooit geprobeerd.'

'Natuurlijk heb ik het nooit geprobeerd. Ik probeer geen meisje te kussen dat met haar armen om haar lichaam geslagen zit en met haar handen onder haar oksels, en haar voeten zo stijf over elkaar dat je ze met geen breekijzer van elkaar kunt halen en haar knieën tegen elkaar geklemd alsof ze elk moment kan worden aangerand.'

Er rolde een traan over Eve's wang, maar ze durfde hem niet weg te vegen. Maar o, dacht ze, zijn hart, zijn wild kloppende hart. Hij kon niet zo boos op haar zijn dat hij haar niet zou willen vergeven. Het was alsof haar eigen hart zou breken. Met een spontane, snelle beweging schoof ze naar hem toe, draaide haar lichaam zodat ze op beide schouders van hem een hand kon leggen, boog zich voorover en drukte snel haar lippen op die van hem. Ze deinsde abrupt terug toen een ober langs hun tafeltje kwam. Zijn tactvol afgewende hoofd had haar vol schrik doen beseffen dat ze niet alleen in een openbare gelegenheid waren, maar dat de gasten aan de andere tafeltjes bovendien minder discreet waren en vol belangstelling toekeken.

'Eve, laten we gaan,' zei Alain, en hij legde wat geld op de tafel en pakte haar bij de elleboog, de borden met eten onaangeroerd achterlatend. Zwijgend liet ze zich door hem meevoeren, uit het eethuis, de straat op, waar de burgers van Dijon van de koele nachtlucht genoten. Ze zag hen niet, want ze was volledig in trance, een meisje dat zojuist haar eerste kus had gegeven.

Haar hele verleden verdween naar de achtergrond, ze werd teruggeworpen in de gevaarlijke zee van fysieke begeerte, de zee met die angstaanjagende onderstroom die ze zo zorgvuldig had vermeden sinds die eerste avond dat ze Alain had ontmoet.

De twee glazen koppige rode wijn, zonder er iets bij te hebben gegeten, maakten dat Eve's hoofd tolde op een manier zoals ze nog niet eerder had meegemaakt. De straat was als een hallucinatie, een geschilderde achtergrond, de menigte om hen heen als schimmen, zonder leven.

'Ik wil je weer kussen,' hoorde Eve zichzelf zeggen. 'Ik wil ... ik wil ...'

'Dit is onmogelijk, belachelijk,' zei hij ruw. 'We kunnen nergens heen, we kunnen nergens alleen zijn. Ga met me mee naar mijn pension. Het is niet ver. Ik heb twee kamers, het is er heel fatsoenlijk.'

Ze knikte zwijgend en verward. Even flitste de gedachte aan wat haar moeder, haar tante of Louise zou hebben gezegd als ze dit hadden geweten, door haar heen. Ze was op onbekend terrein, dacht Eve dromerig, en toen vergat ze iedereen terwijl ze haastig met Alain naar het pension liep.

De tweede kamer waarover Alain beschikte wanneer het gezelschap niet in Parijs was, werd bijna volledig in beslag genomen door een Victoriaans bankstel van donkerrode pluche, en Eve ging op de brede, lange, doorgezakte, met kwasten versierde sofa zitten, met een gezicht alsof ze even op bezoek kwam, hoewel ze zich voelde alsof ze door de ruimte viel, vol vrees, vol verrukking, draaierig van nieuwsgierigheid en spanning.

Alain wierp zijn hoed in een hoek en trok zijn jasje uit, terwijl hij haar bekeek met een mengeling van erotische opwinding en onbedwingbare vrolijkheid, want Eve droeg nog steeds de handschoenen die ze automatisch had aangetrokken toen ze uit het café de straat op waren gegaan. Toen hij echter naast haar kwam zitten en haar in de ogen keek, zag hij, onder haar duidelijke angst, de hardnekkige bandeloosheid die haar hier had gebracht.

Snel zette hij haar hoed af, maakte haar haar los en spreidde dit uit over haar schouders. Snel trok hij de handschoenen van haar vingers en even snel maakte hij de bovenste knoopjes van de kraag van haar blouse los. Ze zei niets, zelfs niet toen hij zich bukte om haar schoenen met hoge Louise-hakken en puntneuzen uit te doen, niets toen hij zijn armen om haar zittende gestalte sloeg en haar omlaagtrok, zodat ze op de bank lag. Het was dat haar ademhaling sneller ging, anders had hij nog kunnen denken dat ze er geen enkele aandacht aan besteedde.

Tot hij haar kuste. De hartstochtelijke onschuld waarmee ze zijn kus beantwoordde, was als een klap in zijn gezicht. Haar lippen waren gesloten, maar ze werden met veel onvoorwaardelijke heftigheid en gretigheid tegen die van hem gedrukt. Er was geen twijfel over mogelijk dat ze dolgraag gekust wilde worden en het was even duidelijk dat ze geen idee had hóe ze moest kussen. Eve's armen waren zo strak om zijn nek geslagen dat hij geen ruimte had om van haar lippen naar enig ander deel van haar gezicht af te dwalen. Haar ogen hield ze krampachtig dicht. Ze lagen in zo'n onhandige houding op de pluche sofa dat ze bij de geringste beweging op de grond dreigden te vallen.

'Wacht,' fluisterde Alain en zodra ze onwillig maar gehoorzaam ophield, maakte hij voorzichtig haar armen los en schoof een eindje terug. 'Kijk me eens aan, Eve.'

Ze keek hem vluchtig aan, vol ongeduld om naar zijn lippen terug te keren, haar ogen te sluiten en zich uitsluitend te concentreren op zijn mond, die zo anders aanvoelde dan alles wat ze ooit had gekend, stevig en toch gezwollen, teder en toch zo gespierd.

'Ik zal je laten zien hoe je moet kussen,' zei hij zacht, en hij gleed met een vinger van zijn rechterhand heel voorzichtig en aandachtig langs haar lippen, alsof zijn brandende vinger een potlood was en hij een tekening maakte die perfect moest zijn. Daarna gleed hij met zijn vinger heen en weer tussen haar lippen, waarbij hij niet probeerde ze open te duwen maar ze streelde door de onderlip omlaag te duwen en de bovenlip omhoog, zodat ze zich langzaam maar zeker ontspanden.

'Nu,' zei hij en boog zich over haar heen, 'moet je je stil houden.' Met het puntje van zijn tong gleed hij voorzichtig heen en weer over de smalle opening van haar lippen, waarbij hij uitsluitend langs de buitenkant gleed totdat hij de vochtige binnenkant van haar mond open voelde gaan. Nu ze haar mond zo heerlijk had ontspannen, begon hij haar in zijn eigen tempo te kussen, en elke kus was een nieuwe stap, een nieuwe overwinning. Pas toen ze onmiskenbaar ongeduldig begon te worden, gebruikte hij zijn tong opnieuw, zo zacht dat het bijna heimelijk was, als een invasie die zo kort, zo oppervlakkig en toch zo doordringend was dat ze een kreet van verrukking slaakte.

'Laat me je tong voelen,' beval hij. 'Ik wil je tong in mijn mond.'

'Dat doe ik niet! Dat kan ik echt niet doen!'

'Jawel, dat kun je wel, één keertje maar. Hier, ik zal het je laten zien,' hield hij aan en hij drong langzaam met zijn tong bij haar binnen, heel voorzichtig, zich steeds terugtrekkend en dan weer voorwaarts, tot hij een kleine, timide beweging voelde die hem vertelde dat ze de moed had gevat te doen wat hij had gevraagd. Hij liet niet merken dat hij iets had gevoeld totdat die kleine aanraking opnieuw kwam, deze keer sterker en brutaler, en nog deed hij niets. De derde keer dat Eve met haar tong in zijn mond glipte nam hij hem tussen zijn lippen en zoog erop alsof het haar tepel was.

Alain was gretig maar hij wist zich te beheersen. Alleen haar lippen, alleen haar tong zei hij tegen zichzelf, eerst alleen dat, dacht hij met grote volharding, terwijl hij zelf het kookpunt naderde. Een uur geleden had Eve nog niet geweten hoe ze moest kussen. Nu kon hij uit de onwillekeurige beweging van haar onderlijf opmaken dat er niets was wat hij vannacht niet met haar kon doen. Langzaam maakte hij zich los van Eve, die bezwijmde van hartstocht waarvan ze niet wist dat het hartstocht was, waanzinnig van wellust waarvan ze niet wist dat het wellust was, gulzig van begeerte waarvan ze niet wist dat het begeerte was.

'Nee, Alain,' smeekte ze, 'hou niet op . . .'

'Wacht even. Ik ben zó weer terug.' Hij verdween in zijn slaapkamer. Er was altijd één doeltreffende manier, dacht hij, terwijl hij de knopen van zijn broek losmaakte en zijn hevig gezwollen lid bevrijdde, altijd één manier om te voorkomen dat ze te vroeg ophielden. Hij stond voor de wastafel in de hoek en bevredigde zich snel, terwijl hij aan Eve's ongeziene lichaam dacht. In enkele seconden was het voorbij en had hij tijd gewonnen om ten volle te kunnen genieten van het genot dat hij zich zoveel nachten had moeten ontzeggen. Bevend schonk hij wat water uit een lampetkan, waste zich en droogde zich af, knoopte zijn gulp weer dicht en liep terug naar de andere kamer, waar Eve nog steeds op de sofa lag.

Zacht nam hij haar in zijn armen en begon haar weer te kussen. Het was nu mogelijk om teder te zijn. Hij was tevreden over zijn zelfbeheersing. De tweede keer was onveranderlijk beter en duurde veel langer, zelfs met een vrouw die niet wist wat ze deed. Zijn korte afwezigheid in vele slaapkamers had hem een reputatie verschaft van minnaar zonder weerga.

Alain maakte met behendige, ervaren vingers nog meer knoopjes van Eve's blouse los. Weldra waren ze allemaal los en bevrijdde hij haar van de riem die zo stijf om haar middel zat. Ze lag passief in zijn armen toen hij haar al kussend geleidelijk uitkleedde. Haar gebrek aan voorlichting en de twee glazen wijn die ze had gedronken maakten haar zowel onbekwaam hem te helpen als onwillig hem te laten ophouden. Ze had geen idee wat hij met haar zou doen, maar wat het ook mocht zijn, ze wist zonder meer dat het haar lot was hem te gehoorzamen.

Eve was te preuts om zelfs maar naar haar eigen lichaam te kijken, maar ze voelde dat haar borsten waren bevrijd van haar kanten ondergoed en dat ze nu alleen nog maar haar loshangende blouse aan had. De dunne stof gleed over haar naakte tepels, die overeind gingen staan zonder dat ze het wist. Ze deed haar ogen dicht toen ze haar rok en haar onderrok op de vloer hoorde vallen. Ze gaf zich blindelings over terwijl Alain haar langzaam maar zeker van al haar kledingstukken ontdeed, waarbij hij uitvoerig de tijd nam om elk nieuw en geweldig deel van haar jonge lichaam te onthullen en zelf steeds meer opgewonden raakte door een gerichte, intense zinnelijkheid die hij nu eindeloos kon laten voortduren.

Hij droeg er zorg voor haar te blijven kussen, zodat hij haar geleidelijk voorbereidde op de verwijdering van elk kledingstuk. Iedere vorm van haast zou het verlies van zijn genot kunnen betekenen. Alain begreep dat Eve zo onwetend was dat kussen haar als gehypnotiseerd zouden houden, en de jaren waarin naaktheid taboe was geweest konden worden vergeten. Hij liet haar haar blouse aan houden omdat het haar een veiliger gevoel zou geven en zelfs met bedekte schouders en armen kon hij duidelijk haar verrassend volle borsten zien, met hun kleine roze, opwindend samengetrokken tepels die uit de wijd openstaande stof staken. Ze was volmaakt, dacht hij, toen hij met zijn ogen over de weelderige ronding van haar onderbuik gleed, over het blonde haar boven haar stevige, welgevormde dijen, zacht en krullend, maar toch dicht genoeg naar zijn smaak.

'Wat ben je mooi,' mompelde Alain, 'wat ben je mooi.'

'Alain . . .' fluisterde Eve.

'Zeg niets. Ik zal je geen pijn doen, dat beloof ik. Ik zal het je laten merken . . . Ik begrijp dat je nog niets weet . . . Ik begrijp het . . . Laat me je liefhebben.'

Alain blikte naar haar dijen. Zonder het te beseffen begon ze ze heen en weer te duwen op het pluche van de sofa en ze zo te bewegen dat ze over elkaar wreven. Nee, daar mocht ze niet mee doorgaan, vond hij, of hij zou opnieuw van zijn genot kunnen worden beroofd. 'Lig stil, liefste,' mompelde hij, en raakte met één hand gedurende een seconde haar dijbeen aan, zodat ze precies kon weten wat hij bedoelde. Ze bleef direct stil liggen en hij zag hoe er een blos op haar wangen verscheen. 'Je bent geschapen voor de liefde,' zei hij in haar oor. 'Hoe heb je het zo lang zonder kunnen stellen? Nee, zeg niets . . . Laat me het je laten voelen.' Hij legde zijn vlakke hand op haar gezwollen borsten en gleed slechts nu en dan licht over haar tepels die hij voorzichtig tussen zijn vingers nam, genietend van zijn eigen, zelf-opgelegde zelfbeheersing. Eve hijgde wanneer hij dit deed. Ze weet het niet, dacht hij, maar ze wil mijn mond daar. Ze weet het nog niet.

Hij maakte zijn vingers nat in zijn mond en omringde de roze puntjes met dolmakende snelle strelingen, tot hij opnieuw een kalmerende hand op haar dij moest leggen. 'Wil je dat ik je borsten kus?' fluisterde hij in haar oor. 'Ik zal het niet doen als je het niet wilt.' Toen ze met een knik haar verbijsterde, hulpeloze toestemming gaf, boog hij bijna aarzelend zijn donkere hoofd naar de maagdelijke huid.

Haar mond was zoet, haar tepels zouden nog zoeter zijn, en als er meer tijd was geweest om in Dijon te blijven, dan zou hij de volgende stap een dag hebben uitgesteld om hen beiden tot verdere hoogten van gefrustreerde wildheid te drijven, want hij wist dat als hij eenmaal zijn mond op haar tepels had gelegd, er voor hem geen terug meer kon zijn.

Met één hand ondersteunde Alain Eve's rechterborst zodat haar tepel tussen zijn lippen gevangen zat, was blootgesteld aan de verrassend lichte en afwisselende aanvallen van zijn speelse tong, en met de andere gleed hij langzaam over haar buik omlaag, van haar middel naar de rand van het krullende blonde haar tussen haar benen. Hij wist dat ze zo gebiologeerd zou zijn door zijn tong dat ze niet volledig besefte wat zijn hand deed, want deze beweging naar beneden moest heel geleidelijk zijn. Ze moest eraan

45

gewend raken, het langzaam en vol overgave accepteren, anders zou ze terugdeinzen en dan zou, zelfs nu nog, het genot hem kunnen ontgaan.

Hij zoog en was dankbaar dat haar tepel zoveel groter en harder was geworden, terwijl zijn andere hand loom de huid boven en onder de blonde wirwar streelde, voorzichtig om niet in het haar zelf terecht te komen. Aanvankelijk had Eve haar buik- en dijspieren gespannen bij de aanraking van die dolende hand en had ze even tegengestribbeld, maar nu werd ze te veel in beslag genomen door die vreemde en geweldige sensatie van een warme, bedwelmende zwaarte die ze tussen haar benen voelde, om ook maar te overwegen iets te doen wat Alain zijn hand kon doen terugtrekken. Ze wist niet wat het te betekenen had, maar elke keer dat hij haar aanraakte wilde ze haar dijen openen als in een ondenkbare invitatie.

Alain richtte zijn aandacht nu op haar linkerborst en de nieuwe, doordringende sensatie in die tepel leidde haar verder af van zijn andere hand die zo terloops en zacht over haar heuvel streelde dat ze niet eens zeker wist of hij dat wel had gedaan. Hij wachtte heel geraffineerd een paar minuten voordat hij haar opnieuw aanraakte, even licht als tevoren, maar met een verfijnde kennis van de juiste plaatsing van zijn middelvinger op het middelpunt van haar sensaties. Hij haalde de vinger weg, zeker van het gewenste effect, en wachtte even tot hij haar onbewust haar onderlijf omhoog voelde duwen, vragend en vol verlangen. Weer raakte zijn vinger haar aan, vond de verwachte beloning in de vorm van natheid en deze keer bleef hij wat langer en wreef haar bijna vragend voordat hij zijn vinger weghaalde. Hij tilde zijn hoofd van haar borst. Haar ogen waren nog steeds gesloten, haar lippen waren opengevallen en hij dacht heel even dat ze was bezwijmd.

'Ik zal dat niet doen, liefste, als jij het niet wilt,' fluisterde hij. Ze gaf geen enkel teken en hij begreep dat hij dit als instemming moest uitleggen. Hij gleed weer omlaag, spreidde haar krullen en vond opnieuw de juiste plek, in de hitte tussen haar benen, die smeekte om zijn aanraking. Hij streelde haar opwindend maar handhaafde nu het contact tussen zijn vinger en haar huid. Hij keek begerig naar haar gezicht toen zijn vingers steeds sneller gingen, zag hoe ze op haar lippen beet, zag hoe ze naar adem snakte, hoe haar gelaatstrekken verkrampten toen ze streefde naar ze wist niet wat, en al zijn vijf vingers omvatten haar heerlijke plekje want hij wilde elke huivering, elke schok, elke wilde, onbeheerste samentrekking van het eerste spasma in het leven van deze maagd kunnen voelen. Toen ze ten slotte het moment bereikte waarvan ze niet had gedroomd dat het bestond en ze, zonder dit te beseffen, als waanzinnig zijn naam schreeuwde, stak hij zijn vinger enkele centimeters in haar, zodat ze daarna voor eeuwig zou weten wie haar meester was, zodat ze zou zijn gebrandmerkt door zijn aanraking en ze hem nooit zou vergeten, want dat was het grote genot dat hij zo vastbesloten was geweest te kunnen beleven.

'Jules, in godsnaam, je moet me helpen,' zei Alain en hij greep de toneelmeester bij de arm en trok hem de kleedkamer in, zodat ze konden praten zonder te worden afgeluisterd. 'Ouwe makker, ik zit in de problemen!' 'Wat is er aan de hand?' Jules had Alain nog nooit in deze ongeschoren, gehavende toestand in het theater zien verschijnen, en Alain was evenmin ooit zo vroeg in de morgen aanwezig geweest.

'Jezus, Jules, waarom heb ik ooit die weddenschap met je afgesloten?'

'Heb ik gewonnen of verloren?'

'Geen van beide ... allebei ... wat maakt het uit, hier heb je dat verdomde geld. Jules, ik moet weg uit Dijon, ik moet met de eerstvolgende trein naar Parijs.'

'Kalm aan, Alain! Je hebt vandaag nog een matinee en een avondvoorstelling, en we vertrekken niet vóór maandagmorgen uit Dijon, dat weet je zelf heel goed. Je kunt hier de eerste vier dagen echt niet weg.'

'Dat weet ik ook allemaal ... maar dat verandert er niets aan. Ik moet verdwijnen, Jules, vanavond nog, zonder ook maar één spoor achter te laten. Jij moet me dekken tegenover de leiding en tegenover Eve.'

'Maak het een beetje! Bij dat meisje wil ik het nog wel proberen, maar de leiding ... wat moet ik zeggen ... doe niet zo stom, je bent de ster ... ik wil m'n baan niet verliezen. Wat is er gebeurd? Heb je haar soms verkracht?'

'Nee. Ik heb haar zelfs niet eens genaaid ... ik had haar helemaal zover, ik had haar er helemaal voor klaargemaakt, werkelijk perfect, laat me je dát verzekeren, toen ze opeens in tranen van vreugde uitbarstte en me vertelde dat ze van me hield, dat ik het geweldige, wilde iets was dat ze haar hele leven al had gewild. En toen vertelde ze me wie ze werkelijk was. Haar vader is de meest beroemde dokter van de stad ... Ze zullen me te gronde richten, Jules, machtige mensen als zij, ze zullen naar de leiding hollen met de meest wilde verhalen over verkrachting ... wie weet hoever ze zullen gaan? Verkrachting, zó zullen ze het zeker noemen. Zelfs jij dacht dat een minuut geleden. Ze zullen nooit geloven dat ze graag wilde. O, Jezus! Jules, help me in 's hemelsnaam!'

De toneelmeester ging moeizaam zitten en keek zijn ontredderde vriend aan. 'Jij en je maagden ook altijd. Wat had je anders verwacht?'

'Ik was krankzinnig, Jules, wat moet ik nog meer zeggen? Ik heb haar zo snel mogelijk thuis afgeleverd, toen ik begreep in welke problemen ik me bevond. Jules, dit loopt slecht met me af als ik niet maak dat ik wegkom.'

'Heb je dan in ieder geval een verhaal dat ik kan vertellen?' zei Jules na enig nadenken.

'Daar ben ik de hele nacht mee bezig geweest. Zeg maar dat mijn moeder plotseling is gestorven, dat ik hier in het theater een telegram heb gekregen, dat je het met je eigen ogen hebt gelezen en dat ik onmiddellijk voor de begrafenis naar huis moest. De leiding kan daar geen bezwaar tegen hebben. De begrafenis van je moeder ... dat is iets heiligs. Vertel ze dat ik weer

47

aan het werk kom op de dag dat jullie terug zijn in Parijs. Vertel Eve alleen dat mijn moeder dood is. Ze weet niet waar ik in Parijs woon. Wanneer ze je vraagt hoe ze me kan vinden, moet je zeggen dat je geen idee hebt, dat de mensen in dit vak altijd rondzwerven. Zeg tegen haar dat ik alleen maar tijd had om het bericht achter te laten dat ik haar nooit zal vergeten . . . ja, dat moet je tegen haar zeggen, dat ik me haar mijn hele leven zal blijven herinneren. En geloof maar dat ik dat zal doen!'
'Maar stel dat ze in Parijs in het theater opduikt?'
'Nee, dat kan niet. Ze heeft me verteld hoe zwaar ze overdag in de gaten wordt gehouden. Ze bezit geen enkele vrijheid . . . ze heeft een chaperonne . . . een chaperonne, moet je nágaan! . . . waar ze ook gaat. Ik wist dat ze loog dat ze een winkelmeisje was, maar ik had geen idee . . .'
'Je zult in ieder geval de matinee moeten doen, Alain. De eerstvolgende trein gaat pas vanavond . . . Ik zeg wel tegen de leiding dat het telegram tijdens de matinee is gekomen en dat ik het je direct na de voorstelling heb gegeven.'
'Net hoe je 't wilt, Jules. Je bent een geweldige vent. Wat zou ik zonder jou moeten beginnen?'
'Op je knieën vallen en om een wonder bidden.'

Die hele dag zat Eve achter de piano in haar moeders boudoir. Golf na golf spoelden de erotische gevoelens over haar heen en vervulden haar van een bijna ondraaglijke gevoeligheid. Ze werd verteerd door haar herinneringen aan die ongekende extase die Alain haar had bezorgd. Ze begreep het nog steeds niet helemaal, maar het was het enige dat in dit leven van belang was. Alain, Alain, Alain . . . tot ze hem weer zag, wilde ze het liefst met haar tanden dingen aan stukken scheuren, hollen en hollen tot ze neerviel, zodat ze niet langer in staat was zich te verroeren, tot bloedens toe op haar lippen bijten . . . het duurde nog zo lang tot het avond werd! Ze meed Louise, wetend dat het bijzondere dat haar was overkomen ongetwijfeld op haar gezicht te lezen viel. Ze speelde urenlang piano, koos allerlei deuntjes die ze op straat had gehoord, maar zong geen noot want ze wist dat als ze dat deed, ze in haar zenuwen in tranen zou uitbarsten. Ze speelde Alains liederen niet, want haar verlangen naar hem was zo hevig dat ze bang was dat ze dan als een dier zou gaan janken.

Eindelijk ging de zomeravond over in de nacht en ging Louise, die vreemd rusteloos was geweest en eindeloos met de kokkin had zitten kletsen, eindelijk naar boven, naar haar kamer. Het was bijna halfelf toen Eve het poortje in de Rue Buffon achter zich dicht kon trekken om naar het Alcazar te snellen.

Ze nam niet de moeite op Alains kleedkamerdeur te kloppen, maar stormde wild naar binnen. De kleine kamer was leeg, zijn kleren waren nergens te zien. Ze dacht dat het de verkeerde kamer was en liep de smalle gang weer in. Aan weerskanten zag ze de bekende kleedkamers die ze avond na avond was gepasseerd, met dezelfde artiesten die ze inmiddels had leren kennen. 'Jules!' riep Eve toen de toneelmeester haar kant uit kwam. 'Waar is Alain? Waarom is hij niet in zijn kamer?'

'Hij is vertrokken. Zijn moeder is plotseling gestorven . . . hij heeft vanmiddag het telegram gekregen. Hij moest naar Parijs voor de begrafenis . . . hij heeft vanavond niet opgetreden. Hij liet een boodschap voor jou achter.'

'Een boodschap? Zeg eens snel!'

'Hij zei dat hij je nooit zou vergeten, dat hij zijn hele leven aan jou zal blijven denken.'

'Is dat . . . alles? Is er verder niets?'

'Dat is alles.' Jules had met haar te doen. Ze was niet de eerste vrouw die zich door die zanger het hoofd op hol had laten brengen, maar ze was wel de jongste en de mooiste.

'Waar woont hij, Jules? Geef me alsjeblieft zijn adres, je moet me vertellen waar ik hem kan vinden!'

'. . . Ik weet het zelf niet . . . hij heeft het me nooit genoemd, ik heb geen idee.'

Ze draaide zich om en holde het theater uit, zonder te beseffen in welke richting ze ging. Weldra merkte ze dat ze in de Rue de la Gare liep, in de richting van het station van Dijon. Enkele minuten later was ze onder de hoge metalen overkapping en keek wanhopig om zich heen naar het bord met de aankomst- en vertrektijden van alle treinen die dit station aandeden. Ze wist dat er die avond maar één trein naar Parijs vertrok.

'De trein naar Parijs?' vroeg ze dringend toen een kruier op haar afschoot.

'*Quai* nummer vier, maar haast u, hij kan elk moment vertrekken,' riep hij.

Eve rende naar de ingang van het lange perron waar de trein nog stond en sprong in het laatste rijtuig. Toen ze veilig en wel binnen was, bleef ze uitgeput staan luisteren hoe de trein floot en langzaam, met een schok, het station uit begon te rijden. Pas toen hij rustig puffend door de *Tranchée des Perrières* aan de buitenkant van de stad reed, was ze voldoende op adem gekomen om de trein te doorzoeken.

Ze vond Alain in een tweede-klasrijtuig, helemaal voor in de trein, waar hij in de gang stond, met zijn handen in zijn zakken, en met gebogen hoofd naar buiten keek. Zodra ze zijn gestalte in de verte herkende begon ze naar hem toe te lopen, waarbij het geslinger van de trein haar zo hevig heen en weer wierp, dat ze hem niet kon roepen. Met een laatste krachtsinspanning liet Eve zich tegen Alain aan vallen. Hij schrok hevig.

'Je bent gek!' Hij schudde haar van zich af.

'Godzijdank heb ik je gevonden!'

'Je stapt op het volgende station weer uit!'

'Ik ga nooit meer bij je weg!'

'Je moet! Je familie . . .'

'Wat heeft die ermee te maken? Niemand kan me bij jou weghalen.'

'Je begrijpt er niets van,' zei hij ruw. 'Ik ben geen man om te trouwen. Ik wil me niet binden.'

'Heb ik iets over trouwen gezegd? Eén woord maar?'

'Nee, maar je dacht er wel aan. Ik weet best hoe vrouwen zijn.'

'Ik verafschuw het huwelijk, het lijkt me vreselijk,' verklaarde Eve naar waarheid en de gloeiende blik in haar ogen, de trotse, eigenzinnige houding van haar hoofd, alles wat ongebreideld en ongetemd aan haar was, maakte hem duidelijk dat ze meende wat ze zei.

'Weet iemand dat je mij bent gevolgd?' vroeg hij, plotseling op redeloze wijze in de verleiding gebracht door de kwellende herinneringen aan haar lichaam.

'Niemand. Niemand in mijn wereld is zelfs maar op de hoogte van jouw bestaan.'

'In dat geval . . . moet je het zelf ook maar weten,' zei hij hees, en trok haar naar zich toe. Hij begeerde haar te hevig om haar nu op te kunnen geven, vooral wanneer hij zich liet opzwepen door de gedachte aan het karwei dat hij nog had willen afmaken.

3

Eve's eerste brief arriveerde gelukkig heel snel, twee dagen na haar verdwijning. Hoewel hij was geadresseerd aan haar ouders, had Louise, die helemaal radeloos was, hem direct opengemaakt. Er stond alleen in dat ze veilig was, zeldzaam gelukkig, en, aldus haar eigen ongelooflijke relaas, samenwoonde met een man die ze liefhad. Het kamermeisje, dat zo bang was dat ze tegen niemand anders in huis ook maar iets over die ramp had gezegd, was naar het postkantoor gegaan om het echtpaar Coudert in Deauville een telegram te sturen waarin voldoende stond om hen spoorslags naar huis te brengen.

'Louise, jij misselijk schepsel,' had madame Coudert geschreeuwd zodra ze waren gearriveerd. 'Vertel me wat je weet of ik laat je in de gevangenis gooien.'

'Chantal, rustig nou,' kwam dokter Coudert snel tussenbeide. 'Deze brief zegt op drie verschillende plaatsen dat Louise niets weet, dat ze Louise heeft voorgelogen, dat het niet Louise's schuld is.' Besefte zijn vrouw nog niet dat wat Louise ook wel of niet mocht weten, ze haar hulp nodig hadden om deze zaak geheim te houden tot Eve weer veilig thuis was?

'Louise, denk eens goed na,' ging dokter Coudert verder. 'Met welke man denk je dat mademoiselle Eve ervandoor is gegaan? We zullen je er echt niet om straffen, dat beloof ik je, maar we moeten haar vinden voordat haar iets is overkomen. Ik smeek je, Louise, vertel ons hoe ze die man heeft ontmoet, wanneer heb je haar met hem zien praten? Hoe zag hij eruit . . .? Vertel ons gewoon wat je je van hem herinnert.'

'Er is helemaal geen vreemde man geweest die met mademoiselle Eve heeft gepraat. Ik zweer het bij het Heilige Kruis, bij de Maagd Maria. Ze is niet één keer in haar leven alleen geweest met een man, behalve wanneer ze ging biechten, en zelfs dan zat ik altijd buiten op haar te wachten, net als mademoiselle Helene vóór mij. Ze heeft nooit met mij over mannen gepraat, ze heeft me nooit vragen gesteld over wat er gebeurt als een meisje gaat trouwen . . . ze heeft juist gezegd dat ze nooit wilde trouwen.' Louise barstte in tranen uit bij de herinnering aan hun wandelingen in de tuin, nog slechts

51

enkele maanden geleden, in het koude begin van het voorjaar. 'Ze wist niets, dat zweer ik.'

'Niets,' snoof madame Coudert. 'Kijk dan naar deze brief! Ze is wéggelopen met een man! Het is het één of het ander. Maar niet allebei.' 'Alsjeblieft, Chantal, probeer kalm te blijven.' Dokter Coudert pakte haar hand stevig beet. 'Als we geluk hebben is Eve met een paar dagen weer thuis. Dit is een soort zotheid, een puberteitswaanzin waarvan meisjes van haar leeftijd wel vaker last hebben. Pas wanneer ze terug is kunnen we weten wat er is gebeurd, en niet eerder. Maar ondertussen, tot ze thuiskomt, is het van het grootste belang dat niemand er iets van weet, behalve wij drieën. Louise, luister je goed?'

'Ja, monsieur.'

'Louise, je moet tegen de kokkin zeggen dat mademoiselle Eve ziek is en dat ik geloof dat ze de bof heeft. Ik heb streng bevolen dat niemand anders van het personeel in haar kamer mag komen. Zeg dat ze in quarantaine is. Alleen jij mag haar eten komen brengen. Geef haar alleen soep en brood en honing. Ze zal geen eetlust hebben. Ik zal een paar keer per dag naar haar kamer gaan om naar haar te kijken. Als één van de bedienden de waarheid te weten komt, word jij op staande voet ontslagen, zonder enige referentie, en zal ik ervoor zorgen dat je nooit meer een andere baan kunt vinden in Dijon. Heb je dat begrepen?'

'Ja, monsieur.'

'Chantal, als om welke reden dan ook Eve niet terug is gekomen tegen de tijd dat Marie-France weer in Parijs is, moeten we haar vragen direct hierheen te komen. We hebben haar advies nodig. En als het zover mocht komen, zullen we haar hulp eveneens nodig hebben.'

'Wat bedoel je, Didier? Waar heb je het over . . . haar hulp?'

'Denk je dat een dokter niet weet hoe de wereld in elkaar zit, liefste? Eve zal niet het eerste meisje zijn dat een paar maanden uit Dijon is verdwenen om vervolgens met hangende pootjes naar huis terug te komen.'

'Mijn God, hoe kun je zo harteloos over je dochter praten? Hoe kún je het over máánden hebben, Didier?'

'Ik probeer verstandig te zijn en ik geef jou de raad dat ook te zijn. Als we goed vooruitdenken kunnen we een schandaal vermijden en dat is, naast de veilige terugkeer van Eve, heel belangrijk. Eens zal ze ons daar dankbaar voor zijn, wacht maar af. Louise, ga jij nu naar je kamer en probeer op te houden met huilen. Was je gezicht en doe een ander schort voor. Het is maar de bof, weet je, niet het eind van de wereld.' Hij zei dit zowel om zichzelf als om het dienstmeisje gerust te stellen.

Op dezelfde dag dat de barones de Courtizot uit Parijs in Dijon arriveerde, kwam er een tweede brief. Hij droeg het poststempel van Parijs en zei hun weinig meer dan de eerste brief. Eve had de brief slechts geschreven om haar ouders gerust te stellen met betrekking tot haar welzijn, want ze wist maar al te goed wat er kon gebeuren als ze erachter kwamen waar ze was. 'Lees dit, Marie-France,' zei dokter Coudert grimmig. 'En zeg me dan wat je ervan vindt.'

'Je kunt altijd nog detectives in dienst nemen,' zei de barones toen ze een paar regels gelezen had, 'maar ik betwijfel of ze haar kunnen opsporen. We hebben geen enkel gegeven, geen enkel houvast. Parijs is zo uitgestrekt.'

'Net wat ik dacht. Ik zal ze desondanks toch inschakelen, ook al heb ik niet veel hoop.'

'Wat moeten we doen?' riep Chantal Coudert wanhopig.

'Als Eve tegen het eind van de volgende week nog niet terug is, kunnen we niet langer doen alsof ze de bof heeft. Dat duurt niet eeuwig. Marie-France moet hier blijven tot het tijd is dat Eve zich beter voelt en dan zal ze zo goed zijn ons te overreden haar nichtje mee terug te nemen naar Parijs. Louise zal Eve's koffers pakken en dan zullen ze onverwacht vertrekken, zonder afscheid te nemen van iemand anders dan jou, Chantal. Ik zal hen zelf naar het station brengen, om de nachttrein te halen.'

'En daarna, Didier?' vroeg Marie-France.

'En daarna zal Eve bij jou in Parijs blijven, tot ze weer thuiskomt. Wat zou er meer voor de hand liggen? Geen van onze vrienden zal eraan twijfelen wanneer we hun dit vertellen. Het zal hun genoegen doen te horen dat Eve voorspoedig herstelt en weldra weer voldoende op krachten zal zijn om te kunnen genieten van alle genoegens die Parijs te bieden heeft, voor zolang als wij haar onder jouw hoede en zorgen daar laten blijven tot . . . tot ze weer naar huis komt, zoals ze vroeg of laat ongetwijfeld zal doen.'

'Waarom ben je daar zo zeker van?' vroeg zijn vrouw.

'Omdat het soort man dat er met een meisje als Eve vandoor is gegaan, zo fundamenteel slecht is dat ze dit zelf ook eens moet ontdekken. Of hij krijgt genoeg van haar. Maar let op mijn woorden, uit alles wat ik in mijn jaren als arts heb geleerd, weet ik dat ze, zodra ze het moeilijk krijgt, weer terug zal gaan naar de plaats waar ze thuishoort. Het is nog een klein kind. Ze zal terugkomen, en haar reputatie is dan nog ongeschonden zolang wij er maar aan denken onze rol te spelen. En daarbij zijn we jou veel dank verschuldigd, Marie-France.'

'O, lieve help, het heeft niets te betekenen. Ik doe alles, werkelijk alles. Die arme kleine Eve . . . o, ik heb altijd gedacht dat jullie veel te streng waren, Chantal, maar ik had het mis. Ik begrijp nu dat je niet streng genoeg kunt zijn. Ik ben blij dat ik geen kinderen heb, dat kan ik je wél zeggen.'

Eve strekte zich loom uit onder het laken en kreunde van welbehagen. Ze keek slaperig om zich heen naar Alain, hoewel ze uit de lichtval in de kamer al had begrepen dat ze lang had geslapen en dat hij naar de repetitie was gegaan zonder haar wakker te maken. Laat opstaan was nog steeds nieuw voor Eve, maar haar dagen verliepen in Parijs in een totaal ander ritme dan in Dijon, zoals ook haar nieuwe inzicht in de mogelijkheden van haar lichaam verschilde van de dagen toen ze tevreden was geweest met een goed spelletje tennis. Eve was volledig verslaafd aan haar seksuele hartstocht voor Alain. Hoewel hij in vele opzichten een egoïstische man was, wist hij precies hoe hij een onervaren meisje moest beminnen en haar verlangens hanteren, een kunst die slechts weinig mannen nodig of interessant vonden. Nacht na nacht voerde hij Eve het ene voorzichtige, adembenemende stapje na het andere over het pad van erotische kennis dat slechts weinig courtisanes in hun leven hadden bewandeld.

Het was begin oktober, een oktober waarin de zwoelheid en de geur van de zomer nog steeds door een warme bries door de ramen naar binnen werd geblazen; zonnige dagen werden gevolgd door nachten die slechts een vaag vermoeden van de herfst gaven; een verrukkelijke, koppige liefdesmaand die tot het volgende voorjaar leek te kunnen duren, die laatste oktober van *La Belle Époque*.

Eve viel bijna weer in slaap, maar juist toen ze haar ogen dichtdeed, herinnerde ze zich dat ze vandaag had beloofd te gaan lunchen met een nieuwe vriendin, of liever gezegd een kennis die misschien een vriendin kon worden. Ze woonde aan de andere kant van de gang en ze noemde zich Vivianne de Biron, wat Alain een goede keuze vond, niet te bloemrijk en ook niet te opvallend aristocratisch. Weinig vrouwen in de wereld van het variététheater gebruikten hun eigen naam. Eve stond zelf bekend onder de naam Madeleine Laforet, omdat ze wist dat haar ouders waarschijnlijk nog steeds probeerden haar te vinden.

Ze liet zich geeuwend uit het grote bed glijden en trok haar peignoir van zachte badstof aan. Toen ze zich waste en aankleedde, besefte ze dat ze zich op haar gemak begon te voelen in deze nieuwe gedaante, nu ze niet langer als een kuiken was dat zich zojuist een weg uit het ei heeft gepikt.

Alains kleine flat op de vijfde verdieping, in een zijstraat van de Boulevard des Capucines, de omgeving van Offenbach en Mistinguett, werd bereikt met een krakkemikkige lift. Het appartement was eenvoudig maar praktisch ingericht en bevatte een salon, een slaapkamer, een keuken, een badkamer en een kleine, halfronde eetkamer waar Alain zijn piano had neergezet. De hoge ramen van de salon gingen open naar een klein balkon, dat al snel Eve's geliefde plek werd om 's ochtends haar *tartine* te eten en de koffie te drinken die Alain eerder had klaargezet. Soms stond ze gewoon naar de overtrekkende roze en perzikkleurige wolken te kijken, die vanaf het Ile de France over Parijs werden geblazen, of zag ze hoe het abrikooskleurige licht van de late namiddag langzaam violet werd, maar dikwijls belandde Eve achter de piano om urenlang te spelen en te zingen. Muziek was de enige schakel met haar verleden die ze zich wenste te herinneren, hoewel ze elke week een brief naar haar ouders schreef. Zelfs als ze zo boos op haar waren dat ze haar brief niet wilden lezen, dan zou de aanblik van haar handschrift hun toch doen weten, dacht ze, dat ze nog steeds in leven was.

Eve's huishoudelijke taken waren minimaal. Elke middag kwam een dienstmeisje, dat al jaren voor Alain werkte, het bed opmaken en de flat schoonmaken, waarbij ze Eve's aanwezigheid accepteerde met een beleefde hoofdknik die duidelijk elke poging tot een gesprek ontmoedigde. Eve had als enige bezigheid het uitkiezen van een van Alains prachtige overhemden die hij bij Charvet in de Rue de la Paix liet maken, en een van zijn driedelige Engelse kostuums klaarleggen, afkomstig van Old England, het warenhuis op de Boulevard de la Madeleine, zodat hij zich kon verkleden voordat hij naar zijn optreden vertrok. Ze liet elke dag zijn overhemden met de hand wassen en zijn pakken persen, want Alain hechtte veel waarde aan zijn strenge, elegante uiterlijk.

Hij had Eve uitgelegd dat hij op de gedachte was gekomen zich door zijn manier van kleden te onderscheiden van het gewone volk, zelfs in de tijd dat hij alleen maar kleine rolletjes in de Moulin Rouge had gehad. In die tijd, vijf jaar geleden, had hij twee liederen gekocht van Delormel en Garnier, die aan de lopende band componeerden, en bij zijn allereerste auditie had hij een bescheiden optreden gekregen in een klein caféconcert. Eve kreeg gewoon niet genoeg van alle details van zijn carrière. Elk nieuw feit dat hij haar vertelde bevatte een vleugje van hun liefde, dat even moeilijk viel te omschrijven als de geur van een gardenia. Alles, hoe banaal het ook mocht zijn, was kostbaar en ingebed in omhulsels met een diepere betekenis. Old England en Charvet waren voor haar niet zomaar namen van winkels, maar klonken vol romantiek en geheimzinnigheid.

Eve kende niemand in Parijs. Alains dagen waren grotendeels gevuld met repetities, optredens en het uitgaansleven, waarin het noodzakelijke ellebogenwerk van zijn vak werd bedreven. Eve voegde zich na de voorstelling altijd bij hem en ze werd door zijn tientallen vrienden zonder enig teken van verbazing geaccepteerd. Ze was het nieuwe vriendinnetje van Alain, de kleine Madeleine, een lekker stuk, heel knap, ook al was ze misschien nog een beetje bleu. Dat was alles wat ze van haar moesten of wilden weten, besefte ze, zonder verbazing, aangezien het duidelijk was dat ze niet een van hen was, zelfs wanneer ze meedeed aan de nachtelijke feesten in rumoerige cafés en eethuisjes, waar een uitgelaten joligheid de plaats van gesprekken innam.

Hoewel ze al haar dagen alleen doorbracht, voelde Eve zich nooit eenzaam. Beneden lag de wereld van de *Grands Boulevards*, waar iedereen die iets voorstelde in de wereld van het variététheater, woonde. Ze verkende de wereld van de brede straten, ging bijna dansend over het trottoir, op de nieuwe syncopische ritmes uit Amerika, het ritme van de *maxixe*, de *bunny hug* en de *turkey trot*, die in snel tempo de tango vervingen. Ze durfde geen

55

koffie te drinken op een terrasje, hoewel ze hiernaar verlangde, omdat de aanblik van een jonge vrouw die in haar eentje in een openbare gelegenheid zat, had Alain haar gewaarschuwd, snel verkeerd kon worden begrepen. Ze waagde zich evenmin buiten hun wijk voor een wandeling in de Rue de la Paix of over de Champs Elysées of welke andere elegante promenade dan ook, vanwege het risico dat tante Marie-France haar mocht zien. Geen enkele chique vrouw wandelde ooit bij daglicht over de *Grands Boulevards*, daar kon ze zeker van zijn.

Het was nu bijna twaalf uur en Eve stond voor de kast met haar nieuwe garderobe en ze probeerde te besluiten of ze vandaag haar mooiste najaarskostuum aan zou trekken. Tot dusver had ze het alleen in de beslotenheid van de slaapkamer gedragen. Ze was nog steeds niet gewend aan die ongemakkelijke strompelrok die naar haar voeten toe steeds smaller werd. Om nog tot lopen in staat te zijn had de rok aan de voorkant een split, waardoor haar nieuwe schoenen met 'tangoveters' te zien waren. Hoewel deze belemmering heel moeilijk was voor een meisje dat aan wijdere Edwardiaanse rokken gewend was geweest, was Eve erg in haar sas met haar volwassen uiterlijk in deze rok en de bijpassende geplooide tuniek met daarboven een rechthoekig, bolero-achtig jasje met een V-hals over haar blote hals, wat heel ruim en losjes voelde wanneer je was opgegroeid met hoge kragen met baleintjes.

Ze zou vandaag dat felgroene kostuum dragen, besloot ze, hoe warm het ook mocht zijn, want Vivianne de Biron moest, naar Eve vermoedde, zo'n vijfendertig zijn en ze kleedde zich altijd volgens de laatste Parijse mode. Eve had behoefte aan het zelfvertrouwen dat die nieuwe kleren haar zouden geven, want dit zou sinds ze uit Dijon was weggelopen, de eerste keer zijn, dat ze alleen was met iemand anders dan Alain.

Eve besefte zelf niet hoe opgewonden ze was door dit vooruitzicht. Alain gaf haar geld om goed gekleed te gaan in het bijzijn van zijn vrienden, hij vroeg haar niet om huishoudelijk werk te doen, maar wanneer hij 's ochtends naar het theater vertrok, voor de repetitie van een nieuwe show, vergat hij haar bestaan. Het voor Eve onwennige, lege leven draaide volledig rond haar gedachten aan hem.

Van zijn kant was Alain Marais nog steeds blij met Eve, meer dan blij zelfs, want er was nog steeds heel veel wat ze moest leren eer ze de geraffineerde maîtresse was die hij haar wilde laten worden. Pas tegen die tijd, zoals dat zo vaak gebeurde, zou hij genoeg van haar beginnen te krijgen.

Vivianne de Biron was als Jeanne Sans ter wereld gekomen in een sombere buitenwijk van Nantes. Haar prachtige lichaam had haar een auditie in een variététheater bezorgd en hoewel ze zelfs niet in staat bleek het ritme van het orkest te volgen, liep ze als een keizerin.

Twintig jaar lang had ze met een schitterende houding en een hooghartige allure de zware, met lovertjes versierde kostuums van showgirl gedragen. Ze wist dat in de wereld van het variététheater zij en haar mede-showgirls als de olifanten van een maharadja waren: majestueus, nutteloos maar onmisbaar. Ze was trots op het feit dat ze, binnen de haar toebedachte rol, zichzelf goed wist te 'presenteren' en beter was dan de meeste andere meisjes.

Nu ze vijf jaar geleden keurig met pensioen was gegaan, had Vivianne de Biron een van de drie mogelijke ambities van elke oudgediende in haar vak weten te bereiken. Hoewel ze geen ster was geworden – niet dat daar ooit sprake van was geweest – en evenmin de vrouw van een brave hardwerkende man – wat zeker niet bij haar had gepast – was ze er wel in geslaagd twee niet al te veeleisende maar wel solide beschermers van middelbare leeftijd te vinden, wier adviezen haar in staat hadden gesteld hun genereuze gaven uitstekend te beleggen.

Haar inkomen was meer dan voldoende voor een vredig, rustig, luxueus bestaan in het hartje van de enige wijk van Parijs waarin ze ooit zou willen wonen. Het variététheater, dat zo lang Vivianne's wereld was geweest, genoot nog steeds haar grote belangstelling en ze miste nooit een nieuwe solist of een nieuwe *revue à spectacle*. Haar inzicht in dit leven was enorm, aangezien ze in die duizenden uren achter de schermen weinig anders had gehad om zich mee bezig te houden. Nu ze vijfenveertig was, verheugde ze zich op de dag, misschien over een jaar of vijf, waarop ze haar beschermers gedag kon zeggen en er verzekerd van zou zijn zeven nachten per week goed te kunnen slapen. Intussen had de jonge vrouw die naast haar was komen wonen, haar nieuwsgierigheid geprikkeld. Ze was heel anders dan de meeste veroveringen van Alain Marais. Ze bezat zowel beschaving als schoonheid, naïviteit en toch een onmiskenbare autoriteit, ondanks haar overduidelijk provinciale afkomst.

'Hoe vindt u Parijs, madame?' vroeg ze aan Eve, aan het begin van hun lunch in Café de la Paix, waar ze een goed plekje hadden gevonden in de grote en weelderig ingerichte eetzaal met de lichtgroene betimmering en plafondschilderingen als naar de smaak van de markies De Pompadour.

'Dit is de mooiste eetzaal van de wereld. Ik vind 't geweldig!' Eve's wenkbrauwen gingen enthousiast omhoog.

Vivianne nam haar nieuwe buurvrouw nauwlettend op. Eve ging gekleed volgens de laatste mode. Op elk van haar wangen, onder de keine toque op haar haar, lag de kleine gekrulde lok die juist in zwang begon te komen, maar al haar levenservaring zei haar dat de elegante Madeleine Laforet net zo groen was als het eerste het beste boerenmeisje dat haar kippen op de markt kwam verkopen. Als zij een 'madame' was, zoals de beleefheid gebood haar aan te spreken, was zij, Vivianne, de moeder van een groot gezin. En toch . . . en toch . . . had je nog die muziek.

'Ik heb genoten van uw zingen, madame, meer dan ik kan zeggen.'

'Mijn zingen!'

'Wist u niet dat ik u vanuit mijn keuken kan horen?'

'Nee, dat wist ik niet, ik had geen flauw idee.' Eve voelde zich hevig opgelaten. 'Ik dacht, ik was er zelfs zeker van, dat ik niemand stoorde, dat de muren dik genoeg waren ... het spijt me, ik heb u waarschijnlijk helemaal dol gemaakt. Ik ben blij dat u me hebt gewaarschuwd,' verontschuldigde ze zich, zeer terneergeslagen.

De gedachte dat de populaire deuntjes die ze hier en daar had opgepikt en voor zichzelf had gezongen, waren afgeluisterd door een vreemde die waarschijnlijk probeerde in alle rust en vrede haar avondeten klaar te maken, was zo gênant dat ze niet wist wat ze moest zeggen.

'Het komt door de manier waarop de muren in deze flatgebouwen zijn geconstrueerd. Het is gewoon tamelijk gehorig, maar sta me toe u te verzekeren dat dat me in dit geval een groot genoegen is geweest. En ik heb monsieur Marais ook vaak gehoord, alsof het een privé-voorstelling was.'

'Maar heeft u dat nooit tegen hem gezegd?' vroeg Eve.

'Zeker niet. Hij moet zijn nieuwe liederen toch oefenen. Dat is heel begrijpelijk. En ik bewonder zijn stem. Maar u, madame, naar ik mag aannemen, bent niet professioneel?'

'Nee, uiteraard niet, madame De Biron. Dat valt toch direct op te maken uit de manier waarop ik zing, nietwaar?'

'Niet helemaal. Ik vermoedde het slechts omdat ik uw naam nooit had gehoord en als u beroepsmatig zong zou ik het ongetwijfeld hebben geweten. Ik mag wel zeggen dat heel Frankrijk het dan had geweten. Niets wat in de wereld van het variététheater gebeurt, ontsnapt aan mijn aandacht. Ik heb weinig anders om mijn dagen mee te vullen. Het variététheater was mijn leven, nu is het mijn hobby, mijn hartstocht zo u wilt, en een betere kan ik me niet voorstellen.'

' "Dan had heel Frankrijk het geweten ...?" Waarom zegt u dat?'

'Dat is toch zeker duidelijk! U moet beseffen dat uw stem betoverend is ... nee, meer dan betoverend. En uw interpretatie! U hebt me werkelijk tot tranen toe geroerd met die malle liedjes die ik u tientallen keren heb horen zingen. Maar ik ben vast niet de eerste persoon die u dit zegt.'

Dit was Eve's eerste, onvoorwaardelijke compliment. Professor Dutour had op zijn brommerige manier altijd de indruk gemaakt dat hij niet helemaal tevreden over haar was en haar moeder beschouwde haar stem slechts als een damesachtige verworvenheid waarmee ze in gezelschap een goede indruk kon maken. Ze wist niet hoe ze moest reageren en Vivianne de Biron, die dit merkte, veranderde snel van onderwerp. 'Bent u veel naar het variététheater geweest, madame Laforet?' vroeg ze.

'Nee, helaas niet,' antwoordde Eve. 'Ziet u, monsieur Marais zingt elke avond in de Riviera, behalve 's zondags, en ik zou me niet erg op mijn gemak voelen als ik alleen naar een theater ging. Is dat erg dwaas van me?'

'Integendeel, het is heel verstandig. Maar wat dacht u van een matinee?'
'Ik heb niet aan een matinee gedacht.'
'Als ik eens wat kaartjes kreeg . . . ik krijg altijd vrijkaartjes van de leiding, weet u . . . zou u dan zin hebben een keertje mee te gaan?'
'O ja, gráág! Dat lijkt me bijzonder leuk, madame De Biron. Het is vreemd, toen ik monsieur Marais nog maar pas kende, vond ik dat ik wel achter de schermen kon komen, maar nu voel ik me een beetje opgelaten als ik daar rondhang wanneer hij optreedt . . . er is daar geen plaats voor mij . . . en . . . en ik merk dat ik het mis,' zei Eve treurig.
'Ach, ik weet precies wat u bedoelt,' antwoordde Vivianne. Ze was lang, heel lang geleden verliefd geweest op een jonge zanger.

Geef haar twee gebroken enkels, geef haar vijftien bijesteken op het puntje van haar neus, geef haar een ondraaglijke jeuk, maar o, lieve Heer, laat die dagen nooit meer terugkomen! Dat paradijs, die kwellingen, die laatste, bittere ontgoocheling.

Aldus begon Eve's introductie in de wereld van de eersteklas variététheaters. Toen in 1858 het weelderige Eldorado was gebouwd, werd dat het eerste echte theater dat het caféconcert, die unieke Franse mengeling van zingen en drinken, die te groot was geworden om nog café te kunnen worden genoemd, kon vervangen. Eve en Vivianne de Biron begonnen elkaar al snel bij de voornaam te noemen terwijl de oudere vrouw voorging, van La Scala tot de Variétés, van het Bobino tot het Casino de Paris, en alle glorie en ervaring die ze in twintig jaar had vergaard, over het meisje uitstortte.
'Neem nu Dranem. Er zijn weinig zangers die me zó aan het lachen kunnen krijgen. Hij kan een heel theater in zijn eentje vol krijgen, maar hij ziet er niet uit, met die enorme galoches en dat malle kleine hoedje . . . een gouden hoedje, dat verzeker ik je. Hij noemt het zijn *Poupoute* en je kunt het nog niet voor al het geld van Parijs van hem kopen. En let eens op hoe hij zingt, zonder het minste gebaar te maken, met rouge op zijn neus en op zijn kin, met gesloten ogen . . . dat is zíjn specialiteit en niemand heeft het ooit kunnen verbeteren, hoewel ze het vaak hebben geprobeerd. Dranem, Polin en Mayol; dat zijn de drie grote voorbeelden en ze worden nageaapt door zo'n duizend jonge zangers. Polin is heel schattig, maar hij begrijpt niets van publiciteit. Hij heeft altijd gezegd: "Het geheim van succes is ervoor te zorgen dat je vijf minuten eerder van het podium gaat dan het publiek wil dat je verdwijnt." Dus gaat hij elke avond naar huis, als een ambtenaar van het postkantoor, en je leest nooit iets over hem. Ik ben ervan overtuigd dat hij daardoor lang niet zoveel geld verdient als sommige anderen, die niet half zoveel talent hebben. Wat Mayol betreft, die grote rode vent, hij zou ook veel populairder kunnen zijn, als hij maar dol was op vrouwen in plaats van op mannen . . . de vrouwen in de zaal begrijpen direct dat hij niet tegen hen zingt.

Ach, kijk toch eens, dat derde meisje van links, die met die paarse veren en dat rode haar. Gisteren probeerde iemand me nog wijs te maken dat ze vier maanden zwanger was van haar impresario, maar haar buik is net zo plat als wat. Zo zie je maar weer dat je van al die roddels niets moet geloven. Ah, ik begrijp dat je Max Dearley weet te waarderen. Ik ben dól op hem ... mijn ouwe Max noemde ik hem altijd. Hij was de eerste komische zanger die zijn gezicht als dat van een clown beschilderde of allerlei rare kleren aantrok ... moet je nagaan wat dat een opwinding heeft veroorzaakt, een zingende komiek die er chic uitzag, en hij danst heel goed, iets dat je niet van de anderen kunt zeggen. De dames zijn allemaal gek op hem en hij is bijna net zo dol op hen als op paarden. Ik wou dat ik het geld bezat dat hij vroeger bij de rennen heeft verloren.'

Eve luisterde geboeid naar alles wat Vivianne haar vertelde. Het was niet alleen haar kennis van allerlei zaken die zo'n indruk maakte op Eve, maar ook de mogelijkheden van het menselijk gedrag zoals die door de oudere vrouw werden onthuld. Zwanger van haar impresario ... een man die van mannen hield ... geld verliezen op de renbaan ... zou ook maar iemand in het variététheater zo'n kleurloos leven hebben moeten leiden als zij?

'Neem bijvoorbeeld die jongen Chevalier,' zei Vivianne. 'Hij heeft volgens mij zijn inspiratie ontleend aan Dearly, maar hij heeft het wel ver geschopt. Heb je ooit het verhaal gehoord over het nummer waarmee hij is uitgekomen? Mistinguett en hij deden een dans, *La Valse Renversante* ... ze zwierden op het toneel alle rekwisieten omver en belandden ten slotte samen opgerold in een tapijt. Uiteraard leidde het een tot het ander en werd hij haar minnaar. Kijk eens, Madeleine! Daar heb je Viviane Romance. Volgens mij heeft ze haar naam van mij gepikt. Ze had wel lef, dat moet ik zeggen. Ze is zelfs Mistinguett een keer naar de keel gevlogen, toen de Miss haar een boete had gegeven omdat ze tijdens een groot tableau had gelachen. Ze zei tegen de Miss dat ze haar een ouwe taart vond en dat ze op haar graf zou dansen en toen kreeg zij voor die brutaliteit een klap in haar gezicht. Er waren twee mannen voor nodig om die twee weer uit elkaar te trekken ... ik wou dat ik het had gezien!

Volgende week gaan we naar Polaire ... je hebt toch wel gehoord hoe slank haar taille is? Nee? Hij is zo smal dat ze er een hereboord van veertig centimeter omheen kan dragen. Naar mijn smaak is haar neus te groot en haar huid te donker, net een Arabisch jongetje, maar ze heeft prachtige ogen. Heel groot, bijna angstaanjagend. Moet je nagaan: toen ze in Amerika op tournee was, hebben ze het bestaan haar aan te kondigen als De Lelijkste Vrouw van de Wereld en die stomme Amerikanen vonden haar zó knap dat ze hun geld terug wilden! Ze zit in hetzelfde programma als Paulette Darty. Maar dát is een echte schoonheid, vind ik. Groot waar ze groot moet zijn en roze waar ze roze moet zijn. De Koningin van de Wals noemen ze haar, en niet zonder reden. Rodolphe Berger, een echte Wener, schrijft al haar muziek ... niet gek, hè?'

'Vivianne, ik vroeg me af,' viel Eve haar in de rede, 'misschien is het erg moeilijk om kaartjes te bemachtigen, maar ik wil dolgraag eens naar het Olympia.'

'Wil je Polaire niet zien?'

'Natuurlijk, maar ik heb al zoveel gelezen over de nieuwste show van het Olympia. De Dolly Sisters en Vernon en Irene Castle en Al Jolson! Volgens de kranten is deze show het grootste succes aller tijden! Wil jij hem niet zien?'

'Bah! Een stelletje Amerikanen. Gewoon een nieuwigheidje, meer niet! Mijn oude baas, Jacques Charles, is naar Broadway gegaan en heeft iedereen in dienst genomen die hij maar zover kon krijgen. Niet gek, dat geef ik toe, maar ook niet erg vaderlandslievend. Persoonlijk boycot ik die show. Niemand hoeft 't te weten maar je krijgt mij er met geen stok heen,' snoof Vivianne en het onderwerp was afgedaan.

Eve was echter vastbesloten naar het Olympia te gaan, of Vivianne het daarmee eens was of niet, en ze voelde zich in de grote theaters inmiddels voldoende op haar gemak om alleen te gaan. Het was eind november en de geurige, zoele dagen van oktober hadden plaats gemaakt voor een ongewoon koude en natte herfst, maar ze droeg een dikke nieuwe jas, een grote bontmof en een royale bontmuts waarmee ze de elementen kon trotseren. Alain had met kaarten wat geld verdiend en hij had haar royaler bedacht dan anders. Ze had niet durven vragen hoeveel hij had gewonnen, want hij had een hekel aan vragen over zijn leven met zijn vrienden, maar uit de manier waarop hij iedereen die hij kende zo nodig op oesters en champagne wilde trakteren, begreep ze dat het veel moest zijn geweest.

Nu de repetities voor de nieuwe show achter de rug waren, scheen Alain de meeste middagen waarop hij niet hoefde op te treden te besteden aan het kaartspel. Maar ze wilde hier niet verder over nadenken. Hij werkte zo hard dat hij wel wat afleiding had verdiend, vond Eve terwijl ze zich aankleedde om naar de matinee te gaan.

Vivianne had mee moeten gaan, vaderlandslievend of niet, dacht Eve toen het doek na tien keren halen eindelijk voor Irene Castle viel. Als ze dát eens had moeten missen! Die zwevende gratie, die frisse charme! Haar handen deden nu al pijn van het klappen, maar er was nog één nummer voor de pauze, een zanger die Fragson heette.

Vivianne had die naam in al haar verhalen over sterren nooit genoemd, maar toch verviel het publiek nu in een gespannen stilte waarvan Eve wist dat deze slechts voorafging aan de verschijning van een kunstenaar die zo bekend en geliefd was dat hij of zij niets anders van het publiek te verwachten had dan aanbidding.

Het doek ging op voor een donker toneel en toen pikte een krachtige schijnwerper een eenzame gestalte op; een lange, donkerharige man in een donker Engels pak, een hoge gesteven boord en een gouden horlogeketting die juist zichtbaar was onder de knoop van zijn donkere stropdas. Zodra hij achter de piano ging zitten en de eerste noten van *Folie* begon te spelen, overstemde zijn gehoor hem met een daverend applaus en pas toen hij begon te zingen, werden ze echt stil. Eve hoorde de vertrouwde woorden van Alains herkenningsmelodie: *I only dream of her, of her, of her*, in een nachtmerrie waarvan ze niets begreep. Wist Alain dat een zekere Fragson zijn lied had gestolen? Mocht dit zomaar? Hoe kon het Olympia deze Fragson presenteren wanneer slechts enkele straten verderop, in het Riviera, Alain dezelfde liederen zong; het nieuwe lied waar ze zoveel van hield, *Adieu Grenade*, en het grappige liedje dat hij net had geleerd, *La Petite Femme du Métro*, en nu, lieve God, nu zelfs *Reviens*, Alains dierbaarste muziek, het nummer dat hij altijd aan het eind zong, vlak voor *Je Connais une Blonde*.

Ze keek wanhopig om zich heen, alsof ze verwachtte dat de politie Fragson elk moment kon komen arresteren, maar ze zag slechts honderden gezichten vol verrukte herkenning knikken bij elk nieuw lied, dat zó bekend was dat er geen aankondigingen voor nodig waren. De vrouw die naast haar zat, kende de woorden van alle nummers uit haar hoofd, want haar lippen bewogen geluidloos terwijl ze bleef meezingen met Fragson, zoals Eve vol afschuw ontdekte. Ze dwong zich zo goed mogelijk op Fragson te letten en ze besefte dat hij veel ouder moest zijn dan Alain, dat hij aanzienlijk minder haar had en aanzienlijk meer neus, en dat hij met een Engels accent zong. Anders had het Alain Marais kunnen zijn, daar op het podium van het Olympia.

Zodra het laatste applaus was weggestorven en de pauze begon, verliet Eve zo snel mogelijk het theater en liep als in een trance naar huis. *Fragson.* Fragson, die een veel grotere attractie was dan zelfs Polin of Dranem of Chevalier, want ze had ze nu allemaal gehoord en niemand had het publiek zo wild enthousiast gekregen als hij. Fragson, die Alains liederen zong. Fragson in Alains stijl, een stijl die zij nergens anders in enig variététheater was tegengekomen.

Fragson, Fragson . . . de naam vervulde haar geest tot Eve ten slotte de waarheid moest erkennen. Het was Alain Marais die Fragsons liederen zong, Alain Marais die in Fragsons stijl zong, Alain Marais die zich als Fragson kleedde. Ze wist zeker dat als ze in Fragsons overhemden zou kijken, ze een Charvet-etiket zou zien, en in zijn jasje zou staan dat het van Old England kwam.

Het bestaan van Fragson verklaarde veel over Alains carrière, behalve waaróm hij ervoor had gekozen een imitatie van Fragson te zijn. Bezat hij wel de capaciteiten om origineel te zijn? Ze zou het hem nooit kunnen vragen. Ze kon hem niet vertellen dat ze Fragson had gehoord. Wat Alain ertoe had gedreven slechts als een kopie van een van de grootste entertainers van Frankrijk door het leven te gaan, was niet haar zaak. Ze kon slechts gissen; ze kon vermoeden dat het op die manier misschien eenvoudiger was geweest zijn eerste baan te krijgen en dat hij om de een of andere reden niet van die succesformule had durven afwijken, maar ze zou het hem nóóit, nóóit kunnen vragen.

Eve's hart brak toen ze bedacht hoe Alain haar had verteld hoe hij die speciale manier van zingen had bedacht; haar hart brak eveneens wanneer ze bedacht hoe ze hem had geloofd. Was dit echt pas maanden geleden geweest? Ze voelde zich tien jaar ouder. Geen wonder dat Vivianne had geprobeerd haar weg te houden van het Olympia. Met haar encyclopedische kennis van de wereld van het variététheater had ze dit steeds al geweten.

Eve ging automatisch met de lift naar boven. Vivianne hoorde haar thuiskomen, stak haar hoofd om de hoek van de deur en vroeg: 'En, heeft die wandeling geholpen tegen je hoofdpijn?'

'Niet echt, Vivianne, maar het zal wel weer overgaan,' zei Eve. 'Een hoofdpijn kan niet eeuwig duren.'

De natte maand november begon op een moesson te lijken toen het december werd. Slechts de etalages van de winkels verleenden nog enige kleur en vrolijkheid aan een stad waarin het oversteken van een straat een ijzige ontbering was geworden. Parijs was nog nooit, zeiden de mensen tegen elkaar, zo koud, zo winderig, zo akelig en zo vreselijk nat geweest.

Iedereen verlangde naar Kerstmis, alsof dat feest misschien veranderingen kon brengen in de meteorologische omstandigheden die Parijs bij slecht weer tot een van de ongezelligste steden ter wereld maken. De beroemde Parijse hemel hangt laag over de grijze gebouwen, met een bijna persoonlijke wraakzucht die maakt dat verstandige Parijzenaars hun gordijnen dichttrekken en van 's morgens tot 's avonds hun lampen laten branden.

Twee dagen voor Kerstmis had Alain de verkoudheid opgelopen die al enige weken in het Riviera-gezelschap heerste. Hij ging die dag net als anders naar het theater en volbracht zijn *tour de chant*, maar toen hij zich weer te voet naar huis had geworsteld, werd hij in angstaanjagend korte tijd opeens veel zieker. Tegen de ochtend had hij zo'n hoge koorts en was hij zo zwak dat Eve, die de hele nacht bij hem had gewaakt, in haar peignoir over de gang naar Vivianne liep om te vragen of zij hier in de buurt een dokter kende.

'Ik zweer altijd bij de oude dokter Jammes. Die lapt hem binnen de kortste keren weer op. Ik zal hem direct bellen, kleintje, maak je maar geen zorgen. En jij moet naar het Riviera bellen om te zeggen dat Alain minstens een week lang niet kan optreden. Deze verkoudheden rond de kerstdagen kunnen heel hardnekkig zijn.'

Dokter Jammes onderzocht Alain grondig en hij schudde zijn hoofd.

'Misschien had de rest van het gezelschap slechts een verkoudheid, madame,' zei hij tegen Eve, 'maar ik vrees dat ik hier alle symptomen van een longontsteking zie. Hij moet direct naar het ziekenhuis. U kunt hem hier niet zelf verplegen.'

Bij het woord 'longontsteking' werd Eve overmand door vrees. Hoe vaak had haar vader geen patiënten die slechts een leverkwaal hadden, moeten verliezen aan de gevreesde longontsteking, waartegen niets anders te doen was dan aderlaten en vervolgens bidden dat de patiënt de kracht opbracht deze ziekte te overleven?

'Kom, kom, maakt u zich niet overstuur, dat helpt niets,' zei dokter Jammes haastig toen hij haar gezicht zag. 'U moet zorgen dat u goed eet en op krachten blijft. Deze jongeman,' vervolgde hij met een blik op Alain, 'heeft vast en zeker te veel hooi op zijn vork genomen. Hij is veel te mager. Ja, wanneer hij dit weer te boven is, moet hij echt beter voor zichzelf zorgen. Ach, dat vertel ik mijn patiënten zo vaak, maar luisteren ze naar mijn raad? Ik zal in ieder geval, madame, alles direct in orde maken.'

'Is . . . is het ziekenhuis erg duur, dokter?' vroeg Eve moeizaam.

'Iedereen klaagt dat dat het geval is, madame, maar ik neem aan dat u over de nodige reserves beschikt?'

'Ja, jazeker, maar ik vroeg het gewoon omdat elke ziekte nu eenmaal . . .'

'Maakt u zich niet te veel zorgen, madame. Hij is jong en ik zeg altijd maar dat je beter te dun dan te dik kunt zijn. Maar ik moet nu gaan. Ik heb nog vijf andere patiënten die ik voor de lunch moet bezoeken . . . artsen hebben geen tijd om longontsteking te krijgen, en dat is maar goed ook. Ik kom uiteraard in het ziekenhuis bij hem kijken, als ik de ronde doe.'

'Vivianne, ik weet dat het wat kinderachtig moet lijken, maar ik heb geen flauw idee wat Alain doet met het geld dat hij verdient. Hij geeft me geld voor kleren maar hij betaalt het dienstmeisje zelf en we eten nooit thuis, behalve bij het ontbijt. Ik weet zelfs de naam van zijn bank niet,' bekende Eve haar vriendin, toen ze Alain naar het ziekenhuis had gebracht en ze verder niets meer voor hem kon doen.

'Je zult hem er gewoon naar moeten vragen, kleintje. Maar maak je geen zorgen, hij heeft jarenlang goed verdiend en hij is niet op zijn achterhoofd gevallen,' antwoordde Vivianne, terwijl ze zichzelf opnieuw feliciteerde met haar eigen financiële voorzieningen. Ze twijfelde er niet aan dat de vrouwen van haar beschermers op het punt van de financiën van hun echtgenoten net zo onnozel waren als Madeleine over die van haar minnaar.

Maar de volgende maand was Alain niet in staat om antwoord te geven op vragen over zijn spaargelden of waarover dan ook. In het ziekenhuis zweefde hij tot drie keer op het randje van de dood. Vivianne hield Eve gezond met de voedzame maaltijden die ze voor haar kookte en als ze Eve niet had gedwongen zo lang geld van haar te lenen, zou Alain zijn overgebracht naar een van de ziekenhuizen die Parijs voor de armlastigen in stand houdt.

Eindelijk, in de laatste dagen van januari, scheen hij op weg te zijn naar een herstel en Eve vroeg hem, vermoeid doch vastberaden, hoe ze wat geld van zijn bank kon opnemen. 'Bank!' lachte hij zwak. 'Bank! Hier spreekt een ware dochter van de rijken.'

'Alain, ik heb een heel gewone vraag gesteld. Waarom doe je zo vreemd?'

'Omdat als jij niet als rijk meisje was geboren, je zou weten dat ik elke penny die ik verdien ook weer uitgeef. Dat heb ik altijd gedaan en dat zal ik altijd blijven doen . . . dat is het leven dat ik lang geleden voor mezelf heb verkozen. Elke onnozele burgertante zou dat allang hebben ingezien. Sparen en potten! Dat is goed voor de brave burgervaders met een keurig vrouwtje en, God sta me bij, een stel keurige kinderen. Bah! Ik raak het nog liever kwijt bij een goed spelletje kaart dan het op de bank te zetten. Maar jij hebt geen enkel recht tot klagen. Toen ik het had, heb ik je veel gegeven en ik ben niet bij je komen klagen toen ik het allemaal weer kwijtraakte.'

'Allemaal kwijtraakte?'

'Vlak voordat ik ziek werd. Gewoon een paar keer een slechte kaart.' Hij haalde zijn schouders op. 'Ik had net voldoende om de kerst te halen en tegen die tijd verwachtte ik weer geluk te zullen hebben . . . en anders moest ik wachten tot betaaldag, net wat het eerste kwam. Ik heb me nooit zorgen gemaakt. Ik weiger me zorgen te maken en ik heb gelijk, wacht maar af. Ik sta binnen de kortste keren weer op de planken, nu die verhipte longontsteking eindelijk over is!'

'Maar Alain, ik heb dokter Jammes gevraagd wanneer je naar huis mocht en hij zei dat dat misschien over een paar weken was, maar dat het daarna nog . . . maanden, máánden zou duren eer je weer zover was opgeknapt dat je weer aan het werk kon!'

'Die bombastische oude zot.' Alain wendde zich af en keek door het raam naar de sneeuw die zo zelden op Parijs viel.

'Bombastisch is hij misschien wel, maar hij is niet zot. Volgens mij heeft hij je leven gered,' zei Eve verontwaardigd.

'Hoor eens, ik zal je een goede raad geven,' zei Alain verbitterd. 'Ga naar huis. Ga terug naar Dijon.'

'Alain!'

'Ik meen het. Je bent niet geschikt voor dit leven, dat weet je zelf ook. Je hebt je avontuur beleefd, maar je ziet nu toch zeker zelf ook wel in dat het voorbij is? Ga terug naar je ouders, liefst met de eerste de beste trein. Je hoort hier niet. De hemel weet dat ik er geen moment over heb gepeinsd je te vragen mee te gaan . . . dat was helemaal jouw idee, weet je wel. Dit soort leven bevalt mij uitstekend, maar ik kan niet lang voor een ander zorgen.

Eerlijk gezegd wil ik dat ook niet. Je hebt jezelf uitgenodigd. Nu is het tijd om te gaan. Zeg me gedag, Eve, en stap in die trein.'
'Ik zal je nu alleen laten. Je bent oververmoeid. Morgen kom ik terug, lieverd. Probeer wat te rusten.' Eve snelde de ziekenzaal uit, zonder één keer om te kijken, hopend dat niemand haar tranen zou zien.
'En is dat alles wat hij heeft gezegd?' vroeg Vivianne.
'Was het soms niet genoeg? Was het niet meer dan genoeg?'
'Misschien heeft hij gelijk,' zei de oudere vrouw langzaam.
'Denk je dat echt? Jij ook al?'
'Ja, kleintje van me. Parijs is geen stad voor een meisje zonder vastigheid, en dat, Madeleine, is iets dat Alain Marais je nooit zal kunnen geven. Ik waardeer het in hem dat hij dit zelf inziet. Wat hij zei – over teruggaan naar Dijon – is dat mogelijk?'
'Nee! Absoluut niet! Ik houd van hem, Vivianne, en wat jij of zelfs hij ooit mag zeggen, ik zal hem nooit verlaten. Als ik ... naar huis ... ging ... zouden ze van me verwachten ... God mag weten wat ze zouden verwachten! Het is ondenkbaar.'
'Dan is er een andere oplossing, maar het is er maar één.'
'Wat kijk je me vreemd aan?' zei Eve, plotseling op haar hoede.
'Ik vroeg het me af. Zou je het kunnen?'
'Wát moet ik hemelsnaam kunnen?'
'Zorgen dat je een baan krijgt.'
'Natuurlijk kan ik een baan krijgen! Waar zie je me voor aan? Ik kan verkoopster worden, ik kan leren hoe je met een schrijfmachine omgaat, ik zou bij een telefoonmaatschappij kunnen werken, ik zou ...'
'Madeleine. Stil even. Ik stel je niet voor in een winkel of bij een groot bedrijf te gaan werken, daar zijn miljoenen andere meisjes minstens even geschikt voor. Nee, kleintje, ik bedoel een baan die in overeenstemming is met jouw talenten. Ik heb het over een baan op het toneel van het variété-theater.'
'Dat kun je niet menen!'
'Integendeel, ik loop er al maanden over te denken. Sinds ik je voor het eerst heb horen zingen, om precies te zijn. Ik vroeg me af waarom monsieur Marais er nooit zelf aan heeft gedacht, maar toen realiseerde ik me dat jij nooit zong wanneer hij thuis was. Weet hij zelfs wel dat jij zingt? Nee? Dat vermoedde ik al. Je had te veel ontzag voor zijn ... professionalisme ... om je eigen armzalige stemmetje te laten horen, is het niet?'
'Steek gerust de draak met mij, Vivianne, het kan me niets schelen. Ik heb niet voor hem gezongen omdat ik dacht dat hij misschien ... ach, ik weet het niet, misschien vond hij het niet leuk als ik ook zong, misschien dacht hij dan dat ik hoopte duetten met hem te mogen zingen, of zo iets.'

66

'Of misschien omdat jij meer kans hebt om een succes te worden dan hij?
Hè? Dacht je dát?'
'Néé!'
'Waarom niet? Want het is wel waar. Doe geen moeite het te ontkennen.
Ik weet het en ik denk dat jij het ook weet.'
Er viel een gecompliceerde stilte. Ieder van hen wist dat ze heel voorzichtig om een onderwerp heen draaiden dat geen van hen beiden ooit had willen aansnijden. Tegelijkertijd wist geen van beiden hoeveel de ander precies wist. Aan de andere kant was dit geen tijd om om de hete brij heen te blijven draaien. Ten slotte durfde Eve verder te gaan, zonder Vivianne's laatste vraag te beantwoorden.
'Waarom denk je dat ik op het toneel kan zingen? Ik ben nog nooit voor publiek opgetreden, alleen voor mezelf en ... thuis, en voor jou, toen je me hoorde.'
'Er zijn twee redenen. Ten eerste je stem. Die bezit de kracht die nodig is om verstaanbaar te blijven tot op elk balkon van het grootste theater in Parijs; hij bezit een klank die emoties weet over te brengen, als het ware van jouw lippen naar het hart van de luisteraar; hij bezit een bijzondere eigenschap waar ik geen woorden voor heb, die maakt dat ik jou steeds weer wil horen zingen, zonder er genoeg van te krijgen; en, bovenal, wanneer jij over de liefde zingt gelóóf ik je, woord voor woord. En ik geloof niet in de liefde, zoals je heel goed weet.
Ten tweede, je vertegenwoordigt een genre, je bent een type. Alleen talent, het bezit van een goede stem, is bij het variété nooit genoeg ... je moet een type zijn om succes te hebben.'
'Welk type ben ik?' vroeg Eve, gespannen.
'Je bent jezélf. Het beste type dat er bestaat, kleintje van me! Ik weet nog goed hoe Mistinguett eens tegen me zei: "Het belangrijkste aan mij is niet mijn talent, maar het feit dat ik Mistinguett ben. Iedereen kan talent hebben." Ach, de Miss, ze vindt het zo heerlijk om over zichzelf te praten. Kleintje, je bezit talent en daarnaast ben je uniek, je bent Madeleine! Met deze twee eigenschappen kun je het variététheater veroveren.'
'En als je het nu eens bij het verkeerde eind hebt?'
'Onmogelijk. In zulke dingen heb ik het nooit mis. Maar je moet wel moed opbrengen om het te proberen.'
'Moed opbrengen ... natuurlijk kan ik dat. Ik durf altijd álles,' riep Eve, met stralende ogen.
'Dan moeten we de juiste liederen uitzoeken en een auditie zien te krijgen. Hoe eerder hoe beter. Gelukkig heb ik nog steeds mijn contacten bij het Olympia ... Jacques Charles zal altijd naar je luisteren als ik je bij hem breng.'
'Het Olympia?'

'Natuurlijk, waar anders? We beginnen bij de top, zoals elk verstandig mens zou doen.'

Dank zij zijn energie, ambitie en vindingrijkheid was Jacques Charles reeds met tweeëndertig jaar de belangrijkste producer in de theaterwereld. Hij stond, plukkend aan zijn zwarte snor en met ogen vol van een nimmer aflatende nieuwsgierigheid, op zijn gebruikelijke plek voor een auditie, bijna achteraan op het tweede balkon van het Olympia. Als een artiest niet op die plek te verstaan was, zo ver van het toneel, dan had hij geen enkele belangstelling, hoe geweldig het talent ook mocht zijn.

'Wat staat ons vandaag nog te wachten, *patron*?' vroeg Maurice Appel, zijn assistent, verbaasd over deze ochtendauditie op een dag die meestal voor middagauditie was bestemd.

'Een gunst, Maurice. Je herinnert je Vivianne de Biron nog wel, een van de belangrijkste meisjes uit de Folies-Bergère. Een gewéldige meid, die Vivianne: nooit te laat, nooit ziek, nooit zwanger, nooit verliefd en nooit moe. Bovendien was ze zo slim uit het vak te stappen voordat haar borsten ophielden met halverwege naar het plafond te wijzen. Sinds zij daar is vertrokken, is er niemand anders geweest die kon tippen aan de manier waarop zij over het toneel stapte met niets meer aan haar lijf dan een ton veren op haar hoofd. Ze heeft me gevraagd naar een kennis van haar te luisteren. Hoe zou ik dat kunnen weigeren?'

'Haar vriend?'

'Nee, een meisje, naar het schijnt. Daar heb je haar.'

De twee mannen keken naar Eve, die het podium op was gekomen in een kopie van de nieuwste jurk in Parijs, Jeanne Lanvins donkerblauwe wollen hemdjurk. Maar deze historische jurk was door Vivianne's kleermaker gekopieerd in een volmaakte rode crêpe, waarvan de vlammende gloed werd gereflecteerd in Eve's rossige haar dat aan weerszijden van haar gezicht in twee glanzende vleugels naar voren was geborsteld. Ze leek op het donkere toneel als een bundel zomerse zonneschijn waarin het licht van de schijnwerpers verstrikt raakte, alsof ze deel uitmaakten van haar stralende persoonlijkheid. Eve leunde beheerst met haar rechterhand op de piano, waarachter een begeleider klaarzat, met de muziek al voor zich. Uit deze houding, die heel natuurlijk was voor iemand die vele jaren bij professor Dutour had gestudeerd, viel niet op te maken dat ze zenuwachtiger was dan ooit tevoren.

'Je kunt haar in ieder geval zien,' zei Jacques Charles.

'Zullen we wedden, *patron*? Volgens mij is ze het genre Polaire.'

'Waarom niet Mistinguett, als we toch bezig zijn?'

'Yvonne Printemps?' ging Maurice ertegenin.

'Je vergeet Alice de Tender.'

'Om maar te zwijgen van Eugenie Buffet.'

'Daarmee zijn alle mogelijkheden wel uitgeput. Ze is vast niet van plan

om in zo'n soepjurk te gaan dansen, dus Paulette Darty valt buiten de weddenschap. Ik houd het op Alice de Tender. En jij, Maurice?'
'Printemps. Ik volg mijn intuïtie.'
'Om vijf frank?'
'Afgesproken.'
'Mademoiselle, alstublieft, u kunt beginnen,' riep Jacques Charles.
Eve had twee nummers ingestudeerd. Ze was heel zenuwachtig geworden bij de gedachte nieuwe liederen te moeten vinden in een tijd waarin alle fatsoenlijke componisten dag en nacht bezig waren de gevestigde sterren te voorzien, maar Vivianne had een oplossing voor dat probleem bedacht.
'Ik ben ervan overtuigd, kleintje, dat je niet iets nieuws moet zingen. Het gaat niet om het lied; het lied moet niet opvallen, maar jij! Alleen jij en je genre. Ik stel voor dat je iets zingt waarmee andere vrouwen beroemd zijn geworden, liederen waarvan de mensen vinden dat ze niet van Mistinguett en Yvonne Printemps te scheiden zijn, zoals *Mon homme* en *Parlez-moi d'amour*. Op die manier daag je hen uit op hun eigen terrein en laat je hun zien dat niet het lied het belangrijkste is, maar de zangeres.'
'Grote hemel, Vivianne, maakt dat het niet juist veel moeilijker voor me? Het lijkt dan net of ik geen ideeën heb,' had Eve geprotesteerd.
'Niemand heeft een boodschap aan jouw hersenmassa wanneer jij op het podium staat, liefje. Je moet indruk maken. Je moet jezelf ónvergetelijk maken.'
Onvergetelijk, dacht Eve, toen ze in het licht van de schijnwerpers stond. Ik hoef me alleen maar onvergetelijk te maken. En daar heb ik vijf minuten de tijd voor. Ze haalde diep adem en dacht aan de eindeloze horizon die ze vanuit de rode ballon had gezien, ze dacht aan het moment waarop ze zich één had gevoeld met de roekeloze piloten van de grote Luchtvaartshow. Ach, waarom ook niet, vroeg ze zich af. Is het wel zo bijzonder om onvergetelijk te zijn? Ik zal het in ieder geval dúrven.
Eve gaf de pianist het teken in te zetten en toen de eerste klanken van *Parlez-moi d'amour* door het lege theater klonken, stak Maurice zijn hand uit naar zijn baas en Jacques Charles greep in zijn zak. Maar toen haar stem de afstand tussen hen overbrugde, die alt die zo intiem, zo indringend was, die stem die regelrecht in zijn oor scheen te zingen hoewel de afstand tussen het podium en het tweede balkon heel groot was, bleef hij roerloos zitten luisteren.
Jacques Charles luisterde naar een stem die een honger in hem opriep op een plaats waar hij nooit honger had gehad, een stem die zijn honger stilde en hem toch naar méér deed verlangen van dit geluid als het kloppen van een geliefd hart, een stem die een onschatbare, maar nog onbekende les scheen te bevatten. De impresario besefte dat hij zo gewend was die aardige melodie met Printemps' droevige, ijle sopraan te horen zingen, dat hij nooit aandacht had besteed aan de woorden. De 'tederheden' waar het lied om

69

smeekte, ontroerden hem door de gedachten aan tederheden die hij zich herinnerde, tederheden waar hij op had gehoopt, en even werd hij geraakt door een smachtend verlangen naar liefde, dank zij de klanken uit de keel van dit meisje in het rood.

Toen Eve haar eerste lied had beëindigd, wilde Maurice iets zeggen, maar de producer legde zijn vingers op zijn lippen. 'Gaat u alstublieft verder, mademoiselle,' riep hij, en Eve zette *Mon homme* in. Ze zong de tekst van een lied dat, zoals beide mannen wisten, als een geloofsartikel zo absoluut bij de grote en wispelturige Miss hoorde, net als haar beroemde benen bij haar hoorden en net zo volledig als de jonge Chevalier. Maurice bedacht dat het maar goed was dat de Miss hier vandaag niet aanwezig was om deze brutale en ongelooflijk succesvolle toeëigening van haar bezit te kunnen horen. Het zou nooit meer zó van haar kunnen zijn, niet als vroeger, en ze zou in staat zijn geweest om een moord te begaan. Van zijn kant bedacht Jacques Charles dat het jammer was dat Chevalier, die beste kerel, niet aanwezig was om even te kunnen ontsnappen aan zijn stormachtige affaire met de Miss. Of liever gezegd om eraan te ontsnappen in ruil voor een andere onderwerping, want geen enkele man die deze vrouw in het rood had gehoord, kon het theater verlaten als de man die hij was geweest toen hij naar binnen was gegaan.

Eve hield op met zingen en beide mannen begonnen spontaan te applaudisseren en 'bis, bis!' te roepen voordat ze elkaar schaapachtig aankeken. Het was niet hun taak om een toegift te schreeuwen, zoals hun klanten. Ze waren tenslotte geen publiek.

Bis, zeg dat wel, dacht Vivianne de Biron in triomf. Madeleine zou hen royaal van toegiften voorzien, maar wel op het juiste moment. Eerst moest er over een contract worden onderhandeld, en als ze zich niet zo hadden laten gaan, hadden ze haar misschien nog op soepele voorwaarden kunnen krijgen. Maar nu ... nu lag dat anders.

'Aan het werk, Maurice,' mompelde Jacques Charles. 'Misschien denkt La Biron dat we alleen maar beleefd zijn.'

'U kunt altijd proberen dat te zeggen, *patron*.'

'Niet tegen Vivianne de Biron. Ik zou het niet eens proberen.'

'Omdat ze zulke mooie benen had?'

'Omdat ze me in m'n gezicht zou uitlachen, idioot. Ik zei dat ze nooit zwanger werd, ik heb niet gezegd dat ze achterlijk was.'

4

Het klonk misschien wat hard, en ze was natuurlijk een gemeen mens, bedacht Vivianne de Biron, maar het kwam eigenlijk niet slecht uit, het kwam zelfs verdraaid góed uit, dat Alain Marais niet zo snel herstelde als hij had gehoopt. De artsen stonden erop dat hij in het ziekenhuis bleef tot ze helemaal tevreden over hem waren en aangezien de winter nat en koud bleef en het weer ernaar uitzag alsof het tot de nationale feestdag 14 juli zo zou blijven, bestond er weinig gevaar dat hij opeens thuiskwam om te ontdekken dat zijn Madeleine zich voorbereidde op haar debuut in het Olympia, het glorieuze Olympia, waarvan hij wist dat hij niet de hoop kon koesteren daar ooit binnen te gaan, tenzij in het bezit van een kaartje.

Vivianne had Madeleine gewaarschuwd niet over haar baan tegen hem te reppen en het meisje had haar advies prompt opgevolgd, en zonder te vragen waarom. Ze moest Fragson eindelijk hebben horen zingen. Dat was onvermijdelijk aangezien ze op hetzelfde toneel, in dezelfde show, stonden en Madeleine elke dag nieuwe liederen uit haar *tour de chant* in het theater had gerepeteerd. Maar ze had niets gezegd, dacht Vivianne. Sommige zaken behoefden geen commentaar, vooral niet onder vriendinnen.

Vivianne haalde haar schouders op en dacht na over Maddy's toekomst, want Maddy was de naam die de leiding haar had besloten te geven. Zoals Jacques Charles had gezegd had 'Madeleine' een religieus tintje en als je iets over Madeleine's manier van zingen kon zeggen, dan was het wel dat het eerder door Venus dan door de Heilige Maagd was geïnspireerd.

Hij had besloten zijn debutante in de eerste helft van de huidige revue te plaatsen, aangezien deze niet vóór de zomer door een nieuwe show zou worden vervangen.

'Ik wil niet tot dan moeten wachten,' had hij tegen Vivianne gezegd, toen het contract was getekend en ze weer vrienden waren, 'want ze is er nu klaar voor . . . ik zal ervoor zorgen dat de critici weten dat ze komt. Een nieuwe attractie is altijd een goed lokkertje om ze halverwege het seizoen nog eens terug te halen. Maddy komt achter de Hoffman-meisjes en voor de goochelaar. Daarna zingt Fragson en dan is het pauze. Het lijkt me een perfecte volgorde.'

'Hoe laat je haar gekleed gaan?' had Vivianne prompt gevraagd, klaar om zo nodig op slag strijd te voeren.

'In het rood natuurlijk, net als jij hebt gedaan. Je intuïtie was goed. Dat jij nooit kleren op het toneel hebt gedragen, betekent nog niet dat je er geen verstand van hebt. Met dat haar moet ze altijd rood dragen, maar niet zo'n hemdjurk. Geen enkele vrouw zal ooit nog mijn podium onteren met een hemdjurk. Het is net een kussensloop! Maddy bezit goddank het lichaam dat bij haar stem past. Ik ben van plan haar recht te doen, net als jou, Vivianne, voordat je een professionele manager werd.'

'Ondankbare hond!'

'Aha, de klassieke toneelmoeder.' Hij lachte en kuste haar hand. 'Het was jammer dat je nooit goed in de maat hebt leren lopen, maar ik zie nu dat je talenten elders liggen. Ik ben je bijzonder dankbaar, Vivianne, dat weet je toch wel?'

'Dat is je geraden ook. En ik houd haar kostuums in de gaten, *patron*, reken maar.'

'Ik heb het volste vertrouwen in je.'

'Ik zal jou ook in de gaten blijven houden,' zei ze ernstig.

'Gelijk heb je. Waarom zou jij de eerste mens in de geschiedenis moeten zijn die een producer durft te vertrouwen?'

'En nu,' zei Jacques Charles tegen Eve, toen ze half maart op een ochtend haar kleedkamer binnenkwam, op de dag na haar eerste optreden, 'ben je klaar om aan het werk te gaan.'

'Ik . . . ik begrijp het niet.' Ze keek hem verbaasd aan.

'Gisteravond heeft Parijs je aan haar hart gedrukt. Het publiek heeft een besluit genomen. Ze zijn verliefd op je, Maddy. Slechts een zaal vol mensen kan dat soort liefde overbrengen, en die wordt je nooit meer afgepakt. Het was een overwinning, een onvoorwaardelijke overwinning. Moet je deze recensies zien . . . een en al lof, Maddy, een en al lof. Dus zeg ik, je bent klaar om aan de slag te gaan.'

'Ik begrijp er nog steeds niets van.' Na de ovaties die op haar eerste optreden waren gevolgd, had Eve min of meer verwacht dat ze de bloemen en brieven zou krijgen waarmee haar kleedkamer nu al was gevuld, was ze voorbereid geweest op de complimenten die ze van de andere artiesten had gekregen, maar aan deze woorden kon ze geen touw vastknopen.

'Vanaf het eerste moment dat ik je op het toneel zag, Maddy, heb ik je nooit uitsluitend als zangeres gezien. De *tour de chant* is de eerste stap in je carrière. Beslist noodzakelijk, dat spreekt vanzelf. Zonder dit kun je het publiek niet aan je binden. Maar voor een groot talent kan het ook een gevangenis worden. Je bezit een potentieel dat ik in geen jaren heb gezien.

Je kunt een ster worden, het soort ster rond wie een revue wordt opgezet, vóór wie een revue wordt opgezet. Dat betekent dat je net zo goed moet kunnen dansen en acteren als zingen. Lessen, meisje, lessen!'

'Maar . . .'

'Wil je geen ster worden?'

Eve ging op de sofa in haar kleedkamer zitten en keek de jonge impresario verbouwereerd aan.

'Ik begrijp,' zei hij, 'dat je dacht dat je nu al een ster was. En geen wonder, na die reactie van het publiek. Maar, Maddy, er zijn sterren en sterren. Je bent nu een ster, geen grote ster weliswaar, nog niet, maar je schittert al zo fel dat je nimmer jouw plaats aan het firmament zult willen delen met iemand die niet eveneens het publiek van het Olympia in de palm van één hand heeft kunnen houden.'

Hij keek haar oplettend aan en zag dat zijn woorden haar gekwetst hadden. 'Begrijp me niet verkeerd, Maddy,' zei hij haastig, 'je hebt het volste recht jezelf een ster te noemen, als ster voor jou betekent dat je naam te midden van andere namen op een affiche staat. Maar als je een andere droom hebt, als je droomt dat de mensen op zekere dag naar het Olympia zullen stromen alleen om Maddy te zien, met welk programma dan ook, omdat alleen Maddy voor hen van belang is, als je droomt dat Maddy op zekere dag over de hele wereld bekend zal zijn en dat toeristen om kaartjes voor jou zullen vechten, als je op elke kiosk in deze stad affiches met Maddy wilt zien . . . dan hebben we hetzelfde idee, jij en ik, over wat het betekent een ster te zijn. Dus! Wat zeg je daarop?' In zijn ogen zag Eve de onmiskenbare en uiterst oprechte opwinding van een man die haar de wereld aanbood. Deze producer, die elke artiest kon engageren die hij maar wilde, dacht . . . nee . . . hij wist dat ze een kans had. Meer dan een kans.

'Niets. Voor dit moment. Dank u heel hartelijk, *patron*, maar ik heb niets te zeggen.'

'Niets?' zei hij, ongelovig.

'Denkt u alstublieft niet dat ik ondankbaar of stom ben. Ik . . . ik ben nog steeds wat overdonderd . . . Ik was vannacht zo opgewonden dat ik totaal niet heb geslapen . . . ik . . . ik weet gewoon niet wat ik nu wil.'

'Dat begrijp ik, Maddy . . . dat is heel normaal. Hoor eens, ik geef je alle tijd om er goed over na te denken. Neem er een dag voor, neem er twee dagen voor . . . en als je klaar bent, kom dan naar mijn kantoor. We hebben veel te bespreken.' Hij wierp haar een bemoedigende glimlach toe en liep toen haastig weg, terwijl hij chagrijnig bedacht dat niet weten wat je wilde bijna net zo erg was als helemaal niets willen. Als Maddy een ster wilde worden, hoorde ze niet meer dan een minuut nodig te hebben om over zijn aanbod na te denken. Als ze écht een ster wilde worden, had ze vanmorgen vroeg al op de deur van zijn kantoor moeten staan bonzen, zodra hij in het theater was gearriveerd, om hem te vragen wat zijn plannen voor haar waren.

73

Laat in die middag, toen ze nog een half uur de tijd had voordat ze zich moest verkleden om naar het theater te gaan, zat Eve ineengedoken in een stoel bij het hoge raam waarvandaan ze, nog maar enkele maanden geleden, de najaarszon langzaam had zien ondergaan. Nu was het buiten bijna donker, maar overdag was het zonnig geweest, die ene dag in maart die maakt dat het moreel van de Parijzenaars gedurende de winter niet volledig verpietert; die dag waarop de obers van de cafés haastig de tafeltjes buiten zetten, hoewel ze heel goed beseffen dat ze ze morgen weer binnen moeten halen. Eve huiverde en hield een kop warme thee in haar handen om die te verwarmen. Ze had zich die hele middag, tijdens de repetities met haar begeleider, koud tot op het bot gevoeld, ondanks de benauwde atmosfeer in het theater, en zelfs nu, gehuld in haar warmste ochtendjas, voelde ze zich niet op haar gemak.

Waarom, vroeg ze zich voor de honderdste keer af, waarom had Jacques Charles die woorden moeten zeggen en waarom, o waarom, had ze de oprechtheid in zijn stem moeten horen en waarom, o waarom, had ze haar hart sneller voelen kloppen toen hij het over Maddy had gehad, Maddy die beroemd kon worden, Maddy die een ster kon worden? Het bescheiden succes waarover hij zo vriendelijk had gesproken . . . had ze ooit op meer durven hopen. Had ze ooit zelfs maar durven drómen van meer? Was het niet voldoende dat ze in het Olympia durfde zingen? Waarom moest haar gevraagd worden of ze meer wilde? Elk succes dat groter was dan wat ze nu had bereikt, zou betekenen dat ze Alain zou verliezen. Waarom moest ze toch zó wreed in verleiding worden gebracht?

Eve kwam uit de stoel overeind en begon een warme sjaal te zoeken om om haar hals te slaan. In de slaapkamer bleef ze enkele minuten staan voor de grote kleerkast waarin Alains pakken in een indrukwekkende rij hingen. Ze deed de deur open en snoof de geur op van de dure wol, een geur die, naar het scheen, in de afgelopen maanden het enige was dat haar in deze flat van haar geliefde restte. Hoewel ze zo vaak mogelijk bij hem in het ziekenhuis op bezoek was gegaan, was het toch niet hetzelfde. De geur van zijn tabak, zijn reukwater, zijn haarcrème, en zijn lichaam, vermengden zich tot een wonderbaarlijke melange die haar nog wanhopiger maakte dan ze al was. Ze schoof haar koude hand onder haar ochtendjas en gleed voorzichtig met haar vingers over haar borst, in een poging de herinnering van zijn aanraking op te roepen. Ze verlangde naar hem, met heel haar lichaam.

'Eve.' Er klonk een stem uit de deuropening en Eve draaide zich verschrikt om.

'Alain! Mijn God, Alain! O, je laat me schrikken, wat doe je hier?'

Hij lachte om haar consternatie en nam haar stevig in zijn armen. 'De dokters hebben me een uur geleden laten gaan. Ik wilde je verrassen. Geef me een kus. Hè, heerlijk is dat. Heerlijk . . . in dat ziekenhuisbed smaakte het lang niet zo lekker . . . ik was het bijna vergeten, dat kan ik je wél verzekeren.

Wat ben ik blij je weer te zien, lieverd. Ik ben blij dat je me niet helemaal naar Dijon hebt laten gaan.' Hij hield haar op een armlengte afstand en bekeek haar gezicht. 'Je ziet er anders uit, Eve. Ik heb je nooit eerder make-up op je ogen zien gebruiken. Het maakt je veel ouder. Ik vind het niet mooi. Wie heeft je dat geleerd . . . Vivianne?'

Eve knikte haastig. 'Alain, lieverd, weet je zeker dat je sterk genoeg bent om thuis te zijn? Hebben de dokters je goed onderzocht voordat ze je lieten gaan? Je bent zo mager!'

'Je lijkt mijn moeder wel. Ik zal je laten merken hoe sterk ik wel ben,' zei hij en hij nam haar in zijn armen en droeg haar naar het bed. 'Geef me je mond, eerst je mond en dan, dan pak ik de rest van je . . . je zult eens zien hoe sterk ik ben.' Zijn lach was triomfantelijk.

Toen hij haar op het bed legde en zich over haar heen boog en zijn jasje uittrok, zag Eve op de klok op het nachtkastje hoe laat het was. Ze ging rechtop zitten. 'Alain, lieverd, niet nu.'

'Wat bedoel je? "Niet nu"? Is dat een manier om me welkom te heten?'

'Ik . . . ik moet weg. Ik heb een afspraak . . . ik mag niet te laat komen. Ik kom . . . later . . . terug en dan kunnen we . . .'

'En dan kunnen we wat? Wat bedoel je verdorie met die afspraak? Sinds wanneer ga jij 's avonds in je eentje op stap?' Woedend stak hij zijn armen weer in zijn jasje en liep naar de salon waar hij zijn cognac bewaarde.

'Misschien had ik je moeten laten weten dat ik eraan kwam,' schreeuwde hij over zijn schouder, 'maar volgens mij is welke afspraak jij ook mag hebben minder belangrijk dan . . . Eve, kom eens hier! Kom direct hier!'

Zenuwachtig snelde Eve naar de salon, met haar handen angstig tegen haar mond geslagen. Alain stond bij een enorme mand met een gigantisch boeket rode rozen, dat die ochtend was bezorgd.

'Ben je zo rijk dat je honderd frank kunt besteden aan rozen? En nog wel van Lachaume! Wat is hier eigenlijk aan de hand? Wie heeft je die dingen gestuurd?' De spieren van zijn rechterwang vertrokken en zijn mond stond strak. Zijn donkere struikroversgezicht, dat Eve liefhebbend en lachend had gekend, werd nu dat van een gevaarlijke vreemdeling. Ze keek sprakeloos toe hoe Alain de dikke, crèmekleurige kaart pakte die naast de rozen op de tafel lag. Het was een kaart waarop de naam van de afzender, Jacques Charles, stond gegraveerd, waarbij zijn achternaam was doorgestreept om aan te geven dat de rozen op basis van de voornaam waren gestuurd.

> *Dank je, Maddy, voor gisteravond.*
> *Het was zelfs meer dan ik had gehoopt.*
> *En vanavond hoef je niet meer zenuwachtig te zijn.*
> *Tot dan. Jacques*

Alain las de woorden hardop. Hij stapte naar haar toe, pakte haar beide handen met één hand beet en sloeg haar met zijn andere hand op haar wang, zo hard als hij kon.

'Hoer! Jij gemene hoer! Zelfs nog meer dan hij had gehoopt ... dat zal best, na alles wat ik jou heb geleerd. Hoe heb je hem ontmoet? Vivianne? Natuurlijk, Vivianne! Die speelt dus voor hoerenmadam. Ik vermoord haar en daarna vermoord ik jou!' Opnieuw sloeg hij haar.

'Stop, dat is het niet, houd in godsnaam op en laat me het uitleggen,' gilde Eve en ze worstelde om los te komen.

'Jezus, denk je echt dat ik zo stom ben? Uitleggen? Dacht je soms dat ik het twee keer moet lezen? Je hebt met hem geneukt, zo simpel ligt dat. Maddy uit Dijon, de nieuwste hoer van Parijs,' gromde Alain, terwijl de spieren van zijn wangen verstrakten en zijn ademhaling sneller ging toen hij op het punt stond Eve nogmaals te slaan.

'Ik zing, gisteravond was het begin van mijn *tour de chant*!' gilde ze wanhopig. Bij deze krankzinnige woorden bleef Alain stokstijf staan en liet zijn hand zakken.

'Eruit! Maak dat je wegkomt! Je bent me zelfs niet de moeite waard een pak slaag te geven. Een hoer is tot daar aan toe, maar een zottin is me te machtig. Maak dat je wegkomt, en snel ook, zolang je nog kunt lopen!'

'Nee, Alain, nee! Ik smeek je, luister naar me. Het is de waarheid. Ik had het je moeten vertellen, maar ... het is niet goed dat ik dat niet gedaan heb ... maar ik moest iets doen om geld voor ons beiden te verdienen ... en toen ... heb ik een auditie bij monsieur Charles gekregen ... en ik ... het is niet veel, een paar liedjes maar ...'

'Jouw *tour de chant*? In het Olympia? In het theater van Jacques Charles? Je weet niet eens hoe je moet zingen, hoer die je bent! Je weet alleen maar hoe je moet neuken. Ik walg van je. Zie je me voor zo'n sukkel aan? Je hebt vijf minuten om je biezen te pakken.' Hij draaide zich vol afkeer om en liep naar het buffet waar de karaf met cognac stond. 'Wat krijgen we nou? Nog meer bloemen? Orchideeën deze keer. Dus je zit echt in de business, hè? Waarom één als het er twee kunnen zijn, of misschien wel tien? Wie was deze dankbare klant?' vroeg hij scherp en hij raapte het tweede kaartje op.

Eve wist wat hij las; ze kende de woorden uit haar hoofd. *'Duizend maal bravo, Maddy. Ik was gisteravond trots op je. Je collega op de planken.'* Hulpeloos zag ze hoe Alain zijn schouders liet zakken toen de klap hem trof. De naam op het kaartje was die van Harry Fragson.

Hij draaide zich niet om om haar aan te kijken, hij legde het kaartje weer op het buffet en liep zonder iets te zeggen de flat uit.

Hevig huilend holde Eve naar de slaapkamer om zich aan te kleden om naar het theater te gaan. Wat moest ze anders doen, wat kon ze anders beginnen, vroeg ze zich af terwijl ze het appartement verliet waarvan ze wist dat ze er nooit terug zou keren.

'Zeg, Maddy, wil je even iets voor me doen? Wil je even op de kleine passen terwijl ik mijn nummer breng? Mijn kindermeisje is vanmorgen niet op komen dagen,' zei Suzu, een van de revuemeisjes, terwijl ze Eve een baby in de armen duwde. Ze was al met veel gefladder van veren verdwenen voordat Eve ja of nee had kunnen zeggen, want iedereen achter de schermen van het Olympia wist dat Maddy gemakkelijk te overreden was.

Ze had twee maanden geleden haar debuut gemaakt en het snelle succes was haar niet alleen niet naar het hoofd gestegen, maar Maddy was ook een beste meid zonder flauwe kul of aanstellerij, daar waren ze het allemaal over eens. Ze zat gewoon in het eethuisje om de hoek met iedereen te eten, van de kleedkamermeisjes tot acrobaten. Ze was als eerste in het theater en ging als laatste de deur uit. Niemand begreep waarom ze alle uitnodigingen voor soupers in elegante restaurants afsloeg, evenals de uitnodigingen voor gala's, bals en nachtclubs, die ze elke dag samen met manden vol bloemen van haar bewonderaars ontving. Maddy wilde zelfs niet dat ze zich in eigen persoon in haar kleedkamer kwamen voorstellen, zeiden de revuemeisjes hoofdschuddend tegen elkaar. Of ze had een erg jaloerse beschermer, wat niet waarschijnlijk leek aangezien ze geen juwelen bezat, of ze hield niet van mannen, en dat leek nóg onwaarschijnlijker.

Eve hield de baby voorzichtig vast en keek er angstig naar. Het kind sliep nu, maar stel dat het wakker werd en begon te huilen terwijl Suzu nog op het podium stond?

'Julie,' riep ze, 'kom eens snel hier om me te helpen,' maar Julie, de kleedster die met nog drie anderen ervoor moest zorgen dat geen van de revuemeisjes met ook maar één lovertje te veel het toneel op ging, antwoordde niet.

'Julie,' riep ze weer, omdat ze niet op kon staan om de vrouw te gaan zoeken aangezien ze in haar roze ondergoed zat, dat ze onder haar kostuum droeg. 'O, Julie, waar zit je toch?' Hulpeloos luisterde Eve naar het geroezemoes van achter het toneel, het onderdrukte gelach, het voortdurende geroddel, de geordende chaos, en ze besefte dat zolang de revuemeisjes hun nummer op de planken brachten, begeleid door een volledig orkest, niemand haar stem zou horen.

'Maddy, ben je toonbaar? Je hebt bezoek,' riep Marcel, de toneelknecht, opgewekt en duwde zonder veel omhaal de deur open.

'Je maakt de baby wakker!' fluisterde Eve en ze keek er verschrikt naar.

'Een baby,' hijgde een vrouw ontzet.

Eve sprong overeind toen ze de bekende stem hoorde en de baby deed zijn ogen open en zette het op een brullen. 'Tante Marie-France!'

'Een baby! Het is nog erger dan ik had gedacht. O, mijn God, wat moet ik je arme moeder vertellen?'

'U moet haar vertellen dat hij niet van mij is,' zei Eve, die zo hard begon te lachen dat ze de baby in de armen van de jonge toneelknecht moest

77

deponeren. 'Jij, Marcel, jij bent zo'n slimmerik dat je niet eens wacht tot ik "binnen" zeg ... breng jij dit kind maar even naar Julie, en snel een beetje, hoor je? En laat 'm niet vallen. Suzu zal 'm uiteindelijk toch weer terug willen hebben, vermoed ik. Ga toch zitten, tante Marie-France, en maakt u het zich gemakkelijk. En Marcel, héla Marcel, als jij dat kind hebt afgegeven, ga dan even wat koffie voor ons halen, dan ben je een brave jongen.'

'Je bent me nog steeds twee frank schuldig van gisteren, engel van me,' klaagde Marcel, waarbij hij de familiaire aanspreektitel gebruikte die iedereen in het gezelschap hanteerde, behalve wanneer ze tegen de producer spraken.

'Je weet toch dat mijn krediet goed is, lieverd?' vroeg Eve.

'Maddy, voor jou altijd. Wat dan ook. Wanneer dan ook. Wenst u mijn hart zowel als mijn lichaam? U vraagt maar. Gebruikt u suiker, mesdames? En misschien wat taartjes?' Hij verdween vrolijk, vergat de deur achter zich dicht te doen, wierp hun kussen toe en hield de baby met één hand vast.

'Let maar niet op hem, tante Marie-France. Hij denkt dat hij onweerstaanbaar is. Waarom zou ik hem uit die droom helpen?'

'Eve, wil je alsjeblieft iets aantrekken over je ondergoed? Ik heb nog nooit zo iets onfatsoenlijks gezien. En om "jij" te zeggen tegen die vreselijk onbeschaamde jongeman, wat moet hij wel van je denken?'

'In ieder geval was het niet mijn baby. Gaat u toch zitten en vertelt u me eens hoe u me hebt gevonden.'

'Je oom heeft je gevonden. Hij zag vanmorgen een karikatuur van Sem en die leek sprekend op jou. Eronder stond: "La Belle Maddy, de nieuwste leerling aan de universiteit van het Olympia", dus wist ik waar ik moest zoeken. Ik heb nog geen woord tegen je ouders gezegd, want ik wilde ze niet van streek maken. Vanaf het moment dat jij in het boudoir van je moeder die vreselijke tango hebt gezongen, ben ik bang geweest dat jou iets vreselijks zou overkomen ... maar dit is nog veel erger dan ik had gevreesd,' jammerde de barones. 'Hoe moet ik hun dit nieuws vertellen?'

'Wat is er nu eigenlijk zo vreselijk? Ik zal u kaartjes geven voor de voorstelling van vanavond ... dan zult u zien dat ik heel fatsoenlijk ben. Ik zing volledig gekleed.'

'Je kunt dat echt niet fatsoenlijk noemen ... zingen in een variététheater!' zei de barones minachtend.

'Het is niet zomaar een variététheater, het is hét variététheater, het beste van heel Frankrijk, het beste in de wereld. En ik begin al beroemd te worden. U zou eigenlijk toch een beetje trots op me moeten zijn, tante Marie-France.'

'Trots? Je bent geruïnéérd. Volledig geruïneerd! Begrijp je dan niet wat dat betekent, dom kind? Je ontkent niet dat je in zonde leeft?'

'Niet langer,' zei Eve koud. 'Ik woon alleen.'

'Dat feit is niet van belang ... niemand zal het trouwens geloven. Wanneer ze nu een tekening van je zien, van de meest beroemde karikaturist in

Frankrijk, zal iedereen weten dat Eve Coudert, de dochter van dokter Didier Coudert, in een variététheater zingt. Voor een meisje van gegoede huize is het feit dat ze zo laag is gevallen nog erger dan het hebben van een minnaar, veel erger.'

De deur vloog open. 'Waar is m'n kind, Maddy?' vroeg Suzu. 'O, goedendag, madame,' voegde ze eraan toe en ze stak een hand uit naar de barones, die deze automatisch schudde, verbijsterd door de aanblik van de naakte borsten van het meisje.

'Ik heb hem naar Julie laten brengen. Zij heeft meer verstand van zulke wezens. En ik begrijp niets van kinderen. Probeer daar alsjeblieft de volgende keer een beetje aan te denken, lieverd.'

'Reken maar, Maddy.' Toen ze dit zei, barstte er juist een luid geschreeuw los in de gang buiten de kleedkamer.

'O, die klootzakken, die stinkende drollen van het trottoir, o ik zal het ze betaald zetten, ik veeg hun konten af met schuurpapier, ik stop ze met hun kop in de plee! Maddy? Maddy! Heb jij de zeikerds gezien die dit hebben gedaan?'

'Die wát hebben gedaan, Baldy?' riep Eve.

'Die mijn schoenen aan de vloer hebben vastgespijkerd, schoonheid. Wat denk je? Ze hebben het de vorige week ook gedaan, op dezelfde plaats. Ik wed dat jij weet wie het zijn.'

'Als jij ze niet uit had gedaan en in de gang had laten staan tot je klaar was om op te gaan, dan was het niet gebeurd,' antwoordde Eve, schuddend van de lach.

'Wacht maar, schoonheid, tot jij ook eksterogen hebt. Dan piep je wel anders. Julie, een ander paar schoenen en snel graag! Ik moet over twee minuten op, in godsnaam!'

'Ik kom eraan, ik kom eraan.' Julie kwam haastig binnen, met de baby onder een arm. 'Suzu,' riep ze over haar schouder, 'kom eens gauw hier en geef dit wurm snel de tiet, of de *patron* hoort 'm nog krijsen.' Ze gaf Baldy zijn schoenen en snelde weg, om te worden vervangen door Marcel, die met een ronde houten plank met koffie en taartjes binnenkwam. *Voilà*, mesdames. Ik trakteer, Maddy,' zei hij galant, en gaf Eve een kus op elke wang. 'Omdat je bezoek hebt . . .'

'Je bent een schatje. O, ik vergeet mijn manieren . . . daar heb je 't al. Dit is de barones de Courtizot, Marcel.' De jongeman boog diep over de met tegenzin uitgestoken hand van Marie-France de Courtizot.

'Aangenaam kennis te maken, madame la baronne,' zei hij zwierig. 'Sta me toe mij voor te stellen. Ik ben de hertog de Saint Cloud.'

De barones kon hiervoor geen hoofdknikje opbrengen, laat staan een antwoord geven.

'Marcel, ik zie je straks nog wel, goed?' zei Eve, knikkend naar de deur. Hij was een en al begrip en liet hen alleen.

'Eve,' zei haar tante dringend, 'het is nog niet te laat! Als je vandaag met de nachttrein naar huis gaat, zal ik je vergezellen en morgen zal iedereen die van belang is in Dijon zelf kunnen zien dat jij niet het meisje van die karikatuur bent. Als ze het erover durven hebben, weet je van niets, en je vader en moeder kunnen zeggen dat er iemand op het toneel moet staan die een beetje op jou lijkt. Niemand kan bewijzen dat het anders is. Goddank heb je je echte naam niet gebruikt en met al die make-up op je gezicht zal niemand je hebben herkend. O Eve, niemand hoeft iets te weten!' Haar stem klonk smekend.

'En waarom zou ik dat willen doen?' vroeg Eve.

'Waarom? Omdat als je het niet doet, meisje, je het verder wel kunt vergeten. Je hebt jezelf volledig *déclassée* gemaakt, Eve, geruïneerd, onteerd. Maar je hóeft nog niet uit de beschaafde wereld te worden verstoten! Begrijp je dan niet dat er nog tijd is, nog nét genoeg tijd.'

'U bent degene die het niet begrijpt, arme tante. Ik ben niet hetzelfde meisje dat in augustus van huis is gegaan. Ik heb elke week geschreven, zoals u weet, maar ik heb alle belangrijke dingen weggelaten.'

'Denk je dat het je ouders nu nog wat kan schelen dat je een minnaar hebt gehad? Denk je dat dat het enige is dat ertoe doet? Als het voorbij is, des te beter,' zei de barones boos. 'Vergeet dat het ooit is gebeurd. Je bent zo zeldzaam beschermd opgegroeid dat het me niet verbaast dat iemand in staat was daar misbruik van te maken. Hoewel niemand ooit zal begrijpen hoe jij zo stiekem een man hebt kunnen ontmoeten. Maar wees niet dwaas, meisje. Gooi je toekomst niet weg.'

'En stel dat ik vind dat mijn toekomst hier ligt?' zei Eve.

'Hier? In dit akelige, smerige hok? Met deze lage, grove mensen? In deze kinderbewaarplaats? Dat bestaat niet. Ik sta het gewoon niet toe.'

Toen ze dit zei ging de deur open, hoewel er opnieuw niemand had geklopt en er kwam een revuemeisje op handen en knieën de kamer in, blaffend als een hond terwijl haar naakte borsten heen en weer slingerden. Ze begon belangstellend aan de voeten van de barones te snuffelen, alsof ze op het punt stond haar been op te tillen, maar Eve sprong overeind.

'En nu is het genoeg! Morton, deze keer ben je echt te ver gegaan!' schreeuwde ze. 'Haal dit meisje hier direct weg, Morton, hoor je me?'

Schaapachtig stak de meest beroemde goochelaar en hypnotiseur van Frankrijk zijn hoofd om de hoek. 'Ik dacht dat je alleen was, liefje. Duizend maal pardon, madame. Alice denkt dat ze een hond is. Kom mee, Alice, braaf, kom mee en val die aardige dame niet lastig.'

'Sorry, tante Marie-France. Morton is geniaal, maar af en toe gedraagt hij zich als een klein kind. Hij bedoelt het niet slecht.'

De ogen van Marie-France waren groot van ontzetting. 'Eve, ik kan je echt niet in deze . . . gruwel achterlaten. Je moet beslist met me mee naar huis.'

'Lieve tante, u "kunt me niet achterlaten", u "staat het gewoon niet toe" . . . waar ziet u me eigenlijk voor aan? Ik ben geen klein kind meer, dat u maar een beetje kunt commanderen. Denkt u echt dat ik terugga naar Dijon, om daar mijn plaats in te nemen te midden van de huwbare meisjes, om te wachten tot de een of andere degelijke burgerheer me vereert met een huwelijksaanzoek? Denkt u echt dat nu ik weet hoe heerlijk het is om op het podium van het Olympia te mogen zingen en beroemd te zijn, ik me nog tevreden zou stellen met een leven als dat van mijn moeder?'

'Beroemd? Berucht zul je bedoelen! Het is walgelijk en onwaardig en afschuwelijk, die roem van jou,' zei Marie-France ziedend. 'Binnen tien jaar zul je beseffen dat je alle belangrijke dingen in dit leven hebt vergooid voor een tijdelijke gril. Het enige waar jij nu belangstelling voor hebt is het geluid van goedkoop applaus, het leven van de . . . de goot.'

Eve stond op, met een gezicht vol ijzige woede. 'Ik verzoek u niet in zulke termen over mijn vrienden te spreken. Misschien is het beter als u vertrekt, tante Marie-France. Het staat u niet, wanneer u zich buiten uw element begeeft.'

De barones de Courtizot stond op en liep naar de deur. 'Mocht je van mening veranderen, mocht je je verstand terugkrijgen, Eve, dan ben ik vandaag en morgen thuis. Daarna zal het echt te laat zijn. Nu moet ik naar huis en bedenken wat ik tegen je arme moeder zal zeggen.'

'Vertel haar de waarheid. Vertel haar dat ik gelukkig ben. Vraag mijn ouders naar Parijs te komen om het zelf te zien. Ik heb niets om me voor te schamen.'

'Je bent nog onnozeler dan waar die man je voor heeft aangezien,' zei de barones, en ze stapte zonder om te kijken de kamer uit.

De volgende dag, op een ochtend in mei, maakte Eve een afspraak met Jacques Charles.

'Twee maanden geleden, *patron*, heeft u me verteld dat ik de capaciteiten bezit om een echte ster te worden,' zei ze. 'U gaf me toen twee dagen de tijd om erover na te denken.'

'Ik herinner het me,' zei hij grimmig. 'Het verbaast me dat je het nog weet.'

'Ik was er nog niet aan toe. Ik kan het niet eerlijker zeggen. Maar nu, als u nog steeds belangstelling hebt . . .'

'Ja . . . ?'

'Ik wil het heel graag! Ik ben bereid vierentwintig uur per dag te werken, alles te geven wat ik heb, zolang als het duurt. Maanden, jaren, het doet er niet toe, als u maar de kans geeft.'

Eve zweeg en keek naar de vloer, bevend van verlangen. Dit was waarvoor ze op deze wereld was gekomen en ze had haar grote kans waarschijnlijk verspeeld doordat deze op het verkeerde moment was gekomen. Ze had nog steeds van Alain gehouden, nog steeds geprobeerd haar leven met hem overeind te houden. En toen hij haar in de steek had gelaten, was haar geest bijna vernietigd door zijn woorden en zijn klappen. Door zijn haat.

Ze had het juiste moment niet gegrepen en ze zou het zichzelf nooit vergeven als de producer zijn belangstelling had verloren door haar gebrek aan ambitie. Vanaf het moment dat tante Marie-France haar ongewild had laten merken hoeveel de wereld op het toneel voor haar betekende, had ze beseft hoe ondenkbaar elk ander leven zou zijn. Ze kon nu aan niets anders denken dan het heroveren van die stralende, verre, aanlokkelijke toekomst die Jacques Charles haar eens had voorgehouden. Ze hoorde bij het variété-theater en het variététheater móest bij haar horen.

Maar de impresario had nog geen antwoord gegeven. Ze keek op naar waar hij achter zijn bureau zat en ze zag dat hij geconcentreerd zat te schrijven. Werd ze weggestuurd? Hij hield op met schrijven, legde zijn pen neer en gaf haar het vel papier.

'Hier is het schema van je lessen,' zei hij. 'En haast je een beetje, je bent bijna te laat voor de eerste!'

Het was een voorjaar met zachte wind, een voorjaar met zachte wolken, een voorjaar met zachte regen, dat laatste zorgeloze voorjaar van het Edwardiaanse tijdperk. Eve had het veel te druk om op het weer te letten, laat staan op alle veranderingen die in de lucht hingen, toen ze heen en weer holde van haar lessen in acrobatiek, dans en drama, naar het theater waar ze net op tijd arriveerde om haar make-up aan te brengen voordat ze op moest. Ze had geen tijd meer om kranten te lezen, geen tijd voor alle gezelligheid achter de schermen, de gezamenlijke maaltijden, de roddels en de grapjes. Ze at wanneer ze de kans kreeg, zolang het maar niet te veel tijd in beslag nam om te kauwen, en wanneer het doek viel, ging ze regelrecht naar haar kleine gemeubileerde flat en viel in bed, te uitgeput om nog te kunnen dromen.

Terwijl keizer Wilhelm II in juli een cruise van twintig dagen met zijn jacht de *Hohenzollern* maakte had Eve het, net als ieder ander, heel druk met haar eigen leven. De tijdbom die al een maand lang in Belgrado en Wenen had getikt, explodeerde op 28 juli 1914, toen Oostenrijk-Hongarije Servië de oorlog verklaarde. In de daaropvolgende week verstrikten alle diplomaten en militaire strategen van de Europese grootmachten zich, door elkaar heen en met verschillende doelen voor ogen, in een krankzinnig net van regelrechte leugens, arrogantie, roekeloosheid, incompetentie, dubbelhartigheid, onvolledige informatie en zeer uiteenlopende bedoelingen, tot ze ten slotte, niet onvermijdelijk maar wel fataal, struikelend terechtkwamen in een oorlog die niemand, buiten wat extreme nationalisten, ooit had gewild. Op 4 augustus zei sir Edward Grey, de minister van Buitenlandse Zaken van Groot-Brittannië: 'In heel Europa gaan de lichten uit: wij zullen ze tijdens ons leven niet meer aan zien gaan.' De wereld was in oorlog.

Marcel, de toneelknecht, Jacques Charles en Maurice Chevalier waren slechts drie van de bijna vier miljoen mannen die in de eerste weken van augustus door Frankrijk werden gemobiliseerd. Het dagelijks leven was volledig verlamd nu elke gezonde man werd opgeroepen en er om de zeven minuten treinen vol slechtbewapende maar opgewekte en enthousiaste troepen naar militaire posities vertrokken.

Na de Slag bij de Marne, half september, toen de Fransen de Duitse opmars naar Parijs tot staan wisten te brengen, ging de tijdelijke nationale opluchting gepaard met een heropening van alle schouwburgen, cafés en variététheaters door het hele land. In die ene maand waren er echter tweehonderdduizend Fransen gesneuveld, van wie velen de knalrode broek droegen van het uniform dat uit 1830 dateerde, wat illustratief was voor het gebrek aan realiteitszin waarmee het land de oorlog in ging, deze oorlog waarvan men dacht dat het een korte, eervolle en glorieuze strijd zou zijn.

Tegen het eind van de eerste septembermaand begonnen zowel de Duitse als de geallieerde legers zich in te graven langs de rivier de Aisne in de provincie Champagne, om daar uit te rusten en zich opnieuw te bevoorraden. Ze legden de loopgraven aan die de eerste fortificaties van het westelijk front zouden worden, een front dat drie jaar lang binnen vijftien muurvaste kilometers heen en weer zou gaan en niets anders bereikte dan het afslachten van miljoenen mannen.

Op een lage heuveltop in Champagne lag het Château de Valmont, het familiehuis van de vicomtes de Lancel. Het lag in het hartje van het champagnegebied, op de kalkrijke, warmte vasthoudende noordhellingen van de Montagne de Reims, die ongeveer van oost naar west liep tussen Reims en Epernay, de twee belangrijkste steden van de provincie.

Valmont had, in tegenstelling tot de meeste andere châteaux in de Champagne, de Franse revolutie en alle invasies en oorlogen overleefd. Het verrees sprookjesachtig onverwacht uit een klein maar dicht bos en was in het trotse bezit van drie ronde torens met puntige, met pannen belegde daken. Tientallen kamers met vele ruitjes keken rustig uit op het halfronde, stenen terras waarop in vorm gesnoeide boompjes in potten stonden, zoals ze daar al eeuwenlang hadden gestaan. Valmont werd omringd door een schat aan wijngaarden, een partje van het trotse maar kleine stukje wereldoppervlak waar de enige mousserende witte wijn met het onbetwistbare recht zich champagne te laten noemen, werd geproduceerd.

Elk jaar vormt de oogst van deze druiven, de witte *chardonnay*, de blauwe *pinot noir* en de *pinot meunier*, het bewijs van het bestaan van een van de grootste geheimen in de geschiedenis van de wijnbereiding, want hoewel Noach een wijngaard heeft aangelegd toen hij uit de ark stapte, kon zelfs Noach niet hebben beweerd dat hij champagne kon produceren.

Veel châteaux in Frankrijk waren museumachtige monumenten van de geschiedenis van één familie en hadden bij het begin van de Eerste Wereldoorlog reeds lang de vitaliteit uit hun dagen van vóór de revolutie verloren. Valmont daarentegen was altijd een welvarend, bedrijvig, gastvrij onderkomen gebleven. Het had veel veranderingen gezien sinds de dagen dat de Lancels trouw waren aan de graven van Champagne in hun strijd tegen de koningen van Frankrijk, een conflict dat pas eindigde in 1284, toen Johanna van Navarra en Champagne met Filips de Schone, de toekomstige koning van Frankrijk, huwde.

In de zeventiende eeuw begonnen de vicomtes de Lancel, evenals hun buren, wijn te produceren. Achter de grenzen van hun eigen grote wijngaarden werden ze omringd door kleine boerenbedrijfjes die hun de druiven verkochten die zij verbouwden. Weldra maakten ze voldoende champagne om het te gaan verkopen. Halverwege de achttiende eeuw waren de opvallende groene flessen met het schildvormige gouden etiket met in grote letters het woord *Lance* en *Château de Valmont* in kleinere letters eronder, een *Grande Marque* geworden. Samen met Moët & Chandon, Mumm, Veuve Clicquot Ponsardin en vele andere grote namen vormden gekoelde flessen Lancel een zeer gewenste aanblik bij elk feest dat door beschaafde mannen en vrouwen werd gevierd.

Het huidige hoofd van de familie De Lancel, vicomte Jean-Luc de Lancel, had twee zonen. De oudste, Guillaume, was voorbestemd het huis De Lancel te beheren, de jongste, Paul-Sébastian, was diplomaat geworden in dienst van de Quai d'Orsay, het ministerie van Buitenlandse Zaken. Aan het begin van de oorlog was hij begin dertig; hij was eerste secretaris van de Franse ambassade in Londen en duidelijk iemand die een hoge positie zou bereiken bij Buitenlandse Zaken.

Op 1 augustus 1914, de eerste dag van de mobilisatie, had hij de mogelijkheid die diplomaten werd geboden om uit de strijd te blijven, genegeerd en had hij zich aangemeld als vrijwilliger. Paul de Lancel werd kapitein en moest zijn jonge vrouw, geboren Laure de Saint-Fraycourt, een frêle Parijse schoonheid van tweeëntwintig die de geboorte van hun eerste kind afwachtte, alleen achterlaten.

Ze had hem gesmeekt haar niet alleen te laten. 'Over vijf maanden wordt het kind geboren en iedereen zegt dat deze belachelijke oorlog dan allang is afgelopen,' had Laure de Lancel gezegd, huilend van zwakte en angst. 'Ik smeek je, blijf bij me . . . ik heb je hier nodig.'

Paul voelde zich echter verplicht direct ten strijde te trekken. Hij wist dat Frankrijk elke man in het land nodig zou hebben om het op te nemen tegen de Duitse legers, die met een enorme efficiency en een verpletterende overmacht, zowel in aantallen als in bewapening, op de been waren gebracht.

Vanuit zijn diplomatieke post had Paul de Lancel het patroon van de naderende strijd zien ontstaan. Hij wist dat de Franse generale staf bol stond van de superioriteitswaan. Het idee dat de moed, de durf en het vuur van de Franse soldaat, de gewone, dappere *poilu*, meer waard was dan alleen maar gevechtskracht, was in de gedachten van de beroepsmilitairen een geloofsartikel. In tegenstelling tot de gemiddelde Fransman koesterde Paul ernstige twijfels of dat *élan* op zich de overwinning kon brengen. Maar als ieder ander menselijk wezen had hij in die nietsvermoedende zomer van 1914 geen flauw idee van hetgeen hem te wachten stond.

Paul de Lancel was een complex man. Hij vroeg zich vaak af of hij niet gelukkiger zou zijn geweest als het toeval van de geboorte hem tot wijnbouwer van de familie had gemaakt in plaats van diplomaat. Hij zag er in ieder geval, zoals zijn moeder, Anette de Lancel, hem vaak had verteld, eerder uit alsof hij in de wijngaarden werkte dan als iemand die achter een bureau zat, want Paul was een forse man, zowel lang als breedgeschouderd, met de sterke spieren van iemand die met zijn handen werkt. Zijn blonde haar zag eruit alsof het tijdens het werk op het veld door de zon was gebleekt. Hoewel zijn donkerblauwe ogen de Lancel-ogen waren, die net zo diep stonden als die op de familieportretten die in het hele kasteel hingen, en hij de hoge Lancel-jukbeenderen bezat, had de rest van zijn gezicht niet de fijne Lancel-bouw, evenmin als het rode haar dat generatie na generatie in de familie voorkwam. Pauls grote en goedgevormde neus was niet zo slank als die van de Lancels en zijn knappe mond en kin bezaten een heftige en ongecompliceerde eenvoud.

In ieder geval wenste Paul de Lancel dikwijls dat hij niets subtielers aan zijn hoofd had dan wat eenvoudige zorgen over de zon en de regen. Weliswaar werden boeren en wijnbouwers elke dag wakker met zorgen over het weer, maar omdat ze er niets aan kunnen veranderen, moet zich toch een zekere berusting en filosofie van hen meester maken, en zo'n situatie leek Paul heel rustig en aangenaam.

Een diplomaat echter was verplicht een beroepsmatige cynicus te worden, want zonder een voorzichtige, genuanceerd denkende geest om hem te beschermen, zou hij zich voortdurend beet laten nemen en was hij waardeloos voor zijn land. Paul de Lancel was niet in staat bij zichzelf ook maar één waarheid ter wereld te noemen waarvan hij absoluut zeker was, buiten zijn liefde voor Frankrijk en zijn liefde voor zijn vrouw. Van die twee moest hij toegeven dat zijn liefde voor zijn land sterker was.

Eve, die was geschokt door de mobilisatie, had besloten niet terug te keren naar het Olympia, dat was heropend onder de leiding van Beretta, de voormalige dirigent van het orkest, en Léon Volterra, die een onwaarschijnlijke hoeveelheid geld had gespaard bij het verkopen van programma's in de hal van het Olympia. Haar persoonlijke ambities moesten wachten tot deze oorlog was afgelopen, besloot ze.

Als Jacques Charles in het leger kon dienen, zou zij dat op haar manier doen. Zodra het werd opgericht, maakte Eve deel uit van *Le Théâtre aux Armées de la République* en werd aldus een van de vele artiesten die naar de diverse gevechtsterreinen trokken om voorstellingen te geven voor de soldaten. Sommigen, zoals Charles Dullin, traden zelfs in de loopgraven op, aan het front in Lotharingen. Eve verbond zich aan een gezelschap dat was opgericht door Lucien Gilly, een van de komieken van het Olympia.

Een jaar na de Slag aan de Marne, in 1915, begon een nieuw offensief in Champagne. Generaal Joffre, de eeuwige optimist, riep tegen zijn troepen: '*Votre élan sera irrésistible!*' en de mannen marcheerden, ondanks de kletterende regen, op de tonen van pijpers en fanfares die de Marseillaise speelden. Tien dagen later waren er honderdvijfenveertigduizend mannen gesneuveld en was er geen enkel strategisch voordeel behaald.

Kapitein Paul de Lancel liep op de laatste dag van het offensief een ernstige wond aan de arm op. In het ziekenhuis lag hij na te denken, niet over zichzelf, maar over alle doden die hij in het afgelopen jaar had meegemaakt. Zijn mannen, de mannen van het Eerste Leger, waren als eersten gesneuveld. Zijn vrouw was gestorven tijdens de geboorte van hun zoon Bruno, die nu onder de hoede van Laure's ouders in Parijs was. Paul had de baby slechts één keer gezien, tijdens een kort verlof dat hij had gekregen om Laure's begrafenis bij te wonen, en de gedachten dat hij een zoon van negen maanden bezat, maakte hem treurig noch blij. Hij bleef er volmaakt onverschillig onder. Hij wist dat zijn kansen de oorlog te overleven dermate klein waren dat ze voor een realistisch ingesteld mens de moeite van het overwegen niet waard waren, en hij merkte dat hem dat voor hemzelf niets uitmaakte, maar alleen – en dat was een intellectueel, niet een emotioneel idee – voor het kleine wurm dat nu ongetwijfeld als wees zou opgroeien. Paul de Lancel beschouwde zich net zo ten dode opgeschreven als een gevangene in een cel die bij het aanbreken van de dag zal worden gefusilleerd. Hij zou dusdanig herstellen dat hij andere mannen eveneens naar de dood kon voeren. Het vooruitzicht van de dood liet hem onverschillig. Hij gaf uitsluitend om de mannen over wie hij het bevel voerde, mannen die zo eenvoudig waren dat ze nog konden hopen, mannen die zo gelukkig waren nog lief te kunnen hebben, mannen die zo onwetend waren dat ze zich nog een toekomst konden voorstellen.

Zodra zijn arm was genezen, voegde Paul de Lancel zich weer bij zijn compagnie, bijna allemaal nieuwelingen die zich hadden gehergroepeerd in de loopgraven vlak buiten de stad Festubert, halverwege het Vlaamse front tussen Ieperen en Arras.

Festubert was een van de steden waar de elkaar vijandige legers tijdens een nu bijna een jaar durende impasse om vochten. Het was laat in het najaar en het voorjaar zou nieuwe en nog heviger oorlogshandelingen brengen, maar voor dit moment bevonden de soldaten aan beide zijden zich in een van die betrekkelijk stille perioden die in zelfs de meest verbitterde veldslag kunnen voorkomen; een moment om de doden te begraven, de kleding te ontluizen en zelfs, op deze koude herfstavond in Noordoost-Frankrijk, om in een geïmproviseerd theater bij elkaar te komen en te lachen om Lucien Gilly en zijn afgezaagde grappen, om mee te neuriën op de muziek van de accordeonist, om te klappen voor de zes meisjes die een dansje maakten met de zes soldaten die zich hadden aangeboden als hun partners, en ten slotte om Maddy te horen zingen, Maddy die in het *Théâtre aux Armées* al een legende was geworden, met haar dappere rode jurk, haar knalrode schoenen en haar haar als de zonneschijn, zoals ze zich die allemaal uit zonniger tijden herinnerden, toen ze ergens in Frankrijk jong waren geweest.

Eve begon ongerust te worden. Toen ze in Saint-Omer, dat nu veilig achter het front lag, uit het pension was vertrokken om naar Festubert te gaan, was er voldoende daglicht geweest. De anderen van Gilly's groep waren vlak vóór haar vertrokken in de colonne door soldaten bestuurde militaire voertuigen die hun waren toegewezen. Zij was opgehouden door een delicate maar essentiële reparatie die ze aan een grote scheur in de zoom van haar rok moest verrichten.

Nu waren zij en haar soldaat-chauffeur, een jongen over wie ze zich verbaasde dat hij al de dienstplichtige leeftijd bezat, veel te ver gereden volgens hetgeen Gilly haar had verteld, en Festubert was nog steeds nergens te bekennen.

'Weet je zeker dat dit de goede weg is?' vroeg Eve ongerust.

'Het is de weg waarvan mijn korporaal zei dat ik hem moest nemen. Ik heb hier nooit eerder gereden, als je dit tenminste een weg kunt noemen,' antwoordde hij. Inderdaad scheen de onverharde weg steeds slechter te worden in plaats van beter, terwijl het elke minuut donkerder werd.

'Waarom stoppen we niet even om op de kaart te kijken?' stelde Eve voor.

'Die heb ik niet. Generaals hebben kaarten. En als ik er een had gehad, waren we nog niks opgeschoten, want er zijn geen wegwijzers.'

'Stop bij de eerste de beste boerderij en vraag daar de weg,' zei Eve scherp. Ze had vaak zonder blikken of blozen binnen het zicht en geluid van vijandelijk vuur gezongen, maar deze eenzame weg, deze verlaten, bijna boomloze streek, dit lege, onbewoonde, verwoeste landschap waar ze doorheen reden, begon op haar zenuwen te werken. Ze had zich niets van die kapotte zoom moeten aantrekken, bedacht ze kribbig, en ze probeerde haar zware jas nog strakker om zich heen te trekken.

'Kijk eens, een boerderij, daar langs de weg!' riep Eve.

'Kapotgebombardeerd, zo te zien,' antwoordde de soldaat en er was inderdaad nergens iets van leven te bekennen, geen licht, geen rook, geen geluiden van mens of dieren. 'Vorig jaar zeker door de Duitsers ingepikt,' vervolgde de jongen onverschillig. Terwijl hij dit zei, flitste er een vurige vlam op in het veld aan hun rechterkant en de lucht leek uiteen te scheuren toen er een mortiergranaat explodeerde.

'Jezus!' schreeuwde hij en er explodeerde een tweede granaat, waarvan de scherven vlak naast de auto terechtkwamen. De jonge soldaat raakte bijna de macht over het stuur kwijt, maar hij wist op de weg te blijven en racete op volle snelheid naar de boerderij waar hij piepend tot stilstand kwam in een grote plas water die voor het huis lag.

'Platliggen!' brulde hij, maar Eve was al uit de auto en holde gebukt naar de openstaande deur. Ze waren tegelijk binnen en zochten op handen en knieën naar enige beschutting. Met een snelle blik zag Eve in een onderdeel van een seconde dat de kamer leeg was, op wat stukken hout en wat aardewerk dat op de grond lag na. Het huis had duidelijk zwaar onder alle oorlogshandelingen geleden; hoewel het dak nog intact was, vertoonden de stenen muren overal gaten. Je kon het geen boerenhuis meer noemen, vond Eve, of wat voor huis dan ook. Buiten hoorden ze opnieuw een granaat fluiten voor hij insloeg, maar het viel niet op te maken of deze dichterbij was gevallen of niet. Bij gebrek aan een betere plaats doken ze naast de lege haard in elkaar. Als de opening wat groter was geweest, waren ze er samen in gekropen.

'We komen er nooit,' zei Eve, zo rustig mogelijk. 'Je hebt de verkeerde weg genomen.'

'Ik begrijp er echt niets van,' protesteerde de chauffeur op zielige toon.

'Er horen toch geen gevechten op de weg te zijn, dan hadden ze nooit gezegd dat we hierheen moesten.'

'Misschien,' zei hij nors, 'maar juist als het rustig wordt, liggen de Duitsers opeens op de loer. En dan grijpen ze je. Dat zegt mijn korporaal altijd.'

'Ik wou dat hij nu hier was. Dan zou ik hem eens duidelijk vertellen hoe ik erover denk!' Het was duidelijk dat ze maar het beste hier konden wachten tot het weer licht werd en er redding kwam. Het had geen enkele zin meteen het ergste te denken. Ze sloeg haar jas stevig om haar enkels en schoof wat omlaag, zodat ze op de stenen van de haard zat. Ondanks haar angst en haar woede jegens deze stomme *poilu*, kon ze het feit niet negeren dat haar voeten, met haar nieuwe rode schoenen, onmiskenbaar pijn deden. Als ze toch werd gedood door een granaat, kon ze er net zo goed haar gemak van nemen, voor zover dat mogelijk was, in plaats van te blijven staan op een paar schoenen die waren bedoeld voor een *tour de chant* en voor niets anders.

'Heb je een sigaret voor me?' vroeg de jongen.

'Ik rook niet. Hier,' antwoordde ze, en ze gaf hem het pakje dat ze altijd bij zich had voor elke soldaat die er een wilde.

'Doe die lucifer uit!'

Eve slaakte een gil en sprong overeind. Er stormde een groep soldaten het huis binnen. Ze waren zo zachtjes dichterbij gekropen dat de chauffeur en zij niets hadden gehoord. Verstijfd van angst bleef ze met haar rug tegen de muur staan, in de verwachting dat ze elk moment een bajonet door haar hart kon krijgen, tot ze weer bij haar positieven kwam en besefte dat als zij de bevelen kon verstaan, dit Fransen moesten zijn.

'Goddank, goddank, hoe wisten jullie dat we hier waren? O, wat ben ik blij dat jullie ons komen redden,' fluisterde ze.

'Rédden? Wie zijn jullie? Wat moet die vrouw hier, verdomme?'

'Ik was op weg naar Festubert . . . om op te treden . . .'

'Je lijkt wel niet wijs. Krankjórum! Wat een stom mens! Dat is de andere kant uit. Jullie zitten bijna midden in het front, tegenover Lens.'

'Lens . . .? Waar ligt dat?'

'Lens ligt aan de Duitse kant van het front, voor zover ik weet,' zei Paul de Lancel bruusk, terwijl hij zich van haar afwendde om zijn mannen bevelen te geven. Ze waren teruggeworpen door een verrassingsaanval uit één van de vele versterkte machinegeweerposten die de Duitse artillerie dekten.

Er waren vier mannen gewond, van wie drie te ernstig om te kunnen lopen. De resterende drie waren ongedeerd. De situatie was ernstiger dan hij zich had gerealiseerd, ontdekte Paul toen hij hun verwondingen inventariseerde. Hij begreep dat er bij de volle maan die nu was opgekomen en het heldere zicht dat daarbij te verwachten viel, geen mogelijkheden waren om de gewonde mannen terug te brengen naar de loopgraven om ze daar medische verzorging te laten geven. Tegen de ochtendschemering, wanneer het zicht meestal wat verwarrend was, kon hij iemand terugsturen met het bericht dat ze hier vastzaten. Tot die tijd kon hij slechts afwachten en zijn best doen hen door deze nacht heen te helpen.

'Kan ik misschien helpen?' vroeg Eve, terwijl ze voorzichtig tussen de mannen op de grond door liep en naast de kapitein kwam staan.

'Nee, tenzij u verpleegster bent.' Zijn stem klonk afwezig en afwerend.

Eve verdween weer naar de koude haard. Ze had nooit deelgenomen aan de Rode-Kruiscursussen die voor vrouwen werden georganiseerd. Ze had het te druk gehad met zingen aan het front en, tussen de reizen door, het werken in elk theater dat haar een paar weken werk bood, gewoon om haar huur te kunnen betalen.

Ze luisterde stil naar de luttele woorden die de mannen gromden, woorden die zo kort en zo vermoeid klonken dat het bijna een vreemde taal leek. Weldra waren de gewonden zo goed mogelijk verzorgd en zaten of lagen de acht mannen, met inbegrip van hun kapitein, op wat eens ongetwijfeld een veelgeboende en brandschone vloer was geweest, de trots van de vrouw des huizes.

Eve stelde zich voor hoe er een groot houtvuur had gebrand om het kille duister van deze koude oktobernacht te verdrijven, en hoe er kinderen rond de tafel hun huiswerk hadden gemaakt dat ze hadden opgekregen in het dorpsschooltje. Er zou een dikke soep hebben staan pruttelen, aan het plafond hadden hammen en worsten gehangen en buiten was de boer bijna klaar met zijn ronde langs de dieren, terwijl hij zich verheugde op het moment dat hij naar binnen kon gaan, naar de vertrouwde huiselijke gezelligheid. Zijn oogst was al vele weken binnen en hij had een betrekkelijk rustige winter voor de boeg, met avonden vol warmte en voldoende te eten, met zijn vrouw aan zijn zijde en de vreugde van het zien opgroeien van zijn kinderen.

Zo'n eenvoudig, gewoon leven was voor haar ondenkbaar geweest en ze zou het als grof en zwaar hebben beschouwd. Een boerenbestaan, een leven zonder mogelijkheden tot verandering, een leven dat van de geboorte tot de dood in drie regels kon worden samengevat. Geen enkele kans om iets te durven, in dat leven; geen kans om op te stijgen in een grote rode ballon; geen kans om weg te lopen naar Parijs, met de eerste man die ze ooit had gekust; geen kans om op het ritme van een maxixe over de *Grands Boulevards* te lopen; geen kans om een ster te worden in het Olympia. Om te dúrven en te winnen!

Wat was ze toch gelukkig geweest! En ze had het niet echt beseft, ze had het niet zo terdege beseft als nu, net zoals de boer en de boerin niet hadden geweten hoe gelukkig ze waren geweest tot de mortiergranaten van twee grote naties hun boerderij hadden vernietigd en hun velden hadden verwoest.

Naarmate de tijd verstreek en de maan helder naar binnen scheen in de berg stenen die hen beschermde, kon Eve de soldaten iets duidelijker zien. Geen van hen sliep. De gewonden hadden zoveel pijn dat hun kameraden er geen minuut van konden slapen. Hun gekerm klonk gedempt en kwam bij vlagen, maar zelfs zonder te weten hoe laat het was besefte Eve dat het nog vele uren zou duren eer het morgen werd.

Er moest toch iets zijn wat zij kon doen zelfs al had ze dan geen verstand van verpleging, zei ze nijdig bij zichzelf. Ze kon hier toch niet zomaar een beetje zitten afwachten en hen zien lijden zonder op z'n minst te proberen hun gedachten wat af te leiden van de pijn. Die sikkeneurige officier had gezegd dat ze niet kon helpen. Maar dat ze geen verband kon aanleggen wilde nog niet zeggen dat ze waardeloos was! Bovendien had Vincent Scotto juist het enorm populaire lied *Le cri du poilu* geschreven, met het opzwependе refrein: 'Onze soldaten aan het front, wat willen zij, een vrouw! een vrouw!'

Misschien wat dwaas, maar wel heel duidelijk en direct, vond Eve en zonder toestemming te vragen begon ze zo zacht mogelijk te zingen, met haar stem als van een bliksem in het voorjaar, die tot op de achterste rij van het derde balkon kon worden verstaan als ze dat wilde, maar die vannacht slechts de kleine ruimte moest overbruggen die haar van de soldaten scheidde. Ze zong het eerste lied dat in haar opkwam, haar gelukslied, haar auditielied, *Parlez-moi d'amour*. Bij het horen van haar stem slaakte de officier een vloek van verbazing, maar Eve negeerde hem en zong verder, waarbij ze op de koop toe *Mon homme* zong. 'Wanneer hij me aanraakt, is het met me gedaan, want ik ben maar een vrouw en ik ben gek op hem.' 'Verzoeknummers, heren?' vroeg ze, zodra ze klaar was met het onsterfelijke lied van Mistinguett over de hulpeloosheid van een verliefde vrouw en de onweerstaanbare macht van een man over haar. En zeven mannen antwoordden haar, sommigen met stemmen die zo zwak waren dat ze hen nauwelijks kon verstaan, anderen gretig, maar ieder had een lied dat hij graag wilde horen.

Eve zat bij de haard en ze zong en zong, die hele nacht, blij met haar goede geheugen dat haar alle liedjes en deuntjes had doen onthouden die ze eens had gehoord toen ze door de straten van Dijon naar een van haar lessen was gelopen, want bijna alle verzoeknummers waren liedjes die teruggingen naar haar jeugd. Ze kon de mannen alleen zien waar het maanlicht door de gaten in de muren scheen. Hun gezichten waren bijna onzichtbaar, maar diegenen die geen kracht meer bezaten om hardop te spreken, fluisterden hun verzoeknummers tegen hun kameraden. Ze zong zelfs voor de soldaat wiens ongelukkige manier van rijden haar naar deze plek had gebracht.

Paul de Lancel zat met zijn pet over zijn ogen getrokken en in zijn armen een man wiens benen volledig onbruikbaar waren. Hij besefte dat met elk lied dat deze vrouw zong, er een innerlijke wond bij hem begon te genezen. Haar stem deed zijn hart zwellen, gaf hem een glimp, een aanduiding van een plaats waar liefde en vrolijkheid konden bestaan. Het eenvoudige, tedere timbre van haar stem, de diepe menselijkheid ervan, die rijke vrouwelijke klank, een diepgewortelde warmte die nergens aan het front bestond, die niets met de oorlog te maken had, bracht de herinnering terug aan veel wat hij was vergeten. Een vluchtig visioen? Ongetwijfeld, maar haar liederen, met hun dikwijls banale teksten over gewone menselijke verlangens en gevoelens, over de teleurstellingen van de liefde, de vreugden van de liefde, dagen en nachten vol liefde, deden bij hem het geloof herleven in een mogelijke voortzetting van zijn bestaan, een geloof dat hij lang geleden was kwijtgeraakt. Zou hij zich deze uren blijven herinnneren? Zouden alle emoties die zij weer tot leven had gebracht toen hij in de magische wereld van haar stem was gehuld, op enigerlei wijze na deze nacht blijven bestaan? Waarschijnlijk niet, dacht hij, maar o, wat waren dit heerlijke momenten, vol eenvoudig, vergeten geluk en tederheid.

Paul de Lancel vroeg niet één lied voor zichzelf, want hij wilde niet de plaats van een van zijn mannen innemen. Maar toen er ten slotte een pauze in hun verzoeken ontstond, hoewel ze nog steeds wakker waren, vroeg hij: 'Kent u ook Engelse soldatenliedjes?'

' *The Roses of Picardy*, natuurlijk, en *Tipperary* . . . iedereen kent die liedjes, ook al verstaat hij geen Engels.'

'*Smile a While*... kent u dat ook?'
'*Smile a while, you kiss me sad adieu*, bedoelt u dat?' vroeg Eve.
'Ja,' zei hij gretig. 'Alstublieft.'

> *Smile a while, you kiss me sad adieu,*
> *When the clouds roll by I'll come to you,*
> *Then the skies will seem more blue,*
> *Down in Lovers' Lane, my dearie* ...
>
> *Wedding bells will ring so merrily,*
> *Every tear will be a memory,*
> *So wait and pray each night for me,*
> *Till we meet again.*

Eve keek op toen ze bij de laatste zin kwam, en hij zei slechts: 'Nog eens ...
o, nog één keertje maar.' Voordat ze deze korte, eenvoudige, onvergetelijke
melodie nogmaal had gezongen zag ze dat de kapitein in slaap was gevallen,
met een glimlach op zijn lippen.

5

'En dan te bedenken dat sommige mensen het geluk hebben als Zwitser te zijn geboren,' verzuchtte Vivianne de Biron treurig, toen ze op een dag in de laatste week van december 1916 in haar keuken achter een pot kruidenthee zat.

'Als Zwitser? Je hebt altijd gezegd dat dat geen land was, maar een herstellingsoord,' wierp Eve ongelovig tegen. Tweeëneenhalf jaar oorlog had weinig uiterlijke verandering teweeggebracht bij haar uitstekend geconserveerde vriendin. Vivianne bleef op en top een Parisienne.

' "Een rustige neutraliteit", dat heeft Schultess hun beloofd. Dat, en verse room in hun koffie, ongetwijfeld. Voor hen niet die maffe kruidenthee.'

'Schultess?' Eve's wenkbrauwen schoven omhoog onder het kleine Persianer hoedje dat haar verleidelijke haar bijna volledig bedekte. Ze was elegant en veel slanker dan toen ze drieëneenhalf jaar geleden naar Parijs was gekomen en wanneer ze op straat liep, stapte ze voort met het onmiskenbare zelfvertrouwen en de uitstraling van een vrouw die bij deze stad hoorde, een vrouw bij wie, zonder meer, de stad hoorde. 'Wie is Schultess?'

'De nieuwe president van Zwitserland, zoals je zou weten als je de kranten las, Maddy. En onze regering weet niets beters te bedenken dan de belasting op overspel te verhogen! O, nee, lach me niet uit, kind, ik ben doodserieus. Vóór deze ellendige oorlog stond er vijfentwintig frank op overspel. Tegenwoordig kost je dat meteen honderd frank en een paar dagen in de gevangenis! Nou vraag ik je, waar blijft de redelijkheid? Is zo iets logisch, sláát het ergens op? Is het zelfs wel Frans? Dat gas en elektriciteit en eten op de bon zijn is zinnig ... maar wat heeft een beetje overspel nou voor invloed op het winnen van een oorlog? Volgens mij is deze nieuwe belasting bijzonder onvaderlandslievend.'

Vivianne schonk nog een kopje thee in en keek er lusteloos naar. 'Ga eens na, Maddy. Als een soldaat van huis is en hij kan een beetje troost vinden bij iemand die niet zijn vrouw is ... of als zijn vrouw hem mist, maar ze wil het in zijn afwezigheid een beetje gezellig maken met iemand anders ... waarom zou iemand daar belasting voor moeten betalen? En wie is de voyeur die onder de bedden naar overspeligen gaat zoeken in plaats van aan het front te zijn, waar hij hoort, kun je me dát vertellen?'

'Zo iets gaat mijn verstand te boven, Vivianne. Ik bezit niet zoveel verbeeldingskracht,' antwoordde Eve, die de grootste moeite had om niet te giechelen.

'Ach, Maddy, je wilt er niet serieus over nadenken. Nou, dat is je goed recht hoor,' snoof Vivianne. 'Vind jij het dan soms een goed idee dat de regering niet wil dat het publiek in iets anders dan in gewone kleren naar het theater gaat? Geen avondjaponnen meer, geen smoking . . . alsof dat zoveel indruk op de Duitsers zou maken dat ze een paar diepe teugen van hun eigen gifgas innemen, om vervolgens terug te hollen naar Berlijn.'

'Je weet nooit waar het goed voor is,' zei Eve afwezig. Ze las de kranten wél en ze wist, evenals Vivianne, dat de slagen aan de Somme en bij Verdun, in 1916, het meest vreselijke jaar dat zich tot nu toe in de geschiedenis had voorgedaan, een tol aan mensen hadden geëist die zo enorm was dat het elk voorstellingsvermogen te boven ging.

Ze richtte haar gedachten abrupt weer op het gebabbel van haar vriendin. 'Onze bondgenoten doen hun best, dat zal zelfs jij moeten toegeven, Vivianne,' zei Eve. 'De koning van Engeland heeft gezworen geen alcohol, zelfs geen wijn of bier, te drinken om te helpen de oorlog te winnen. Stel je voor dat de rest van het land zijn voorbeeld volgt. Moet je nagaan . . . al die Engelsen zonder hun whisky . . . waar moet het naar toe?'

'Naar een zekere overwinning . . . voor de Duitsers,' ging Vivianne ertegenin. 'In ieder geval heeft niemand voorgesteld het variététheater op te geven. Er blijft in heel Parijs geen stoel onbezet met al die soldaten die afleiding zoeken.'

'Ik weet het. Sinds Jacques Charles uit het militaire ziekenhuis is ontslagen en het Casino de Paris heeft overgenomen, is hij sprankelender dan ooit . . . in het Olympia hebben we nooit zulke overdadige kostuums gehad, zulke uitvoerige decors. Wacht maar eens tot je tientallen meisjes met niet veel meer dan een schaamlapje om over allerlei hoge ladders ziet klimmen. Het orkest speelt iets uit Amerika dat ik niet eerder heb gehoord . . . het heet *ragtime.*'

Vivianne scheen niet overtuigd. Het beviel haar maar niets dat ze moest horen dat het Casino de Paris het theater waarin zij haar glorietijd had beleefd voorbij was gestreefd.

'En zing jij die *ragtime*?'

'Je zingt 't niet, je danst het, min of meer. Maar ik moet nu gaan, lieve Vivianne. Tijd om aan de slag te gaan. In ieder geval kan ik weer bij je op bezoek komen, nu de kust veilig is.' Eve knikte in de richting van de gang, naar het appartement waarin zij eens had gewoond. Alain Marais had, dankzij zijn zwakke longen als gevolg van de longontsteking, vrijstelling van actieve dienst gekregen en was tewerkgesteld in een legermagazijn, ver van Parijs.

Eve stond op om te vertrekken. Vivianne vond dat ze er levendiger en stralender uitzag dan ooit, in haar jas van paarse Parma-wol, afgezet met een immense Persianer kraag, manchetten en een brede bontrand langs de zoom. Toen Eve bij de keukendeur was, veranderde ze van gedachten en draaide zich om naar Vivianne.

'Mag ik je nog één ding vragen, Vivianne? Toen je me meenam naar het Olympia, voor mijn auditie, is het toen niet bij je opgekomen dat ik Fragson zou zien optreden en dat ik dan achter de waarheid over Alain zou komen?'

'Dat is meer dan drie jaar geleden,' protesteerde de oudere vrouw.

'Dat is geen antwoord op mijn vraag.'

'Misschien heb ik er wel aan gedacht . . . misschien ook niet. Misschien heb ik . . . ach, misschien dacht ik dat het niet zo gek was als je er eens achter kwam dat die geweldige meneer Marais van jou toch niet zó fantastisch was? Misschien hoopte ik te voorkomen dat jij je volledig aan hem zou verslingeren. In ieder geval heb ik het niet met kwade opzet gedaan . . . maar ik zou me er niet voor schamen als dat wel het geval was geweest.'

'Ik had Fragson al vele maanden vóór die auditie gehoord. Ik ben een keer in mijn eentje naar het Olympia gegaan.'

'Zo zo.'

'Precies. Verliefde vrouwen zijn zulke zielige sukkels, Vivianne. Het is net een vreselijke aanval van opzettelijke stupiditeit. En zodra die verliefdheid over is, vragen ze zich af hoe ze ooit zo stom hebben kunnen zijn, zo'n blunder hebben kunnen begaan, zo'n fout hebben kunnen maken, maar ze zullen het antwoord nooit vinden. Na Alain heb ik besloten dat het veel verstandiger is om nooit meer verliefd te worden . . . en dat heb ik dus niet meer gedaan, voor geen greintje. Hij heeft me een grote dienst bewezen, ook al had ik dat eerst niet in de gaten.'

'Zo zo.'

'Is dat alles wat je te zeggen hebt? "Zo zo"?'

'Je bent bijna eenentwintig. Wanneer je drie keer zo oud bent, mag je me dat nog eens vertellen en ik beloof dat ik dan zal beginnen je te geloven.'

'Ik dacht dat jij zulke cynische ideeën had, Vivianne.'

'Heb ik ook. Wat mannen betreft . . . en ik heb romantische ideeën als het om vrouwen gaat.'

'Hij beweert dat hij je kent, Maddy. Maar hij zegt dat je zijn naam niet kent. Moet ik hem binnenlaten?' De portier van de artiesteningang van het Casino de Paris was gewend aan horden soldaten die zich zodra het doek was gevallen toegang probeerden te verschaffen tot de artiesteningang, en normaliter, oorlog of geen oorlog, zei hij hun te wachten tot Maddy naar buiten kwam. Maar deze bewonderaar had hem kennelijk een royale fooi gegeven om hem over te halen Eve direct te benaderen.

'Hoe ziet hij eruit?' vroeg ze afwezig. Haar toneelmake-up was nu volledig verwijderd en ze hield haar armen boven haar hoofd terwijl ze haar haar uitborstelde. Eve droeg een lichte ochtendjas van zachtgele zijde, want het was warm in de meimaand van 1917. Met haar rossige haar als een halo om haar gezicht zag ze er net zo stralend uit als de zomer, maar ook zo aarzelend als het voorjaar, als een bloem die door de zon werd gekoesterd en haar hart ervoor opende.

'Het is een officier, een hele zwik lintjes, hoor. Ziet er goed uit, nu je ernaar vraagt.'

'Frans, Engels of Amerikaans?'

'Frans natuurlijk, anders had ik je er niet mee lastig gevallen. Die Amerikanen zijn er nog maar nét. Hoewel ze snel de weg weten te vinden in Parijs, dat moet ik ze nageven.'

'Laat hem maar binnen,' besloot Eve. 'Maar geef me even de tijd om m'n jurk aan te trekken.'

Binnen een minuut was de portier terug, gevolgd door een lange, ongeduldige gestalte in kolonelsuniform, met de pet onder de arm.

'Ik hoop dat ik u niet stoor, madame.' Deze beleefdheidsfrase klonk vreemd door de intense manier waarop hij die traditionele woorden uitsprak.

'Helemaal niet, *mon colonel*.' Er klonk een vraag in haar stem. Ze kon zich niet herinneren deze grote blonde man met zijn verweerde gezicht en diepliggende blauwe ogen ooit eerder te hebben ontmoet, maar toch was er iets vreemd bekends aan hem, alsof ze over hem had gedroomd, de droom was vergeten en nu op het punt stond zich die weer te herinneren.

'Tot vanavond had ik geen flauw idee wie u was,' zei hij, 'en ik wist niet hoe ik u moest vinden . . . maar toen ik u hoorde zingen . . . bij de allereerste noot . . . Toen moest ik weer denken aan die nacht, toen . . .' Hij zweeg, alsof hij niet wist wat hij verder moest zeggen, alsof hij Eve iets wilde vertellen dat te ingewikkeld was om onder woorden te brengen.

'Die nacht?' vroeg ze. Er waren zoveel nachten voorbijgegaan sinds het begin van de oorlog.

'U kunt het niet zijn vergeten, zelfs al is het bijna twee jaar geleden.'

'Die nacht? Já, o já! Die nacht in die boerderij! Ja . . . natuurlijk . . . de officier . . . ja, ik herinner het me . . . natuurlijk herinner ik het me . . . hoe zou iemand die nacht kunnen vergeten? Nu herinner ik me uw stem. U viel in slaap toen ik zong.'

'En ik droomde van vrede,' antwoordde hij. 'Een gelukkige droom . . . hij is me dagenlang bijgebleven. Twee van mijn mannen zouden die nacht niet hebben overleefd als u er niet bij was geweest. Dat wilde ik u vertellen.'

'Wat is uw naam, *mon colonel*?'

'Paul de Lancel. Wilt u met mij dineren, madame?'

'Dat lijkt me een groot genoegen.'

'Vanavond?' vroeg hij, zo hoopvol dat zijn stem bijna oversloeg.

'Waarom niet? Als ik het me goed herinner, kregen we in de nacht dat we elkaar hebben ontmoet erge honger. En toch heb ik voor mijn souper gezongen ... en voor mijn ontbijt bijna ook. Dus vind ik dat u me een etentje schuldig bent. Maar u moet me twee dingen beloven.'

'Wat u maar wilt,' zei hij ernstig. 'Alles.'

'U mag niet meer tegen me zeggen dat ik gek ben of een stomme sufferd.'

'Ik hoopte dat u was vergeten hoe onvergeeflijk grof ik ben geweest.'

'Integendeel, het was té gedenkwaardig om het ooit te kunnen vergeten.'

In de afgelopen jaren was Eve na de voorstelling avond aan avond mee uit eten genomen door militairen uit alle windstreken van Frankrijk. Ze hadden altijd afleiding gezocht in een restaurant, in geroezemoes en gezelligheid, met veel vrolijkheid.

Paul de Lancel nam haar echter mee naar de eetzaal van het Ritz. Het was een uitzonderlijk deftige zaal, met hoge plafonds, veel houtsnijwerk, hoogpolige tapijten en met brokaten gordijnen die in de slaapkamer van een koningin geen gek figuur hadden geslagen. De tafeltjes waren ver uit elkaar geplaatst en één van de wanden bood uitzicht op een half cirkelvormige tuin waarin jasmijnstruiken en potten vol geraniums rond een fontein stonden. De bediening werd op geruisloze en snelle wijze verzorgd door een maître d'hôtel, obers en hulpkelners en de zaal was discreet verlicht met op elk tafeltje een lamp met een roze kap.

Maar ondanks alle chic hing er in de eetzaal van het Ritz een feestelijke, opgewekte stemming en die sfeer was in de oorlogsjaren bewaard gebleven. Hoewel het eindresultaat van alle details deze zaal tot de meest schitterende plek van Frankrijk maakte om te gaan dineren, voelde Paul de Lancel zich er behaaglijk en op zijn gemak. Hij bestelde het diner zonder veel omhaal, op autoritaire maar toch vriendelijke wijze. Terwijl hij met de maître d'hotel sprak, voelde Eve zich wegzakken in een comfortabele veiligheid die niets te maken had met het vooruitzicht van een vredige maaltijd.

Paul bestudeerde Eve's gezicht in het zachte licht. Ze zat met haar gebruikelijke, rustige zelfvertrouwen in de brokaten leunstoel, haar lange oorbellen glinsterden. Haar haar had een scheiding in het midden en was volgens de laatste mode over haar oren naar voren gekamd. Haar jurk had een lage, vierkante halsopening die met kant was afgezet en over haar schouders liepen nog eens twee repen kant. Haar sterke, slanke hals en haar armen waren echter volledig bloot.

Hij besefte dat zo'n onbedekte, blote hals Eve heel goed stond – wat bij andere vrouwen zelden het geval was. Het benadrukte de delicate lijn van haar kaken en haar schitterend frisse teint. Bij dit schemerige licht kon hij niet diep in haar ogen kijken, maar wanneer ze praatte bewogen haar oogleden op geheimzinnige en veelbetekenende wijze. De opvallende onmatigheid die haar tante Marie-France zeven jaar geleden als eerste had opgemerkt, was gevormd en verstevigd door het leven, maar niet in het minst getemd, zodat het zich nu voordeed als een schokkende onafhankelijkheid van geest, en vrijheid en een zelfbeheersing die Eve tot een heel bijzondere vrouw maakten. Tijdens hun gesprek ontdekte hij hoe snel van begrip en hoe speels ze innerlijk was.

'Wie bén je eigenlijk?' hoorde Paul de Lancel zich plotseling vragen.

'Wat bedoel je?' vroeg Eve, hoewel het sneller kloppen van het bloed in haar aderen erop wees dat ze heel goed begreep wat hij bedoelde.

'Je bent iemand anders, je bent een ander dan de beroemde Maddy, Maddy zonder achternaam, die in het Casino de Paris zingt. Ik weet dat ik gelijk heb . . . vertel me eens wie je echt bent,' beval hij.

Terwijl ze een slokje wijn nam, overdacht Eve haar antwoord. Sinds ze vier jaar geleden naar Parijs was gekomen, had ze nooit over haar afkomst gesproken, zelfs niet tegen Vivianne de Biron. Het een of andere diepe instinct had haar gezegd dat ze beter tegen niemand in de wereld van het variététheater kon vertellen dat ze afkomstig was uit een milieu waar zij de spot mee dreven, en waardoor zij op hun beurt zo hevig werden geminacht.

Maar deze man, deze vreemdeling – want hoeveel ze ook mocht weten over zijn moed, zijn kalmte en zijn volharding, Paul de Lancel was toch een vreemde voor haar – maakte in haar iets los van onbevreesdheid en van een diep verlangen, een dorst die haar er letterlijk toe dreef over zichzelf te vertellen. Ze vertrouwde hem, ze begreep en vertrouwde hem zo plotseling dat het haar bang maakte. Ze kende hem zo slecht. Maar na die nacht in die verwoeste boerderij leek het alsof ze hem te goed kende om zich te verbergen achter een identiteit die slechts een deel van haar uitmaakte.

'Ik ben geboren in Dijon,' begon ze, 'en mijn naam is niet Maddy en ik hoor ook niet met madame te worden aangesproken. Om precies te zijn heet ik mademoiselle Eve Coudert, een bourgeoisnaam die niet erg geschikt is voor de affiches van het variététheater. Als kind wilde ik al – misschien te hevig – kunnen zien wat er achter de horizon lag. Ik ging naar Parijs . . . of liever gezegd, ik liep weg van huis, naar Parijs . . . op m'n zeventiende . . . met een man die ik nauwelijks kende. Ik was bijzonder onnozel en bijzonder roekeloos. Eigenlijk was ik gewoon . . . gek. Ik was opgevoed om een dame te worden en een goed huwelijk te sluiten. Ik haatte die gedachte, maar het was de enige toekomst die mijn familie voor me in petto had. Ik was verschrikkelijk verliefd en heel erg dom. Die man brak binnen de kortste keren mijn hart . . . wat ook wel te verwachten was. Ik heb echter zowel mijn familie als mezelf te schande gemaakt. Mijn ouders zijn zelfs nooit naar me komen kijken, hoewel ik hun elke week schrijf. Mijn vader is een beroemde dokter, mijn moeder is een van de meest vooraanstaande dames in Dijon. En ik . . . ik sta bekend als Maddy.'

'Hij brak je hart, zei je?' viel Paul haar in de rede, verbijsterd over de hevige jaloezie waardoor hij was gegrepen zodra Eve die woorden had gezegd. Vanaf die zin had hij nergens meer naar geluisterd.

'Dat dacht ik toen. Zo voelde het wel.'

'Is het weer gerepareerd?' wilde hij weten.

'Dat denk ik wel. Al was het misschien jarenlang alleen maar bevroren . . . maar hebben niet alle meisjes van zeventien repareerbare harten?'

'En hoe is het ná die man gegaan?' hield Paul hardnekkig aan.

'Ik heb me daarna voorgenomen mijn hart niet meer aan iemand te schenken.'

'Weet je dat heel zeker?' Paul kreeg opeens de idiote neiging haar haar los te maken en opzij te vegen, zodat hij kon zien hoe ze eruit moest zien als ze 's ochtends wakker werd.

'Eén moment, *mon colonel* . . . Is dit een ondervraging?'

'Maakt dat iets uit?'

'Misschien niet,' antwoordde Eve na een lange stilte. Haar hart bonsde hevig.

'Je weet best dat het niets uitmaakt. Kom, geef me je handen eens,' zei hij.

'In het openbaar?' Ze moest zich naar voren buigen om hem haar zachte, bevende vraag te laten verstaan.

'Je bent weggelopen met het een of andere mispunt dat je verdriet heeft gedaan, en nu wil je me zelfs niet je handen geven?'

'Ik heb toch gezegd dat ik heel voorzichtig ben geworden?'

'Je zult dat nu allemaal moeten vergeten,' zei Paul streng.

'O ja?' Haar lippen gingen uiteen, haar oogleden zakten nog lager. Er ging een golf van emotie door haar heen toen ze ademloos op zijn volgende woorden wachtte. Hij had haar verbaasd met zijn directe manier van doen, zijn oprechte intensiteit, op een manier die ze niet meer had gekend sinds die keer dat ze in Dijon in een grote rode ballon was opgestegen en de enorme mogelijkheden had gezien die achter de blauwe horizon lagen. Het begin van een betovering maakte dat de eetzaal van het Ritz naar de achtergrond verdween, als in een verduisterd theater.

'Je weet dat je dat zult vergeten. Je weet het best, mademoiselle Eve Coudert.'

'Je bent erg goed in het geven van bevelen,' zei Eve, met het laatste beetje weerstand dat ze bezat.

'Je zult alle tijd krijgen om daaraan te wennen.'

'Hoe . . . hoe lang . . .?' fluisterde ze.

'Een leven lang,' zei hij toen hij haar bevende handen pakte en ze naar zijn warme lippen hief. 'Ik beloof je levenslang.'

De maître d'hôtel, die Paul en Eve vanaf een gepaste afstand had gadegeslagen, was niet verbaasd toen hij zag dat kolonel De Lancel hem halverwege de op perfecte wijze toebereide en gepresenteerde maaltijd, die hij en zijn beeldschone gezellin vrijwel hadden genegeerd, wenkte en om de rekening vroeg. Hij had de kolonel al gekend als jongen, toen hij voor het eerst naar Parijs kwam met zijn ouders die altijd in het Ritz logeerden, maar hij had de jonge vicomte nooit verliefd gezien, hoe vaak hij ook in het Ritz had gedineerd. De maître d'hôtel had zelfs met zichzelf een weddenschap afgesloten dat ze niet eens de hoofdgang zouden halen voordat ze helemaal ophielden met doen alsof ze aten. Hij verloor die weddenschap, want de kolonel liet het nog wel serveren en nam er zelfs een hapje van, maar hij won toch, want de kolonel gaf hem een vijf keer hogere fooi dan normaal.

Buiten het Ritz hield Paul een open rijtuigje aan. 'Rijd maar langs de rivier,' zei hij tegen de koetsier, toen hij Eve in het rijtuig hielp. Opgewekt liet de man zijn paard om de Place Vendôme heen rijden en toen door de Rue de Castiglione in de richting van de Seine, in een kalm tempo dat bij deze zoele meiavond paste.

In het restaurant van het Ritz hadden Paul en Eve min of meer vrijelijk kunnen spreken, omdat ze werden omringd door toeschouwers wier aanwezigheid beperkingen oplegde aan hun graad van intimiteit. Het gebrek aan privacy en de noodzaak te doen alsof ze aten was echter weldra ondraaglijk geworden, maar nu ze alleen waren, op de ongeïnteresseerde rug van de koetsier na, merkten ze plotseling dat ze niet wisten wat ze moesten zeggen en ze voelden zich onhandig en verward.

Hij had haar levenslang beloofd, dacht Eve. Wat betekende dat? Was het bij wijze van spreken? Was het soldatenbravoure? Waren dit de woorden van een man die een korte verhouding wilde voordat hij weer verdween om oorlog te voeren? Was Paul de Lancel het soort man – en er waren veel van zulke mannen– dat grote woorden voor zo'n klein doel gebruikte? Uit het gesprek dat hij met de maître d'hôtel in het Ritz had gevoerd, had ze begrepen dat hij een vicomte was en een lid van de Lancel-champagnefamilie. Als een man met zo'n achtergrond levenslang beloofde, zou dat dan niet als zijn maîtresse zijn, een vrouw die hij op de achtergrond van zijn leven wilde houden? Wat verwachtte hij precies, deze man, die ze toegestaan had haar vanavond mee uit eten te nemen – ook al had ze bijna geen hap door haar keel kunnen krijgen? Deze man, die nu al meer over haar wist dan wie ook ter wereld?

Hij had haar levenslang beloofd, dacht Paul. Begreep ze dat hij met haar wilde trouwen? Had hij zich voldoende duidelijk gemaakt? Er waren geen vastomlijnde plannen besproken omdat de ober de eerste gang had geserveerd op het moment dat hij die woorden sprak. Op de een of andere manier waren ze in de lucht blijven hangen en met het eten vóór hen op tafel was die luchtige stemming verdwenen, waardoor hij niet terug kon komen op dit onderwerp. Hoe kon hij in alle redelijkheid verwachten dat een vrouw die hem tot een paar uur geleden helemaal niet had gekend, nu zou begrijpen wat hij voor haar voelde? Hoe kon ze zijn emoties beantwoorden? Was Eve het soort vrouw dat hem zich uit liet spreken om vervolgens met hem te spelen, van haar macht te genieten? Hij wist niets van haar, buiten de korte levensbeschrijving die hij uit haar los had weten te krijgen, en zij wist zelfs nog minder van hem.

Ze bleven zwijgend zitten, zonder elkaar aan te raken, terwijl het rijtuig bij de rivier linksaf sloeg en naar het oudste deel van Parijs reed, het hart van de stad, waar eens een stam riviervissers die de Parisii heetten, hun eerste nederzetting bouwden op een eiland in het midden van de Seine. Als de koetsier rechtsaf was gegaan, zouden ze langs de grote ruimten van het keizerlijke Frankrijk zijn gekomen, langs de Place de la Concorde en het Grand Palais, monumentale symbolen van een ongeëvenaarde grootsheid, maar door linksaf te gaan bracht hij hen naar nederige, levendige wijken waar alles op menselijke schaal is gebouwd en de enige aanwezige symboliek die van een kerktoren is.

'Wilt u hier stoppen,' zei Paul tegen de koetsier, toen ze bij de Pont Neuf waren. 'Heb je zin om over de brug te wandelen?' vroeg hij aan Eve.

'Ja,' antwoordde ze. Ze vond alles goed, als deze verstijfde trance van onbegrip maar kon worden verbroken, nu haar geest werd bestormd door duizenden vragen en haar lippen niet in staat waren er ook maar één van te verwoorden.

De Pont Neuf, de oudste brug in Parijs, snijdt over de punt van dat eiland, het Ile de la Cité, waar de Parisii hun eerste hutten bouwden, en het bezit die bijzondere magische sfeer die alleen kan bestaan waar mensen het langst hebben gewoond. Er schenen goede geesten over het plaveisel te dolen en mee te lopen met Eve en Paul toen zij naar het midden van de brug wandelden, waarbij hij haar slechts met zijn hand bij haar elleboog vasthield. De brede brug was bijna verlaten en toen ze het midden ervan hadden bereikt, liepen ze naar één van de twaalf half cirkelvormige bogen die boven de Seine uitstaken. Toen ze op de rand van de boog leunden, hadden ze een weids uitzicht over de rivier, die met verbazingwekkende snelheid door de stad naar de oceaan stroomde terwijl het maanlicht in zo'n brede baan op het water viel dat Parijs zelf leek te zijn verdwenen.

'Is het niet net alsof je aan boord van een schip staat?' vroeg Paul.

'Ik heb nog nooit een zeereis gemaakt,' antwoordde Eve.

Ze vervielen in een nieuwe stilte, maar de enkele woorden die ze uit hadden weten te brengen hadden de spanning gebroken en ze keken elkaar gelijktijdig aan. Paul nam Eve in zijn armen en kuste haar voor het eerst op haar lippen.

Ze deinsde terug en keek omhoog naar zijn ogen, die zo diep onder zijn wenkbrauwen zaten dat ze niet wist welke uitdrukking ze vertoonden.

'Waarom . . . waarom wilde je, die avond in die boerderij, dat ik *Smile a While* zong?' vroeg Eve, verbaasd dat ze te midden van alle gecompliceerde vragen die door haar hoofd speelden, naar een onbelangrijk detail van een gebeurtenis had gevraagd, toen ze zelfs Pauls naam niet had geweten.

'Misschien was het . . . dwaas van me, maar ik wist dat geen van de mannen Engels verstond en ik wilde jou voor mij alleen horen zingen, iets wat ik me eeuwig kon herinneren zonder het met anderen te hoeven delen,' antwoordde Paul langzaam. 'Ik . . . ik werd verliefd op je . . . toen je in het Frans voor de mannen zat te zingen. Er waren woorden in dat lied waarvan ik me wilde voorstellen dat jij ze tegen mij zei, en het was de enige manier die ik kon bedenken om . . . herinner je je die woorden nog? *Wedding bells will ring so merrily, every tear wil be a memory, so wait and pray each night for me, till we meet again.*'

'Bruidsklokken?' fluisterde Eve.

'Toen al. Ik wist dat dat het enige was dat ik wilde. Bruidsklokken . . . Eve, wil je met me trouwen?'

Ze aarzelde, opnieuw bang door de manier waarop Paul de Lancel haar had beroofd van haar moeizaam verworven instinct tot zelfbehoud. Aan de andere kant . . . zou ze nú niet durven? Deinsde ze terug voor het avontuur? Probeerde ze de . . . liefde te vermijden? Want dat was het wat ze voor hem voelde, niets minder dan liefde.

'Het is drie uur geleden dat jij naar mijn kleedkamer kwam.' Eve probeerde nog even met beide benen op de grond te blijven staan. 'Waarom heb je zo lang gewacht met me te vragen?'

'Ik had er twee jaar over gedaan je weer terug te vinden.'

'Aha . . . in dat geval . . .'

'In dat geval?'

'Ja, *mon colonel*, ja!'

Vicomte Jean-Luc de Lancel, Pauls vader, keek op van de brief die hij zojuist had opengescheurd.

'Geweldig nieuws, lieveling!' verkondigde hij verheugd tegen zijn vrouw Anette, 'Paul gaat trouwen – als ik de datum op die brief zie denk ik dat hij zelfs al getrouwd is.'

'Goddank! O, wat heb ik hierom gebeden! Toen die arme Laure stierf dacht ik dat hij nooit meer zou lachen. Laat me die brief eens zien. Wie is het? Waar heeft hij haar ontmoet? Wanneer zijn ze getrouwd?' vroeg de vicomtesse gretig.

'Eén minuut . . . Laat me even verder lezen. Ah . . . ze komt uit Dijon, vlak naast de deur, Anette! Eve Coudert . . . hemeltjelief, de dochter van dokter Didier Coudert . . . dat is die man waar iedereen voor zijn lever naar toe gaat, liefste. Je zwager is een paar jaar geleden ook eens bij hem geweest, weet je nog wel? Ze kennen elkaar . . . dat is vreemd . . . hij zegt dat ze elkaar heel kort hebben ontmoet aan het eind van het eerste jaar van de oorlog en nu schijnen ze elkaar te hebben teruggevonden . . . en dat was pas vorige week! Vóór de oorlog kon niemand binnen een week trouwen, maar ze hebben de regels wel veranderd, hè? Hij schrijft dat ze lief en dapper en mooi is . . . wat mag een mens nog meer verwachten! Ze kunnen uiteraard geen huwelijksreis maken, maar wat doet dat ertoe? Het belangrijkste is dat ze in Parijs zitten, nu Paul de verbinding moet onderhouden met de Amerikanen. Wanneer kunnen we bij hen op bezoek gaan, Anette? Ik wil mijn nieuwe schoondochter wel eens zien.'

'De dochter van dokter Coudert, zei je?'

'Ja. Hoe dat zo, heeft hij er meer?'

'Ik ken er maar eentje,' zei ze grimmig. 'Weet je wie dit meisje is? Íedereen weet wie dit meisje is.'

'Waar heb je 't over? En waarom kijk je zo zuur? Ik heb nog nooit van haar gehoord.'

'Een jaar voor het uitbreken van de oorlog werd er over niets anders gepraat . . . in bepaalde kringen. Ze liep van huis weg, ging ervandoor, verdween, of hoe je het maar noemen wilt, met de een of andere vreselijke vent, zo iets vreselijks, zo iets schandaligs dat de Couderts het zo lang mogelijk stil hebben gehouden. Marie-France de Courtizot, haar tante, was er eveneens van op de hoogte. Mijn nicht Claire is een vriendin van madame De Courtizot en toen het allemaal uitkwam . . . nou! Het bleek nog erger te zijn dan ze hadden gedacht. O, arme Paul!'

'Wat bedoel je met "nog erger"? Heeft ze een kind gekregen?'

'Niet voor zover ik weet. Dat soort vrouw zorgt er wel voor dat ze geen kind krijgt. Ze . . . ze zingt. Ze treedt óp, in een variététheater. In Parijs.'

'Een variététheater? Weet je het zeker?'

'Absoluut. De Couderts hebben het nooit over haar, maar ze schijnt een groot succes te zijn. Ze is "beroemd". Nou ja, "berucht" is een beter woord. Er is geen twijfel over mogelijk. Er was maar één dochter en daar is onze zoon mee getrouwd.' De vicomtesse barstte in tranen uit.

'Anette, Anette . . . houd op, ik smeek je! Bedenk toch dat Paul van haar houdt. Je weet hoe ongelukkig hij is geweest . . . is het niet belangrijk dat hij iemand heeft gevonden om van te houden?'

'Zó'n vrouw zeker! Begrijp je dan niet waarom ze met hem is getrouwd? Het is een laatste wanhopige poging van een gevallen vrouw om toch nog fatsoenlijk te worden. Maar ze heeft het mis als ze denkt dat ze hier ooit geaccepteerd zal worden. En het ergst van alles is nog dat als deze oorlog voorbij is, hij zijn carrière wel kan vergeten.'

'Anette, hoe kun je je daar druk over maken? Het belangrijkste is dat Paul niet aan het front is, dat hij deze oorlog zal overleven. Wat zeur je dan nog over zijn carrière? Ik geloof in zijn oordeel: dat ze lief is en dapper en mooi.'

Wat geeft 't nou als ze zingt? En in een variététheater? Er zijn koningen geweest die met zangeressen zijn getrouwd.'

'En die hun troon hebben verloren en voor de rest van hun leven zijn uitgelachen ... en je weet heel goed dat ze nooit met die vrouwen zijn getrouwd, ze onderhielden ze. Deze vrouw heeft een groot schandaal veroorzaakt. Haar verleden zal haar haar hele leven blijven achtervolgen. Denk je nu echt dat een diplomaat met zo'n vrouw nog carrière kan maken?'

'De vrouw van een diplomaat is voor hem net zo belangrijk als zijn hersens ... en misschien nog wel meer,' zei Jean-Luc de Lancel met een diepe zucht. Anette was, als altijd, weer praktischer dan hij.

'Deze ... persoon ... met wie hij is getrouwd, kan nooit de vrouw van een ambassadeur worden, dat weet jij net zo goed als ik. Dit zal hem op de Quai d'Orsay nooit worden vergeven. Onze briljante zoon heeft zich geruïneerd om haar, hij heeft zijn carrière opgeofferd.'

'Ik vraag me af hoeveel hij van haar wist voordat hij hals over kop met haar wilde trouwen!'

'Kennelijk zo weinig mogelijk,' zei de vicomtesse venijnig.

'Misschien niet. Of misschien wist hij alles en vond hij dat het het waard was, wát het hem ook mocht kosten,' zei vicomte de Lancel, maar zijn treurige woorden klonken weinig overtuigend.

'Hij is verliefd, en dat in oorlogstijd ... dat wil zeggen, hij gedraagt zich als een dwaas,' kaatste ze minachtend terug.

'Dan is hij beetgenomen. In vredestijd zou hij nooit met haar zijn getrouwd.' De stem van Pauls vader klonk hard toen hij de brief van zijn zoon verkreukelde.

'Begrijp je nu waarom ze zo snel zijn getrouwd?'

'Ik begrijp het volledig. Ik begrijp het maar al te goed.'

'Dat kun je niet menen, Maddy,' zei Jacques Charles en hij sprong op van achter zijn bureau. 'Ik weiger je te geloven. Hoe kun je er nu zomaar mee ophouden? Als je van een andere producer een beter aanbod had gehad, dan kon ik nog begrijpen wat je probeerde te doen ... hoewel ik het niet leuk zou vinden. Ik zou je je nek omdraaien en je een grote kleedkamer geven en een flinke mep voor je kont ... maar om ermee op te houden! Voorgoed! Dat kán gewoon niet.'

'Zingt uw vrouw in het Casino de Paris?'

'Nou ... nee, maar wat heeft dat ermee te maken? Ze kan niet eens wijs houden.'

'En als dat nu wel het geval was geweest? Wanneer u s' avonds thuiskwam zou u tot uw grote vreugde te horen krijgen dat madame Charles al naar het theater was vertrokken, of druk bezig was haar nieuwe kostuums te passen, of haar nieuwe liederen moest repeteren of door een journalist werd geïnterviewd. Zou u het leuk vinden om tot middernacht op haar thuiskomst te moeten wachten, elke avond van de week behalve wanneer het Casino de Paris dicht is?'

'Nee. Zeker niet! Verdorie, Maddy!'

'Dus u begrijpt het. Ondanks alles.'

'Laten we zeggen dat ik als man, die niet anders is dan andere mannen, er enig begrip voor kan opbrengen. Maar voor jou . . . voor een stér? Nóóit! Heb je wel enig idee wat je allemaal opgeeft om met etenstijd thuis te kunnen zijn? Waarom had je verdorie niet gewoon een verhouding met die vent kunnen beginnen? Wie zei dat je moest trouwen? Denk je echt dat je een bestaan als ster het ene jaar kunt weggooien om het volgende jaar weer op te kunnen rapen, wanneer je – en zo iets is altijd mogelijk, ondanks alles wat je nu voor die kolonel van je voelt – tot de ontdekking komt dat je je zeldzaam verveelt en dat je het publiek vreselijk mist, dat je het applaus mist en de liefde van de mensen die naar jou komen luisteren?'

'*Patron*, een week geleden zou alles wat u nu zegt heel zinnig hebben geklonken. Ik zou een ander precies hetzelfde hebben verteld. Misschien zelfs minder tactvol. Maar nu . . . thuis zijn rond etenstijd . . . dat is alles wat ik wil.'

'Ik kan het niet uitstaan dat jij er zo gelukkig uitziet, verdomme!'

'U bent veel te weekhartig, *patron*,' lachte Eve ondeugend.

'Maak dat je wegkomt. En Maddy, wanneer je eraan toe bent . . . áls je er nog ooit aan toekomt, moet ik zeggen . . . kom je dan terug? Het publiek blijft je meer trouw dan welke minnaar, welke echtgenoot ook. Een revue speciaal voor jou, de revue die ik gepland had . . . tja, die kan ik je niet meer geven . . . maar Maddy, als je ooit van gedachten mocht veranderen, kom je dan terug?'

'Natuurlijk,' zei Eve, nog steeds lachend, en ze sloeg haar armen om zijn nek en kuste hem op beide wangen vaarwel. Beloften kostten geen geld. En het zou toch nooit gebeuren.

In 1912, toen Paul-Sébastian de Lancel met Laure de Saint-Fraycourt, het enige kind van marquis en marquise de Saint-Fraycourt, was getrouwd, was zijn eigen familie opgetogen geweest. De Saint-Fraycourts hadden zich er gelaten bij neergelegd. Laure, die heel donker, heel tenger en heel elegant was geweest, werd tot één van de mooiste meisjes van haar generatie gerekend. Ze was de enige erfgenaam die de Saint-Fraycourts bezaten en hun hele fortuin zou naar haar gaan, een fortuin dat even oud als geslonken was.

Maar voor de Saint-Fraycourts was geld totaal onbelangrijk. Het marquisat de Saint-Fraycourt was een titel die zo verheven, zo oud en zo sterk was verbonden met de geschiedenis van Frankrijk, dat zij die als een zeldzaam belangrijke en machtige bruidsschat beschouwden. Weliswaar zou de titel met de dood van de huidige markies verdwijnen, maar Laure's kinderen, met wie ze ook mochten trouwen, zouden vóór alles als Saint-Fraycourts bekendstaan. In het kleine kringetje van de hoogste adel van Frankrijk zou het feit dat hun moeder een Saint-Fraycourt was, hun op slag erkenning en de hoogste status verschaffen. De Saint-Fraycourts wisten dat het belang van een oude stamboom doorslaggevend was in de wereld waarin zij zich bewogen, waarin iedereen elkaar kende.

Ze hadden uiteraard verwacht dat Laure een uitstekend huwelijk zou sluiten. Als laatste van de Saint-Fraycourts groeide ze op als een idool; geliefkoosd, geprezen en bijna aanbeden. Haar kinderkamer was de schatkamer van de familie geweest en toen ze tekenen van haar toekomstige schoonheid begon te vertonen, werden haar ouders zo dol als Fransen maar kunnen zijn.

Toen ze vicomte Paul-Sébastian de Lancel koos, waren ze diep teleurgesteld. Ja, hij stamde uit een oud geslacht, maar hij was niet de oudste zoon. Weliswaar waren de Lancels ontegenzeggelijk aristocraten uit het *ancien régime*, maar ze waren niet zo hoog verheven als de Saint-Fraycourts eigenlijk hadden verwacht. In Champagne was hun naam belangrijk, maar niet als die van de hoogste adel van Frankrijk. De Lancels van vóór de Revolutie hadden niet hun leven in Versailles doorgebracht, als intimi van de koning. Ja, Paul had een briljante carrière, maar het meeste ervan had hij nog voor de boeg. Uiteindelijk zou hij de helft van het huis Lancel erven, geen klein fortuin, maar dat was niet meer dan redelijk. Er was echter niets aan Paul de Lancel waartegen ze echt bezwaar konden maken. Ze beseften dat er niets zó ernstig was dat ze Laure konden duidelijk maken dat ze een fout had begaan.

Ze vonden weinig troost in Pauls toekomstige bezit van de wereldberoemde wijngaarden die hij eens met zijn broer zou moeten delen. Dat hun dochter zou worden verbonden met een château dat een naam had die op het etiket van een fles stond! De gebruikelijke Franse waardering voor wijn producerende landerijen werd niet door de Saint-Fraycourts gedeeld, zij hadden meer respect voor directe, lineaire afstammelingen van het huis van Hugo Capet, de eerste koning van Frankrijk, en voor hen wier voorouders hoge posities aan het hof hadden bekleed.

Laure was gelukkig geweest in dat eerste jaar van haar huwelijk en de Saint-Fraycourts hadden uiteindelijk misschien toch vrede kunnen hebben met hun schoonzoon. Hij had zich echter geroepen gevoeld zich aan te melden bij het leger, ondanks Laure's zwangerschap. Hun patriottisme kwam, als al hun andere emoties, op de tweede plaats, na Laure's welzijn. Pauls ware en eerste verantwoordelijkheid had bij zijn vrouw en kind moeten liggen en hij had, zonder aan eer in te hoeven boeten, horen te wachen tot de baby was geboren alvorens naar het front te vertrekken.

Hij had haar vermoord, zeiden ze na Laure's dood tegen elkaar, hij had haar net zo zeker vermoord als wanneer hij met zijn grove boerenhanden haar nek had omgedraaid. Laure was nooit meer dezelfde geweest sinds hij naar het front was vertrokken: in haar wanhoop had ze niet goed gegeten, ze had geen lichaamsbeweging gehad, ze was letterlijk weggekwijnd en toen de baby kwam was ze te zwak en te treurig geweest om het te kunnen overleven. Hij had hun enige schat afgenomen en hij had haar met zo'n wreedheid behandeld dat het wel een marteling leek.

Gebroken en zo intens verbitterd dat er geen woorden waren om hun emotie te beschrijven, vertrokken de grootouders met Bruno, de baby, naar Zwitserland waar hun onschatbare erfgenaam, de enige nalatenschap van Laure, het kind waarvoor ze haar leven had gegeven, in ieder geval veilig kon opgroeien.

Zowel in oorlogstijd als in vredestijd gaan de geruchten sneller dan de post en tegen de tijd dat Pauls brief aan de Saint-Fraycourts, met het bericht over zijn huwelijk, in Genève arriveerde, waren ze reeds van alle details op de hoogte, tot en met de speciale kleur rood in de kostuums die Eve op het toneel droeg.

Normaliter zouden roddels uit de bovenste laag van de bourgeoisie, waartoe de Couderts behoorden, hen nooit hebben bereikt aangezien niemand die zij goed kenden in zulke mensen geïnteresseerd was.

Maar barones Marie-France de Courtizot verkeerde aan het randje van hun gezichtsveld, want ondanks het feit dat haar vader niet meer was geweest dan een rijke handelaar in cassis, was ze erin geslaagd kennissen te maken binnen bepaalde kringen van de hoogste adel, de wereld van Faubourg St.-Germain.

Baron Claude de Courtizot besteedde het grootste deel van zijn geweldige inkomen aan het in stand houden van zijn eigen jachtpartijen. De Courtizot-paarden en de Courtizot-honden renden over land waarop veel herten voorkwamen en de baron was heel royaal, een feit dat niet lang zonder waardering kon blijven onder leden van de jaaglustige adel wier portemonnees in de loop der tijden wat beperkt van omvang waren geworden. Zelfs toen hun voorouders hun hoofd en hun land waren kwijtgeraakt, hadden ze hun titels en hun liefde voor de jacht doorgegeven. De Courtizot-titel was van recenter datum en stelde wat hun betrof niets voor aangezien hij door die Napoleon was verleend, maar Claude deed er gepast bescheiden over.

Maar nu! In alle salons van de Faubourg St.-Germain steeg een wolk van geroddel op boven de theekopjes van de bezitters van de oudste namen in Frankrijk. In 1914, toen het bekend was geworden dat er een nichtje Courtizot bestond, een nichtje dat, hoe ondenkbaar en ongelooflijk ook, optrad op een vreselijk ordinaire plek, zo'n vulgair variététheater – bijna net zo erg als een bordeel – waar ze ongetwijfeld werd omringd door naakte revuemeisjes, als ze dat zelf al niet was – of nog erger – was er zo'n groot schandaal ontstaan dat het de Courtizots bijna hun plekje in deze wereld had gekost.

Het was echter vergeven, gewoon omdat ze niet belangrijk genoeg waren om als outcasts te worden behandeld. Maar nu! Dat níchtje, waarover iedereen zo vriendelijk was nooit een woord tegen die arme Marie-France te zeggen, was de stiefmoeder geworden van de enige kleinzoon van de Saint-Fraycourts. Nu had het schandaal regelrecht betrekking op het hartje van hun eigen wereld.

Was het niet, vroeg de ene verveelde en gemene hertogin aan de andere, bijna te mooi om waar te zijn? Ja, natuurlijk, het was een vreselijke tragedie voor de Saint-Fraycourts ... die arme mensen, je moest werkelijk diep medelijden met hen hebben. Wie had ooit kunnen denken dat zo iets kon gebeuren bij mensen die zo hooghartig waren, terwijl hun rang niets verschilde van die van jezelf? Ach, je was eerlijk gezegd nooit zó dol op ze geweest, maar ze hadden toch enig recht op hun trots. Het waren mensen die je altijd had gekend, hoe koud en arrogant ze ook mochten zijn. Moest je nu doen alsof je niets had gehoord, of moest je, zo tactvol mogelijk uiteraard, de Saint-Fraycourts laten merken dat je op fijngevoelige wijze medelijden had? Moest je een brief schrijven, een paar woorden slechts? Of moest je je in een discreet stilzwijgen hullen, alsof er niets was gebeurd? Wat een fascinerend, wat een zeldzaam – moest je dat niet zelfs tegenover jezelf bekennen – verrukkelijk dilemma.

'Hoe ben je van plan Lancels brief te beantwoorden?' vroeg de marquise de Saint-Fraycourt aan haar man.

'Ik weet het niet zeker. Zolang hij aan het front was, heb ik elke dag gebeden dat ik het bericht kreeg dat hij was gesneuveld,' zei de marquis de Saint-Fraycourt droog en kortaf. 'Er zijn miljoenen Fransen gesneuveld en De Lancel is alleen maar gewond geraakt. Er bestaat inderdaad geen gerechtigheid op deze wereld.'

'En stel dat hij Bruno in huis wil hebben, nu hij een vrouw heeft?'

'Een vrouw? Hij heeft drek geworpen op het graf van onze dochter. Ik smeek je, liefste, spreek niet over dat mens als over zijn vrouw.'

'Desalniettemin bestaat de mogelijkheid dat hij Bruno terug wil halen, nu hij zich in Parijs heeft gevestigd.'

'Er wordt gevochten rond Parijs. Er kan geen sprake zijn van zo'n verhuizing.'

'Maar op zekere dag,' zei de marquise somber, 'is de oorlog afgelopen.'

'Je weet net zo goed als ik dat Bruno bij ons hoort. Zelfs als de Lancel met iemand was getrouwd die het wel waardig was om Bruno's stiefmoeder te worden, dan was ik nog niet van plan geweest hem terug te laten gaan naar die man.' Zijn stem klonk ijler dan ooit, als het geritsel van de wind op een verdord blad.

'Hoe kún je zo kalm zijn!'

'Liefste, sommige dingen in dit leven zijn zó duidelijk, zó terecht, dat ze geen ruimte voor twijfel overlaten. Bruno's toekomst is één van die dingen.'

Hij is geen Lancel, hij is een Saint-Fraycourt, en hij zal nooit worden bezoedeld door contact met die moordenaar en dat mens met wie hij door het leven wil gaan. Ik zou Paul de Lancel nog eerder vermoorden dan dat ik hem Bruno laat hebben. Hoe minder hij ons begrijpt, hoe beter het is. Ik denk dat ik zijn brief toch maar beantwoord.'

'Wat ga je zeggen?'

'Nou, ik zal hem uiteraard veel geluk wensen met zijn huwelijk.'

'Hoe kun je jezelf daartoe brengen?'

'Om Bruno hier te kunnen houden ben ik in staat zijn . . . hoer te omhelzen.'

Aan het eind van september 1918, twee maanden voordat de wapenstilstand een einde maakte aan de oorlog, bracht Eve een dochter ter wereld die ze Delphine noemden, naar Pauls grootmoeder van moederszijde. Paul werd drie maanden na het einde van de oorlog gedemobiliseerd en bij zijn terugkeer in de diplomatieke dienst, aan het begin van 1919, werd hij geplaatst als eerste secretaris van de Franse ambassade in Australië, voor de Quai d'Orsay het equivalent van Siberië.

Eve was dolgelukkig met de verhuizing naar Australië, vanwege Delphine. De baby leed aan pseudo-kroep, een ziekte die haar zonder waarschuwing kon overvallen met een angstaanjagende hoest die sprekend leek op het geblaf van een hond, gevolgd door een hijgend snakken naar adem. De enige manier om die pseudo-kroep af te laten nemen, was Delphine in een wolk stoom te houden, waardoor ze na enige tijd weer normaal adem kon halen, maar stoom was een kostbaar goed in Frankrijk in dat eerste jaar na de oorlog. Het tekort aan steenkool was nog groter dan vóór de vrede en elektriciteit was nog steeds zo schaars dat de metro op een oorlogsdienstregeling reed.

Australië, met alle overvloed, was een zegen voor bezorgde ouders. Daar, in een oude Victoriaanse villa in Canberra, met brede veranda's en een grote tuin, kon Eve zich wat ontspannen, in de veilige wetenschap dat ze de grote badkamer binnen enkele minuten vol stoom kon krijgen. De beste kinderarts in Canberra, dokter Henry Head, onderzocht Delphine en verklaarde haar door en door gezond.

'Maakt u zich niet te veel zorgen over de pseudo-kroep, madame De Lancel,' zei hij. 'Er is niets wat u of ik nog kan doen buiten wat u al weet, en ik beloof u dat deze jongedame haar kwaal snel zal ontgroeien. Er bestaat een theorie dat het wordt veroorzaakt door de korte hals van een baby. Zodra haar hals langer wordt, en u weet, zo iets gebeurt vanzelf, zult u die hoest niet meer horen. Zorg dat er na elke aanval drie dagen lang een stoomketel in haar kamer staat en bel me als u me nodig hebt.'

Op 9 januari 1920, nog geen anderhalf jaar later, werd er opnieuw een dochter van Eve en Paul de Lancel geboren: Marie-Frédérique. Dokter

Head, die door Eve's verloskundige was gewaarschuwd om de nieuwe baby te onderzoeken, hoopte vurig dat dit meisje niet eveneens een pseudo-kroeppatiëntje zou zijn. Hij wist hoe Delphine haar ouders dag en nacht kwellende zorgen had gegeven en hij vroeg zich af waarom ze zo snel een volgend kind hadden willen hebben. Het leek hem dat madame De Lancel meer dan genoeg aan haar hoofd had met de voortdurende crises die door een ziekelijke baby werden veroorzaakt, zonder de last van een volgend kind.

Eve had voor de twee kinderen een bekwame kinderjuffrouw in dienst genomen, maar in het jaar na Marie-Frédérique's geboorte sliep ze zelden meer dan twee uur achtereen en werd ze voortdurend wakker om naar Delphine's ademhaling te luisteren, en kon ze pas terugkeren naar het bed dat ze met Paul deelde wanneer ze een half uur lang bij het ledikantje van het kind had staan luisteren.

Aanvankelijk had Eve zich ook ongerust gemaakt over Marie-Frédérique, maar de baby demonstreerde het soort goede gezondheid dat de Engelsen 'ruig' noemen. Wanneer je alleen maar naar haar keek was je al gerustgesteld. Ze had het rode haar van de Lancels, evenals de blauwe ogen. Ze was mollig en stevig, met rode wangen en heel goedlachs, terwijl haar zuster verfijnd en bleek was en elk moment huilde om redenen die niemand kon ontdekken.

Toch bezat Delphine een zeldzame en adembenemende schoonheid, een schoonheid waar niets kinderlijks aan was, een schoonheid die zo uitzonderlijk was, dat haar ouders er weinig vreugde in konden scheppen omdat deze zo vaak werd bedreigd door die blaffende hoest in de nacht.

Gedurende de eerste vier jaren na de oorlog, tot de tweede verjaardag van Marie-Frédérique, was Paul gedwongen geweest in te stemmen met de marquis de Saint-Fraycourt, dat Bruno bij hem in Zwitserland bleef. Gedurende die twee overweldigend drukke jaren, toen Marie-Frédérique onder de twee was en Delphine de ergste jaren van haar pseudo-kroep meemaakte, moest Paul tot zijn verdriet erkennen dat hij Eve niet kon belasten met de zorg van nog een derde kind.

In 1922 echter, toen Bruno zeven was, schreef Paul zijn voormalige schoonvader om de wens te kennen te geven dat zijn zoon zo snel mogelijk in zijn gezin kon worden opgenomen.

'Hij schrijft,' zei de marquis de Saint-Fraycourt tegen zijn vrouw, op even afgepaste toon als altijd, terwijl zijn dunne lippen verbeten stonden, 'dat het eindelijk tijd wordt dat zijn zoon zich bij zijn dochters voegt.'

'Gebruikte hij die woorden?' vroeg de markiezin verontwaardigd.

'Precies. Alsof het één pot nat is, onze Bruno en de twee wurmen die hij bij dat mens heeft.'

'Wat zeg je tegen hem?'

'Ik ben niet van plan deze brief te beantwoorden. Hij heeft er twee weken over gedaan om hier te komen, dus hij had net zo goed onderweg zoek kunnen raken. Het duurt nog een paar weken voor De Lancel een antwoord kan verwachten. Dus zal hij wachten, misschien zal hij wel denken dat we op reis zijn, en na een maand zal hij nogmaals schrijven. Tegen die tijd, liefste, zul jij antwoorden dat mijn gezondheid slecht is. Je zult hem vertellen dat de dokters je hebben verteld dat ik niet veel maanden meer te leven heb en dan vraag jij of Bruno nog wat langer bij ons mag blijven. Zelfs een bruut als De Lancel kan daar geen nee op zeggen. Mijn ziekte zal langer duren dan was verwacht . . . ik zal in leven blijven.' De markies glimlachte even. 'Jij zult hem uiteraard regelmatig op de hoogte houden van mijn toestand. Hij mag zich geen zorgen gaan maken over onze uiteindelijke bedoelingen.'

'En wanneer zul jij weer hersteld zijn, liefste?'

'Het is nu bijna maart. Ergens volgend najaar, zo laat mogelijk in het jaar, zal ik hem zelf een brief sturen, waarin ik hem uitleg dat ik nog steeds bijzonder zwak ben, maar dat ik geloof dat ik op weg naar herstel ben. Ik zal me echter overleveren aan zijn genade. Ik zal hem vertellen dat mijn enige vreugde in al die maanden van mijn ziekte – neem me niet kwalijk dat ik dit zeg, liefste – het dagelijks bezoek van Bruno aan mijn bed was. Ik zal hem om nog enkele maanden vragen, waarin ik volledig kan herstellen, tot de kerstvakantie voorbij is, tot het begin van 1923, en dan beloof ik dat ik tegen die tijd Bruno naar Australië zal sturen.'

'En wat dan?'

'Ik vrees dat jij dan de volgende moet zijn om ziek te worden. Veel ernstiger dan ik. En voor een langere tijd.'

'Je kunt niet verwachten dat De Lancel eindeloos blijft wachten omdat één van ons ziek is,' protesteerde de markiezin. 'Dit is dezelfde man die naar het front vertrok toen Laure een kind verwachtte.'

'Dát is nu precies waar ik op reken. Hij kan niet hebben vergeten hoe ons arme kind hem smeekte haar niet te verlaten. Hij kan niet hebben vergeten dat als hij maar een paar maanden langer bij haar was gebleven, zoals hij gemakkelijk had kunnen doen, zij nu nog in leven was geweest. En mocht hij zijn vergeten hoe schuldig hij is, dan kun je erop rekenen dat ik het hem in herinnering zal brengen. Hij zal niet nog een dood op zijn geweten willen hebben. Bovendien zal ik hem vertellen, als hij het nu nog niet begrijpt, dat Bruno nooit een andere moeder heeft gekend dan jou. Het is ondenkbaar dat hij een kind bij een moeder weg zal halen wanneer die moeder stervende is.'

'Hoe lang zullen we die dodelijke ziekte van mij kunnen rekken?' vroeg de markiezin met een lichte huivering.

'Gelukkig heel lang. Je krijgt de beste medische verzorging van heel Europa en je bent een sterke vrouw. Je zult complicaties krijgen . . . complicatie op complicatie, maar toch blijf je ademhalen, dankzij de wonderbaarlijke aanwezigheid van Bruno, die jou een reden tot leven geeft. Op deze manier zullen we . . . ach, minstens anderhalf, misschien wel twee jaar winnen. Tegen de tijd dat het 1925 is, zien we wel verder.'

'En als De Lancel besluit plotseling, zonder waarschuwing, hierheen te komen om Bruno zelf op te halen?'

'Onzin. Hij kan niet zomaar even uit Australië komen. Het is een lange reis. Als alle eerste secretarissen heeft hij zeer veel officiële verplichtingen . . . ik heb eens naar hem geïnformeerd en ik verzeker je dat mijn vrienden op de Quai d'Orsay hem niet toe zullen staan voor louter persoonlijke zaken enige maanden verlof op te nemen. Maar . . .'

'Wat?'

'Eens, op zekere dag, zal hij komen.'

'Bruno is nu zeven. Kunnen we op meer dan vier jaar respijt hopen eer De Lancel zijn rechten komt opeisen?'

'Ik reken op niet meer dan vier. Maar tegen die tijd is Bruno tien. Dan is hij geen klein kind meer, liefste. En in alle opzichten een Saint Fraycourt.'

In 1924, na bijna vijf jaar Australië, werd Paul de Lancel als consul-generaal in Kaapstad gestationeerd. De huiselijke onrust die deze nieuwe baan teweegbracht, dwong hem opnieuw zijn reis naar Parijs uit te stellen, de reis die hij al zo lang had gepland, om de zieke marquise de Saint-Fraycourt te bezoeken en eindelijk de hereniging van Bruno met zijn gezin te kunnen regelen. De vele brieven en foto's die hij van de markies en van Bruno zelf ontving, hadden Paul gerustgesteld met betrekking tot het welzijn van zijn zoon. De jongen scheen heel gelukkig en actief te zijn in zijn Parijse leven en volgens zijn grootvader ontbrak het hem niet aan vrienden of familiegenoegens, aangezien hij als neef een plaats innam te midden van alle kleinkinderen van de familie.

Paul merkte dat hij het steeds moeilijker vond te beseffen dat hij echt nog een zoon bezat. De pasgeboren baby die hij slechts één keer had gezien in het eerste jaar van de oorlog, had nu meer dan negen jaar geleefd zonder met zijn vader te zijn herenigd. Als hij geen diplomaat was geweest, gedwongen op bevel van hogerhand naar alle windstreken van de aarde te vertrekken, zou de jongen zo snel mogelijk na het einde van de oorlog bij hem zijn teruggekeerd. De respectieve ziekten van de marquise en marquis hadden een onmogelijke situatie geschapen, maar hij voelde zich ten opzichte van hen te veel verplicht, door hun goede zorgen voor het kind tijdens de oorlogsjaren, om Bruno plotseling weg te halen. Daarmee zou hij mensen die toch al zoveel hadden verloren, tot een tragisch einde veroordelen.

Met elke brief van hen werd hij weer aan het verlies van Laure herinnerd. Ze schreven stoïcijns, maar er school een spanning in, alsof ze zichzelf tot beheersing dwongen om zijn wonden niet opnieuw open te rijten.

Maar Bruno was zijn zoon. Zijn plaats was bij zijn vader. De situatie was onnatuurlijk, ook al was het ontstaan ervan onvermijdelijk geweest. Niemand viel iets kwalijk te nemen. Iedereen viel iets kwalijk te nemen. Zodra hij zich in het consulaat van Kaapstad had gevestigd, zodra het kantoor goed draaide, zodra Eve en de meisjes hun nieuwe huis hadden betrokken, zou hij naar Parijs gaan en niet meer zonder Bruno terugkeren.

Bezorgd liep Paul de Lancel door de Rue de Varenne naar de ingang van Bruno's school. Het was juni 1925. Hij was net in Parijs gearriveerd en had onmiddellijk een bezoek gebracht aan de marquise de Saint-Fraycourt. Wat had ze een moeite gedaan, vond hij, om hem zelfs op haar ziekbed te ontvangen. Hij begreep dat het voor zo'n trotse vrouw heel vernederend moest zijn om hulpeloos in bed te liggen, hoezeer ze er ook op mocht hebben gestaan om hem persoonlijk te begroeten. Ze was heel zwak geweest, kon moeizaam spreken en had duidelijk pijn, hoewel ze uiteraard had beweerd dat ze aan de beterende hand was. Het moest beslist kanker zijn, besloot hij. In zijn brieven had de marquis de Saint-Fraycourt niet willen uitweiden over de precieze aard van haar ziekte, waaruit Paul had opgemaakt dat het kanker betrof.

De markies beweerde nog steeds dat slechts de aanwezigheid van Bruno de markiezin in leven hield, maar toch had Paul de indruk dat de markiezin de toekomst van de jongen belangrijker vond dan haar eigen lijden. Ze had duidelijk haar verdriet bedwongen toen Paul haar vertelde van zijn plannen om Bruno op te halen en ze had geen pogingen gedaan hem af te brengen van zijn voornemen. Zag ze misschien haar einde naderen en bracht ze daarvoor dit offer? Was ze zo vermoeid dat ze geen kracht meer bezat om te proberen de jongen hier te houden, of was ze zeldzaam onzelfzuchtig?

Terwijl Paul de school naderde, besefte hij dat hij haar niet begreep en haar ook nooit zou begrijpen. De marquise de Saint-Fraycourt hoorde bij dit deel van Parijs, dit ommuurde, afgesloten hart van het *ancien régime*, waar grote huizen stonden als een net van geweldige forten, beschermd door hun ommuurde binnenplaatsen waartoe geen ongenodigden zich ooit toegang konden verschaffen; hun enorme tuinen werden aan ieders zicht onttrokken, behalve aan dat van hun hoogverheven eigenaren die in grote kamers met krakende parketvloeren en sublieme proporties woonden. Hoe anders was zijn bestaan geweest, zoals hij in de open lucht van Champagne was opgegroeid, zoals hij met zijn hond Valmont in en uit had kunnen hollen, één met de zich steeds vernieuwende natuur. De Lancels hadden het te druk gehad met de wijnbouw en de reputatie van hun *marque* om veel waarde te hechten aan traditie, maar hier, in het zevende arrondissement, waar nog steeds afstammelingen van de hoogste adel van Frankrijk woonden, hing de eerbied voor voorouders als wierook in de lucht.

Paul liep een andere straat in en bleef op de hoek staan wachten. Over enkele minuten zou Bruno uit school komen. Bruno wist dat zijn vader er zou zijn, maar Paul had hem nog niets geschreven over zijn plannen voor een hereniging. Hij had besloten dat hij dat persoonlijk wilde aankondigen.

De massieve deuren vlogen open toen de eerste groep jongens naar buiten, de zonneschijn in holde. Paul zag direct dat zij te jong waren. Bruno kon er niet bij zijn. Paul was erg gespannen. Hij had gedacht dat het gemakkelijker zou zijn om zijn zoon hier, in de open lucht te ontmoeten, maar nu verlangde hij opeens naar de formele omgeving van de salon van de Saint-Fraycourts, omdat de aanwezigheid van andere mensen de scherpe randjes wat af kon nemen van deze moeilijke, te lang uitgestelde hereniging.

Er kwam nog een groep jongens de school uit, identiek gekleed in hun blauwe blazers en grijze flanellen korte broeken, met schoolpetjes op hun hoofd en zware bruine boekentassen over hun schouder. Ze treuzelden nog even in de deuropening, maakten vrolijke grapjes voordat ze in verschillende richtingen verdwenen, waarbij elke jongen zijn kameraden de onvermijdelijke Franse handdruk gaf.

De langste jongen liep naar Paul.

'Goedendag, vader,' zei Bruno beheerst en hij stak zijn hand uit. Paul pakte de hand automatisch beet, te verbaasd om iets te zeggen. Hij had geen idee gehad dat de elfjarige Bruno zo lang zou zijn, even lang als een willekeurige jongen van veertien. Zijn hoge stem was nog die van een kind, maar zijn handdruk was krachtig en zijn gelaatstrekken goed gevormd. Paul knipperde verbaasd met zijn ogen toen hij zijn zoon bekeek. Donker haar, goedgeknipt en verzorgd; een hoge, smalle, kromme neus, de Saint-Fraycourt-neus, en, wat onverwacht, een kleine, glimlachende mond, de enige ietwat teleurstellende trek in een knap gezicht dat verder zo resoluut en vastberaden was.

Toen Paul naast Bruno begon te lopen, besefte hij dat het moment waarop hij zijn zoon had kunnen omhelzen, voorbij was. Misschien was dat ook maar beter, want de zelfbeheersing die de jongen tentoonspreidde moest heel moeizaam zijn verworven en een omhelzing, laat staan een kus, had hier afbreuk aan kunnen doen.

'Bruno, je hebt geen idee hoe blij ik ben je te zien,' zei Paul.

'Zie ik eruit zoals u had gehoopt, vader?' vroeg Bruno beleefd.

'Veel beter, Bruno, veel en veel beter.'

'Grootmoeder zegt dat ik veel op mijn moeder lijk,' vervolgde Bruno rustig en toen hij sprak, besefte Paul dat de kleine ronde mond die van Laure was. Het was vreemd schokkend die mond op het gezicht van een man te zien.

'Inderdaad ja, dat is zo. Zeg eens, Bruno, heb je het op school naar je zin?' Terwijl hij het vroeg, verwenste Paul zichzelf al om die banale vraag die elk kind van elke volwassene te horen moest krijgen. Bruno vrolijkte evenwel op en zijn volwassen uitdrukking veranderde opeens in het enthousiasme dat bij zijn leeftijd paste. 'Het is de beste school van het zevende arrondissement, weet u, en ik ben een van de besten van mijn klas.'

'Ik ben blij dat te horen, Bruno.'

'Dank u, vader. Er zijn jongens die veel langer moeten studeren dan ik,

114

maar ik haal de beste cijfers. Ik vind het zelfs niet vervelend om examen te doen. Waarom zou je zenuwachtig zijn als je je echt goed hebt voorbereid? Mijn twee beste vrienden, Geoffrey en Jean-Paul, doen ook erg hun best, maar tot nog toe ben ik net even beter. Eens zullen wij met z'n drieën Frankrijk regeren.'
'Wat!'
'Ja, dat zegt de vader van Jean-Paul, en hij is voorzitter van de Hoge Raad. Hij zegt dat alleen jongens die zo'n start hebben als wij de top kunnen halen. De toekomstige leiders van Frankrijk zullen van enkele scholen in Parijs afkomstig zijn, dus ik maak veel kans. Het is mijn ambitie om eens minister-president te worden, vader.'
'Is het niet een beetje vroeg in het leven om nu al beslissingen te nemen over je carrière?'
'Helemaal niet. Als ik nu nog geen besluit had genomen, zou het bijna te laat zijn. Geoffrey en Jean-Paul zijn niets ouder dan ik. We weten nu al dat we een goed *baccalauréat* zullen afleggen . . . dat duurt nog maar een paar jaar. Daarna moeten we toelatingsexamen doen voor het Instituut voor Politieke Studies. Maar als we die studie hebben afgerond, dan . . . nou, dan zijn we er. Dan hebben we alleen nog maar de concurrentie van andere afgestudeerden te duchten. En daar ga ik me nu nog geen zorgen over maken.'
'Mooi,' zei Paul droog. In zijn jaren in het buitenland was hij bijna vergeten hoe elitair de Franse heersende klasse kon denken. Er bestond een onvoorwaardelijke acceptatie van een systeem dat was gebaseerd op een combinatie van intellectuele superioriteit en toegang tot enkele uiterst selecte scholen. Het systeem maakte op effectieve wijze onmogelijk dat er andere mensen aan de regering van Frankrijk deel konden nemen. Het verwierp de buitenstaander volledig, hoewel het ongetwijfeld de meest briljante geesten aantrok en hen vroeg vormde. Op de een of andere manier had Paul nooit verwacht dat Bruno deel zou uitmaken van dit systeem. Zijn brieven hadden in ieder geval nooit op deze ambitie gewezen, maar ze waren ook altijd heel kort en onpersoonlijk geweest.
'Heb je nog tijd voor leuke dingen, of is het alleen maar studeren, Bruno?' vroeg hij, ongerust over het beeld van een kind dat al zijn tijd aan schoolwerk moest besteden.
'Alleen maar studeren?' Bruno lachte even. 'Natuurlijk niet. Ik heb twee keer per week schermles, vader. Mijn schermleraar is heel tevreden over mijn vorderingen, maar voor mij is paardrijden het belangrijkst. Heeft grootvader u geen foto van mij te paard gestuurd? Ik ben nu al met dressuur bezig, want . . . nee, u mag me niet uitlachen, vader, maar ik wil eens deel uitmaken van het Franse olympische ruiterteam. Dat is mijn grootste ambitie.'
'Ik dacht dat je minister-president wilde worden?'

'U lacht me uit!' zei Bruno boos.

'Nee, Bruno, helemaal niet, ik plaag je alleen maar.' Paul vond dat zijn zoon weinig gevoel voor humor had. Maar hij bedacht dat hij moest beseffen dat het nog maar een kind was, ondanks al zijn volwassen gepraat over ambitie. 'Er is geen reden waarom je het niet allebei kunt doen.'

'Precies. Dat zegt grootvader ook altijd. Ik ga elk weekend paardrijden, en ook in de schoolvakanties. Ik ben natuurlijk te lang voor pony's, maar mijn achterneef François, van grootmoeders kant, heeft veel prachtige paarden en hij woont vlak bij Parijs. Ik ga er zo vaak mogelijk heen . . . en met Pasen heb ik de hele vakantie op zijn château gelogeerd en hij heeft me ook voor deze zomer uitgenodigd. Ik mag zo lang blijven als ik wil. Zijn kinderen rijden allemaal heel goed. We mogen van de winter meerijden in de jacht, ook al zijn we nog te jong om zelf te jagen. Ik kan gewoon niet wachten!'

Toen ze verder liepen, vertelde Bruno aan Paul wie er in die grote huizen woonden, die voor hem bekend terrein waren. Buiten de ambassades was er niet één huis waarin niet de een of andere klasgenoot van hem woonde, waar hij niet in de beschutte tuin had gespeeld of de zolders en kelders had verkend. 'Dit is de enige wijk van Parijs waarin het goed wonen is, vindt u niet, vader?'

'Ik denk het,' antwoordde Paul.

'Ik weet het wel zeker,' zei Bruno kort en krachtig, op een manier die Paul aan de marquis de Saint-Fraycourt deed denken. 'Alle belangrijke dingen zijn hier. Zelfs wanneer ik ga studeren, hoef ik maar die straat daar in.'

'Bruno . . .'

'Ja, vader?'

Paul aarzelde, hij kon zich er niet toe brengen Bruno te vertellen dat hij volgend jaar in Kaapstad zou wonen. 'Ik heb wat foto's voor je.' Hij bleef op straat staan en haalde een paar foto's te voorschijn die hij van Eve en de meisjes in de tuin van hun huis had gemaakt. 'Kijk, dit zijn je zusjes.' Bruno wierp een blik op de foto van twee lachende kleine meisjes.

'Ze zien er leuk uit,' zei hij beleefd. 'Hoe oud zijn ze nu?'

'Delphine is zeven en Marie-Frédérique – ze staat erop dat we haar nu Freddy noemen – is vijfeneenhalf. Toen deze foto werd genomen waren ze iets jonger.'

'Het zijn leuke kinderen,' zei Bruno, 'ik heb niet veel verstand van kleine meisjes.'

'En dit is mijn vrouw.'

Bruno's ogen draaiden snel weg van de foto van Eve.

'Je stiefmoeder wil je heel graag leren kennen, Bruno.'

'Ze is uw vrouw, vader. Maar niet mijn stiefmoeder.'

'Wat bedoel je daarmee?' wilde Paul weten.

'Ik houd niet van het woord "stiefmoeder". Ik heb een moeder gehad, ik heb twee grootmoeders, maar ik heb geen stiefmoeder nodig.'

'Waar heb je dat idee vandaan?'
'Het is geen idee, het is een gevoel. Ik heb het nergens "vandaan" . . . ik heb dat gevoel altijd gehad, zolang ik me kan herinneren.' Voor het eerst trilde Bruno's stem van emotie.
'Dat is alleen maar omdat je haar niet kent, Bruno. Je zou er anders over denken als je haar wel kende, dat verzeker ik je.'
'U zult ongetwijfeld gelijk hebben,' zei Bruno afwerend. Paul keek naar het half afgewende gezicht van zijn zoon en stopte de foto's toen weer in zijn vestzakje.
'Hoor eens, Bruno. Ik vind dat het tijd wordt dat jij bij mij komt wonen,' zei hij resoluut.
'Nee!' De jongen deed een stap naar achteren en zijn hoofd ging met een ruk omhoog.
'Ik begrijp je reactie, Bruno. Ik verwachtte niet anders. Het is een nieuw idee voor jou, maar niet voor mij. Ik ben je vader, Bruno. Je grootouders zijn geweldige grootouders geweest, maar ze kunnen niet de plaats van een vader innemen. Je hoort bij mij te wonen als je opgroeit.'
'Ik ben al volwassen!'
'Nee, Bruno, dat ben je niet. Je moet nog elf worden!'
'Wat heeft mijn leeftijd ermee te maken?'
'Jaren zijn belangrijk, Bruno. Je bent heel flink voor je leeftijd, maar volwassen is iets anders. Volwassen zijn betekent meer ervaring in dit leven, zodat je meer over jezelf en over andere mensen zult weten dan je nu doet.'
'Maar ik heb geen tijd! U begrijpt toch zeker wel dat als ik bij u ging wonen, zelfs al was het maar voor één jaar, ik direct achterop zou komen! Geoffrey en Jean-Paul zouden me dan ver vóór zijn, en ik zou dat verloren jaar nooit meer in kunnen halen. Het zou mijn leven ruïneren! U denkt toch zeker niet dat ze op me zouden wachten, hè?'
'Ik heb het niet over één enkel jaar. Ik heb het over een andere manier van leven.'
'Ik wil geen andere manier van leven!' zei Bruno en zijn stem klonk plotseling schel. 'Ik heb het beste leven dat er bestaat, – met mijn vrienden, mijn school, mijn plannen voor de toekomst, mijn neven, mijn grootouders – en u wilt me bij dit alles vandaan halen, alleen maar om me bij u te laten wonen. Ik zou alles kwijtraken wat ik nu heb! Ik zal nooit de kans krijgen mijn land te leiden,' riep hij hysterisch. 'Ik zal zelfs nooit meer voor Frankrijk mee kunnen doen aan de Olympische Spelen, omdat u me plotseling mee wilt nemen, alsof ik uw eigendom ben! Ik wil het niet! Ik weiger! U kunt me niet dwingen! U hebt het recht niet!'
'Bruno . . .'
'Kan het u niets schelen wat dat voor mij betekent?'
'Natuurlijk wel . . . het is alleen in je eigen belang . . .' Paul zweeg, niet in staat verder te gaan. Hij hoorde zijn eigen woorden en hij besefte hoe weinig

117

overtuigend ze klonken. Wat had hij Bruno eigenlijk te bieden, dat kon vervangen wat de jongen al had, afgezien van een vader die Bruno kennelijk nooit had gemist? Het zou betekenen dat hij hem losrukte van de enige plaats waar hij thuishoorde, van het enige soort leven dat hij kende, van alle banden en waarden en meningen die hij vanaf zijn geboorte had gevormd, van een wereld die nergens anders op aarde bestond. Het zou zijn alsof hij een dier uit de dierentuin haalde om het terug te zetten in de wildernis. Hij zou zich zeldzaam ongelukkig voelen buiten de exclusieve omgeving van het zevende arrondissement.

'Bruno, we zullen er niet meer over praten. Ik zal nadenken over alles wat je hebt gezegd. Maar je moet deze zomer wel minstens een maand bij me komen logeren. Daar sta ik op. Misschien vind je 't wel leuk ... wie weet?'

'Natuurlijk, vader,' mompelde Bruno, plotseling gedwee.

'Goed,' zei Paul. Een maand gezinsleven ... dat maakt misschien al het verschil. Hij had dat direct moeten voorstellen. Hij had de jongen niet aan het schrikken moeten maken met zo'n nieuw idee. Hij had ... hij had ...

'Vader, we zijn er. Gaat u mee theedrinken? Grootvader zal er zijn.'

'Dank je, Bruno, maar ik moet nu weer terug naar mijn hotel. Ik kom morgen wel, als dat goed is.'

'Natuurlijk is dat goed ... als u zin hebt kunt u mee naar mijn schermles.'

'Ja, dat lijkt me leuk,' zei Paul treurig.

'En?' vroeg de marquis de Saint-Fraycourt aan Bruno, toen de jongen de salon in kwam.

'U had gelijk, grootvader.'

'Hoe is het gegaan?'

'Min of meer zoals u had verwacht. Ik heb alles gezegd op de manier die we hadden afgesproken. Hij wilde dat ik een foto van die vrouw bekeek ... dat was het enige dat ik niet had verwacht. Ik had nooit gedacht dat hij het zou wagen me haar foto te laten zien. Maar ik heb het hem laten inzien ... ik zei toch dat ik dat kon. U hoefde zich echt niet ongerust te maken.'

'Ik ben trots op je, jongen. Ga maar gauw tegen je grootmoeder zeggen dat ze nu weer uit bed kan komen. We wisten niet of hij hier thee kwam drinken dus we hebben geen enkel risico genomen, snap je? En, Bruno ...'

'Ja, grootvader?'

'Vind je niet dat je op school wat beter je best moet gaan doen, nu je van plan bent je land te gaan leiden?'

'Frankrijk wordt geleid door ambtenaren en bureaucraten,' zei Bruno minachtend. 'Niet door aristocraten. Dat zegt u toch ook altijd?'

'Inderdaad, jongen.'

'Maar ik ben wel van plan mee te doen aan de Olympische Spelen,' zei Bruno met een vleiende glimlach om zijn kleine, ronde mond. 'Ik hoopte dat u misschien zou overwegen mij een eigen paard te geven. Mijn neven hebben er ook een.'

'Die gedachte was inderdaad in me opgekomen.'

'Dank u wel, grootvader.'

6

'Je moet maar denken dat ze ons ook naar Ulaan Baatar hadden kunnen sturen, liefje,' zei Paul tegen Eve, om haar af te leiden van het uitzicht over de eindeloze woestijn buiten het raam van hun coupé. De trein waarin ze zaten was de beste die er in 1930 in het land bestond, maar het leek alsof ze totaal niet vooruitkwamen.

'Ulaan Baatar?' vroeg ze en ze wendde haar blik van het raam af om hem aan te kijken.

'De hoofdstad van Mongolië.'

'Binnen of Buiten? Ach, laat maar zitten. Aan de andere kant had het ook Godthab kunnen zijn,' kaatste Eve terug.

'Groenland? Nee, dat had ik niet verwacht ... veel te dicht bij Europa,' antwoordde Paul met een sardonische grijns.

'Wat dacht je van de Fiji-eilanden? vroeg ze. 'Had je dat niet leuk gevonden? Het is daar heel groen, vergeleken met hier.' Ze gebaarde naar de felle gloed van het woestijnzand.

'Suva heeft een aangenaam klimaat, heb ik begrepen, maar op cultureel gebied heeft het niet veel te bieden.'

'Toch is het de hoofdstad. Dan was je *monsieur l'ambassadeur* geweest.'

'Ambassadeur? Ik ben pas vijfenveertig. Nog steeds te jong, vind je niet?'

'Veel te jong. En veel te knap om te zien. Het zou niet eerlijk zijn geweest tegenover de dames van Fiji. Ik heb me laten vertellen dat ze Franse mannen onweerstaanbaar vinden,' antwoordde Eve en ze kneep hem in de hand.

'Wat betekent dat: onweerstaanbaar vinden?' vroeg Freddy abrupt, en haar ogen die ze een paar minuten geleden uit vermoeidheid dicht had gedaan, vlogen nu wijd open van belangstelling.

'Ach ... het betekent dat ze Franse mannen zó aantrekkelijk vinden dat ze, nou ja, alles doen wat die Franse mannen van hen willen,' zei Paul lachend, terwijl hij naar Eve keek.

'Wat dan?' hield Freddy aan.

'Nou, eh ... ik ben een Fransman en daarom ben jij een gehoorzaam meisje en doe je precies wat ik wil.'

'Pappa,' giechelde Freddy, 'doe niet zo gek.'

'Dat was geen goed voorbeeld,' zei Delphine nuffig. 'Freddy doet nooit iets goed, pappa. Ik ben degene die Franse mannen onweerstaanbaar vindt.' Ze wierp Paul een ervaren en geraffineerde glimlach toe.

'Ik doe een heleboel dingen wel goed,' viel Freddy uit. 'Weet je nog toen je zei dat ik niet van de hoge duikplank durfde en dat ik het toen wel deed en dat ik heel goed in het water terechtkwam? Weet je nog toen je zei dat ik niet op die nieuwe pony kon klimmen en dat ik niet zonder zadel durfde te rijden, en dat ik dat toen wel deed en dat hij me niet eens heeft durven bijten? Weet je nog hoe jij zei dat ik niet met die ouwe pestkop van een Jimmy Albright durfde te vechten en dat ik toen boven op hem ben gesprongen en hem een pak slaag heb gegeven? Weet je nog dat je zei dat ik niet in de auto durfde te rijden en . . .'

'Freddy! Delphine! Hou direct op!' zei Eve waarschuwend. 'We zijn er bijna. Er staan mensen te wachten om ons te begroeten. Freddy, je moet je handen en je gezicht wassen, en je knieën ook, en, o, kijk eens naar je ellebogen! Hoe heb je die ellebogen zo vies kunnen krijgen in een trein? Grote hemel, wat heb je met je jurk gedaan? Hoe komt die zo verkreukeld? Nee, nee, zeg maar niks, ik wil het niet weten. Ik zal proberen zelf iets aan je haar te doen. Delphine, laat me jou eens bekijken. Nou, ik denk dat je je handen kunt wassen, maar echt nodig is het niet.'

'Ze zijn schoon.'

'Dat bedoelde ik ook. Hoe heb je die een hele middag in de trein zo schoon kunnen houden . . .? Nee, laat maar, ik weet het al.' Delphine was in staat uren achtereen roerloos en tevreden stil te zitten, verzonken in haar dagdromen, terwijl Freddy zelden langer dan een minuut achter elkaar stilzat. Eve keek naar Paul, rolde met haar ogen en zuchtte.

De reis van Kaapstad naar Pauls nieuwe standplaats had hen over meer dan de halve wereldbol gevoerd. Nu hadden Paul en zij, op het laatste stuk van die reis, hun dochters langduriger om zich heen dan ooit tevoren.

Er bestond vast geen natuurwet die zei dat ouders drie dagen lang met hun dochters van twaalf en tieneneenhalf jaar in één treincoupé moesten doorbrengen. Nee, het was een onnatuurlijke, en werkelijk onmogelijke situatie, hoewel minder moeilijk te verdragen dan de aanblik van de enorme, bijna angstaanjagende woestijn waar ze nu al eindeloos veel uren doorheen reden. Zouden ze op hun plaats van bestemming nog iets van beschaving aantreffen? Canberra en Kaapstad waren geen wereldsteden geweest, dat is waar, maar in beide plaatsen had een sterke Britse traditie geheerst, die hun een gevoel van continuïteit en zekerheid had gegeven.

Eve was dol geweest op hun grote huis in Kaapstad, met het schitterende uitzicht op de Tafelberg en veel vriendelijk personeel, maar een beroepsdiplomaat kon een nieuwe benoeming niet weigeren, net zoals hij geen jacquet, rokkostuum of drie smokings kon ontberen. Ze veronderstelde dat ze dit moest beschouwen als een promotie. Goed, de stad waar ze nu heen reisden was in grootte slechts de vijfde van dit nieuwe land. Goed, Paul was nog steeds consul-generaal en nog geen stap dichter bij de rang van ambassadeur, maar ondanks dat zou hij als het hoofd worden beschouwd van de plaatselijke Franse gemeenschap, hoe klein ook. Zijn filosofische, droge aanvaarding van zijn bepaald niet indrukwekkende loopbaan liet hem nooit in de steek, maar ze wist, zonder er ooit over te hebben gesproken, dat hij diep teleurgesteld was dat hij opnieuw zo ver van de zetel van iedere werkelijke macht werd gestationeerd. Ach, ze zouden er weer het beste van proberen te maken, zoals ze dat altijd hadden gedaan. De heren die deze benoemingen deden, bezaten ijzeren geheugens en onbuigzame maatstaven . . . voor hen was ze nog steeds dat schokkend *déclassée* meisje dat op het podium van het variététheater zong. Maar Paul en zij hadden elkaar en de kinderen en dat was alles wat voor hen werkelijk van belang was.

Het ritme van de trein vertraagde en toen ze uit het raam keken, zagen de Lancels langzaam tekenen verschijnen dat er aan het eind van de woestijn een stad moest zijn. Schuurtjes, gebouwtjes, grotere, lelijke gebouwen en een verrassend groot station verrezen in de verte.

Drie kruiers liepen door de gang om hun tientallen stuks bagage klaar te zetten, terwijl Freddy op de bank sprong om haar hals op de voor haar karakteristieke houding te strekken, zodat haar hoed afviel, terwijl Delphine nog eens in het spiegeltje van haar handtas keek om te zien of haar hoed nog goed zat. Eve voelde een plotselinge onrust toen de trein nog langzamer begon te rijden, de onmiskenbare cadans van de aankomst. Australië, Zuid-Afrika en nu, uitgerekend dit . . . even buitenissig en exotisch als alles wat Jacques Charles ooit voor het Casino de Paris kon hebben bedacht.

'Eind van de rit, mensen,' zei de kruier, toen hij binnenkwam. 'We zijn er.'
'Dit is het, liefje,' zei Paul en hij gaf Eve zijn arm.
'Pappa,' vroeg Freddy, 'mag ik nog één vraag stellen voor we uitstappen?'
'Is het dezelfde vraag die je me de hele reis al hebt gesteld?'
'Zo'n beetje.'
'Waarom vraag je het dan niet aan de kruier. Je hebt 't hem vandaag nog niet gevraagd.'
'Meneer,' zei Freddy, 'noemen ze deze stad echt de Stad van de Engelen?'
'Jawel, juffrouw, dat doen ze zeker. Welkom in L.A.'

Twee maanden later, toen Eve werd verondersteld zich te verkleden voor het diner, zonk ze onwillekeurig neer op de bank bij het raam van haar slaapkamer en luisterde naar de duiven die het invallen van de avond aankondigden. De vogels nestelden in de rij sinaasappelbomen die langs de oprit stond naar hun huis in het Los Feliz-district, een elegante buitenwijk ten noordwesten van het zakencentrum van Los Angeles.

De geur van de oranjebloesem vermengde zich met die van de opengaande knoppen van de jasmijn en de honderden rozestruiken die in haar tuin bloeiden. Ze vroeg zich af of er op aarde nog één plaats kon zijn waar het voorjaar zo lang duurde of zo hemels geurde. Was Los Angeles de olfactorische hoofdstad van het heelal? Ze voelde zich doordrenkt door de omhelzing van de avondschemering, als bomen en bloemen hun aroma verspreidden.

Het was voorjaar geweest toen ze in februari arriveerden, een voorjaar vol doordringende zoetgeurende citroenbloesems, enorme gele en paarse viooltjes, Engelse primula's en woekerende vergeet-me-nietjes; in maart was het opnieuw voorjaar geweest met de eerste irissen en tulpen, witte aronskelken die op de raarste plaatsen opkwamen, en grote gardeniastruiken bedekt met kleine witte bloemen, waarvan één exemplaar al voldoende was om een hele kamer te parfumeren; nu was het voorjaar voor de derde keer in drie maanden gekomen, nu de kamperfoelie wedijverde met de oranjebloesem en de jasmijn; in haar tuin groeiden lathyrus, vingerhoedskruid en ridderspoor, alsof het voorjaar was in Sussex. Vingerhoedskruid én palmbomen? Typisch Engelse *cottage garden*-planten in de schaduw van grootbladig, tropisch struikgewas? Blauwpaarse, onaardse jacaranda's – meer dan ze ooit in Australië had gezien – in dezelfde tuin met typisch Franse hydrangea's? Een voorjaar zonder eind?

Het was bijna te veel. Er was iets wat Eve's Franse ziel in vervoering bracht, in dit land waarin de combinaties van bloemen en bomen geen enkel verband hielden met de haar bekende botanische realiteit. Eve dacht aan april in Parijs; de regen, de koude, de kleine, broodnodige troost zoals die werd verschaft door het eerste bosje mimosa dat op een helling bij Cannes was gekweekt en bij de metrokiosk was gekocht; ietwat pathetische en verschrikte bloemetjes met een verrukkelijk nostalgisch parfum en een poederachtige gele bloesem die morgen alweer was verdwenen, bloemen die werden gekoesterd om hun levensmoed. Dát was het voorjaar zoals zij het had gekend. Dat was een vertrouwd voorjaar, met weinig vreugden en genoegens, een voorjaar waarin alleen de gedachte aan juni je op de been hield. Was dit land te mooi om waar te zijn?

Maar waarom zou ze de gaven der goden ter discussie stellen, vroeg Eve zich af. De eerste Fransman die in 1786 over de zee naar Californië was gekomen, een zekere La Pérouse, had zijn hoofd vast niet over die vraag gebroken, en toen Louis Bouchette in 1831 in Macy Street zijn eerste wijngaard had aangelegd, een jaar later gevolgd door Jean Louis Vignes, hadden ze hun tijd niet verdaan met filosofische speculaties over de belachelijke overvloed van dit klimaat.

In 1836 hadden er in totaal zo'n tien Fransen in Los Angeles gewoond. Nu, nog geen eeuw later, was de Franse gemeenschap tweehonderdduizend man sterk. Kennelijk beviel het hun hier goed, dacht ze bij zichzelf, en ze strekte zich vermoeid uit na een drukke dag met dames die zo vol energie en enthousiasme zaten als ze nergens ter wereld had meegemaakt.

De tweehonderdduizend Franse inwoners hadden er wat Eve betrof wel twee miljoen kunnen zijn. Ze had de hele ochtend besteed aan een vergadering met de directeur van het Franse Liefdadigheidsfonds, om het beheer van het Franse ziekenhuis te bespreken, gevolgd door nog een vergadering met de dames van de Sociëteit van Saint Vincent de Paul. Haar middag was in beslag genomen door een vergadering van de *Société de Charité des Dames Françaises*. De enige verplichtingen waar ze onderuit was gekomen waren de *Grove Gaulois*, de plaatselijke versie van de druïden, de *Cercle Jeanne d'Arc* en de *Société des Alsaciens-Lorraines*.

Als die druïden, de Jeanne d'Arcianen en de Elzassers eens samengingen met de tien of meer andere Franse organisaties in Los Angeles, om één grote club te vormen, dan zou haar leven minder vermoeiend zijn, peinsde Eve wazig. De enthousiaste Amerikaanse houding om aan van alles en nog wat mee te doen, gecombineerd met het levendige vermogen tot eindeloze gesprekken zoals Franse vrouwen dat plegen te hebben, schiep eindeloze verplichtingen voor *madame la consule générale*. Daarbij vergeleken waren Canberra en Kaapstad onnozele provinciestadjes geweest.

Ondanks haar vermoeidheid was ze erg gelukkig. Paul werkte elke minuut van de dag om het grote consulaat op Pershing Square te leiden, en de beide meisjes, die in Sacred Heart naar school gingen, schenen zich al aan het leven in Californië te hebben aangepast nog voordat ze de eerste avond in hun nieuwe huis naar bed gingen.

Eve vermoedde dat hun snelle gewenning was veroorzaakt door de komst van de *Good Humor*-man die met zijn rinkelende bel langs hun nieuwe huis was gekomen, juist toen zij daar waren gestopt. Hij had hun alle vier een gratis *Good Humor* gegeven en Delphine en Freddy hadden ontdekt dat ze allebei de begeerde Lucky Sticks hadden gewonnen toen ze het vanille-ijs, overdekt met chocolade, hadden opgegeten.

De Lucky Sticks waren een voorteken geweest van de dagen die zouden komen, van een land waar elke nieuwe dag eindeloos veel mogelijkheden bracht, al waren het maar de rijpe kumquats aan de bomen in Franklin Street die Freddy in haar mond propte wanneer ze naar hun school, op de hoek van Franklin Street en Western Street, liep. Delphine wandelde rustig met vriendinnetjes van haar eigen leeftijd over straat en deed net alsof ze geen zusjes waren, terwijl Freddy holde en rende en sprong tot ze eruitzag alsof ze eigenlijk nog aan het lange touw hoorde dat Eve aan haar vast had moeten maken in haar meest ondeugende jaren in Canberra.

Er was geen twijfel over mogelijk, vond Eve, dat Freddy een meisje was dat beslist eens van huis zou weglopen. Het eerste woord dat ze kon zeggen was 'op' geweest, en ze kon nog niet lopen of ze klom over alles heen en maakte dat ze wegkwam, om haar omgeving steeds verder te verkennen.

Paul riep vol wanhoop dat het slechts aan oplettende buren te danken was dat ze niet de rimboe in was getrokken en daarom maakte hij een soort tuigje met een leidsel, waardoor ze wel in de tuin kon spelen maar niet de straat op kon.

Ze lijkt op mij, dacht Eve aanvankelijk, heimelijk verrukt maar ook een beetje verschrikt. Het werd echter snel duidelijk dat mademoiselle Eve Coudert een toonbeeld van damesachtig gedrag was geweest, vergeleken bij juffrouw Marie-Frédérique de Lancel. Het kind wilde vliegen.

'Ze heeft echt gezegd: "Ik wil vliegen",' zei Paul tegen Eve toen Freddy nog geen drie jaar oud was. 'Ze heeft 't vijf keer gezegd en ze maakte een geluid als zo'n sportvliegtuigje van de Aero Club en ze holde met wapperende armen door de kamer.'

'Het is gewoon maar een idee, liefje. Misschien willen alle kinderen wel kunnen vliegen, net als de feeën in die sprookjes die je ze voorleest,' had Eve hem geantwoord.

'Ze bedoelt dat ze wil vliegen met een vliegtuig. Je kent haar net zo goed als ik. Als ze dat heeft gezegd, bedoelt ze dat ook,' zei Paul onheilspellend.

'Hoe kan ze zo iets nou op haar leeftijd denken? Ze bedoelt waarschijnlijk dat ze in een vliegtuig wil zitten.'

'Maar hoe kan ze weten dat er mensen in een vliegtuig zitten?' hield hij aan.

'Nou, ik heb haar dat echt niet bijgebracht, hoor. Hoe weet ze trouwens dat een vliegtuig door mensen wordt bestuurd? Je hoeft je echt niet op te winden ... volgens mij wil ze gewoon zélf een vliegtuig zijn,' antwoordde Eve.

Ze zetten dit idee van zich af tot een jaar later, toen Freddy, van wie ze dachten dat ze op haar kamer speelde, erin slaagde de vier hoeken van een beddesprei bij elkaar te houden om aldus uit haar raam van de tweede verdieping te springen, kennelijk in de hoop dat de sprei als een stel vleugels zou fungeren. Ze zat onder de blauwe plekken maar haar val was gelukkig gebroken door dicht struikgewas. Eve rende ontzet naar buiten om haar dochter te redden, die evenwel op eigen kracht uit de struiken kroop, heel teleurgesteld maar niet geschrokken. 'Ik had van het dak moeten springen. Dan was het wel gelukt,' verklaarde Freddy nadenkend.

Eve was vierendertig maar ze voelde zich tegelijkertijd ouder en jonger, zoals ze daar naar de duiven zat te luisteren. Ouder door haar officiële bezigheden; jonger omdat ze op een heuveltop woonden, in een huis dat een Spaanse haciënda had kunnen zijn, met arcades en balkons, binnenplaatsen en fonteinen, en rode pannendaken op allerlei niveaus. Ze voelde zich ouder omdat ze twee knappe, snel opgroeiende dochters had die haar tot wanhoop dreven op hun eigen, verschillende manier, en jonger omdat ze vanavond naar een bal ging in een lange, zwarte satijnen avondjurk van

Howard Green, met een blote rug en een diep decolleté, zo bloot en sensueel als ooit een avondjurk maar was ontworpen, met slechts smalle schouderbandjes met strass om de jurk omhoog te houden. Ze voelde zich ouder omdat ze een serieuze positie als de vrouw van de consul-generaal van Frankrijk moest hooghouden, en jonger door haar haar, dat met een scheiding opzij, in zachte zeemeermin-achtige golven tot bijna op haar schouders viel; door de mode van die tijd, die felrode lipstick en dikke lagen mascara voorschreef, en potlood op haar wenkbrauwen en donkere oogschaduw, en zo min mogelijk ondergoed onder haar jurk. Jonger omdat ze in een plaats woonde – of liever gezegd, iedereen beschouwde het als een plaats – die Hollywood heette en waar werkelijk iedereen jonger was dan iedereen op deze wereld. Eve danste rond in haar kleedkamer en besefte niet dat ze het deuntje neuriede van *Go, go dance your tango!*, waarvan het refrein haar tante vele jaren geleden zo had doen schrikken.

Greystone was in 1928 voltooid en het was een landhuis dat zijn weerga in Los Angeles niet kende. Als het enige honderden jaren eerder in Frankrijk of Engeland was gebouwd, had het geen gek figuur geslagen als een fraaie residentie zonder de pretentie een kasteel te zijn. Met vijfenvijftig kamers besloeg het niet meer dan vijfduizend vierkante meter en de rijke oliemagnaten Doheny moesten het stellen met slechts zesendertig man personeel. Het was geen Newport Cottage of een Vanderbilt-landhuis, maar het stond nog geen honderd meter ten noorden van de, sinds kort, verharde landweg die Sunset Boulevard heette en waaraan slechts enkele benzinestations stonden en een broodjestent die Gates' Nut Kettle heette. Het klassieke Greystone, met zijn prachtige muren die met leisteen uit Wales waren bekleed, en zijn schitterende landschapstuin in Renaissance-stijl, waaraan slechts een slotgracht ontbrak, vormde een indrukwekkend geheel.

Wanneer mevrouw Doheny een bal gaf, kwam iedereen.

Eve klampte zich aan Pauls arm vast en voelde zich opeens erg verlegen. Het was het eerste grote feest sinds hun aankomst in Los Angeles en tot nu toe had ze het zo druk gehad met het kennis maken met de Franse inwoners van de stad, dat ze geen tijd had gehad om andere vrienden te maken. Ze kende de oliemensen niet, evenmin als de krantemensen of de waterleidingmensen of de projectontwikkelaars, de hoteleigenaren of de Hancock Park-mensen of de Pasadena-mensen ... ze kende de rijken en de machtigen van de stad niet, en zij schenen vanavond allemaal bij Doheny te zijn. De enige andere gasten, zag Eve, waren enkele grote filmsterren die waren uitgenodigd om zich tussen dit hoge gezelschap te begeven, en zij kenden haar uiteraard evenmin.

Zelfs in deze duidelijk Europese omgeving voorkwam de Amerikaanse informaliteit dat vreemden aan vreemden werden voorgesteld, en dat op een manier die iedereen direct op zijn of haar plaats in de lokale hiërarchie wees.

Toen Eve over de trap naar het zwembad liep, bedacht ze dat het allemaal erg ieder-voor-zich was. Op het dak van het gebouw, bij het zwembad, speelde een voltallig orkest voor de dansenden op de houten vloer die speciaal voor deze gelegenheid rond het zwembad was gelegd. Het was zeer wel mogelijk dat Paul en zij dit belangrijke feest zouden verlaten zonder iemand te hebben leren kennen buiten de mensen naast wie ze bij het diner aan tafel hadden gezeten, wier namen hun niets hadden gezegd en die meer belangstelling hadden gehad voor het begroeten van hun vrienden aan andere tafels dan in het leren kennen van een stel vreemdelingen.

Toen Eve in de oorlog met Paul de Lancel was getrouwd, had ze geen tijd gehad om zich af te vragen wat die verbintenis voor zijn toekomst zou kunnen betekenen. In 1917 had niemand over 'na de oorlog' nagedacht. Ze had bijna niets van zijn achtergrond geweten, het had haar ook niets kunnen schelen, en toen ze impulsief voor hem haar bestaan in het variététheater opgaf, had ze geen enkele aarzeling gekend bij de gedachte aan de beperkte huishoudelijke toekomst die ze koos, in plaats van het bestaan als ster waarop ze zich had gericht, waarvoor Jacques Charles haar had bestemd.

Later, met het verstrijken der jaren, had ze voldoende tijd gehad om te beseffen dat Paul en zij elk iets kostbaars hadden opgegeven teneinde bij elkaar te kunnen zijn. Ze was door Pauls familie met bittere reserve en achterdocht ontvangen. Zijn moeder had geen gelegenheid voorbij laten gaan om haar op uiterst discrete wijze te laten weten dat Paul door hun huwelijk in zijn loopbaan nimmer 'voet aan de grond kon krijgen', iets dat zeer noodzakelijk scheen te zijn voor een toekomstige ambassadeur.

Eve ontdekte dat niet alleen haar intens provinciale en hevig burgerlijke familie bezwaar maakte tegen haar optreden in het theater, maar de rest van de wereld eveneens . . . in ieder geval de wereld waartoe de De Lancels behoorden, en de wereld van de heren die het op de Quai d'Orsay voor het zeggen hadden. In beide werelden bestond er geen noemenswaardig verschil tussen haar *tour de chant*en het gehuppel van naakte revuemeisjes. Een vrouw die in een variététheater werkte, was weinig beter dan een tippelaarster op straat.

Maar Paul, besefte ze, was niet onnozel geweest toen hij besloot met haar te trouwen. Hij was een ervaren diplomaat van eenendertig en was terdege op de hoogte geweest van de ideeën en meningen bij de buitenlandse dienst. Hij moest hebben beseft dat zij bijzonder ongeschikt was als echtgenote, en toch had hij haar opgezocht en uitverkoren. Ze stak haar kin trots in de lucht wanneer ze hieraan dacht . . . hij had aangedrongen, geëist, gesmeekt en haar overweldigd met zijn liefde en zijn hartstocht. Hij was met open ogen met haar getrouwd.

Eve voelde zich niet echt schuldig, maar wel . . . verantwoordelijk. Ze zong nooit meer in het openbaar, ze praatte evenmin over haar jaren in het variététheater. Ze kon het verleden niet uitwissen, maar ze besloot dat ze er ook niet de nadruk op hoefde te leggen, en in Canberra en Kaapstad had voor zover ze wist niemand ooit kunnen vermoeden dat madame Paul de Lancel, die jonge, toegewijde, beschaafde en geliefde echtgenote en moeder, ooit voor publiek had opgetreden. Maar o, wat had ze het gemist! Jacques Charles had gelijk gehad. Ze verlangde – af en toe – hevig naar die onvergelijkelijke opwinding van het opkomen op het toneel, naar het applaus, naar het voetlicht. Maar bovenal miste ze de muziek. Ze zong en speelde voor de kinderen, maar het was niet hetzelfde, dacht Eve, terwijl Paul en zij zich bij de honderden andere gasten van de familie Doheny op de glanzende dansvloer naast het zwembad voegden.

Ze bewogen langzaam op het eenvoudige ritme van de foxtrot, omringd door paren die druk naar elkaar zwaaiden en over hun schouders met elkaar praatten, zelfs nu ze dansten. De pret van het jazztijdperk was voorbij en er begon nu een periode van serieuze glamour . . . de avondlucht was er vol van, even zwaar als de robijnen waarmee Mary Pickford zich had volgehangen, de diamanten waarmee Gloria Swanson schitterde. Er waren zeven andere vrouwen die net zo'n zwarte satijnen jurk als Eve droegen, maar met veel meer juwelen. Eve had zich in geen jaren zo hevig het groene meisje, met een geleende hoed, uit Dijon gevoeld.

'Vergunt u mij de eer met uw vrouw te mogen dansen, *monsieur le consul?*' vroeg een bekende stem.

Paul keek over zijn schouder en stond toen, met een glimlach van verbazing, Eve af aan de ander. 'Goedenavond, monsieur,' zei hij. 'Voor een landgenoot doe ik dat altijd.'

'En, *madame la consule générale*, hoe bevalt Hollywood u?' vroeg Maurice Chevalier.

'Iedereen stelt me die vraag,' antwoordde Eve automatisch. Ze had hem nooit eerder ontmoet en toch deed hij zo gewoon alsof ze elkaar al jaren kenden.

'En wat antwoordt u dan?'

'Ik zeg dat ik het er heerlijk vind.'

'En is dat ook zo?' vroeg Chevalier, oprecht belangstellend.

'Ja en nee. Het is . . . anders. Je moet er even aan wennen . . .'

'Vooral wanneer je je de lichten van de *Grands Boulevards* zo goed herinnert.'

'. . . de *Grands Boulevards* . . .' Eve wist die woorden noch als vraag noch als bevestiging te laten klinken, zelfs niet als mogelijk onderwerp van gesprek. Ze liet ze in de lucht zweven, tussen haar lippen en dat vriendelijke, absurd beroemde gezicht van haar danspartner, alsof ze geen enkele associatie bij haar opriepen.

'Ja, de *Grands Boulevards*,' herhaalde Chevalier, 'en de lichten . . . Maddy . . . Maddy . . . de lichten.'

'Maddy . . .?' herhaalde ze ongelovig.
'Ik heb je horen zingen. Als je Maddy eenmaal hebt horen zingen, vergeet je haar nooit meer. Dat zei iedereen, en iedereen had gelijk.'
'O.'
'Het was in 1914, in het Olympia, die eerste keer, voor de oorlog, en daarna nog eens, weer in 1914, maar in de oorlog, toen je voor de soldaten aan het front kwam zingen. Wat een avond was dat! Je had je dappere, prachtige rode jurk aan en je kleine rode schoentjes en je haar had net zo'n kleur als vanavond, alsof iemand precies drie rijpe aardbeien had gepakt, die in een glas champagne had gedaan en ze toen tegen het licht had gehouden . . . o, Maddy, wat heb je ons, arme soldaten, die avond gelukkig gemaakt. Zestien jaar geleden en ik herinner me het nog steeds goed.'
'Ik ook . . . o, ik ook!' riep Eve uit.
'Die avond aan het front? Maar je hebt overal aan het front gezongen. Hoe kun je je die ene avond dan herinneren?'
'Ik herinner me ze allemaal,' zei Eve eenvoudig en er kwamen tranen in haar ogen.
Maurice Chevalier, die eens op de leeftijd van elf jaar in de sloppen van Parijs had moeten zingen om eten te kunnen kopen, begreep haar tranen. Hij was nu al tweeëntwintig jaar lang een ster en was zich steeds blijven ontwikkelen, tot hij zijn stempel op deze eeuw had gedrukt. Hij herinnerde zich Maddy nog goed. Hij besefte dat ze moest zijn verdwenen in *madame la consule générale*, en hij begreep, net zo duidelijk alsof het hemzelf was overkomen, wat het haar moest hebben gekost.
'Ken je de tekst van *Mimi*?' vroeg hij, haar tranen negerend.
'*Mimi*? "Mijn kleine lieve Mimi"? Is er iemand op deze wereld die *Mimi* niet kent?' vroeg Eve.
'Vind je 't leuk om dat samen te zingen, of geef je de voorkeur aan *Aimez-moi ce soir*? We zouden het in het Engels kunnen zingen. *Love Me Tonight.*'
'Zingen? Híer? Met u? Nee, dat kan ik niet!'
'*Ah! Ça alors!* Het overkomt me niet elke avond dat ik word afgewezen. En nog wel zo snel.'
'Ik . . . ik wilde niet grof zijn. Maar het probleem is dat ik niet meer zing . . . nu niet meer.'
'Dat zou Maddy nooit zeggen.'
'Maddy zou geen enkele kans willen missen om met de beroemde Maurice Chevalier te mogen zingen . . . in geen miljoen jaar,' gaf Eve toe, zowel tegenover zichzelf als tegen hem.
'Wéés dan vanavond Maddy, *madame la consule générale*! Waarom niet?'
Eve keek om zich heen naar de dansers die openlijk haar gesprek met de grootste internationale ster die ooit naar Hollywood was gekomen, gadesloegen. Vreemden die haar de hele avond hadden genegeerd, keken haar nu

vol belangstelling aan. Vreemden, besefte ze, die misschien nimmer de mening waren toegedaan dat iemand die in een variététheater had gezongen onder de maat was, voor eeuwig een verschoppeling moest blijven; vreemden die bij een nieuw, vreemd onconventioneel, onvoorspelbaar land hoorden, waar entertainers als vorsten werden behandeld.

'Mevrouw Doheny heeft me gevraagd te zingen, maar ik heb nee gezegd,' ging Chevalier verder. 'Als jij echter instemt om met mij samen te zingen . . . dan herzie ik mijn antwoord.'

'Goed,' zei Eve snel, voordat ze van gedachten mocht veranderen. Ze kón het niet doen. Niet nu. Niet hier. 'Maar noem me Eve,' zei ze dringend, 'niet Maddy.'

Arm in arm met Maurice Chevalier liep Eve door de menigte dansers naar het gebouw bij het zwembad. De orkestleider liep snel naar beneden, naar hen toe, en de dansers weken uiteen toen ze dichterbij kwamen. Chevalier zei snel iets tegen hem en liep toen met haar over de trap omhoog, zodat ze op het dak van het gebouw stonden. Hij sprak de plotseling verwachtingsvol zwijgende menigte toe.

'Dames en heren. Ik heb de hele dag hard gewerkt . . . met zingen. Ik heb de hele week hard gewerkt . . . met zingen. Ik heb feitelijk de hele maand hard gewerkt . . . met zingen. Vanavond ben ik hier slechts ter ere van mevrouw Doheny, om u allen te zien dansen. Niet om te zingen. Maar toen durfde ik niet te hopen dat ik vanavond een geweldige ster terug zou zien, een landgenote, een collega die, toen ik haar voor het eerst hoorde zingen, heel Parijs aan haar voeten had liggen, een dappere en vaderlandslievende ster die in de oorlog voor ons aan het front heeft gezongen; een zangeres die zo mooi is dat ik het haar heb vergeven dat ze haar carrière heeft opgegeven. En waarvoor? Voor een huwelijk! Ik vraag u, dames en heren, is dat niet zonde? En dan heeft ze nog de brutaliteit om mij te vertellen dat ze gelukkig is! Ik stel u voor, Eve, de geweldige Eve, die madame Paul de Lancel is geworden, de vrouw van onze nieuwe consul van Frankrijk. Om met Eve te mogen zingen, zou ik bereid zijn mijn hoed te verbranden en mijn wandelstok weg te werpen. Gelukkig heeft ze dat niet van me gevraagd!' Hij keek Eve aan en fluisterde: '*Chantons*, Maddy, *chantons!*' Toen boog hij zich naar de gretige, opgewonden menigte en riep: 'Kom, Eve, *ma belle*, laten we beginnen!'

'Ik doe geen eerste communie,' verkondigde Freddy, 'als ik niet eerst een keer heb gevlogen.'

'Nou is de maat vol!' ontplofte Paul. 'Dat is religieuze chantage.'

Freddy knikte ernstig. Er was nu eenmaal niets anders dat scheen te werken. Elke keer dat ze om een tochtje in een vliegtuig had gevraagd, had deze of gene het haar snel beloofd en was het daarna even snel weer vergeten. Haar lang uitgestelde eerste communie kon echt wel wachten tot haar hartewens in vervulling was gegaan.

'Ik zal je dit weekend meenemen naar het vliegveld,' besloot Paul met tegenzin. Hij had weinig zin om in te gaan op enige vorm van chantage, maar Freddy was met haar elfeneenhalf jaar al tamelijk oud voor haar eerste communie en hij wilde het nu wel eens achter de rug hebben, in de hoop dat deze plechtigheid het gewenste kalmerende effect op zijn dochter zou hebben.

In het afgelopen jaar was Freddy tot driemaal toe thuisgebracht door plaatselijke politieagenten, die haar hadden gegrepen toen ze in volle vaart over het midden van de steilste straten rolschaatste, met een laken dat ze aan de punten vasthield, wapperend als een zeil achter zich aan. 'Het kind is een gevaar voor het verkeer,' hadden de agenten gezegd, 'en ze krijgt vandaag of morgen nog eens een ongeluk.' Het huis van de Lancels stond hoog in de heuvels van Los Feliz en Freddy had vele kilometers omlaag kunnen schaatsen eer ze was gegrepen.

Toen haar rolschaatsen in beslag waren genomen na haar laatste aanvaring met de wet, had Freddy al haar poppen bijeengeraapt, ze weinig sentimenteel in haar poppenwagen gepropt en was er op de hoek van de straat een handeltje mee begonnen door ze aan alle buren, waaronder Walt Disney en Cecil B. DeMille, te verkopen, om met de opbrengst een paar nieuwe rolschaatsen te bekostigen.

'Het is gewoon een kwajongen,' zei Eve. 'Het is maar een fase. Het gaat wel weer over.' Ze wilde zelfs niet tegenover zichzelf toegeven dat ze het leuk vond dat Freddy al die streken kon uithalen die zij nooit had mogen doen. Haar oude en wilde verlangens werden bevredigd als ze zag hoe vrij en onafhankelijk haar kind kon leven.

Freddy was lang voor haar leeftijd, vele centimeters langer dan Delphine, en ze had lange armen en benen. Ze was zo lenig als een acrobaat en ze zou zonder aarzelen in een rubber autoband de Niagara-waterval afvaren. Haar armen en benen, die altijd onder de schrammen en blauwe plekken zaten, waren bruin, stevig gespierd, maar toch vrouwelijk rond, evenals haar hals. Ze had van Paul de uitzonderlijk diepliggende ogen geërfd, die ongewoon ver uiteen stonden, onder dikke wenkbrauwen die, net als die van Eve, schuin omhoogliepen naar haar slapen. Ze bezat heidens blauwe ogen, die zo levendig waren dat ze onmogelijk bij een kind pasten.

Eve vroeg zich af of ze het zich verbeeldde of dat Freddy werkelijk verder en beter zag dan ieder ander. In Canberra en Kaapstad was ze altijd in staat geweest van heel ver vogels en dieren te zien naderen, voor ieder ander iets zag, en zelfs als baby slaakte ze al kreten om haar ontdekkingen aan te wijzen. Ze hoefde nooit, als andere kinderen, haar haar uit haar gezicht te vegen, want het groeide recht van haar voorhoofd naar achteren, in een indrukwekkende massa dikke, verwarde, woeste krullen die een schokkend

131

rode gloed hadden, als de kleur van de bodem van een glimmend gepoetste koperen steelpan. Haar neus was nu al recht en goedgevormd, een opvallende gelaatstrek die haar gezicht een onkinderlijke kracht en vastberadenheid verleende, tot ze lachte – dan rimpelde hij van ongecompliceerde pret. Eve vermoedde dat haar dochter geen onbetwistbare schoonheid zou worden, zoals Delphine, maar er zouden altijd mensen zijn die haar de mooiste zouden vinden, die onder de indruk zouden zijn van haar allure, van een bepaalde nobele ernst die op haar gezicht verscheen wanneer ze iets wilde . . . en dat was vaak het geval. Ze was een ongetemd wezen, die Freddy van haar, met een ondeugende, schaterende lach en een zwierige manier van lopen, alsof Robin Hood terug was gekomen als jong meisje.

En net als Robin Hood wist ze haar vader iets af te dwingen. Die avond belde Paul John Maddux, die in 1927 een luchtverbinding tussen Los Angeles en San Diego had geopend met één enkel vliegtuig en een jonge piloot die Charles Lindbergh heette. De onderneming had goed gedijd en nu bezat Maddux veertien Ford Tri-Motor passagiersvliegtuigen die elk over drie motoren beschikten, en onderhield hij een regelmatige dienst op drie routes: van Los Angeles naar San Francisco, naar Agua Caliente in Mexico, en naar Phoenix.

'Wat kan ik voor je doen, Paul?' vroeg John Maddux.

'Ik wil graag een vliegtochtje maken met een meisje, Jack. Heb je een voorstel?'

'Nou, je boft. We hebben juist een limousine-service ingesteld tussen het boekingskantoor op South Olive Street en het vliegveld. De dame zal dat vast wel leuk vinden,' zei Maddux vrolijk.

'Ik denk dat ze alleen belangstelling heeft voor de vliegtocht, Jack. Maar bedankt voor het aanbod.'

'In dat geval kun je het beste naar Burbank rijden en vandaar naar Grand Central Airport. Eens kijken . . . ik denk dat je dan het beste de luxe vlucht naar San Francisco kunt nemen . . . die vertrekt elke dag om 2.30 uur en drie uur later ben je dan op tijd voor een borreltje in de kroeg, eten in Chinatown of misschien kreeft op de pier, je slaapt 's nacht in een suite in het Mark Hopkins, vervolgens een vroege lunch bij Ernie's, of misschien Jack's, en daarna ga je met dezelfde vlucht terug naar L.A. Je bent dan nog voor het eten thuis. Die hele tocht kost je zo'n zeventig dollar per persoon en dat is toch niet veel voor zoveel pret.'

'Dat lijkt me toch een beetje . . . te veel van het goede, Jack. Het meisje in kwestie is mijn dochter van elf.'

'O. O! Juist ja. Nou, in dat geval denk ik dat we het over een kleine rondvlucht hebben?'

'Precies.'

'Geen probleem. Ik regel het zelf wel even voor je. Wat dacht je van zaterdagmiddag, 3.30 uur? Het licht is aan het eind van de middag het best.'

132

'Prachtig. En dank je wel voor alle moeite, Jack.' Paul de Lancel hing op en bedacht voor de zoveelste keer dat ze op de Quai d'Orsay maar beter niet konden weten dat mannen die elkaar nauwelijks kenden, in de Stad van de Engelen de ander bij de voornaam aanspraken en dat er bijna niets was wat niet met één enkel telefoontje kon worden geregeld. Ze zouden onmetelijk geschokt zijn wanneer ze ooit zo iets zouden vermoeden, want als een dergelijk ongecompliceerd gedrag overal op de wereld ingang zou vinden, was er geen corps diplomatique meer nodig.

'Zeker, meneer De Lancel,' zei de luchtvaartbeambte. 'Meneer Maddux heeft alles geregeld. Hij zei dat ik moest zeggen dat hij u die tocht graag aan wil bieden. Dát is het vliegtuig, dat daar.' Hij wees naar een glanzend tweemotorig toestel dat op het asfalt stond, niet ver van het gebouw dat de terminal huisvestte op het grote, uitgestrekte vliegveld in Burbank. Er stonden al zes mensen in een rij te wachten voor de rondvlucht.

Paul pakte Freddy's hand om naar het vliegtuig te lopen, maar ze bleef stokstijf staan en verroerde zich niet.

'Dat is een groot vliegtuig en er gaan nog andere mensen mee,' zei ze op hevig teleurgestelde toon.

'Kom, Freddy, ik heb je toch zeker niet een vliegtuig voor jou alleen beloofd, hè? Gewoon een tochtje. En dit is het beste moment van de dag.'

'Pappa, begrijp je het niet? Ik wil alléén omhoog.'

'Toe nou, liefje, hoe kun je nou alleen gaan. Je kunt echt niet zelf een vliegtuig besturen.'

'Dat weet ik. Er zal een piloot bij moeten zijn. Alleen ik en de piloot, alsjeblieft, pappa, zodat ik kan denken dat ik het helemaal alleen ben.'

Ze stond vurig te smeken en keek hem strak in de ogen. Paul scheen opeens zichzelf te zien en hij herinnerde zich zijn eigen jongensdromen. Niet de dromen zelf, maar het allesoverheersende ervan, het totale onvermogen tot een compromis.

'Ik zal tegen meneer Maddux zeggen dat u heel behulpzaam bent geweest,' zei hij tegen de man, 'maar ik geloof dat mijn dochter liever met een klein vliegtuigje de lucht in gaat. Wat kunt u me aanbevelen?'

'Als u van het vliegveld komt, slaat u linksaf en volgt steeds dezelfde weg tot u bij een klein stadje komt dat Dry Springs heet. Als u in de hoofdstraat linksaf gaat, zult u weldra een luchtvaartschool zien, de McGuire Academy of the Air. Het lijkt misschien niet veel soeps, maar maakt u zich geen zorgen. Vraag naar Mac . . . die neemt haar wel mee de lucht in. De beste piloot hier uit de buurt. Heeft geloof ik in de oorlog gevlogen.'

'Bedankt,' zei Paul en stapte weg, met Freddy naast zich, die zo opgewonden was dat ze hollend zijn grote stappen bij kon houden. Toen ze er zo'n vijfentwintig minuten later arriveerden, bleek de McGuire-vliegschool een laag houten gebouwtje te zijn, dat eerder een enorme garage leek. Er stonden wat vliegtuigen in geparkeerd, maar verder was de grote ruimte verlaten. Na enig zoeken ontdekten Paul en Freddy ergens opzij een kantoortje waarvan de deur openstond. Paul keek naar binnen en riep: 'Is daar iemand?'

'Ik kom eraan,' antwoordde een stem achter hem en even later kroop er een man onder het vliegtuig vandaan waaraan hij had gewerkt. Hij droeg een monteursoverall over een werkmanshemd met open hals. Zijn rood-bruine haar zat verward en hij leek Paul niet ouder dan dertig jaar. Hij had een goed gezicht, het soort dat Paul als een typisch Amerikaans gezicht beschouwde, open en vriendelijk en sproetig. Hij liep met een merkwaardig lenige zelfverzekerdheid, alsof hij veel aan sport deed.

'Ik zoek Mac,' zei Paul.

'Dat ben ik,' antwoordde de man met een brede grijns en hij veegde zijn handen af aan een schone poetsdoek en gaf Paul een hand. 'Terence Mc-Guire.'

'Paul de Lancel.' Paul aarzelde even. Hij vond het geen prettig idee Freddy toe te vertrouwen aan een piloot in overall.

'Wat kan ik voor u doen?' vroeg Mac.

'Ik wil graag een vliegtochtje maken,' zei Freddy ademloos.

'Eén moment, Freddy,' viel Paul haar in de rede. 'Ik begrijp dat u in de oorlog hebt gevlogen, meneer McGuire?'

'Ja, dat klopt.'

'Dat is interessant, vind je niet, Freddy? Zegt u me eens, wáár hebt u gevlogen?'

'In Frankrijk.'

'Ik bedoel met wie, in welk onderdeel?' viste Paul, die nog steeds niet was gerustgesteld.

'Eerst in het Lafayette Escadrille in 1916 . . . als ik had gewacht tot ons leger het bericht kreeg dat er werd gevochten, was ik misschien de hele oorlog wel aan de grond gebleven. Daarna, toen de Verenigde Staten zich eindelijk met de oorlog gingen bemoeien, werd ik overgeplaatst naar de Amerikaanse luchtmacht . . . het 94ste squadron.'

'Dan zult u wel wat Duitse vliegtuigen hebben neergeschoten?'

'Tja, uiteraard heb ik er een stuk of wat neergehaald. Vijftien om precies te zijn. De laatste vier bij Saint-Michel. We hebben allemaal onze portie gehad. Eddie Rickenbacker had er bijna twee keer zoveel als ik. Bent u trouwens journalist? Ik heb er in geen jaren meer een gesproken. Ik wist niet dat er nog iemand belangstelling voor zou hebben.'

'Nee. Ik ben alleen maar een bezorgde vader.'

'Juist, ik begrijp het. U wilde niet dat uw dochter met een monteur de lucht in ging? Dat kan ik u niet kwalijk nemen. U hebt groot gelijk dat u voor-zichtig bent. Maar bij mij is ze veilig.'

'O, pappa, sta nou alsjeblieft niet steeds te praten!' riep Freddy, die nu aan het eind van haar geduld was en met wapperende haren en stralende ogen op en neer stond te springen.

'Kom, meisje. We nemen die Piper Cub daar. Ik had vanmiddag les zullen geven, maar ze hebben afgezegd, dus hij staat nog helemaal afgetankt en klaar om te gaan,' zei McGuire en hij wees naar het kleine vliegtuigje dat op enige meters afstand van de hangar stond. Freddy draaide zich zonder nog iets te zeggen om en rende er in volle vaart naar toe, op haar hielen gevolgd door de piloot.

Paul stond hen na te kijken en voelde zich wat dwaas. Die man was een aas geweest, een drievoudige aas, en hij had twee jaar lang voor Frankrijk gevlogen. Dus dit gebeurde er met minstens een van de stoutmoedige en romantische helden zodra hij thuis was gekomen en zijn glimmende laarzen, schitterende rijbroek en leren jack uit had getrokken. Paul ging op een klapstoel naast de hangar zitten en legde zich erbij neer dat hij nerveus op Freddy's terugkeer moest wachten. Die Piper Cub zag er gevaarlijk klein uit.

Terence McGuire maakte Freddy vast in de riemen op de linkerplaats van de Piper Cub, met een volledig bedieningspaneel vóór zich, liep om het vliegtuig heen en klom op de rechterplaats. Hij hoefde het vliegtuig niet meer na te lopen; dat had hij een uur geleden al gedaan. Hij keek naar de schone lucht en startte, om vervolgens naar het eind van de onverharde startbaan te taxiën. Het middaglicht in Dry Springs was even goudkleurig als dat in Griekenland, de hemel was adembenemend blauw, de lucht helder en lokkend, vol beloften.

Freddy zweeg en hij keek even opzij om te zien of ze bang was. Het gebeurde niet vaak dat er iemand een meisje bracht voor een tochtje. Het waren meestal jongens, die ouder waren dan dit kind, hoewel ze, nu de stoel zo ver mogelijk naar voren was geschoven, gemakkelijk met haar voeten bij de pedalen van het richtingsroer kon komen. Nee, ze was niet bang, hoewel het niet de eerste keer zou zijn dat iemand op de valreep bedacht dat hij toch maar liever niet mee omhoogging, maar in ieder geval bedankt voor de moeite. Ze zag er, tja, niet echt opgewonden uit, maar heel aandachtig, alsof dit pleziertochtje iets was waarop ze zich tot het uiterste concentreerde. Hij liet de Piper een minuut lang aan het begin van de startbaan staan draaien en liep zijn controlelijst voor de start door. Voordat hij naar het startpunt reed, keek hij zijn passagier nog even aan. Ze was wit geworden onder haar zomerse bruin en ze zag eruit alsof ze haar adem inhield.

'Alles oké, meid?' riep hij boven het lawaai van de motor uit. Ze knikte even, maar keek hem niet aan. Haar ogen waren strak op de voorruit gericht en ze knipperde niet één keer.

Zodra ze in de lucht waren en tot vijftienhonderd voet waren gestegen, trok McGuire de Piper vlak en ging in oostelijke richting, weg van de felle stralen van de lage zon, en hij bleef rechtdoor en vlak vliegen, met dezelfde snelheid. De meeste passagiers hadden het, naar zijn mening, de eerste keer al moeilijk genoeg met het feit dat ze van de grond los waren, ook zonder allerlei extra flauwe kul. In tegenstelling tot sommige piloten had hij niet de minste behoefte zich uit te sloven ten koste van de passagiers.

'Vind je 't uitzicht mooi?' vroeg hij aan Freddy. Nu ze in de lucht zaten, hoefde hij niet meer te schreeuwen.

'Het is geweldig. Het is fantastisch! Wanneer begint de les?' vroeg ze.

'De les? Welke les?'

'Deze les. Míjn les.'

'Hou nou even op, kind. Je vader heeft niets gezegd over een les.'

'Daar kreeg hij de kans niet toe. Jullie hebben de hele tijd over de oorlog staan praten. Ik zou vandaag m'n eerste vliegles krijgen. Waarom denkt u anders dat we naar een vliegschool zijn gegaan?'

'Als ik had geweten dat het een les was, dan hadden we nu nog aan de grond gestaan en zou ik je uitleggen hoe je dit vliegtuig controleert. Dit is geen manier om iemand een les te geven,' protesteerde McGuire.

'Dat doe ik de volgende keer dan wel,' zei Freddy en ze glimlachte voor het eerst sinds ze waren opgestegen.

'Reken maar dat je dat zult doen. En niet alleen de volgende keer. Elke keer. Oké, leg je handen op de stuurknuppel. Duw hem nu voorzichtig naar voren. Wat gebeurde er?'

'We gingen omlaag,' zei Freddy verrukt.

'Precies. Trek hem nu weer naar je toe. En?'

'We gingen omhoog.'

'Naar voren is omlaag, naar achteren is omhoog. Dat is het eerste dat je moet weten. En het meest belangrijke. Alles is belangrijk, maar omhoog- en omlaagkomen in de eerste plaats, kind.'

'Ja, meneer McGuire.'

'Noem me Mac. Dat doen al mijn leerlingen. Hoe heet jij?'

'Freddy.'

'Da's een jongensnaam, hè?'

'Niet in het Frans. Ik heet eigenlijk Marie-Frédérique, maar niemand mag me zo noemen. En wat nu, Mac?'

'Je hebt je voeten op de roerpedalen. Die bedienen de richtingsroeren van het vliegtuig. Je stuurt het vliegtuig met die pedalen, niet met de knuppel. De knuppel is niet als het stuur van een auto, het voetenstuur is dat wel. Dus druk eens . . . zachtjes . . . op je linkerpedaal. Wat gebeurt er?'

'We beginnen linksaf te gaan.'

'Hoe kom je terug om weer rechtdoor te vliegen?'

'Rechterpedaal?'

'Doe dat maar. Mooi. Hou 'm nu recht. Gebruik alleen je linkerhand. Ontspan je arm, dit is geen potje armdrukken. Goed. Kijk nu naar deze wijzerplaat, Freddy. Het is een hoogtemeter. Die laat zien hoe hoog je zit. En deze knop is de gashandel. Als je die indrukt gaat het vliegtuig langzamer. Als je 'm uittrekt gaat-ie sneller. Het is net als meer of minder gas geven. Gesnapt?'

'Ja,' zei ze en in die ene seconde van plotseling begrip richtte al haar natuurlijke coördinatievermogen zich op het bedieningspaneel van de Piper Cub.

'Kijk naar de hoogtemeter, Freddy, en probeer hem naar tweehonderd voet omhoog te trekken. Je moet de gashandel dan uittrekken en de stuurknuppel naar achteren halen. Hola! Niet zo snel. Zachtjes . . . zachtjes . . . zachtjes. Zó moet dat, en dat mag je niet meer vergeten. Probeer het nog eens, weer tweehonderd voet omhoog. Hmm . . . dat was beter. Nu weer omlaag . . . zachtjes . . . vierhonderd voet lager, zodat we weer terug zijn waar we zijn begonnen. Wat moet je dan doen?'

'De stuurknuppel naar voren duwen en de gashandel indrukken. Heel, heel voorzichtig.'

'Klopt. Ja.'

Freddy lachte stralend. Ze kon vliegen! Macs handen waren niet op de stuurknuppel. Hij zat in de cockpit met zijn armen over elkaar en zij bestuurde het vliegtuig. Ze had altijd al geweten dat ze het kon, ze had het geweten met een zekerheid waarvan ze niet wist hoe ze eraan kwam en ze kon het aan niemand uitleggen. Het was anders dan ze had verwacht, meer . . . meer . . . zákelijk, met dat bedieningspaneel vol wijzerplaten waarvan ze nu nog niet wist wat ze allemaal betekenden, maar het wónder, het wonder dat als een geschenk op de wind op haar had gewacht, het wonder, o, ja, dat bestond!

'We moesten maar eens omdraaien en teruggaan,' zei Mac. 'Ik neem hem nu weer over, maar houd jij je hand op de knuppel en je voeten op het voetenstuur en voel dan wat ik doe.'

Schoorvoetend gaf Freddy het vliegtuig terug. 'Hoe oud moet ik zijn voordat ik alleen omhoog mag?'

'Nou, eerst moet je weten hoe je alles moet doen, en je weet nog niets. Maar je mag pas solo vliegen als je minstens zestien bent.'

'Wat! Wie zegt dat?'

'De regering. Voorschrift. De stomme sukkels, ik heb al solo gevlogen toen ik twaalf was, maar dat was in de goeie ouwe tijd. Dáárvoor, helemaal in het begin, bestond er geen dubbele bediening, dus de eerste keer dat je de lucht in ging, vloog je gelijk solo . . . dat was zwemmen of verzuipen.'

'Dus dan moet ik nog viereneenhalf jaar wachten,' jammerde Freddy. 'Hoe kan ik zo lang wachten?'

'Zit niets anders op. Je kunt wel leren vliegen, maar je mag nog niet alleen.'

'Viereneenhalf jaar,' zei Freddy verslagen.

'Heb je handenarbeid op school?'

'In Sacred Heart hebben ze dat niet,' zei Freddy spijtig.

'Ga dan naar een andere school, waar je het wel kunt leren. Het is een goed begin. En wiskunde, dat is belangrijk. Ben je goed in wiskunde?'

'Ja,' mompelde Freddy toonloos. 'Daar ben ik heel goed in.'

'Nou, daar moet je beslist mee doorgaan. Zonder wiskunde leer je nooit navigeren. En je kunt 't geloven of niet, maar er zíjn mensen die nooit iets van wiskunde zullen begrijpen, ook al kost het ze hun kop.'

'Zoals mijn zusje Delphine,' zei Freddy, nu weer iets vrolijker.

'Dus heeft er in ieder geval iemand van jullie een meisjesnaam. Freddy, kun je het vliegveld hiervandaan zien liggen?'

'Natuurlijk.' Ze tuurde tegen de zon in en wees precies aan waar het vliegveld moest liggen, dat bijna onzichtbaar nog, in de San Fernandovallei lag. 'Ik heb het een minuut geleden gezien, misschien wel langer.'

'Hmm.' Hij wist dat het vliegveld daar moest liggen, maar hij had er een lieve duit onder durven verwedden dat niemand anders het eerder kon vinden dan hij. En hij had het pas net zien liggen. Dat kind had goeie ogen. Meer dan goed.

Toen ze de landing inzetten, vroeg hij: 'Vertel me eens wat je voelt, Freddy.'

'Wat bedoel je?'

'Wat je aan het vliegtuig voelt wanneer ik het laat dalen.'

Freddy bleef verbaasd voor zich uitkijken, alsof ze op een verschijning uit de hemel wachtte, terwijl de Piper de landingsbaan naderde en steeds lager en lager ging vliegen. 'Hij wil landen,' riep ze opgewonden. 'Hij wil helemaal uit zichzelf gaan landen!'

'Ja, en hoe merk je dat?'

'Ik voelde het, ik voelde het echt, Mac.'

'Waar?'

'In . . . o . . . in mijn stoel.'

'Onder je achterwerk?'

'Precies.'

'Mooi. Daar hóór je het ook te voelen. De volgende keer dat je gaat vliegen, moet je een lange broek aan hebben.' Hij zette het vliegtuig aan de grond en taxiede het tot voor zijn school. Paul holde er woedend naar toe, terwijl zij uitstapten.

'Besef je wel dat jullie een uur zijn weg gebleven? Ik begreep niet waar jullie zaten! Ik ben dodelijk ongerust geweest. Verdorie, McGuire, waar zit je gezonde verstand?'

'Wacht even. Een les duurt een uur. We zijn nog drie minuten te vroeg, als we 't zo bekijken.'

'Een les?' zei Paul ongelovig. 'Een les? Ik heb gevraagd of je Freddy voor een rondvlucht mee wilde nemen, ik heb nooit iets over een les gezegd.'

Terence McGuire keek naar Freddy, die hem doordringend aankeek, met een resolute blik en een vastberaden mond die hem vertelde dat ze gelogen had, tót en mét, maar dat het die leugen waard was geweest.

'Het spijt me, maar ik had gezworen dat u had gezegd dat Freddy les wilde hebben,' zei de piloot. 'Mijn excuses voor dat misverstand. Ik vind het reuzevervelend dat ik u in ongerustheid heb laten zitten. Dit was eigenlijk zes dollar: vier voor de huur van het vliegtuig en twee voor de les, maar ik maak er vier van omdat u alleen een rondvlucht bedoelde. O, en laat ik nog even een logboek pakken voor deze jongedame.'

Hij liep haastig naar zijn kantoor om een logboek te halen. Toen hij ermee terugkwam, schreef hij de eerste vlucht in. 'Hier moet je tekenen, Freddy. En wees er zuinig op, verlies het niet.'

'Ik zal ervoor zorgen,' zei Freddy ademloos, met een stralend gezicht. 'Ik zal er heel zuinig op zijn. En, Mac, ik kom terug. Ik weet nog niet wanneer, maar ik kom zo gauw mogelijk terug.'

'Wat dacht je wel van me, kind. Daar heb ik geen moment aan getwijfeld. Geen minuut. Tot ziens, Freddy.'

'Tot ziens, Mac.'

7

Het was de zomer van 1933, in Champagne, en op het terras van het Château de Valmont vierden vicomte Jean-Luc en vicomtesse Anette de Lancel het bezoek van Paul en Eve, die voor het eerst door hun dochters werden vergezeld. Het was een Lancel-traditie dat de châtelaine zelf inschonk wanneer ze het eerste glas hieven bij een bijeenkomst op Valmont, en vandaag was het een heel bijzondere dag. 'Natuurlijk is Freddy niet te jong om champagne te drinken,' zei Anette, 'vooral bij zo'n belangrijke gebeurtenis,' en ze schonk het glas van de dertienjarige Freddy net zo vol als dat van de anderen.

Toen Paul van zijn champagne dronk, besefte hij hoe hij Valmont had gemist, hoe zorgvuldig hij zich had aangewend niet aan het huis van zijn jongensjaren te denken. Hij was bijna vergeten dat er nergens anders waar hij ooit had gewoond zo'n tastbaar gevoel van harmonie heerste tussen het land en het gewas dat het voortbracht, een onzichtbare band die sterk voelbaar was. In de Champagne heerste een gevoel van welzijn en opgewektheid, en een buitengewoon gevoel voor gastvrijheid. Geen enkele oceaan had hem ooit zo'n weids en ruim gevoel gegeven als deze lome, onafzienbare zee van wijngaarden. Boven al hun wijngaarden zou gedurende de weken van de druivenpluk de blauw-met-rode Lancel-vlag wapperen, zoals ze bij Pommery een witte vlag hesen en bij Veuve Cliquot een gele.

Paul keek trots naar Eve, Delphine en Freddy, zoals ze daar in de zon zaten. Ze waren juist uit Parijs gearriveerd, een rit van nog geen twee uur. Twee weken eerder waren ze per trein uit Los Angeles vertrokken, ze waren de Verenigde Staten door gereisd en met een oceaanstomer naar Frankrijk overgestoken. Paul had twee maanden verlof en had besloten dat het tijd werd om zijn gezin eens naar zijn voorouderlijk huis te brengen, dat ze nooit hadden gezien.

De bloei van de druiven, vergezeld van een zoete geur die op die van passiebloemen leek, had tweeëneenhalve week geduurd, in het begin van juni, en had gelukkig niet te lijden gehad van de gevreesde late nachtvorst; de bestuiving van de bloemen had plaatsgevonden tijdens weer dat ideaal warm en vochtig was geweest, met de matige wind waar wijnbouwers om kunnen bidden, en nu lieten de wijnstokken hun druiven groeien in het dal dat zich onder het kasteel uitstrekte.

Valmont lag ten noorden van Hautvillers, het dorp waar Dom Pierre Perignon in 1668 afscheid nam van het wereldse leven om in te treden in de benedictijner abdij, waar hij tot keldermeester werd benoemd en gedurende de volgende zesenveertig jaar de uitstekende plaatselijke wijn vervolmaakte tot de huidige sprankelende champagne.

Het château was eens omringd geweest door eikebossen waarin veel wild voorkwam en de seigneurs van Valmont legden wijngaarden aan en bereidden wijn voor hun eigen genoegen en dat van hun vrienden. Vanaf het hoge terras van het château, waar de familie op een stralende julidag voor de lunch bijeen was, waren er nu slechts weinig grote bomen in het dal beneden hen te zien. Zo ver als het oog reikte waren er wijngaarden aangelegd, in een vriendelijk en precies patroon, als van een lapjesdeken. De zachtglooiende heuvels, met daarop de grote rijkdom van rijpende champagnedruiven, boden een landschap dat er zeldzaam landelijk en rustig en vredig uitzag, maar in de afgelopen tweehonderd jaar waren er twee grote oorlogen die de geschiedenis van Europa hadden veranderd, uitgevochten op deze waardevolle en té kwetsbare hellingen langs de oostgrens van Frankijk.

Maar vandaag bestond er voor Paul geen oorlog, zelfs geen gedachte aan oorlog. De verbittering waarmee zijn ouders zijn huwelijk met Eve hadden begroet, was eindelijk verdwenen. De vorige winter had zijn moeder hem een brief geschreven om zich te verontschuldigen voor de scherpe woorden waarmee ze hem eens had verteld dat zijn huwelijk hem zijn loopbaan zou kosten. 'Naarmate de jaren verstrijken,' had ze geschreven, 'ben ik gaan begrijpen dat je zonder Eve en je kinderen nooit gelukkig had kunnen worden ... nee, zelfs niet wanneer je tot ambassadeur aan het Hof van St. James was benoemd.'

Dit milder worden van een hardnekkig standpunt hield geen verband met het legendarische maar grotendeels niet bestaande, grotere begrip voor situaties dat met het klimmen der jaren zou ontstaan. Ouderwetse Franse vrouwen waren op hogere leeftijd meestal nog dogmatischer en minder soepel van opvatting dan in hun jonge jaren, een eigenschap die ze delen met veel vrouwen uit alle rangen en standen in elk land van de wereld.

Als Guillaume, de oudste Lancel-zoon, ooit was getrouwd en kinderen had gekregen, had Anette de Lancel de continuïteit van de familie veilig in zijn handen gezien. Maar Guillaume was een verstokte vrijgezel die een zeldzame hekel aan kinderen had en die genoot van zijn vrijheid zonder echtgenote. De vicomtesse had ten slotte het feit geaccepteerd dat ze nimmer kleinkinderen zou hebben die niet Pauls kinderen waren. Hoewel ze nog steeds liep te mopperen op het gebrek aan plichtsbesef en het egoïstische en kortzichtige gedrag van haar oudste zoon, begreep ze dat het hoog tijd werd om vrede te sluiten met haar ene, en bijna zeker enige, schoondochter.

Nu ze Paul en zijn gezin om zich heen zag verzameld, nog steeds in reistenue, was ze bijzonder blij dat ze dit bezoek had gearrangeerd. Guillaume en Jean-Luc bogen zich aandachtig over naar Eve toen ze hen over de reis vertelde. Ze had het nauwsluitende, breedgeschouderde blauwe piquéjasje van haar Adrian-zomerpakje over de rugleuning van de smeedijzeren tuinstoel gehangen, haar hoedje afgezet en haar benen onder haar kuitlange rok over elkaar geslagen, als een toonbeeld van levendigheid en zelfverzekerdheid. Anette de Lancel bekeek Eve heel kritisch en moest ondanks zichzelf toegeven dat ze een vrouw was op wie elke schoonmoeder trots kon zijn. Maar op haar kleindochters was ze direct stapeldol, vooral op Delphine.

Ze vroeg zich af of er ooit zo'n mooi meisje van vijftien jaar had bestaan. Delphine was geen stralende, opvallende schoonheid die pronkte met haar uiterlijk. Er ging iets heel teers en kwetsbaars van haar uit. Haar grote, bruingrijze ogen, die glansden als een doorschijnende zeenevel bij dageraad, stonden heel ver uiteen onder hoge, ronde wenkbrauwen. Ze had een V-vormige lok boven het midden van haar voorhoofd, waarvandaan haar kastanjebruine haar licht krullend tot aan haar hals omlaagviel, met de glans van kostbaar, glimmend gewreven hout. Haar handen waren verfijnd en ze was heel tenger en evenwichtig gebouwd. Haar hartvormige gezicht met het brede voorhoofd en de smalle kin leek een weerspiegeling van de portretten van enkele edele dames uit het geslacht De Lancel, de vroegere châtelaines van Valmont. Delphine zag er zo slank en breekbaar uit, dat haar grootmoeder alle beschermende instincten in zich voelde opwellen wanneer ze naar haar keek. Ze was een zeldzaam meisje, een volmaakte *jeune fille*, vond ze. Ze had in Frankrijk kunnen zijn opgevoed.

Marie-Frédérique, of Freddy, zoals ze haar zo nodig moesten noemen, dacht Anette de Lancel niet zonder enige afkeuring, kon nimmer voor iets anders doorgaan dan een Amerikaanse. Hoewel ze niet begreep hoe dat mogelijk was, met twee Franse ouders. Het moest de Californische lucht zijn, want geen enkel Frans meisje van dertien zou ooit zo ondernemend, zo levendig, zo duidelijk aanwezig mogen zijn. Ze had kennelijk de lengte en de blauwe ogen van Paul geërfd – ze moest vele centimeters langer zijn dan haar zusje – en die zelfverzekerde flair van haar moeder. Maar dat haar! Die felgekleurde, verwarde, ontembare massa! Prachtig, ja, dat kon ze niet ontkennen, maar zo ... zo ongepást, zo flamboyant. Zo róód. Er waren uiteraard, van generatie op generatie, wat roodharige Lancels geweest, maar was er ooit een geweest met zulk opvallend haar? Waarom probeerde Eve er niet meer model in aan te brengen? Of, als dat onmogelijk was, waarom probeerde Eve niet op zijn minst haar dochter over te halen zich iets damesachtiger te gedragen? Toch was Freddy, ondanks dit alles, heel lieftallig, zoals ze daar voorzichtig van haar eerste glas champagne zat te drinken en vol ontzag om zich heen keek.

Freddy wist dat haar vader op een château was opgegroeid, maar de realiteit van Valmont deed haar duizelen. Ze telde de drie romantische torens en vroeg zich af wie erin woonde. En wat, vroeg ze zich af, zouden ze toch dóen in al die kamers achter die ramen? En hoeveel haarden moesten er wel niet zijn, wanneer je al die schoorstenen zag? Ze had van tevoren niet begrepen dat een château een kasteel zou zijn, maar toch beweerde haar grootmoeder dat het maar een klein château was, één van de vijf in Champagne en dat de grootste, Montmort, een slotgracht had, en een veel groter park, en een grote wenteltrap die zo breed was dat je te paard naar boven kon. Wat een geinig idee!

Anette de Lancel blikte op haar horloge. Nog tien minuten eer de lunch zou worden aangekondigd, en de verrassing die ze in petto had moest nog komen. Nou, de lunch kon wachten, vond ze.

Vijf minuten later, toen ze allemaal ontspannen toekeken hoe Guillaume de tweede fles champagne opentrok, kwam er plotseling een ruiter in galop te voorschijn uit het bos dat aan de rechterkant van het château lag en er slechts door een strook keurig geharkt grind van werd gescheiden. Kennelijk had de ruiter niet verwacht iemand op het terras aan te treffen, want hij keek de andere kant uit, naar de stallen. Toen hij hen zag, keek hij op en hield abrupt stil, op slechts enkele passen afstand. Met een uitdrukkingsloos gezicht keek hij vanaf een enorme vos op hen neer. Er viel zo'n doodse stilte dat het geritsel van de wind in de bladeren van de wijngaarden zo luid klonk als het klotsen van de oceaan tegen de boeg van een schip. Anette de Lancel verbrak de pijnlijke stilte.

'Kom snel van dat beest af om het bezoek te begroeten, lieverd. Ik heb niet overdreven toen ik je een verrassing bij de lunch beloofde, vind je wel, Bruno?'

Snel maar toch behoedzaam, als om zijn emoties niet te laten blijken, sprong Bruno, een lange, stevige jongeman van achttien jaar, van zijn paard en liep beheerst naar de groep waarvan de komst zijn grootmoeder zo zorgvuldig voor hem verborgen had gehouden. Toen hij dichterbij kwam keek iedereen hem aan, met sterk uiteenlopende gevoelens.

Freddy en Delphine waren een en al nieuwsgierigheid naar deze halfbroer die ze nooit anders dan op oude foto's hadden gezien. Bruno! Eindelijk! Paul voelde een golf van verbittering door zich heen gaan, maar desondanks moest hij toegeven dat de jongen er uitstekend uitzag. Eve verstijfde alsof ze een klap in haar gezicht had gekregen; dit was dus de zoon die Pauls hart had gebroken met zijn koppige, onbegrijpelijke manier van doen. Elk jaar had hij beloofd op bezoek te komen en elke zomer had hij een andere smoes bedacht waardoor het niet doorging, tot iedereen begreep dat hij totaal niet van plan was om ooit zijn vader en stiefzusjes te komen opzoeken.

Anette de Lancel voelde een bijna kinderlijke opgetogenheid over het feit dat zij het instrument van deze hereniging was geweest, zonder met iemand overleg te plegen, buiten haar man dan, die ze ten slotte had omgepraat dat dit een goed idee was.

Wat Bruno betrof werden alle emoties die hij mocht voelen zorgvuldig verborgen onder een perfecte en automatische hoffelijkheid waarop hij in elke situatie kon terugvallen, een hoffelijkheid die, in vroeger tijden, echte heren nimmer in de steek had gelaten, zelfs niet wanneer ze op weg waren naar de guillotine. Hij omhelsde Paul alsof hij hem vorige week nog had gezien; hij kuste Eve's hand met een correct gemompeld: '*Bonjour, madame,*' en hij drukte Freddy en Delphine de hand alsof het jongedames van zijn eigen leeftijd waren.

'U had me wel eens mogen waarschuwen,' zei hij zacht, toen hij de wang van zijn grootmoeder beroerde.

'Bruno, lieverd, ik dacht dat dit de beste manier was. Voor iedereen het eenvoudigst,' zei ze, terwijl ze zijn woorden zo luchthartig maar toch zo resoluut afwees, dat zelfs hij niets meer te zeggen had.

Anette de Lancel besefte maar al te goed dat Bruno op geen enkele wijze kennis had willen maken met zijn stiefmoeder en zijn halfzusjes. Na Pauls schokkende tweede huwelijk hadden de marquis en marquise de Saint-Fraycourt en zij dezelfde mening gehad over het onderwerp Eve Coudert. Ze was hun gemeenschappelijke vijandin. Door lid te worden van hun families had ze hen allen diep geraakt, op een manier die hen eeuwig zou bijblijven. De tijd zou nimmer de smet van zo'n mesalliance weg kunnen wissen. Aangezien De Saint-Fraycourts Bruno vrij vaak naar zijn Lancel-grootouders lieten gaan, hadden die hen nooit proberen over te halen Bruno naar Paul te laten gaan.

Naarmate de jaren verstreken en Guillaume hardnekkig ongetrouwd bleef, zonder ooit de neiging te vertonen om van gedachten te veranderen, werd Bruno steeds belangrijker voor hen. Zowel bij de Saint-Fraycourts als bij de Lancels was hij de laatste man in hun tak van de familie. Eens op een dag, in de verre toekomst, zou er behalve Bruno geen vicomte de Lancel meer op Valmont wonen.

De grootouders spraken vaak over de toekomst wanneer ze in hun geliefde, met brokaat beklede leunstoelen in de kleine zitkamer die ze na het diner gebruikten, bij de haard zaten. Wanneer zij kwamen te overlijden, zouden Guillaume en Paul samen het château en de wijngaarden erven. Als Guillaume kinderloos stierf, zou Paul alles erven. Maar wanneer Paul op zijn beurt stierf, zouden zijn weduwe, als ze nog in leven mocht zijn, en zijn drie kinderen in gelijke delen erven.

Hun geliefde Bruno zou nimmer de enige eigenaar van dit familiebezit kunnen zijn. Hij zou deze unieke hectaren moeten delen met twee diplomatieke zigeunerinnen; twee onbekende vreemdelingen die niet in Frankrijk waren opgegroeid, twee meisjes die waarschijnlijk met andere vreemdelingen uit dubieuze landen zouden trouwen, en kinderen zouden krijgen, die op hun beurt weer een deel van het landgoed zouden erven, tot het in zoveel stukjes was opgedeeld dat het niets meer bezat van de Lancel-identiteit, die deel uitmaakte van de grond van Champagne.

Toen Bruno naar zijn kamer ging om snel zijn rijkleding uit te trekken en Eve Freddy en Delphine meenam om voor de lunch hun handen te wassen, voelde Anette de Lancel haar hart lichter worden. Delphine en Freddy, die met hun ouders altijd Frans hadden gesproken, bezaten een perfecte uitspraak en ze waren zo blij geweest hun grootouders te ontmoeten, zo lief, zo op slag onder de indruk van het Château de Valmont, dat het plotseling toch geen zigeunerinnen leken, maar echte De Lancels, die na vele jaren uit de wildernis waren teruggekeerd. O ja, het was heel verstandig geweest om hen tegelijk uit te nodigen. En nog veel verstandiger om niets tegen Bruno te zeggen.

Ondoorgrondelijk, dacht Eve, toen ze Bruno tijdens de lunch gadesloeg, volslagen ondoorgrondelijk, gehuld in een beleefdheid die net zo gepolijst, net zo massief en net zo solide was als de zware stukken familiezilver die aan weerszijden van elk bord lagen. Ze kon zich nog eerder voorstellen dat ze zo'n mes met twee vingers oppakte en met gemak dubbelboog, dan dat Bruno ooit met zijn ware glimlach naar haar zou glimlachen in plaats van slechts zijn mondhoeken vaag omhoog te trekken. Zonder ook maar één gebaar of woord dat door een ander familielid kon worden opgemerkt, had hij haar één ding volmaakt duidelijk gemaakt: voor hem bestond ze niet, had ze nooit bestaan en zou ze in de toekomst ook nimmer bestaan. Hij zag haar niet, zelfs wanneer hij vrijelijk antwoord scheen te geven op de woorden die ze had gesproken. Het was alsof er onder het levendige uiterlijk van zijn bruine ogen een geheimzinnige blinde man leefde, heel ijzig en onverzoenlijk. Was het alleen die valse glimlach of had ze gelijk wanneer zijn mond haar niet beviel, wanneer ze die ronde, bijna dikke lijnen in tegenspraak vond met zijn resolute, mannelijke gezicht?

Maar wat had ze hem ooit misdaan, vroeg Eve zich nijdig af. Omdat ze de maatstaven van de Franse adel min of meer kende, kon ze begrijpen – of op zijn minst proberen te begrijpen – waarom het zo lang had geduurd eer De Lancels haar hadden geaccepteerd, maar Bruno was van een andere generatie, van de generatie van haar kinderen.

Haar eigen ouders hadden haar lang geleden alles vergeven. Haar uitstekende huwelijk had gemaakt dat ze het hoofd weer hoog konden houden en vóór hun dood, binnen één jaar na elkaar, aan het eind van de jaren twintig, waren ze naar Australië en Kaapstad gereisd om elke keer enkele weken bij hen te logeren.

Onder de gesprekken bij de lunch, die even levendig waren als altijd wanneer wijnmakers van een land met elkaar aan tafel zaten, vroeg Eve zich af of ze moest proberen een manier te vinden om met Bruno te communiceren of dat het verstandiger was om afstand te bewaren en zijn onbegrijpelijke vijandigheid gewoon te accepteren.

'Opwindend,' dacht Delphine, toen ze Bruno op een volwassen manier zag praten, zoals ze dat niet eerder bij een jongen van achttien had meegemaakt. Geen van de oudere broers van haar schoolvriendinnen had zo'n statige houding, zo'n gewichtige uitstraling, zelfs niet diegenen die zich heel wat verbeeldden omdat ze een auto hadden, waarmee ze naar het strand of naar de bioscoop konden gaan, of naar Currie's ijssalon voor een chocolade-ijsje van vijftien cent of een Mile High-hoorn. Delphine had tientallen jongetjes uitgelachen en pret gehad om hun gezicht wanneer ze hun uitnodiging afsloeg, want Eve had bepaald dat ze vóór haar zestiende niet met jongens uit mocht.

Delphine vroeg zich af hoe Bruno eruit zou zien als hij in de twintig was. Zijn donkere, stevige wenkbrauwen stonden als een juk onder zijn brede, goedgevormde voorhoofd en zijn gezicht werd gedomineerd door een fraai gebogen, heerszuchtige neus. Het was zo'n ander gezicht dan de Amerikaanse gezichten die ze gewend was, zoveel meer . . . meer . . . ze zocht naar een woord en kon slechts 'beschaafd' vinden. Het leek haar, zonder vóór vandaag ooit een familieportret te hebben gezien, een gezicht dat in een lange reeks voorouders thuishoorde, een gezicht met een geschiedenis. Heb ik zo'n gezicht? vroeg Delphine zich af. Maar ze wist, met intense vreugde, het antwoord op deze vraag al.

Een vreemdeling, zei Paul bij zichzelf. Hij kon met de beste wil van de wereld in Bruno niets terugvinden van de te lange, te magere, ambitieuze jongen van elf die hij zeven jaar geleden had ontmoet, een kind met een hoge, enthousiaste stem dat grootse plannen had.

Bruno was nog langer geworden, maar ook een stuk forser en zijn neus was erg dominant geworden. Hij zag er krachtig, zelfs indrukwekkend uit, zoals hij daar, volledig beheerst en op zijn gemak, zat te praten met de stem van een man, de stem van een vreemde, terwijl hij zijn liefhebbende grootmoeder plaagde, zijn grootvader en oom Guillaume eerbiedig bejegende, charmant deed tegen Delphine en Eve en zelfs, naar het Paul voorkwam, tegen Freddy.

Hij moest er zich van bewust zijn dat hij het middelpunt van alle aandacht was geworden, ondanks het bezoek van de vier Lancels. Het was alsof ze allemaal voor hém waren gekomen en hij dit bezoek genadig toestond. Hij scheen zich niet opgelaten te voelen nu hij zijn vader na zoveel jaren onverwachts terugzag. Hij had met geen enkel woord, hoe oppervlakkig ook, aandacht besteed aan hun lange scheiding, aan de jaren van beloften die niet werden nagekomen en plotseling nam Paul zich voor dat hij daar nooit naar zou vragen. Wat de reden ook mocht zijn, hij wilde het niet weten, want het kon alleen maar pijnlijk zijn.

'Zeg eens, Bruno, wanneer ga jij in militaire dienst?' vroeg Paul.

'Dit jaar, vader, direct na de zomervakantie. Ik ga met een stel vrienden bij de cavalerie. Dat lijkt me heel leuk.'

'Kijk wel uit dat je die dienstknollen niet molt,' gromde Guillaume. 'Die zijn vast niet zo sterk als mijn Emperor. Hij was volledig uitgeput toen jij vandaag op 'm had gereden.'

'Het spijt me, oom. Emperor was zo lang niet bereden dat ik wist dat hij een echt goede rit nodig had, en toen we weer naar de stal teruggingen, wilde hij galopperen en vond ik het zo wreed om hem in te houden ... maar u hebt volledig gelijk. Het zal niet weer gebeuren, dat verzeker ik u. Uw staljongens geven hem niet genoeg lichaamsbeweging.'

'Ik zal eens met ze praten,' zei Guillaume, iets milder gestemd.

'De cavalerie,' zei Delphine ademloos, diep onder de indruk.

'En na je militaire dienst, jongen,' vroeg de vicomte de Lancel. 'Weet je al wat je dan gaat doen?'

'Nog niet echt, grootvader. Ik denk nog steeds over een aantal mogelijkheden na.'

'Bedoel je dat je politieke wetenschappen hebt laten vallen?' vroeg Paul scherp. 'En je had zulke mooie plannen over het besturen van je land?'

'Kijkt u zelf eens, vader. Het socialistische kabinet van Paul Boncour heeft vijf weken standgehouden. De nieuwe regering van Daladier bestaat uit een stelletje onnozele sukkels. Naast radicalen als Herriot, zwakkelingen als Laval en de anderen, dat stelletje liberalen en vakbondsleiders, hebben we een groeiend staatstekort en honderdduizenden werklozen. Ondertussen weet Daladier niets beters te bedenken dan de inkomstenbelasting te verhogen. Nee, dank u, als idealist wens ik mijn handen daar niet aan vuil te maken.'

'Als je zo zeker weet dat zij het mis hebben, wat zou jij dan doen in hun plaats? Het is heel gemakkelijk om kritiek te hebben, zeker als idealist,' zei Paul woedend over de luchthartige toon waarmee Bruno alle ambities overboord zette waarvan Paul eens had gedacht dat ze van het grootste belang voor zijn toekomst waren.

'Een sterke man, één sterke man, in plaats van drieëntwintig debielen.'

'Ligt het zó simpel? Waar denk je dat deze sterke man vandaan moet komen, Bruno? En hoe zal hij die macht kunnen krijgen?'

'We hoeven niet ver te kijken, vader. Het is Hitler in Duitsland gelukt toen hij dit jaar in januari kanselier werd.'

'Hitler! Ben jij het eens met die ... die ... walgelijke misdadiger?'

'Laten we zeggen dat ik niet in zulke eenvoudige termen over hem denk. Natuurlijk mag ik hem niet ... welke Fransman zou hem wel mogen? ... maar ik vind dat we moeten erkennen dat hij een politiek genie is. Hij heeft

147

binnen enkele maanden de leiding over het land in handen genomen en het lúkt hem. Hij heeft de communistische partij buiten de wet gesteld en hij zet de joden op hun nummer. Zijn methoden zijn sterk en positief en hij laat zich door niets weerhouden.'

'Wil jij zeggen dat Frankrijk ook een Hitler nodig heeft?' bulderde Paul, terwijl hij half uit zijn stoel overeind kwam.

'Nou, nou,' zei Anette de Lancel haastig, 'ik verbied jullie te enen male aan tafel over politiek te praten. En zeker niet vandaag. Dit is een grote dag voor ons en ik laat die niet door jullie bederven! Jean-Luc, schenk Paul nog eens in. En, meisjes, ik heb een heel speciaal dessert voor jullie.' Ze belde de butler, voldaan dat de mannen hun mond hielden. 'Als jullie het lekker vinden, zal ik de kok vragen jullie te leren hoe je het moet maken. Ik zeg altijd maar dat de vrouw des huizes zelf ook moet kunnen koken, hoe goed haar kok ook mag zijn. Vind je ook niet, Eve? Hoe moet je het hem anders vertellen wanneer hij iets niet goed doet?'

'Ik ben het er helemaal mee eens,' zei Eve snel, toen ze zag hoe Pauls handen beefden van woede. Ze bedacht dat ze weinig behoefte voelde met Bruno aan te pappen. Hoe kon zo iemand een zoon van Paul zijn?

Toen de lange lunch eindelijk voorbij was, gingen Delphine en Freddy naar hun kamer om gemakkelijke kleren aan te trekken.

'Vind je 't niet opwindend om een broer te hebben, Freddy? Ik vind hem echt geweldig, jij niet?' zei Delphine tegen haar zusje, zodra ze alleen waren.

'Geef mijn portie maar aan Fikkie,' antwoordde Freddy.

Delphine draaide zich ongelovig om. Als Freddy te verlegen was geweest om boe of ba tegen Bruno te zeggen, hoefde ze nog niet zo lelijk te doen over de knapste jongen die één van hen beiden ooit had gezien. 'Waar heb je 't over?'

'Ik vind 't een drol,' zei Freddy verontwaardigd.

'Marie-Frédérique! Als je zó doet, vraag ik aan grootmoeder of ze een kamer voor mij alleen heeft. Ik heb geen zin om dan met jou in één kamer te slapen. Je bent vreselijk!'

'Een drol op een stokje,' herhaalde Freddy. 'Met suiker erop.'

Enkele dagen later, vroeg in de morgen toen de koelte van de nacht nog op de bloemen lag, liep Eve naar buiten om rozen te knippen. Ze had twee lange, platte Engelse tuinmandjes bij zich en een scherpe snoeischaar die ze in de bloemenkamer op de benedenverdieping van Valmont had gevonden, waar zich drie diepe, speciale gootstenen bevonden om bloemen in te zetten die voor bloemschikken waren bestemd. Haar schoonmoeder had haar de vorige avond die taak toevertrouwd. 'Ik doe het altijd liever zelf,' had ze bij het diner gezegd, 'dan dat ik het aan de tuinlieden overlaat . . . de rozentuin van Valmont is altijd mijn grote trots geweest. Ik vroeg me af . . . zou jij het leuk vinden om morgen de bloemen te doen, Eve?'

'Dat lijkt me enig,' had Eve blij geantwoord, wetend dat dit overdragen van een werkje dat niemand anders mocht doen, kenmerkend was voor de wijze waarop de houding van haar schoonmoeder jegens haar was veranderd.

'Je weet dat . . .?' vroeg de vicomtesse aarzelend.

'Dat ik de stelen onder water moet afsnijden?'

'Hoe wist je wat ik wilde zeggen?'

'Mijn moeder heeft me dat als kind al geleerd,' antwoordde Eve.

'Heeft ze je ook verteld dat je een paar druppels bleekwater en een beetje suiker in het water moet doen, om de rozen langer goed te houden?' vroeg Anette de Lancel.

'Daar heb ik nooit van gehoord. Wij deden altijd een centime in de vaas. Helpt het?'

'Niet veel, maar ik doe het toch maar.' De twee vrouwen wisselden een blik van verstandhouding die een raadsel was voor de mannen aan de tafel, die nog nooit zorgelijk naar snijbloemen hadden gekeken om te bepalen of de rozen nu op hun best waren of dat ze in zo'n lastig tussenstadium waren waarin de struiken heel veelbelovend in knop zaten, maar nog geen enkele kleur vertoonden, of, al even lastig, of de bloemen over hun hoogtepunt heen waren op de dag voordat ze nodig waren.

De rozentuin van Valmont was te bereiken via een reeks hoge hagen die streng en in een bijna doolhofachtig patroon waren gesnoeid, een plek waar de Lancel-kinderen eeuwenlang verstoppertje hadden gespeeld.

Eve ging rond, met de snoeischaar in de aanslag, en knipte uitsluitend rozen af die ver genoeg waren, want knoppen die te vroeg werden geplukt gingen binnen soms niet open. Toch waren beide manden snel hoog opgetast met bloemen en hoewel ze wist dat het riskant was, stapelde ze de bloemen iets te hoog op, want rozen die zelfs maar een dag te lang aan de struik bleven zouden in de zomerwarmte te snel opengaan en waren dan niet meer te gebruiken. Met de ene, overvolle mand voor zich uit en de andere achter zich, liep ze voorzichtig over het smalle paadje terug naar het château. Toen ze bij een scherpe bocht van de haag kwam, stond Bruno, die op weg was naar de stallen, opeens voor haar neus. Eve bleef verschrikt staan. De mand die ze voor zich uit hield wiebelde even en alle rozen gleden eraf, op het grindpad voor haar voeten.

'O, je hebt me laten schrikken,' zei ze ontzet en zette de andere mand voorzichtig neer. 'Ik hoop niet dat ze zijn gekneusd.'

Eve knielde neer en begon de tientallen bloemen zo snel en voorzichtig mogelijk weer terug te leggen. Toen ze ze één voor één opraapte en teruglegde, zag ze dat er enkele rozen terecht waren gekomen op Bruno's rijlaarzen, die hij onbeweeglijk op het pad had geplant. Ze keek naar hem op, verbaasd dat hij nog niet was begonnen haar te helpen, en ze zag dat hij met over elkaar geslagen armen bleef staan, zijn lippen stijf opeengeklemd, recht voor zich uitstarend met een uitdrukking van nauwelijks verholen minachting, alsof ze een dienstmeid was die hem met vies water uit een emmer had bespat en nu alles moest opdweilen. Nog steeds geknield ging Eve mechanisch verder met oprapen, tot de golf van woede die ze voelde iets was gezakt.

'Bruno! Wat sta je daar te kijken? Waarom help je Eve niet?' klonk opeens de stem van de vicomtesse toen ze achter Eve de hoek om kwam.

Eve kwam overeind. 'Het geeft niet, Anette. Ik geloof dat Bruno een beetje bang voor doornen is. Hij is werkelijk verstijfd van angst! Vooruit, Bruno, ga nou maar gauw paardrijden, dan ben je een grote jongen.'

Die middag had Anette de Lancel met Bruno afgesproken dat hij Freddy en Delphine de kathedraal van Reims zou laten zien. Freddy verklaarde echter dat ze liever met oom Guillaume uit rijden ging dan welke kathedraal waar dan ook te moeten bekijken. Eigenlijk was ze heel graag naar Reims gegaan, maar ze moest er niet aan denken dat ze een hele middag moest toezien hoe Delphine Bruno vol bewondering zat aan te gapen. Als hij een filmster was geweest, dacht Freddy vol afkeer, had Delphine meteen een fanclub voor hem opgericht.

Freddy hield innig veel van Delphine, op een bijna moederlijke manier. Er was geen moment in haar leven geweest waarop Delphine niet op de voorgrond had gestaan; ze lag haar in vele opzichten nog nader aan het hart dan haar vader en moeder.

Maar wanneer Freddy vond dat Delphine zich stom gedroeg, werd ze ondanks alles woest. Ze had de stellige overtuiging dat het haar taak was Delphine te beschermen, alsof zij de oudste in plaats van de jongste was. Freddy aanbád haar zusje. Alleen was Delphine zo irritant, zo warhoofdig, zo halsstarrig, zo koppig en zo gewend haar zin door te drijven, dat ze dacht dat ze helemaal geen bescherming nodig had en het zeker niet op prijs stelde wanneer Freddy probeerde haar die op te dringen. Dus maakten ze dan ruzie, en aangezien Freddy de sterkste was van de twee, moest ze woorden gebruiken in plaats van klappen. Ze had Delphine het liefst eens een goed pak voor haar broek gegeven, bedacht Freddy toen ze naast haar zwijgzame oom draafde. Gewoon om haar eens goed op haar nummer te zetten.

Delphine was enorm in haar sas over de afwezigheid van haar zusje. Ze had nooit haar eerste sigaret kunnen proberen als Freddy erbij was geweest, bedacht ze voldaan toen Bruno haar liet zien hoe ze moest inhaleren en haar een brandende sigaret gaf terwijl hij langzaam verder reed in de auto die zijn grootvader hem voor deze middag had geleend.

'Ik vind 't niet echt lekker,' bekende ze, ietwat teleurgesteld door het scherpe, onvoorzichtige trekje. 'Toch maakt het dat ik er meer volwassen uitzie.'

'Hoe oud ben je?' vroeg hij onverschillig.

'Bijna zestien,' antwoordde ze, vele maanden overdrijvend. 'Dan nader je de gevaarlijke leeftijd.' Bruno grinnikte even.

'Zestien? Gevaarlijk? Mijn moeder laat me zelfs niet met een jongen uitgaan vóór mijn zestiende verjaardag,' protesteerde Delphine. 'Zestien is pas het begin.'

'Nou, je moeder heeft alle reden om je achter slot en grendel te houden. Ze is zeker bang dat jij net zo wordt als zij,' zei Bruno langs zijn neus weg.

'O, Bruno, doe niet zo mal,' giechelde Delphine. Ze wist niet goed of ze zich vereerd moest voelen of niet. 'Wat bedoel je met "net zoals zij"?'

'Nou, dat heb je toch wel gehoord . . . over haar jeugd?'

'Haar jeugd? Ze komt uit Dijon. Bedoel je dat?'

'Laat maar zitten. Het is niet belangrijk.'

'Dat is niet eerlijk, zeg!' zei Delphine verontwaardigd. 'Je moet niet allerlei toespelingen maken en dan zeggen dat ik het moet laten zitten.'

'Laat maar, Delphine. Laten we zeggen dat ik het geweldig vind zoals jouw moeder zich heeft gerehabiliteerd. Het bewijst maar weer hoe de tijd wonderen kan verrichten . . . en ook hoe kort het geheugen van veel mensen is. Maar je moeders verleden is wel een heel probleem geweest voor vader. Aan de andere kant heeft hij jou en Freddy als tegenprestatie gekregen. En dat moet het hem beslist waard zijn geweest.'

'Wat is er met haar "verleden"? Bruno, je moet het me vertellen!' hield Delphine aan, één en al nieuwsgierigheid.

'Vraag het haarzelf, als je het zo nodig wilt weten.' Bruno stak nog een sigaret op, alsof hij het onderwerp als afgedaan beschouwde.

'Volgens mij wil je alleen maar een beetje interessant doen,' zei Delphine, op een minachtende toon waarvan ze wist dat ze er altijd succes mee had. Ze nam nog een trekje van haar eigen sigaret en keek belangstellend naar het landschap. 'Hoe ver zijn we nog van Reims?'

'Ik neem aan dat je weet waar ze is begonnen met zingen?' merkte Bruno na een paar minuten stilte op.

'In Dijon natuurlijk. Ze kreeg privé-les van de beste leraar in de stad. Moeder zingt heel veel voor ons. Freddy en ik kennen de meeste liederen van haar uit ons hoofd. Ze zingt nu natuurlijk niet meer beroepshalve, maar ze wordt voortdurend uitgenodigd voor liefdadigheidsconcerten in Los Angeles,' antwoordde Delphine trots.

'O ja? Liefdadigheidsconcerten? Wat keurig.' Bruno lachte kort. 'Heeft ze je wel eens verteld hoe ze van huis is weggelopen, naar Parijs?'

'Bruno, nee!' kreet Delphine verrukt. 'Dat méén je niet! Wat opwindend!'

'Het was in die tijd helemaal niet opwindend,' zei Bruno ernstig. 'Het was heel . . . tja, er is geen ander woord voor . . . smerig. Ze was pas zeventien toen ze wegliep met een ordinaire derderangs zanger uit een variététheater. Ze hebben in Parijs samengewoond – als minnaars – voordat ze onze vader

151

ontmoette en met hem is getrouwd. Iedereen zei dat ze er ook nog andere minnaars op na hield!'

'Wie heeft je die vreselijke leugens verteld?' riep Delphine en ze timmerde met haar vuisten op zijn been. Hij duwde haar van zich af. 'Mijn beide grootmoeders. Grootmoeder Lancel heeft me verteld dat dat de reden was waarom onze vader in zijn loopbaan zo goed als genegeerd werd. Met zijn staat van dienst in oorlogstijd en zijn naam had hij nu al ambassadeur moeten zijn, in plaats van zo ver mogelijk bij Frankrijk vandaan te worden gestationeerd.' Bruno keek naar Delphine. Haar gezicht was afgewend.

'De moeder van mijn eigen moeder, grootmoeder Saint-Fraycourt,' vervolgde hij, 'heeft me verteld dat niemand in Parijs jouw moeder ooit zou ontvangen, vanwege het schandaal dat ze openlijk met een man heeft samengewoond met wie ze niet was getrouwd, en omdat ze heeft opgetreden in een variététheater – een plek met clowns die smerige moppen vertelden en naakte meisjes die over het toneel paradeerden. En daarna was je moeder aan de beurt, om populaire liedjes te zingen in een knalrode jurk en rode schoenen – de kleding waarin iedereen haar kende, naar ik heb begrepen. Ze stond bekend als Maddy. Daarom vind ik het zo opmerkelijk dat ze zich tot een perfecte dame heeft weten te ontwikkelen, nadat ze met vader is getrouwd. Daar moet je haar wel om bewonderen.'

'Ik geloof er niets van! Je verzint maar wat!' riep Delphine, woedend en ongelovig.

'Vraag het dan maar aan een ander. Als je denkt dat ik sta te liegen, moet je het aan grootvader vragen. Vraag het aan je eigen ouders. Elk woord dat ik heb gezegd is waar. Ik ben opgegroeid met dat verhaal. Ik sta ervan te kijken dat ze het voor jou verborgen hebben weten te houden. Het verklaart in ieder geval wel waarom ze zo lang hebben gewacht met je terug te brengen naar je eigen land.'

'We waren in het buitenland gestationeerd. We móesten erheen,' zei Delphine, en ze begon te huilen. Bruno zette de auto aan de kant van de weg en deed de motor uit.

'Het spijt me echt, Delphine. Huil alsjeblieft niet. Luister, ik dacht echt dat je dit allemaal allang wist . . . het is zo lang geleden gebeurd dat het echt niet meer van belang is. Kom, laat me je gezicht afvegen. Het was echt niet leuk voor me, weet je, dat ik nooit mijn eigen moeder heb gekend en eigenlijk ook geen vader had, omdat hij zo ver weg zat. Ik voelde me bijna een wees. Hoe zou jij het vinden om door grootouders te worden grootgebracht?'

'Als je een vader nodig had, waarom ben je dan niet bij ons komen wonen?'

'Dat wilde ik ook! Maar mijn grootouders Saint-Fraycourt lieten me zelfs niet bij hem op bezoek gaan. Ze zijn heel ouderwets. Ze waren ervan overtuigd dat jouw moeder een slechte invloed op me zou hebben.'

'Ik heb nog nooit zo iets stoms gehoord!'

'Zo zijn ze nu eenmaal. Je moet ze kennen om zo iets te kunnen begrijpen.'

'Ik zal zulke mensen nooit begrijpen!' zei Delphine heftig.

'Dat hoeft ook niet. Hoor eens, ik had er eigenlijk niet over moeten beginnen. Kunnen we niet doen alsof jij me niets hebt gevraagd en ik je niets heb verteld? Waarom zouden we ons opwinden over wat oude mensen vinden? Kom, Delphine, snuit je neus. We zijn bijna in de stad. Dan gaan we in een café wat limonade drinken en daarna een eindje wandelen. We kunnen misschien zelfs een kijkje nemen in de kathedraal, als we toch in de buurt zijn. We moeten grootmoeder tevreden houden.'

Toen Bruno de auto startte, bedacht Delphine dat ze het aan haar moeder zou vragen. Ze zou Bruno of haar grootmoeder toch niet geloven. Maar stel dat haar moeder echt op haar zeventiende uit Dijon was weggelopen? Stel dat haar moeder echt minnaars had gehad en met hen had samengewoond?

Ze vertelde nooit iets over vroeger toen zij jong was en naar feestjes ging en jongens ontmoette en uitnodigingen voor bals kreeg en hoe ze vader had ontmoet, zoals je had kunnen verwachten. Er was ... er was altijd iets geweest ... iets. Niet echt iets geheimzinnigs, maar iets ... waar niet over gesproken werd ... iets vreemds ... iets ontbrekends ... iets waar ze geen naam aan kon geven ... een leemte ... waardoor Delphine begreep dat haar moeder anders was dan de moeders van haar vriendinnetjes. Stel dat het waar was, wat Bruno had gezegd? Stel dat ze ... Maddy was geweest?

Ze geloofde hem natuurlijk niet, maar ze zou er met niemand over praten. Ze wilde het gewoon niet weten. Het ging niemand iets aan. Ze zou er zelf ook nooit meer aan denken. Het was niet van belang. Zelfs als het waar was, dan was het nog niet van belang.

In die eerste week van hun bezoek vroeg Jean-Luc de Lancel op zekere avond na het eten zijn zonen en Bruno een wandeling met hem te maken.

'Jullie moeten een trui meenemen,' zei hij, 'want het kon wel eens fris worden.' Paul en Guillaume keken elkaar even aan. Kennelijk had hun vader op deze warme avond zin om zijn kelders te bezoeken die, als alle kelders in Champagne, zo diep in de kalkrotsen waren uitgehakt dat het temperatuurverschil tussen de warmste en de koudste dag van het jaar nooit meer dan tien graden Celsius bedroeg.

'Voor mij hoeft dat niet, grootvader,' zei Bruno, maar hij zag niet hoe Jean-Luc een warm jack meenam dat in de garderobekast naast de deur hing en dat over zijn arm wierp, samen met de extra trui die hij voor zichzelf had meegenomen.

Toen ze met zijn vieren wegliepen, bedacht Paul dat Bruno kennelijk nooit in de kelders was geweest. Kennelijk had hij er niet veel belangstelling voor. Of vond zijn grootvader hem nog te jong. Maar hij had Delphine of Freddy of zelfs Eve evenmin uitgenodigd, terwijl de Lancel-kelders beslist interessanter waren dan al het andere op het landgoed. Ze waren lang niet zo groot als de vijfentwintig kilometer lange kelders van de gigantische firma Moët & Chandon, of zo bijzonder als die van Pommery, waarin de gewelven verschillende bogen hadden in romaanse, gotische of Normandische stijl, maar Paul wist dat de meisjes het toch heel graag hadden willen zien.

Elk bezoek aan elke kelder van een groot champagnehuis was een openbaring voor een ieder die zich een wijnkelder voorstelde als donker, muf en vol spinnewebben. De Lancel-kelders vormden hierop geen uitzondering. De vier mannen bevonden zich weldra in een ondergrondse stad die goed verlicht, geventileerd en geplaveid was, met brede toegangswegen die naar kleinere straatjes voerden die regelmatig door zijstraten werden gekruist, tot al snel iemand die hier de weg niet wist het risico liep volledig te verdwalen tussen de twee meter hoge muren die bestonden uit duizenden flessen champagne op smalle houten latten, laag op laag gestapeld, tot ze lange rijen vormden van drie meter breed, die aan weerskanten werden beschermd door kalkstenen muren die heel glad waren afgewerkt.

Met een grijns van dank trok Bruno het jasje aan dat zijn grootvader hem had gegeven. Guillaume en Jean-Luc wandelden langs de muren van champagne en stopten zo nu en dan om een speciale fles te voorschijn te trekken en die aan Paul en Bruno te laten zien.

'Al onze wijngaarden zijn opnieuw aangeplant na de aantasting met phylloxera . . . voor zover ik weet is er niet één zieke wijnstok in Champagne achtergebleven,' zei Jean-Luc peinzend. 'We mogen natuurlijk niet klagen, maar het is wel jammer dat in deze crisistijd de prijs van de druiven zo is gedaald. De mensen schijnen onze wijnen niet meer te kunnen betalen. De bestellingen gaan achteruit, is het niet, Guillaume? Het drankverbod in de Verenigde Staten heeft daar ook geen goed aan gedaan. Maar wij in Champagne hebben wel ergere dingen meegemaakt en ik twijfel er niet aan dat alles binnenkort weer beter zal gaan.'

Terwijl hij liep te praten, was hij stil blijven staan bij een muur aan het eind van de kelder. Bruno keek om en had geen flauw idee in welke richting de ingang van de kelder lag; hij was volledig de koers kwijtgeraakt in al die gewelven. Hij huiverde even en deed een stap naar achteren, zichtbaar onwillig om in deze kou het verhaal van zijn grootvader nog verder te moeten aanhoren.

'Eén moment nog, Bruno. Ik wil je iets laten zien. Elke Lancel moet op de hoogte zijn van de veiligheidsmaatregelen van onze familie, want wie weet wat de toekomst zal brengen? En hoe snel? Guillaume?'

De vicomte wees naar de muur en Guillaume drukte resoluut op een kleine kras in de kalkstenen muur. Een blok kalksteen draaide aan een onzichtbaar scharnier rond en onthulde een metalen slot. Jean-Luc de Lancel pakte een kleine sleutel van zijn sleutelbos, stak deze in het slot en deed een deur open in de muur, die uit massieve blokken kalksteen bestond. Achter de deur heerste volledige duisternis. Hij stapte voor de anderen uit het donker in en knipte een reeks lampen aan. Vóór hen lag opnieuw een enorme kelder die, op de toegangspaden na, geheel was gevuld met glanzende borstweringen van champagne. De wijn, in stapels van twintig flessen hoog, leek op staven goud, zo stralend zag elke fles eruit met de twee vergulde etiketten en het feestelijke goudfolie om de hals en de kurk.

'Dit zijn grotendeels flessen van normale afmetingen,' zei Jean-Luc wijzend, met begrip voor hun verbaasde stilte. 'Dáár staan de Magnums, de Jeroboams, de Rehoboams en de Methusalems, hoewel de vraag naar de grotere formaten helaas niet meer is wat hij geweest is. De opslagcondities zijn perfect, maar desondanks verwijder ik elke twaalf jaar de millésimés, de wijnen uit de goede jaren die lang bewaard kunnen worden, om ze op de markt te brengen, aangezien zelfs de beste champagne na een jaar of twintig ondrinkbaar wordt. Ik heb er een onwrikbare regel van gemaakt ze direct te vervangen zodra er weer een millésimé-jaar is, hoezeer dat de winst van ons huis ook mag drukken. Wanneer de oogst niet goed genoeg is voor een millésimé, vervang ik de flessen van dat jaar elke vier jaar. Maar deze kelder is altijd gevuld. Altijd. Zelfs als er een ramp gebeurt, een jaar waarin de wijn ondrinkbaar is, zal ik ze toch nimmer aanraken – nee, zelfs niet als er enige slechte jaren achtereen komen – want dit is de kracht van het huis Lancel. Dit is onze schatkamer. We noemen het *Le Trésor.*'

'Wat is het nut van een enorme kelder vol champagne die u slechts verkoopt en aanvult, verkoopt en aanvult? Wat heeft het voor zin zoveel te bewaren?' vroeg Bruno verbaasd.

Jean-Luc de Lancel glimlachte naar zijn kleinzoon en sloeg een arm om zijn schouders. Dit was er tenslotte allemaal voor zijn familie en hij genoot van zijn eigen verhaal.

'In 1918, Bruno, toen de oorlog was afgelopen, kwam ik weer thuis om tot de ontdekking te komen dat de Italiaanse generaal en zijn staf die het château als hoofdkwartier hadden gebruikt, de volledige voorraad champagne uit de kelders hadden opgedronken. Misschien hadden ze er wel in gebaad, want alles was verdwenen, tot op de laatste fles, honderdduizend flessen . . . weg! Zo iets was al eens eerder gebeurd, in 1870, toen Valmont tijdens de Frans-Pruisische oorlog door Duitse troepen was bezet. In 1918 waren onze wijngaarden er slecht aan toe – vele waren gebombardeerd in de laatste maanden van de loopgravenoorlog. Het heeft drieëneenhalf jaar onafgebroken werk en zorg gekost, Bruno, en een groot deel van het familiekapitaal, eer we onze eerste volledige oogst aan druiven hadden. We zijn er grotendeels weer bovenop gekomen, maar nu ons banksaldo er weer gezond uitziet, zijn onze wijnstokken helaas van middelbare leeftijd.'

'O ja?' vroeg Bruno, die niet, zoals Paul en Guillaume, begreep wat dit inhield.

'Tegen de tijd dat een wijnstok tien jaar oud is, is hij op z'n best,' vervolgde Jean-Luc. 'Met vijftien jaar is hij van middelbare leeftijd en met twintig heb je er niet veel meer aan. Dan moet je hem uitgraven en nieuwe stokken planten. De wijnstokken die in 1919 zijn geplant zijn nu op hun best, maar ze kunnen nog maar acht, hoogstens tien jaar mee.'

'Ik begrijp nog steeds niet waarom u al deze flessen bewaart,' viel Bruno hem ongeduldig in de rede; hij wilde snel die koude kelder verlaten. Maar zijn grootvader vertelde rustig verder.

'Wie weet wat de toekomst zal brengen? Wie weet hoe moeilijk het zal zijn om alles te herplanten? Wie weet – en daarover maak ik me de meeste zorgen – wat er zal gebeuren als we weer een oorlog krijgen? Duitsland is bezig zich opnieuw te bewapenen. Het eerste wat de Duitsers in Frankrijk doen is naar Champagne optrekken – dat is altijd al zo geweest. We zijn gezegend met onze grond en vervloekt door de plaats waar die ligt. Ik twijfel er niet aan dat monsieur Hitler reeds plannen heeft voor onze erfenis. Dus heb ik alles gedaan wat ik kon. Ik heb elk jaar een groot percentage van de beste wijn achtergehouden en die zo lang opgeslagen als maar verstandig was. Mocht er weer een oorlog komen, dan zal na afloop daarvan een Lancel op Valmont terugkeren om daar een schat te vinden waarvan niemand op de hoogte is, buiten de Martins, mijn drie keldermeesters – drie neven voor wie ik mijn leven in de waagschaal zou durven stellen. Zij hebben deze flessen hierheen gebracht zodat we, wanneer nodig, in staat zijn tot herbouwen, tot herplanten, tot het opknappen van de wijngaarden, door die champagne te verkopen. En daar ben ik niet bang voor – er zal altijd een markt voor champagne bestaan, zolang als deze beschaving voortduurt.'

'Weet moeder ervan?' vroeg Paul.

'Natuurlijk. Vrouwen hebben ook wijngaarden beheerd – soms zelfs beter dan mannen. Kijk bijvoorbeeld naar Veuve Cliquot en naar de onweerstaanbare madame Pommery. Tegenwoordig heb je madame Bollinger en de marquise de Suarez d'Aulan van Piper-Heidsieck. Ja, je moeder weet ervan en eens zul jij het Eve misschien willen vertellen. Maar de meisjes zijn nog te jong om zich druk te maken over mijn sombere kijk op de toekomst. Maar laten we nu, alvorens te vertrekken, samen een glas drinken – het is hier koel genoeg om de wijn zonder verdere koeling te drinken.'

De vicomte liep naar een tafeltje naast de deur, waarop tulpvormige glazen op hun kop waren gezet, door een linnen doek afgedekt tegen het stof. Hij haalde voorzichtig een fles zeldzame champagne-rosé uit het rek en trok met een speciale opener heel langzaam de kurk eruit. Even verscheen er een spiraalvormig rookwolkje, om heel snel te vervluchtigen. Toen pas schonk hij een laagje champagne in zijn glas en draaide het even rond om het op te wekken uit de slaap. Guillaume, Paul en Jean-Luc keken goedkeurend naar het sneeuwwitte, snel verdwijnende schuim boven op de wijn. Toen de vicomte het glas tegen het licht hield, bewonderden ze de onvergelijkbare lichtroze gloed van de vloeistof en bogen zich voorover om de belletjes bij de steel te zien ontstaan die naar de oppervlakte sprongen met een levendigheid en een uniformiteit van vorm die erop wezen dat de wijn heel goed beloofde te zijn. Slechts de vicomte rook aan de wijn, maar hij gaf het glas aan Bruno om hem naar de belletjes te laten luisteren. Hij zei: 'Er zijn mensen die niet weten dat een wijn spreekt.' Toen vulde hij alle glazen, zwenkte zijn eigen glas en nam ten slotte een slok van de champagne.

'Op de toekomst!' zei hij en ze dronken allemaal. Toen Bruno zijn glas leegdronk, vroeg zijn grootvader: 'Heb je opgemerkt dat de champagne één bepaalde smaak in je mond heeft, en een andere achter in je keel, wanneer je het hebt doorgeslikt?'

'Nee, om u de waarheid te vertellen is me dat niet opgevallen.'

'Ach, dan moet je de volgende keer nog beter opletten, jongen. Het is misschien nog eerder een soort gloed dan een duidelijke smaak, en alleen een volmaakte champagne bezit het. Het wordt de afdronk genoemd.'

Een paar dagen later, op een mistige middag in Parijs, wierp vicomte Bruno de Saint-Fraycourt de Lancel, zoals er op zijn visitekaartje stond, hoewel hij niet met de naam van zijn moeders familie was gedoopt, zijn kaarten op de tafel in de kaartkamer van zijn club en zei tegen de vrienden met wie hij had gespeeld: 'Heren, dat was het voor vandaag.'

'Gaan we al zó vroeg weg, Bruno?' vroeg Claude de Koville, zijn beste vriend.

'Mijn grootmoeder wilde graag dat ik vroeg voor de thee thuiskwam – ze verwacht bezoek.'

'De volmaakte kleinzoon,' zei Claude spottend, 'en net nu je het geluk aan jouw kant hebt. Jammer, Bruno. Maar misschien kan ik nu eens winnen, als jij er niet bent.'

'Ik wens je een goeie kaart,' zei Bruno en hij stond op en vertrok. Toen hij zijn club had verlaten, nam hij direct een taxi naar de Rue de Lille. Sinds zijn botsing met Eve had hij zich gespannen en geïrriteerd gevoeld en hij weigerde zulke emoties te moeten verdragen zonder zich af te kunnen reageren.

'Goeiedag, Jean,' zei Bruno tegen de butler die de deur van het grote huis opendeed. 'Is monsieur Claude thuis?'

'Nee, monsieur Bruno, hij is vanmiddag afwezig.' Hij was zijn leven lang bij de familie Koville in dienst geweest en hij had in de afgelopen jaren zowel Bruno als Claude zo vaak uit zijn provisiekamer moeten jagen, dat hij de achttienjarige Bruno nog steeds aansprak als de schooljongen die hij altijd had gekend.

'Dat is jammer. Ik hoopte op een kopje thee.'

'Madame la comtesse gebruikt haar thee nu. Ze is vanavond alleen. Zal ik haar zeggen dat u er bent?'

157

'Ach, doe maar geen moeite – alhoewel, bij nader inzien, ja, toch maar wel, Jean. Ik sterf van de dorst.'

Een paar minuten later ging de butler Bruno voor naar de kleine salon op de tweede verdieping, waar Sabine de Koville op de sofa achter een dienblad thee zat te drinken. Ze had haar lange benen onder de rok van haar wijde, gedrapeerde Vionett middagjurk van groene zijden crêpe over elkaar geslagen. Het schuingeknipte bovenstuk viel ruim neer vanaf haar blanke hals en haar jurk werd op de heup met één plooi bijeengehouden in een sierlijke, Griekse lijn.

Sabine de Koville was een elegante vrouw van achtendertig met sluik zwart haar dat onder haar oren naar binnen viel. Ze had magere, krullende lippen die knalrood waren geverfd. Haar ogen waren lang en loom, met iets spottends in de hoeken, maar haar stem klonk altijd ongeduldig en rusteloos, met wie ze ook praatte. Ze kleedde zich altijd in de verleidelijk vrouwelijke kleren van Vionett, want haar stevige lichaam was net iets te uitbundig om goed tot zijn recht te komen in de jongensachtige stijl van Chanel en ze vond dat Schiaparelli te gemakkelijk kon worden nagemaakt door de confectie-ateliers, en misschien ook te grappig was om te worden gedragen door iemand die serieus over couture dacht.

De comtesse de Koville werd beschouwd als een van de meest intelligente vrouwen van Parijs, ondanks het feit dat ze nooit intieme vriendinnen had, of misschien juist wel daarom. Niemand sloeg ooit een uitnodiging voor haar feestjes af, maar ze gebruikte de thee vaak alleen.

'Als je mijn zoon Claude zoekt, Bruno, kan ik je niet helpen . . . hij vertelt me nooit waar hij heen gaat of wanneer hij terug is,' zei madame De Koville, terwijl Jean de kamer uit ging. Bruno liep naar de sofa en bleef op een halve meter afstand van haar staan, met zijn ogen eerbiedig neergeslagen.

'Voordat ik hier kwam wist ik al dat hij niet thuis was,' zei Bruno. 'Ik heb hem in de club achtergelaten. Ik denk niet dat hij de eerste uren thuis zal komen.' Het bleef even stil, terwijl ze hem bekeek zoals hij daar op haar bevelen stond te wachten. Ze hief slechts haar grote, ietwat vierkante handen naar haar onderlip en tikte er even op, alsof ze tot een besluit moest komen. Ze zette haar benen naast elkaar, schoof haar theekopje op het dienblad en sloeg haar ogen op naar Bruno, alsof hij haar zojuist een heel subliem grapje had verteld. Toen ze weer sprak, was het alsof ze het onderwerp van haar zoon nooit hadden aangeroerd.

'Dus zó zit het, Charles?' De vraag klonk bruusk.

'Ja, madame,' antwoordde Bruno bedeesd, met een eerbiedig gebogen hoofd.

'Heb je de auto in de garage gezet, Charles?' wilde ze weten.

'Zeker, madame.' Zijn stem klonk onderdanig, serviel, en zijn donkere wenkbrauwen trokken zich gespannen samen.

'Is hij gewassen en gepoetst?'

'Ja, madame, precies zoals madame had besteld.'

'Heb je alle pakjes meegebracht waarom ik je had gevraagd, Charles?'

'Ik heb ze hier bij me. Waar wil madame dat ik ze neerleg?' vroeg Bruno, waarbij zijn grillig gevormde bovenlip nog duidelijker dan anders naar voren stak.

Sabine de Koville kwam, ruisend in haar zijden gewaad, overeind en liep zonder iets te zeggen van de kleine salon naar haar schemerig verlichte slaapkamer, waar het dienstmeisje de gordijnen al had dichtgetrokken. 'Je kunt ze dáár wel neerleggen, Charles,' zei ze, en de rusteloosheid in haar stem werd heviger.

Bruno draaide zich om en deed de slaapkamerdeur op slot. 'Heeft madame me verder nog nodig?'

'Nee, Charles. Je kunt wel gaan.' Bruno pakte haar hand alsof hij die wilde kussen. Maar in plaats daarvan draaide hij de hand om, drukte zijn lippen in haar palm en zoog de zachte huid in zijn dikke mond, zodat ze zijn tanden en zijn warme adem voelde. Hij hield haar hand beet en hief zijn hoofd. Haar ogen gingen plotseling half dicht, in een bijna onwillig genot.

'Je kunt wel gaan, Charles,' drong Sabine de Koville gebiedend aan.

'Ik vind van niet, madame,' zei Bruno, en hij trok haar hand nog verder naar zich toe en toen omlaag, naar zijn kruis, waar zijn penis in zijn broek naar voren priemde. 'Hou op, Charles,' zei de comtesse en ze probeerde zich los te rukken, maar hij bleef haar hand genadeloos vasthouden, zodat ze was gedwongen hem te omvatten. Ze sloeg haar ogen neer en bleef stilstaan, alsof ze naar een klein, nauwelijks waarneembaar geluid luisterde terwijl ze Bruno voelde schuiven en draaien en steeds harder worden, tegen haar handpalm en vingers, tot hij enorm was. Haar dunne lippen gingen onwillekeurig uiteen, ze haalde moeizaam adem en er verscheen een wellustige uitdrukking op haar strenge, beschaafde gezicht.

'Madame moet volledig stil blijven staan. Madame moet doen wat ik haar zeg en niets anders,' zei Bruno scherp. 'Heeft madame dat goed begrepen?' Ze knikte ernstig en voelde hoe ze warm en zwaar tussen haar dijen werd toen ze naar de plotseling heftige gelaatstrekken van de jongen keek. De aderen in zijn slapen zwollen en zijn wat pruilende mond leek nu lelijk, op een manier die haar deed verlangen hem te kussen, maar ze maakte geen enkel gebaar in die richting.

'Madame moet tegen de muur staan,' mompelde hij. 'Madame mag haar schoenen niet uittrekken.' Ze gehoorzaamde, met rechte rug en haar borsten trots geheven. Hij boog zich over haar heen, op slechts enkele centimeters afstand, en nam haar borsten ruw in zijn handen, woog ze en wreef met zijn duim en wijsvinger over haar tepels, door de dunne zijden stof heen. Hij kneep vakkundig en herhaaldelijk, tot hij haar bijna pijn deed. Haar hard-geworden tepels zochten zijn mond, maar die kwam niet. Ondanks haar zelfbeheersing schoof ze haar lichaam van de muur af, naar dat van hem toe, maar hij duwde haar bij de schouders terug. 'Ik zei toch dat madame zich niet mocht bewegen,' beval hij onvermurwbaar en hij bleef met één hand haar tepels prikkelen terwijl hij met de andere tergend langzaam omlaaggleed over de zijde die haar volle, gespannen lichaam bedekte, tot hij de welving vond die hij zocht. Daar stopte hij en begon haar met onderzoekende, volhardende vingers te strelen.

Opnieuw probeerde ze zich naar voren te buigen zodat haar onderlijf in aanraking kon komen met de vooruitstekende heuvel op zijn kruis, maar Bruno dwong haar onbeweeglijk te blijven terwijl zijn vingers de zijde steeds verder plooiden, tot deze tussen haar benen schoof, en hij streelde en wreef haar op een krankzinnig makende wijze, nu licht, dan woest, nu voorzichtig, dan brutaal onderzoekend. Haar ademhaling werd heel oppervlakkig terwijl ze wachtte, met haar hoofd in onvoorwaardelijke overgave achterovergebogen. De zijde was nat geworden. 'Madame mag nu op de stoel bij het bed knielen,' beval Bruno.

'Ik . . .'

'Madame moet doen wat ik zeg,' beval Bruno.

Ze liep de kamer door, haar ogen op het tapijt gericht, te opgewonden om de jongen haar blik te laten zien. Haar jurk golfde sensueel om de rondingen van haar lichaam toen ze op de leunstoel neerknielde, met haar armen op de rugleuning. Bruno knielde op het tapijt achter haar en sloeg haar rok om haar middel. Haar ronde, geheven achterwerk was naakt, haar benen, nog steeds in haar hooggehakte schoenen, werden slechts voor de helft bedekt door zijden kousen, haar volle witte dijen waren van elkaar gescheiden door een dun streepje zwart haar. Hij bleef haar een minuut lang bekijken, om te genieten van haar machteloosheid, tot hij zich vooroverboog en zijn mond, die de mond van een knappe vrouw had kunnen zijn, diep in het haar tussen haar benen drukte. Ze kreunde.

'Als madame ook maar één geluid maakt, houd ik direct op,' dreigde hij en ze knikte in absolute gehoorzaamheid, zichzelf dwingend stil te blijven zitten, geen enkele reactie te vertonen, zodat al haar zintuigen waren geconcentreerd op het hete zwaard van zijn tong, het bijtende, kwellende spel van zijn lippen en tanden, en de kracht van zijn handen die haar uiteenhielden, zodat hij haar vrijelijk kon gebruiken.

Ze hoorde hoe Bruno met één hand zijn broek openmaakte en ze huiverde vol verwachting. Hij trok haar naar de rand van de stoel, zodat haar buik op de zitting rustte, met haar knieën op het tapijt en haar opening op één hoogte met zijn gespannen, gezwollen penis. Ze hield haar adem in en toen ze voelde hoe hij haar beklom en zijn gladde, gezwollen lid in haar hongerige lichaam schoof. Ze wist dat ze niet mocht proberen terug te duwen, dat ze roerloos moest wachten, dat ze zich met haar uiterste wilskracht moest bedwingen tot hij zijn eigen kwelling niet langer kon verdragen en voorwaarts stootte, haar volledig vulde. Zijn handen hielden haar bij haar middel vast, drukten haar op de stoel zodat ze zich niet kon bewegen, terwijl hij zich bijna volledig terugtrok voordat hij opnieuw in haar stootte, bijna even bruut en harteloos als een dier. Hij stootte zonder aandacht of zorg in haar wijd open schede, in een beestachtige, moordlustige roes, tot hij in een lang, woest orgasme, met zijn gezicht vertrokken tot een stille schreeuw, eindelijk zijn lang uitgestelde ontlading vond. Pas toen hij zich volledig had bevredigd, sleepte hij haar van de stoel en smeet haar op het tapijt, met haar gezicht naar boven. Met een ruw gebaar stak hij zijn gezicht tussen haar benen en toen ze zijn lippen voelde zuigen, begon ze te beven en te schokken in een monstrueuze climax. Gedurende een enkel moment bleven ze beiden stil op de vloer liggen.

'Heeft madame me verder nog nodig?' Zijn stem klonk inschikkelijk, als die van een bereidwillige dienaar.

'Nee, Charles. Vanavond niet,' zei ze kortaf. Hij kwam overeind, knoopte zijn gulp dicht, maakte de deur open en vertrok zonder nog iets te zeggen. Sabine de Koville bleef op het tapijt liggen, zonder de kracht te hebben overeind te komen, met een glimlach op haar lange, krullende lippen, die Bruno niet één keer had gekust. Hij wist wel beter, dacht ze dromerig, veel beter dan dat te proberen.

8

Stratocumulus, stratus, cumulus, cumulonimbus, zei Freddy bij zichzelf en proefde de woorden liefdevol in haar mond, smulde ervan met een genoegen dat ze nimmer voor enige dichtregel had gevoeld. De meteorologische termen voor verschillende typen lage wolkenformaties hadden geen enkel nut voor haar. Als vijftienjarige leerling-piloot zou ze uitsluitend bij helder weer mogen vliegen, maar ze was in de verleiding gekomen die namen in de schoolbibliotheek op te zoeken, omdat ze niet in haar basistheorieboek stonden.

'Kunt u me alstublieft die zak geven?' klonk een geïrriteerde stem schel. Freddy draaide zich verontschuldigend om en reikte een zakje Woolworth's jelly beans aan. Ze proefde nog meer mooie woorden – altocumulus, altostratus, nimbostratus, de wolkenformaties die boven 6500 voet te vinden waren – en ze vroeg zich af wie die had bedacht, terwijl ze een pond marshmallows in een ander zakje deed. Ze werkte afwezig maar snel, want ze was het enige meisje op de snoepafdeling en de klanten stonden ongeduldig te wachten.

Terwijl Freddy zich door die morgen heen werkte, begon ze de staat van haar financiën op te maken. Toen ze in januari vijftien was geworden, was haar zakgeld verhoogd van een kwartje tot dertig cent, een grote luxe in deze crisisjaren. Het was nu begin november 1935 en haar toelage van dit jaar had tot nu toe dertien dollar en vijftig cent bedragen.

Freddy schudde haar hoofd bij de gedachte aan één persoonlijke verkwisting waar ze geen weerstand aan kon bieden, hoewel deze diepe gaten in haar budget sloeg. Ze was een filmgek. Ze had *The Lost Squadron* met Joel McCrea vijf keer gezien, en *Central Airport* en *Ace of Aces* elk zes keer. Ze had *The Eagle and the Hawk*, met Fredric March en Cary Grant door haar examens maar vier keer kunnen zien, maar ze was in de schoolvakantie wel negen keer naar *Night Flight*, met Clark Gable, geweest. *Ceiling Zero* en *Devil Dogs of the Air* kwamen binnenkort in de bioscoop en ze bedacht wanhopig dat ze het eigenlijk niet moest doen, maar dat ze toch elke keer weer tien dollarcent zou uitgeven aan een kaartje.

Ze had dit jaar al drie hele dollars verspild aan – nee, niet verspild aan, maar geïnvestéérd in – bioscoopkaartjes. Ze had nog eens drie dollar besteed aan verjaardagscadeautjes voor Delphine en voor haar ouders. Als ze nu maar tijd had gehad om op school cadeautjes voor hen te maken, in plaats van iets te moeten kopen, als ze nou maar had leren breien of haken of naaien, bedacht Freddy spijtig terwijl ze nadacht over haar schat van zeven dollar en vijftig cent die ze van haar zakgeld had weten te sparen. Tot zover het geld dat ze thuis kreeg.

Het beeld van de inkomsten van haar baantje zag er gezonder uit. Haar zaterdagse werk bij Woolworth betaalde vijfendertig cent per uur, wat haar twee dollar en tachtig cent per week opleverde. Zonder dat haar familie het wist, had ze dit baantje nu al drie maanden. Ze had dit geld allemaal kunnen sparen, behalve het buskaartje dat ze moest betalen om bij Woolworth in de benedenstad te komen, de vijftig cent die ze had besteed aan een spijkerbroek voor haar lessen en het geld voor het broodje op haar werk.

Haar zelfverdiende geld bedroeg nu zesentwintig dollar en vijftig cent, en dat maakte samen met de zeven vijftig van haar zakgeld in totaal vierendertig dollar. Vierendertig dollar was een heleboel geld, dacht ze spijtig ... tenzij je leerde vliegen. Tot dusver had ze drie uur vlieglles gehad, een half uur per week, en dat had haar twaalf van die kostbare dollars gekost. Mac had gelukkig zijn gebruikelijke prijs van zes dollar per uur laten zakken tot vier, zijn 'onder de zestien'-prijs, had hij tegen haar gezegd. Ze had nog steeds tweeëntwintig dollar in kas, voldoende voor nog vijf uur, als ze erin slaagde elke vrijdag naar Dry Springs heen en weer te liften. Dat zou bij elkaar op acht uur instructie neerkomen. Als ze haar baantje kon behouden, zou ze toch nog de nodige kerstcadeautjes voor haar familie kunnen kopen. Zou je niet hoe dan ook mogen solovliegen als je bij elkaar acht uur had gevlogen? Misschien zou Mac haar zelfs wel na minder tijd alleen laten gaan, dacht ze hoopvol terwijl ze toffees woog.

Tenslotte had Mathilde Moisant al in eenendertig minuten leren vliegen. En was ze niet de tweede vrouw met een vliegbrevet in Amerika geweest? Maar dat was in 1911, voordat er allerlei vervelende regels en reglementen waren opgesteld om de mensen uit de lucht te houden. Bovendien zagen die eerste vliegtuigen er zo eenvoudig uit, dat het wel vliegende fietsen leken. Ze hadden geen gashandels, geen remmen, geen instrumentenpaneel; ze zagen eruit als vreemde gymnastiektoestellen, met een wiel ergens in het midden; de enige overeenkomst die ze met Macs nieuwe, rode Taylor Cub met gesloten cockpit vertoonden was dat ze ook vleugels hadden en van de grond konden komen.

Terwijl ze een zak met lange dropslierten stond te vullen, bedacht Freddy dat ze er veel voor over had gehad als ze niet zo had hoeven liegen. Als ze nog steeds op Sacred Heart had gezeten, onder de nieuwsgierige neus van Delphine, had ze niet zo gemakkelijk weg kunnen komen, maar haar ouders hadden haar zonder veel problemen toegestaan naar de plaatselijke John Marshall High School te gaan. Doordat ze op Sacred Heart zulk goed onderwijs had genoten had ze, in combinatie met een zomercursus, het eerste jaar van de highschool kunnen overslaan.

Nu zat ze op haar vijftiende als ouderejaars op John Marshall. Drie maanden geleden, toen de school begon, was ze gaan liegen. Om zaterdag de hele dag van huis te kunnen zijn – voor haar baantje – had ze een vriendin in Beverly Hills bedacht, met een zwembad waarin Freddy zogenaamd trainde om in de zwemploeg van de school te kunnen komen. Deze leugen werd direct geloofd aangezien Freddy reeds een ster was in schoonspringen; ze was het enige meisje van de school dat zich volmaakt gelukkig voelde wanneer ze van de hoge springplank dook. Als reden dat ze de afgelopen zes weken op vrijdag, na haar vlieges, zo laat was thuisgekomen, had ze een buitenschoolse activiteit bedacht die haar druk bezighield: het schilderen van de decors voor het jaarlijkse kerstspel. Tegenover Mac verklaarde ze dat ze per week slechts een half uur les kon hebben, hoewel ze beslist op haar zestiende verjaardag wilde solovliegen, omdat ze grote bergen huiswerk had, maar in werkelijkheid kon ze op school alles snel afraffelen tijdens de studie-uren. Tegen haar familie zei ze dat ze 's avonds hard moest studeren omdat ze hoge cijfers wilde halen, terwijl ze eigenlijk hard op haar theorielessen voor Mac zat te studeren. Dat waren slechts vier leugens – vijf als ze het liften meetelde. Freddy had nooit expliciet te horen gekregen dat ze niet mocht liften, maar ze had zo'n idee dat ze het antwoord al wist als ze ernaar zou vragen.

Cirrus, zong ze in zichzelf, cirrocumulus, cirrostratus – de wolken die ze eens op een dag boven de 16.500 voet zou aantreffen. De koningen en koninginnen van de dampkring. De enige smoes die ze nog niet had uitgeknobbeld, was hoe ze op vrijdag vroeger van school kon om naar Dry Springs Airport te gaan. De leraren op John Marshall High School waren zeldzame cirrostratus-wolken van leraren. Ze kenden alle trucjes die middelbare scholieren maar wisten te bedenken en ze zwichtten uitsluitend voor een degelijke brief van je ouders. Hoeveel briefjes van thuis zou ze kunnen produceren, zelfs als ze haar moeders briefpapier gapte en haar handschrift imiteerde? En stel dat een leraar voor alle zekerheid naar huis belde? Nee, die vlieger ging niet op.

Terwijl ze een enorme zak gomballen stond af te wegen, vroeg Freddy zich voor de zoveelste keer af of het niet beter was geweest als ze vanaf het begin haar ouders eerlijk de waarheid had verteld, en het antwoord was hetzelfde als altijd: stel dat ze het niet goed hadden gevonden? Dat risico was echt te groot. Het was al erg genoeg dat ze moest liegen over iets wat niet echt bestond. Het zou tien keer zo erg zijn geweest als ze werd gedwongen te liegen over iets wat haar formeel was verboden. En de andere keuze – haar plannen om te leren vliegen opgeven tot ze oud genoeg was om te doen wat ze wilde – was helemaal geen keuze. Dat zou betekenen dat ze nog eens vijf jaar moest wachten, tot haar eenentwintigste. Volgens de wet mocht je op je zestiende solovliegen en op negen januari 1936 zou ze – móest ze – solovliegen. Vervolgens, na nog eens tien uur instructie, kon ze dan haar vliegbrevet halen. Daarna, en niet eerder, kon ze beginnen de vlieguren op te bouwen die haar in staat zouden stellen mee te doen aan luchtvaartraces of misschien, eens, een vlucht te maken die nog door niemand anders was volbracht. Het was te vroeg om nu al duidelijke ambities te hebben als ze nog niet eens wist waar ze het geld voor die tien uur instructie vandaan moest halen.

Maar Freddy zette al die sombere overpeinzingen resoluut van zich af en bedacht dat het andere vrouwen ook was gelukt. Volgens het *Aviation Yearbook*, dat ze uit de bibliotheek had gehaald, hadden vorig jaar meer dan vierhonderd Amerikaanse vrouwen hun vliegbrevet gehaald. Zij hadden dit weten te bereiken en Freddy was vastbesloten dit ook te bereiken.

Met enige opluchting zag ze dat het tijd was voor de lunch. Ze hadden bij Woolworth een broodjesafdeling waar de man achter de toonbank haar een gratis glas melk gaf bij haar tonijn op roggebrood. Zij wierp hem op haar beurt een dankbare blik toe, met ogen waarvan ze geen idee had dat ze zo'n intens hemelsblauwe kleur hadden.

Terwijl ze haar sandwich zat te eten, dwaalden Freddy's gedachten van haar geldproblemen naar de theorielessen. Mac had haar ervoor gewaarschuwd. 'Goed, jij wilt dus vliegen, meisje, maar je kunt van mij aannemen dat je je theorielessen vreselijk zult vinden,' had hij voorspeld.

Maar Freddy vond huishoudkunde vreselijk en was dol op haar theorielessen. Ze smulde van *De Theorie van het Vliegen. Lift,* draagkracht. Was dat niet een van de mooiste woorden die ze kende? Ze had uiteraard geweten dat een vliegtuig kon vliegen – net als Leonardo da Vinci en de gebroeders Wright – maar tot haar theorielessen had ze niet geweten waarom. *Lift,* wat een heerlijk woord! en even opwindend: *Angle of Attack,* de standhoek, de hoek die de vleugels met de lucht maakten – even belangrijk als de draagkracht en iets dat alleen de piloot kon bepalen. Als haar standhoek niet goed was, kon het vliegtuig te snel stijgen of duiken en neerstorten. Het was iets waarover ze uren kon nadenken. En Greenwich Mean Time, de tijd op de meridiaan waar het observatorium van Greenwich lag. Het bezorgde haar een gevoel van intense voldoening, te weten dat iedereen in de luchtvaartwereld, van de beste piloten in de sterkste vliegtuigen tot Freddy de Lancel die achter een broodje tonijn zat, willens en wetens aan Greenwich Mean Time was onderworpen.

'Dat had ik toch niet besteld?' vroeg Freddy aan de man achter de toonbank, die nog een broodje tonijn voor haar had neergezet. 'Met de complimenten van de zaak,' zei hij royaal en hij vroeg zich af of ze wel besefte dat ze haar eerste broodje in zes grote happen naar binnen had gewerkt en er nog steeds uitzag alsof ze van de honger omkwam. Hoe kon je zo'n dót van een meisje zo hongerig laten blijven? Hij verheugde zich er de hele week op: haar haar broodje te zien eten. Maar ze was vast en zeker verliefd, want ze had die verre blik in haar ogen en ze wilde nooit een praatje maken. Wanneer de buffetbediende het niet druk had, keek hij in de loop van de dag vaak in de richting van de snoepafdeling, wetend dat hij haar er onmiddellijk uit kon pikken, want haar lange, koperkleurige haar vormde een stralende plek in de drukke winkel en ze was zo lang dat ze boven de meeste vrouwen uitstak.

Terwijl ze in haar tweede broodje beet, gingen Freddy's gedachten naar Delphine die, nu ze bijna achttien werd, knapper was dan ooit, zelfs in de ogen van haar jongere zusje. Die bijzondere, bijna hartbrekende broosheid die ze altijd al had bezeten, was niet verdwenen in de loop der jaren, zoals zo vaak gebeurde wanneer meisjes volwassen werden. De volmaakte ronding van haar lippen, de omhooggekrulde mondhoeken waren op een geheimzinnige manier geaccentueerd en konden niet alleen worden toegeschreven aan Delphine's voorzichtige gebruik van lipstick. De ogen van haar zusje waren groter geworden, haar bruine haar zwierde soepel om haar hoofd en haar hoge jukbeenderen en smalle kin waren iets duidelijker geworden. Op familiefoto's scheen ze altijd in het centrum van de groep te staan, zelfs als ze aan de rand stond, omdat het oog onmiddellijk naar het opmerkelijke patroon van licht en donker op haar gezicht werd getrokken.

Maar verder kon Delphine nog even vervelend zijn als altijd. Op zekere dag had ze Freddy betrapt bij het lezen van een boek over vliegen en had ze geconcludeerd dat haar zusje naar een carrière in de lucht zat te smachten – als stewardess. Delphine had de eisen die werden gesteld aan meisjes die naar een baantje als stewardess solliciteerden, opgezocht en ze met onverholen leedvermaak voorgelezen. 'Je moet gediplomeerd verpleegster zijn, onder de vijfentwintig, je mag niet meer dan vijftig kilo wegen en niet langer zijn dan één meter zestig – dan val jij gelijk af, stumper – en je mag niet verloofd of getrouwd zijn – nou, dat is ook niet zo moeilijk. Maar je loopt door je lengte wel wat mis, hoor. Hier staat dat je de passagiers hun eten moet serveren, helpen bij het tanken van brandstof, de bagage overbrengen, de vloer van de cabine dweilen, een spoorboekje bij je moet hebben, voor het geval dat het vliegtuig aan de grond moet blijven, en – da's een goeie! – dat je de passagiers in de gaten moet houden als ze naar de wc gaan, om ervoor te zorgen dat ze niet per ongeluk door de nooduitgang gaan!'

'Grappig, Delphine, reuzegrappig,' zei Freddy slap, met een vuurrood gezicht omdat ze was gesnapt met een boek over de avonturen van een jonge bushpiloot in Canada, terwijl ze eigenlijk *Anthony Adverse* behoorde te lezen, zoals alle andere meisjes die ze kende.

Ze kende niet de volledige tekst van *You Do Something to Me* of van *Just One of Those Things* uit haar hoofd; ze besteedde niet al haar zakgeld om bij

Greta Garbo in *Queen Christina* te zitten zwijmelen of hete tranen te plengen om Katharine Hepburn als Jo in *Little Women*, ze kocht geen Tangee-lipstick, was geen lid van de Joan Crawford-fanclub, epileerde niet stiekem haar wenkbrauwen en trok niet haar moeders beha's aan wanneer haar ouders niet thuis waren. En dat was nog maar het begin van de lijst dingen die Freddy niet deed of niet leuk vond en waarvan ze wist dat ze zich daardoor in haar klas op school willens en wetens tot een buitenstaander maakte, een meisje dat geen belangstelling had voor vriendjes en dansen en kleren. Dat moest dan maar zo zijn, vond ze filosofisch en dronk haar melk op. Haar best. Zij konden niet vliegen.

'Wil je nog wat chocolademelk?' vroeg de buffetbediende. 'Wordt je aangeboden door het huis.'

'Hartstikke bedankt, deze keer maar niet. Ik werk op de snoepafdeling en ik kan nu geen zoetigheid of chocola meer zien,' verklaarde Freddy spijtig. Ze wenste dat ze het lef had gehad hem in plaats daarvan om nog een broodje te vragen.

Terence McGuire zat in zijn kantoor achter zijn bureau en had bezig moeten zijn met zijn financiële administratie, maar hij merkte dat hij aan één van zijn beginners, Freddy de Lancel, zat te denken. Hij had veel mannen en jongens de kunst van het vliegen bijgebracht, evenals een enkele vrouw, maar Freddy was het eerste meisje dat hij als leerling had.

Hij was ervan overtuigd dat het op zichzelf mogelijk was iedereen die over enig benul van logica en voldoende ijver en geduld om te leren beschikte, de kunst van het vliegen bij te brengen. In tegenstelling tot andere vaardigheden was er geen bepaalde aanleg voor nodig, want geen van zijn leerlingen bezat genen voor het vliegen, evenmin als hijzelf.

De mens was geen geboren vlieger, maar zelfs als er geen vogels op deze planeet hadden bestaan om de mogelijkheid tot vliegen te demonstreren, dan was McGuire er nog van overtuigd dat de mens zou hebben leren vliegen, net zoals wanneer er geen vissen waren geweest, de mens toch had leren zwemmen. Dat vliegen had dan waarschijnlijk niet in deze eeuw plaatsgevonden, maar vroeg of laat zou iemand, een van de velen die hun ogen vanaf de tijd dat de mens voor het eerst rechtop liep onderzoekend omhoog hadden gericht, het geheim van het vliegen hebben ontraadseld, net zoals ook iemand het eerste wiel had uitgevonden, iemand het eerste zeil had gehesen, iemand had bedacht hoe je piramiden kon bouwen en iemand anders het buskruit had uitgevonden. Het was nu eenmaal de aard van het beestje, zei hij bij zichzelf, om het te blijven proberen – of het nu een goed idee was of niet.

Er was geen twijfel over mogelijk. Je hoefde niet als een vliegende versie van de jonge Mozart te worden geboren om piloot te worden, en toch . . . en toch . . . waren slechts enkele, slechts heel enkele mensen van nature een vliegend wezen, zonder enige twijfel. De meerderheid van de mensen die hij met succes had leren vliegen, was dat niet. Maar er was er een enkele bij geweest die direct begreep wat je wel en niet in de lucht moest doen. Het was alsof ze een extra zintuig bezaten, een zevende zintuig aangezien het zesde zintuig al bezet was, waarvan hij, Terence McGuire, wist dat het bestond, ook al kon hij het niet meten, wegen of tellen. Hij bezat het zelf; hij had het bezeten vanaf het eerste moment dat hij met zijn eerste kist was opgestegen, en hij geloofde dat Freddy de Lancel het ook had.

Het was niet alleen haar gretigheid. Gretigheid was op zichzelf een slecht ding in een sport waarin geduld even essentieel was als het vermogen om links en rechts te onderscheiden. Het was niet alleen haar onbevreesdheid. Te veel piloten die bij oefenvluchten waren neergestort, waren onbevreesd geweest. Nee, bij dat zevende zintuig was iets anders betrokken, iets waar hij nooit een bevredigende omschrijving voor had kunnen vinden, een bepaalde gerichte energie die over haar kwam wanneer ze aan het vliegproces begon, zodat het lange jonge meisje dat hollend zijn kantoor binnenkwam om hem te vertellen dat ze op tijd was gekomen een andere persoon werd wanneer ze naar de Taylor Cub liep om haar controles voor de start uit te voeren.

Concentratie vormde er een onderdeel van. Hij liep altijd een paar stappen achter haar wanneer ze het vliegtuig inspecteerde en hij kon zien dat een bliksemflits die op de startbaan insloeg nog niet haar concentratie had kunnen verbreken wanneer zij met haar ogen en vingertoppen de propeller nakeek op deuken of krassen, alsof ze werkelijk met haar huid luisterde of er iets aan het metaal mankeerde.

Je kon veel over mensen zeggen wanneer je ze hun controles zag doen. Je had er die te veel deden, te langzaam, alles onnodig nóg eens naliepen omdat ze diep in hun hart het moment van instappen wilden uitstellen. Zij moesten eigenlijk niet leren vliegen. Maar met geduld kon het ze toch worden bijgebracht en uiteindelijk raakten ze soms hun angst kwijt.

Aan de andere kant had je mensen die van alles oversloegen, alsof ze niet begrepen dat ze hun leven toevertrouwden aan een apparaat waarin elke bout, moer en schroef een essentiële functie had. Zulke mensen zouden eigenlijk niet mógen leren vliegen en wanneer hij hun één waarschuwing had gegeven, weigerde hij hen weer mee naar boven te nemen. De meeste fouten die een leerling beging waren nog wel overkomelijk, maar een slordige inspectie van de kist als deze nog aan de grond stond viel daar niet onder.

Maar wat hem bovenal beviel, was de manier waarop Freddy de lúcht gebruikte, vond Terence McGuire toen hij opstond van achter het bureau dat hij haatte. Veel studenten hadden de neiging hobbelend door de lucht te gaan, slippend en glijdend, klauwend en graaiend, te steil omhoog en dan weer duikend omlaag, waarbij ze hun fouten te sterk corrigeerden en die

correcties weer overcorrigeerden, even nerveus en schrikachtig als een onge-
dresseerd paard. Hij zorgde er altijd voor dat ze voldoende ruimte in de lucht
hadden, maar velen gedroegen zich alsof de lucht een vijand was, alsof ze
haar niet vertrouwden.

Je moest het luchtruim met respect bejegenen, in combinatie met een
rustige, snel reagerende maar vastberaden hand aan de knuppel en dansende, dansende, dánsende voeten op het richtingsroer.

Even belangrijk was het feit dat hij bij elke les haar precisie zag verbeteren. Precisie was van kardinaal belang . . . zonder precisie stelde je vliegkunst, of welke kunst dan ook, niets voor. Bij elke les bereikte Freddy een
hogere graad van voorspelbaarheid en soepelheid in haar hellingshoeken en
bochten, wist ze haar snelheid en hoogte precies dáár te houden waar hij die
wenste. Exact zijn, hield McGuire zijn leerlingen voortdurend voor, betekende: geen enkele ruimte laten voor welke speling dan ook.

Steeds vaker maakte ze een perfecte rechthoek, met die reeks lastige,
nauw luisterende stappen waaruit een goede landing bestaat, een procedure
waarbij tientallen vormen van samenspel tussen geest en lichaam nodig
zijn. Het was van het meest elementaire belang dat je wist hoe je zoiets moest
doen, vond McGuire, en tot het zover was, kon het een nachtmerrie van
klungelig gepruts zijn.

Freddy's landingen werden steeds beter: een gestage glijvlucht naar de
cijfers die aan het begin van de baan waren geschilderd en daarna een snel
en rustig aan de grond zetten, het staartwiel tegelijk met de twee voorwielen;
een aanraking van de grond waaruit een gewone passagier niet in staat zou
zijn op te maken of het vliegtuig juist had besloten wat snelheid te minderen
en zelf neer te strijken of dat de piloot het had neergezet met een gecompliceerde hoeveelheid kennis, zowel in het hoofd als in het lichaam. Het
kwam allemaal tot stand via een reeks volledig begrijpelijke en logische
stappen, maar hoeveel leerlingen McGuire het ook mocht hebben bijgebracht, of bij zou brengen, er bleef iets magisch aan een goede landing.

Gelukkig had dit kind niets passsiefs over zich. Een piloot met een ijzeren
precisie en accuratesse was geen knip voor de neus waard als hij niet voortdurend alert was, onmiddellijk kon reageren op een verandering in de
omstandigheden: een plotselinge windvlaag, een plotseling wegvallen van
de wind, de verschijning van een ander vliegtuig dat daar niet hoorde te zijn,
motorstoring of een van de vele andere pechduivels die altijd op de loer
lagen waar mens, machine en lucht bijeenkwamen . . . Dat hoorde bij het
vliegen, of bij de uitdaging, het hing er maar vanaf hoe je het bekeek. Als je
draagkracht en snelheid verloor, zat je in de problemen, maar als je tegelijkertijd geen ideeën meer had, kon het je dood zijn.

McGuire gleed met zijn handen over de kaartendoos die Freddy hem met
Kerstmis had gegeven. Op de een of andere manier was ze erin geslaagd op
school huishoudkunde en voeding te laten vallen en in plaats daarvan

handenarbeid te nemen, zoals hij haar vier jaar geleden had aangeraden, toen ze hem zo schaamteloos voor de gek had gehouden en hem haar eerste vliegles wist af te troggelen. Hij zag nog steeds die stralende blik op haar gezicht die hem ertoe had gedreven tegen haar vader te zeggen dat het niet haar schuld was. De kaartendoos was een produkt van haar handenarbeidles. Het was een hoge, lange en smalle houten kist naar haar eigen ontwerp, met een aantal diepe laden, elk met een metalen handgreep en een ruimte voor een etiket.

De stapel kaarten waarin Mac altijd had zitten rommelen, lag nu netjes in laden die soepel open en dicht gleden. Hij had haar als kerstcadeau twee uur vliegtijd gegeven en hij wist niet of hij of Freddy het meest opgetogen was geweest bij deze uitwisseling van cadeaus.

Vandaag zou er van uitwisselen geen sprake zijn, peinsde hij, opgewekt fluitend bij de gedachte aan de blik op Freddy's gezicht wanneer hij haar vertelde dat haar verjaardagscadeau een cross-country-vlucht was, met een bestemming naar haar keuze. Ze moesten uiteraard voor zonsondergang terug zijn, aangezien de landingsbaan niet verlicht was, en in het midden van de winter zou het kort na vijf uur al donker zijn.

Ze had nog steeds kerstvakantie, dus verwachtte hij haar vanmiddag bijtijds; ze kon nu elk moment hier zijn. Na een week waarin hij les had gegeven aan would-be-piloten, zoals de plaatselijke dokter wiens vriendin vond dat hij op Lindbergh leek, en de plaatselijke bankier wiens vrouw hoopte dat hij op Lindbergh leek, en de plaatselijke Don Juan die er als Lindbergh uit wilde zien en die per se een helm en een vliegbril wilde dragen in een gesloten cockpit, was het volgens McGuire niet meer dan begrijpelijk dat hij zich zo verheugde op het geven van een les aan iemand die eruitzag als een soort kruising tussen hoe Carole Lombard op die leeftijd moest zijn geweest en . . . ach, verdorie, waarom ook niet, Amelia Earhart, voordat ze haar haar zo kort had laten knippen.

'Cross-country? O, Mac, ik kan het gewoon niet geloven!' riep Freddy opgetogen en ze danste op en neer alsof ze vandaag zes werd in plaats van zestien. 'Dat is het mooiste verjaardagscadeau dat ik ooit heb gehad.'

'Maar je staat je tijd te verdoen,' zei hij, en hij probeerde zijn glimlach in te slikken. 'Je kunt net zo dankbaar zijn als je maar wilt, maar pas als het te donker is om te vliegen."

'O jee,' zei ze opeens, op een toon als van iemand die zich een belemmering herinnert, waardoor iets heel belangrijks misschien niet kan doorgaan.

'Wat is het probleem?'

'Niets,' zei Freddy haastig. 'Het is oké. Ik moet alleen wel op een redelijke tijd thuis zijn om me te verkleden. Mijn ouders nemen ons mee uit eten in

het Brown Derby. Ik had geen zin in zo'n sweet-sixteen-feestje, kun je je mij daarbij voorstellen?'
'Eerlijk gezegd niet, nee. En waar gaan we nu naar toe?'
Freddy was al veel vliegvelden rond Dry Springs in en uit gevlogen voor doorstartoefeningen, en sommige vliegvelden vond ze aantrekkelijker dan andere. 'Burbank,' besloot ze snel, als eerste het grootste en drukste en meest uitdagende uitkiezend. 'Daarna Van Nuys, dan Santa Paula – daarna over Topanga Canyon . . . en dan . . .'
'Catalina?' Hij zou haar wel eens willen zien landen op dat lastige vliegveld in de bergen, met de kortste landingsbaan uit de hele omgeving.
'Nee, Mines Field – en dan terug.'
'Mines Field? Wil je meedoen aan de National Air Races?'
'Oké, Mac, dan wil ik het alleen maar zien. Ik ben gewoon nieuwsgierig, daar kom ik rond voor uit, mankeert daar iets aan?' zei Freddy ietwat opgelaten, terwijl ze snel de benodigde kaarten uit zijn bak haalde om haar vluchtplan uit te zetten.
Eenmaal in de lucht besefte Freddy hoeveel ze vooruit was gegaan in de afgelopen maanden. Het terrein, dat als een eindeloze strook van de horizon naar haar vleugelpunten scheen te glijden, was angstaanjagend onbekend geweest. Nu was het bezaaid met vriendelijke herkenningspunten: hier en daar een boerderij, de dunne strepen van landweggetjes, diepere, donkerder littekens van bijna droge rivierbeddingen met het uitnodigende olijfgroen van de bomen die erlangs groeiden, de goed herkenbare, droge gele aarde van de San Fernando Valley en zelfs de vormen van bepaalde plekken waar de oorspronkelijke vegetatie van Californië nog op niet-bevloeide grond voorkwam.
Freddy's ogen hadden voortdurend de hemel boven haar en het land onder haar verkend, zoals Mac haar had geleerd, haar hoofd heen en weer bewegend zodat ze voortdurend zo volledig mogelijk op de hoogte was van alles wat er zich in de lucht en op de grond afspeelde. Niet uitkijken naar ander verkeer was in zijn ogen even fataal als niet controleren of je voldoende brandstof had voordat je opsteeg. Veel ervaren piloten hadden op onbegrijpelijke wijze deze elementaire voorzorgsmaatregelen niet in acht genomen en waren verongelukt door een moment van achteloosheid.
Terwijl zij het vliegtuig bestuurde hield hij zich stil en liet haar haar gang gaan terwijl hij lette op fouten. Er was geen twijfel over mogelijk, ze was een geboren vliegenier, zoals sommige mensen zijn geboren om paard te rijden of te zwemmen. Hij zou al het geld dat hij niet bezat eronder durven verwedden dat ze alles zou leren wat hij ook kon, en misschien wel meer.
Ofschoon Mac niet zijn gebruikelijke instructies gaf, hoorde Freddy in gedachten zijn woorden. 'Bij het vliegen richt je je naar het aardoppervlak,' had hij gezegd. 'Je strijkt het in gedachten glad en je houdt de vliegtuigromp evenwijdig aan het oppervlak waarover je vliegt. De horizon is niet van

171

belang, tenzij er een berg opdoemt. Maar je moet altijd, onder alle omstandigheden, het aardoppervlak in de gaten houden.'

De eerste keer dat hij die woorden had gezegd, was ze teleurgesteld geweest. Freddy had gedacht dat zodra ze een vliegtuig kon besturen, ze in een soort extatische uitbarsting van vrijheid van de aarde weg zou schieten. Maar hoe meer ze vloog, hoe meer de aarde en de hemel versmolten tot één geheel, zodat haar vrijheid bestond binnen in een grote kom, een kom waarin alles belangrijk was, een kom waarvan de rand de horizon was, die steeds veranderde wanneer ze hem naderde, die haar lokte en lokte, zonder einde, want zodra de horizon niet langer vóór haar lag, verdween hij en wenkte een nieuwe horizon.

Ze was het niet met Mac eens dat de horizon niet van belang was. In Freddy's ogen vervulde het zien van de horizon een elementair verlangen; het veroorzaakte een basale honger om erheen te vliegen en te zien wat erachter lag. Ze wist dat dat voor hem ook gold, maar dat hij, als haar leraar, wilde dat ze zich op andere dingen concentreerde.

Terloops, en zo snel dat ze het niet merkte, trok Mac de gashandel naar achteren, zodat de vliegtuigmotor zweeg. 'Je motor heeft het zojuist begeven,' zei hij in de plotselinge stilte. 'Waar ga je 'm nu neerzetten?'

'Er ligt een niet-geploegde akker onder de rechtervleugel,' antwoordde ze.

'En waar anders? Vergeet die akkers even. Dat is te gemakkelijk. Doe even alsof ze er niet zijn. Neem aan dat deze vallei bedekt is met sinaasappelboomgaarden. Wat is je tweede keuze?'

'Die weg daar links. Die is breed genoeg en er is geen verkeer.'

'Waarom zou je hem niet op die strook daar, tussen die twee denkbeeldige boomgaarden, neer willen zetten?' vroeg Mac en hij wees terwijl Freddy haar ogen van het instrumentenpaneel naar de grond heen en weer liet schieten en methodisch omlaagzweefde naar het punt waarvandaan ze de eindnadering voor een noodlanding kon inzetten.

'Ik heb liever de weg . . . er is in beide richtingen geen verkeer. Het is daar wat ruimer en ik kan tegen de wind in landen en snel tot stilstand komen. Vroeg of laat kan ik dan een lift naar de dichtstbijzijnde stad krijgen en daar om hulp telefoneren.'

'Hmm,' gromde hij instemmend, met zijn handen voor zich op het dashboard terwijl zij keurig volgens het boekje op de wind corrigeerde en op vijftig voet hoogte naar de weg zweefde voor haar eindnadering. Op dat moment gaf hij weer gas en de motor kreeg weer vermogen. Freddy trok de stuurknuppel voorzichtig naar achteren om hoogte te winnen zonder te overtrekken en vond het, als altijd, jammer dat de gesimuleerde noodlandingen die ze zo vaak oefenden, nooit tot het eind toe werden uitgevoerd. Waarschijnlijk zouden de verkeersautoriteiten bezwaar maken, of zouden de plaatselijke boeren hun beklag doen.

Ze naderde Burbank behoedzaam. Alle commerciële luchtvaartmaatschappijen die in Los Angeles landden, deden Burbank aan en terwijl zij met de verkeerstoren konden communiceren, had zij geen radio aan boord en moest ze volledig op het zicht binnenvliegen tussen het drukke verkeer. Iets in de manier waarop ze haar juiste plaats in deze drukte moest innemen en langzaam opschuiven tot zij aan de beurt was om te landen, deed haar denken aan de formele etiquette van de dansles waar haar ouders haar gedurende enkele akelige maanden heen hadden gestuurd. Je moest zeldzaam beleefd zijn, alsof je witte handschoenen en je beste jurk aan had en in een zaal vol andere dansers rondwalste, wanneer je je juiste positie in de lucht calculeerde. Van Nuys Airport, iets verderop in het dal, was veel minder druk en ze had bijna het gevoel dat ze het vliegveld voor zich alleen had toen ze zachtjes landde en zonder te stoppen direct weer verder vloog, in de richting van Santa Paula.

Het vliegveld van Santa Paula was slechts vijf jaar oud en bestond uit een enkele landingsbaan met ernaast een klein riviertje waarlangs grote bomen groeiden. 'Laten we hier een paar minuten stoppen,' stelde Mac voor. 'Het café heeft de beste zelfgebakken taartjes van het hele dal.'

Toen ze het vliegtuig hadden afgesloten, besefte Freddy dat ze de enige vliegers op het veld waren. Het was er opmerkelijk stil – geen geluid van motoren of stemmen. Slechts de wind, die altijd op een vliegveld aanwezig is, deed de bladeren van de bomen ritselen. Het was zo warm dat ze haar blauwe trui uittrok en om haar middel knoopte, en zo stond ze in haar spijkerbroek en witte overhemd om zich heen te kijken. Een zware leren riem snoerde de spijkerbroek stevig in rond haar middel, maar toch hing de herenbroek slobberig om haar slanke lichaam, hoewel hij niet te lang was aangezien Freddy de pijpen boven haar tennisschoenen had afgeknipt.

Santa Paula zag eruit als een weiland, maar zelfs met dichte ogen had ze geweten dat het een vliegveld was, want een leeg vliegveld is een wachtend vliegveld en er zijn weinig vliegeniers die er lang vandaan kunnen blijven. Het is er even vol belofte en opwinding als achter de schermen in een theater, vlak voor een opvoering.

Freddy en Mac aten elk twee stukken appeltaart en dronken koffie in een bedachtzame stilte. De buffetbediende las zijn krant terwijl zij ongeduldig haar haar achter haar oren schoof en met bijna onbedwingbare nieuwsgierigheid over het volgende traject van de vlucht nadacht. De Santa Monica Mountains, die tussen de San Fernando Valley en de Stille Oceaan liggen, komen niet hoger dan zo'n twaalfhonderd meter. In de korte lessen die Freddy tot dusver had gehad, had ze echter nooit voldoende tijd gehad om deze bergen over te vliegen en was haar vliegervaring tot het dal beperkt gebleven.

'Zeg, Mac, gaan we vandaag nog omhoog of niet meer?' vroeg Freddy toen ze haar taart op had en opkeek, om hem voor zich uit te zien staren alsof hij heel diep in gedachten verzonken was.

'Dat mag jij zeggen, meisje. Dit is jouw nummer.'

Terug in de lucht stelde Freddy snel haar kompas in en begon hoger te stijgen dan ze ooit had gedaan. Ze wilde de bergketen bij Topanga Canyon oversteken. Het vlakke terrein waaraan ze gewend was geraakt veranderde abrupt toen de bergen snel onder het vliegtuig oprezen: wilde, onherbergzame bergen waarvan de woest uitziende uitwassen van kale, puntige rotsen niets meer met Californië te maken leken te hebben.

Toen Freddy om zich heen keek, besefte ze dat ze boven elke willekeurige gevaarlijke, onbewoonde plek van deze wereld had kunnen zitten. Nergens bestond enige mogelijkheid voor een noodlanding en ze vroeg zich af of ze niet nog eens tweeduizend voet moest stijgen zodat ze, als Mac het gas weer terugnam, een langere glijvlucht kon maken. Ze keek hem even aan, maar hij keek rustig, bijna verveeld, voor zich uit. Liever méé dan óm verlegen, dacht ze, en besloot direct wat hoogte te winnen.

'Wees maar niet bang,' zei hij glimlachend, toen hij haar gedachten las. Twee minuten later lag de nauwe bergpas achter haar vleugels. En alsof de aarde had besloten een reusachtige tovertruc uit te halen, doemde er opeens een immense hoeveelheid blauw voor haar op.

Ze had geweten dat ze de Stille Oceaan zou zien, dat stond duidelijk op de kaart, maar niets had haar kunnen voorbereiden op de aanblik van deze wonderbaarlijke, stralende ruimte die zich eindeloos voor haar uitstrekte. Het was als een nieuwe, onbekende planeet. Ver beneden haar, ver bij haar vandaan, schenen wat zeilbootjes naar de rand van deze eindeloze wereld te drijven, en Freddy vloog hen achterna alsof ze in trance was geraakt. Ze waren stoutmoedig, maar niet zo stoutmoedig als zij, want zij kon over hen heen vliegen en hen achter zich laten, als hulpeloze, ongevleugelde schepselen die afhankelijk waren van de wind. Westwaarts, westwaarts vloog ze, tot de zeilboten pal onder haar lagen, en nog verder naar het westen, tot ze hen ver achter zich had gelaten.

'Volgende stop Hawaii?' vroeg Mac.

Freddy's mond viel open toen de betovering werd verbroken. Ze was vele kilometers uit de koers geraakt en ze had gevlogen zonder na te denken, ze was gedachteloos, betoverd, als gehypnotiseerd recht naar de horizon gevlogen.

'Ik weet niet . . . hoe? . . . verdomme, sorry,' stamelde ze en keek om zich heen en begon het vliegtuig weer terug naar de kust te draaien.

'Geeft niet. Ik heb je met opzet laten gaan.' Hij zag hoe ze onmiddellijk aan de slag ging om weer op de juiste koers te komen, ondanks haar verwarring over haar eigen gedrag. Er waren twee soorten leerlingen, vond Mac. Het ene soort zag de Stille Oceaan voor het eerst en wierp er slechts een snelle blik op en bleef koers houden alsof vliegen een corvee was en de oceaan een modderpoel, en het andere soort, zoals Freddy, was meteen van de kaart. Als zulke lieden eenmaal ontdekten dat ze boven zee zaten, vroegen ze hem vaak de vlucht terug naar het land over te nemen.

Weldra zaten ze boven de vijf hangars en de enkele airstrip van Mines Field, waar over een half jaar de National Air Races plaats zouden vinden. De bulldozers waren bezig de startbaan uit te breiden en er werden tribunes gebouwd. Freddy cirkelde om het vliegveld heen en toen ze op haar horloge keek, besloot ze geen doorstart te maken maar regelrecht terug te vliegen, over de bergen van Santa Monica naar Dry Springs. Ze had kostbare tijd verloren doordat ze zich boven de oceaan zo had laten gaan. Ze stelde haar kompas opnieuw in en landde kort na halfvijf op deze wintermiddag op haar thuisbasis. De zon stond laag, maar het was nog erg helder. Toen ze stopte op de plaats waar de Taylor altijd werd neergezet, sprak Mac langs zijn neus weg.

'Ik heb nog een verjaardagscadeautje voor je. Ik moet het even uit mijn kantoor halen.'

'Je hebt me al een cadeau gegeven,' protesteerde Freddy. Ze voelde zich wonderlijk leeg en emotieloos. De cross-country-vlucht scheen al haar opwinding te hebben verbruikt.

'Niet zeuren. Je wordt maar één keer zestien. En, Freddy, terwijl ik het ga halen, ga jij nog een keertje naar boven, je draait drie rondjes boven het vliegveld en dan kom je weer naar beneden.' Hij deed de deur open, sprong uit het vliegtuig, smeet zonder haar aan te kijken de deur dicht en liep snel weg.

Freddy bleef heel even roerloos zitten kijken naar de rug van McGuire terwijl hij naar de hangar stapte. Had hij gezegd dat ze alléén moest? Nee, hij had het woord 'alleen' niet gebruikt, maar zo had hij het wel bedoeld.

'JA!' riep Freddy opgetogen tegen de lege cockpit. 'Ja, ja, ja,' zei ze hardop, zonder te beseffen dat ze op een ernstige, gebiedende toon sprak toen ze naar het eind van de startbaan taxiede en naar haar startpunt reed, vol gas, het vliegtuig als het ware vooruit dwingend, tot ze dat wonderbaarlijke en logische moment bereikte waarop ze voldoende snelheid en voldoende draagkracht bezat om haar vleugels op te laten stijgen in de gouden lucht, de wenkende hemel, naar de ondergaande zon.

Zodra ze los was en snel steeg, was zij de boogschutter, was zij de pijl. Ze wierp niet één keer een blik op de lege rechterzitplaats. De tijd bestond, maar niet voor haar. Freddy's handen bewogen kalm toen ze de juiste hoogte bereikte en de noodzakelijke handelingen verrichtte voor bochten en hellingen, en haar hart bonsde waanzinnig, vol van een vreugde die ze nooit had gekend, toen het lichte vliegtuig op haar aanraking reageerde alsof het haar eigen lichaam was. De circuits die ze zo vaak had gevlogen schenen nieuw te zijn nu ze alleen was, de herkenningspunten in het landschap kregen een andere betekenis. Er lag iets goddelijks in dat moment, iets goddelijks in haar vleugeltippen die de nacht omhelsden, in het rustige gebrom van de motor, in de wetenschap dat één machine en één menselijk wezen, die samen en alleen in de lucht waren, meer dan één geheel vormden. Ze hoorde zichzelf lachen en ze zag de avondster in de donkerder wordende hemel.

Beneden stond Mac aan de rand van de startbaan en staarde naar boven, zonder zijn ogen van het vliegtuig af te nemen, en hij balde zijn vuisten in zijn broekzakken. Waarom had hij haar verdorie die lange cross-country-vlucht laten maken vóór haar solovlucht? Het was laat in de middag en ze was moe en waarschijnlijk emotioneler dan hij wist, na die vlucht over de oceaan. Gisteren was ze nog maar vijftien geweest, te jong om solo te vliegen, en waarom zou ze vandaag, vierentwintig uur later, opeens wel oud genoeg zijn? Waar zat zijn gezonde verstand? Wat gaf het, dat het haar verjaardag was? Hij had het tot een andere keer kunnen uitstellen. Hij had het kúnnen doen, en verdorie, hij had het móeten doen.

En toch . . . en toch . . . ze was er echt aan tóe. Toen hij vandaag Freddy had zien vliegen, had hij dezelfde emotie gevoeld die hij als leerlingpiloot had gevoeld, een emotie waarvan hij dacht dat hij hem jaren geleden was kwijtgeraakt. Hij had gedacht dat door een gewone instructeur te worden van iets wat eens zijn obsessie was geweest, zijn vreugde in het vliegen was verdwenen, maar vandaag had Freddy hem die poëzie doen herbeleven, hem opnieuw de lucht laten inademen die hem keer op keer van deze planeet weglokte. Jezus, het werd elke seconde donkerder. Het was bijna de kortste dag van het jaar. De temperatuur was minstens tien graden gedaald sinds ze uit Santa Paula waren vertrokken. Hij had het koud, maar durfde niet de hangar in te hollen om zijn jasje te pakken zolang Freddy daarboven was. Hij had nog nooit een vliegtuig meegemaakt dat er zo lang over deed om drie rondjes boven een vliegveld te vliegen.

Freddy vloog verder. Ze zag de avondster weer en ze begreep dat hij haar een boodschap stuurde, een vriendelijke en belangrijke boodschap waarvan ze reeds had begrepen dat ze hem misschien nooit zou ontcijferen, hoeveel hij ook voor haar mocht betekenen. Het liefst was ze heel hoog gestegen, zodat ze de sterren van het stelsel van de Steenbok kon zien. De boeken zeiden dat ze ver weg stonden, te ver om te worden gezien. Ze geloofde het niet, ze zou het nooit geloven, want ze wist dat ze nu onder de Steenbok vloog, haar eigen teken van de dierenriem.

Toen ze naar beneden keek zag ze Mac staan, als een eenzame donkere gestalte op de startbaan. Ze schommelde even met de vleugels van het vliegtuig, om hem te laten weten dat ze hem had gezien, voltooide het derde rondje en begon toen, met een zucht van spijt, maar ook met berusting, aan de voorbereidingen voor de landing.

Mac verroerde zich niet toen Freddy een perfecte landing maakte, het rode vliegtuig voorzichtig op zijn voorwielen zette en tegelijkertijd het kleine staartwiel liet neerkomen. Zijn handen waren nog steeds gebald toen ze naar hem toe taxiede en dicht bij hem tot stilstand kwam en ze ontspanden zich pas toen ze de motor afzette. De deur ging open en ze sprong met een boog uit het vliegtuig en wierp hem bijna achterover toen ze vol enthousiasme haar armen om hem heen sloeg. Ze fonkelde in de nacht als een vuurwerksterretje, met haar rode haar dat in de wind wapperde en haar lichtgevende ogen. 'Het is gelukt! Het is gelukt!' riep ze uit, en kuste hem over zijn hele gezicht. Ze deed haar armen wijd open en keek omhoog naar de avondster alsof ze die bezat. 'Het is gelukt, Mac! O, dank je wel! Dank je wel!' Hij merkte dat hij niets uit kon brengen. Hij voelde zich even jong, triomfantelijk en opgetogen als zij; de emoties die hij zo heel lang was vergeten, vormden nu een prop in zijn keel. Hij tikte op zijn horloge en schudde waarschuwend zijn hoofd. 'Ik weet het,' zei Freddy. 'Ik moet nu gaan anders kom ik te laat. Ik ben al laat. O, Mac, het kan me niks schelen. Oké, ik ga al, ik ga al. Maar Mac, ik kom terug! Ik moet nog zoveel leren.'

Ze vergat haar logboek in te vullen, gaf hem nog een enorme knuffel en een laatste dankbare kus en holde naar de weg om een lift terug naar huis te krijgen. Mac stond nog steeds op de startbaan. Op zijn koude wangen kon hij nog de warmte van haar impulsieve kussen voelen. Het leek alsof haar sterke armen nog steeds om hem heen waren geslagen, alsof haar wildgelukkige stem nog steeds in zijn hoofd galmde. Hij zuchtte en schudde zijn hoofd. Toen hij de Taylor begon af te sluiten, bleef hij even staan en wreef met een langzame, peinzende, half verbaasde grijns over zijn wang. Sweet sixteen, zei hij in zichzelf, sweet sixteen – dus dát was het nou allemaal.

9

Eve had Freddy's verjaardagsdiner liever bij Perino gegeven, het meest elegante Franse restaurant in Los Angeles, maar Freddy was één keer eerder in het Hollywood Brown Derby geweest en ze was verzot geraakt op al het geroezemoes van de showbusiness-sfeer die er heerste, met de cornedbeef hachee en kipperagoût en de flessen ketchup op elke tafel, en de telefoons die op elke tafel konden worden aangesloten, een voorziening die Eve nog steeds ondenkbaar vond, hoe vaak ze ook in het restaurant kwam.

Eve vroeg zich af wat haar moeder, of zelfs haar schoonmoeder ervan zou hebben gezegd om jonge meisjes mee te nemen naar zo'n gelegenheid. Kon een van beide dames zich ooit een restaurant hebben voorgesteld als dit hier, waar vanavond mannen en vrouwen in avondkleding in nissen aan weerszijden van Tom Mix zaten, die in overdadige westernkledij een enorme kom bouillabaisse zat te nuttigen; een restaurant waar de handtekeningenjagers elke avond een hardnekkige oploop veroorzaakten rond het baldakijn bij de ingang, waar ze wachtten tot er filmsterren verschenen; een restaurant waarvandaan veel mensen naar de bokswedstrijden in het Hollywood Legion Stadium vertrokken, waardoor ze soms de beruchte vechtpartijen misliepen die regelmatig tussen enkele beroemde gasten van het Brown Derby plaatsvonden.

Eve vroeg zich af hoe zij haar zestiende verjaardag had gevierd. Er was natuurlijk een etentje met de familie geweest; misschien had ze één feestelijk glas Dom Perignon mogen drinken; waarschijnlijk had ze ook een theevisite met éclairs en petits fours gegeven voor enkele vriendinnen. Ze kon het zich niet goed herinneren, want zestien was geen leeftijd waar de Fransen veel ophef over maakten. Met zestien werd een meisje nog als kind beschouwd; haar haar had toen nog kinderlijk tot haar middel gehangen, ze was nergens zonder chaperonne heen gegaan en ze had nog nooit in een openbare gelegenheid gegeten.

En toch . . . en toch . . . was ze met zestien niet méér dan een kind geweest?

Eve glimlachte inwendig toen ze naar haar dochters keek, die zo keurig rechtop zaten in de nis met lage wanden en die voorzichtig om zich heen keken naar alle sterren die om hen heen zaten te dineren en van wie velen Paul en Eve hadden begroet toen ze naar hun tafeltje liepen, want de Franse consul en zijn vrouw waren heel populair in Los Angeles. Er werden veel waarderende blikken in de richting van Delphine en Freddy geworpen, veel hoofdknikken of knipogen met gelukwensen naar Eve en Paul, bij de aanblik van hun dochters.

Eve vond dat ze vanavond trots op hen kon zijn. Delphine, die nog maar zeventieneneenhalf was, zag er opeens heel volwassen uit in haar eenvoudige witte chiffon avondjurk, met als enige sieraden een streng parels en oorbellen met parels. Zelfs als ze zo ongepast was geweest om diamanten te dragen, zou niemand dit hebben opgemerkt, dacht Eve, want iedereen was diep onder de indruk van haar gracieuze houding en de schoonheid van haar gelaatstrekken. Hoewel Freddy uitgerekend vandaag heel laat van school was thuisgekomen, was ze er op de een of andere manier toch in geslaagd haar haar in redelijk gedisciplineerde golven rond haar blozende, gelukkige gezicht te laten vallen – Eve had altijd al geweten dat ze dat kon, als ze maar echt wilde – en haar eerste avondjurk, van donkerblauw fluweel, afgezet met een brede rand witte satijn, deed haar meer volwassen lijken dan ooit tevoren. Dit galadiner moest echt veel voor haar betekenen, want Freddy straalde een soort opwinding uit die nieuw voor haar was, een opwinding die intenser was dan ze ooit eerder aan de dag had gelegd, in een leven vol lawaaierige ontdekkingen en gretig gedeeld enthousiasme. Eve besefte dat Freddy zelf zo opgewonden was dat ze de hele avond nauwelijks één woord had gezegd, terwijl ze al aan het dessert toe waren. Ze raakte Pauls hand aan en knikte liefdevol in de richting van haar oogverblindende jongste dochter, een stralend meisje met grote blauwe ogen en vuurrood haar.

'Waar is ze?' vroeg Eve zacht.

'We zullen het nooit weten,' antwoordde Paul.

'Nou, we weten in ieder geval dat het niet om een jongen is.'

'Goddank niet,' zei Paul.

Delphine, die nu eerstejaars op de UCLA – de Universiteit van Californië in Los Angeles – was, ging veel te vaak uit naar zijn zin en zelfs vanavond, na het diner, moest ze hen in de steek laten om met haar vriendin Margie Hall naar een feest van het studentencorps te gaan. Als Freddy al belangstelling voor jongens had, was daar nooit veel van gebleken. Nu ze zestien was, moesten ze haar helaas wel laten gaan als er uitnodigingen kwamen, net als ze Delphine hadden moeten laten gaan. De Franse vader in hem maakte hier bezwaar tegen, maar na vijf jaar Californië wist hij dat de zeden en gebruiken in dit land anders waren en dat hij er niets tegen kon doen.

Delphine gaf Freddy een por. 'Zie jij wat ik zie? Kijk eens wie er zojuist is binnengekomen! Marlene Dietrich en twee mannen – dat moeten haar man en prins Felix Rolo van Egypte zijn ... die gaan overal samen naar toe ... Fréddy!'

'Hè?'

'Kijk dan toch even, voordat ze in de bar zijn verdwenen. O, nu heb je ze al gemist. Maar ze komen straks wel weer naar buiten – ik geef je wel een seintje.'

'Heb jij Howard Hughes nog gezien?' vroeg Freddy, op afwezige toon. Delphine had alle beroemdheden direct in de gaten, filmster of niet.

'Nee. Waarom wilde je hem zien?'

'Gewoon uit nieuwsgierigheid,' zei ze vaag.

'Wat zie je er vreemd uit,' zei Delphine kritisch. 'Moeder, vind je niet dat Freddy eruitziet alsof ze koorts heeft?'

'Heb je 't warm, liefje?' zei Eve. 'Delphine heeft gelijk . . . je wangen zijn erg rood en je hebt zo'n merkwaardige blik in je ogen. Ze schitteren zo vreemd. Misschien heb je iets onder de leden. Paul, wat denk jij?'

'Ze is gewoon jarig, lieverd – ze is gewoon blij dat ze eindelijk zestien is. Dat is geen koorts; ze is gewoon volwassen . . . min of meer.'

Toen het drietal Freddy aankeek, met wisselende graden van tederheid, kon ze haar triomf opeens echt niet meer voor zich houden.

'Ik heb vandaag solo gevlogen,' kondigde Freddy met trillende stem aan.

'Wát zeg je?' zei Eve.

'Wát heb je gedaan?' vroeg Delphine.

'Wát vertel je me nóu?' riep Paul, want hij was de enige aan tafel die begreep wat ze bedoelde.

'Ik ben met een vliegtuig de lucht in geweest en toen heb ik drie rondjes over het vliegveld gevlogen en ben daarna weer geland.'

'Alléén?' zei Paul, hoewel hij het antwoord al wist.

'Ik moest wel alleen zijn, vader. Anders was het geen solovlucht geweest,' zei Freddy, in een poging geruststellend en volwassen te klinken.

'Maar dat is niet mogelijk, Freddy, dat is gewoon niet mogelijk!' riep Eve. 'Je kunt niet eens vliegen. Hoe kon je dan zomaar met een vliegtuig de lucht in gaan? Hoe kon je je leven zo riskeren? Ben je nou helemáál gek?'

'Freddy, wil je dit even uitleggen?' zei Paul boos en hij pakte Eve's hand beet om haar te kalmeren.

'Het is echt helemaal volgens de wet,' zei Freddy haastig. 'Iedereen kan op zijn zestiende een solovlucht maken.'

'Dat is geen verklaring.' Paul klonk nog bozer dan eerst.

'Nou . . . eh . . . moeder, weet je nog hoe je ons altijd hebt verteld hoe je op je veertiende van huis bent weggeglipt om met een ballon omhoog te gaan?' begon Freddy.

'Dat heeft hier niets mee te maken. Marie-Frédérique, ik wil de feiten!' zei Paul, zo luid als maar mogelijk was zonder in dit volle restaurant de aandacht te trekken.

'Het vliegtuig was een Taylor Cub met . . .'

'De féiten! Hoe heb je leren vliegen?'

180

'Ik heb les genomen. Acht uur.'
'Wanneer? Wanneer heb jij tijd om les te nemen?' vroeg Paul verbeten.
'Op vrijdagmiddag.'
'Maar je zei altijd dat je dan toneeldecors voor school moest maken,' protesteerde Eve.
'Ik heb gelogen.'
Delphine hapte naar lucht, Eve schudde ongelovig haar hoofd en Paul ging weer in de aanval.
'Waar had je het geld voor die lessen vandaan?'
'Ik . . . ik heb op zaterdag bij Woolworth gewerkt, op de snoepafdeling. Ik heb het geld zelf verdiend.'
'Maar de zwemploeg, het vriendinnetje in Beverly Hills . . . al die trainingen in het zwembad?' protesteerde Eve wanhopig.
'Daar heb ik ook over gelogen,' zei Freddy, haar moeder in de ogen kijkend.
'Waar heb je die vlieglessen gehad?' hield Paul aan.
'In Dry Springs.'
'Van de man met wie je vier jaar geleden de lucht in bent geweest?'
'Ja.'
'Hoe kón hij dat doen, die klootzak, zonder ons iets te vertellen?' Pauls gezicht stond nog strakker.
'Ik heb tegen hem ook gelogen. Ik heb gezegd dat jullie die lessen betaalden. Het was echt niet zijn schuld.'
'En hoe, vertel me eens, hóe ben je erin geslaagd om elke vrijdagmiddag op dat kleine vliegveldje te komen?' vroeg Paul hardnekkig aan Freddy, die nog steeds had gehoopt dat niemand die ene vraag zou stellen.
'Ik . . . ach, iedereen doet het, het is volmaakt veilig, ik . . . heb gelift . . . maar alleen met mensen die er heel vriendelijk en veilig uitzagen.'
'Gelift?' ontploften Paul en Eve tegelijk.
'Je kunt er alleen maar met een auto komen,' mompelde Freddy, en ze maakte zich zo klein mogelijk en staarde naar het tafelkleed.
'O, Freddy!' hijgde Delphine, nu toch echt geschokt. Liegen was niets bijzonders, dat deed elk kind op zijn tijd, maar liften, dat was écht héél erg. Geen enkel meisje peinsde erover te gaan liften. Ze zag Jimmy Cagney langs hun tafeltje komen, maar ze keek hem niet eens na. Dit was veel spannender.
Er heerste een onheilspellende, doodse stilte aan de tafel. Eve en Paul waren te boos om iets uit te kunnen brengen.
'Eve! Paul! En de beeldschone mademoiselles De Lancel! Ach, wat een verrassing, wat een verrukkelijk tafereel!' Maurice Chevalier stond bij hun tafel en keek stralend op het gezin neer.
'O, monsieur Chevalier, ik ben vandaag jarig, is dat niet opwindend? We vieren mijn zestiende verjaardag,' ratelde Freddy wanhopig.
'O, maar dat moet ik meevieren! *Tu permet,* Paul?' Hij ging naast Eve op

181

de hoek van de bank zitten. 'Ober, champagne voor iedereen. Lancel uiteraard. Rosé, als u dat heeft. Ja, Paul, ik sta erop!' Hij keek Freddy aan. 'Dit is een grote dag, mademoiselle Freddy. Een heel gelukkige dag! We verwachten grote dingen van je, nietwaar Paul? Is het niet opwindend, Eve?' Hij draaide zich naar Eve en fluisterde in haar oor: 'Zou een zekere Maddy niet verrukt zijn geweest als ze in de toekomst had kunnen kijken en zichzelf op deze avond had gezien, omringd door zo'n dappere man en zulke mooie dochters?' De ober verscheen met een fles Lancel in een ijsemmer. 'Mooi, daar is de champagne. Nu brengen we allemaal een toost uit . . . op mademoiselle Freddy de Lancel en op haar toekomst! Moge die roemrijk zijn!' Freddy dronk haar glas leeg. Wat voor vreselijke dingen er ook verder met haar mochten gebeuren, met een glas champagne leek het vast minder erg. Om met de avondster te kunnen vliegen, onder het teken van de Steenbok . . . kon daar een prijs te hoog voor zijn?

Toen Paul allang sliep, lag Eve nog wakker. Freddy's verjaardag was snel afgelopen na de interruptie van Maurice, en met wederzijdse instemming was er verder niets over haar ongelooflijke gedrag gezegd. Het Brown Derby was geen plaats om iemand voor de krijgsraad te brengen en de zaak zou morgen, helaas, nog niets veranderd zijn. Paul en zij waren te uitgeput en te onrustig geweest om er nog over te praten toen ze naar bed gingen, maar nu kon ze de slaap niet vatten, hoe moe ze ook was. Ze stond voorzichtig op, trok haar peignoir aan en liep naar de bank bij het raam, waar ze het gordijn opzij kon trekken om naar buiten te kijken.

Hoe, vroeg Eve zich af, kon zo'n eerlijk, openhartig en ongecompliceerd meisje als Freddy altijd had geleken, zo'n ingewikkelde reeks leugens hebben opgebouwd? Ze was, sinds het begin van het schooljaar, zo ongeveer een dubbelleven gaan leiden. Hoe had ze toch zó kunnen liegen tegen ouders die, volgens Eve, haar altijd royaal en met nimmer aflatende liefde het beste hadden gegeven dat er maar te vinden was? Ze was er zelfs in geslaagd deze geheimen tegenover Delphine te bewaren, wat op zichzelf niet eenvoudig was, en ze had kennelijk zelfs gelogen tegen de man die haar had leren vliegen.

Wat had die man eigenlijk wel gedacht? Wat voor onverantwoordelijk, roekeloos persoon zou, uitsluitend voor het geld, een meisje van vijftien zo iets gevaarlijks willen bijbrengen? Hoe waagde hij het zich een leraar te noemen? Ze trok haar voeten onder zich op en sloeg haar peignoir strakker om haar middel.

Het was verbijsterend om hier zelfs maar over na te denken, want er was zoveel wat ze niet begreep. Zoals Freddy daar had gezeten en doodleuk haar leugens had willen vergelijken met het onschuldige tochtje van haar moeder in Dijon in – wanneer was dat ook weer geweest? – in 1910, vijfentwintig jaar geleden, nog maar een kwarteeuw geleden, maar toch een datum die bij een andere wereld hoorde, even ver als ooit Atlantis, dat Edwardiaanse tijdperk van voor de Wereldoorlog.

Hoe oud was ze toen geweest? Veertien, besefte ze. Dus zó oud was ze geweest . . . of zo jong. Maar ontsnappen aan de aandacht van haar gouvernante – mademoiselle Hélène, dat strenge mens – en haar moeders hoed lenen, was nog iets heel anders dan gedurende vele maanden vol bedrog en onwaarheid leren vliegen. Slechts één detail, één onverwachte windvlaag, had haar hoed doen losschieten. Als dat niet was gebeurd, had niemand er iets van geweten en was niemand boos geweest. In ieder geval was er geen kwaad geschied.

In het donker krulden Eve's lippen zich ongemerkt tot een glimlach toen ze zich die schok herinnerde, die overweldigende verbijstering toen ze haar armen wijd open had gehouden als om vanuit de mand van de ballon het hele landschap te omhelzen, en de trots die ze had gevoeld om één van de weinigen te zijn die ooit ver boven de menigte uit was gestegen, en zelf had kunnen zien hoe deze geweldige wereld er vanuit de lucht uitzag.

Ze moest toegeven dat ze enig begrip voor Freddy kon opbrengen wat betrof haar behoefte voorbij de horizon te kunnen zien. Eve moest erkennen dat ze dat kon begrijpen. Het was heel normaal om je vrij en bijzonder te willen voelen, zeker op die leeftijd.

Maar om ook zelf een vliegtuig te besturen? Er bestonden uiteraard vrouwelijke piloten. Iedereen had wel eens van Amelia Earhart gehoord, en van Anne Lindbergh en Jackie Cochrane. Hun verrichtingen waren vaak in het nieuws, maar dat waren volwassen vrouwen, geen jonge meisjes, en zij waren een ongewoon soort vrouwen dat geïnteresseerd was in het bereiken van zaken die tot het domein van mannen behoorden. Andere vrouwen bewonderden hen misschien, maar begrepen hen niet.

O, het was waar dat Freddy altijd had willen 'vliegen'. Dat had ze vaak genoeg gezegd en ze had het gedemonstreerd met haar waaghalzerijen, maar dat was een kinderlijk trekje geweest dat een meisje achter zich hoorde te laten, net als de escapades op rolschaatsen of sprongen uit het raam.

Met een zucht moest Eve bekennen dat ze zich zelden zo'n mislukkeling had gevoeld. De Freddy die ze vanavond had gezien, was niet de dochter die zij kende en dat moest betekenen dat ze een onoplettende, onvoorzichtige moeder was. Hoe ironisch was het geweest toen Maurice bij hen was komen zitten en mee feest had willen vieren, denkend dat alles pais en vree was bij de familie De Lancel. Wat had hij haar ook weer toegefluisterd? Ze had er op dat moment, door alle schrik en woede, geen aandacht aan besteed. 'Zou een zekere Maddy niet verrukt zijn geweest . . .' Een 'zekere Maddy'!

Eve sprong verbijsterd op van de bank bij het raam. Ze bleef roerloos staan en hoorde haar eigen hart bonzen. Maddy! Maddy, die zonder ook maar één keer na te denken zo'n schandaal had veroorzaakt. Een schandaal dat vele jaren op haar had gedrukt en dat haar familie veel verdriet en schaamte had bezorgd en, dat moest ze toegeven, Pauls loopbaan aanzienlijk had belemmerd; Maddy met haar rode jurk en rode schoenen en amoureuze liedjes, met het wilde applaus, het hete, felle, oranje licht van het voetlicht; Maddy, die uiteindelijk naar alle roem had verlangd die het variététheater haar kon bieden.

Ze was slechts één jaar ouder geweest dan Freddy nu toen ze haar ouders avond na avond in Dijon had bedrogen, wanneer ze het huis uit glipte en naar het Alcazar holde om Alain Marais te horen zingen. Ondenkbaar ... om hem alléén te ontmoeten. Eve bloosde hevig toen ze zich die nacht herinnerde in zijn pension. Twee glazen rode wijn vormden geen excuus voor de manier waarop zij hem zijn gang had laten gaan ... en toch ... had hij haar voortdurend om toestemming gevraagd, bij elke stap. Nee! Ze moest niet aan de gebeurtenissen van die avond denken, niet met opzet, hoewel ze ze nooit zou vergeten.

Ze was slechts een jaar ouder geweest dan Freddy, toen ze was verdwenen om in Parijs te gaan wonen. Om in zonde te leven, zoals ze allemaal op geschokte toon moesten hebben gefluisterd ... in diepe, inktzwarte zonde, hoewel het geen zonde had geleken in de ogen van een zorgeloos meisjes dat zichzelf Madeleine noemde en de *Grands Boulevards* tot haar domein had gemaakt; van Madeleine die het lef had gehad een auditie te doen bij Jacques Charles en die had gezorgd dat ze indruk op hem had gemaakt; van Maddy, opnieuw een andere naam, die de grote ster was met haar *tour de chant* in het Olympia, die zo zeker van zichzelf was en van haar recht om te doen wat haar behaagde, dat ze zo ongeveer haar tante Marie-France haar kleedkamer had uit gegooid toen zij haar was komen smeken terug te gaan naar huis. Was ze toen nog zeventien geweest, of al achttien? Eve kon in gedachten haar eigen verontwaardigde woorden nog horen.

'Ik ben geen klein kind meer, dat u een beetje kunt komen bevelen ... Waarom zou ik net zo'n leven moeten leiden als dat van mijn moeder? ... Ik heb niets om me voor te schamen.' Maddy, die zo vastbesloten was geweest een ster te worden, wat er ook mocht gebeuren, en die nooit het toneel zou hebben verlaten als het niet om de oorlog en om Paul was geweest. Wanneer was ze Maddy ten slotte vergeten? Wanneer, op welk moment in al die jaren, was ze *madame la consule de France* geworden, die slechts voor vrienden op besloten feestjes zong of op een chic galafeest voor één van de vele liefdadigheidsinstellingen in Los Angeles? Wanneer was ze Maddy kwijtgeraakt?

Eve bleef lange tijd in haar slaapkamer lopen ijsberen, met slechts een klein beetje maanlicht om haar de weg te wijzen in een mist van terugkerende herinneringen. Vele minuten lang was ze verloren in het verleden. Toen kwam ze weer terug tot het heden. Paul sliep nog steeds, maar op de een of andere manier wist ze dat Freddy niet zou slapen.

Eve ging de slaapkamer uit en liep door de gang naar de kamer van haar dochter. Er scheen een vaag licht onder de deur door. Ze klopte aan en Freddy antwoordde met een vaag: 'Binnen.'

'Ik kan niet slapen,' zei Eve, en ze keek naar haar dochter die in haar flanellen pyjama opgerold op het bed zat, ietwat verloren en eenzaam, met een klein boekje met een blauw-rode omslag in haar handen.

'Ik ook niet.'

'Wat lees je daar?'

'Een handboek voor leerlingpiloten.'

'Is het goed?'

Freddy probeerde te lachen. 'Er zit geen spannend verhaal in en ook geen dialogen, maar wel veel gedetailleerde informatie.'

'Freddy, zeg eens, die man – die vlieginstructeur van je – is dat een ... jonge man?'

'Mac? Daar heb ik nooit over nagedacht. Hij heeft in de oorlog gevlogen, in het Lafayette Escadrille, dus hij moet wel zo'n ... o, ik weet het niet. Ik kan het hem wel eens vragen.'

'Nee, laat maar zitten. Ik vroeg het alleen omdat ik me afvroeg ... hoeveel ervaring hij had.'

'Meer dan wie ook. Hij is al met vliegen begonnen toen hij nog maar een jochie was. Hij heeft honderden mensen les gegeven. Weet je, moeder, het is echt niet ongewoon om op je zestiende solo te vliegen. Er zijn massa's jongens die dat doen. Vraag het maar na.'

'Je zult vast wel gelijk hebben. Maar het was wel een ... verrassing.'

'Je klinkt niet erg boos meer,' zei Freddy voorzichtig.

'Dat ben ik ook niet. Ik heb erover nagedacht. Vliegen betekent geloof ik heel veel voor je, hè?'

'Meer dan ik ooit kan uitleggen. Ik zou niet zoveel leugens hebben verteld als er een andere oplossing was geweest. Ik wist dat jullie me geen toestemming zouden geven om het te leren als ik dat had gevraagd,' zei Freddy ernstig.

'Hm.' Eve dacht na.

'Nou, dat zou je niet hebben gedaan, hè?'

'Nee, je hebt gelijk. We zouden je hebben laten wachten.'

'Ik kón niet wachten.'

'Dat weet ik.'

'Hoe ... hoe weet je dat?'

'Ik weet het gewoon. Ik ben ook eens jong geweest, bedenk dat wel.'

'Je bent nog steeds jong,' flapte Freddy eruit.

'Niet zó jong. Nooit meer zo jong ... en misschien is dat ook maar beter. Ja, dat is inderdaad beter ... en het is hoe dan ook onvermijdelijk. O, wat moeten we toch met jou aan, lieverd?'

'Ik móet mijn vliegbrevet halen. Daar kan ik niet om liegen. Ik beloof je dat ik van nu af aan niet meer zal liegen ... en verder heb ik je schriftelijke toestemming nodig om het examen voor mijn brevet te kunnen afleggen. Ik moet nog minstens tien uur les hebben.'

'Maar wat was je plan dan wel? Te werken tot je al die lessen kon betalen?'

'Ja. Ik moest nog meer . . . dingen . . . leugens bedenken voor de tijd die ik niet thuis of op school was.'

'Een tennisteam? Een paasspel? De meikoningin?'

'Dat zijn allemaal goeie ideeën – behalve die meikoningin. Als ik niet zo trots was geweest op mijn solovlucht, en het jullie niet had verteld, had ik ze vast wel gebruikt.'

'Zelfs die schriftelijke toestemming?'

'Valsheid in geschrifte,' zei Freddy somber. 'Ik was ertoe in staat.'

'Ik twijfel er niet aan,' mompelde Eve. 'Maar we weten het nu wel. Alles bij elkaar denk ik dat het zó toch beter is.'

'Betekent dit dat ik van jullie bij Woolworth mag blijven werken?' wilde Freddy gretig weten.

'Ik zal er met je vader over moeten praten. Maar ik denk dat ik het hem kan laten begrijpen. Ik wil alleen absoluut niet dat je nog gaat liften, Freddy. Onder geen beding. Hoe dan ook. Beloof je me dat plechtig?'

'Ja, natuurlijk, maar hoe moet ik dan naar het vliegveld?'

'Als je met een vliegtuig in de lucht kunt vliegen, neem ik aan dat je ook in staat bent met een auto op de weg te rijden. De meeste jongens halen hun rijbewijs op hun zestiende. Ik weet nog hoe Delphine over niets anders kon praten.'

'O, moeder!'

'Als je leert autorijden, Freddy, kun je mijn auto lenen.'

'O, moeder . . . wat ben je toch lief voor me!' Freddy vloog naar Eve toe en verpletterde haar met haar omhelzing. Hoewel ze groter was dan haar moeder, kroop ze zo dicht mogelijk tegen haar aan, vol verlangen naar troost en veiligheid. Ze was dus nog niet zo slecht dat ze door haar familie werd verstoten, zoals ze in de afgelopen uren van eenzaamheid in haar kamer had gevreesd. Ze hadden allebei tranen in de ogen.

'Laten we zeggen dat ik dankbaar ben voor bepaalde zegeningen . . . klein en groot. Maar nu moet je echt gaan slapen, liefje. Ik zie je morgenochtend wel weer.'

'Welterusten, moeder,' zei Freddy, met een gezicht alsof ze van plan was de hele nacht wakker te blijven, dansend om haar geluk.

'Welterusten, liefje. Die solovlucht was zeker gewéldig, hè? Ik kan me voorstellen . . . nee . . . ik kan . . . me herinneren . . . ja, op mijn manier herinneren . . . hoe jij je moet hebben gevoeld. Gefeliciteerd, liefje. Ik ben heel trots op je.'

'Kom nou, Freddy, het is tijd,' zei Delphine. Freddy keek door het raam naar de winterse regen die op haar verjaardag was gevolgd en die nu al een week duurde. Delphine was die zondag uit haar studentenclub naar huis gekomen en had aangekondigd dat het tijd was voor de 'opknapbeurt' die ze Freddy als verjaardagscadeau had beloofd. Freddy wist niet hoe ze met goed fatsoen onder dat experiment uit kon komen. Het smoesje van te veel huiswerk zou niets uitrichten en ze moest dit cadeau van Delphine wel accepteren om niet voor ondankbaar, onzusterlijk of onvriendelijk door te gaan.

'Ik zal een badlaken om je heen slaan,' zei Delphine, toen ze Freddy voor de spiegel van haar eigen toilettafel had geplaatst. 'Heb je je borstel meegebracht?' Freddy gaf hem haar aan, met een stille zucht van ongeduld; maar hoeveel vriendinnen van Delphine zouden niet alles hebben overgehad voor al deze aandacht en hulp?

Delphine keek peinzend en ernstig en ze draaide Freddy om, zodat deze niet in de spiegel kon kijken. Ze veegde de waterval van haar uit het gezicht van haar zusje en hield het naar achteren met grote plastic schuiven. Ze pakte een fles reinigingsmelk, bevochtigde er een prop watten mee en veegde over Freddy's gezicht, dat een frisse buitenkleur had. Toen ze klaar was, was de prop watten net zo schoon als toen ze begon, want Freddy gebruikte totaal geen make-up.

'Ziezo,' zei Delphine. 'Nu kan ik beginnen.' Ze pakte een van de doosjes van Max Factor vloeibare make-up die ze in een lade bewaarde, en bedekte Freddy's expressieve gezicht met een dun laagje dat enkele tinten lichter was dan Freddy's natuurlijke kleur. Ze poederde Freddy met dezelfde zachtbeige kleur en bestudeerde het resultaat zwijgend, terwijl ze om haar zusje heen draaide.

Freddy leek even puur en zuiver als een standbeeld, vond ze. Een waakzaam standbeeld, met gelaatstrekken die even beslist en onwrikbaar waren als het gewelfde plafond van een grote kathedraal. Maar zij was Freddy's zusje en een jongen, en jongens, normale jongens of uitzonderlijke jongens, gingen gewoon niet uit met een standbeeld met fantastische gelaatstrekken. Dat was niet wat ze zochten in een meisje.

Hoewel Delphine er nooit iets tegen Freddy over had gezegd, maakte ze zich zorgen over het feit dat haar zusje op haar zestiende niet genoeg werd uitgenodigd. Genoeg? Bijna helemaal niet. Als een meisje op haar zestiende nog niet populair was, op wat voor toekomst kon ze dan nog hopen? Freddy bleef op zaterdagavond maar al te vaak thuis en probeerde dan in haar eentje volmaakt gelukkig te zijn met die stomme vliegboeken, maar Delphine wist dat ze zich hevig zorgen moest maken en te trots was om dit toe te geven. Freddy danste geweldig, want ze hadden vaak samen gedanst en de nieuwste passen uitgeprobeerd, maar wie zou ooit weten hoe licht en ritmisch ze was als ze nooit uitging?

Delphine pakte een poederdoos en een rond, plat doosje met rouge. Heel luchtig bracht ze voorzichtig wat rouge aan en mengde het tot het volmaakt natuurlijk leek. Daarna pakte ze een scherp ogenpotlood en begon met vederlichte gebaren kleine, bruine streepjes te trekken tussen de koperkleurige haartjes van Freddy's wenkbrauwen, waarbij ze ze juist donker genoeg maakte om ze een dramatische omlijsting te laten vormen voor de diepe oogkassen met haar felblauwe ogen. Freddy zat rusteloos te draaien. 'Ik wist niet dat je al dat spul had. Gebruik je dat?' vroeg ze.

'Natuurlijk. Dat doet iedereen.'

'Dat wist ik niet eens.'

'Dat is het nou net. Als het te opvallend is, heb je het fout gedaan. Maar het maakt wel een groot verschil. Freddy, het is heel gemakkelijk te leren. Ik zal het je allemaal precies uitleggen als ik klaar ben. Ik haal het er dan eerst weer af en dan doe ik de helft van je gezicht en jij doet zelf de andere helft en dan kunnen we oefenen tot jij het zelf kunt . . . Het geeft niet hoe lang je erover doet. Je moet je gewoon ontspannen en de moed hebben iets fout te doen. Je kunt het er altijd nog weer afvegen.'

'Dat . . . dat is echt heel lief van je, Delphine.'

'Je wordt maar één keer zestien. Dit is een belangrijke verjaardag en ik wilde je iets belangrijks geven,' zei Delphine voldaan. Ze werkte zwijgend door en vervolgde toen, als terloops: 'Highschool-jongens zijn van die enorme sukkels.'

'Dat heb ik gemerkt.'

'Je boft dat je een jaar kon overslaan. Als je volgend najaar naar de UCLA gaat wordt het heel anders. Dan heb je studenten. Duizenden. En daar zijn de meesten geen sukkels.'

'Dat is goed nieuws.' Freddy wierp haar een zo onschuldig mogelijke glimlach toe. Delphine kon soms heel schattig zijn als ze probeerde subtiel te doen.

'Studenten weten een goede gesprekspartner te waarderen. Die vallen direct op jou.'

'Dat is beter nieuws.'

'Tot op zekere hoogte,' zei Delphine, haar woorden kiezend met de precisie van een picador, terwijl ze een klein doosje met mascara te voorschijn haalde, haar meest kostbare bezit.

'O ja?'

'Nou, je weet hoe mannen zijn . . . Ze willen zelf het meest aan het woord zijn, zelfs bij een goede gesprekspartner.'

'Dat is mal. Is dat niet jammer voor die andere persoon?'

'Niet echt. Een goed gesprek maakt dat iemand zich briljant voelt, weet je, het lokt hem uit zijn tent, moedigt hem aan zich uit te drukken, creatief te luisteren.' Delphine doopte een borsteltje in een glas water en wreef er behendig mee over de zwarte mascarapasta.

'Als je probeert te zeggen dat ik te veel praat, dan vertel je me niets nieuws,' zei Freddy.

'O, Freddy, zo bedoel ik het helemaal niet. Het is alleen zo, dat jongens – zelfs studenten – niet intelligent over vliegen kunnen praten. Ze weten er niets van af en ze willen het zeker niet van een meisje horen.'

'Tja, waar moet ik het anders over hebben?'

'Auto's,' zei Delphine plechtig.

'Dat heb ik geprobeerd. Echt waar, ik heb het geprobeerd, maar auto's zijn van die stomme dingen. Ik bedoel, wat kan dat onnozele ding eigenlijk, buiten een beetje heen en weer rijden op de een of andere saaie weg? Het is zo tweedimensionaal. Wat valt er nou aan auto's te beleven?' vroeg Freddy vol afkeer.

'Als . . . als je nu voor één keer . . . eens niets over vliegtuigen zei en deed alsof je belangstelling voor auto's had, gewoon, voor eventjes maar, dan zou je via die auto's op iets anders kunnen komen. De meeste meisjes kunnen geen zinnig woord uitbrengen over auto's of motoren, dus daar sla jij een goed figuur. Daarna . . . ach, dan gaat het gesprek gewoon over op andere dingen.'

'Zoals wat?' Freddy begreep er nog niet veel van, maar ze was bereid te leren.

'Over zijn studentenclub, zijn colleges, zijn hoogleraren, het voetbalelftal en wat hij daarvan vindt, welke bands hij graag hoort, welke nieuwe films hij heeft gezien, wie zijn geliefde filmsterren zijn, wat hij van plan is na zijn studie te gaan doen, wat hij waar dan ook maar van vindt – zelfs welke stripverhalen hij leest – o, Freddy, er zijn miljoenen dingen waarover je een man aan de praat kunt krijgen, als je maar met auto's begint en vragen blijft stellen.'

Ooghaar na ooghaar bracht Delphine op behendige wijze de zwarte mascara aan, zonder het te dik of te klonterig te laten worden. Nu inspecteerde ze Freddy's wimpers en toen ze tevreden was over het resultaat, vertelde ze haar zusje het belangrijkste deel van haar inzichten. 'Als een man ophoudt met praten en je weet niet wat je verder moet zeggen, moet je gewoon de laatste woorden die hij heeft gezegd op vragende toon herhalen, alsof je hem niet hebt begrepen, en dan praat hij meteen door en vertelt hij je steeds meer. Het helpt áltijd! Ik heb dit nog nooit aan een ander meisje verteld, zelfs niet aan Margie.'

Freddy was diep onder de indruk, maar niet overtuigd en vroeg: 'Moet je gewoon zijn laatste woorden nazeggen? Is dat nou alles?'

'Dat is alles. Het is heel eenvoudig, maar mannen vinden je onweerstaanbaar als je het goed doet. Je krijgt een reputatie als een geweldige gesprekspartner en met jouw uiterlijk en je geweldige benen – ik zou er álles voor geven om zulke benen als die van jou te hebben – zul je het meest populaire meisje van alle eerstejaars worden.'

'Met mijn uiterlijk?'

'Je mag nog niet in de spiegel kijken. Wacht tot ik klaar ben. Ik heb je haar nog niet gedaan.' Delphine maakte Freddy's haar los en borstelde het totdat het netter zat dan ooit. Ze maakte een scheiding opzij en legde toen, met de krultang die ze op de toilettafel had laten opwarmen, een aantal geraffineerde golven in de lange massa haar, tot dit vloeiend langs Freddy's gezicht omlaagviel en aan de onderkant naar binnen krulde. Ten slotte bracht ze een laagje roze lipstick aan op Freddy's lippen en toen ze zag dat deze kleur te licht was, pakte ze een donkerder lipstick om dit roze te bedekken. Delphine haalde een grote zwarte chiffon sjaal uit de lade van haar toilettafel, maakte het badlaken dat ze om haar zusje had geslagen, los en drapeerde de sjaal zorgvuldig zó dat Freddy's trotse schouders en het dal tussen haar borsten in alle naaktheid werden getoond.

Delphine slaakte een verrukte kreet. 'Draai je om!' beval ze, als een toverfee, en ze draaide Freddy op haar stoel rond zodat ze in de spiegel kon kijken.

Freddy staarde zichzelf verbijsterd aan.

'En?' vroeg Delphine ademloos.

'Ik . . . ik weet niet wat ik moet zeggen.'

'Je bent betoverend! Freddy, je bent echt adembenemend. Niet te geloven dat jíj dat bent!'

'Zie ik er niet te . . . oud uit?'

'Je ziet eruit als een filmster,' zei Delphine plechtig, haar het grootste compliment gevend dat maar mogelijk was. 'Ik wist wel dat het kon, als je maar een beetje make-up zou gebruiken.' Delphine boog zich over haar creatie heen en kuste Freddy boven op haar hoofd. Ze had het goed gedaan en Freddy was mooier geworden dan ze had durven hopen. Ze voelde even iets van afgunst, maar een snelle blik in de spiegel stelde haar gerust. Ze waren zulke verschillende types dat ze elkaars schoonheid alleen maar versterkten.

'Laten we het eens aan iemand laten zien,' smeekte Delphine en ze trok haar zuster aan haar arm.

'Nee, dat kan ik niet. Ik . . . ik vind 't nog een beetje eng. Geef me even de tijd om eraan te wennen. Aan wie moeten we het trouwens laten zien? Moeder weet vast niet dat je al dit spul gebruikt. Papa zou je erom vermoorden. En mij erbij. Als eerste, reken maar!'

'Je hebt gelijk . . . ik was alleen zo enthousiast dat ik 't even vergat. Freddy, als je naar je college gaat, zal ik je gezicht elke keer opmaken wanneer je dat wilt – dat is het tweede deel van mijn cadeau.' Delphine ging tevreden aan de slag met het opruimen van haar batterij cosmetica, waarvan ze het meeste in filmbladen geadverteerd had gezien en vervolgens per post had besteld.

'Wacht, laat me die foto's eens zien,' zei Freddy plotseling, één en al nieuwsgierigheid, en ze greep naar een stapel glanzende foto's die ze onder in Delphine's cosmeticalade had zien liggen.

'Laat maar zitten!' zei Delphine haastig, maar Freddy bekeek ze al, de ene foto na de andere, allemaal van Delphine en een reeks onbekende heren. Ze waren ingelijst in kartonnen passepartouts, die de namen droegen van alle bekende nachtclubs van Hollywood. Er stonden onmiskenbaar cocktails op het tafeltje voor Delphine, zoals ze daar met een sigaret in de hand in Coconut Grove zat, of in de Trocadero, de Palomar-danszaal, het Circus Café en Omar's Dome.

'Maar die mannen . . . dat zijn toch geen studenten, hè?' vroeg Freddy.

'Sommigen wel en sommigen niet,' antwoordde Delphine zenuwachtig.

'Zeg, wacht eens even . . . deze vent moet minstens dertig zijn, zo niet meer. Maar hij ziet er niet slecht uit. Delphine, rook en drink je?'

'Niet veel. Net genoeg om te zorgen dat ze me niet voor een klein kind aanzien.'

'Hoe oud denken ze dat je bent?' vroeg Freddy zich verbaasd af, diep onder de indruk van de foto's van haar zusje. Ze zag eruit als een chique, oudere, zelfverzekerde vrouw, zoals ze flirtend glimlachte naar de ogen van mannen die niemand van haar familie ooit had ontmoet.

'Eenentwintig.'

'Hoe doe je dat?' vroeg Freddy vol bewondering.

'Ik geef een valse naam op, natuurlijk. Dat doet iedereen,' antwoordde Delphine ontwijkend en ze griste Freddy de foto's uit handen, stopte ze in een lade en deed die met een klap dicht.

'Nog één vraag,' zei Freddy tegen haar oudere zusje.

'Eén?'

'Die mannen. Nemen die je mee uit naar nachtclubs en kopen ze corsages met orchideeën voor je en kijken ze je zo aan als op die foto's, omdat jij zo'n geweldige gesprekspartner bent? Ben je de hele avond bezig met vragen wat zij van het voetbalelftal vinden en van stripverhalen en wat voor auto ze hebben?'

'Niet helemaal,' zei Delphine voorzichtig, 'maar het is een begin.'

Het was een zondagmiddag in juni 1936, de dag nadat Freddy haar high-school-diploma had gekregen, en ze was alleen op weg voor een cross-country-vlucht, de langste die ze ooit had gemaakt, van Dry Springs naar San Luis Obispo en terug. De meest directe route was naar het noorden en een beetje naar het westen, over Big Pine Mountain in de San Rafael Range, over het dal ten oosten van Santa Maria, langs het Twitchell Reservoir en over de Arroyo Grande, regelrecht naar het vliegveld van San Luis. Het zou een veel gemakkelijker route zijn geweest om gewoon naar het noorden de kust te volgen en dan bij Pismo Beach naar het oosten te gaan, maar dat had haar geen enkele oefening in het navigeren gegeven en in de maanden dat ze met Mac aan haar vliegbrevet had gewerkt, dat ze net een maand geleden had gekregen, had Freddy zo hard mogelijk op het navigeren gestudeerd.

Navigatie, uiterst precies navigeren, was als je eenmaal kon vliegen de volgende belangrijke stap om een echte vliegenier te worden. Freddy vond het niet zo geheimzinnig als ze eerst had gedacht. In wezen betekende het vliegen met een voortdurend besef van waar ze precies was, op elk moment, en die wetenschap werd verkregen door voortdurend het land en alle herkenningspunten in de gaten te houden, deze gegevens telkens te vergelijken met de kaart op haar knie en zich vastberaden aan de koers op het magnetische kompas te houden, zoals ze die van tevoren had bepaald. Windvlagen konden een vliegtuig binnen enkele minuten van onachtzaamheid uit de koers brengen, dus lette Freddy scherp op alle controlepunten op de grond die rechts, links of pal onder haar vleugels moesten verschijnen. Als er ook maar de kleinste afwijking ontstond, stelde ze het kompas direct bij om een correctie te maken voor de wind.

Toen ze over het stadje Ojai vloog, dat precies lag waar het moest zijn, liet Freddy haar gedachten even afdwalen naar de toekomst. Vanaf morgen begon ze met haar vakantiebaantje, waarbij ze zes dagen per week in de Van de Kamp-bakkerij in Beverly en Western moest werken. De keten van bakkerijen die was begonnen met een eigen produkt dat Darling Henrietta's Nutty Mixture heette, bezat nu in Los Angeles zo'n honderd winkels die allemaal in de vorm van een molen waren gebouwd. Ze moest om zes uur 's ochtends als de bakkerij openging, met haar werk beginnen en ze was om twee uur 's middags klaar, als de avondploeg het overnam. Maar door de onhandige werktijden en de zesdaagse werkweek werd ze goed betaald: vijfentwintig dollar per week, evenveel als een ervaren secretaresse kon verdienen. Voor Freddy betekende het dat ze diverse middagen per week kon vliegen, evenals in de weekends.

Freddy kreunde inwendig. Het was kennelijk haar lot om snoep, koekjes en taarten te verkopen die ze zelf totaal niet lustte, maar deze zoetigheden schenen de enige branche te vormen die niet leed onder de crisistijd. Toch was die dagelijkse walm van zoetigheid onbelangrijk vergeleken bij wat het betekende om geld te hebben om in de zomer te kunnen vliegen en genoeg over te houden om een begin te maken, alleen maar een begin verdorie, met het sparen voor een aanbetaling op een vliegtuig.

Vandaag genoot ze met volle teugen van Macs nieuwe vliegtuig, een knalgele Ryan sta eendekker met een Menasco G-4 125-pk-motor, een krachtiger vliegtuig dan de Taylor Cub en een waarmee ze pas vijf keer eerder had gevlogen. Haar vader had haar bij haar diploma-uitreiking een parelsnoer gegeven, maar haar moeder had haar tot haar onuitsprekelijke vreugde contant geld gegeven, voldoende om Freddy drie van die lange cross-country-vluchten te laten maken, waarvan die van vandaag pas de eerste was. De parels vormden het eerste kostbare juweel dat ze ooit had bezeten. Freddy vroeg zich af of ze ze misschien kon belenen.

Ze wist dat ze in de toekomst geen enkele financiële hulp van haar vader kon verwachten. Hij was volledig bereid een set nieuwe golfclubs voor haar te betalen, of het lidmaatschap van een tennisclub – of zelfs bridgelessen, als ze daar zin in mocht hebben. Dank zij haar moeder had hij er ten slotte in toegestemd geen formele bezwaren tegen haar vliegen te maken, maar hij had duidelijk gemaakt dat hij er voor geen dollar aan zou bijdragen, zelfs niet in de vorm van een lening. Hij hoopte kennelijk dat hij, door het haar moeilijk te maken, het moment kon verhaasten waarop ze haar belangstelling verloor.

Het leek geen enkele zin te hebben hem te vertellen dat ze vastbesloten was eens haar eigen vliegtuig te bezitten. De goedkoopste van de laaggeprijsde vliegtuigen, de Taylor, de Porterfield Zephyr of de Aeronanca Highwing bij voorbeeld, kostten elk bijna vijftienhonderd dollar, met een aanbetaling van vierhonderdvijftig dollar. Een fortuin!

Delphine had voor haar achttiende verjaardag een nieuwe Pontiac coupé van zeshonderd dollar gekregen, tot grote afgunst van de helft van de kinderen uit hun buurt. In autotermen betekende de aanschaf van een goedkoop vliegtuig hetzelfde als het bezit van een Packard, de duurste auto in Amerika. Ze zou waarschijnlijk een goedkoop tweede- of derdehands vliegtuigje moeten zoeken dat moest worden opgeknapt, een vliegtuig dat ze voor een koopje op de kop kon tikken, op dusdanige voorwaarden dat ze het heel langzaam kon afbetalen.

Als ze geen vliegtuig van zichzelf bezat, vroeg Freddy zich af terwijl ze de top van Big Pine Mountain aan haar rechterkant ontwaarde en hoogte begon te winnen, wat voor toekomst had zij dan nog in het vliegen? Om precies te zijn: in het racen?

Racen. Ze wist dat ze geen enkele kans had mee te doen in de snelheidswedstrijden over een betrekkelijk korte afstand, met vliegtuigen die op volle kracht vooruitgingen, als renpaarden. Ze kon evenmin meedoen aan wedstrijden op een bepaald circuit, rond vaste bakens. Slechts vliegtuigen met een groter vermogen dan waarvan zij ooit kon dromen, maakten een kansje in een van de vele snelheidsraces, en dan nog uitsluitend wanneer ze werden gevlogen door piloten met veel wedstrijdervaring. In de afgelopen jaren was in de vliegwereld de belangstelling voor snelheidswedstrijden zo sterk toegenomen dat sommige records slechts enkele dagen standhielden eer een andere piloot het verbeterde.

Er werden echter ook cross-country-vluchten in het gebied rond Los Angeles gehouden, waarbij vliegtuigen van de ene tankstop naar de andere vlogen, naar een doel dat vele honderden kilometers ver kon liggen. Elk vliegtuig had een handicap die was gebaseerd op de eigen mogelijkheden, zodat de winnaar die vliegenier was die de minste tijd in de lucht was, die de mooiste race vloog, het beste gebruik maakte van de wind en het kompas en de kaarten, kortom de meest precieze vliegenier, de meest vindingrijke – en soms degene die het meeste geluk had.

Verdraaid, ze was gewoon te laat geboren! Amy Johnson, de Britse pilote wier loopbaan Freddy werkelijk ademloos had gevolgd, was in 1928 begonnen met vliegen. Het meisje uit Hull had nog maar vijfenzeventig vlieguren op haar naam staan toen ze vanaf Croydon, het Londense vliegveld, in een kleine kwetsbare, tweedehands De Havilland Moth naar Australië was vertrokken. Door een zandstorm was ze gedwongen een noodlanding te maken in de woestijn; bij een landing in Bagdad brak ze een wielsteun; ze verloor een bout op weg naar Karachi; ze kwam bij Jansi zonder brandstof te zitten en moest op een exercitieterrein landen, te midden van alle kanten op vluchtende soldaten; ze vloog door een moessonbui tussen Calcutta en Rangoon, waar ze haar propeller moest vervangen door het reserve-exemplaar dat ze aan boord had meegenomen. Op het laatste stuk, voorbij Nederlands-Indië, kreeg ze te kampen met een haperende motor en slecht zicht boven de Timor Zee, tot ze Darwin bereikte, waar ze werd toegejuicht als de eerste vrouw die een solovlucht had gemaakt van Engeland naar Australië, en zo een internationale heldin werd.

Dát was pas vliegen, vond Freddy en haar heldenaanbidding veranderde in droefenis toen ze besefte dat Amy Johnson deze heldendaad had volbracht toen zij, Freddy, pas negen jaar oud was en nog nooit met een vliegtuig omhoog was geweest.

Amy Johnson had haar triomf laten volgen door een record voor lichte vliegtuigen van Londen naar Tokio en toen daarna een onbekende vliegenier, die Jim Mollison heette, beroemd werd door in negen dagen van Australië naar Engeland te vliegen, had ze hem ontmoet en was met hem getrouwd. Na hun tweedaagse huwelijksreis had Jim Mollison een vlucht over de Atlantische Oceaan gemaakt, van oost naar west, waarbij hij onderweg een aantal records liet sneuvelen, terwijl Amy zijn eigen Londen-Kaapstad solorecord met elf uur verbeterde.

Wat een glorieuze manier om getrouwd te zijn, dacht Freddy met een zucht. Ze dacht niet dat veel mensen dit met haar eens zouden zijn, maar ze was diep onder de indruk van de twee pasgetrouwden die elk in een andere richting vertrokken, beiden om een nieuw record te vestigen. Gelukkige Amy Johnson, die een man had gevonden die begrip had voor dat ene ding waar zij het meest om gaf.

Geen van de jongens die Freddy had ontmoet en met wie ze in dit afgelopen jaar was uit geweest, had belangstelling gehad voor vliegtuigen. Ze had Delphine's raad opgevolgd en het had inderdaad geholpen. Maar wanneer je een goede gesprekspartner wilde zijn, moest je vele saaie verhalen aanhoren en dat had ze er niet voor over om populair te zijn. Goed, ze was inderdaad gekust; diverse keren zelfs. Maar Freddy vond niet dat dat veel voorstelde en ze schudde haar hoofd bij de teleurstellende herinnering aan bedeesde lippen op bedeesde lippen, onhandige armen om al even onwennige schouders.

Ze had toegestemd in die kussen om Delphine niet teleur te stellen, maar er waren zoveel belangrijker zaken waarvoor ze al te laat was, bedacht Freddy mopperend in zichzelf terwijl ze de horizon afzocht. Het was al zes jaar geleden dat Ruth Nichols het snelheidsrecord van haar vriendin en rivale, Amelia Earhart, had gebroken; twee jaar later, in 1932, had Earhart een solovlucht over de Atlantische Oceaan gemaakt; in 1934 werd Marie-Louise Bastie uit Frankrijk de eerste vrouw die vanuit Parijs een retour-vlucht naar Tokio maakte; in september 1935 vloog Laura Ingalls non-stop van Los Angeles naar New York en verbeterde Earharts record op die route met bijna vier uur.

O shit, was eigenlijk niet alles al eens gedaan? Amy Johnson was in een kleiner en veel minder krachtig vliegtuig dan deze Ryan tot over de helft van de wereld gevlogen en hier, acht hele, lange jaren later had je haar, Freddy, keurig op koers boven het Twitchell Reservoir, een onnozel klein plasje water dat door de mens was geschapen, geen oceaan of zee en zelfs geen grote rivier. Op deze manier kwam ze nooit weg uit Californië!

Op het kleine vliegveld van San Luis Obispo at Freddy de boterhammen op die ze had meegebracht en tankte, om tot haar schrik te ontdekken dat vliegtuigbenzine twintig dollarcent per gallon was. Toen ze eindelijk haar vliegbrevet had gehaald, had haar moeder erop gestaan een ongevallen-verzekering en een wettelijke aansprakelijkheidsverzekering voor haar af te sluiten. Zonder de verzekeringen, die ook nog eens honderd dollar kostten, had ze niet kunnen blijven vliegen, maar Freddy moest zelf haar brandstof betalen.

Het was alles bij elkaar een zeldzaam dure liefhebberij en Freddy benijd-de de vrouwen die iemand hadden die hen ondersteunde bij het vliegen. Floyd Odlum stond achter zijn vrouw Jackie Cochrane; Jean Batten, uit Nieuw-Zeeland, was gesponsord door Lord Wakefield, die ook Amy Johnson had geholpen; Anne Morrow had haar man, Charles Lindbergh, om haar te leren vliegen; en Earhart had de steun van haar echtgenoot, de toegewijde George Putnam. Zou er niet ergens een man te vinden zijn, liefst rijk en oud en beslist niet met romantische bijbedoelingen, die bereid was de zaak van de Amerikaanse luchtvaart te dienen door haar rekeningen te betalen?

Nee, die was er niet, antwoordde Freddy zichzelf. Misschien was dat wel het geval geweest als ze tien jaar eerder op deze wereld was gekomen, toen vrouwen voor het eerst hun opmerkelijke sporen in de lucht achterlieten, maar nu waren de dagen van de pioniers voorbij. Nou ja, misschien was ze te laat om roem te oogsten, maar er was vast nog wel iets anders waarmee eer te behalen viel, en dat zou ze weten te vinden!

Ze wist dat net zo zeker als ze eens had geweten dat ze ging vliegen. Daar had ze gelijk in gehad, bedacht ze terwijl ze om zich heen keek op het kleine landelijke vliegveld waar ze nooit eerder was geweest en dat ze had gevonden zonder ook maar één kilometer om te vliegen, alsof er wegwijzers en pijlen in de lucht hadden gehangen.

De vorige zomer moest ze nog leren vliegen en nu was ze een volleerde vliegenier. Als ze de tijd had gehad, de kaarten en het geld voor brandstof en eten, was ze regelrecht met deze Ryan naar Alaska gevlogen, of helemaal naar Zuid-Amerika. Ze kon nu direct op weg gaan, op dit moment, zonder iets meer te weten dan ze nu al wist. Ze wist voldoende om het te kunnen. Dat was het meest essentiële. De rest zou vanzelf wel komen – ze zou wel zorgen dat het er op de een of andere manier van kwam. Freddy bedankte de jongen die getankt had, probeerde haar haar wat te kammen en klom weer opgewekt in de gele Ryan.

Enige uren later was Freddy dicht bij de aanvliegroute naar Dry Springs. De terugvlucht was zo glad verlopen dat ze in de verleiding was geweest om wat ommetjes te maken en in Santa Maria en Santa Barbara te stoppen, gewoon om de sfeer op dat vliegveld te proeven en wat over vliegen te praten met wie er toevallig op de landingsbaan was, maar ze wist dat Mac zou inschatten hoe lang haar cross-country-vlucht kon duren en dat hij zich ongerust zou maken als ze laat was. Ze had zo exact genavigeerd, de winden waren zo gunstig geweest, dat ze twintig minuten vóór haar geplande tijd terug was.

Ze had nog tijd over, besefte ze met plotselinge gevoelens van opwinding. Het was een perfecte dag, met een uitstekend zicht. En ze was nog ver genoeg van Dry Springs om door niemand te worden gezien – alsof het zo was voorbestemd, zei Freddy bij zichzelf, dat ze deze kans kreeg om iets uit te proberen dat ze al vele maanden in haar geliefde vliegershandboek van Jack Hunt en Ray Fahringer had bestudeerd. Ze zag de inleidende pagina van het hoofdstuk 'Acrobatische mogelijkheden' al duidelijk voor zich. Ze kende het woord voor woord uit haar hoofd.

In de eerste plaats moet de leerling begrijpen dat hij te allen tijde 'deel uitmaakt van het vliegtuig', vanaf het moment dat hij zijn veiligheidsriem vastmaakt. Vanaf die tijd zit de piloot, welke positie de kist ook inneemt, rechtop of ondersteboven, steeds in dezelfde positie ten opzichte van het vliegtuig . . . en de instrumenten reageren dienovereenkomstig. Wanneer dit wordt begrepen, is het duidelijk dat de piloot slechts moet 'waarnemen' waarheen hij gaat en het vliegtuig moet 'besturen'. Hij heeft dit precies zo gedaan bij al zijn normale vluchten . . .

Nou, wat kon er duidelijker zijn dan dat? En geruststellender?

. . . de looping is de gemakkelijkste manoeuvre om uit te voeren, aangezien deze het minst gecompliceerd is . . . Zet het gas op een toerental voor normale kruissnelheid. Zet nu een rustige duikvlucht in . . . zodra de snelheid

voldoende is opgelopen, geef je geleidelijk minder hoogteroer en begin je
aan de opwaartse bocht van de cirkel . . .

In haar gedachten had ze al zo'n duizend loopings gevlogen, peinsde Freddy toen ze de Ryan optrok tot vijfduizend voet, een absoluut veilige hoogte om deze manoeuvre uit te voeren. Ze kon het lijstje met gebruikelijke fouten van leerlingen uit haar handboekje van voren naar achteren en van achter naar voor opzeggen. De duidelijke diagrammen stonden in haar geest gegrift. Ze had nooit echt een looping uitgevoerd. Niet in een vliegtuig. Maar vandaag vloog ze met hetzelfde vliegtuig, met dezelfde motor als Tex Rankin, de nationale kampioen luchtacrobatiek. Had Rankin niet zelf gezegd dat precisie-luchtacrobatiek een veiliger piloot opleverde? En had ze het niet zelf verdiend om iets te vieren? Haar einddiploma te vieren. Haar vliegbrevet van vorige maand te vieren. Het inzicht van vandaag te vieren, dat ze niet van plan was zich te laten intimideren door indrukwekkende figuren als Amy Johnson en Earhart en Cochrane. Já!

Freddy bracht de Ryan voorzichtig in een duikvlucht en zodra ze de juiste snelheid had bereikt, begon ze de neus van het vliegtuig omhoog te trekken. Ze gaf geleidelijk gas tot ze maximaal vermogen had. Ze had zo'n honderdvijfentwintig onuitputtelijke paardekrachten tot haar beschikking, die bij de minste druk van haar hand voorwaarts snelden. Wat een genot om na uren van nauwgezet navigeren, met hun zuivere en strenge mathematische genoegens, deze snelle, adembenemende sprong in het luchtruim te kunnen maken.

Ze hield de Ryan in de bocht van de cirkel en toen ze al voor een deel ondersteboven hing, wierp ze haar hoofd achterover om te zien hoe de neus van de kist over de horizon ging. Ze was een kind op een schommel dat over de kop kón gaan, dat voor één verblindend moment van verrukking aan de beperkingen van de zwaartekracht kón ontsnappen. Toen de Ryan de looping voltooide en ze weer naar boven schoot, merkte Freddy dat ze lachte als een klein kind, maar toch had ze het vliegtuig volledig onder controle. Ze maakte nog een looping. En nog een. En nog een. Pas na een tiental loopings kon ze zichzelf overhalen ermee op te houden, en dan nog alleen door zich te herinneren hoe dicht ze bij Dry Springs was.

Heel rustig, als een bezadigde oude heer op een zondags ritje, haar brede grijns niet meegerekend, begon ze geleidelijk hoogte te verliezen om haar zoals gebruikelijk onberispelijke landing te maken. Ze keek op het vliegveld om zich heen. Alles was rustig. Er waren diverse andere vliegeniers bezig, van wie sommigen nog een tochtje bij zonsondergang wilden maken en anderen hun vliegtuig klaarmaakten voor de nacht, maar bij de hangar van McGuire's school was niemand te zien. Ze sloot de Ryan af en begon vol bravoure naar het kantoor te lopen, terwijl ze in drievoudig tempo *Till We*

Meet Again zong. Ze stond haar logboek in te vullen toen ze de Taylor Cub hoorde landen en de motor afgezet hoorde worden.

'Wát denk jij eigenlijk wel dat je daar dééd!' brulde Mac woedend, zodra hij met geheven hand het kantoor was binnengedaverd. Freddy deinsde ontzet achteruit, zodat het bureau tussen hen in stond, en hij liet zijn hand zakken. 'Geef antwoord!' schreeuwde hij, briesend van woede op een manier die ze niet voor mogelijk had gehouden.

'Ik oefende wat . . . loopings,' stamelde Freddy.

'Hoe waagde je het zó'n stunt te proberen! Je had jezelf wel kunnen vermoorden, stom kind, stom, onnozel kind, snap je dat dan niet?'

'Volgens het boek . . .'

'Welk boek, verdomme?'

'Mijn handboek voor leerlingpiloten . . . Mac, het staat er allemaal in, alles, elk detail . . . ik wist precies hoe ik het moest doen, het is de eenvoudigste manoeuvre uit het boek, ik heb alle voorzorgsmaatregelen genomen en die kist is geschikt voor alle vormen van kunstvliegen . . .' Ze slikte haar woorden in, toen ze de moorddadige woede in zijn ogen zag.

'Godverdomme, Freddy. Niemand, níemand, mag ooit met stunten beginnen zonder een instructeur en zonder een parachute! Je was zelfs niet snugger genoeg om te bedenken dat elk vliegtuig dat vanmiddag binnen een straal van tachtig kilometer in de lucht zat, jou duidelijk kon zien, jij onnozel, arrogant kind! Ik heb nog nooit zo'n vertoon van misdadige zorgeloosheid gezien! Je had je vliegbrevet kwijt kunnen raken voor wat je gedaan hebt. Je had een black-out kunnen krijgen en neer kunnen storten, jij stomme idioot! Die Ryan heeft op de bodem van de looping een snelheid van 400 kilometer per uur. Was je toevallig op de hoogte van dat detail, Freddy? Verdómme nog aan toe!' Mac sloeg zijn armen met gebalde vuisten over elkaar en keek haar woedend aan terwijl hij op haar antwoord wachtte.

Freddy keek verwilderd om zich heen in het kale kantoor, op zoek naar een plek om zich te verstoppen, en toen ze niets kon vinden liet ze zich tegen een muur vallen om haar gezicht te verbergen. Ze was niet bij machte een halt toe te roepen aan de woeste huilbui die haar overviel. Het had geen enkele zin om te zeggen dat het haar speet. Daarvoor was deze misdaad te erg. Hij haatte haar. Verpletterd door vreselijke schuldgevoelens begon ze steeds harder te huilen en met haar vuisten tegen de muur te bonzen, in een nutteloos, verachtelijk berouw. Ten slotte, na vele minuten, sloeg Freddy haar handen voor haar gezicht en begon zo snel mogelijk het kantoor uit te lopen, naar de veiligheid van haar moeders auto.

'Híer jij!' bulderde Mac. Ze stopte niet. Ze kon niet nog meer woede van hem verdragen. Hij sprong op haar af, draaide haar om en trok haar handen van haar gezicht weg. 'Wilde je dat ooit, óóit nog eens weer doen?' wilde hij weten.

Ze kon niets uitbrengen maar schudde haar hoofd op een manier die geen

198

ruimte liet voor twijfel en ze rukte zich los om naar de auto te lopen. Hij greep haar weer beet. 'Je rijdt niet weg voordat je jezelf weer volledig in bedwang hebt. Ga zitten en hou op met dat gejank!'

Ze droogde haar ogen en snoot haar neus, nog steeds nasnikkend. Hij stond met zijn rug naar haar toe en keek uit het raam naar de vliegtuigen die een voor een landden. De zondagsvliegers keerden met tegenzin naar de aarde terug. Ten slotte was ze in staat iets uit te brengen.

'Mag ik nu naar huis?'

'Nee, dat mag je niet. Niet voordat we dit heel goed hebben uitgepraat. Waarom heb je die loopings gemaakt?'

'Ik voelde me . . . gelukkig.'

'En daarom besloot je wat stuntwerk te doen?'

'Ja.'

'Waarom heb je zoveel loopings gemaakt?'

'Het ging zo lekker. Ik vond 't heerlijk.'

'Wil je me beloven het nooit meer te doen?'

'Dat beloof ik.'

'Ik geloof je niet.'

'Mac! Ik zweer je dat ik 't niet zal doen! Hoe kan ik je overtuigen? Ik heb m'n les geleerd – ik sta niet te liegen, geloof je me niet?'

'Nee, ik geloof je niet. Ik denk niet dat je staat te liegen, ik denk dat jij oprecht gelooft dat je nooit meer zult stunten, maar eens op een dag, op een veilig plekje, wanneer je weet dat ik driehonderd kilometer uit de buurt ben, zal de verleiding je te machtig worden en zul je er geen weerstand aan kunnen bieden. Nu je er eenmaal mee begonnen bent, kun je er niet meer mee ophouden. Ik weet hoe dat gaat. Die dingen gebeuren nu eenmaal, wat je nu ook mag zeggen.'

'Ik kan je niet dwingen tot andere gedachten,' zei Freddy terneergeslagen. Dit betekende dat hij haar nooit meer de Ryan zou meegeven. Ze zou weer met de langzamere Taylor moeten vliegen, met veel minder vermogen, áls hij haar nog in een vliegtuig liet gaan.

'Luchtacrobatiek is een aparte wetenschap, Freddy, en niet zomaar een onnozele koprol. Roekeloosheid valt niet te tolereren, is onvergeeflijk. Zonder meer. Luchtacrobatiek vergt meer werk, meer eindeloos herhaalde precisie-oefeningen dan welke andere vorm van vliegen ook.'

'Dat begrijp ik. Mac, ik zal echt . . .' begon Freddy wanhopig. Hij trok cynisch een wenkbrauw op.

'Je zult echt? Dat is precies wat je zult doen. Ik ken je maar al te goed, meisje. Als er één ding is dat ik zeker weet, dan is het wat jij eens, echt zult doen! Ik zal je les geven in luchtacrobatiek. Het is de enige manier om er zeker van te zijn dat je de volgende keer dat je je weer zo laat gaan als vandaag, precies weet wat je met je stomme hoofd moet doen!'

'Mac? . . . Mac?'

'Vooruit, maak dat je wegkomt. Naar huis, jij!'

Toen hij Freddy weg zag rijden, bedacht McGuire dat hij nog nooit zó op het punt had gestaan een vrouw een klap te verkopen. En toen ze zo vreselijk had staan huilen, had hij nog nooit iemand zó willen troosten. Jezus! Dat kind bezorgde hem echt problemen. Maar verdorie, die loopings hadden er goed uitgezien. En als híj haar geen luchtacrobatiek leerde, dan zou een ander het wel doen.

10

Eve bladerde in de ochtendkrant terwijl ze ontspannen in de zonnige ontbijtkamer zat. Paul was naar het consulaat vertrokken, haar twee dochters waren naar school en aan de studie, het bedrijvige keukenpersoneel was bezig met de voorbereidingen voor de lunch die ze vandaag voor een aantal dames uit de Franse gemeenschap gaf, gisteren had ze rozen uit de tuin in vazen geschikt en overal in huis neergezet zodat ze zich, voor dit moment, kon overgeven aan het bestuderen van het wereldnieuws, of in ieder geval dat deel van de wereld dat de krant uit Los Angeles als belangrijk beschouwde.

Het was mei 1936. Frankrijk werd verlamd door stakingen na de verkiezingsoverwinning van het Front Populaire, dat verrassend veel socialisten en communisten onder zijn leden bleek te tellen; Mussolini's oorlog tegen Abessinië was voorbij en er heerste een Italiaanse onderkoning over grote delen van Noord-Afrika; Hitlers Wehrmacht had de voormalige gedemilitariseerde zone van het Rijnland bezet, zonder zich iets aan te trekken van de Volkenbond, een daad die ronduit werd veroordeeld door België, Engeland, Frankrijk en Italië, hoewel er totaal niets werd ondernomen om hem tegen te houden. In Los Angeles bestond het voorpaginanieuws uit het huwelijk van Douglas Fairbanks Sr. en Lady Sylvia Ashley.

Met enige opluchting richtte Eve haar aandacht op het verhaal over het huwelijk. Hier had je een vrouw die volgens de geruchten de dochter van een bediende was, een vrouw die eens een 'aankomende ster' was geweest, wat dat ook mocht zijn, in een Londense theaterrevue en er vervolgens in was geslaagd te trouwen met de erfgenaam van de titel en het kapitaal van de graaf van Shaftesbury. Nu, acht jaar later, was ze gescheiden van Lord Ashley en had ze juist een van de beroemdste filmsterren uit Hollywood aan de haak geslagen.

Eve boog zich geboeid over de foto van het burgerlijk huwelijk in Parijs. Lady Ashley zag er bijzonder elegant uit, dat viel niet te ontkennen. Haar lichte wollen jas was afgezet met een enorme, cape-achtige kraag van donker sabelbont, de corsage van vier reusachtige orchideeën was bevestigd

201

onder een enorme ketting met diamanten en parels en haar vingernagels waren even donkerrood geverfd als haar lippen. Onder de dunne wenkbrauwen leken haar ogen smal en bijna oosters. Ondanks haar klassieke gelaatstrekken kon ze niet echt knap worden genoemd en Eve zag een koude blik in haar gezicht. Aan haar zijde straalde een gebruinde Fairbanks met de onmiskenbare vreugde van een man die zijn hartewens in vervulling heeft zien gaan.

Het paar was triomfantelijk. Ze waren het schandaal van Fairbanks' scheiding van Mary Pickford moeiteloos te boven gekomen, hadden met zijn grote jacht een cruise van een jaar gemaakt alvorens te trouwen, en het loon van hun gedrag was pluimstrijkerij en afgunst. Toen Eve de foto bestudeerde van deze vrouw, die zo zichtbaar in luxe en bewondering was gehuld, die zó begeerd werd door mannen dat ze tot alles in staat waren om haar te kunnen krijgen, vroeg ze zich af hoeveel Amerikaanse huisvrouwen die verklaarden geschokt te zijn door dit huwelijk, in hun hart dolgraag met haar zouden willen ruilen. Miljoenen? Tientallen miljoenen?

Ze smeet de krant in de prullenbak. De tijden waren veranderd, de maatstaven waren veranderd en zij, die zo zwaar was bekritiseerd, moest haar best doen om niet zelf ook te kritisch te worden.

Aan de andere kant had ze Delphine en Freddy, en ze mocht dan wel geen oordeel over de Sylvia Ashley's van deze wereld willen vellen, tegenover haar dochter had ze wél een taak. Delphine was met veel gemak door de jaren heen gezweefd die voor Eve zo vol rebellie waren geweest. Delphine was, moest ze erkennen, soms een wat frivool, gemakzuchtig meisje met de inschikkelijkheid van een geboren coquette, maar er zat niet één lelijk trekje in haar persoonlijkheid. Ze was virtuoos in de omgang met het mannelijk geslacht, maar ze scheen er geen enkel genoegen in te scheppen een man om haar te laten lijden. Ze was een hartelijk, levendig meisje; wat wispelturig misschien, maar in wezen heel goed. Toegegeven, Delphine leek weinig sterke morele overtuigingen te bezitten, maar wie had dat op haar leeftijd wel, zeker in deze stad?

Eve miste Delphine, die in het meisjeshuis van de universiteit was gaan wonen. Paul had gewild dat ze thuis bleef wonen maar de campus was echt te ver weg om dagelijks op en neer te reizen. In elk geval dacht Eve dat haar oudste dochter zich gelukkiger zou voelen met meisjes van haar eigen leeftijd om zich heen. Als ze thuis bleef wonen, zou ze weinig kans hebben echt goede vrienden te maken en ze zeiden altijd dat je tijdens je studiejaren vrienden voor het leven maakte.

Ze was erg blij dat Freddy nog naar highschool ging. Als haar jongste dochter volgend najaar ging studeren, zou Freddy misschien ook in het meisjeshuis willen wonen, maar Eve hoopte stiekem dat dat niet het geval zou zijn. Ze haatte het Amerikaanse systeem dat kinderen bijna automatisch van huis wegstuurde, maar Freddy wilde vast niet naar een college dat te ver bij haar geliefde vliegveld van Dry Springs vandaan was.

Aan de andere kant maakte ze zich zorgen dat Freddy misschien niet zoveel van haar jeugd genoot als Delphine. Ze kon geen enkele hechte schoolvriendin bedenken die ze in al haar schooljaren had gehad – behalve natuurlijk dat denkbeeldige vriendinnetje in Beverly Hills. Haar interesses waren gewoon heel anders dan die van haar leeftijdgenoten. Ze leek nog zo jong om al zo fanatiek met vliegen bezig te zijn, te jong om zo eenzijdig te zijn. Als Freddy nu maar iets meer op Delphine had geleken, en Delphine meer op Freddy ... Wat een dwaas mens ben je toch, zei Eve tegen zichzelf en ze liep naar de keuken om te zien of alles volgens plan verliep. Terwijl ze de vingerkommetjes inspecteerde, bedacht ze dat het in ieder geval een geluk was dat de gastvrouw bij de lunch geen hoed hoefde te dragen, in tegenstelling tot de gasten. Dat was in ieder geval weer één ding minder om je druk over te maken.

Delphine drukte haar sigaret uit en keek om zich heen in de slaapkamer van haar beste vriendin en medestudente, Margie Hall. De kamer, die opnieuw was ingericht in uitsluitend roze en wit, was een tempel van ongerepte maagdelijkheid. Het geheel paste niet erg bij Margie's korte, geelblonde krullen, haar weelderige jonge lichaam en haar brutale groene ogen, maar, zoals Margie zei, als ze daarmee haar moeder op een afstand kon houden, zou ze dit decor verdragen.

Margie's moeder was zojuist voor de derde keer gescheiden en voor de vierde keer getrouwd. Dit was de derde keer dat Margie's kamer in haar huis in Bel Air was opgeknapt sinds Delphine en zij zes jaar geleden vriendinnen waren geworden. Dit was zo de methode waarop de voormalige mevrouw Hall haar dochter wenste te troosten voor eventueel doorstaan verdriet en wat Margie betrof was het een acceptabeler manier dan gevraagd te worden medelijden op te brengen. En misschien zou een volgende echtscheiding een binnenhuisarchitect opleveren wiens smaak meer met die van Margie overeenstemde.

Margie's moeder was in Europa, voor haar nieuwste huwelijksreis; haar vader zat volgens de geruchten in Mexico, maar hij had al vele jaren niets meer van zich laten horen. Het echtpaar dat voor het huis zorgde en verder geen vragen stelde zat, zoals gebruikelijk, in hun woning boven de garage naar de radio te luisteren. Delphine en Margie waren bezig zich in te richten voor een van hun vele 'logeerpartijen' waarvoor Eve toestemming had gegeven aan de leiding van het meisjeshuis.

Eve kon moeilijk bezwaar hebben tegen Margie vanwege haar verbrokkelde huiselijke leven of haar felle haarkleur. Volgens de nonnen van Sacred Heart, bij wie Eve haar licht had opgestoken, was Margie Hall gehoorzaam, stipt, beleefd en een harde werkster die goede cijfers haalde. Ze was wat uitbundig, dat klopte, maar wanneer je bedacht wat voor moeder ze had, dan was het een zegen dat het kind niet snel gedeprimeerd was, nietwaar? Dat haar? Nou, dat was echt niet gebleekt. Helaas wat opvallend misschien, maar daar kon niemand iets aan doen.

Als Eve een rondleiding had gehad door Margie's boudoir, dan had ze geweten dat haar onbehaaglijke voorgevoel terecht was. Margie had tien keer zoveel make-upspullen als Delphine en die waren opgeborgen in haar poezelig versierde toilettafel. Haar kleerkasten bevatten een verbijsterend aantal fraaie en modieuze avondjaponnen, avondcapes en schoenen met hoge hakken, die allemaal bij een volwassen jonge vrouw pasten, niet bij een meisje van achttien. In een geheim compartiment van Margie's roze-met-witte bureau lag een grote voorraad contanten, de opbrengst van de vele keren dat de twee meisjes met hun mannelijke begeleiders waren gaan gokken in de illegale speelhuizen die overal in Los Angeles floreerden, onder een stadsbestuur dat met het jaar corrupter werd.

Deze twee geweldige schepsels hadden bij een groeiend aantal mannen de naam geluk te brengen. Margie en Delphine waren uiterst decoratieve mascottes die van hun begeleiders bankbiljetten in groten getale kregen toegeschoven, met de boodschap hun winst te houden en terug te komen als ze verloren. Delphine bewaarde alle kleren die ze van haar winst kocht in de kast van haar vriendin.

Het smokkelen van drank was gestaakt na het intrekken van de drooglegging, maar nu de mensen zonder risico konden drinken, was de speelkoorts groter dan ooit. Iedereen met de juiste connecties kon veel geld winnen of verliezen in de tientallen gelegenheden langs de lange strook die reikte van de chique clubs op Sunset Boulevard tot de hutjes op het strand en verder de zee in, waar watertaxi's op en neer voeren naar de speelschepen *Monte Carlo* en *Johanna Smith.*

In de clubs waren Delphine en Margie oude bekenden, er was champagne en kaviaar in huis en iedereen die naar binnen wilde moest in avondkleding zijn. Er werd gefluisterd dat de onderwereld van de oostkust zich met de speelholen in het westen ging bemoeien, maar dat verleende deze verboden activiteit alleen maar nog meer allure.

Delphine had uiteraard het een en ander moeten regelen om te zorgen dat haar ouders niets van haar nachtelijke leven te weten kwamen. Ze kon zich onmogelijk bij het meisjeshuis laten ophalen. De huismoeder, mevrouw Robinson, bezat scherpe ogen, was zeer achterdochtig en zou ongetwijfeld direct haar moeder hebben gebeld wanneer ze Delphine had zien uitgaan met iets anders dan jonge studenten, dikwijls onhandige, berooide jochies van Delphine's eigen leeftijd. Deze jongens waren haar al snel te jong en te weinig ervaren om zich nog langer mee in te laten.

De twee meisjes waren onafscheidelijk. Ze slaagden er, door elkaar te helpen, beiden in op een aanvaardbaar niveau door hun examens te komen, ondanks het feit dat ze drie of vier keer per week gingen dansen en spelen. Pas tegen het ochtendgloren kwam er, met roerei bij Sardi's, een einde aan de nacht. Na afloop werden ze naar Bel Air teruggebracht om nog een paar uur te slapen eer de colleges begonnen. Ze sloegen wel eens wat lessen over, aangezien ze allebei over een goed geheugen beschikten en met een paar dagen studeren alles weer in konden halen.

's Zaterdags gingen Delphine en Margie de stad in om hun speelwinst in de beste warenhuizen te besteden, waarbij ze zich uitbundig trakteerden op nieuwe kleren en lingerie en zich bij een late lunch hoog verheven voelden boven de andere meisjes in het meisjeshuis, die bij wijze van verzetje naar een voetbalwedstrijd gingen om na afloop in het jongenshuis wat bowl te drinken met jongerejaars studenten.

De twee vriendinnen hielden elkaars hoofd vast wanneer één van hen te veel had gedronken, ze probeerden samen nieuwe remedies tegen katers uit, gaven elkaar advies voor een nieuw kapsel en de laatste populaire uitdrukking, ze lakten elkaars teennagels, vergeleken alle kus- en vrijtechnieken en waarschuwden elkaar voor mannen die 'te ver' met hen wilden gaan, want ze waren 'nette' meisjes en hun maagdelijkheid was heel belangrijk voor hen.

Hun meest geliefde onderwerp van gesprek, het onderwerp dat ze maar niet met rust schenen te kunnen laten, en het enige punt waarop hun leven niet ideaal was, was het onloochenbare feit dat zij slechts een bijrol vervulden in het centrale drama dat zich 's nachts afspeelde in de restaurants en nachtclubs van Hollywood. Ze waren zelf geen filmsterren. Hoe knap ze ook waren of hoe mooi ze zich ook hadden uitgedost, niemand staarde hen aan en niemand vroeg hun handtekening. Ze bewogen zich in de wereld waarover de rest van het land slechts in de krant las, ze waren bekend in kringen waar iedereen naar opkeek, maar het was één ding om door de gerant van de Coconut Grove te worden herkend en een heel ander om door fans en fotografen te worden omringd.

'Je moet maar denken,' zei Margie behulpzaam, 'dat als er werkelijk een foto van je in de krant kwam, je ouders je onmiddellijk achter slot en grendel en op water en brood zouden zetten.'

'Als ik met een foto in een krant kwam, was dat omdat ik beroemd was,' ging Delphine ertegenin, 'en dan zouden mijn ouders me niets meer kunnen maken.'

Ze zwegen allebei, na deze redenatie. Ze kenden wel acteurs, maar dat waren niet veel maar dan spelers van bijrollen. De mannen die het geld bezaten om hen mee uit dansen en gokken te nemen, waren jonge vrijgezellen die in het dagelijks leven als zakenman bezig waren – de acteurs werden slechts uitgenodigd om de jonge meisjes die ze mee wisten te brengen.

'Kom op, Delphine,' zei Margie, en ze haalde vijfhonderd dollar uit haar voorraad en verdeelde het in twee gelijke stapeltjes. 'Filmsterren moeten

's ochtends veel te vroeg opstaan en ze hebben altijd problemen met de liefde en dat is nu eenmaal een geweldige spelbreker, dat weet je zelf ook. Ik weet niet hoe het met jou staat, maar ik heb vanavond niets om aan te trekken en we verdoen onze tijd met chagrijnig zijn omdat jij geen Lupe Velez bent en ik geen Adrienne Ames, of is het andersom?'
'Je hebt een walgelijke smaak, Margie. Neem Myrna Loy maar voor jou en Garbo voor mij.'
'Kom op, liefje, we hebben een geweldige avond voor de boeg . . . na het eten gaan we naar het strand . . . ze hebben daar net een drijvend casino geopend, zo'n twintig kilometer buiten Santa Monica Bay, en iedereen die wat voorstelt zal erbij zijn! Delphine! Hou op met dat gesim . . . tijd om te winkelen!'

Freddy was vroeg voor haar les, maar McGuire gebaarde haar in de buurt te blijven terwijl hij met zijn bezoeker zat te praten. Freddy had de man al eerder ontmoet. Swede Castelli was belast met de coördinatie van al het stuntwerk bij de kleine I.W. Davidson-studio in Pico. Hij reed vaak naar Dry Springs om Mac te raadplegen over de problemen die zich voordeden bij de opnamen van de zoveelste film over de Wereldoorlog, waarvoor het publiek nog steeds warmliep.

Terence McGuire was een tweeëntwintig jaar oude oorlogsheld geweest toen de oorlog in 1918 was afgelopen. Hij was uit Frankrijk teruggekomen in de stellige overtuiging dat de toekomst van het vervoerswezen in de lucht lag, maar hij was na een aantal pogingen om een kleine luchtvaartverbinding op te zetten tot de teleurstellende ontdekking gekomen dat geen enkele fabrikant vliegtuigen wilde bouwden met voldoende capaciteit om tussen grote steden heen en weer te vliegen met een betalende vracht aan passagiers. Als de mensen op reis gingen, bleven ze de trein gebruiken.

Ten slotte had McGuire de realiteit onder ogen gezien en had hij elke penny die hem nog restte in een Curtiss JN-4 gestopt. Met dit stevige kleine vliegtuig had hij een karige boterham weten te verdienen door op kermisterreinen te werken, waar het landingsterrein vaak een honkbalveld was, of een renbaan, of zelfs een weiland met koeien. Na wat luchtacrobatiek te hebben vertoond had hij voor vijf dollar per persoon passagiers meegenomen voor een rondvlucht, maar de dag kwam dat de mensen nog slechts één dollar per vlucht wilden betalen.

Het nieuwtje van de luchtvaart was er snel af, nauwelijks twintig jaar nadat de gebroeders Wright hun eerste vlucht hadden gemaakt. Het leger en de marine waren niet geïnteresseerd in het handhaven van hun luchtmacht en voor een man die zich niet kon voorstellen dat hij ander werk zou doen dan vliegen, was de enige oplossing naar Hollywood te gaan en een professionele stuntvlieger voor films te worden.

Hij had vele jaren gewerkt voor de Fox Studio's, waar vijftien film-

206

maatschappijen hun hoofdkwartier hadden. Daar had hij zijn vaardigheid, moed en jeugd vrijelijk en blijmoedig besteed in het gezelschap van mannen als hijzelf, mannen die bereid waren te werken voor een betaling die varieerde van honderd dollar om slechts luttele centimeters boven de grond ondersteboven te vliegen, tot vijftienhonderd dollar om een vliegtuig in de lucht op te blazen en er dan met een parachute uit te springen. Geen enkele stuntman verdiende ooit iets zonder levensgevaarlijke risico's te lopen en ze verdienden elke dollar met hun eigen lichaam. McGuire had gevlogen met Dick Grace en Charles Stoffer, met Frank Backer, Lonnie Hay, Clement Phillips, Frank Clark en Frank Tomick; met Dick Curwood en Duke Green, met Maurice Murphy, Leo Nomes en Ross Cook, en tegen 1930 waren er van de tientallen vrienden die hij had gehad nog slechts enkelen in leven geweest. Niet één van hen was een natuurlijke dood gestorven. Ze hadden vrolijk en dapper geleefd, van dag tot dag, en ze waren bijna allemaal in hun jeugd gestorven, alsof ze het zo hadden uitgezocht.

Op dat moment, aan het begin van een nieuw decennium, toen hij zich had gerealiseerd hoeveel van zijn vrolijke, onbekommerde vrienden hun weddenschap met de dood hadden verloren, had Terence McGuire zijn spaargeld opgenomen en was een vliegschool begonnen.

Het was gewoon een kwestie van percentages; al die dode mannen waren uitstekende piloten geweest en hij wist dat het vroeg of laat zijn beurt zou zijn. Hij had bijna veertig zorgvuldig geënsceneerde ongelukken weten te overleven, maar hij had wel zijn deel gehad aan gebroken botten.

Misschien was hij anders dan de meeste anderen, maar hij wilde zijn eigen toekomst nog mee kunnen maken. Desalniettemin had hij Hollywood niet volledig de rug kunnen toekeren en hoewel hij niet langer stunts deed, had hij een stal met oude vliegtuigen op weten te bouwen, moeilijk te vinden antieke exemplaren, veelvuldig gerepareerde 220 Spads en Duitse Fokker D-VII's en Engelse Camels, die hij aan de filmstudio's verhuurde als aanvulling op de onzekere inkomsten van zijn school. McGuire's bedrevenheid in het opzetten en organiseren van simulaties van luchtgevechten verzekerde hem van de nodige vraag van filmmaatschappijen die oorlogsfilms maakten. Maar hij kon niet ontkennen dat hij die ouwe tijd miste, die gevaarlijke tijd, die slechte geweldige ouwe tijd.

Swede Castelli was evenals Mac stuntvlieger geweest voordat hij ermee ophield, maar in tegenstelling tot Mac, vond Freddy, was hij eruit gaan zien als een gevestigde zakenman, en dan ook nog eentje die beslist te veel at. Mac leek heel jong naast deze man in zijn nette pak die even oud moest zijn als hij . . . Mac zag eruit alsof hij van een totaal andere generatie was, eerder van die van haar dan van die van Castelli.

Ze vond eigenlijk dat Mac niets was veranderd sinds ze hem vijf jaar geleden toen ze elfeneenhalf was, voor het eerst had gezien. Ze had hem gevraagd hoe oud hij was toen haar moeder deze vraag naar voren had gebracht, en hij had haar verteld dat hij veertig was en hij had uitgelegd hoe het mogelijk was dat hij jonger was dan haar vader, hoewel ze in dezelfde oorlog hadden gevochten. Ze had de stoute schoenen aangetrokken en hem gevraagd of hij getrouwd was en hij had geantwoord dat alle verstandige stuntvliegers ervoor zorgden ongebonden en ongetrouwd te blijven en dat toen hij de huwbare leeftijd lang geleden was gepasseerd, hij te veel vrijgezel was geweest om nog te kunnen veranderen. 'Einde ondervraging, kind?'

Toen ze naar hem keek, zoals hij bezig was een luchtgevecht met zes vliegtuigen voor te bereiden, besefte ze dat dit de meest persoonlijke vraag was die ze hem ooit had gesteld, en toch was hij de beste vriend die ze op deze wereld bezat. Raar eigenlijk, om iemand als je beste vriend te beschouwen wanneer hij jou beslist niet zo ziet. Maar toch was het zo.

Freddy kreeg zelden de kans haar instructeur uitvoerig te bekijken, maar nu kon ze hem op haar gemak gadeslaan. Tijdens de les had ze het te druk met andere dingen om hem goed te kunnen zien, hoe precies ze ook naar hem luisterde. Hij werd gewoon een deel van het vliegtuig. Wanneer ze weer terug waren, had ze bijna nooit meer dan een paar minuten de tijd om de les nog eens door te nemen voordat ze zich van het vliegveld moest losrukken om naar huis te gaan. Zoals hij nu sprak, kon ze met gemak in gedachten de route van elk van de zes vliegtuigen vóór zich zien, zo levendig en precies waren zijn gebaren.

Terence McGuire was van Schots-Ierse afkomst, zoals iedereen direct zou begrijpen bij het zien van die dikke bos rossig haar en die lichtgroene ogen met onverwacht lange wimpers. Hij had een vriendelijk, opgewekt gezicht, waarvan het bruin nog net niet alle sproeten kon verdoezelen. Hij was slank en lenig, bijna één meter tachtig en had stalen spieren. Freddy zag dat het leven sporen bij hem had achtergelaten die mensen die erin geïnteresseerd waren zouden vertellen dat deze man meer uren in de lucht had doorgebracht dan op de grond. Hij was zo ... zo vrij in zijn manier van bewegen, een man die bereid was elke uitdaging onder ogen te zien. Zijn blik was heel open en hij lachte snel en voluit. Voor Freddy had Macs glimlach altijd een belofte ingehouden, de belofte dat ze samen hun aandacht zouden richten op dat waar zij het meest van hield, en nu ze er zo over nadacht had hij die belofte nimmer gebroken. Ondanks zijn open, gemakkelijke manier van doen was hij een praktische man, vol zelfdiscipline en zelfbeheersing. Ze vroeg zich af of ze ooit een andere man zou ontmoeten met net zo'n glimlach als die van Mac, een glimlach waaraan ze haar leven durfde toevertrouwen.

'Freddy, kindlief, wil je zo goed zijn om nog wat koffie in te schenken?' wees Mac naar de pot die hij op een gaspitje naast de dossierkast had staan.

Ze liep met de pot naar zijn werktafel. 'Is het goed als ik zelf ook wat neem?' vroeg ze.

'Nee, daar ben je nog te jong voor,' antwoordde hij automatisch.

'Maar thuis mag ik het van moeder ook drinken,' protesteerde ze.
'Van mij mag het niet.'

Wel verdorie, dacht Freddy, hij doet alsof ik twee ben! Ik ben bijna zeventien en ik drink al *café au lait* bij het ontbijt sinds ik naar highschool ga, en dan moet dit mispunt me zo nodig nog behandelen als een klein kind. Hij blijft me zelfs 'kind' noemen en dat bevalt me niets.

Pruilend, maar zwijgend, luisterde ze naar het gesprek dat haar niet langer interesseerde. In de maand dat ze zich op luchtacrobatiek concentreerde, had ze beseft dat alle spectaculaire en gecompliceerde stunts eigenlijk op vijf eenvoudige basisvormen berustten – *banks, rolls, loopings, stalls* en *spins* – die op diverse manieren werden gecombineerd.

Aangezien veel vliegers verongelukten door overtrekken en in rolvluchten, maakten deze zware en monotone oefeningen dat ze ongetwijfeld een veel veiliger piloot werd. Deze oefeningen maakten ook dat ze nog beter in staat was op het gevoel in haar zitvlak te vliegen, aangezien midden in een manoeuvre alleen precisie geen vervanging was voor de bijna onverklaarbare eigenschap het vliegtuig te kunnen 'aanvoelen'. En, dacht Freddy grimmig, als dat nog niet genoeg was, bestond er ook nog een verschillende ideale snelheid waarop de Ryan elke manoeuvre het beste volbracht. Voor een enkele snapp-roll moest ze de snelheid tot honderdvijftig kilometer per uur beperken, en voor een dubbele de snelheid verhogen tot driehonderd kilometer. Een verticale snap-roll kon het beste bij tweehonderdvijfentwintig kilometer per uur worden uitgevoerd.

Dat was dus dat wilde kind op een schommel in de lucht! Freddy had het liefst de deur van het kantoor achter zich dichtgesmeten, om Mac en Swede Castelli aan hun beraadslagingen over te laten en in het eerste het beste vliegtuig te springen en weg te vliegen. Ze verlangde, ze smachtte ernaar om zomaar weg te kunnen vliegen, wáár dan ook naar toe, zonder zich het hoofd te breken over nagivatie, precisie, windrichtingen, controlepunten of wat dan ook dat tussen haar en haar extase kon komen, tussen de betovering die ze zich herinnerde van haar solovlucht, toen de avondster haar had toegeroepen en de Steenbok haar had gewenkt. Ze wist dat ze vandaag niet zomaar kon vertrekken, zo realistisch was ze wel; maar verdraaid, ééns zou ze het wél doen – als ze haar éigen vliegtuig had!

'Eve, wakker worden, wakker worden,' zei Paul op dringende toon, nadat hij om vier uur in de nacht de telefoon had opgenomen.

'Wat . . .? Hoe laat is het? Wat is er aan de hand?' vroeg ze slaperig, met haar ogen half dichtgeknepen tegen het felle licht van het bedlampje.

'Dat was Delphine. Ze belde vanaf een politiebureau in de benedenstad – ik begreep de helft nog niet van alles wat ze zei, maar ik ga haar daar nu ophalen. Ik breng haar zo snel mogelijk thuis, maar ik wilde jou niet alleen laten zonder dat je wist wat ik ging doen.'

'Het politiebureau? Heeft ze een ongeluk gehad? Ze is toch niet gewond, hè?' vroeg Eve ontzet.

'Nee, nee, dat is het niet. Ik kon er niet goed wijs uit worden. Ze zei dat ze alleen maar chuck-a-luck speelde, wat dat ook moge zijn. Maar, lieverd, het klonk alsof ze hysterisch was en . . .'

'En wat nog meer?'

'Dronken,' zei hij grimmig.

Meer dan twee uur later kwam Paul terug met Delphine, die door alle schrik weer helemaal nuchter was. Ze had haar meelijwekkende gezicht zo goed mogelijk van alle make-up ontdaan, maar ze droeg nog steeds de dure zwart-witte crêpe avondjurk en de bijpassende, met bont afgezette bolero waarin ze was gearresteerd aan boord van het gokschip, een luxueus verbouwde vrachtboot die de *Rex* heette.

Ze liep met opgeheven hoofd het huis in, maar toen ze Eve zag barstte ze in tranen uit en liet zich met een plof op een sofa in de zitkamer vallen, waar Eve op haar had zitten wachten.

Eve keek Paul vragend aan, maar hij schudde zijn hoofd, met in zijn ogen een blik vol ongeloof en droefenis.

Eve ging dicht naast Delphine zitten, legde haar handen aan weerszijden van het desolate gezicht van haar dochter en drukte haar tegen zich aan. 'Kom, kom, zo erg is het nou ook weer niet,' zei ze op kalmerende toon. Nu ze Delphine, die zich altijd zo beheerst en vol vertrouwen gedroeg maar die in haar moeders ogen nog zo kwetsbaar en fragiel was, in zo'n toestand zag, kon ze aan niets anders denken dan het troosten van haar dochter.

'Ik vrees van wel, liefste,' zei Paul rustig en hij maakte met zijn hoofd een gebaar alsof hij met haar alleen wilde praten.

'Delphine, liefje, ga even naar boven om een oude badjas van je aan te trekken en als je klaar bent kom dan even naar de keuken. Ik zal een ontbijt klaarmaken,' zei Eve en ze duwde Delphine voorzichtig in de richting van de trap. Ze keek Paul aan zodra ze de deur van Delphine's oude kamer dicht had horen gaan.

'Wat heeft dit allemaal te betekenen?'

'De politie heeft een inval gedaan op een van die gokschepen – Delphine en Margie werden samen met tientallen andere vrouwen in één grote cel gevangengehouden. Allemaal tot in de puntjes opgedoft, net als zij, en velen al even dronken. Sommigen waren compleet van de wereld! De mannen zaten in een andere cel. Het was een gekkenhuis – advocaten, publiciteitsmensen van de studio's, fotografen, journalisten . . . Als ik geen diplomaat was geweest had ik haar nooit zo snel vrij kunnen krijgen.'

'Maar wie heeft haar ooit naar zo'n plek mee kunnen nemen!'

'Ze heeft me de naam van die vent wel genoemd. Maar het zei me niets. Ik heb Margie ook vrij weten te krijgen. Ik moest haar wel naar huis brengen – er zat niets anders op. Ik betwijfel of ze vóór morgen weer nuchter is. Ze bleef me maar verzekeren dat die boot "helemaal te gek" was. Ze schenen er roulette te spelen, en poker, keno, faro, blackjack en ze hadden er minstens driehonderd speelautomaten. Nog beter dan in Tijuana, reken maar. Ze klonk als een volleerd speler. Ze bleef volhouden dat we ons nergens zorgen over hoefden te maken, omdat het schip honderden reddingsboten had, dus het was volmaakt "veilig".' Hij probeerde te glimlachen, maar slaagde er niet in.

'Ze was zo dronken dat ze niet besefte wie ik was. Ze bleef maar doordazen over het feit dat Delphine en zij een paar duizend dollar tegoed hadden toen de politie binnenviel en hun geld inpikte. En maar drammen, tot op de stoep van haar huis, dat ik dat gestolen geld terug moest halen. Ze wilde die politiemensen een schop verkopen!' Pauls stem klonk droog en mat van alle walging.

'Maar . . . wat een vreselijk verhaal, Paul, hoe . . . hoe kan dat nou?' stamelde Eve verward. 'Die studenten – die op die leeftijd gaan gokken – laten die die meisjes zoveel drinken? Wat voor huismoeder is die mevrouw Robinson eigenlijk, dat ze hen met zulke jongens laat uitgaan?'

'Je begrijpt het niet goed, liefste. Maar jij hebt Margie ook niet horen dazen. Tenzij alles wat zij heeft gezegd een leugen was – en omdat ze veel te dronken en te kwaad was om te kunnen liegen moet ik haar wel geloven – waren Delphine en zij bekende figuren in het sjiekste nachtleven van Hollywood en zijn ze gewend met de grootste hoffelijkheid te worden bejegend, zoals bij hun positie past. Ze gaan naar de beste clubs, die worden beschermd tegen zulke onwaardige toestanden als een inval van de politie. Ze kon niet geloven dat iemand het had gewaagd hen te arresteren.'

'Nachtleven? Nachtclubs?'

'Speelclubs, de meest exclusieve. Van het soort dat beslist geen jonge studenten toelaat. Ze gaan er met mannen naartoe, volwassen mannen, God mag weten wie, mannen die hun geld geven om mee te spelen.'

'O, Paul, Delphine niet! Margie misschien, maar Delphine doet zo iets echt niet.'

'Jawel, liefste, allebei. Ik vrees dat daar geen twijfel over mogelijk is. Dit is al minstens een heel jaar aan de gang, dat was wel duidelijk. Wat er ook mag zijn gebeurd, ze hebben het samen gedaan.'

'Ik geloof het niet! Tot ik Delphine heb gesproken weiger ik dat meisje te geloven. Ik heb Margie nooit vertrouwd en ik had bij die nonnen ook beter moeten weten,' protesteerde Eve, maar in haar hart begon ze het maar al te goed te begrijpen.

'Laten we eerst maar wat ontbijten,' zei Paul, vermoeid zijn schouders ophalend. 'We kunnen Delphine wel iets op haar kamer brengen. Ik wil niet dat het personeel dit te weten komt.'

'Ik moet nu eerst met Delphine praten. Ik kan geen hap door m'n keel krijgen.'

Eve ging naar haar dochter, die net een douche had genomen en haar haar met een handdoek afdroogde. Ze trok een oude witte fluwelen badjas aan, ging aan haar toilettafel zitten en maakte een rechte scheiding midden op haar hoofd, zodat haar haar golvend tot aan haar kin viel. Haar gezicht was bleker dan anders, maar ze zag er weer bijna normaal uit – haar grijze ogen stonden even rustig en helder als altijd. Er was geen spoor van tranen te bekennen.

'Liefje, je vader heeft me verteld . . . Margie . . . hij vindt . . .'

'Ik zat ook in de auto, moeder, en ik weet wat Margie heeft gezegd,' zei Delphine rustig. Er lag iets afstandelijks in haar stem, alsof ze zich had losgemaakt van de realiteit van de situatie.

'Maar liefje, het is niet . . . je hebt nooit . . .'

'Moeder, ik vind echt dat vader en jij hier veel te veel ophef van maken . . . Als er een andere manier was geweest om uit die gevangenis te komen, had ik jullie echt niet gebeld, neem dat maar van me aan. Er is een kans van één op de miljoen dat de politie een inval doet, en vannacht waren we gewoon op de verkeerde tijd op de verkeerde plaats, dat is alles. We werden meteen gegrepen zodra de politie aan boord kwam. Minstens duizend andere mensen zijn er zonder kleerscheuren van afgekomen. Het was héél oneerlijk!'

'Oneerlijk?' zei Eve ongelovig.

'Ze hadden vannacht bijna heel Hollywood kunnen arresteren. De leiders van alle studio's waren er, alle grote sterren, iedereen die iets voorstelt. Margie en ik hebben gewoon pech gehad. Die inval komt misschien in de krant, maar er worden geen namen genoemd. Dat gebeurt nooit, daar kun je van opaan. Ik was erg geschrokken, dat geef ik toe, en ik vond het natuurlijk vreselijk om zomaar achter slot en grendel te worden gezet, maar ik denk niet dat zo iets ooit nog eens zal gebeuren.' Ze boog haar hoofd om een gespleten nagel te bekijken, pakte een nagelvijl en begon de nagel te polijsten.

'Hou alsjeblieft óp, Delphine! En kijk me áán! Dacht je nu echt dat ik wilde praten over de dingen die je me net hebt verteld? Wat moest jij op die plaats? Doe je aan gokken? Wat voor mannen hebben je daar mee naar toe genomen? Waar heb je die jurk en dat jasje vandaan? Wat spook jij in godsnaam uit met je leven, Delphine?'

'Je laat het allemaal zo louche klinken, moeder. Margie en ik kennen gewoon een heleboel aardige, gezellige mannen die 's avonds graag uitgaan. Het zijn alleen maar vriendjes, meer niet,' zei Delphine afwijzend. 'Het is allemaal heel leuk . . . spelen hoort gewoon bij uitgaan, net als dineren, of dansen of een floorshow zien. Iedereen doet het. Ik zie echt niet wat daar nou voor slechts in schuilt . . . we hebben geen geld verloren dat we niet konden missen. Ik heb zelfs voldoende overgehouden om wat meer kledinggeld achter de hand te hebben. En je weet dat mijn studie er niet onder heeft geleden, want ik heb goede cijfers gehaald.'

'En dat drinken?'

'Ik denk dat iemand me vanavond iets sterkers heeft gegeven dan waar ik om had gevraagd. Ik had voorzichtiger moeten zijn. En Margie ook.' Delphine keek Eve even recht en eerlijk in de ogen als altijd.

Eve stond op; ze was niet in staat nog langer Delphine's leugens aan te horen. Ze begreep dat dit niet de eerste keer was dat Delphine dronken was geweest, net zomin als het de eerste keer was dat ze had gespeeld.

'Hoe oud waren die mannen met wie Margie en jij op stap waren?' wilde ze weten.

'Jed en Bob? Ergens in de twintig, denk ik,' zei Delphine nonchalant terwijl ze in haar kleerkast rommelde, op zoek naar iets geschikts om aan te trekken.

'En hoe goed ken je ze?' hield Eve aan.

'Redelijk goed. Het zijn geweldige kerels. Ik hoop echt dat zij nu ook vrij zijn,' zei Delphine met een schamper lachje, en ze legde een roze katoenen jurk op het bed. 'Het is maar goed dat ik zoveel oude kleren hier heb gelaten,' zei ze, sereen glimlachend, alsof hun gesprek was beëindigd.

'Delphine, ik zal tegen mevrouw Robinson zeggen dat jij niet langer mijn toestemming hebt om bij Margie te logeren. Er zal geen enkele uitzondering meer worden gemaakt. We kunnen je er niet van weerhouden vriendschappelijk met dat meisje om te gaan, maar ik ben niet van plan dit leven, zoals jij het hebt geleefd, nog langer te tolereren. Het minste dat je vader en ik kunnen doen is ervoor te zorgen dat jij de regels van het meisjeshuis gehoorzaamt en dat je 's avonds bijtijds thuis bent.'

'Dat kun je niet doen! Je ruïneert m'n leven!' Delphine's gezicht was plotseling vertrokken van woede.

'Voor zover ik het kan bekijken ben je zelf bezig je leven te ruïneren,' zei Eve resoluut – haar besluit stond vast. Ze liep naar de deur en deed deze open. Het had geen zin hier verder over te discussiëren. Delphine moest goed onder de duim worden gehouden.

Delphine rende naar de deur en hield die vast zodat Eve er niet uit kon. Ze boog zich naar haar over en siste: 'En dat uitgerekend jij zulke dingen moet zeggen!'

'Wat?' zei Eve ongelovig.

'Ik heb een paar vragen, moeder, nu je kennelijk van plan bent mij te behandelen als een klein kind. Hoe oud was jij bijvoorbeeld toen je bij je minnaar in Parijs ging wonen? Jonger dan ik nu, nietwaar? En hoeveel jaar was dat voordat je met vader trouwde? En hoeveel minnaars?'

Eve vermoedde de bedoeling achter deze woorden nog voordat haar geest in staat was ze te verwerken en er iets van te begrijpen. Er kwam geen enkel antwoord over haar lippen, maar ze duwde de deur met een snel gebaar dicht, zodat niemand Delphine kon horen.

Delphine trok een arrogant gezicht. 'Ik heb alles van Bruno gehoord, die

213

zomer dat we in Frankrijk zaten. Wat ben jij schijnheilig, moeder! Waarom sluit je me eigenlijk niet op in m'n kamer hier, nu je toch bezig bent? Op die manier kun je er absoluut zeker van zijn dat ik niet zal doen wat jij hebt gedaan. Toevallig ben ik nog maagd, als dat je mocht interesseren, en ik ben voorlopig van plan dat te blijven ook, maar dat bereik je niet door tegen mevrouw Robinson te zeggen dat ik niet meer bij Margie mag logeren. Jouw ouders hebben je immers ook niet kunnen beletten te doen wat jou behaagde, nietwaar?'

Hoeveel minnaars? dacht Eve, ontzet door deze vraag. Wat ze ook tegen Delphine zou zeggen, ze zou haar nooit de waarheid kunnen laten geloven. Het vergif was binnengedrongen en had zijn werking gedaan. Ze dwong zich kalm te blijven.

'Delphine, ik ben jou geen verklaringen schuldig over mijn leven. Ik kan je niet dwingen niet naar alle roddels te luisteren die nog steeds de ronde doen, en ik kan je evenmin iets anders laten geloven dan wat jij zelf wenst te geloven. Maar dat verandert niets aan mijn verantwoordelijkheid jegens jou. Ik ga direct mevrouw Robinson bellen.'

'Wat ben jij een gemeen en schijnheilig mens!' krijste Delphine hysterisch, toen Eve de kamer uit ging.

Toen Eve moeizaam de trap afliep en beide trapleuningen vastklemde alsof ze een oude vrouw was, besefte ze dat ze Paul nooit zou kunnen vertellen wat Delphine zojuist had gezegd. Hij zou té boos zijn en ook te bedroefd door Delphine's verdachtmakingen. Hoeveel minnaars? Delphine zou de waarheid niet geloven – en Paul? Na Alain Marais was er niemand geweest tot ze haar man had ontmoet, maar het was een onderwerp dat ze nimmer hadden aangeroerd na hun eerste diner in het Ritz. Ze had altijd gedacht dat hij had begrepen hoe ze in die verre, onbespreekbare jaren had geleefd. Maar als hij er nu eens niet naar had dúrven vragen?

In het Château de Valmont waren tien grote logeerkamers en tegen de tijd dat Anette de Lancel de brief van haar schoondochter uit Californië had ontvangen, waren de meeste kamers reeds voor elk weekend van die zomer besproken. Het was niet zozeer een kwestie van Franse gastvrijheid als wel van het verkopen van champagne, dat de Lancels zo vaak en zo gastvrij gasten ontvingen.

Al eeuwen voordat de Franse parfums en de Franse modehuizen zich op de export gingen richten, was de klaarblijkelijke menselijke behoefte om zoveel mogelijk champagne te drinken, en zo vaak mogelijk, op kundige wijze bevorderd door een groepje jonge edelen uit Champagne, die daar wijngaarden bezaten rond de tijd van de kroning van Lodewijk XIV, in 1666.

De marquis de Sillery, de duc de Montmart, de vicomte de Lancel, de de marquis de Bois-Dauphin en de marquis de Saint-Evremond vormden met vele anderen een groep en vertrokken naar Versailles om ervoor te zorgen dat hun wijnen uit Champagne de grote rage aan het hof werden, want alleen het hof bepaalde in Frankrijk de mode, van knopen tot architectuur.

Na een triomfantelijk succes in Versailles verspreidden ze zich en veroverden Engeland, waar de vraag naar champagne weldra zo groot werd dat de prijs enorm steeg. Hun al even ondernemende zonen en kleinzonen reisden duizenden kilometers om champagne te verkopen aan de groothertogen van Rusland en de grondleggers van de nieuwe republiek van de Verenigde Staten. Uiteindelijk deden de grote merken ook hun intrede in Zuid-Amerika en Australië. Een dergelijk visioen motiveerde ook monsieur Moët, toen de legers van Rusland, Oostenrijk en Pruisen Champagne hadden bezet na Napoleons nederlaag bij Waterloo. Hij had het plunderen van zijn wijnvoorrraad voor de officiersmess aangemoedigd onder het motto dat de bezettende krijgsmachten hierdoor een voorliefde voor champagne zouden ontwikkelen, en het gezegde wil: 'Hij die eens heeft gedronken, zal weer willen drinken.' Toen de officieren naar huis terugkeerden, werden ze inderdaad heel goede klanten.

Naast dit gevoel voor marketing en publiciteit ontwikkelden de wijngaardbezitters ook een weinig Franse houding ten opzichte van gastvrijheid. Er zijn nooit veel hotels in Champagne geweest, dus honderden jaren lang hebben de families uit dit gebied in hun eigen huis of château bezoekers ontvangen uit alle uithoeken van de wereld waar maar champagne wordt gedronken. Het gebeurt zelden dat de maker van een groot of klein champagnemerk alleen dineert, behalve in de vijf koude maanden van de winter.

'Luister eens, Jean-Luc,' zei de vicomtesse de Lancel, die zo opgewonden was dat ze slechts enkele zinnen van Eve's brief hardop voorlas. '... belangrijk voor Delphine om te ervaren ... een wereld waarin traditie een belangrijke rol speelt, waarin zij een plaats heeft, naast de familie ... echt onmogelijk in een stad als Los Angeles ... beiden vinden dat ze nog jong genoeg is ... een bezoek aan jullie zou een doorslaggevende wending kunnen betekenen in haar enigszins onvolwassen manier van doen ...'

'Logeren? Natuurlijk. Wanneer?'

'Nu direct! Dat is juist zo verbazingwekkend. De *Normandie* vertrekt over drie dagen uit New York en ze schijnt daar binnen één dag naar toe te kunnen vliegen. Het lijkt wel een beetje plotseling, maar ja, die jongelui van tegenwoordig ... Eve vraagt of we Delphine misschien de hele zomer kunnen hebben – hoe kan ze daaraan twijfelen! Het gooit natuurlijk al onze afspraken volledig in de war, maar ik zal me wel weten te redden. Jean-Luc, we moeten direct opbellen. Hoe laat zou het nu in Californië zijn?'

'Elf uur 's avonds?' waagde hij na enig rekenwerk, maar zijn vrouw was al onderweg naar het tafeltje in de hal waar de telefoon stond, terwijl ze in gedachten gasten en logeerkamers indeelde en verschoof. 'Enigszins onvolwassen manier van doen,' wel nou nog mooier! Wat verwachtte Eve dan anders van dat schattige kind!

11

Elke goedlopende privé-bank heeft minstens één of meer bankemployees nodig voor wie verstand van bankieren de minst belangrijke kwalificatie is. Net als de meest bedreven en gecultiveerde geisha's in Japan, dienen deze bankemployees voor het aantrekken van rijke cliënten en moeten zij ervoor zorgen dat die cliënten trouw blijven door hen te amuseren en bezig te houden.

Toen Bruno de Lancel in 1935 zijn militaire dienst had vervuld, merkte hij dat het nodig was dat hij een soort baantje vond, een irritant vervelende prijs die hij moest betalen voor het feit dat hij niet een van zijn Saint-Fray-court-voorouders was, die als enige zorg hadden gekend de vraag hoe ze hun vrije tijd zo aangenaam mogelijk konden indelen. Het was heel gênant dat hij niet over een eigen inkomen beschikte en hij was niet langer bereid bij zijn grootouders te wonen.

Hij kwam echter snel tot de ontdekking dat de eisen die werden gesteld aan de baan bij La Banque Duvivier Frères waarschijnlijk niet veel verschilden van die welke vóór de Revolutie aan een marquis de Saint-Fraycourt waren gesteld. Het was noodzakelijk dat hij in het seizoen zoveel mogelijk op jacht ging, het was eveneens belangrijk goed kaart te kunnen spelen – maar niet té goed – met de juiste mensen in de juiste clubs; het was wenselijk veel in de opera te verschijnen, in het theater, bij het ballet en de openingen van belangrijke kunstexposities; het was essentieel om nimmer een be-langrijke race te missen op renbanen in Frankrijk, Engeland of Ierland; en het was, dat sprak vanzelf, ondenkbaar niet aanwezig te zijn bij belangrijke gebeurtenissen in de Parijse society. De bank betaalde alle onkosten om hem aan deze activiteiten te laten deelnemen, evenals een klein salaris, plus een commissie voor elke nieuwe rekening die hij in de wacht wist te slepen.

Zelfs als Bruno in die junimaand in 1936 meer dan nu en dan slechts enkele minuten op de Duvivier-bank had willen doorbrengen zou dit moeilijk zijn geweest, gezien zijn veeleisende positie. De drie Duvivier-broers waren verrukt over hem. Hij was meer waard dan hij hun kostte; en hij had nu reeds een aantal nieuwe klanten binnengebracht, met wie ze zelf nooit in contact hadden kunnen komen.

Een bonus die ze aanvankelijk nog niet voldoende naar waarde hadden weten te schatten, was het feit dat Bruno vrijgezel was. Dit verdubbelde zijn waarde, vond de jongste Duvivier-broer. 'Verdrievoudigde,' antwoordde de oudste. De middelste broer vond, als altijd, dat ze het allebei mis hadden. 'De Lancel is van onschatbare waarde totdat hij trouwt. Daarna zullen we het opnieuw moeten bekijken.'

Zou hij een meisje oppikken uit een familie die in net zulke onfortuinlijke financiële omstandigheden verkeerde als de familie De Saint-Fraycourt? Zou hij zich verwaardigen om geld te trouwen, als dat van buiten zijn eigen wereld kwam? Of – het allerbeste voor de bank – zou hij erin slagen een verbintenis aan te gaan met een rijke erfgename die uit een beroemde familie stamde, een erfgename van wie de ouders verwachtten dat ze zou trouwen met iemand die even rijk was als zij?

Terwijl de Duviviers de uiteindelijke opbrengst van hun investering in Bruno overwogen, hadden ze zonder dit te beseffen een bondgenoot in de marquise de Saint-Fraycourt, die geen dag voorbij liet gaan zonder zich dezelfde vragen te stellen. De enige belanghebbende bij Bruno's eventuele huwelijk die zich bijna totaal geen zorgen maakte over dit punt, was Bruno zelf. Hij was zó zeker dat hij de ideale vrouw zou trouwen dat hij zich geen zorgen over de toekomst wenste te maken. Wie het ook mocht zijn, ze zou nu nog op een kloosterschool zitten, om te leren wat meisjes op kloosterscholen leren, want hij was zelf pas eenentwintig.

Bruno wist één belangrijk ding over het meisje met wie hij zou trouwen, het enige waarop hij absoluut zou stáán: ze moest de zekerheid hebben dat ze land zou erven. Geld alleen was niet genoeg. Voor land, veel land, familieland, was Bruno bereid met de dochter van de duivel in de echt te treden . . . mits die duivel maar Frans was. De Saint-Fraycourts hadden hun oude landerijen en het grootste deel van hun inkomen in 1882 verloren bij de instorting van de *Banque de l'Union Financière*. Het grondbezit van de familie De Lancel zou tussen Bruno en de vrouw van zijn vader en hun kinderen worden verdeeld.

Hoewel het uit financieel oogpunt een geruststellend idee was dat hij eens, in de verre toekomst – want oom Guillaume en zijn vader stamden uit een taai geslacht dat dikwijls een hoge leeftijd wist te bereiken – zijn aandeel zou hebben in de opbrengst van de Lancel-champagne, zouden de wijngaarden nooit helemaal van hem alleen zijn. Daarom zou hij met land moeten trouwen, zoals sommige mannen met geld moesten trouwen. Hij hongerde naar het bezit van bossen en velden en een château van zichzelf, honderden en honderden hectaren land waarover hij als onbetwiste heer en meester kon lopen en rijden.

Ondertussen was er in zijn dagelijks leven zo'n groot aantal dringende afspraken dat hij slechts met veel moeite kostbare tijd kon vrijmaken om nieuwe overhemden te bestellen, om naar de schoenmaker te gaan of zich een nieuwe smoking te laten aanmeten.

Toch waren dit dingen die zelfs de beste kamerknecht niet voor je kon doen, vond Bruno toen hij ongeduldig stond te wachten tot zijn kleermaker een schoudernaad had afgespeld. Hij moest even aan Sabine de Koville denken en glimlachte in zichzelf. Ze was op haar manier heel goed, toen ze hem eenmaal duidelijk had weten te maken in welke richting haar wensen lagen.

Ja, ze was hem van veel nut geweest toen hij pas zeventien was en nog nooit met een vrouw naar bed was geweest. En hij bleef haar nog af en toe bezoeken, want haar verlangens waren ongecompliceerd en direct. Misschien ging hij vandaag wel thee bij haar drinken. Misschien ook niet. Er waren nog veel andere vrouwen, die minder eenvoudig in hun wensen waren dan Sabine, maar even begaafd en even ... prikkelend. Hij genoot van elke nieuwe verrassing die een vrouw hem kon bieden: de verrukkelijk smerige fantasieën van de dochter van een prins; de behoefte aan straf van een chique eigenares van een literaire salon; en Sabine de Koville die uitsluitend op de bevelen van een bediende kon reageren. Vernedering was zijn specialiteit.

Na Bruno's eerste ervaring met de moeder van zijn schoolvriend had hij in korte tijd ontdekt dat hij niet alleen maar het klassieke geval was van een puber die door een vrouw van de wereld werd verleid. Zijn diepste seksuele voorkeur, feitelijk zijn enige seksuele voorkeur, gold vrouwen van achter in de dertig en begin veertig. Hij begreep niet waarom een man een groene appel zou eten als er rijp fruit verkrijgbaar was. Een paard was tot op zekere hoogte ongeoefend nog interessant, omdat je hem naar je eigen behoefte kon africhten. Maar een vrouw? Het was een veel groter genot om hen te nemen wanneer ze reeds hadden ontdekt waarnaar ze diep in hun hart het meest verlangden. En onveranderlijk konden ze hun ongeoorloofde verlangens niet bevredigen bij hun man. Wat was er eenvoudiger dan hun fantasieën te verwerkelijken en hen volslagen gehoorzaam te zien worden, waarbij de meest trotse van hen vaak het meest onderdanig aan zijn wil werd.

Het was een combinatie die zowel weinig veeleisend als heel handig was, want met de bijna onmogelijke eisen die in een baan als deze aan hem werden gesteld, peinsde Bruno, had hij werkelijk geen minuut de tijd om ook nog eens een meisje het hof te maken. Het was een geluk dat zijn eigen onstilbare eetlust voor rijpe vrouwen die niet langer onhandig en onnozel waren, samenviel met een groot en gemakkelijk toegankelijk aanbod. Hij begreep zijn vrienden niet, die hun tijd en geld verspilden met achter meisjes aanzitten, alsof die ook maar iets bezaten wat het hebben waard was. Hoe kon een intelligente man zijn vlees ongekruid wensen?

'Hallo, Bruno,' klonk een stem achter hem.

'Guy . . . ik mag me niet bewegen. Ik ben bijna klaar,' antwoordde Bruno. Hij had met Guy Marchant, een tamelijk recente vriend, een afspraak voor een spelletje tennis rond lunchtijd. Guy was volgens Bruno iemand die in staat was uit te leggen wat de grote attractie van jonge vrouwen zou kunnen zijn, want hij had het altijd van zo eentje te pakken, maar het was een vraag die Bruno nooit zou stellen omdat hij dan te veel van zijn eigen wereldje zou verraden.

'Wat vind je ervan dat Schmeling Joe Louis gisteren via een knock-out heeft verslagen?' vroeg Guy en hij pakte een stoel. Hij was een lange en magere jongeman met een vrolijke scheve glimlach en intelligente ogen.

'Het verbaasde me niets, jou wel?' antwoordde Bruno. 'Maar ik geef eerlijk gezegd niet veel om boksen. De volgende maand ga ik naar Wimbledon . . . waarom ga je niet mee? Gottfried von Cramm, Fred Perry . . . dat mag je niet missen.'

'Ik moet eerst kijken of ik weg kan van kantoor,' antwoordde Guy. 'Dat is niet altijd mogelijk.'

'Monsieur De Lancel, wilt u alstublieft een eindje deze kant uit draaien?' vroeg de coupeur en hij pakte nog meer spelden. Bruno draaide wat verder en zag dat hij zichzelf recht in de spiegel aankeek. Hij bekeek zichzelf met een snelle, oppervlakkige blik, zonder enige ijdelheid. Hij wist heel goed hoe hij eruitzag en hij hoefde zich daar niet van te vergewissen door veelvuldig in de spiegel te kijken, zoals zoveel mannen deden. Dat vrouwen hem geweldig vonden was aangenaam, maar nauwelijks verbazingwekkend. Het feit dat iets in zijn gelaatstrekken maakte dat andere mannen hem vertrouwden – dat, ja dát was belangrijk.

Bruno had tot zijn verbazing ontdekt dat hij het bankleven leuk vond, of liever gezegd dat hij geld verdienen leuk vond en bankieren was een van de weinige manieren waarop een heer dat kon doen. Toen hij bij Duvivier Frères was begonnen, had hij dit gedaan omdat het belangrijk was om een baan te hebben. Zijn eerste successen in het aantrekken van nieuwe klanten voor de firma waren bijna vanzelf tot stand gekomen; op een squashbaan, tijdens een jachtweekend in de omgeving van Tours, na een veiling van volbloedpaarden in Newmarket.

De commissies van deze cliënten hadden hem een eerste voorproefje van economische vrijheid gegeven. Hij had een flat naar zijn zin gevonden in een groot privé-huis in de Rue de l'Université. Het behoorde toe aan een verre neef die, als zovelen, veel geld op de beurs had verloren en zich nu genoodzaakt zag de helft van zijn huis tot flats te verbouwen, elk met een eigen ingang. Nog meer commissies, die Bruno nu behendig wist op te sporen, voorzagen weldra in een dienstmeisje, de beste kleermaker, de diensten van een kamerknecht en de eerste twee paarden die hij ooit had bezeten.

Nu, in het jaar nadat hij bij de bank was begonnen, was hij werkelijk ambitieus geworden. Hij besefte dat, hoewel er veel geld te verdienen viel als hij zich tot zijn eigen klasse zou beperken, er nog veel meer geld te verdienen viel in die bedrijvige wereld die buiten de rigide en onveranderbare grenzen van Faubourg Saint-Germain lag, in die rijke bourgeois-wereld van Guy Marchant, die ongeduldig met zijn voet zat te tikken en snel op de tennisbaan wilde zijn.

Het aantrekken van dat soort geld was een zaak van het accepteren van uitnodigingen, of liever gezegd het uitlokken van uitnodigingen die hem normaliter niet bereikten doordat hij was wie hij was. Het betekende dat hij zich moest gedragen op een manier die hem wat meer benaderbaar maakte, zodat hij iets minder onbereikbaar hoog van adel leek dan de mensen hadden gedacht; het betekende dat hij oudere heren moest uitzoeken die nooit, onder welke omstandigheden dan ook, een voet in de salon van zijn grootmoeder De Saint-Fraycourt zouden hebben gezet; dat hij zich voorzichtig iets vriendelijker tegenover hen gedroeg, zodat hun vrouwen een uitnodiging durfden te sturen die ze anders niet hadden overwogen, uit angst te worden afgewezen.

Deze eerste uitnodigingen waren altijd voor grote officiële bijeenkomsten, was Bruno opgevallen, het soort invitaties waarvoor, in theorie, kon worden bedankt zonder de gastvrouw het gevoel te geven dat ze aanmatigend was geweest. Wanneer Bruno die accepteerde, voelden zijn gastheren zich zeer vereerd en werden, aangemoedigd door hun vrouwen, iets brutaler.

Zijn jeugdige leeftijd was van grote waarde. Je kon een eenentwintig jaar oude vicomte de Saint-Fraycourt de Lancel nog uitnodigen, terwijl je er niet over peinsde dat bij een ouder lid van die aristocratie van het *ancien régime* te doen. Bruno's commissies werden steeds vetter. Van de vele invitaties besloot hij vooral in te gaan op die voor intieme diners, tochten aan boord van een jacht, weekends op het land; uitnodigingen die hem de kansen boden waarnaar hij op jacht was. Binnen korte tijd was Bruno's salaris belachelijk klein vergeleken met zijn inkomen uit zijn commissies.

Guy Marchant, die hij nog geen half jaar geleden had ontmoet, was de enige zoon van Pierre Marchant, de eigenaar van Marchant Actualités, de meest welvarende filmjournaal-maatschappij in Frankrijk. Het bedrijf bezat een wereldwijde distributie en was groter dan Fox-Movietone, Pathé Journal en Éclair-Journal bij elkaar.

Bruno had monsieur en madame Marchant leren kennen in de Polo Club in het Bois de Boulogne. Kort daarna had hij Guy ontmoet, die slechts drie jaar ouder was dan hij en reeds hevig betrokken bij de dagelijkse bedrijfsvoering van deze enorme familieonderneming.

Hij was er eentje van het goeie soort, die Guy, had Bruno besloten – het goed opgevoede en intelligente produkt van de betere middenklasse, die uiteindelijk, door een huwelijk – want dat was uiteraard de enige manier – kon opstijgen tot de lagere regionen van de hoogste klasse. Tegen de tijd dat hij vijftig was kon hij een dochter hebben die was getrouwd met een man met een goede titel, misschien zelfs een uitstekende, als hij dat zocht. Zijn kleinzoon zou dan in de adelstand worden geboren.

Guy Marchant was evenzeer een deel van de toekomst als Bruno zelf en het tweetal was bevriend geraakt, hoewel niet op de manier die Bruno altijd zou blijven reserveren voor de jongens met wie hij naar school was gegaan. Er was tot dusver nog geen Marchant-kapitaal bij de Duvivier-bank geplaatst en Bruno had daarom des te meer achting voor de Marchants. Als ze zich hadden gehaast om zaken te doen met zijn werkgevers, zoals zovelen hadden gedaan, had hij Guy minder interessant gevonden, minder de moeite waard. De Marchants verwachtten zelfs dat hij zich om hén met hen inliet. Dat was op zichzelf al enig respect waard. Het wees op zijn minst op een gevoel van eigenwaarde.

'Bruno, hoe lang ben je nog bezig?' vroeg Guy en hij keek op zijn horloge.

'Bent u bijna klaar, monsieur?' vroeg Bruno ongeduldig aan de kleermaker.

'Alles op zijn tijd, monsieur De Lancel,' antwoordde de kleermaker onbewogen. Ook een man die in zijn eigen waarde wenste te worden gelaten, besefte Bruno, en hij moest nogmaals een kwartier geduld opbrengen.

Het was half juli en Delphine zat in het Château de Valmont op de grond van de beste logeerkamer, omringd door de inhoud van een enorme hutkoffer die een uur geleden was gearriveerd. Margie, die trouwe Margie, had in een hulpeloze poging tot troost Delphine's kleren ingepakt en per boot verstuurd. Delphine plunderde de koffer, trok er japon na japon uit, cape na cape, hield ze liefkozend omhoog en legde ze toen voorzichtig op het vloerkleed in een kleurig rad van schitterende stoffen. In hun honderden jaren van culturele superioriteit waren de Fransen er niet in geslaagd ingebouwde muurkasten voor kleding te bedenken; haar losse kleerkast puilde nu al uit en ze had echt geen ruimte om die tientallen avondjurken op te hangen.

De hutkoffer was nu helemaal leeg en Delphine, die steeds verdrietiger werd, maakte een van haar avondtasjes open en gluurde erin. Ze vond een kanten zakdoekje, een zwart-met-zilveren poederdoos, een speld met een parel waarmee eens een corsage op haar schouder was bevestigd, wat kleingeld, een Coty lipstick, een doosje lucifers van de Trocadero en een van haar vele sigarettenetuis. Plechtig, als waren het de relikwieën van een verdwenen beschaving, haalde ze de voorwerpen eruit en legde ze op haar schoot, terwijl ze er melancholiek naar bleef zitten staren. Ze deed het sigarettenetui open en trof er één verkreukelde Lucky Strike in aan. Ze rolde de sigaret liefhebbend door haar vingers, rook eraan en toen ze bedacht dat ze haar deur op slot had gedaan, stak ze de sigaret met een Trocadero-lucifer aan, inhaleerde diep en barstte prompt in snikken uit.

Dit vertrouwde gebaar bracht alles weer terug: de dansmuziek; het heerlijke flirten, altijd op het randje; de eerste slok uit een koud cocktailglas; Margie's veelbetekenende knipoog; het geluid van de dobbelstenen; het roepen van de croupier; en o, de opwinding, dat adembenemende dieet van opwinding waaraan ze gewoon was geraakt, de wetenschap dat de ene wilde vrolijke avond werd gevolgd door de andere, dat niets ervan afgezaagd of voorspelbaar zou zijn.

Ze haatte Champagne, dacht ze, terwijl de tranen over haar wangen stroomden. Ze háátte het! Er was hier niets te doen, je kon nergens naar toe, er was niemand om mee te praten, behalve haar grootmoeder die in de hardnekkige veronderstelling verkeerde dat zij geïnteresseerd was in de kleinste details van de familiegeschiedenis, en haar grootvader, die probeerde haar alle geheimen van de wijnbereiding uit te leggen totdat ze zo ongeveer flauwviel van verveling. En dan was ze ook nog eens verplicht om maaltijd na maaltijd mee te eten met de vele bezoekers, die allemaal te oud waren om interessant te zijn en die over niets anders wisten te praten dan over goede wijnjaren en eten, terwijl zij de rol van logerende kleindochter uit Amerika moest spelen aan wie enkele vriendelijke vragen dienden te worden gesteld, om vervolgens direct te worden vergeten wanneer er een nieuwe fles werd ontkurkt. Ze haatte het! En ze zat hier gevangen totdat het tijd was om weer naar college te gaan, en wat viel daar verder nog te beleven, in dat meisjeshuis onder het strenge toezicht van mevrouw Robinson?

Delphine drukte haar sigaret na dat ene trekje uit omdat ze hem tot een volgende keer wilde bewaren. Er was geen tabak in het huis, buiten haar grootvaders pijptabak en de sigaren van oom Guillaume, en zij rookten nooit tot na het diner, wanneer ze naar de rookkamer verdwenen waar zij nooit werd uitgenodigd. Het zou voor hen ondenkbaar zijn dat zij in het dorp Franse sigaretten – die smerige stinkstokken – zou kopen en die in hun aanwezigheid zou oproken.

Nee, zij werd geacht bij haar grootmoeder te gaan zitten en kruissteken te borduren of Balzac te lezen of naar klassieke muziek op de Victrole te luisteren, tot het tijd was om naar bed te gaan. Delphine begreep dat het van het grootste belang was om in de ogen van haar grootmoeder een toonbeeld van deugdzaamheid te zijn, aangezien ze had beseft dat ze in het laatste gesprek met haar moeder veel, echt véél te ver was gegaan. Ze had een kardinale tactische fout gemaakt en slechts de rapporten van haar grootmoeder over hoe ze een toonbeeld van decorum en braafheid was geworden, zouden misschien enige verlichting teweeg kunnen brengen in de plannen die haar ouders voor haar volgende twee jaar op de UCLA hadden gemaakt.

Elke avond ging ze vroeg en nuchter naar bed, in deze eenzame grote kamer waar de muren met een verbleekt blauw-met-wit paisley-linnen was behangen en de bijpassende stoffering op het bed lichtelijk sleets werd, en de veelgeboende houten vloer kraakte. Geen grote wandkasten, huilde Delphine, die zichzelf steeds zieliger begon te vinden, geen kasten, alleen maar krakende vloeren en versleten gordijnen en waarschijnlijk geen druppel gin in deze hele verhipte wijnprovincie; niet dat iemand haar die trouwens zou aanbieden als het er wel was geweest.

Anette de Lancel, die door de gang langs haar kamer liep, hoorde Delphine's gesnik door de dikke deur heen. Ze bleef even onzeker staan. Ze wilde het niet laten voorkomen alsof ze luistervinkje speelde, maar hoe kon ze doen alsof er niets aan de hand was wanneer ze haar geliefde kleindochter zo hartverscheurend hoorde huilen? Ze had natuurlijk een beetje heimwee, dat was vanaf het begin al duidelijk geweest, maar ze was zo lief en attent geweest en ze had zoveel belangstelling getoond voor alles wat met de familie en het château en de wijngaarden te maken had, dat het leek of Eve gelijk had gehad met betrekking tot Delphine's behoefte aan een hechtere band met haar familie.

Ze nam een besluit en klopte op de deur.

'Wie is daar?' klonk Delphine's gesmoorde stem.

'Grootmoeder, liefje. Kan ik iets voor je doen?'

'Nee. Nee, dank u. Er is niets.'

'Liefje, er is echt iets met je aan de hand. Laat me alsjeblieft even binnenkomen.'

Delphine veegde haar ogen af met het kleine zakdoekje, zuchtte en deed de deur open voor madame De Lancel, die de kamer binnenstapte maar abrupt bleef staan toen ze de vloer bezaaid zag liggen met een zijden en satijnen schat aan glinsterende lange jurken.

'Waar komen die vandaan?' vroeg ze verbaasd.

'Uit Los Angeles. Mijn avondjurken . . . moet u eens zien, grootmoeder . . . moet u eens zien wat mooi . . . wat mooi . . . .' Delphine barstte opnieuw in tranen uit, drukte een wit bontjasje tegen haar borst en wiegde vol verdriet heen en weer. Anette de Lancel nam het meisje in haar armen en probeerde haar te troosten, klopte haar op haar rug alsof ze een baby was en keek ondertussen verbijsterd naar een grotere collectie avondjurken dan ze ooit had gedacht dat iemand, zelfs een Parijse society-vrouw, kon bezitten.

'Maar Delphine . . . had je die thuis echt állemaal nodig?'

'O ja,' huilde Delphine, 'iedereen heeft ze . . . we hadden zoveel pret . . . o zoveel pret, grootmoeder.'

'Maar dan moet het voor jou hier wel heel erg saai zijn, liefje. Dat heb ik gewoon nooit beseft.' Anette de Lancel was ontzet bij de gedachte dat Delphine was verbannen uit een leven waarin ze toch wel heel veel moest uitgaan, als ze zulke grote hoeveelheden kleren bezat. Eve had haar op zijn minst wel even mogen waarschuwen . . . en wat tactvol en lief dat Delphine hun niet had willen laten merken hoe enorm ze zich verveelde.

'Dat is het niet . . . echt niet . . . maar ik mis gewoon mijn vrienden heel erg . . . ik zou niet mogen huilen . . . u bent zo lief voor me geweest,' zei ze,

met een lijdzame houding van haar mooie hoofd en met een meelijwekkende poging tot een glimlach.

'Het is heel gemakkelijk om lief voor jou te zijn, lieverd, maar ik had
moeten beseffen dat jij behoefte had aan mensen van je eigen leeftijd. Ik kan
het mezelf niet vergeven. Maar hier op het land . . . jonge mensen . . . ik weet
eerlijk gezegd niet waar ik die vandaan moet halen. Maar ik zal al mijn
goede vrienden eens opbellen om te vragen of hun kleinkinderen . . . Delphine, ik zal m'n best doen, dat beloof ik je.'

'Dank u, grootmoeder,' zei Delphine beleefd, zuur bedenkend wat voor
kleinkinderen die buren ongetwijfeld zouden hebben. 'Maar het is echt niet
belangrijk. Het enige punt is . . . denkt u dat ik er misschien een kleerkast bij
kan krijgen in mijn kamer?'

'O, liefje, natuurlijk! Ik zal er direct een laten brengen. Al die mooie kleren
zomaar op de grond!' Anette de Lancel verdween meteen om actie te ondernemen, blij dat ze iets concreets voor Delphine kon doen. Wat die kleinkinderen van haar vrienden betrof, die moest ze ook maar ergens vandaan zien
te halen. Er waren vast wel geschikte jongens en meisjes thuis, nu het zomer
was. Ze zou elke familie in Champagne opporren en ze zou hen weten te
vinden en . . . en . . . ze zou een bal geven! Ja, een bal voor jonge mensen, een
midzomerbal zoals het zelden was gehouden, zo er al ooit een was gehouden
in Champagne op het hoogtepunt van het groeiseizoen.

'Jean-Luc, ik ben ten einde raad,' zei Anette de Lancel tegen haar man, aan
het einde van een dag telefoneren. 'De kleinkinderen van de Chandons
zitten in Engeland, de Lansons hebben vijf, let wel, víjf kleinzonen en van
hen wordt er de komende weken niet één thuis verwacht, de kinderen van de
Roederers zitten allemaal in Normandië – je weet dat niets hen van hun
paarden en draverijen kan weghouden – madame Budin van Perrier-Jouet
zegt dat haar zoon helaas te jong is, madame Bollinger heeft twee neefjes
maar die zijn allebei van huis en alle Ruinarts zijn naar Bordeaux; ik heb bij
elkaar vier meisjes en twee jongens kunnen vinden en ik heb iedereen gebeld
die ik ken. Iedereen!'

'De juiste tijd voor een bal is Kerstmis,' antwoordde de vicomte de Lancel.

'Daar heb ik echt wat aan, Jean-Luc.'

'Anette, je windt je op over niets. Als Delphine zich verveelt, dan verveelt
ze zich maar. Het is een lief kind, maar bedenk wel dat het niet ons idee was
om haar voor de zomer uit te nodigen.'

'Hoe kun je zó harteloos zijn! Dat arme kind . . . met al haar schitterende
avondjurken . . . dus kun je je voorstellen hoeveel ze aan gezelligheid gewend moet zijn.'

'Te veel, misschien? Heeft Eve haar niet dáárom hierheen gestuurd? Om haar een beetje tot inkeer te laten komen? Ik dacht dat ik zo iets in die brief had gelezen.'

'Ze heeft nu zes weken aaneen tot inkeer kunnen komen. Ik moet echt een feestje voor haar geven, Jean-Luc, als het dan geen bal kan zijn. Maar vier meisjes – vijf, als je Delphine meetelt – en twee jongens ... nee, dat gaat gewoon niet.'

'Je zou alleen meisjes kunnen uitnodigen,' opperde hij. 'Het belangrijkste punt is immers dat ze weer eens mensen van haar eigen leeftijd ontmoet, nietwaar?'

'Jean-Luc, ik verbaas me over je, echt waar. Weet jij dan niet meer dat je eens jong bent geweest?'

'Dat herinner ik me nog even goed als jij, zou ik zo zeggen, nu we allebei de tachtig naderen.'

'Jean-Luc, je hoeft me daar echt niet aan te herinneren. Ik ben trouwens een stuk jonger dan jij.'

'Drie jaar en twee maanden.'

'O, waarom ben ik toch met jou getrouwd?'

'Omdat ik de beste partij uit de hele omgeving was.'

'Ík was de beste partij uit de hele omgeving. Ben je vergeten hoeveel *arpents* wijngaarden ik heb meegebracht?'

'Tweehonderdzestig.'

'Tweehonderdééénenzestig!'

'Je geheugen is nog even goed als altijd, liefste. In ieder geval heb ik voor het eten Bruno eens opgebeld. Ik heb hem laten beloven wat jongemannen mee te brengen, wanneer jou dat schikt. Heel geschikte, keurige jongelui. Misschien wil je me nu een kus geven?'

'Bruno! Waarom heb ik niet meteen aan hem gedacht?'

'Visie, liefste, is iets dat mannen onderscheidt van vrouwen. Een brede visie, de mogelijkheid voorbij Champagne te denken, een kans te zien om een plan snel uit te voeren en ... hé, hé, Anette, je weet dat ik het vreselijk vind om een kussen naar m'n hoofd te krijgen ... kalmeer toch wat, denk toch aan je leeftijd ...'

De Parijse gasten voor het diner dat de Lancels voor Delphine gaven, waren uitgenodigd de nacht op het château door te brengen. Bruno had drie van zijn zonder uitzondering presentabele vrienden meegebracht en van de zes jonge Fransmannen die die avond bij het diner aanwezig waren geweest, waren er vijf verliefd geworden op Delphine. Bruno moest toegeven dat zijn Amerikaanse halfzusje hem alle eer aandeed. Geen van die vijf had het echter zo hevig te pakken als Guy Marchant, die lang nadat hij de deur van zijn slaapkamer achter zich had dichtgetrokken bij het raam de maanverlichte nacht in zat te staren en zo volledig de kluts kwijt was dat hij zelfs zijn vlinderdasje nog niet los had gemaakt of zijn schoenen uit had getrokken.

Hij had nog nooit zó'n meisje gezien. Zo bestond er geen tweede. Hij zou sterven als hij de rest van zijn leven niet met haar kon doorbrengen.

Hij stond op en begon door de kamer te ijsberen om ten slotte, na vele rondjes, weer bij het raam uit te komen en naar de sterren te kijken. Guy Marchant was een belangstellend amateurastronoom en tijdens de rit naar Valmont had hij Bruno vergast op een filosofische verhandeling over het heelal, gebaseerd op een boek dat hij had gelezen van de Engelsman sir James Hopwood Jeans. 'Jeans,' had hij Bruno verteld, 'schat dat, gebaseerd op gegevens die door de grote telescoop op Mount Wilson van het heelal worden waargenomen, er zoveel sterren bestaan dat als het korreltjes zand waren die over Engeland werden uitgestrooid, ze een laag van honderden meters dik zouden vormen. Hónderden meters, Bruno. En dan te bedenken dat onze aarde een miljoenste deel is van één van die korreltjes zand, slechts één miljoenste. Bruno, kun jij dat bevatten? Een miljoenste van slechts één van die korreltjes zand die honderden meters dik over Engeland liggen – en het zou evenveel zijn als het Frankrijk betrof – dus zie je, Bruno, dat niets wat wij doen écht van belang is, als je het in dat verband bekijkt. Zijn we eigenlijk niet vreselijk dwaas?'

Maar dat was voordat hij Delphine had ontmoet. Nu waren de afmetingen van het heelal niet alleen vergeten, maar ook volledig onbelangrijk en irrevelant; zijn eigen gevoelens waren nu essentieel.

Toen de uren verstreken, begon hij weer enigszins te denken als de intelligente zakenman die hij was. Het was duidelijk dat hij niet kon verwachten dat de Lancels hem de rest van de zomer te logeren zouden vragen. Het was eveneens duidelijk dat hij met Delphine moest trouwen voordat ze terugging naar de Verenigde Staten, waar ongetwijfeld honderden mannen stonden te trappelen om haar ten huwelijk te vragen. Het was ten slotte ook duidelijk dat hij, om haar te krijgen, heel snel Delphine voor zich in moest nemen, want hij begreep, met het feilloze instinct van een verliefde man, dat de andere vier manspersonen eveneens onder haar bekoring waren gekomen.

Wat had hij dat zij niet hadden, vroeg hij zich af, in een poging zo rationeel mogelijk te zijn. Had ze vaker naar hem geglimlacht dan naar de anderen? Had ze na het diner vaker met hem gedanst? Had ze hem iets verteld over haar belangstellingen waarop hij kon voortborduren? Nee, ze had haar glimlachjes en dansen heel evenredig verdeeld, ze had met allen geflirt op een manier die even frustrerend was als wanneer ze met niemand had geflirt.

Maar . . . maar . . . ze kwam uit Hollywood. Wanneer je uit Los Angeles kwam, kwam je uit Hollywood, waar je ook in Los Angeles mocht hebben gewoond – dat had hij uit de wereldwijde filmjournaalwereld begrepen. En van alle mensen die nu op Valmont waren, had alleen hij ook maar het vaagste idee wat het betekende om uit Hollywood te komen. Alleen hij besefte dat als je uit Hollywood kwam, je gefascineerd moest zijn door films. Want op de een of andere manier, hoe veraf ook, zag je jezelf als onderdeel van de filmwereld. Zou Delphine meer belangstelling hebben voor de bezichtiging van het beroemde château aan de Loire van de ouders van Max of het jacht van Victors familie – of bezocht ze liever zijn eigen studio's? En alle andere studio's, de grote filmstudio's die hij haar in Billancourt en Boulogne kon laten zien? Ja, hij had een streepje vóór! Nu moest hij het allemaal goed organiseren, bedacht hij toen hij eindelijk voldoende was gekalmeerd om zich uit te kleden. Morgen zou hij het regelen. Bij het ontbijt.

Nee, vóór het ontbijt, voordat de anderen een kans kregen.

Binnen enkele dagen was de logeerpartij bij monsieur en madame Marchant in kannen en kruiken, na gepast voorafgaand overleg met Bruno en zijn grootmoeder, en een brief van madame Marchant aan de vicomtesse.

'Nee, Jean-Luc, ik geloof er niets van dat het Eve's bedoeling was dat Delphine hier elke dag zou blijven tot ze weer terugging naar de Verenigde Staten, dat is onzin. Ze is niet onze gevangene en jij bent veel te Victoriaans, liefste,' zei Anette de Lancel uitdagend, blij dat Delphine eindelijk wat vertier kreeg en een glimp zou opvangen van het leven in de hoofdstad. 'Wat had je trouwens anders verwacht, toen je Bruno vroeg wat jongelui mee te nemen voor dat etentje?'

'Weet je zeker dat ze goed gechaperonneerd zal worden?'

'Madame Marchant verzekerde me dat ze over haar zou waken als over haar eigen dochter; bovendien is Bruno ook bij haar. Echt, Jean-Luc, je verbaast me.'

'Je kent madame Marchant niet eens,' mopperde de vicomte, nijdig dat hij nu werd beroofd van het genoegen Delphine nog meer te vertellen over de druiventeelt, iets waarmee hij al vele uren op aangename wijze had doorgebracht om haar wat afleiding te geven.

'Bruno zegt dat ze een vriendelijke, beschaafde en voor honderd procent betrouwbare vrouw is.'

'En heeft Bruno altijd gelijk?' vroeg hij scherp.

'Wat is dat nu voor een vraag?'

'Een rare vraag, liefste. Misschien word ik echt oud. In dat geval moeten we alle voorzorgsmaatregelen nemen die de natuur ons kan bieden, dus laten we nog een glas champagne nemen. Mag ik je nog iets inschenken?'

'Natuurlijk, liefste, natuurlijk.'

Delphine's aangeboren charme en broze schoonheid vormden een krachtige combinatie die echter duizendvoudig werd versterkt door een volledig gebrek aan de behoefte zich te doen gelden. De Fransen, die door de eeuwen heen gewend waren aan buitenlanders die voortdurend hun best deden compensatie te bieden voor het feit dat ze niet Frans waren, die zich uitsloofden om iets uit hun eigen trucendoos te toveren dat de Fransen zou doen erkennen dat ook zij lid waren van het menselijk ras, waren direct onder de indruk van de houding die zij aan de dag legde. Ze trok zich niets aan van wat de Fransen in Frankrijk van haar mochten vinden.

Delphine was opgegroeid in drie landen waarin haar ouders zich door hun Franse afkomst onderscheidden van de autochtonen, maar dat hen niet noodzakelijkerwijs beter maakte. De Franse cultuur was van belang bij het werk van haar vader en de taal die ze thuis spraken en de manier waarop haar moeder een nieuwe kok instrueerde, maar het was niet iets heiligs of hoogverhevens. Een De Lancel te zijn betekende voor haar niets wanneer je het vergeleek met een Selznick, een Goldwyn of een Zanuck, en tien jaren van onderricht in de trotse tradities van Champagne zouden daar nog geen verandering in kunnen brengen.

De Marchants waren verrukt over wat zij beschouwden als haar gebrek aan stijfheid, zoals je die maar al te vaak tegenkwam bij leden van de oude adel. Ze zouden nooit hebben geloofd dat de enige adel waarvan Delphine onder de indruk kwam, een handjevol families was dat in de laatste tientallen jaren miljoenen had verdiend en filmsterren die met hun foto's op de voorpagina's van de Amerikaanse tijdschriften stonden.

Ze waren enigszins verbaasd over Guy's plannen voor het bezoek van Delphine. Ze wilde toch zeker naar de top van de Eiffeltoren, naar het graf van Napoleon, naar de Place Vendôme, naar het Louvre? Wat had al dat gepraat over Gaumont, Pathé-Cinéma en Kodak-Pathé te betekenen? Toeristen gingen immers nooit naar Billancourt? Waarom wilde ze dingen zien die ze vast ook uit Hollywood kende?

'Nee, madame Marchant, ik verzeker u dat ik ze heel graag wil zien,' zei Delphine snel. Ze was enkele keren, toen ze nog op de highschool zat, met haar ouders door vrienden uit de filmwereld uitgenodigd om een studio te bezichtigen en de snelle kijkjes die ze daar had mogen nemen – en die bijna waren bedorven door haar angst al die beroemde en zelfverzekerde mensen voor de voeten te lopen – hadden Delphine een blik gegund in het paradijs dat zij veroordeeld was slechts als vreemdeling te mogen kennen.

'Zoals je wilt,' zei madame Marchant berustend. 'Geef me dan even een minuut om mijn hoed op te zetten.' Ze duwde met haar welverzorgde handen, waaraan vele diamanten schitterden, tegen haar haar.

'Maman, u hoeft echt niet mee als u geen zin hebt. Bruno komt ook nog,' zei Guy tegen haar.

'Tja, als dat het geval is ... dan heb ik eigenlijk nog van alles te doen,' zei Guy's moeder, met duidelijke opluchting in haar vriendelijke ogen. Het vooruitzicht een dag te moeten doorbrengen met het kijken naar mensen die films maakten, leek haar zeldzaam onaantrekkelijk. Eens, vele jaren geleden, had zij ook gedacht dat het heel amusant kon zijn om dit proces gade te slaan, maar na enkele uren had ze er voor eeuwig genoeg van gehad.

Trouwens, de gedachte dat zij als chaperonne moest fungeren, was volslagen absurd. Guy, haar jongste en meest geliefde kind, was een perfecte heer aan wie elk meisje kon worden toevertrouwd ... vooral eentje op wie hij zo pijnlijk verliefd was. De onnodige bezorgdheid van de vicomtesse de Lancel voor het welzijn van haar uiterst zelfstandige kleindochter, stamde uit een andere eeuw. De provinciale adel liep gewoon een beetje achter, al was dat op zichzelf heel charmant. Maar het meest belangrijke was nog dat, als ze vandaag niet voor de derde keer bij Chanel ging passen, haar nieuwe kostuums echt niet op tijd klaar zouden zijn voor het nieuwe seizoen. Ze zwaaide hen uit met een vage, vriendelijke glimlach, in gedachten al blij toevend tussen tweedstoffen, knopen en voeringen.

De rit van de enorme flat van de Marchants aan de Avenue Foch naar de Gaumont Studio in Billancourt leek Delphine eindeloos te duren. Ze zei weinig, maar Guy voelde hoe ze beefde van opwinding zoals ze daar naast hem zat en hij hoopte dat het was omdat ze blij was met hem alleen te zijn. Van tijd tot tijd wierp hij een steelse blik op haar profiel, maar hoewel ze zijn ogen op haar gericht voelde, besloot Delphine te doen alsof ze niets merkte. Vandaag had ze uit kunnen gaan met Max, Victor of Henri, want ze hadden haar na het diner met allerlei verleidelijke uitnodigingen gebeld, maar Guy's plan had gewerkt en ze had besloten in het lokaas te happen dat hij haar voorhield. Dat moest vast en zeker genoeg zijn om hem voorlopig blij te maken.

Bruno voegde zich in de studio bij hen, eerder uit nieuwsgierigheid dan uit een gevoel van plicht om een oogje te houden op Delphine. De Marchants waren nog steeds geen klant geworden van La Banque Duvivier Frères en na de enorme gunsten die hij Guy had bewezen, vond hij zo'n gebrek aan dankbaarheid bijzonder onacceptabel. Hij had hem uitgenodigd voor een diner in het huis van zijn grootouders; hij had bij zijn grootmoeder bemiddeld voor dit bezoek van Delphine – besefte Guy dan niet hoeveel hij aan Bruno te danken had? Of bezat hij misschien niet voldoende invloed in het bedrijf van zijn vader om adviezen uit te brengen over de plaatsing van hun fondsen? Beide mogelijkheden waren even onvergeeflijk. Misschien had hij te snel Guy's vriendschap aangemoedigd, waarschijnlijk had hij het zelf te vanzelfsprekend gevonden. Guy was een parvenu, dacht hij nijdig. Bruno gaf tegenover zichzelf niet snel toe dat hij het mis had.

Hij was blij te zien, toen ze wachtte om de studio binnengelaten te worden, dat Delphine er afstandelijk, bedachtzaam, veel minder flirterig uitzag dan die avond van het diner op Valmont. Hij hield van haar ongeëvenaarde elegantie, in dat rode shantoeng pak afgezet met marineblauw dat ze bij Bullock had gekocht om aan te trekken wanneer ze in Santa Anita naar de renbaan ging, en hij vond dat ze ouder leek dan hij haar ooit had gezien, met die kleine, marineblauwe hoed die over één oog viel.

'Aha, daar heb je m'n makker,' zei Guy en hij stelde hen voor aan een kleine, blonde jongeman met een vriendelijke grijns die haastig bij de hoofdingang was gearriveerd. 'Jacques Sette, mademoiselle De Lancel, vicomte de Lancel – Jacques is de assistent van Bluford – hij zal ons rondleiden.'

'Sorry dat je moest wachten, Guy, maar je weet hoe dat gaat. Mademoiselle, monsieur, volgt mij – Guy weet de weg. We hebben het vandaag niet erg druk. Helaas worden er verscheidene films op locatie opgenomen en er zijn er nogal wat in het voorbereidingsstadium, maar Gabin en Michèle Morgan zijn bezig op podium vijf. René Clair regisseert – ik dacht dat dit de meest interessante manier was om te beginnen.' Hij sprak die grote namen heel nonchalant uit, alsof ze van hem waren, en Delphine keek hem bewonderend aan.

Er brandde een rood licht boven de kleine deur in de kale, weinig opwindende muur naar podium vijf en ze moesten wachten tot het uitging alvorens ze naar binnen konden. Eenmaal binnen bleken ze zich in een verwarrend grote ruimte te bevinden. Sommige delen van het podium waren in duisternis gehuld en andere waren onwezenlijk helder verlicht.

'Kijk uit waar je loopt,' waarschuwde Jacques Sette, en hij pakte Delphine zonder verdere omhaal bij de arm om haar de weg te wijzen tussen de kabels die naar de lichtbakken voerden en om allerlei pilaren die uit de grond oprezen. Ze keek overal tegelijk en begreep er niets van, tot Sette haar plotseling stil deed houden aan de rand van een gebied waarin de concentratie bijna even voelbaar was als de hitte van de lampen.

Delphine dacht dat ze het kon ruiken, dat ze de opwinding kon ruiken en haar hart klopte snel. Ze waren tot stilstand gekomen op zo'n zes meter van de set, het interieur van een eetkamer waarin Jean Gabin en Michèle Morgan aan tafel zaten, aan een onderbroken maaltijd, met nog vier andere acteurs van wie Delphine er niet één herkende. Er liep een make-up-assistente om de tafel heen die voorhoofden poederde, lippen bijkleurde en wat haarlokken fatsoeneerde. De spelers zaten er geduldig en bewegingloos bij. Gabin mompelde iets grappigs en ze lachten even maar ze verroerden zich minutenlang niet, terwijl twee mannen, van wie de ene stond en de andere in een regisseursstoel zat, overleg pleegden. Ten slotte waren de gesprekken afgelopen, verliet de make-up-assistente de set, liep de staande man weer naar zijn camera en zei iets tegen de andere man, en in de diepe stilte die volgde riep een onzichtbaar iemand op agressieve, gebiedende toon: '*Silence! On tourne!*'.

Delphine huiverde van opwinding. Ze had een vijftal stille stappen, als een slaapwandelaar, naar voren gedaan voordat Sette het in de gaten had. Hij sprong snel naar voren, greep haar bij de schouder en trok haar terug in de bezoekerszone. Ze schonk hem een verontschuldigende blik. Ze had helemaal niet gemerkt dat ze zich had verroerd.

Een minuut later werd de scène opnieuw onderbroken. 'Laten we gaan,' fluisterde Bruno in haar oor. 'Dit is verder niet interessant.' Delphine schudde haar hoofd. De scène begon opnieuw en deze keer duurde het nog geen twee minuten eer René Clair ontevreden ophield met een abrupt: 'Cut.' Hij liep de set op en praatte zacht met de acteurs. Gabin knikte een paar maal en Michèle Morgan haalde haar schouders op en glimlachte, en voor Delphine was het alsof de goden op de Olympus zich hadden verwaardigd zich in hun menselijke gestalten te vertonen.

De lampen werden anders opgesteld, de cameraman hield een klein voorwerp voor zijn oog, gaf aanwijzingen, sprak tegen zijn assistent en terwijl Bruno en Guy ongeduldig stonden te wachten en Delphine roerloos als een standbeeld bleef staan, begon de scène opnieuw. Ten slotte kwam er een einde aan. 'Cutten . . . en . . . printen,' zei René Clair met een lichte voldoening. De lampen gingen uit, de acteurs stonden op en verdwenen in alle richtingen.

'Dat werd tijd ook,' zei Bruno met een zucht van verveling.

'Ze zullen er de hele verdere middag nog aan werken. Ze zijn gestopt voor de lunch. Dit was de eerste goede take,' verklaarde Sette. 'Maar ik heb zo'n idee dat je nu wel genoeg hebt gehad.'

'Voor de rest van mijn leven,' antwoordde Bruno.

'Ik had je gewaarschuwd,' zei Guy.

'Maar nog niet voldoende. Kom, Delphine, we gaan.'

'Nee,' zei ze.

'Wat bedoel je? Er valt niets meer te zien.'

'Ik wil ze het nog eens zien doen.'

'Zoals u wilt, mademoiselle,' zei Jacques Sette, met een verbaasde blik in de richting van Guy. 'Maar de eerste twee uur zal er echt niets gebeuren. Het middageten is hier heilig, zeker in de filmwereld. Mag ik u allen uitnodigen mijn gast te zijn in onze kantine?'

'O, ja! Graag,' zei Delphine.

'Je overdrijft, Delphine,' wees Bruno haar terecht, maar hij had honger gekregen van al dat stomme wachten en hij had geen andere afspraak voor de lunch. Je moest toch ergens eten.

De kantine bevatte, als alle studiokantines, een grote, afzonderlijke ruimte die was gereserveerd voor de studioleiding en de belangrijkere acteurs. Delphine keek gretig om zich heen, denkend dat ze elk moment Jean Gabin en Michèle Morgan aan de lunch kon zien zitten, maar dit tweetal at liever in alle rust in hun kleedkamer, na de hele morgen aan een eettafel te hebben gezeten.

Sette bracht hen naar een tafeltje en gaf Delphine de stoel met het beste zicht op de zaal.

'Nu eerst een glas wijn,' stelde hij voor en hij gaf de ober zijn bestelling.

'Vertel me alstublieft wie iedereen is,' smeekte Delphine. Hij keek om zich heen, in de hoop een beroemde ster te zien die haar wens in vervulling kon laten gaan, maar buiten de regisseurs – Jean Renoir, Pierre Prévert, Marcel Carné, Nico Ambert en Autant-Lara – zag hij niemand behalve wat karakterspelers die niet bekend waren in de Verenigde Staten. Delphine wierp een blik op de regisseurs, maar dat waren slechts gewone mensen, geen filmsterren, en haar verlangen werd niet bevredigd. Teleurgesteld dronk ze van haar wijn en keek om zich heen, met droevige maar oplettende ogen.

Aan een tafeltje niet ver van dat van Sette, zaten drie mannen te eten. 'Kijk eens naar dat meisje,' wees Nico Ambert zijn twee tafelgenoten. 'Die daar bij Sette.' De drie mannen draaiden hun hoofd een eindje opzij en bekeken Delphine van top tot teen, alsof ze een sofa op een veiling was.

'Heb je enig idee wie het is?' vroeg Jules LeMaître, Amberts rolregisseur.

'Geen actrice,' besloot Yves Block, de cameraman van Amberts film *Mayerling*, die volgens schema over een maand in produktie moest gaan. De drie mannen hadden de hele dag vergaderd over alle details van de film, die bijna in het laatste stadium van de planning was.

'Hoe kom je daar zo bij, Yves?' vroeg LeMaître.

'Ze is zo weinig zelfverzekerd,' antwoordde de cameraman. 'Ze kijkt om zich heen als een toeriste . . . geen enkele actrice zou zich ooit zo gedragen, zelfs niet in een vreemde studio. Bovendien heb ik haar gezicht nog nooit gezien. Als ze een actrice was, dacht je dan niet dat iemand van ons – dat wij allemáál – haar zouden herkennen?'

'Als ze een actrice was, zou ze mij hebben herkend,' zei Nico Ambert laconiek. De regisseur, een forse man van begin dertig, had een gebruinde huid, zwart haar en de typisch warmbloedige blik van een man uit het zuiden van Frankrijk, eerder Italiaans dan Frans. Hij straalde een grote heftigheid uit, zelfs wanneer hij ontspannen was. Hij had iets autoritairs over zich – hij bezat een opvallende haviksneus, felle ogen en een meedogenloze trek om zijn mond. Hij was een man die gewend was aan macht en die deze goed wist te gebruiken; een man die door veel andere mannen werd gevreesd en begeerd door veel vrouwen.

Delphine was zich ervan bewust dat de drie mannen haar aanstaarden, maar net als ieder ander in deze onnozele kantine waren ze lucht voor haar. Ze was zo gewend aan belangstellende mannenogen dat ze vrijelijk in hun aandacht rondzwom, met evenveel belangstelling voor hen als door een tropische vis kon worden gevoeld die zich vanuit een aquarium aan iedereen vertoonde.

'Het is geen Française,' zei Ambert. 'Er is iets wat te keurig en te netjes is, de manier waarop ze eruitziet, en kijk eens naar die schoenen . . . die kunnen niet uit Frankrijk komen.'

'Maar ze spreekt wel Frans, Nico,' zei Jules LeMaître. 'De bewegingen van haar lippen en haar handen . . . wat denk jij, Block?'

De cameraman zat zwijgend Delphine's gezicht te bestuderen. Hij was

233

een ware encyclopedist van de samenstelling van gelaatstrekken. Waarom, vroeg hij zich dikwijls af, vonden de mensen het toch zo bijzonder dat geen twee sneeuwvlokken gelijk waren, terwijl geen enkel menselijk gezicht, zelfs niet dat van een eeneiige tweeling, hetzelfde was als dat van een ander? Block geloofde niet in schoonheid. Hij wist dat het meest onberispelijke gezicht onder de lampen in een vlak en saai landschap kon veranderen. Hij had te veel prachtige ogen hun vermogen zien verliezen om helder te kunnen stralen zodra de camera erop werd gericht.

De bakken met enorme booglampen en de lens van zijn camera werkten samen in een duivelse samenzwering om afbreuk te doen aan het uiterlijk van mannen en vrouwen die in het werkelijke leven wezens vol schoonheid waren. Aan de andere kant schenen de lampen en de camera soms spijt te hebben van hun harde oordeel en sloten ze een overeenkomst om iets boeiends te maken van een gezicht dat slechts middelmatig knap had geleken. De meest betoverende vrouw die hij ooit had gepoogd op de film vast te leggen, had een neus bezeten die een lelijke schaduw gaf, hoe hij haar ook belichtte. Hij had een andere vrouw gefilmd die er vreselijk banaal uit had gezien, maar voor de camera kregen haar gelaatstrekken iets geweldig mysterieus, als van een priesteres die tot een ritueel zwijgen had gezworen.

Block kon zonder nadenken de essentiële punten in één oogopslag inventariseren: hij kon beoordelen of de ogen ver genoeg uiteenstonden of dat de neus één van de vele ongemakken vertoonde die de meeste neuzen bleken te bezitten; hij kon de lengte van een hals en het volume van een kin schatten, evenals de essentiële en absoluut doorslaggevende geometrie van de plaatsing van de mond in relatie tot de ogen; maar tot de lichten spraken, tot de camera antwoordde, gaf hij er de voorkeur aan niet naar zijn mening te worden gevraagd. 'Dat valt onmogelijk te zeggen,' antwoordde Yves Block ten slotte, schouderophalend.

'Wil je haar een test laten doen?' hield Jules LeMaître aan.

'Dat moet Nico beslissen.'

'Yves, zet dat meisje op de film,' besloot Nico Ambert.

'Voor de rol van Marie?'

'Wie anders?'

'We kunnen Simone krijgen,' bracht Jules hem in herinnering.

'Alleen als wij dat willen . . . er is nog niets getekend. Jules, jij kent Sette, hè?'

'Inderdaad, de assistent van Bluford.'

'Loop er eens even heen en stel je voor. Als ze niet met een vreselijk accent spreekt, vertel je haar wat we willen. En regel het voor vanmiddag. Ik moet over twee dagen met Simone's impresario praten.'

'Wacht even, Nico. Waarom wil je in 's hemelsnaam de rol van Marie door een onbekende laten spelen?'

'Dat lijkt me eigenlijk veel beter. *Mayerling* is al zo vaak gebracht, zowel op het witte doek als op het toneel; iedereen kent het verhaal van Marie Vetsera, aartshertog Rudolf en hun zelfmoordpact op Mayerling. Een onbekende zou er iets onverwachts aan toe kunnen voegen.'

'We kunnen haar in ieder geval een keertje bekijken,' stemde Jules in, zonder veel enthousiasme. De film had in zijn gedachten al definitief vorm gekregen en hij hield niet van interrupties als het eenmaal zover was, maar de regisseur zijn zin geven hoorde er nu eenmaal bij. Bij Ambert was het zelfs niet zozeer zijn zin geven als wel onvoorwaardelijk gehoorzamen. Hij legde zijn vork neer en liep naar het tafeltje van Sette.

'Zo, Jacques, doe jij vandaag de rondleiding?'

'Ik heb inderdaad die eer. Laat me je even voorstellen – mademoiselle De Lancel, sta me toe u voor te stellen Jules LeMaître, rolregisseur zonder illusies of scrupules, met andere woorden, een van de groten. Jules, onze andere gasten, vicomte de Lancel en Guy Marchant – van Marchant Actualités.'

Toen hij Delphine begroette hoorde LeMaître, in de enkele woorden die ze zei, dat haar accent even Frans was als dat van hemzelf, maar uit enkele subtiele nuances viel op te maken dat ze geen Française was en niet uit de wereld van de film kwam.

'Bezoekt u Parijs, mademoiselle?' vroeg hij beleefd, de drie mannen de rug toekerend na hen de hand te hebben gedrukt.

'Voor een paar dagen. Daarna ga ik terug naar Champagne.'

'U woont dus in Champagne, om daar uw excellente wijnen te verzorgen?' probeerde hij.

'Ik woon in Los Angeles,' antwoordde Delphine glimlachend. Wat een ei!

'Aha. Dan zit u zeker bij de film.'

'Nee,' lachte Delphine, toch ietwat vereerd ondanks deze afgezaagde opmerking. Ze had hem nog niet gehoord uit de mond van echte filmmensen. 'Ik studeer aan de universiteit, om precies te zijn.'

'Zo, een intellectueel dus. Heel charmant. Ik heb nog een andere vraag die ik u zou willen stellen, als u mij toestaat, mademoiselle. Mijn baas, de regisseur Nico Ambert, vroeg zich af of u het misschien leuk zou vinden om een kleine proefopname met ons te maken. Deze middag zelfs, als u een paar minuten de tijd hebt.'

'Verdorie! Ik wist wel dat je iets in je schild voerde, LeMaître,' zei Sette, nijdig dat een ander onder zijn duiven kwam schieten. Stel dat Bluford, zijn baas, een proefopname had willen maken? Hij had hier eerder aan moeten denken.

'Delphine, dat kan echt niet,' protesteerde Guy Marchant, meteen geschrokken. 'Bruno, zeg tegen Delphine dat ze dat absoluut niet kan doen. Ik weet zeker dat je grootmoeder woedend zou zijn.'

'Doe niet zo achterlijk, Guy,' snauwde Bruno terug. 'Waarom zou ze dat in 's hemelsnaam niet doen? Er is niets immoreels aan een proefopname, voor zover ik weet.' Hij vroeg zich af wat die Marchant zich wel verbeeldde, door even uit te maken wat wel en wat niet goed was voor Delphine, door hém te vertellen wat zijn grootmoeder ervan zou denken. Een mindere probeerde altijd aanmatigend te zijn. Dat was iets dat hij moest onthouden. 'Maar Bruno, alleen omdat de een of andere vent haar ziet en zij hem aantrekt? Er zit gewoon iets onfatsoenlijks in . . . het is net alsof hij haar op de schouder tikt en zegt: "Kom mee". Het is niet *comme il faut.*' Guy was opgewonden gaan staan.

'Niet *comme il faut?* Ik denk dat ik dat zelf wel kan beoordelen, Guy. Niet *comme il faut,* moet je nágaan,' bauwde Bruno hem na.

'Guy, en jij ook, Bruno, mag ik vragen wat dit jullie aangaat?' zei Delphine kalm. 'Monsieur hier heeft me een vraag gesteld en mijn antwoord is dat ik dat inderdaad heel leuk zou vinden.'

'Delphine, ik smeek je, bedenk je. Zo iets kost de hele middag,' sputterde Guy hulpeloos tegen.

'Mijn middag, Guy, niet die van jou. Monsieur Sette, ik heb genoten van de lunch. Dank u wel voor uw gastvrijheid.' Delphine stond op en keek LeMaître aan. 'Ik ben klaar voor de proefopname, of ik zal dat zijn als iemand mijn make-up heeft verzorgd. Zal ik u dan maar volgen?'

'Alstublieft, mademoiselle.'

'Eén moment, LeMaître,' zei Sette gebiedend. 'Op welk toneel werken jullie?'

'Op zeven. Over ongeveer een uur.'

'Dan zullen we je daar ontmoeten.'

'Ik denk,' zei Delphine, 'dat ik die test liever doe zonder een publiek van vrienden en familie. Guy, wees een engel en wacht me buiten op als het is afgelopen. Bruno, je hoeft echt niet te wachten, hoor. Bij monsieur LeMaître ben ik in bijzonder veilige handen.'

'Daar ben ik van overtuigd. Ik bel je morgen nog wel. Veel plezier.' Bruno kuste haar op de wang en liep snel de kantine uit, gevolgd door Guy Marchant, die nog steeds tevergeefs probeerde te protesteren. Jacques Sette tekende somber de rekening. Bluford zou dit ongetwijfeld te weten komen en hoe die proefopname ook uitpakte, het zou op de een of andere manier allemaal zijn fout zijn.

De make-upassistente was dik en vriendelijk en briljant in haar vak. Ze sprak Delphine op familiaire toon toe en bewonderde haar hoed, zelfs toen ze die afzette om Delphine's haar anders te doen, door het met een borstel uit de stijve golven los te vegen zodat het naar achteren viel, bijna tot op haar schouders, en de vorm van haar gezicht dramatisch werd geaccentueerd. Ze volvoerde ongekende trucs met mascara en herschreef Delphine's wangen, kaakbeenderen en oogkassen in donkere basiskleuren, waarbij ze schaduwen creëerde die de natuurlijke contouren van het gezicht op een veel brutaler manier accentueerden dan Delphine voor mogelijk of wenselijk had gehouden. Ze legde het protesterende meisje uit dat haar werk er op een zwart-witfilm heel natuurlijk uit zou zien, alsof Delphine slechts wat gewone make-up op had. Ze mompelde tevreden over Delphine's brede voorhoofd, haar grote ogen en de volmaakt ovale kin. 'Een hartvormig gezicht, een echt hartvormig gezicht, dit kleintje,' herhaalde ze, bijna in zichzelf.

Ten slotte werd Delphine's lipstick aangebracht en was ze vrij om de make-upkamer te verlaten. Buiten de deur bleek LeMaître geduldig op haar te staan wachten.

'Mooi. Heel mooi. Kom nu maar mee naar monsieur Ambert.' Hij loodste haar door de schemering van podium zeven naar de regisseursstoel. Nico Ambert stond op en toen hij zijn hand uitstak nam hij haar nogmaals van top tot teen op, maar zijn stem klonk vriendelijk.

'Ik ben blij dat u mijn uitnodiging hebt aanvaard, mademoiselle. Ik hoop dat u niet nerveus bent.'

'Zou ik dat moeten zijn?' hoorde Delphine zichzelf plagerig zeggen, alsof ze het thuis tegen haar buurjongen had. Ze wenste dat Margie dit had kunnen zien. Dan had het pas echt geleken.

Vanaf het moment dat LeMaître haar bij de lunch had benaderd, had ze het gevoel dat ze een vreemde, koortsachtige maar geweldige droom had. Elk greintje realiteit werd versterkt door de bedwelmende omgeving van de studio, waar de meest gewone deur toegang kon bieden tot een wereld vol wonderen. Ze had nauwelijks nagedacht over de praktische kanten van een proefopname, zo opgewonden was ze geweest door het zien en beleven van dat wat zij heel verwarrend als achter de schermen beschouwde. Ze probeerde alles in zich op te nemen en het zich te herinneren, erin op te gaan, net zoals ze was opgegaan in de scène met Jean Gabin en Michèle Morgan.

'Of u dat moet zijn?' herhaalde Ambert. 'Nee, natuurlijk niet. Ga zitten, hier naast me, dan zal ik u laten zien wat u moet lezen. Het is heel eenvoudig, u leest de regels die met rood zijn onderstreept, en dan lees ik de andere . . . gewoon een dialoog tussen ons tweeën. U moet niet naar de camera kijken, als u dat kunt. Wilt u het misschien eerst even voor uzelf lezen?'

'Ik ben geen actrice,' zei Delphine. 'Dus wat voor nut zou dat hebben?'

'Misschien om u enigszins te oriënteren?'

'U oriënteert me, monsieur. Ik denk dat dat beter is.'

'Kent u het verhaal van *Mayerling*?'

'Niet echt.'

'Dat geeft niet. Deze scène is gewoon een ontmoeting tussen een jonge adellijke dame en de troonopvolger van het Habsburgse huis. Het speelt tijdens een bal . . . ze dansen samen . . . en ze worden verliefd op elkaar.'

'Nou, dat klinkt in ieder geval als bekend terrein,' zei Delphine glimlachend. 'Waar wilt u me hebben?'

'Dáár. Wilt u uw jasje soms hier laten? Het zal erg warm zijn onder die lampen.'

Delphine trok haar rode jasje uit, wierp het over de rugleuning van haar stoel en liep toen in haar slankafkledende rok en eenvoudige witte zijden blouse naar de hoge kruk die Ambert had aangewezen. Zodra ze was gaan zitten, gaf de regisseur een bevel en floepte er een reeks schijnwerpers aan die haar met een kreet van schrik haar arm voor haar ogen deed slaan.

'Zeg maar wanneer u voldoende kunt zien om te lezen,' zei hij over de afstand die hen scheidde heen, even duidelijk als wanneer hij naast haar had gezeten.

Delphine wachtte en voelde voor het eerst de vele mannelijke ogen die haar met gretige, maar toch beroepsmatige belangstelling opnamen. Net als de lampen was dit ook een klap, en net als de lampen vond ze het heel plezierig, een soort oergevoel. Ze had zich nog nooit zo vol leven gevoeld, zozeer zichzelf, zo volledig de situatie meester.

In de minuten die ze nodig had om gewend te raken aan het felle schijnsel, voelde ze hoe er iets warms en onrustigs in haar begon te groeien. Het was niet de hitte van de lampen op haar huid. Het was een gloed die in haar buik begon en zich snel en onweerstaanbaar verspreidde en toen omlaagschoot om haar tussen haar dijen te grijpen en te dwingen haar benen over elkaar te slaan, zodat niets de onwillekeurige bevingen en trillingen in haar onderlijf kon verraden. Ze zat gevangen in het felle licht en hield zich met beide handen aan de kruk vast. Het script viel op de grond toen ze door een hevig orgasme werd gegrepen. Ze beet op haar lippen, probeerde kaarsrecht te blijven zitten, met haar borsten naar voren gestoken en haar schouders naar achteren, haar benen stijf tegen elkaar geklemd om niets te verraden tegenover de toekijkende mannen. Nico Ambert voelde zijn penis stijf worden, als reactie op haar opwinding. Dit was hem in geen jaren overkomen.

Het was volmaakt stil op de set.

'Jules, geef haar het script,' zei Ambert zacht, toen hij zag dat Delphine haar zelfbeheersing had hervonden. Hij was te hard om zich te kunnen verroeren.

LeMaître gaf Delphine het script aan. Nico begon te lezen, een lange toespraak die hij met opzet had uitgezocht om een actrice op haar gemak te stellen.

Delphine luisterde, haar ogen zagen de woorden maar begrepen ze niet; haar adem ging te snel als reactie op haar orgasme om goed te kunnen spreken. De gloed was er nog steeds, warm en dringend, en ze wist dat er weinig voor nodig was om haar opnieuw te prikkelen. Het moet door die lampen komen, dacht ze, het moeten die lampen zijn.

'Mademoiselle?'

'Ja,' zei ze zwak.

'Kunt u voldoende zien om te lezen?'

238

'Ik zal het proberen.' Ze haalde diep adem en concentreerde zich uit alle macht op het script. Weldra begonnen de regels tot haar door te dringen en las ze verder, zonder op de camera te letten, zonder acht te slaan op de toeschouwers; ze wierp haar hele wezen in die rood onderstreepte regels, want alleen dan kon ze haar lichaam in bedwang houden. Amberts stem antwoordde op haar tekst. Hij vroeg zich af wie haar verdomme had geleerd hoe ze de camera kon neuken! Ze bleef lezen, hij antwoordde, zij antwoordde, tot ze, *réplique* op *réplique*, in een dans van woorden aan het eind kwamen van deze korte scène.

De regisseur gebaarde dat de schijnwerpers uit konden en in de plotselinge duisternis stond hij snel op en liep naar waar Delphine nog zat, geschrokken door het abrupte einde. Hij pakte haar bij haar arm, waar deze bloot was onder haar korte mouw.

'Je was geweldig. Ik vrees dat het moeilijk was,' zei hij met lage stem en het leek haar alsof de scène opnieuw was begonnen.

'Het was zo hel.'

'Dat begrijp ik. Je wilt vast even ergens tot rust komen voordat je je weer bij je vrienden voegt.'

'Ja.'

'Kom maar mee.' Hij voerde haar snel van de set af, een hoek om, langs een oerwoud van decorvakken, naar zijn eigen kleedkamer. Hij draaide zich om, met zijn rug naar de deur en trok haar tegen zich aan. Hij kuste haar op haar mond, een barbaarse kus, een hartstochtelijke kus. 'Weet je wel . . . besef je wel . . .' vroeg hij, met heftige stem.

'Wat?' hijgde ze, heel goed begrijpend wat hij bedoelde.

'Wat je me hebt aangedaan? Voel dan.' Hij drukte zijn lichaam zo dicht tegen het hare aan dat zijn volle, dierlijke lengte in haar buik werd gegrift. Het was Delphine tientallen keren overkomen dat mannen probeerden zich tegen haar aan te drukken, maar ze had hen altijd weten te ontwijken. Nu bezwijmde ze bijna, tegen Ambert aan, met gesloten ogen en een mond die gretig op zijn ruwe, noodzakelijke kussen wachtte. Hij droeg haar naar de divan en legde haar neer, maakte haar blouse los en bleef over haar heen gebogen, zodat zijn lippen voortdurend in contact bleven met haar tepels, terwijl hij hun kleren wegwierp. Delphine had mannen haar tepels aan laten raken, maar nooit laten kussen, laat staan ze laten zien en nu ze er naakt en kwetsbaar bij lag, verrukkelijk beschaamd, was het alsof ze opnieuw onder de schijnwerpers lag. Zijn meedogenloze, bedreven tong maakte haar waanzinnig vloeibaar, maar hij kende haar te goed om haar nu al toe te staan weer een orgasme te krijgen. Hij trok pijnlijk aan haar haar. 'Nog niet,' fluisterde hij. 'Nog niet, klein kreng, niet zonder mij.' Toen hij haar dijen opende, bracht hij zijn hoofd omlaag om de geur van haar bereidheid in te ademen, maar hij zorgde ervoor dat hij haar niet aanraakte in de buurt van haar schaamhaar. Ze duwde zichzelf omhoog, ze was alle schaamte plotseling heel ver voorbij, maar hij gromde ontkennend en knielde over haar heen, met zijn penis in de hand. Hij duwde hem in haar met de wellustige traagheid van een man die zo lang heeft moeten wachten dat hij bang is te snel te bewegen. Langzaam, heel langzaam ging hij bij haar binnen, met een verdorven, egoïstische gulzigheid die was gemaskeerd als voorzichtigheid. Ze was zo nat, zo open en zo wild om te worden genomen, dat hij de dunne wand van haar maagdelijkheid verbrak voordat een van beiden het wist, en hij in zijn volle lengte in haar schoof. Hij had nog steeds haar haar beet en liet dat nu pas los, zodat ze zich kon concentreren op de gulzige staaf die haar buik vulde. Ze haalden beiden nauwelijks adem, voelden hem groter, onmogelijk groter worden in haar binnenste. Toen hij daar lag, zonder zich te verroeren, mompelde hij: 'Elke man in de studio zat met zijn pik in de hand. En jij wist het, jij wist het, gemeen kreng.' Delphine riep: 'Ik kan niet meer wachten, echt niet,' en ze kwam klaar met een schokkende woestheid die was opgewassen tegen zijn eigen stotende, pijnlijke, hartstochtelijke explosie.

12

Op de derde september 1936 stond Los Angeles op het punt voor vier dagen lang het middelpunt te vormen van de internationale vliegwereld. Mines Fields was opgeknapt en uitgebreid en heette nu Municipal Airport. De plaatselijke organisatoren van de zestiende jaarlijkse National Air Races, die nu voor het eerst in de Stad van de Engelen werden gehouden, hadden besloten dat iedereen die de wereld een spektakel kon vertonen, dit ook mocht doen.

Freddy had zo ongeveer de volledige stortvloed aan kranteverhalen over alle komende gebeurtenissen in haar hoofd geprent. Ze wist dat Harold Lloyd aan het hoofd zou gaan van een lange motorparade met wagens en muziek die naar het vliegveld trok; ze wist precies om welke tijd een bom, die boven het vliegveld in de lucht zou ontploffen, de komst aankondigde van de beste gevechtssquadrons, die formatievliegen en stuntwerk zouden vertonen bij aanval en verdediging in de lucht; ze wist op welk moment van de dag de motorfiets-zweefvliegtuigstunts werden vertoond en wanneer de massale parachutespringwedstrijden waren te verwachten. Ze wist dat de heer en mevrouw Douglas Fairbanks Sr. en Benita Hume van plan waren vóór de races een picknick te houden, met een kanariegele picknickmand gevuld met kanariegele kopjes en bordjes; dat Adrienne Ames, in bruine tweed, werd verwacht met haar voormalige echtgenoot, Bruce Cabot, dat Carole Lombard en Kay Francis zich onder de eregasten zouden bevinden. Ze kende zelfs de namen en gezichten van de society-meisjes uit Beverly Hills, die waren uitgekozen om de militaire vliegeniers te begroeten op het bal van het leger en de marine, dat de eerste dag van de National Races zou besluiten.

En het interesseerde haar niets. Het was allemaal etalagemateriaal, opvulling tussen de races.

Slechts drie gebeurtenissen vroegen Freddy's werkelijke aandacht: de Bendix transcontinentale snelheidsrace van de oostkust naar L.A.; de Ruth Chatterton Derby, voor 'sportvliegers', die zes dagen geleden in Cleveland van start was gegaan en nu in handicap-etappes op weg was naar Los

Angeles; en de Amelia Earhart Trophy, een gesloten snelheidscircuit rond luchtbakens, de enige race in het schema die uitsluitend voor vrouwen was en waarvoor acht deelneemsters zich hadden aangemeld.

Van die drie races had de Chatterton haar het meest aangesproken, tot ze er even hevig naar verlangde als indertijd naar haar solovlucht. Het was een race waar ze aan mee had kunnen doen als ze een vliegtuig had gehad. Mee had kunnen doen. Mee had zullen doen. Misschien wel had gewonnen. Als ze maar een vliegtuig had gehad.

Er waren tweeëndertig deelnemers, mannen en vrouwen, met allerlei soorten vliegtuigen die elk hun eigen record probeerden te verbeteren. De kranten hadden volgestaan over het Chinese meisje, Katharine Sui Fun Cheung, die in een kleine Cessna vloog, en over Peggy Salaman, het Londense society-meisje van wie de moeder glimlachend tegen een journalist had gezegd: 'Je kunt ook niet de hele dag dansen, vindt u wel? Daarom heeft Peggy leren vliegen.' Verdorie, ze háátte die Peggy Salaman, dacht Freddy jaloers, Peggy Salaman én haar verhipte goedgeefse moeder!

Het was zo pijnlijk om aan die Chatterton te denken, dat ze in een trance rondliep en probeerde zich uitsluitend te concentreren op de Bendix, die hoe dan ook, voor wie dan ook, onbereikbaar was, met die reeks beroemde piloten die zelfs nu nog op Floyd Bennett Field de laatste hand legden aan hun vliegtuigen, na weken vol geruchten en ontkenningen – verhalen over supergestroomlijnde machines die nooit eerder waren vertoond; geheime windtunneltests van ontwerpen met grote vermogens; nieuwe en krachtiger motoren dan men ooit had gekend; koortsachtige pogingen, die de hele nacht doorgingen, om op elke mogelijke manier snelheid toe te voegen aan elk vliegtuig; geheimzinnige deelnemers die zich op de valreep opgaven, en een hysterische pers.

De Bendix was een open race, met als enige regel dat de piloten op de vierde september bij het aanbreken van de dag Floyd Bennett moesten verlaten en diezelfde dag voor 18.00 uur in Los Angeles moesten zijn. *Aviation Magazine*, Freddy's bijbel, had verkondigd dat Bonny Howard, die het vorige jaar de race had gewonnen met zijn beroemde vliegtuig Mister Mulligan, de grootste kanshebber was. *Aviation* had Amelia Earhart met haar nieuwe Lockheed Electra als beste kansloze deelnemer genoemd, op de hielen gevolgd door Jacqueline Cochrane. Howard Hughes werd door het tijdschrift geciteerd voor het meest sportieve gebaar: hij had geweigerd aan de Bendix mee te doen omdat zijn eigen experimentele vliegtuig onverslaanbaar was voor piloten die minder geld te besteden hadden.

Freddy was op de dag van de race trouw bezig Immelmans en Chandelles te oefenen met Macs Taylor Cub, die op zijn best gemiddeld honderdvijftig kilometer per uur haalde. Ze moest steeds denken aan Howard Hughes en zijn honderdtwintig miljoen dollar, en aan Earhart met het vliegtuig waaraan Lockheed zo'n tachtigduizend dollar had gespendeerd. Terwijl ze de oude betrouwbare Taylor alle figuren liet maken, bedacht ze nijdig dat zij duidelijk tweederangs was.

Bijna al haar vrije middagen in juni, juli en augustus had ze besteed aan de beginselen van het stuntvliegen. Beetje bij beetje had ze, met Mac aan haar zijde, de gecompliceerde stunts onder de knie gekregen: de Oregon Sea Serpent, de Cuban Roll, de Cuban Eight, de Frank Clark Reversement Roll en de Rankin Roller Coaster. Alles goed en wel, vond Freddy, maar ze was vandaag nog niets dichter bij haar doel van geld sparen voor een vliegtuig dan ze eerder was geweest, aangezien ze geen weerstand had kunnen bieden aan de verleiding elke penny die ze verdiende te besteden aan haar lucht-acrobatieklessen.

Over twee weken zou ze aan het eerste jaar van haar studie beginnen. Ze had al een rooster van alle lessen gekregen. Haar moeder was college-kleren met haar gaan kopen. Wanneer zou ze weer buiten de weekends kunnen vliegen? Het was van het grootste belang geweest om er die zomer het beste van te maken, ook al had het haar al haar geld gekost.

Dat eerste jaar van haar studie hield in dat ze alle benodigde cursussen zou volgen die een goedbedoelende universiteit haar kon bieden om haar een goed afgeronde vorming in de vrije kunsten te geven. 'Wel verdorie, ik wíl helemaal niet goed afgerond zijn!' tierde Freddy hardop tegen de on-bewogen hoogtemeter, tegen de ongelukkige snelheidsmeter, tegen de knuppel die slechts bestond om haar te gehoorzamen.

Maar wat moest ze anders doen? Bij de marine gaan en de wereld ontdek-ken? Het vreemdelingenlegioen? Weglopen met het circus? Shit, dat waren allemaal mogelijkheden voor een jongen, maar niet voor een meisje van bijna zeventien. Wat een sof! Haar bestemming voerde naar een stoffige collegezaal en vlijtig geblok.

Als Freddy haar voeten van de roerpedalen af had kunnen nemen, zou ze zo woedend hebben gestampvoet dat ze dwars door de vliegtuigromp heen had getrapt. In plaats daarvan volbracht ze een laatste, onberispelijke Chandelle, een steile klimmende bocht van honderdtachtig graden, en kwam toen binnen om op Dry Springs te landen.

Mac en Swede Castelli, die naar het vliegveld was gekomen om nog meer stuntwerk met McGuire door te nemen, stonden beiden buiten de hangar en zagen haar landen. Ze sprong uit het vliegtuig, trok haar vliegbril af, gespte haar parachute los, hing die over haar arm en liep naar hen toe. Haar koperkleurige haar wapperde in de wind toen ze als een ondeugende, slanke Robin Hood op hen afstapte, met die zwierige tred die nog werd geac-centueerd door de rijbroek en de lange laarzen die ze had gekocht toen haar spijkerbroek was versleten. Ze had de mouwen van het jongensoverhemd, dat ze altijd bij het vliegen droeg, opgerold.

'Hallo, jongedame. Dat was een allemachtig mooie Chandelle, daar-boven,' zei Swede Castelli, op wat zij op slag als een paternalistische toon beschouwde. Volgens haar waren alle oude stuntvliegers ervan overtuigd dat niemand ooit zo goed kon vliegen als zij dat hadden gedaan. Nou ja, misschien niet allemaal, misschien Mac niet. En ze had er een gruwelijke hekel aan om 'jongedame' te worden genoemd.

'Gewoon voor de lol, meneer Castelli,' antwoordde Freddy kortaf. 'Het stelt niets voor.'

'Je zag er goed uit, kind,' zei McGuire.

'Gò, Mac, ik zie dat je woorden te kort komt om je bewondering te uiten,' zei ze zuur, en verdween het kantoor in. Mac ook al. Ze waren allemaal één pot nat.

'Wat mankeert haar?' informeerde Castelli.

'Ze zou Amelia Earhart willen zijn,' verklaarde Mac.

'Nou, ik ook hoor! Wie niet?'

'Het is een emotioneel kind,' zei Mac schouderophalend.

'Kind? Luister, Mac, dat meisje is geen kind meer. Het is een brok, een spetter, een . . .'

'Het is een kind, Swede! En jij bent een vieze ouwe vent.' Macs stem klonk onverwacht boos.

'Dat is lang geen gek bestaan hoor, je moet het echt niet bij voorbaat afkraken, McGuire,' zei Castelli, even goedgehumeurd als altijd, toen Freddy weer te voorschijn kwam om naar de auto te lopen. Hij zwaaide naar Mac en draaide zich om om te vertrekken. 'Weet je zeker dat je er niet nog eens over wilt denken?' riep hij terug naar Mac, toen hij met Freddy naar hun auto's liep.

'Zo zeker als wat,' antwoordde Mac.

'Het betaalt goed,' riep hij, zichtbaar zonder hoop Mac tot andere gedachten te kunnen brengen.

'Geen sprake van, makker. Ik heb je al verteld dat ik zulke klussen echt niet meer aanneem.'

'Ach,' zei Castelli tegen Freddy, 'ik wist dat hij het voor mij wel zou willen doen, als hij maar niet zulke bezwaren tegen een pruik had gehad. Maar het was het proberen waard.'

'Wat was het?' vroeg Freddy onverschillig. Mac wees nog steeds alle klussen af die hoopvolle stuntcoördinatoren hem bleven aanbieden, omdat ze niet konden geloven dat hij zich nu echt uit dit vak had teruggetrokken.

'Een film genaamd *Tail Spin*. Ik heb hem laten kiezen: Alice Faye, Constance Bennett of Nancy Kelly . . . hij had voor ieder van hen de stunts kunnen doen. Roy Del Ruth, de regisseur, heeft expliciet naar Mac gevraagd. Hij is nooit vergeten hoe goed hij was als Jean Harlow in *Hell's Angels*.'

'Maar dat was een stomme film . . . ik herinner me hem van zeven jaar geleden.'

'Hij hoeft niet te praten, kleine dame, ze willen alleen maar dat hij een pruik opzet en gaat vliegen. Is dat nou echt te veel gevraagd? Is dat echt een belediging?'

'Nee,' giechelde Freddy, die meteen haar slechte humeur kwijt was toen ze zich Mac met een platinablonde pruik probeerde voor te stellen.

'Nou, ik ga ervandoor, om te kijken of ik misschien drie andere kerels kan vinden. Ik zou het best zelf willen doen, maar ik ben m'n meisjesfiguur een beetje kwijtgeraakt. Ga je naar de Air Races?'

'Elke dag,' zei ze, zich plotseling alles weer herinnerend.

'Luister, jongedame, misschien volgend jaar, maar anders het jaar daarna, zul jij ook meedoen. Je weet maar nooit,' zei hij vriendelijk, toen hij haar gezicht zag betrekken.

'Dank u, meneer Castelli. Maar dat denk ik niet.'

'Zeg, wacht eens even. Hoe zit 't met jou? Je zou best wat stunts kunnen doen ... Mac heeft me verteld hoeveel je hebt geleerd ... er is niets wat wij hebben gepland dat jij niet zou kunnen. Wat dacht je ervan?'

'Dat gaat écht niet,' zei Freddy, lachend om zijn gretigheid, 'dat is net zo onmogelijk als dat ik volgend jaar aan de Air Races zou meedoen.'

'Waarom? Vertel me dan eens wat je weerhoudt.'

Freddy liep naar Eve's glimmende LaSalle convertible. Ze haalde er een lichtblauw kasjmieren vest uit en sloeg dat om. De mouwen, die haastig onder haar kin werden vastgeknoopt, grepen haar wapperende haren beet en temden die tot een vlammende omlijsting van haar ernstige gezicht.

'Om te beginnen moet ik over twee weken naar college,' zei ze, leunend op het autoportier. 'Ik heb een muurvaste afspraak met Beowulf, meneer Castelli. Bovendien zou mijn vader, een uiterst conservatieve man, me vermoorden, vervolgens zou mijn moeder me vermoorden, en als er nog iets van me over was, zou Mac ten slotte het karwei afmaken.' Freddy's nadrukkelijke houding overtuigde Swede Castelli ervan, zelfs nog meer dan die mooie, dure auto, dat hij zijn pogingen wel kon staken. Deze kleine dame was gewoon een society-meisje met een ongewone hobby.

'Gesnapt. Maar nee heb je en ja kun je krijgen, nietwaar?'

'Inderdaad, meneer Castelli.'

'Doe de groeten aan Beowulf. Zeg maar dat hij een bofkont is.'

Tegen de tijd dat de Air Races waren afgelopen, op de negende september, op de dag van Eve's grote ontvangst voor luitenant Michel Detroyat, de enige Franse vliegenier in de races, werd Freddy door zoveel emoties verteerd dat ze zichzelf niet herkende.

Ze had met bonzend hart toegekeken toen Louise Thaden over de finish van de Bendix vloog, aan de verkeerde kant van het veld, en er in alle bescheidenheid zo van overtuigd was dat ze als laatste was binnengekomen, dat ze haar vliegtuig al bijna van het veld af had getaxied voordat een hollende, schreeuwende menigte van duizenden mensen in staat was haar te bereiken om haar duidelijk te maken dat ze had gewonnen. Ze was het land in nog geen vijftien uur overgestoken en had het voltallige veld van experimentele, opgevoerde nieuwe racevliegtuigen achter zich gelaten. En ze had gewonnen met een Beechcraft, bedacht Freddy vol zelfkwelling, verscheurd door bewondering en nieuwe golven van de meest giftige jaloezie, een heel gewone Beech Staggerwing, een vliegtuig waarmee iedereen kon vliegen, een vliegtuig dat iedereen met een paar duizend dollar kon kópen.

Op de avond van de Bendix had Freddy rondgehangen bij de Egyptische tent die was opgezet door de Ninety-Nines, de nationale organisatie van vrouwelijke piloten, en ze had Thaden gezien en Laura Ingalls, de winnares van de tweede prijs, en Earhart en Cochrane en tientallen andere vrouwelijke piloten die naar binnen gingen, maar ze had zich er niet toe kunnen brengen zich bij hen te voegen, hoe eenvoudig dat ook mocht zijn geweest. Freddy merkte dat ze gevangen zat in een verlammende verlegenheid die veel sterker was dan haar verlangen die grote heldinnen te ontmoeten en te feliciteren. Haar vliegbrevet zat in haar handtasje, maar ze kon zich gewoon niet dwingen om naar binnen te lopen en zich voor te stellen, hoewel ze wist dat ze uiteraard direct hartelijk zou worden ontvangen. Ik heb niks van mezelf om te tonen, zei ze wanhopig tegen zichzelf en ze bleef nog even naar alle feestvreugde in de tent luisteren tot ze het niet langer kon verdragen en wegvluchtte.

De Chatterton was goddank gewonnen door een man en ze probeerde alles van zich af te zetten.

'Freddy, je weet dat ik je vanavond op mijn ontvangst verwacht,' zei Eve, toen ze Freddy's slaapkamer binnenkwam, waar Freddy naar de muur zat te kijken. Eve voelde de bezorgdheid van een moeder die haar kind elke dag van de races afweziger had zien worden. Ze was er zeker van geweest dat Freddy opgewonden en opgetogen zou zijn, met al die vliegfeesten in hun eigen stad. De kranten stonden er vol mee, totdat zelfs Eve en Paul er alles van wisten. Maar nee, Freddy zwierf de hele dag op het vliegveld rond en kwam in gedachten verzonken thuis, met een afwezige blik in haar ogen, iets dat Eve toeschreef aan de lange dagen in de zon die ongenadig op het terrein brandde.

'Natuurlijk, moeder,' zei Freddy. 'Ik zal erbij zijn.' Misschien zou een flinke dosis van die hotemetoten uit de Franse kolonie haar aandacht wat afleiden van haarzelf en haar tekortkomingen, besloot ze. Bovendien was ze nieuwsgierig naar de eregast, de koning van de luchtacrobatiek. Hij viel even ver buiten het bereik van Freddy's jaloezie als wanneer hij Charles Lindbergh was geweest. Of Saint-Exupéry, als je toch bezig was.

Michel Detroyat had Frankrijk alle eer aangedaan en hij was de onbetwiste ster van de races, met ongekende vertoningen in zijn Caudron met

246

Renault-motor, een vliegtuig waaraan het Franse leger een miljoen dollar had besteed om het te ontwikkelen. Het was het eerste compleet gestroomlijnde vliegtuig dat ooit was gebouwd en Detroyat had er de twintigduizend dollar opleverende Thompson Trophy Race mee gewonnen, de internationale open race voor mannen, en hij was lachwekkend ver vóór zijn concurrenten geland. Het vliegtuig was dermate superieur dat hij zich uit andere races had teruggetrokken 'om anderen ook eens de kans te geven te winnen'.

'Liefje, ik wil dat je je nieuwe witte linnen jurk aantrekt,' beval Eve.

'Maar moeder . . .' probeerde ze tegen te werpen.

'Het is de meest geschikte jurk die je hebt,' besloot Eve het gesprek, op een toon die ze alleen aansloeg op dagen waarop ze haar officiële rol van diplomatenvrouw speelde, en Freddy wist wel beter dan in zo'n geval nog door te drammen.

Laat in die middag waren de tuinen van het huis van de Lancels gevuld met honderden gasten. Er stonden zoveel mensen in de rij te wachten om Detroyats hand te schudden, dat Freddy hem slechts kon bekijken vanuit haar positie achter Eve, die naast hem stond. Geen knappe man, vond ze, met zijn te brede, te lange neus en onderkin, maar zijn ogen, onder rechte en ongewoon zware wenkbrauwen, maakten veel goed. Hij zag er even zorgeloos uit als een vrolijke jongen en hij was kennelijk gewend om gefêteerd te worden, want hij beantwoordde steeds dezelfde onnozele vragen zonder iets aan levendigheid in te boeten.

'Ja, madame, ik ben van plan volgend jaar terug te komen om de trofee te verdedigen, dank u, madame, ik ben blij dat u hebt genoten van de demonstraties; ja, monsieur, ik vind Los Angeles een heerlijke stad, dank u, monsieur; ja, madame, u hebt gelijk, mijn vader is inderdaad opperbevelhebber van de Franse luchtmacht, ik zal hem uw groeten overbrengen, dank u, madame; ja, monsieur, u hebt hier een uitstekend klimaat en ik hoop terug te komen, dank u, monsieur; ja, madame, Californië is inderdaad een prachtige landstreek.'

Al dat geleuter, bedacht Freddy, toen de rij eindelijk minder werd en de gasten zich op de versnaperingen stortten, scheen de prijs van de roem te zijn. Uiteindelijk, zoals dat met elke eregast gebeurt, kwam Detroyat helemaal alleen te staan, terwijl de horde vreemdelingen, na hem te hebben begroet, hem volledig vergat in hun belangstelling voor elkaar. Ze deed een stapje naar voren, bijna vanuit het struikgewas.

'Luitenant Detroyat,' hoorde ze zichzelf in rap Frans zeggen, 'kunt u mij vertellen of de Ratier-propeller met verstelbare spoed en het op luchtdruk werkende intrekbare landingsgestel van uw Caudron uw snelle starts mogelijk hebben gemaakt?'

'Wat?'

'Ik zei . . .'

247

'Ik heb heel goed verstaan wat u zei, mademoiselle. Het antwoord is ja.'
'Aha, dat dacht ik al. Vertelt u me eens, hoeveel graden variatie bestaat er tussen de start- en de kruissnelheid-positie van de propeller?'
'Twaalf graden, mademoiselle.'
'Dat vroeg ik me af. Hmm . . . twaalf graden. Geen wonder dat u steeds hebt gewonnen. Wat zou er gebeuren als het landingsgestel haperde? Want het werkt toch met samengeperste lucht, hè?'
'Inderdaad, mademoiselle. Gelukkig heb ik voor noodgevallen nog een handpomp.'
'En het luchtaandrijvingssysteem van de tunnel-carburateur . . . loopt dat helemaal door tot de neus van de Caudron?'
'Misschien wilt u . . .' Hij zweeg, niet langer in staat een ernstig gezicht te trekken. Ten slotte kwam hij weer bij van zijn lachaanval. 'Misschien wilt u het toestel eens bezichtigen, mademoiselle?'
'Dat zou ik erg graag doen,' zei Freddy. 'Maar mag ik u vragen wat er zo grappig is?'
'De enige persoon op dit feest die me een intelligente vraag stelt is een *jeune fille*. O, o, die tunnel-carburateur . . .' en hij barstte opnieuw in on-bedwingbaar geschater uit.
'Ik ben een vliegenier, monsieur, geen *jeune fille*,' zei Freddy, met zoveel waardigheid dat hij ophield met lachen en haar oplettend aankeek.
'Ja, dat had ik horen te weten,' zei hij toen, 'echt waar.'
'Ach, u had zo iets niet kunnen vermoeden,' gaf Freddy vergevingsgezind toe.
'Nee. Toch wel. Het is duidelijk. U hebt de kleur van een piloot.' Hij wees naar de open hals en korte mouwen van haar jurk, waar het diepe bruin van haar V-hals te zien was, dat in een punt naar haar borsten liep. 'Zelfs de armen,' zei hij en keek naar haar bruine armen die abrupt halverwege haar bovenarmen wit werden, tot waar ze haar vliegblouse oprolde.
'Dat heb ik mijn moeder proberen uit te leggen, maar ze stond erop dat ik dit aantrok.'
'Zelfs piloten hebben moeders. Waarmee vliegt u?'
'Een Ryan . . . wanneer ik er de kans toe krijg.'
'*Tiens,* ik ken dat vliegtuig. Tex Rankin en ik hebben eens een wedstrijd gehouden in twee identieke Ryans, gewoon voor de lol, en ik kon hem haast niet bijhouden.'
'Heeft u de Oregon Sea Serpent die Rankin heeft uitgevonden wel eens gedaan? Ik heb 'm net geleerd.'
Detroyat keek ontzet. 'Dat is geen manoeuvre voor een damespiloot, mademoiselle, dat is zelfs heel onverstandig. Ik moet hem u ten stelligste afraden.'
'Ik doe . . . luchtacrobatiek,' zei Freddy, zo bescheiden mogelijk, aan-gezien ze tegen de wereldkampioen sprak, maar ze kon niets doen tegen de

248

trots die in haar ogen gloeide. 'Ik ben slechts een leerling-vlieger, maar . . .'

'Maar wel eentje die de Sea Serpent onder de knie heeft?'

'Ja.'

'Ik moet u gelukwensen, mademoiselle,' zei hij ernstig, zichtbaar onder de indruk en zonder een spoor van spot. 'Als piloten onder elkaar groet ik u.' Hij pakte haar hand en schudde deze toen Eve naar hem toe kwam om hem zonder verdere omhaal mee te tronen.

'Madame De Lancel, wie is in 's hemelsnaam dat zeldzaam romantisch uitziende meisje in die witte jurk?' vroeg Detroyat. 'Ik zou haar graag willen uitnodigen mijn vliegtuig te inspecteren.'

'U bedoelt toch niet mijn dochter, luitenant?' vroeg Eve, direct op haar hoede.

'Uw dochter? Die vliegenier?'

'Ja, inderdaad. Verbazingwekkend, vindt u niet, voor een meisje van nog maar zestien?'

'Nog maar . . . zestien?'

'Pas zestien,' herhaalde ze resoluut. 'Nog een kind, luitenant.'

'Ach.'

'Komt u mee, de directeur van het Franse ziekenhuis wil u heel graag gelukwensen.'

'Wat leuk,' zuchtte de dappere officier, 'ik kan gewoon niet wachten.'

De nacht na het feestje voor Detroyat kon Freddy niet in slaap komen, haar bloed stroomde snel van alle nerveuze opwinding. 'Als piloten onder elkaar groet ik u,' had hij gezegd. Van piloot tot piloot! Niet 'jongedame', niet 'kind', maar pilóót! Waarom scheen niemand haar ooit als piloot te zien? Voor Mac was ze de eeuwige leerling. Hij had haar haar eerste stappen zien doen en hij zou dat nooit vergeten. Hij zou dat háár nooit laten vergeten. Ze zou hem wel een mep kunnen verkopen! Voor haar vader was ze een dochter, in de eerste plaats en in de laatste, en voor altijd en eeuwig. Piloot slechts omdat het niet anders kon, en daar wilde hij liever niet aan denken, laat staan er iets van haar over moeten horen. Haar moeder scheen, zodra ze haar haar auto had geleend, te vergeten waar ze naar toe ging en wat ze daar ging doen als ze er eenmaal was. Geen van beiden had enig idee dat ze luchtacrobatiek had geleerd, want ze hadden zonder woorden duidelijk weten te maken dat ze niet de minste behoefte hadden iets over haar vorderingen te weten te komen.

En, als ze heel eerlijk was, als ze zich nou echt als een piloot beschouwde, waarom was ze dan niet regelrecht die tent van de Ninety-Nines binnengestapt om zich te voegen bij de enige andere vrouwen in dit land die haar grote liefde deelden? Zij hoorde er toch ook bij, of niet soms? Of niet soms?

Verdorie, ze had zichzelf gewoon te kort gedaan door altijd de opmerkingen en kritiek van anderen te slikken, zonder eens goed te beseffen, al was het maar voor even, hoever ze was gekomen. Pilóót! En een verdraaid goede ook!

Was het omdat ze nog niet oud genoeg was? Zeventien op een paar maanden na – dat was toch zeker oud genoeg om, al was het maar van binnen, te geloven in wat je was?

Neem nou Delphine, die nog geen anderhalf jaar ouder was, de frêle, altijd beschermde Delphine, die nog geen bougie van een aardappel kon onderscheiden, die slechts van de ene manicure naar de andere kon navigeren en die nu zonder slag of stoot opeens een hoofdrol mocht spelen in een Franse film. Eerst wat hysterische telefoontjes van grootmoeder en toen een brief van Delphine zelf, die op geheimzinnige wijze telefonisch onbereikbaar was geweest, een brief die er vele dagen over had gedaan om hen te bereiken en die doodleuk aankondigde dat ze een contract had getekend met Gaumont. Ze was al aan de film begonnen te werken nog voordat ze haar brief hadden ontvangen. Op de een of andere manier had iedereen besloten dat het allemaal Bruno's schuld was, maar niemand wist wat eraan gedaan moest worden, hoe ze het tegen konden houden.

Dus stortte Delphine zich in de grote wereld terwijl zij, Freddy, automatisch een aanbod tot stuntvliegen, waarvan ze wist dat ze het aankon, afwees omdat dezelfde ouders die wanhopig maar werkeloos hadden toegekeken hoe Delphine zichzelf tot filmster bombardeerde, hadden besloten dat zij studente moest blijven. Nou, ze konden de boom in! Deze pilote was niet van plan zich te laten kisten.

De werkkamer van Swede Castelli in de I.W. Davidson Studio, was net zo rommelig als Freddy had verwacht, maar wel groter dan ze had gedacht. Naast een bureau had hij nog een grote conferentietafel, waarvan het blad bezaaid lag met modelvliegtuigjes; aan alle beschikbare muren hingen landkaarten, in de hoeken op de grond lagen foto's van vliegtuigen uit de oorlog en hier en daar stonden ingelijste kiekjes van Swede Castelli in zijn stuntdagen.

'Leuk,' zei Freddy naar waarheid, en ze liet zich in de stoel tegenover hem zakken. 'Het bevalt me hier wel.' Ze had haar in rijbroek gehulde benen recht op de grond gezet. Ze had vandaag haar hoge rijlaarzen aangetrokken hoewel ze er nooit mee vloog omdat haar bewegingsvrijheid dan werd beperkt, maar ze wist dat ze een Pruisisch effect hadden. Ze had een oude zwarte coltrui in haar rijbroek gestopt en die stevig aangesjord met de grootste leren riem die ze bezat. Ze bedacht met tevredenheid dat ze vanaf haar hals naar omlaag sprekend baron Von Richthofen leek.

'Is dat aanbod van die baan nog steeds geldig?' vroeg ze op de man af.

'Reken maar. Maar hoe zit het met die afspraak met Beowulf? En je ouders, jongedame?'

'Daar breek ik me het hoofd wel over,' verklaarde Freddy. 'En ik heet Freddy, niet "jongedame".'

'Is dit geen grap?' vroeg hij sceptisch.

'Swede, ik maak geen grapjes. Ik ben een piloot. Je hebt gezien hoe goed ik ben. Ik heb Mac zo'n honderd stunts zien plannen en als er iets is dat ik zeker weet, dan is het dat je op mijn kist een camera veel dichterbij kunt monteren dan bij welke man ook, aangezien ik geen baardstoppels vertoon. Als je me een pruik opzet, lijk ik meer op Alice Faye of Constance Bennett dan ieder ander in dit vak. Waar of niet?'

'Waar. Helemaal waar. Maar Mac . . . je zei dat hij er bezwaar tegen zou hebben als jij stuntklussen deed. Ik wil geen bonje met hem, we werken altijd samen en hij is de beste kameraad die ik ooit heb gehad.'

'Daar heb ik over nagedacht. Swede, Mac heeft me leren vliegen en hij waakt over mij als een kloek.'

'Ja, Freddy, dat heb ik gemerkt.'

'Betekent dat ook dat ik mijn hele leven naar hem moet inrichten om hem gelukkig te maken? Hoeveel kloeken willen dat de kuikens het nest verlaten? Niet één toch zeker! Maar blijven die kuikens dan voor eeuwig in het nest? Je weet dat ze dat niet doen. Het is een wet van de natuur. Nu is het mijn tijd om uit te vliegen en Mac zal dat gewoon moeten begrijpen. Ik heb deze baan nodig! Ik heb 'm echt nodig en ik zal me er volledig voor inzetten, dat beloof ik je.'

'Een rijk meisje als jij? Máák het even! Waar heb je dit baantje voor nodig?'

'Ik heb de hele zomer in de vroege dienst bij bakkerij Van der Kamp gewerkt om mijn vlieglessen te kunnen betalen. Nu moet ik mijn eigen vliegtuig hebben. Móet, Swede, niet alleen maar wíl.' Freddy leunde voorover, met haar ellebogen op haar knieën, haar kin in haar handen en ze keek hem strak aan, met een heldere, gebiedende blik. Ze was in één nacht volwassen geworden.

'Ik dacht dat jij een rijk meisje was.'

'Rijk betekent dat ik geld zou hebben. Mis. Mijn ouders zitten goed bij kas, maar ze hebben niet één dollar over voor mijn vliegen. Die auto is geleend, als je je dat mocht afvragen. Hoor eens, Swede, als je me niet wilt, dan ga ik wel naar een ander. Overal in Hollywood worden films over vliegen gemaakt. Ik ben in eerste instantie naar jou toe gekomen omdat ik je ken, maar als je twijfelt, hoef je het maar te zeggen en ik ben vertrokken.'

'Je hebt de baan, Freddy. Verdorie, je had 'm gisteren al.'

Ze lachte blij. 'Moet ik Alice Faye of Constance Bennett spelen?'

'Allebei, en Nancy Kelly ook. Ik ga je zoveel mogelijk gebruiken.'

'En het geld?' vroeg Freddy en ze ging staan, met haar handen op haar heupen.

'Het geld?'

'Je zei dat het goed betaalde, maar je hebt me niet verteld hoeveel dat was.'
'Vijftig doller per dag, hetzelfde als wat ik Mac betaal. Je zult vijf, misschien zes dagen per week moeten werken als we beginnen te draaien.'
'Extra voor speciale stunts?'
'Freddy, ik heb zo'n idee dat jij het stunttarief even goed kent als ik. Extra, hetzelfde als wat iedereen krijgt. Honderd voor ondersteboven vliegen, hoewel dat niet in het script staat, tot zo'n tweeduizend voor een spin naar de aarde met rookpotten en zo'n vijfduizend voor een ontploffing in de lucht met eruit springen . . . daar kun je in ieder geval op rekenen. Ze staan in het script. Geen neerstorten op de grond. Ik zou dat trouwens toch niet door jou laten doen, dat doen vrouwen nooit. Traditie. Maar wat dat kopen van een vliegtuig betreft . . . tegen de tijd dat deze film klaar is, kun je jezelf op een hele vloot trakteren.'
'Shee . . . it,' zei Freddy langzaam.
'Da's helemaal geen shit,' zei Swede Castelli beledigd. 'Het is verdomd veel geld.'
'Ik bedoelde alleen maar: shit, waarom heb ik zo lang gewacht?'

Freddy had bedacht dat haar ouders het niet leuk zouden vinden, wannéér ze het hun ook vertelde, maar misschien zou een juiste timing haar een handje helpen. Het gezelligste moment van de dag was de tijd vóór het diner, wanneer haar ouders in de zitkamer samen een fles champagne openmaakten. Een halve fles opentrekken, beweerde haar vader altijd, was ondenkbaar tenzij er aan drie voorwaarden was voldaan: ten eerste, dat je alleen was; ten tweede, dat het lunchtijd was; en ten derde, dat je niet in de provincie van deze edele wijn was geboren. Zoals de gewoonte was, had hij direct na zijn geboorte een paar druppels champagne op de tong gekregen en zijn moeder had de rest van het glas leeggedronken, opgetogen dat haar zoon, evenals alle baby's in Champagne, direct was opgehouden met huilen.
Freddy had besloten dat ze evenmin iets over het geld zou zeggen. Als ze elk jaar een redelijk aantal films maakte, zou ze meer verdienen dan haar vader. En ze zou uiteraard beloven altijd thuis te blijven wonen, behalve wanneer ze ergens op locatie was.
'Liefje . . . wat zie je er vanavond geweldig goed uit,' zei Eve, toen haar dochter zich bij hen voegde. Ze vond dat je dochters niet moest vertellen hoe mooi ze waren maar het was, zeker nu, heel moeilijk om dat woord niet voor Freddy te gebruiken. Het kind was kennelijk haar malaise van tijdens de Air Races weer te boven gekomen; die vreemde gekwelde blik was verdwenen en die elegante, lichtblauwe jurk die ze aan had getrokken werd weerspiegeld in het intense blauw van haar ogen onder de omhoogwijzende wenkbrauwen die zoveel op die van Eve zelf leken.
Er ging iets fascinerends uit van haar resolute, energieke houding, ook al

stond ze volmaakt stil en leunde ze glimlachend op de schoorsteenmantel terwijl ze hen aankeek op een manier die Eve niet kende. Er lag een innerlijke, nauwelijks onderdrukte vreugde op dat gezicht, en aan de andere kant ook iets van een diepe ernst.

'Wat is het goede nieuws?' kon Eve niet nalaten te vragen. Freddy was altijd zo doorzichtig geweest. Het was een van haar meest vertederende eigenschappen. 'Toch niet luitenant Detroyat, hoop ik?'

'Nauwelijks. Hoewel ik hem heel aardig vond. Nee, het is nog veel leuker, ik heb een baan.'

'Freddy, doe alsjeblieft serieus. Je hebt de hele zomer al gewerkt. Je kunt niet ook nog eens werken als je naar college gaat, dat moet je begrijpen.'

'Je moeder heeft gelijk,' zei Paul. 'We hebben dat probleem besproken en we hebben besloten je vlieglessen in het weekend te betalen, zolang je goede cijfers haalt. Je kunt geen twee dingen tegelijk doen en we kunnen begrijpen dat je het vliegen niet helemaal op wilt geven.'

'Dat stel ik bijzonder op prijs, papa, Ik weet hoe jij erover denkt. Maar het is geen part-timebaantje. Het is een echte baan, voor hele dagen.'

'Wat heeft dát te betekenen?' vroeg Paul en hij zette zijn glas neer.

'Een baan voor hele dagen.'

'Geen sprake van,' zei hij dreigend.

'Freddy, waar héb je 't over?' riep Eve.

'Ik ga niet naar dat college, moeder. Echt niet. Ik zou er niets van terechtbrengen. Dat heb ik gisteravond beseft. Ik had het al veel eerder moeten beseffen, maar ik wist het nog niet zeker . . . ik was niet zeker van mezelf, niet zeker wat het beste voor me was, niet zeker wat goed voor me was.'

'En hoe kom je erbij te denken dat je nu wel weet wat het beste voor je is?' viel Paul uit. Hij had de grootste moeite zich te beheersen.

'Ik weet zeker dat ik dít moet doen, vader. Ik weet het gewoon zéker.'

'Paul, wacht eens even. Freddy, je hebt me nog niet verteld wat die baan precies inhoudt.'

'Vliegen, uiteraard. Ik moet precisievliegen voor de film.'

'O, mijn God! Ben je nou helemaal je verstand kwijt! Wat betekent dat, "precisievliegen"?' Eve's stem beefde van schrik.

'Een speciaal soort vliegen, het soort vliegen dat ik heb geoefend, demonstratievliegen als je het zo wilt noemen. Ik heb er talent voor en ik doe het goed.'

'Toch niet het soort dingen dat Detroyat deed?' hijgde Eve.

'Nee, moeder. Hij is de beste van de wereld. Ik ben wel goed, maar niet zó goed. Nog niet.'

'Wel verdomme, Freddy, daar komt niets van in! Ik sta stomweg niet toe dat je zo iets gaat doen. Geen sprake van, hoe dan ook, voor eens en voor altijd. Je mag het niet, hoor je me, je mág het níet. Daar krijg je van ons geen toestemming voor,' bulderde Paul, die ging staan en dreigend boven haar uitrees.

'Dan zal ik het zonder jullie toestemming moeten doen,' antwoordde Freddy, onbevreesd naar hem toe stappend. 'Jullie kunnen me echt niet tegenhouden.'

'Marie-Frédérique, ik waarschuw je, en laat me je niet nog eens moeten waarschuwen. Ik heb van Delphine genoeg van dit soort gedrag te verduren gehad. Ik maak niet twee keer dezelfde fout. Als je denkt dat je kunt doen wat je wilt en dat dat allemaal niets uitmaakt, dan heb je het gevaarlijk mis. Je zult doen wat ik zeg of je gaat op slag dit huis uit en je komt er niet meer in terug voordat je je verstand weer terug hebt. Ik verlang van mijn dochters onvoorwaardelijke gehoorzaamheid, is dat begrepen?'

'Ja, vader.' Ze draaide zich om en begon de kamer uit te lopen.

'Freddy! Wat ga je doen?'

'M'n spullen inpakken, moeder. Ik ben zó klaar.'

Haastig propte Freddy de meest noodzakelijke spullen in een koffertje, met achterlating van de overhemdjurken en pastelkleurige truien en rokken, die mooie, dure college-garderobe waarvan elk onderdeel nog een prijskaartje droeg. Ze trok haar leren vliegjack over haar jurk aan en wierp nog een laatste blik in de kamer. Het was nu al haar kamer niet meer; ze voelde geen enkele emotie om die achter te laten. Ze wist dat Eve niet naar boven zou komen om te proberen haar tegen te houden. Op punten van discipline en opvoeding hadden haar ouders altijd één lijn getrokken en de enige keer dat haar moeder een wezenlijk ander standpunt dan haar vader had ingenomen, was toen ze had begrepen waarom Freddy een solovlucht had gemaakt.

Ze zaten in de eetkamer toen ze zachtjes het huis verliet en haar huissleutel en de sleutels van Eve's auto op het tafeltje bij de voordeur legde. Freddy kende geen enkele aarzeling toen ze naar de San Fernando Valley liftte. Ze wist waar ze heen ging en drie kwartier later liep ze de laatste paar honderd meter naar het kleine huis in de buurt van het vliegveld van Dry Springs, waar McGuire woonde. Ze was er nog nooit geweest, maar ze had het adres in haar geheugen geprent.

Het was nu bijna donker, maar er brandde geen licht in het huis. De garage was echter helder verlicht en toen ze dichterbij kwam, hoorde Freddy gefluit en getik van een hamer. Mac was bezig, met zijn bruine haar naar voren vallend tot het zijn lange wimpers raakte, om een van zijn laatste vondsten op te knappen, een zeldzame twintig jaar oude Fokker D.VII met een ijzeren kruis op de staart en nog een op de lange, slanke vliegtuigromp. Veel oorlogsfilms werden opgenomen met Curtiss Hawks en M.B.3's die als Fokkers werden vermomd, maar er ging niets boven echt en de oorspronkelijke vliegtuigen werden steeds meer waard sinds Howard Hughes er zoveel van had verbruikt in *Hell's Angels.*

Macs grote collectie vliegtuigen uit de oorlog, die in de afgelopen zes jaar voortdurend was gegroeid, werd constant gebruikt en opnieuw gebruikt, want geen enkele kist hoefde ooit te sterven zolang niet alle onderdelen ervan na een crash versplinterd waren. McGuire had nu diverse assistenten in dienst, uitsluitend voor de vliegtuigen, maar bij een moeilijke klus deed hij het werk liever zelf.

Freddy zette haar koffer neer en slenterde nonchalant de grarage in, met haar handen in de zakken van haar leren jack gestoken.

'Hallo, Mac. Kan ik een handje helpen?'

Hij legde zijn hamer met een geweldige klap neer. 'Wat moet jij hier, voor de duivel?'

'Het alternatief was in m'n eentje mijn intrek in een hotel te nemen. En dat leek me geen denderend idee.'

'Ben je van huis weg?' vroeg hij ongelovig.

'Ik werd verzocht te vertrekken. Ik ben eruit geschopt. "Waag het niet hier ooit nog een voet over de drempel te zetten"... dat soort vertrek.' Freddy sprak met een bravoure en een grijns die ieder ander zou hebben misleid.

'Eén moment. Wat was er aan de hand? Je ouders zouden je nooit zomaar 's avonds op straat zetten. Hoe ben je in deze puinhoop beland?'

'Ik heb hun verteld dat ik had besloten niet naar college te gaan. Ik kan er niet mee ophouden, Mac, echt niet. De gedachte aan studeren gaf me het gevoel alsof ik levend werd begraven in bibliotheekstof. Het is gewoon niets voor mij.'

'Jezus,' zei hij ontzet, 'over overrreactie gesproken. Ik kan me voorstellen dat ze teleurgesteld zijn, dat spreekt vanzelf, maar dan hoeven ze toch zeker niet te doen alsof dit het eind van de wereld is... dit is echt te mal.' Hij borg de hamer op en deed de garagelichten uit. 'Kom mee naar binnen, kind, dan kun je me alles vertellen. Ik weet zeker dat je het weer goed met ze kunt maken zonder al dit melodrama. Weten ze waar je bent?'

'Nee. Daar hebben ze niet naar gevraagd en ik heb het hun niet verteld.'

'Nou, ik zal hen opbellen zodat ze zich niet ongerust hoeven te maken... maar eerst zullen we alles goed bespreken.'

Hij pakte haar koffer, ging haar voor naar het donkere huis en deed de lampen in de woonkamer aan. 'Ga zitten en maak het je gemakkelijk. Wil je een cola? Nee? Goed, dan zal ik in m'n eentje moeten drinken.'

'Je hebt toevallig niet nog een boterham in huis?' vroeg Freddy, toen ze hem whisky in zijn glas zag doen, waarna hij het met water aanvulde.

'Ben je vóór het eten van huis gegaan? Wat een slechte timing. Kom mee naar de keuken, dan zal ik kijken of ik nog een droge broodkorst kan vinden.'

Freddy keek nieuwsgierig om zich heen. Het huis was onberispelijk schoon en netjes, bijna onpersoonlijk. Macs ware leven speelde zich in de lucht af, maar ze had zo iets verwacht als het kantoor van Swede Castelli, een rommelig, mannelijk huis, vol herinneringen en trofeeën. Maar er waren geen foto's en er waren evenmin schilderijen of planten. De boekenkasten puilden uit van veelgelezen boeken die ze nooit in het kantoor op het vliegveld had gezien en de kamer was comfortabel gemeubileerd, goed gemeubileerd zelfs, maar het zag er wel erg ongebruikt uit. De keuken was al even netjes als de woonkamer, maar hier kon ze bewijzen van menselijk leven zien: een comfortabele oude geverfde keukentafel met erop een aarden kruik met een boeket dille en een flink fornuis met een reeks keukengerei op het buffet. Op het fornuis stond een zware pot en Mac stak het gas eronder aan. 'Stoofpot, je boft, kind. Ik zal het even opwarmen.'

Freddy ging op een van de vier Windsor-stoelen bij de tafel zitten. Ze voelde nu pas hoe moe en hongerig ze was. Ze was nog zo vol van haar besluit, zo vastberaden, zo vol van haar doel, dat ze sinds de scène met haar ouders steeds in beweging was geweest.

'Mag ik dan alsjeblieft ook iets van dat?' vroeg ze, en ze wees naar Macs glas.

'Ben je nou helemaal gek? Dat is whisky. Als je dorst hebt, ik heb genoeg cola in huis.'

Freddy werd opeens spinnijdig. 'Ik begin wel zo godsgruwelijk genoeg te krijgen van dat gevraag of ik niet wijs ben, of ik mijn verstand kwijt ben, of ik gek ben geworden. Ik ben beter bij m'n verstand dan ooit tevoren en ik wil een whisky, professor.'

Mac draaide zich snel om van zijn stoofpot en keek haar strak aan. 'Tja. Zo. Nou, ik begin er anders genoeg van te krijgen "professor" te worden genoemd.'

'Ik heb je nooit eerder zo genoemd!'

'Eén keer is al te vaak. Ik wil 't niet meer horen.'

'Oké . . . oudje dan.'

'O. Zocht je soms ruzie?' vroeg hij vriendelijk. 'Geen wonder dat je vader je eruit heeft geschopt. Heb je soms ook "oudje" tegen hem gezegd?'

'Nee, dat gaat je niets aan.'

'Het gaat me wel wat aan, doordat jij hierheen bent gekomen. Eet deze stoofpot nu maar op en houd je mond. Je hebt gewoon honger.'

Hongerig at Freddy twee borden vol van de beste stoofpot die ze ooit in haar leven had gegeten. Mac zat tegenover haar, dronk wat van zijn whisky en keek naar de kruin van het rode hoofd dat over het bord gebogen zat. Als ze genoeg had gegeten, besloot hij, moest hij haar weer wat gezond verstand zien bij te brengen en vervolgens haar ouders bellen.

Hij vermoedde dat er niets anders opzat dan dat ze naar college ging, hoe suf hij dat zelf ook mocht vinden en hoe zonde van zo'n geweldige piloot. Maar zelfs een geweldige piloot moest voortdurend vliegen om alle vaardigheden goed onder de knie te houden . . . het was niet als leren autorijden. Als Freddy eenmaal door haar leven op de universiteit werd opgeslokt zou ze, tussen haar studie en haar afspraken door, nooit meer genoeg tijd hebben. Ze zou een weekendpiloot worden, het soort waar hij elke dag mee te maken had, en uiteindelijk zou ze misschien helemaal ophouden met vliegen, zoals dat was gebeurd met de enkele andere vrouwen die hij kende die hun wings hadden gehaald. Ze zou dan naar sportwedstrijden gaan in plaats van de wolken te achtervolgen, dat zat er dik in. Zo was het leven . . . een man en, op zekere dag, kinderen . . .

Het was een bekend verhaal, met een voor de hand liggend einde. Hij begreep niet waarom hij zo'n persoonlijk gevoel van verlies kreeg, van pijn bijna, zélfs van zo iets vreemds als angst. Het was toch echt maar het beste. Ze was een geboren vliegenier, net als hij, maar zij was ook een vrouw en voor haar zat er gewoon geen toekomst in. Het was voor een man al moeilijk genoeg om bij te blijven, om bezig te blijven, dat wist hij maar al te goed. Het zit er gewoon niet in, dacht hij bij zichzelf en hij voelde opeens zo'n hopeloze treurigheid bij de gedachte aan Freddy's onvermijdelijke toekomst, dat hij zijn adem moest inhouden om zijn emoties niet te laten blijken. Als hij ooit vaderlijk en resoluut moest zijn, dan was het nu wel. En hij zou zijn eigen gevoelens buiten beschouwing moeten laten.

'Zo beter?' vroeg Mac toen ze haar bord leeg had.

'Stukken. Waar heb jij leren koken?'

'Voor een man die alleen woont, is omkomen van de honger het andere alternatief. Zoals naar college gaan voor jou. Er zit niets anders op dan dat je gaat studeren.'

'Keurig, heel netjes uitgedrukt, Mac, maar geen nieuwe gezichtspunten.'

'Hoor eens, ik begrijp hoe jij je moet voelen, Freddy, echt waar, maar je zit in een lastig dilemma en met koppig doen los je niets op. Hoeveel geld bezit je op deze wereld bij elkaar?'

'Drie dollar vijftig. Op deze hele wereld. En de kleren aan m'n lijf en die in m'n koffer. O, en mijn tandenborstel. Ik heb er zelfs aan gedacht die mee te nemen.'

'Ik begrijp niet waarom je dat zo grappig moet vinden.'

'Ik reis graag met weinig bagage.'

'Hoever kun je reizen met drie dollar vijftig?'

'Nou, dat zal ik dan vanzelf wel merken, nietwaar?' Ze bracht haar handen omhoog naar haar nek, onder haar haar, en tilde dit in een trots gebaar wat naar achteren, terwijl ze dacht: Constance Bennett, Alice Faye, klaar of niet, ik kom eraan.

'Hoor eens, kind, je bent nu gewoon een beetje over je toeren. Ik ken dat gevoel. Maar morgen zal alles er weer anders uitzien. Morgen ga ik vliegen en ga jij naar huis om het weer goed te maken met je ouders en een soort compromis in elkaar te draaien . . . Als jij naar die school gaat, willen zij je

257

misschien wel genoeg geld geven om in het weekend te kunnen vliegen. Dat is de enige manier en het is verdraaid veel meer dan niks. Dat weet jij net zo goed als ik.'

'Dat hebben ze al aangeboden,' zei Freddy zacht. 'En ik heb ervoor bedankt.'

'Wat een rund ben jij! Na al die jaren waarin je met veel moeite het geld voor je lessen bijeen hebt geschraapt, heb je hun aanbod voor hulp afgewezen?'

'Inderdaad.' Ze stond op en bracht het bord en het bestek naar de gootsteen en spoelde het af. 'Heb je hier een theedoek, Mac? Of laat je alles gewoon afdruipen? Wat zijn hier de keuzemogelijkheden? Wat is het dilemma?'

'Freddy, je bent vanavond zo'n zeldzame wijsneus dat ik geen zin heb mijn tijd te verdoen met te proberen jou weer een beetje gezond verstand bij te brengen. Je luistert toch niet, wat ik ook zeg. Wat is het telefoonnummer van je ouders? Ik zal ze nu gelijk bellen om ze uit hun lijden te verlossen. Nee? Oké, dan vraag ik het nummer wel aan.' Hij pakte de hoorn van de telefoon die aan de keukenmuur hing.

'Wacht! Bel ze niet. Alsjeblieft, Mac?'

'Sorry, Freddy, er zit niets anders op.' Hij begon te draaien en zij griste de hoorn uit zijn handen en hing weer op.

'Er is nog . . . meer . . . dat ik je niet heb verteld. Het is niet alleen om die studie.'

'Dat had ik kunnen weten,' zei hij, zonder ook maar een greintje humor. 'Wat nu weer?'

'Ik heb een baan. Ik kan mezelf bedruipen.'

'Ben je van plan je leven in een bakkerij te verdoen of zo? Niks daarvan!'

'Het is vliegwerk.'

'Wat bedoel je, vliegwerk? Er zijn helemaal geen banen in de vliegerij voor meisjes.'

'Nu wel. Ik werk voor Swede Castelli. Hij heeft me aangenomen als stand-in voor Alice Faye en Constance Bennett en Nancy Kelly in *Tail Spin.*'

'Als stand-in voor de stúnts?'

'Tja, jij had het afgewezen . . .'

'Stúntwerk!'

'Er is niets bij wat ik niet kan. Als iemand dat moet weten, ben jij het wel . . .'

'Ik heb het script gelezen, Freddy. Dat ga je níet doen – een spiraalduik! Een ontploffing in de lucht en dan eruit springen – eruit springen – ben je nou helemaal besodemieterd!'

'Nee, ik ben niet besodemieterd!' schreeuwde ze, met een gezicht vol koppige vastbeslotenheid.

McGuire haalde uit en sloeg haar met de volle hand op haar wang. 'Over m'n lijk!' riep hij. Freddy stortte zich op hem en begon hem hevig te schoppen en te slaan, maar ten slotte slaagde hij erin haar armen tegen haar lijf te drukken en haar aldus in zijn greep te houden, zonder acht te slaan op haar woedende getrap, tot ze ophield. Hij hield haar nog steeds stevig vast, als verstijfd, niet in staat haar los te laten. Ze bleven een minuut lang zo staan, ineengestrengeld, onbeweeglijk, hijgend, en elkaar aankijkend met geschrokken, vragende ogen. Toen vroeg Freddy zich niets meer af en boog zich naar voren en plantte haar mond op zijn lippen. 'Ik wíl dit niet!' gromde hij en kuste haar met alle hongerige, gretige, waanzinnige liefde die hij zo lang had geprobeerd niet onder ogen te zien.

Ze konden maar niet ophouden elkaar te kussen. Elke keer dat ze ademhaalden bracht de aanblik van het geliefde gezicht, van de lippen waarvan ze niet hadden willen erkennen dat ze ervan hadden gedroomd, ernaar hadden verlangd gedurende langere tijd dan één van beiden vermoedde, hen opnieuw bij elkaar in een storm van wilde, gretige kussen, zodat het een zoete en doordringende pijn was. Ze konden niet dicht genoeg bij elkaar komen, ze wilden hun huid aaneensmeden, elkaars lippen bezitten, met elkaar verstrengeld zijn om de ander te bezitten op een wijze waarop geen twee menselijke wezens dit kunnen. Ze wankelden en struikelden door de keuken, ze waren zo duizelig van het kussen dat ze nauwelijks op hun benen konden blijven staan, tot Freddy kreunde: 'Alsjeblieft, ga met me naar bed,' en hij antwoordde: 'Dat kan ik niet, je weet dat ik dat niet kan.'

'Maar ik houd zoveel van je . . . ik heb altijd van je gehouden . . . het is nu te laat om nee te zeggen . . . we kunnen niet meer stoppen . . .'

'Het kan niet . . . het is niet goed . . .'

'Het is het meest goede op deze wereld. Je houdt net zoveel van mij als ik van jou.'

'Meer, meer dan je kunt denken, meer dan ik dacht dat mogelijk was. Je bent de grote liefde van mijn leven. Voor jou zou ik willen sterven.'

'Maar hoe kan het dan niet goed zijn?' vroeg ze, met zo'n blik van onmetelijke tederheid, met zo'n opgetogen, onuitsprekelijke vreugde, dat hij wist dat hij de kracht niet bezat om haar te weerstaan. Nog erger, hij wilde het ook niet. Het was onherroepelijk.

In bed merkte hij dat hij opeens onhandig, verlegen en aarzelend was, tot zij hem leidde, met haar volmaakte onschuld als de lage toon van een cello die een melodie speelde die alleen zij tweeën konden horen. De razernij die hen in de keuken had verteerd, begon wat af te zakken nu ze elkaar hun liefde hadden bekend die al vele jaren had bestaan.

Het leek plotseling alsof ze alle tijd van de wereld hadden, tijd om stap voor stap alle ontdekkingen te doen waarnaar ze enkele minuten geleden nog hadden gestreefd en gezwoegd. Ze hadden de tijd om elkaar vol tedere verwondering aan te raken. Elke haar op Macs hoofd was voor Freddy iets prachtigs, elke baardstoppel een nieuwe ontdekking. De vorm van zijn oren werd door haar mond afgetast, zijn wenkbrauwen werden door haar vingertoppen tegen de draad in geveegd. Ze wist totaal niet hoe het gezicht van een man moest aanvoelen en ze werd gegrepen door een enorme maar niet gehaaste nieuwsgierigheid. Ze was verkwistend met haar ongekunstelde kunnen en Mac leunde achterover en aanvaardde haar verkenningen; hij was te gelukkig om verder dan dit geweldige moment te kunnen denken. Hij keek naar haar op, zoals ze hem aandachtig bekeek, en hij dwong zich geduldig te blijven, zelfs toen ze met haar lange vingers over zijn nek en schouders gleed tot ze, bijna verlegen, zijn hals kuste.

'Niet doen,' fluisterde hij. 'Nog niet.' Haar naakte lichaam was zo mooi, dat hij er niet te lang naar durfde te kijken. Haar tepels, zag hij vol verbazing, stonden al overeind, roze en puntig afstekend tegen haar witte borsten, en hij had ze nog niet eens aangeraakt. Maar nu moest hij dat toch zeker doen? Het was alsof ze erom vroegen, dacht hij verward, en hij draaide zich om en legde Freddy op het laken en liet zijn hoofd boven haar zakken.

Freddy verstrakte. Ze kneep haar ogen stijf dicht. Ze had nog nooit zo iets heerlijks meegemaakt. Ze had nooit beseft dat dit zo heerlijk kon zijn. Ze lag plat op haar rug, bijna niet in staat adem te halen, en ze wilde dat hij doorging toen ze, terwijl hij haar voorzichtig streelde, een hevige elektrische stroom, als van een bliksemschicht, van haar borsten naar omlaag voelde schieten tot ze dingen begreep die ze nooit had kunnen vermoeden. Ze vroeg zich af hoe lang ze nog stil kon blijven liggen en dit genot kon verdragen voordat ze gek werd, maar toen ze zijn vingers voorzichtig en zachtjes over haar heupen voelde glijden, begreep ze dat er geen wet was die zei dat ze stil moest blijven liggen. Ze duwde zich omhoog, naar hem toe.

De tijd die Freddy zo eindeloos, zo onuitputtelijk had geleken, verdween plotseling met haar kloppende, hartstochtelijke behoefte om hem volledig te leren kennen, om volledig te worden gekend. Ongeduldig opende ze haar benen, in een onbekend signaal waartoe ze zichzelf niet in staat had geacht. Mac begreep het, maar hij schroomde, hij aarzelde, tot ze zich zo volhardend naar hem opduwde dat hij bij haar binnenging. Plotseling hield hij op. Hij had de barrière bereikt waarvan hij het bestaan was vergeten. 'Nee, niet meer, ik zal je pijn doen,' stamelde hij.

'Ik wil dat je het doet,' riep ze, verteerd door liefde en begeerte. 'Ik wil je, ik wil je,' riep ze nogmaals, en toen hij volstrekt roerloos stilhield, raapte ze al haar moed bij elkaar en strekte zich ongeduldig in een boog omhoog, met alle kracht die ze in haar rug en benen en heupen wist op te roepen, zodat de keuze niet langer aan hem was. Nu streefden ze beiden, met één wil en één verlangen, hetzelfde doel na. Het onwetende meisje en de ervaren man bereikten het samen, zo intens was hun liefde, zo goed kenden ze elkaar, zo vaak had de een de ander dát geleerd wat voor hen het belangrijkste op deze wereld was, totdat ze elkaar de waarheid van hun liefde hadden bekend.

13

Paul de Lancel was geen man die van nature tot woede was geneigd. Zijn opvoeding in Champagne was van dag tot dag beïnvloed door de rust die als een nevel opsteeg van de zachtglooiende hellingen van het vruchtbare landschap. Hij was volwassen geworden in de vredige jaren voor de oorlog. Hij was zeer bedreven in de behendige compromissen van de diplomatie en hij had bijna twintig jaar lang een leven vol vreugde geleid, samen met de vrouw die hij aanbad.

Maar nu, bij Freddy's ijskoude daad van ongehoorzaamheid, had een meedogenloze, onberedeneerde woede zich van hem meester gemaakt. Het was een absolute woede, die des te genadelozer was omdat hij nooit had geleerd, zoals bij van nature opvliegende mensen vaak het geval is, dat het onproduktief is om gedurende lange tijd een intense woede te handhaven. Hij werd door zijn woede zo vervormd dat Eve niet in staat was er met hem over te praten, want hij stond haar zelfs niet toe om Freddy's naam ook maar uit te spreken. Hij beet zich in zijn woede vast met blinde hardnekkigheid, als van een gevangene die een vluchttunnel graaft, want net als een gevangene had hij geen andere mogelijkheid de realiteit van de situatie te vermijden.

Ze moest een lesje hebben! Een les die ze nooit zou vergeten. Iémand zou hem toch eens moeten gehoorzamen! Al zijn woede werd in deze woorden samengebald, alsof hij een derderangs leeuwentemmer was in plaats van een redelijk lid van een pragmatische beroepsgroep. Hij stond zichzelf niet toe verder te denken.

Freddy moest boeten voor alle opgekropte woede die Paul voelde tegenover Bruno, de zoon die hem had afgewezen om redenen die te pijnlijk waren om over na te denken. Freddy moest boeten voor alle recente verbittering en teleurstelling die Paul voelde met betrekking tot Delphine, de dochter wier gedrag zo dubbelzinnig en dubieus was, de dochter die hem volmaakt machteloos had gemaakt om iets te kunnen veranderen aan het *fait accompli* van haar contract met Gaumont.

Zijn onvermogen als vader, bij alle drie zijn kinderen, was zo volslagen

261

krankzinnigmakend, dat Paul de Lancel zich er niet toe kon brengen er bewust over na te denken. Het was veel eenvoudiger Freddy volledig uit zijn leven te verwijderen, haar voor eens en altijd te verstoten. Ze verdiende niet beter. Ze kon het toch zo goed af zonder haar familie? Dan moest het maar zo zijn. Er moest toch iemand zijn die hem gehoorzaamde! Freddy werd het doelwit van al zijn onuitgesproken frustraties over Bruno en Delphine. Freddy's gedrag – haar onvergeeflijke muiterij – was de uiteindelijke revolte waartegen hij zich schrap zette, wat de prijs ook mocht zijn.

Eve kende haar man nauwelijks terug, in die weken na het vertrek van Freddy. Hij werd zó vroeg wakker dat hij dikwijls al naar het consulaat was vertrokken voordat zij voor het ontbijt beneden kwam, waarbij hij slechts een briefje bij Sophie, de kokkin, voor haar achterliet. Als hij thuiskwam begroef hij zich tot het diner in zijn kranten en zei nauwelijks iets tegen haar. Bij het eten dronk hij drie keer zoveel wijn als vroeger, waardoor hij in staat was een onbetekenend gesprek met haar te voeren over hun dagelijkse bezigheden, en na het eten maakte hij een lange, eenzame wandeling, om wanneer hij thuiskwam haar te vertellen dat hij zo slecht had geslapen dat hij vroeg naar bed ging. Hij had sinds het vertrek van Freddy niet meer hardop gelachen en hij kuste Eve alsof het een plicht was.

Ze vroeg zich af of hij ook boos was op haar. Ze moest wel denken dat dat het geval was, hoewel hij dat nooit zou toegeven. Tenslotte was zij degene die hem had overgehaald om Freddy na haar solovlucht door te laten gaan met vlieglessen; zij had Freddy haar auto geleend. Paul zou haar ook de nodige schuld van het geheel geven, maar aangezien hij met geen woord over Fredddy wenste te reppen, kon Eve niet over haar medeplichtigheid praten aan de reeks gebeurtenissen die tot Freddy's daad hadden geleid.

Ze was zelfs niet in staat haar man nieuws over Freddy te geven, want Eve kreeg elke week een telefoontje van haar dochter, op een tijdstip dat Paul naar zijn werk was. Freddy vertelde Eve geen details van haar leven. Ze zei niet waar ze woonde, maar ze verzekerde haar ongeruste moeder dat ze het goed maakte en veilig onder dak was. Haar geluk klonk duidelijk door in haar stem. Eve had geprobeerd dit bericht aan Paul door te geven, maar hij had haar direct het zwijgen opgelegd, zodra ze van wal wilde steken.

'Het gaat me niets aan,' zei hij, op een toon die zo onbuigzaam en vol ingehouden woede was dat ze zonder nog iets te zeggen de kamer uit liep. Voor de eerste keer in haar leven was ze bang geweest voor de man met wie ze was getrouwd.

Eve hield deze akelige manier van leven vol tot vlak voor de kerstdagen van 1936. Paul had zo via een telefoontje met zijn contacten in de diverse studio's uit kunnen zoeken bij wie Freddy werkte. Ze besefte dat dit een telefoongesprek was dat hij nooit zou voeren, zelfs als hij bereid was geweest om toe te geven dat hij niet wist waar zijn dochter was. Maar ze was niet van plan zich na bijna drie maanden nog zorgen te maken over zijn trots en begon nijdig zelf te bellen. Ze verlangde hevig naar haar dochter, ze wilde haar kind weer in haar armen houden. Een dag later kreeg ze antwoord en reed ze met haar auto naar de boerderij in de buurt van Oxnard, waar het *Tail Spin*-team werkte.

'Ja, mevrouw?' informeerde de bewaker bij het draadhek dat om het gehele terrein waar de film werd opgenomen was gezet, teneinde de nieuwsgierige plaatselijke bevolking op een afstand te houden.

'Ik word verwacht,' antwoordde Eve kortaf. Zonder verdere vragen zwaaide hij het hek open. Ze zette de auto neer bij een aantal loodsen waar nog meer auto's geparkeerd stonden en liep met ferme stap naar de grootste loods. Ze voelde geen enkele schroom bij het binnendringen in een omgeving waar een film werd opgenomen. Iemand die de ster van het Olympia was geweest, had geen enkel probleem om zich waar dan ook in de omgeving van een *spectacle* op te houden. Achter de schermen was achter de schermen en ze voelde zich overal even thuis, of het nu hier was of onder de heerschappij van Jacques Charles.

'Is Freddy de Lancel aanwezig?' vroeg ze aan de eerste de beste persoon die eruitzag alsof hij het kon weten.

'Freddy? Dat zult u dáár even moeten vragen. Ik ken het stuntschema niet,' antwoordde de man, wijzend naar een andere loods die een geïmproviseerd produktiekantoor herbergde.

'Het stuntschema,' zei Eve, met moeite haar verbazing bedwingend.

'Yep.'

'En hoe zit het met precisievliegen? Kan ik het niet beter dáár vragen?'

'Da's hetzelfde, dame.'

'Net als . . . luchtacrobatiek? Demonstatievliegen?'

'Stunts . . . demonstraties . . . allemaal één pot nat.'

'Dank u.' Ze liep naar de loods die hij had aangewezen. Ze probeerde haar ontzetting te onderdrukken en er niet verder over na te denken voordat ze meer wist. De technische terminologie van dat wat Freddy deed was kennelijk zo verwarrend dat één woord van alles kon betekenen.

In het kantoortje verwezen ze haar naar weer een ander gebouw, een hangar die een paar honderd meter verderop stond. Eve liep ernaar toe en voelde hoe de droge Santa Ana-wind de rok van haar mooie donkergroene pak deed fladderen en bijna het zachte vilten hoedje van haar hoofd rukte. De lucht was ver weg, onopvallend, van een wolkeloze, fletse blauwe waterverfkleur die werd veroorzaakt door deze wind die voor Californië was wat de mistral voor het zuiden van Frankrijk was. Het terrein waarover ze liep was droog en geel, zoals de Californische winter is vóór de komst van de januari-regens, die het voorjaar aankondigen. Zoals ze daar liep, op haar veertigste nog even slank en elegant als op haar twintigste, met haar fascinerende grijze ogen en haar nog steeds romantisch rossige haar, ontketende

Eve een golf van goedkeurende, nieuwsgierige blikken van de bezige technici, die altijd wat tijd konden missen om een mooie vrouw te bewonderen. Eve keek in de hangar, waar het schemerig leek na het felle zonlicht van buiten. Er stonden diverse mensen bij elkaar rond een vliegtuig dat er even modern en krachtig uitzag als die waarvan ze bij de Air Races foto's in de kranten had gezien. Toen ze naar hen toe liep, herkende ze Alice Faye, die een crèmekleurig overhemd droeg met zoveel flappen en zakken erop dat het wel een militair uniform leek, en dat in een bijpassende superstrakke broek was gestopt. Ze had een crème suède riem om haar slanke middel, een witte zijden sjaal nonchalant om haar hals, en onder haar crèmekleurige leren vlieghelm kwamen onmiskenbaar platinablonde krullen vandaan. Ze had haar vliegbril over haar helm omhooggeschoven zodat het gezicht goed te zien was, met de bekende zwarte wenkbrauwen, de grote ogen met de overdreven zwarte wimpers en de felgekleurde, zinnelijke lippen die zo'n intrigerend contrast vormden met haar helblonde haar.

De twee mannen die met haar over de cockpit van het vliegtuig gebogen stonden, waren een dikke man van bijna middelbare leeftijd en een jongere man, die Eve als Spencer Tracy herkende. Hij was langer dan ze had gedacht. Maar toen ze, nog steeds zonder te worden opgemerkt, dichterbij kwam, zag ze dat het toch niet Tracy was, maar slechts een acteur die veel op hem leek. De twee mannen waren in een druk gesprek gewikkeld over de riemen die de piloot van het vliegtuig op zijn plaats moesten houden, maar de jongere man was er duidelijk niet tevreden over.

'Het kan me geen lor schelen, Swede, of dit de beste uitrusting is die er op de hele wereld te vinden is. Je moet gewoon nieuwe maken. Ze moeten drie keer zo sterk zijn of Freddy gaat de lucht niet in,' hield hij vol toen Eve naderde.

'Dan verliezen we een dag,' protesteerde Swede Castelli, 'of misschien wel twee.'

'Je hebt 't gehoord, Swede,' zei Alice Faye. 'Er staat vandaag trouwens toch te veel wind. Het cameravliegtuig zou alle kanten uit zwabberen.'

'Freddy,' zei Eve.

Alice Faye draaide zich snel om. 'Moeder! O God, wat ben ik blij je te zien! O, moeder, moeder! Hoe is het met jou? Geef me een zoen. Hoe is het met papa? En Delphine? Vertel me alles! Hoe heb je me gevonden? Geef me nog een zoen. O . . . dit is Swede Castelli en dit is Mac . . . Terence McGuire. Mensen, dit is mijn langgemiste moeder. Jij dacht zeker dat ik geen moeder had, hè Swede? O, je zit ónder m'n lipstick, moeder. Laat me je schoonpoetsen. Geef me je zakdoek, in dit rare pak kan ik niks kwijt omdat het zo krap zit.'

Freddy danste vol vreugde om Eve heen, omhelsde haar, hield haar op enige afstand om haar goed te kunnen bekijken en omhelsde haar toen weer. Het kind kwam in ieder geval niet van de honger om, dacht Eve verbijsterd.

Ze leek niet alleen langer te zijn geworden, maar ook voller, zodat haar tengere lichaam nu de bouw van die weelderige filmster had. Freddy zag haar verbazing. 'Dat is allemaal opvulling, moeder, dat ben ik niet zelf. In dit pak zit nog steeds jouw kleine meisje verstopt.' 'Je hebt me aardig op een dwaalspoor gezet,' zei Eve. 'Ik herkende je niet. Ik dacht dat je Alice Faye was.' 'Dat is ook de bedoeling, mevrouw De Lancel,' zei Swede Castelli stralend. 'U zou haar eens als Connie Bennett moeten zien – als twee druppels water!' 'Swede, laten we even koffie gaan drinken met mijn moeder. We zijn hier trouwens toch klaar, is het niet?' vroeg Freddy. 'Ik moet nu weg om die veiligheidsriemen van jou te laten maken, Freddy. En ik moet nog wat dingen met Roy Del Ruth bespreken. Mac en jij kunnen wel gaan. Ik zie jullie hier morgenochtend terug, ook al zal ik ze zelf moeten maken.' 'Swede, vanwaar die haast? Je hebt best tijd voor een kopje koffie,' drong Freddy aan, toen ze met z'n vieren van de hangar naar de geïmproviseerde kantine liepen.

'Ik kan er beter gelijk werk van maken. Het was me een genoegen u te mogen ontmoeten, mevrouw De Lancel. Hopelijk tot ziens.' Hij liep haastig weg om de regisseur van de film te spreken voordat hij het probleem van de schouderriemen ging aanpakken. Doordat Mac zo moeilijk deed over alle stunts die Freddy had te doen, dacht Castelli, waren al vele produktiedagen verspeeld met het voldoen aan zijn veiligheidseisen en zijn dubbele voorzorgsmaatregelen. Aan de andere kant bespaarden ze veel tijd wanneer Freddy eenmaal vloog, en hij had nog nooit zo weinig zorgen over zijn stunts gehad als tegenwoordig. Hij had evenmin ooit in de hele filmgeschiedenis zulke overtuigende vlieg-shots van een vrouw gezien.

Terwijl ze haar koffie zat te drinken, met het koffiebroodje waarvan Freddy had gewild dat hij het opat, worstelde Eve met een verwarrende reeks indrukken. Het was niet alleen die opzichtige make-up en de platinablonde pruik waardoor Freddy zo anders leek. Haar stem was dezelfde, haar hartelijke manier van doen als vanouds, maar toch was er iets wezenlijks veranderd. Het was niet alleen dat ze volwassen was geworden, dat ze haar eigen leven leidde, met haar eigen baan – twee onderwerpen die Freddy en Eve beiden omzichtig meden – het was iets anders wat Eve niet helemaal kon plaatsen. Iets nieuws.

Eve stelde voorzichtig wat vragen aan McGuire, om te zien of iets wat hij zei kon verwijzen naar de verandering in haar dochter, maar zijn antwoorden waren precies zoals ze kon hebben verwacht van de instructeur die haar dochter had leren vliegen . . . kort, rustig en redelijk. Hij legde haar het principe van enkele stunts uit op een manier die zij kon begrijpen. Het was een uitzonderlijk geruststellende man, vond ze, toen ze zo naar hem zat te luisteren, en als ze hem eerder had ontmoet zou ze er zeker van zijn geweest dat Freddy in goede handen was tijdens haar vlieglessen.

Ze moest nog maar eens terugkomen en zien of ze Freddy onder vier ogen kon spreken, wanneer ze geen make-up droeg die het effect van een masker had. Maar ze was overtuigd van het belangrijkste punt waarvoor ze gekomen was: Freddy maakte het inderdaad goed. Misschien kon ze een manier bedenken om die geruststelling door te geven aan Paul. Maar zelfs als ze daar niet in slaagde, hadden Freddy en zij in ieder geval weer contact met elkaar.

Eve deed haar uiterste best niet in een al te moederlijke houding te vervallen. Er was niet alleen een breuk van drie maanden geweest, naar aanleiding van Freddy's duidelijke onafhankelijkheidsverklaring, maar McGuire, een vreemde, was er ook nog bij. Ze wilde geen familiezaken bespreken als ze niet met haar dochter alleen was. Ze vroeg niet waar Freddy woonde of wie haar eten kookte, of hoe haar was werd gedaan, of wat haar plannen waren als deze film klaar was. Ze was tevreden zoals ze daar zat, in haar vage maar hardnekkige verwarring, terwijl het duidelijke geluk van haar kind over haar heen spoelde. Freddy was bezig met dat waarvan ze het meeste hield en volgens die McGuire deed ze het uitstekend. Die wetenschap was voor deze dag voldoende, vond ze toen ze over de lange kustweg van Oxnard naar huis reed. Ze was nog steeds een beetje beverig door alle emoties van de hereniging met haar dochter en ze moest resoluut alle gedachten aan Freddy van zich afzetten om haar normale houding te hervinden voordat ze thuiskwam en Paul onder ogen zou zien, zonder hem te vertellen waar ze de hele dag was geweest.

Ze zong wat flarden van liedjes die ze bijna was vergeten en dacht even aan de mannen van het variététheater, die die liedjes beroemd hadden gemaakt. Enige minuten lang was Eve verdwenen om Maddy weer tot leven te laten komen. Ze herinnerde zich Chevalier en een van zijn eerste successen: 'Ik kan niet leven zonder liefde.' '*Je ne peux pas vivre sans amour*,' zong Maddy. '*J'en rêve la nuit et le jour.*' Er kwamen allerlei herinneringen bij haar boven aan die tijd van vijfentwintig jaar geleden. Plotseling bracht Eve de auto met piepende remmen langs de weg tot stilstand. Ze bleef in haar fraaie coupé zitten, met bonzend hart, vuurrode wangen en bevende handen.

Grote genade, wat was zíj onnozel! Het was even duidelijk als wanneer ze het hardop hadden verklaard, even scherp te zien als de lipstick op Freddy's mond. Die twee waren stapelverliefd op elkaar. Geliefden. Daar was geen misverstand over mogelijk. Zo duidelijk als wat ... Duidelijk ... in elke blik die ze elkaar niet hadden toegeworpen, in elke keer dat hun handen elkaar niet hadden geraakt, in elk woord dat ze niet hadden gesproken. Hoe kon haar zo'n duidelijke liefde zijn ontgaan? Zo'n ... solide liefde. Onopgesmukt. Onweerlegbaar. Had het masker van Alice Faye op Freddy's

266

gezicht haar blind gemaakt? Was het gekomen doordat ze nog steeds haar kleine meisje in haar zag? Haar dochter ging er helemaal in op, ze verkeerde in regionen waar moeders niet kunnen volgen. En hij, arme man, zou Freddy nooit te boven komen. Dit was het voor hem. Ten slotte startte Eve haar auto weer, met een zucht van zowel berusting als ervaring. Het deed er niet toe hoe het zover was gekomen. Wat er verder gebeurde, was iets wat zij noch enig ander op deze aarde kon bepalen. Freddy was blind gelukkig. En zijzelf... ja, ze moest toegeven dat ze iets van afgunst voelde. Geef alles nu maar toe zolang je alleen bent, nu je tijd hebt om erover na te denken... afgunst om de eerste grote liefde, zoals je die maar één keer in je leven meemaakt en die je je altijd blijft herinneren... en zelfs... ja, geef dat ook maar toe, nu je nog versuft bent door de schok, een beetje normale vrouwelijke afgunst om het bezit van die man, die zeldzaam aantrekkelijke man met zijn rustige, krachtige charme en zijn sterke, gespierde lichaam, die uitzonderlijk... begeerlijke... man. Haar dochter had een goede keus gedaan.

La matinée grasse, dacht Delphine met wazig genot terwijl ze in bed lag te doezelen, was geen typisch Franse uitvinding, maar door een naam en een soort officiële status te verlenen aan de gedachte van een 'vette', sappige ochtend, een volmaakt luie, waardeloze, nietsnutte ochtend, leek deze minder lui en verwend, eerder een traditie. Maar als er iemand was die een *matinée grasse* had verdiend, dan was zij het wel, na maandenlang de ene film na de andere te hebben gemaakt. Ze had haar kamenier Annabelle verteld dat ze die ochtend in haar kamer wilde doorbrengen en door niemand wenste te worden gestoord, zelfs niet voor een boom met orchideeën, als die mocht arriveren.

In ieder geval regende het op deze tiende april 1938, maar Delphine was in haar tweejarige bestaan als Parisienne gewend geraakt aan de regen en ze trok zich er niets van aan. Het deprimeerde haar nooit, omdat ze er nimmer ongemak van ondervond. Haar chauffeur bracht haar overal naar toe in haar mooie, duifgrijze Delahaye; ze bracht de meeste dagen door in de studio, waar geen weer bestond; en het was er altijd warm en gezellig, wat niet van alle Franse huizen kon worden gezegd.

Na Delphine's enorme succes in *Mayerling* had ze een onderkomen gezocht, terwijl haar nieuwe impresario een veel beter contract met Gaumont wist te krijgen dan het eerste dat ze had getekend. In een zijstraat van de Avenue Foch, in het zestiende arrondissement, het rijkste deel van de Rechteroever, zijn wat onbekende en bijzonder aardige doodlopende straatjes, bekend als Villa's, die rond 1850 zijn gebouwd. De huizen in die weinig Frans aandoende straatjes lijken een beetje op de Engelse *mews*: klein, knus, zeer beschut en elk met een tuin erachter. Delphine had iets gevonden in de Villa Mozart dat haar deed denken aan een Victoriaans poppenhuis met roze gesausde baksteen en turkoois geverfde kozijnen. Er groeide een blauweregen boven de ramen van de voorgevel en in de achtertuin stonden roze hydrangeastruiken en een treurwilg. Als de zon scheen, stond deze 's morgens aan de voorkant en 's middags aan de achterkant. Op elk van de bovenverdiepingen bevonden zich twee slaapkamers en een badkamer, en op de benedenverdieping een eetkamer, een salon en een keuken, benevens een kleine maar goed geïsoleerde kelder. Het verwarmingssysteem was nieuw en werkte prima. Delphine kocht het huis direct, van het eerste geld dat ze ooit had verdiend.

Een ander meisje van achttien dat plotseling een ster werd, ook al was het er een met slechts één film op haar naam, zou haar geld misschien aan bontjassen of juwelen of een auto hebben besteed of zelfs te overweldigd zijn geweest om het hoe dan ook uit te geven. Delphine wilde slechts één ding: een veilige burcht. Ze had altijd in huizen gewoond waarin een ouder iemand in een positie was om haar verantwoordelijk te stellen voor haar daden. Het huis in de Villa Mozart was haar garantie dat de groeiende behoeften van haar lichaam altijd in privacy konden worden bevredigd.

Er zat geen nieuwsgierige, bemoeizieke conciërge onder aan de trap, zoals deze volgens de wet in alle Parijse appartementengebouwen aanwezig moest zijn, om het komen en gaan van haar bezoekers te noteren. In de Villa Mozart waren slechts een bedrijvige bewaker en zijn vrouw, Louis en Claudine, die bij de ingang van de straat woonden, vele tientallen meters van Delphine's voordeur, letterlijk uit het gezicht, aangezien de straat voorbij hun raam een bocht maakte.

Wanneer ze hun berichtte dat ze een gast verwachtte, deden ze het hek dat de doodlopende straat tegen ander verkeer beschermde open zodra haar naam werd genoemd, zonder verdere informatie te vragen. Ze gaf hun vaak een royale fooi. Hoewel ze niet op haar terrein woonden, was ze reeds voldoende Parisienne om oog te hebben voor de noodzaak van hun goede medewerking.

Delphine nam personeel in dienst, maar wilde niemand in het huis hebben wonen. Haar chauffeur, Robert, haar kamenier, haar kokkin en haar *femme de chambre* kwamen 's morgens vroeg en verdwenen wanneer het werk was gedaan. Ze betaalde hun goed – veel meer dan wanneer ze kost en inwoning had verschaft – maar het was het haar waard. Wanneer een van hen 's morgens enig bewijs zag dat Delphine niet alleen had geslapen, waren ze veel te blij met hun gemakkelijke baantje om haar te laten vermoeden dat haar leven zich niet in zo'n volstrekte privacy voltrok als zij wel had gedacht.

Onder elkaar hadden ze veel te vertellen over monsieur Nico Ambert en hun jonge mevrouw. Louis verklaarde vol bewondering tegen zijn vrouw dat Ambert die week vijf nachten was gebleven. Ja, hij had zelfs zijn eigen sleutel van de voordeur. Annabelle, de kamenier die dit nieuws direct van Claudine kreeg zodra ze de straat in liep, fluisterde het met een knipoog tegen Hélène, de kokkin. Claudine had haar zuster Violet als *femme de chambre* geïnstalleerd om al het huishoudelijke werk te doen, dus kende ze alle details van Delphine's slaapkamer, en hoe vaak er schone lakens op de bedden moesten worden gedaan, en waarom dit moest. Het moest wel een warmbloedige bruut zijn, die Nico Ambert, vertelde ze iedereen met een grijns vol afgunst. Niet snel tevreden en zo ruig als een bootwerker, dat zag je zó. Nou ja, hij was jong.

Delphine vormde, in haar burcht aan de Villa Mozart, het middelpunt van een web van informaties dat nog preciezer en uitvoeriger was dan wanneer ze in de achtertuin van Hedda Hopper had gewoond, maar ze zou nimmer voldoende Parisienne zijn om dit te beseffen.

Nico Ambert had zes maanden geduurd, tot *Mayerling* was voltooid en Delphine een contract had getekend om met Claude Dauphin als haar tegenspeler de film *Rendez-vous d'Amour* te maken.

Ambert had haar meer bijgebracht dan hij had bedoeld, en als Delphine nog maar enkele uren uit zijn armen was, wandelde ze langzaam over de set van de film, alsof ze over de volgende scène nadacht terwijl ze zich afvroeg hoeveel van de mannen die daar werkten, stijf begonnen te worden wanneer ze haar met hun ogen volgden. Af en toe bleef ze even staan om een sterke jonge assistent van de een of ander te begroeten en haar ogen naar zijn kruis te laten afdwalen, zijn afmetingen met een geoefende blik te schatten, terwijl ze hem een nuchtere vraag over zijn werk stelde. Ze zoog peinzend op haar onderlip wanneer hij antwoord gaf terwijl ze onbewogen naar zijn mond bleef kijken en pas als ze zijn gezicht van begeerte zag blozen, liet ze snel haar ogen opnieuw zakken om te zien hoe groot hij nu was geworden, hoever zijn broek opbolde. Vervolgens zei ze hem met een vriendelijke glimlach gedag, terwijl ze in haar geest het zware, gezwollen lid zag dat hij zo gemakkelijk uit zijn schuilplaats had kunnen halen, die schitterende hardheid van gespannen vlees die ze zo graag had willen nemen, waarvoor ze nu zelf rijp was om hem diep in haar lichaam te schuiven.

Maar ze deed het nooit. Ze voedde zich aan de wellust van de crew, ze prikkelde hen hevig zonder hun één geldige reden te geven haar als liederlijk te brandmerken. Delphine raakte verslaafd aan seksuele begeerte. Ze genoot van de verrukkelijke, dronkenmakende, heerlijke pijn van haar stijgende spanning, haar dolgeworden verbeeldingskracht; ze bracht uren vol opgekropte wellust door, volledig nat en begerig, tot de lampen aangingen, tot het tijd werd dat de camera's gingen draaien, tot de regisseur haar losliet. Pas dan stond ze zichzelf de orgasmen toe, die ze goed wist te verbergen.

Ze ruilde Ambert in voor de regisseur van *Rendez-vous d'Amour*. Hij had wat moeilijk gedaan over het teruggeven van de sleutel van haar voordeur, dus maakte ze die fout niet meer. Toen ze aan haar volgende film, *Affaire de*

Coeur, met Charles Boyer, begon belandde ze in de armen van de producer. De regisseur had haar niets geleken. Ze besteedde geen aandacht aan acteurs. Die waren te egocentrisch om haar te interesseren. Hoe knapper ze eruitzagen, hoe minder aantrekkelijk ze waren. Hun kussen voor de camera hadden nooit de sensuele realiteit van de aanblik van de grote handen van een bekwame elektricien.

De hartstocht die de camera in Delphine's meest verfijnde romantische liefdesscènes registreerde, werd geïnspireerd door haar zekere wetenschap dat de voltallige crew, als ze ook maar half de kans hadden gehad, zich op haar zou hebben gestort om haar te nemen, de een na de ander. En, dacht ze begerig, nog steeds lui in bed liggend, ze had het met graagte gedaan. Meer dan graag. Maar dat was onmogelijk. Ze zouden gaan opscheppen. Eén misstap, één foute beweging en iedereen wist ervan. Regisseurs, producers, componisten, ontwerpers of schrijvers waren acceptabele partners voor een ster, maar ze kon geen geroddel over werklui hebben, hoezeer hun rauwe, ruige mannelijkheid haar ook inwendig deed huiveren.

Ze had hier geen enkele toespeling op gemaakt tegen Margie. Haar vriendin was met Kerstmis overgekomen en Delphine had van tevoren gedacht dat ze mischien iets over haar nieuwe leven aan haar oude kameraad kon vertellen. Maar ze bedacht zuur dat dit een heel slecht idee zou zijn geweest. Margie Hall was zo zichtbaar onder de indruk geweest van Delphine's succes, dat ze niet langer in staat was Delphine op de oude, vrijblijvende manier van vroeger te behandelen.

Wat nog erger was, was dat Margie op haar twintigste, dezelfde leeftijd als Delphine, nog steeds maagd was en nog steeds het keurige meisje speelde, zoals ze dat in hun college-tijd hadden gedaan. Het was Margie's laatste jaar aan de universiteit en ze was verloofd met een veelbelovende dokter uit Pasadena. Ze was, vond Delphine, volledig veranderd door het plechtige vooruitzicht op een gigantische trouwerij in juni. Na een paar tochtjes naar de studio had ze bekend dat ze liever Parijs in ging om lingerie voor haar uitzet en handschoenen en parfum te kopen, en handgeweven tafellinnen voor haar toekomstige eetkamer te bestellen. Haar éétkamer, dacht Delphine vol ongeloof. Ja, Margie Hall stond op het punt zich te settelen en over een paar maanden een echte huisvrouw uit Pasadena te worden. Op zekere dag, over niet eens zoveel jaren, zou ze een grijze strook in haar blonde krullen aantreffen en ze zou zelfs niet overwegen er iets aan te doen. Dat deed je niet, in Pasadena.

Delphine vroeg zich af hoe je zó uit elkaar kon groeien. Een verliefde Margie was een volslagen vreemde. Liefde. Zou zij ooit verliefd worden? Ze hoopte het niet. De mensen werden er zo anders door en zij had niet de minste behoefte iets in haar leven te veranderen. Margie had nu even weinig met haar gemeen als de mensen die voor het loket stonden te wachten om een kaartje voor haar film te kopen. Na *Mayerling* waren er nog zeven gevolgd en ze waren allemaal een succes geweest. Haar enige gelijken waren, in de ogen van het Franse publiek, Michèle Morgan en Danielle Darrieux.

Het bestaan van die twee actrices was de reden dat ze zich niet had laten verleiden door de aanbiedingen die ze uit Hollywood had ontvangen. Ze maakten beiden in Frankrijk ongeveer evenveel films als zij. Ze waren ouder dan zij, beiden zeer knap en even ambitieus als zij. Als zij haar triomfantelijke carrière hier onderbrak om in Californië een film te maken, zou één van beiden ongetwijfeld een rol inpikken die anders voor Delphine was geweest. Ze was heel boos geweest toen Morgan de rol kreeg als tegenspeelster van Gabin in *Quai des Brunes*, die zij zo graag had gedaan. Deze film van Marcel Carné stond op het punt te worden uitgebracht en iedereen die ze kende had er al maandenlang over gesproken, waarbij dat afgrijselijke woord 'meesterwerk' was gevallen.

Delphine pakte de *Figaro* die Annabelle op het dienblad bij het ontbijt had gelegd en sloeg hem open op de pagina waarop Carné werd geïnterviewd, een pagina die ze al van boven tot onder had gelezen. Ze had nog niet met Carné of Gabin gewerkt, en ze zou niet rusten voordat dit was gebeurd.

Ze wendde zich met een geïrriteerde frons van het interview af. Om haar gedachten wat af te leiden, bekeek ze de voorpagina. Negenennegentig komma zeven procent van de Oostenrijkse kiezers had gestemd vóór Hitlers *Anschluss* van hun land bij Duitsland . . . een percentage dat haar krankzinnig voorkwam. Otto van Habsburg, zag ze, had niet mogen stemmen omdat hij was gearresteerd op verdenking van hoogverraad, omdat hij de grote Europese mogendheden had gevraagd op te treden tegen Duitsland. Nou, de Habsburgers waren anders ook niet zo aardig geweest tegen die kleine Marie Vetsera, hoor! In Frankrijk was Léon Blum uit en Daladier in – hoe kon je die twee uit elkaar houden? Wat zou het verschil zijn? Wie kon het wat schelen? De Franse politiek was nog verwarrender dan de wereldpolitiek, maar ze vermoedde dat ze toch maar moest proberen op de hoogte te blijven, omdat de mensen er zoveel over schenen te praten. Je kon het je echt niet permitteren om een onnozele indruk te maken. Tunesië scheen ook nog onrustig te zijn . . . maar was het dat niet altijd? Er was een nieuwe manier van reizen – William Boeing had een enorm vliegtuig op de markt gebracht, dat de 314 werd genoemd. Dat was eigenlijk het enige echt interessante in de krant. Het scheen dat de passagiers binnen in het vliegtuig over een soort trap naar een bar konden lopen . . .

Delphine vroeg zich af wat Freddy nu deed. Ze was *Tail Spin* gaan zien en had haar zusje niet kunnen ontdekken, hoe hevig ze ook haar best had gedaan, maar ze begreep uit de brieven van haar moeder dat Freddy film na film maakte, net als zij. Alleen was Freddy geen ster. Delphine smeet de vervelende krant op de grond. Een *matinée grasse* diende zonder kranten te blijven. Ze moest dat tegen Annabelle zeggen.

Vanavond ging ze met Bruno dineren en bij deze gedachte verdween haar

271

slechte humeur op slag. Het was heerlijk om een broer te hebben die je kon vertrouwen. Bruno en zij hadden een relatie die heel anders was dan ze ooit met een andere man kon hebben. Hij was nooit nieuwsgierig, hij stelde nooit vragen over haar privé-leven, hij oordeelde nooit en probeerde nooit te doen alsof hij haar in de gaten moest houden, maar ze kon hem altijd om advies vragen en hij zou haar altijd een ondubbelzinnig antwoord geven. Bruno kende alle subtiliteiten van het Franse leven op een manier die zij nooit zou kunnen aanvoelen. Hij wist welke verleidelijke uitnodigingen ze nooit, onder welke omstandigheden dan ook, mocht accepteren; welke couturiers ze moest kiezen; waar ze haar briefpapier moest bestellen, en wat de enige correcte wijze was om het te laten bedrukken; en waarom het voor haar carrière van belang was wel de Prix de l'Arc de Triomphe en de Prix Diane bij te wonen, maar zich nimmer in Monte Carlo te vertonen. Hij vulde haar wijnkelder aan, beval haar de *bottier* aan die de beste schoenen van Parijs maakte, stond erop dat ze al haar Amerikaanse kleren weggooide en hij zocht de auto uit die het beste bij haar positie paste. Delphine wist dat het een zegen was dat iedereen, van haar impresario tot haar personeel tot haar producers, wist dat ze onder de bescherming stond van de vicomte de Saint-Fraycourt de Lancel. Allemachtig, wat waren die Fransen toch titel-ziek!

Zij op haar beurt maakte zich als gastvrouw voor Bruno verdienstelijk wanneer hij dat maar vroeg. '*Chérie*,' belde hij dan en zei: 'Wil je me een grote gunst bewijzen en volgende week gastvrouw aan mijn tafel zijn? Er komt een oudere heer dineren en ik zal hem aan jou moeten overlaten – hij heeft een enorme hoeveelheid geld die hij nodig moet beleggen.' En dan trok zij haar meest indrukwekkende nieuwe avondjurk aan om op verbazing-wekkend evenwichtige wijze een dubbelrol te spelen op een van Bruno's perfecte etentjes; Delphine de Lancel, filmster, en mademoiselle De Lancel, dochter uit de oude aristocratie van Champagne, die in alles volledig op het advies van haar broer afging. Slechts een enkele blik in Bruno's richting vertelde haar hoezeer hij haar bewonderde om de manier waarop ze deze rol speelde. Hij vormde een geweldige partner. Ze waren uit hetzelfde hout gesneden en een van de beste dingen aan Bruno vond Delphine dat hij precies hetzelfde over de liefde dacht. Die volmaakt nutteloze, lástige emo-tie, zoals hij het noemde, die was uitgevonden door een fantast die niets beters te doen had, de een of andere intens burgerlijke, werkloze straat-zanger.

Binnen een week na zo'n etentje, meestal nog eerder, ontving ze dan een prachtig juweel van Cartier, met een briefje van Bruno om haar te zeggen dat de desbetreffende heer nu had besloten – heel verstandig – waar hij zijn fondsen zou beleggen. Delphine vond het leuk om zulke spelletjes met Bruno te kunnen spelen en het feit dat ze familie waren, maakte het belang wederzijds.

Tenslotte zouden op zekere dag Bruno en zij en Freddy het huis Lancel bezitten. Gelukkig wist hij wat er met die wijngaarden moest gebeuren, want zij noch haar zusje zou die verantwoording op zich kunnen nemen. Hoewel ... bij nader inzien ... was het misschien wel leuk om zelf een kasteel te bezitten. Michèle Morgan had geen château. En Danielle Darrieux evenmin. En zelfs als een van beiden een château mocht kopen, zou dit toch niet hetzelfde zijn als er een te hebben geërfd. Maar terwijl Delphine uit bed stapte en zich uitrekte, besloot ze dat ze Valmont toch echt veel te saai vond om te overwegen. Ze was dol op haar kleine huisje en wanneer ze het verliet, was dat slechts voor een suite in een groot hotel in een vakantieplaats, om er tussen twee films even tussenuit te zijn.

Toen ze haar kamenier belde, besefte ze dat haar luie ochtend voorbij was. Vanmiddag had ze haar eerste bespreking met de regisseur van haar nieuwe film, *Jour et Nuit*. Zijn naam was Armand Sadowski en iedereen in de filmwereld sprak over hem en zijn eerste drie films. Briljant, zeiden ze, moeilijk zeiden ze, een genie zeiden ze, onmogelijk zeiden ze. Maar terwijl Delphine op Annabelle wachtte, vroeg ze zich af hoe hij eruit zou zien. Zou ze hem in bed willen? Hoe goed zou hij zijn? Vragen die ze moeilijk aan haar impresario kon stellen.

Normaliter ontmoette Delphine een nieuwe regisseur in een restaurant dat door haar impresario, Jean Abel, was uitgezocht. Abel hield ervan zijn zaken zoveel mogelijk onder controle te hebben, en de man die de eetgelegenheid uitzocht en de wijn en de lunch betaalde had, als hij het goed deed, de situatie volledig in handen. De onderhandelingen over Delphine's aandeel in *Jour et Nuit* waren reeds lang afgelopen. Er was, uiteraard, geen behoefte geweest aan een auditie. De contracten waren getekend maar er zouden ongetwijfeld conflicten ontstaan tijdens het opnemen van de film en Abel wilde beginnen met een sterke positie tegenover Sadowski. Maar de regisseur had het veel te druk met het toezicht op het afwerken van zijn vorige film en hij had geweigerd de set voor de duur van een lunch te verlaten.

In plaats daarvan had hij Delphine een ontmoeting toegezegd aan het eind van de middag, helemaal in zijn eigen kantoor in Billancourt, waarmee Abel ten slotte, met de grootste tegenzin, moest instemmen omdat Sadowski bezig was met de voltooiing van zijn laatste film en na een onderbreking van slechts één weekend al met Delphine's nieuwe film zou beginnen. Abel was van plan Delphine op te halen en haar naar deze veel-te-zakelijke bespreking te brengen die niet werd opgefleurd door de consumptie van eten en wijn, maar ze had hem verteld dat dit niet handig was. Ze ging liever met haar eigen auto naar de studio omdat ze na afloop een afspraak met haar lingeriemaker had. Hij kon haar in Billancourt treffen.

Delphine kleedde zich zorgvuldig voor haar ontmoeting met Sadowski.

273

Voor haar rol in *Jour et Nuit* moest ze een warhoofdig rijk meisje spelen dat werd verdacht van moord en verliefd raakte op een inspecteur van politie. Ze wist al dat de kostuums, die door Pierre Goulard werden ontworpen, geïnspireerd waren door Schiaparelli's surrealistische, geestige, soms regelrecht krankzinnige kleren. Geïnspireerd? 'Gekopieerd' was een beter woord, vond ze. Die opvallende kleren, heel indrukwekkend en agressief, waren misschien goed voor de rol, maar niet goed voor de manier waarop ze wilde dat een onbekende regisseur haar in eerste instantie vóór zich zou zien. Delphine was een meester in de kunst van het zich onopvallend kleden. Hoe beroemder ze werd, hoe krachtiger ze het wapen van onopvallende kleding vond, in welke relatie dan ook. Iedereen verwachtte dat een filmster eruit zou zien als een filmster. Maar dat was te gemakkelijk, te afgezaagd. Te voor de hand liggend. Afgezaagd zijn was tot daar aan toe, maar voor de hand liggend zijn was onvergeeflijk. Een filmster die zich had opgedoft in de nieuwste japon van Jean Patou, met een extravagante hoed van Paulette op haar hoofd en een zilvervos bungelend over haar arm – nee, nooit. Dat was uitstekend voor een verschijning in het openbaar, maar niet voor het begin van een onzekere schermutseling waarin ze haar volledige wapenrusting misschien moest gebruiken. Waarom zou ze de regisseur nu al in het defensief jagen? Misschien vond ze die man wel vreselijk. Dat was vaker gebeurd.

Ze zocht een volmaakt onopvallende, dunne wollen trui uit, in een vaag grijze kleur die het matte blank van haar huid nog accentueerde, zelfs meer dan zwart dit ooit had kunnen doen. Ze trok er een uiterst simpele, bijzonder goed vallende rok van grijze tweed bij aan die één tint donkerder was dan de trui, lichtgrijze zijden kousen, onopvallende zwarte lage schoenen en een klassieke regenjas met ceintuur uit Engeland. Kleine oorbellen met gitten en een kleine zwarte baret, zoals studenten die droegen, voltooiden dit geheel. Ze kon anoniem zijn, ze kon niemand zijn, ze kon iedereen zijn, zolang je niet naar haar gezicht keek, als ze niet toevallig een van de mooiste vrouwen van de wereld was geweest. Ze was niet ijdel. In haar vak moest haar uiterlijk even koel worden gewogen en bekeken als het jaarverslag van een grote maatschappij. Een Amsterdamse diamantslijper beoordeelde een steen niet strenger dan Delphine de rug van haar neus, de volmaakte ronding van haar bovenlip, de schaduwen onder haar jukbeenderen. Tevreden over haar verschijning trok ze de ceintuur van haar regenjas strak en schoof de baret wat omlaag zodat deze haar haargrens bedekte, waardoor ze op slag onherkenbaar werd.

In de studio zocht ze de montageafdeling. Abel had haar op de parkeerplaats op zullen wachten, maar misschien was hij verlaat; het verkeer had in de knoop gezeten door alle regen. Ze passeerde een aantal mensen die ze oppervlakkig kende, maar geen van hen merkte haar op, tenzij ze opzettelijk hun aandacht trok en knikte en glimlachte. Deze regenjas slaagde er werkelijk in haar op te laten gaan in de massa.

Allemensen, wat was het heerlijk om weer terug te zijn in de studio. Ze had twee weken lang niet gewerkt, sinds de laatste dag van haar vorige film. Ze had die tijd hard nodig gehad om van alles en nog wat aan haar uitvoerige garderobe te laten doen, iets waarvoor ze tijdens de opnamen geen minuut tijd had. Het was geweest alsof ze in een twee weken durende retraite was gegaan in een overgeparfumeerd, oververhit, werelds soort klooster, een wereld vol frivole, babbelende, opgewonden vrouwen die maar één ding aan hun hoofd hadden. Nu was ze weer terug in de wereld van de mannen, de Heer zij geprezen.

Delphine bleef even staan bij de deuropening van een set waar men net met de opnamen was gestopt. Ze kon de metaalachtige geur van de lampen nog ruiken terwijl ze afkoelden en ze zag hoe de elektriciens, de toneelknechten en de requisiteurs de indrukwekkende set ontmantelden. Ze bewonderde de brute kracht waarmee ze hesen en duwden, trokken en tilden en hun werk deden zonder haar op te merken, en met luide, zorgeloze stemmen naar elkaar schreeuwden en haastig het werk af wilden hebben om naar huis te kunnen gaan. Ze stapte vanaf de open deur achterwaarts de gang in om niet te worden geraakt door een enorm decorstuk dat de set af werd gedragen. Plotseling kreeg ze een hevige klap op haar linkerschouder, van de hand van een voorbijganger die heftig gesticulerend een gesprek voerde met drie andere mannen.

'Héla! Dat deed pijn, hoor!' riep ze geschrokken uit, maar de man die haar had geraakt, bleef snel doorlopen en draaide zich alleen even om om waarschuwend zijn vinger te heffen.

'Sorry hoor, maar dat is een zeldzaam stomme plaats om een beetje te staan koekeloeren,' riep hij, en hij draaide zich alweer terug om zijn geanimeerde gesprek voort te zetten.

'Stomme hufter die je bent,' zei Delphine hardop in het Engels. Ze keek boos om zich heen naar iemand bij wie ze haar beklag kon doen over zo'n grove bejegening, maar de gang was nu leeg. Het was echt onvergeeflijk dat Abel zo laat was en ze vond het opeens niet leuk meer dat ze zich zo onzichtbaar had weten te maken. Ze stapte de gang door, vond eindelijk de montageafdeling, duwde de deur zonder meer open en sprak de receptioniste kortaf toe.

'Monsieur Sadowski, alstublieft.'

'Hij kan nu niet worden gestoord. Waar gaat het over?'

'Ik word verwacht,' zei Delphine nijdig.

'Uw naam, alstublieft?'

'Mademoiselle De Lancel,' zei Delphine koud. De receptioniste knipperde even met haar ogen.

'Neemt u me niet kwalijk, mademoiselle, ik had u niet herkend. Ik zal hem direct waarschuwen. Gaat u even zitten?'

'Nee, dank u.' Delphine bleef, ongeduldig tikkend met haar voet, staan. Ze was niet van plan te gaan zitten alsof ze niets beters had te doen dan een beetje af te wachten tot Sadowski een keer klaar zou zijn en op zijn wenken naar binnen te mogen gaan. Abel had dit beter moeten regelen, de sukkel! 'Mademoiselle De Lancel is hier voor u, monsieur Sadowski,' zei de receptioniste in de microfoon op haar bureau. 'Ja, dat begrijp ik.' Ze keek Delphine aan. 'Hij zal u ontvangen zodra hij klaar is met zijn bespreking, mademoiselle.'

Delphine staarde haar ziedend aan. Ze keek op haar polshorloge. Ze was nu al laat. Als ze op tijd was geweest, had ze hier al tien minuten zitten wachten. Ze leek wel gek om zo als een smekeling te moeten staan wachten. Ze ging op een ongemakkelijke stoel zitten en staarde kwaad de gang in, verwachtend elk moment Abel te zien binnenhollen, één en al verontschuldigingen. Er gingen nog vijf minuten in stilte voorbij terwijl de receptioniste een tijdschrift zat te lezen. Delphine stond op. Ze was niet van plan nog één seconde hier te blijven. Dit ging écht te ver. Op dat moment kwamen er enkele mannen al pratend het kantoor uit en liepen langs haar heen de gang in, zonder haar te zien.

'Hij zal u nu ontvangen, mademoiselle,' zei de receptioniste.

'Dat hoef je mij niet te vertellen,' snauwde Delphine. De receptioniste keek wat onthutst en gebaarde haar toen een kamer in te gaan, waarna ze verdween en de deur achter zich dichttrok. Binnen zat een man met zijn rug naar Delphine toe en hield een lange filmstrip tegen het raam omhoog, die hij uitvoerig inspecteerde. Hij vloekte hardop met een reeks inventieve obsceniteiten, terwijl Delphine voor zijn bureau kwam staan. Het was de man die haar in de gang een mep had verkocht. Ze wachtte vol ongeduld tot hij zich omdraaide. Hij zou zich lam schrikken wanneer hij besefte hoe schofterig hij zich tegenover zijn ster had gedragen. Ze had nu al de overhand – er viel niets meer aan te veranderen.

Nog steeds naar de film kijkend, riep hij nonchalant over zijn schouder: 'Delphine, schat, ga even zitten. Ik ben zó klaar. Ik ben blij dat ik je daarnet geen pijn heb gedaan – je moet echt wat voorzichtiger zijn. Ik sla een vrouw uitsluitend met opzet . . .' Zijn stem stierf weg toen hij de film nog nauwlettender bekeek. 'Verdomme! Die klootzak van een cameraman. Dat rund, die Neanderthaler! Als ik die hommel in m'n handen krijg, scheur ik 'm aan stukken. Nee, nee, het kan écht niet wat hij hier heeft uitgevreten, het kan absoluut niet en het is natuurlijk alweer veel te laat om iets anders te doen dan de hele scène opnieuw te knippen. Op deze manier zijn we hier het hele weekend nog bezig. Shit!'

Hij legde de film neer, draaide zijn stoel om en glimlachte plotseling. Hij kwam half overeind, boog zich naar voren en stak zijn hand uit, over het bureau heen. Sadowski gaf haar een snelle handdruk. 'Een rottig vak, vind je niet, schat?'

Delphine zag dat hij heel lang was, met een verbazingwekkend hoofd. Een grote massa steil, belachelijk lang haar stak verward naar alle kanten uit. Hij was jong, hoogstens vijfentwintig en zijn gezicht was als dat van een havik, een en al ogen en een neus en vol energie. Hij scheen meer energie vanachter zijn bureau uit te stralen dan wanneer hij een duel had uitgevochten. Hij droeg een grote bril met een hoornen montuur die hij afzette en op zijn bureau legde, waarna hij over zijn neus wreef waar de bril had geklemd.

'Is Abel er nog niet? Mooi, ik had hem er toch al liever niet bij, maar hij stónd erop.' Hij sprak snel en intens. Delphine was sprakeloos. De regisseur sprak haar uiterst familiair aan met *tu* en hij noemde haar bij haar voornaam. Zo iets kon gebeuren wanneer een regisseur en een lid van de crew elkaar goed kenden, maar anders beslist nooit. En het was volslagen onbestaanbaar tussen een regisseur en een ster, tenzij het goede oude vrienden waren. Maar wie dacht hij wel dat hij was?

Sadowski leunde achterover en bekeek haar zwijgend, door zijn bril, terwijl hij zijn handen tot een tent had gevouwen, zodat zijn eigen gezicht gedeeltelijk schuilging. Hij staarde haar aan alsof hij in zijn eentje in een kamer een schilderij stond te bekijken dat hij op een moment van onachtzaamheid had gekocht en waarvan hij niet helemaal zeker was of hij het wel mooi vond.

'Zet die baret eens af en trek je regenjas uit,' zei hij ten slotte.

'Dat vind ik niet nodig,' zei Delphine stijfjes.

'Heb je 't koud?'

'Dat niet.'

'Doe die muts en die jas dan eens uit,' zei hij ongeduldig. 'Laat eens zien hoe je eruitziet.'

'Heeft u mijn films niet gezien?' Ze benadrukte het formele *vous*, maar hij sloeg er geen acht op.

'Zeker. Anders had ik je niet ingehuurd. Ik wil zien hoe ík vind dat je bent, niet wat andere regisseurs van je vinden. Kom op, schat, maak een beetje voort. Ik heb niet de hele dag de tijd.'

Delphine zette, nog steeds zittend, haar muts af en liet haar jas van zich afglijden, tot aan haar middel, terwijl ze wachtte tot zijn ogen groot werden van bewondering. Sadowski's achterdochtige blik veranderde echter niet. Hij zuchtte. Ze wachtte, even ongenaakbaar als hij.

'Sta eens op en draai je om,' zei hij abrupt. Zijn ogen waren groot en zwart, met kleine pupillen, alsof hij haar hypnotiseerde.

'Hoe durft u! Ik ben geen revuemeisje!'

'Moet ik soms eerst op m'n knieën gaan liggen smeken?' Hij keek haar even aan. 'Dát zou pas acceptabel zijn, hè? Ach . . . actrices! Eén pot nat!

Laat maar zitten, schatje, je bent hier aan het verkeerde adres. Ik maak hier films, geen flauwe toespraken. Heb je geen beha aan?'

'Ik draag er nooit een,' loog Delphine.

'Dat zal ik wel uitmaken.' Hij gebaarde haar te gaan staan. Delphine knikte hooghartig en besloot toch maar te gaan staan, wetend dat haar schoonheid de beste reactie was op zijn grove, onhebbelijke manier van doen. Ze draaide langzaam om, zodat hij de tijd kreeg om nederig te worden. Ze permitteerde zich geen enkele blik van triomf, ze trok zelfs niet even een wenkbrauw op toen ze hem weer onder ogen zag. Hij had de tent van vingers weggehaald, leunde met zijn kin op een hand en schudde ontkennend zijn hoofd. 'Ik weet het niet. Ik weet het gewoon niet . . . misschien ja, misschien nee . . . ik denk dat het de moeite van het proberen waard is.'

'Waar heeft u het over?'

'Over die hele maskerade van jou, die schoolmeisjes flauwe-kul, je rok-en-truitje Shirley Temple-nummer. Misschien werkt het. Het is nog niet zo gek als 't eruitziet, misschien heb je wel gelijk . . . We zullen een Chloe kostuum-en make-uptest doen en dan zien we wel wat het wordt.'

'Pardon?'

Hij knipte met zijn vingers. 'Word wakker, Delphine! Chloe, de rol die je gaat spelen, dat rijke kreng! Daarvoor ben je toch hier? Je hebt kennelijk bedacht dat Chloe op het idee was gekomen met zulke kleren de politie op een dwaalspoor te brengen. Het is een idee. Mooi. Kinderachtig, dat geef ik toe, en natuurlijk uiterst voor de hand liggend voor iemand met nog maar een greintje verstand in z'n hoofd, maar toch heel aardig hoor. Je ziet er bijna onschuldig uit. Ik houd wel van actrices die proberen een creatieve bijdrage te leveren. Niet te vaak, natuurlijk. Je moet het niet overdrijven, liefje.'

'Ik wil . . .'

'Mooi zo. Oké, we zijn klaar. Je kunt wel gaan.' Hij draaide zijn stoel weer om en hervatte zijn bestudering van de film, met zijn rug weer naar haar toe.

'U moet nodig naar de kapper,' sputterde Delphine.

'Dat weet ik. Dat hebben ze me al vaker verteld. Maar het zal moeten wachten totdat ik deze klotescène helemaal goed heb. Pak maar een schaar en doe het zelf, als je d'r last van hebt. Ga gerust je gang.'

'*Asshole!*' zei Delphine.

Sakowski draaide zich snel om en zei, met een twinkeling in zijn ogen: 'Mooi. Aardig! Ik was vergeten dat je een Amerikaanse was. Ik heb neven in Pittsburg – kom je uit die buurt? *Asshole* . . . daar is geloof ik geen goed Frans woord voor, hè?' Hij wuifde met zijn hand en gebaarde naar de deur. 'Tot maandag dan maar. Met een goed humeur en op tijd. En als ik op tijd zeg, schat, dan bedoel ik ook op tijd. Verslaap je niet. Een welgemeende waarschuwing. En de laatste die je zult krijgen.'

'En als ik me nou wél zou verslapen?' vroeg Delphine briesend van woede.

'Maak je maar geen zorgen, jij verslaapt je niet. Jij zult me vast geen problemen willen geven, schat, want je weet dat je er niets mee opschiet. Ja? Maak nu dat je wegkomt. Zie je niet dat ik bezig ben?'

14

Freddy controleerde of haar helm goed vastzat. De donkere krullen van de Brenda Marshall-pruik wapperden om haar gezicht, kriebelden in haar neus en vielen in haar ogen toen ze achter het bedieningspaneel van de verbouwde open cockpit van de kleine oude Gee Bee zat. Na bijna twee jaar als stuntvlieger te hebben gewerkt, wist ze dat het weinig zin had om te proberen de kostuumafdeling ervan te overtuigen dat geen enkele vrouwelijke piloot met lastig wapperende haren onder haar vlieghelm vloog. Maar naar Freddy's mening was de vrouwelijke juwelendief met het hart van goud en zenuwen van staal, die altijd via de lucht van de plaats van de misdaad wist te ontkomen, tot alles in staat, met inbegrip van het in avondjurk besturen van een vliegtuig, zoals ze dat vorige week nog had gedaan voor *Lady in Jeopardy*.

Ze controleerde haar hoogte. Ze zat op precies vierduizend voet, zoals ze had gepland. Freddy haalde haar handen van het bedieningspaneel af. Ze had het toestel zorgvuldig getrimd; er was geen turbulentie op deze vroege augustusdag in 1938 en de kist vloog recht en regelmatig uit zichzelf en zou dit nog een tijdje blijven doen. Er zat een spiegeltje vastgenaaid aan de binnenkant van de mouw van haar jasje, waarmee Freddy haar lipstick inspecteerde. Die was nog even fel als toen haar make-up was aangebracht, nu een uur geleden. Klaar om in actie te komen keek ze om zich heen naar de vier cameravliegtuigen, de ene aan haar linkerhand en drie onder haar, ieder op een verschillende hoogte, die in een hechte formatie vlogen om haar sprong volledig te kunnen volgen. Ze wiebelde even met haar vleugels, ten teken dat ze klaar was en ze keek naar de vier andere vliegtuigen. Dit was niet het soort stunt dat je nog eens over kon doen.

De grote, zware cameravliegtuigen antwoordden allemaal met het signaal dat betekende dat de camera's liepen. Oké, Brenda, tijd om in actie te komen, zei Freddy bij zichzelf en ze trok een gezicht vol ontzetting, dat snel veranderde in een van vastberadenheid. Ze greep de fluwelen zak vol juwelen, propte deze in haar jasje, trok snel de rits dicht en hees zichzelf, met parachute en al, naar de rand van het vliegtuig.

'Tot ziens, jongens en meisjes, hier gaat niets,' schreeuwde Freddy, in de dialoog die ze al even onwaarschijnlijk vond als de plot. Ze kon het cameravliegtuig pal naast zich zien, om haar mond te filmen wanneer ze de woorden vormde die later door Brenda Marshall zouden worden ingesproken. Ze drukte op een rode knop op de rand van de cockpit die na vijftien seconden het dynamiet in werking zou brengen, wanneer zij veilig en wel voorbij was, op zo'n veilige afstand dat er geen brandende wrakstukken op haar terecht konden komen. Op hetzelfde moment dat ze op de knop drukte dook ze het vliegtuig uit, ontweek behendig de rand van het toestel, zorgde dat ze niet door de wind werd gegrepen en maakte een vrije val. Wanneer ze tot tien had geteld moest ze de parachute opentrekken.

'Een . . . twee . . . drie . . .' telde ze en begon naar het koord te tasten. Boven haar, twaalf seconden te vroeg en veel, veel te dichtbij, ontplofte het vliegtuig. Door de schokgolf van de voortijdige explosie raakte ze buiten bewustzijn. De brandende benzine spoot naar alle kanten en de brokstukken van het vliegtuig vielen aan weerskanten rond haar vallende lichaam neer. De zware motor miste haar op nog geen meter afstand, een brandende vleugel op slechts enkele centimeters.

Ze viel roerloos naar beneden, als een stuk bewegingloos vlees in een vliegpak. Toen Freddy weer bijkwam, had ze geen idee hoe lang ze al viel. Haar onmiddellijke reactie was aan de ring van het trekkoord te rukken. Binnen enkele seconden werd haar vaart geminderd toen de grote parasol van witte zijde zich boven haar opende. Met een onmetelijk gevoel van opluchting besefte ze dat ze niet in brand stond. Ze had geen benzine over zich heen gehad. Heen en weer zwaaiend keek ze driehonderdzestig graden om zich heen, om te zien of er brokstukken te dicht in haar buurt waren. Overal om haar heen vielen stukken van het vliegtuig omlaag, maar ze waren op een acceptabele afstand. De drie cameravliegtuigen schenen nog steeds hun juiste koers te houden.

Freddy bedacht dat ze deze keer beslist meer kregen dan waarvoor ze betaald hadden en ze keek omhoog om het baldakijn te inspecteren van de brave parachute die zo prompt open was gegaan. Kleine cirkels van vlammetjes, veroorzaakt door druppels brandende vloeistof, omringden grote, gapende gaten op allerlei plaatsen in de reddende paraplu en verspreidden zich snel, vraten aan de zijde die haar leven moest redden. Ze keek even naar de aarde. Ze schatte dat ze nog meer dan tweeduizend voet moest vallen eer ze landde. Tegen die tijd was de parachute tot as verbrand omdat de vlammen waren aangewakkerd door de lucht waar ze doorheen viel. Zelfs als hij niet volledig opbrandde, zou er niet genoeg overblijven om haar val te breken.

Een parachute opentrekken was gemakkelijk – het ding in de lucht weer dichtdoen was volslagen onmogelijk. Maar ze trok als een bezetene aan alle draaglijnen waar ze met haar beide armen bij kon, graaide ze naar zich toe en vocht met elk greintje kracht dat ze bezat. Langzaam gaven de parachute en de lucht die hem vulde toe, terwijl zij de lijnen onderaan bijeenhield om te zorgen dat er geen lucht meer in de chute kwam. Sneller en sneller viel ze. Nu vertraagde slechts de opbollende top van het scherm, waarin nog wat lucht zat, haar afdaling naar de aarde. Ze weigerde omhoog te kijken om te zien of de parachute nog brandde. Al haar zintuigen waren geconcentreerd op het uitkiezen van het juiste moment om de draaglijnen los te laten zodat de parachute op tijd weer openging om haar val te breken, zonder op te branden.

'Nu!' schreeuwde ze, boven het omcirkelde gebied waar ze de cameramensen op de grond koortsachtig bezig kon zien. Ze zag hoe Mac naar de plek holde waar ze terecht moest komen. Ze deed haar armen open en liet alle gespannen lijnen schieten. Met een ruk bolde de zijde opnieuw op, maar de grond kwam nog steeds te snel, een dodelijk beetje te snel dichterbij. Ze kwam slecht terecht, haar lichaam plofte zwaar op het veld. Haar linkerarm en rechterenkel braken op hetzelfde moment, en toen, nog steeds worstelend met haar goede arm om de lucht uit de chute te krijgen, om niet over de grond te worden gesleept, raakte Freddy buiten bewustzijn. Toen ze weer bijkwam, was Mac boven op haar gevallen om haar lichaam tot stilstand te brengen en stonden de camera's nog steeds te draaien. Het laatste dat ze hoorde was de regisseur, die gilde: 'Blijf draaien, blijf draaien, we schrijven het wel in het script.'

'Beloof je me dat ik geen zeep in m'n ogen krijg?' vroeg Freddy bang aan Mac, toen ze naakt tot op haar middel op de vloer van de badkamer neerknielde. Haar arm en enkel zaten nog steeds in het gips en toen ze een paar dagen geleden uit het ziekenhuis was gekomen, had men haar gewaarschuwd dat het niet nat mocht worden. Mac had bedacht dat de enige manier waarop hij haar haar kon wassen, was dat ze met haar hoofd boven de badkuip ging hangen terwijl ze op haar knieën lag en met haar schouders op de rand van het bad leunde.

'Waarom zou ik zeep in je ogen laten komen?'

'Per ongeluk . . . het is een raadsel . . . hoe goed de mensen ook hun best doen om pijnloos je haar te wassen, het slot van het liedje is altijd weer dat je toch zeep in je ogen krijgt. En er is niets waar ik zó'n hekel aan heb,' antwoordde ze.

'Dus je vindt het leuk om uit vliegtuigen te springen en je bent bang voor haarwassen?'

'Jij begint 't te begrijpen.'

'Leg je hoofd nou maar neer, doe je ogen goed dicht en wind je niet op.'

'Wacht!' zei ze geschrokken. 'Het is niet het inzepen, maar het spoelen dat gevaarlijk is. Hoe ga je dat doen?'

'Met deze steelpan. Heel eenvoudig. Ik doe er warm en koud water in en giet dat dan over je hoofd. Jezus!'
'Haal een kan met een tuit,' beval ze. 'Een steelpan . . . alleen een man kan een steelpan bedenken!'
'Wat dacht je van een gieter? Dán kan ik het pas goed precies doen, met een druppeltje hier, een druppeltje daar . . .'
'Geweldig. Nee, bij nader inzien lijkt dat me te lang duren, doe maar een kan.'
'Blijf stilzitten, Freddy. Ik ben zó terug.' Hij holde naar beneden, naar de keuken, om een kan te halen. Hij wist dat hij geen succes had met zijn voornemen om niet als een kloek over haar te moederen, maar hij was zo verdraaide blij dat ze het had overleefd dat hij bereid was haar haar sliertje voor sliertje met een tandenborstel af te boenen als dit haar gelukkig maakte. Het zware gips benadrukte haar frêle voeten en polsen, maar Freddy was zó sterk dat hij haar voortdurend moest tegenhouden om niet rond te hinken, ondanks zijn angst dat ze zou vallen en nog iets anders zou breken. Ze was zo dapper, zo mooi, zo onverslaanbaar, dit kostbare meisje van hem – dit veel te kostbare meisje, dacht hij terwijl hij met drie treden tegelijk de trap op rende.

Na het haarwassen tilde Mac Freddy op, ondanks haar protesten, droeg haar weer naar het bed en begon haar haar met een handdoek te drogen. Het was gelukkig een stuk korter dan het was geweest voordat ze ging stunt-vliegen; omdat ze het zo vaak onder pruiken had moeten wegstoppen, had ze er voor het gemak van tijd tot tijd een stuk afgeknipt, maar hij had toch nog moeite met die weerbarstige massa verwarde haren. Toen haar haar eenmaal half droog was, begon hij het uit te kammen, waarbij hij elke natte, verwarde krul voorzichtig beetpakte. Ze keek naar hem op met grote, drome-rige ogen, half kind, half vrouw, als een engel van Da Vinci op een af-beelding van de Aankondiging aan Maria, vond hij.
'Waar heb je dat geleerd?' vroeg ze.
'Ik heb als kind een grote, vieze, harige hond gehad.'
'Dat heb je me nooit verteld,' zei ze verwijtend.
'Hij is weggelopen.'
'Dat is het droevigste verhaal dat ik ooit heb gehoord,' barstte Freddy los en begon te huilen.
Verbijsterd omdat hij alleen maar een grapje had gemaakt, probeerde Mac haar tot bedaren te brengen, maar hoe meer hij haar knuffelde en zei dat het niet echt was gebeurd, hoe harder ze huilde. Ten slotte ging het over in wat hikkend gesnik vermengd met gejammer van 'arme, arme kleine hond,' tot ze eindelijk stil en snuffend in zijn armen bleef liggen.
'Wat had dat nou allemaal te betekenen?' vroeg hij, toen ze was ge-kalmeerd.
'Ik weet 't niet,' zei ze gesmoord, tegen zijn borst.

283

'Volgens mij is het een verlate reactie op het ongeluk.'

Ze ging rechtop zitten, wierp hem iets van haar oude glimlach toe en schudde ontkennend haar hoofd. 'Nee. Dat kan niet. Ik heb heel lang over dat ongeluk nagedacht, ik heb het volledig verwerkt,' verzekerde ze hem, zoals ze dat zo vaak had gedaan gedurende die week in het ziekenhuis. 'De monteurs die het dynamiet hebben aangebracht, moeten de lengte van de lonten verkeerd hebben berekend; alleen zullen ze dat nooit toegeven. Dat is het enige dat het kan zijn geweest. Verder ging alles perfect.'

'Begrijpen is één ding, Freddy, maar iets emotioneel verwerken, het kunnen accepteren dat jóu zo iets is overkomen, is een heel ander ding. Je hebt een geweldige schok gehad, ook al weiger je dat in te zien.'

'Ik zei niet dat ik niet geschokt was. En ik heb m'n beste chute verspeeld. Maar ik heb wel meer ongelukken gehad, ik heb wel vaker iets gebroken.' Haar bravoure was nog intact.

'Je hebt niet zúlke ongelukken meegemaakt,' zei Mac somber. 'Freddy, wanneer geef je dat stuntvliegen eraan?'

'Wanneer ga jij met me trouwen?'

Er viel een stilte tussen hen. Sinds Freddy's achttiende verjaardag, meer dan een half jaar geleden, had ze het een paar keer over trouwen gehad, maar steeds indirect, luchthartig, met een steelse blik in zijn richting, op een manier die McGuire de mogelijkheid had gegeven een spottende wenkbrauw op te trekken, haar woorden op te vatten alsof het niets anders was dan een brutaal grapje en door te gaan met wat hij wilde zeggen. Nu had ze de vraag op zo'n rauwe, onbeschaamde, openlijke manier gesteld dat hij wel antwoord móest geven. Hij had dit moment gevreesd, het was onvermijdelijk geweest, het dreigde elke maand dichterbij te komen. Hij aarzelde en zei ten slotte hoofdschuddend: 'Freddy, hoor eens . . .'

'Ik houd niet van antwoorden die zó beginnen. Wanneer, Mac?'

'Freddy, liefje, ik . . .'

'Kijk me aan. Wanneer, Mac, wanneer?'

'Ik kan het niet,' zei hij gekweld. 'Ik kán het echt niet.'

'Je bent niet getrouwd. Wat bedoel je dan met dat niet kunnen? Je kunt het wél, dat is zo simpel als wat, we zouden vandaag nog naar Las Vegas kunnen vliegen en voor zonsondergang getrouwd kunnen zijn. Je bedoelt zeker dat je niet wilt?'

'Ik bedoel dat ik niet wil. Het zou niet eerlijk zijn, Freddy. Het zou onvergeeflijk zijn. Jij bent pas achttien . . . ik tweeënveertig . . . we zijn van volslagen verschillende generaties . . . ik ben veel te oud voor jou!'

'En jij weet verdraaid goed dat mij dat niets uitmaakt,' antwoordde ze heftig. 'Ik heb nog nooit van iemand anders gehouden dan van jou. Ik zal nooit met iemand anders trouwen. Dat zweer ik. Hou oud jij ook mag worden, je raakt me nooit kwijt! Dat weet je, Mac. Ik ben nog in de buurt als jij honderd bent, en ik bijna tachtig. Hou ouder we worden, hoe kleiner het verschil zal zijn.'

'Freddy, dat is het meest bezopen argument dat er bestaat, het is volslagen onzin. Je slaat voor het gemak alle jaren tussen achttien en tachtig maar even over. Je bent nog een kind – ik weet 't, ik weet 't, dat is niet waar – met je hele leven als jonge vrouw nog vóór je, en ik ben een man van middelbare leeftijd die zijn beste jaren al achter de rug heeft. Dat is echt wáár.'

'Je bent niet eerlijk!' zei ze verontwaardigd.

'Wel verdomme, dacht je dat ik dat niet wist! Ik was niet eerlijk toen ik de eerste keer met jou naar bed ging, want als ik toen was gestopt zou dit nooit zijn gebeurd. Ik maak mezelf nog steeds de grootst mogelijke verwijten dat ik zo zwak ben geweest, maar ik kon het niet helpen, ik hield al zó lang van je, ik kon geen tegenstand bieden en ik kan je nog steeds niet weerstaan . . . behalve in dit. Ik trouw niet met je, Freddy. Het zou echt niet goed zijn.'

'Geen wonder dat je hond is weggelopen,' zei Freddy luchthartig. 'Ik wil helemaal niet met je trouwen. Ik dacht alleen dat ik misschien een fatsoenlijke man van je zou maken, maar je bent zo'n schijnheilige ouwe zak dat ik van mening ben veranderd.'

'Ik wist wel dat je erachter zou komen,' zei Mac, al even gemakkelijk liegend als zij. Dacht ze nou echt dat hij na al deze jaren niet dwars door haar heen kon kijken? Freddy, het meisje dat nooit, nooit in haar hele leven, iets op zou geven als zij daar haar zinnen op had gezet. Freddy, die dacht dat hij zou geloven dat ze zo gemakkelijk van mening zou veranderen als het om een huwelijk ging? 'Ben je klaar voor je wasbeurt?'

'Nee. Ik ben nog schoon van m'n wasbeurt van gisteren. Je mag me inspecteren als je me niet gelooft. Ga je gang, ik ben niet kietelig.'

'Delphine vroeg me vanmorgen zo iets vreemds,' zei Anette de Lancel tegen haar man, en zweeg toen.

Vicomte Jean-Luc de Lancel zuchtte met de aangename berusting die alleen een huwelijk van vele decennia kan brengen. Hij wist dat wat voor opmerking Delphine ook had gemaakt, hij die ongetwijfeld tot in alle details te horen zou krijgen, voorzien van overwegingen en commentaar op het menselijk gedrag, die even weinig van belang waren voor wat er ook mocht zijn gezegd als de toelichting van één enkele brief op een lang middeleeuws geschrift, maar dit alles geschiedde niet dan nadat hij zich de basisinformatie waard had betoond door te proberen alles uit zijn vrouw te trekken. Hij zette zich aan deze vertrouwde taak, gesterkt door de goedgekoelde champagne die ze als verkoelend nachtmutsje dronken op een uitzonderlijk warme avond in de maand augustus van 1938. Eindelijk, na minder tijd dan hij had gedacht, had hij succes.

'Ze wilde weten, uiteraard alleen hypothetisch, of ik ooit van een manier

285

had gehoord om van een verliefdheid áf te komen,' onthulde Anette de Lancel, met een stem die zowel gefascineerd als bezorgd klonk.

'Wat heb je haar verteld?' vroeg hij, ondanks zichzelf toch belangstellend.

'Jean-Luc, je begrijpt helemaal niet waar het om gaat. Als zij van een verliefdheid áf wil komen, is ze kennelijk erg verliefd op een ongeschikt iemand. En ze moet wel ten einde raad zijn om daarmee bij mij aan te komen. Zo'n onafhankelijk en zelfstandig iemand als Delphine zou anders nooit haar grootmoeder om raad vragen.'

'Ik had niet gedacht dat ze tot verliefdheden in staat was,' merkte Jean-Luc ietwat verbaasd op.

'Jean-Luc!' Anette was werkelijk geshockeerd.

'Ik heb nog nooit een meisje gezien dat zich zo weinig door emoties liet meeslepen, laat staan door een onbeantwoorde liefde. Aan de andere kant doet ze geweldig tobberig sinds ze bij ons is komen logeren. Ik dacht dat het iets met haar toneelcarrière te maken had, of zo.'

'Het is geen toneel, lieverd – het is de film.'

'Dat is precies hetzelfde, een heleboel onzin. Ik zit nog steeds te wachten om te horen welke raad je haar hebt gegeven.'

'Ik zei dat als iemand, gewoon een willekeurig iemand, verliefd was en dit niet wilde zijn, diegene zich zo goed mogelijk moest voorstellen hoe de man in kwestie allerlei uiterst onsmakelijke gewoonten bezat, waar ze pas achter zou komen als het te laat was – en ze zei alleen maar dat het een goed idee was, zonder, dat zag ik direct, van plan te zijn het ook maar te proberen – en ik vind het eigenlijk helemaal niet zo'n slechte raad, jij wel? Ze bedankte me op die lieve, treurige manier van haar en pakte toen de auto van de arme Guillaume om er alleen op uit te gaan.'

'Hmm.' Jean-Luc pakte Anette's hand. Hun oudste zoon was drie maanden geleden aan kanker gestorven, niet betreurd door de vrouw en kinderen die hij nooit had gehad, maar hevig gemist door zijn ouders en alle arbeiders in de wijngaarden, die hem hadden gerespecteerd, ook al waren ze niet bijzonder dol op hem geweest.

'Maak je niet nodeloos ongerust,' zei hij. 'Bij meisjes van die leeftijd is liefde nooit een serieuze zaak. Delphine komt er wel overheen, wat het ook mag zijn.'

'Ze is twintig, geen veertien, Jean-Luc. Dat is echt oud genoeg voor . . . o, van alles . . . wat dan ook. Ik blijf me toch ongerust maken.'

'Anette, bemoei je er alsjeblieft niet mee, ik smeek het je. De vorige keer dat je je met Delphine's problemen hebt bemoeid, hebben we een etentje gegeven, en kijk eens waar dat toe heeft geleid,' waarschuwde hij, en maakte aanstalten om in het hoge, oude bed te klimmen dat ze al bijna zestig jaar samen hadden gedeeld.

Delphine zat in haar kamertje bij het raam en keek naar buiten naar de grote, zwangere augustusmaan en verwenste zichzelf hevig. Dat zo iets onnozels haar moest overkomen! Het stond lijnrecht tegenover al haar vastberaden ideeën over hoe ze haar leven met een maximum aan genoegens kon inrichten; het stond lijnrecht tegenover haar jaren van training in het bereiken en handhaven van macht over mannen; het stond lijnrecht tegenover alle raffinement dat ze had ontwikkeld, beginnend op college om daarna uit te breiden, tot ze in Parijs, onder Bruno's leiding, echt mondain was geworden; het stond lijnrecht tegenover wat ze over haar eigen lichaam had ontdekt en hoe ze dat met een handjevol minnaars tevreden kon stellen. Het stond lijnrecht tegenover haar eigen wil, een wil waarvan ze had gedacht daar haar eigenbelang mee te kunnen dienen. En het ergste van alles was nog dat het lijnrecht inging tegen haar diepste instincten tot zelfbehoud.

Je wordt niet verliefd op een man als Armand Sadowski! Ze sloeg met haar vuisten op het bankje tot de zijkanten van haar handen pijn deden. Je hoort een man als Armand Sadowski zelfs niet áárdig te vinden. Maar dat deed ze wel! Zíj wel!

Wanneer was het ondenkbare gebeurd? Was dat geweest na die eerste weken filmen, toen ze besefte dat hij de beste prestatie van haar leven uit haar wist te krijgen en dat haar acteren niet alleen het resultaat was van een opwelling van onbeheerste seksualiteit waarop ze had gebouwd sinds die eerste proefopname voor *Mayerling*, met Nico Ambert? Was het misschien alleen maar dát – de wetenschap dat ze echt kon acteren, dat ze niet, zoals ze soms vreesde zonder dit te willen erkennen, alleen maar een narcistisch meisje was dat zo opgewonden raakte door de crew en de lampen en de camera, dat haar vertolking op de een of andere manier betekenis ontleende aan haar eigen opwinding?

Vanaf de eerste dag dat ze samenwerkten, was Delphine het bestaan van de crew vergeten. Ze waren slechts aanwezig om opdrachten van anderen uit te voeren. De lampen gingen slechts aan voor de verlichting, de camera's draaiden slechts om de film op te nemen. Sinds het begin van de opnamen was ze door geen enkele man aangeraakt.

Ja, misschien waren haar gevoelens louter professioneel, een heel normale bewondering voor een man die haar kon regisseren als geen ander. Een soort klassieke bewondering van een Galatea voor een Pygmalion? Het was niet nieuw dat zo'n bewondering kon aanvoelen als liefde. Een overdracht van gevoelens, schenen andere acteurs en actrices dit te noemen. Iedereen wist dat je een klein beetje verliefd moest zijn op je regisseur. Regisseurs waren allemaal op de een of andere wijze uiterst verleidelijke persoonlijkheden, anders kregen ze die baan niet. Het hoorde bij het maken van een film. Een beetje verliefd, dacht ze, gewoon een beetje verliefd. Dat zou er nog mee door kunnen. Maar als ze maar een beetje verliefd was geweest, had dit maanden geleden, in juni, moeten ophouden, toen de film klaar was. Dan had ze nu een minnaar genomen – als ze maar een beetje verliefd was – om er snel vanaf te zijn.

Misschien waren haar gevoelens ontstaan toen ze besefte dat van alle mannen die ze ooit had ontmoet Armand Sadowski het minst onder de indruk was van haar. Het mínst was eigenlijk geen goede uitdrukking, vond Delphine. Hij was niet alleen maar mínder onder de indruk, hij was niet in het minst onder de indruk. Was het soms een menselijk trekje om je masochistisch aangetrokken te voelen tot een man die, zoals Margie Hall dat altijd had genoemd, moeilijk te krijgen was? Onmogelijk te krijgen was? Dat moest het zijn. Als hij de bekende tekenen van verliefdheid had vertoond, zou haar zogenaamde liefde een kans hebben gehad om te verdwijnen. Tja, zou dat echt zo zijn? Ze had de kans niet gehad daarachter te komen. Een minuut lang probeerde Delphine zich voor te stellen hoe Armand Sadowski een romantische belangstelling voor haar begon te vertonen, en ze werd op slag zo draaierig in haar hoofd dat de maan aan de hemel begon te tollen, als een vlieger aan een touw op een winderige dag.

Nee, het was allemaal begonnen in een onopgemerkt moment tijdens het maken van de film, als een direct gevolg van zijn manipulerende persoonlijkheid, besloot ze en ze wendde haar blik haastig van de maan af. Hoe moest je hem anders noemen dan manipulatief? Hij wist gewoon aan welke psychologische touwtjes hij moest trekken, welke woorden en gebaren hij moest gebruiken om de mensen naar zijn pijpen te laten dansen. Ze had hem met andere mensen van de cast bezig gezien. Hij had hen gepest en geprezen en gesmeekt en bevolen en hij had al zijn brutale energie gebruikt om hen te laten doen wat hij wilde, om zijn eigen zin door te drukken.

Maar waarom waren de andere actrices dan niet ook verliefd op hem? Ze had vele uren met doelbewust maar omzichtig geroddel met hen doorgebracht, waarbij ze een vriendelijkheid aan de dag had gelegd die hen verbaasde. Iedereen had openlijk commentaar op Sadowski gegeven. Hij had hun aller belangstelling, maar uitsluitend als regisseur, verder niet. Ze waren er tamelijk zeker van dat hij niet getrouwd was, ze dachten dat hij geen speciale vriendin had, ze wisten dat zijn familie lang geleden uit Polen was gekomen en ze vermoedden dat hij joods was, maar dat wist je met die Polen nooit zeker. Hij had hun verder niets te roddelen geboden, had niemand persoonlijke aandacht geschonken, dus daar hield hun belangstelling verder op en vervolgens keerden ze, tot Delphine's goedverborgen ergernis, weer terug tot hun eigen leven. Misschien joods, misschien vrijgezel, in ieder geval Pools. Niet veel om op af te gaan.

Probeer nou voor één keer in je leven eens eerlijk te zijn, zei ze streng tegen zichzelf. Het begon toen hij zijn bril afzette en jou aankeek. Dat was alles wat hij hoefde te doen om jou verliefd te laten worden. In zijn stoel omdraaien en je aankijken. Gemakkelijk te krijgen. Een makkie, dát ben je. En wat ga je nu doen?

Tegen het eind van augustus werd het gips van Freddy's arm en enkel verwijderd en het was duidelijk dat het niet lang zou duren eer ze weer helemaal de oude was. Ze nam een trainer in dienst om elke dag met haar te werken, een van de leden van het team van acrobaten, van wie ze veel evenwichtskunstjes had geleerd voor allerlei klussen. Nu ze weer rond kon lopen zonder gevaar te zullen vallen, kon Mac haar weer alleen thuis laten om terug te keren tot zijn drukke bezigheden van lesgeven en zijn tweezijdige bedrijf waarin hij oude vliegtuigen verhuurde en de vliegstunts organiseerde voor *Ace Drummond*, de zaterdagmiddagserie van Universal, die oorspronkelijk was geïnspireerd door de avonturen van Eddie Rickenbacker.

Tegen eind september 1938 was Freddy weer in staat met haar eigen vliegtuig te vliegen. Ze had de eerste aanbetaling gedaan op het zeldzaam extravagante Rider racevliegtuig, met het eerste grote geld dat ze ooit had verdiend, niet in staat weerstand te bieden aan deze schitterend geconstrueerde laagdekker, een van de eerste volledig gestroomlijnde vliegtuigen, die werd aangedreven door een Pratt and Whitney 450-pk Twin Wasp Juniormotor. Hij was helemaal wit geschilderd en het landingsgestel was intrekbaar. Vanuit de cockpit had Freddy meer zicht dan uit welk ander toestel waarmee ze ooit had gevlogen ook en ze had hiermee haar eerste trofeeën gewonnen in de International Aerobatic Competition in St. Louis, in mei 1937. Ze streed dapper mee in de Istres-Damascus-Parijs Air Race van augustus 1937, waar ze als derde binnenkwam als gevolg van een oponthoud dat was veroorzaakt door een onverwachte storm boven de Alpen. In november 1937 vloog ze in de race van Vancouver naar Agua Caliente, Mexico, in de tijd van vijf uur en acht minuten, en kwam veertien minuten na Frank W. Fuller Jr. binnen. Die tijd was niets om je voor te schamen, maar ze had er vijftien minuten te lang over gedaan om winnaar te worden. Toch was ze nog tweede en ze had eerste plaatsen bereikt in een aantal lokale races in het begin van 1938. Vanaf het vroege voorjaar had ze zoveel stuntwerk dat ze geen tijd meer had gehad om aan wedstrijden mee te doen.

Terwijl ze nu langs de kust naar Santa Cruz vloog, probeerde ze te besluiten of ze tijd vrij wilde houden van al het filmwerk dat haar was aangeboden, om te proberen nieuwe snelheidsrecords te vestigen en races te winnen. Door haar ongeluk was ze de National Air Races misgelopen en dat kon haar vandaag weinig schelen. Wat gaf het dat Cochrane de Bendix had gewonnen? Vliegen op zich was al genoeg. Ze had geen behoefte iets te bewijzen, vond ze, terwijl ze velden vol madelieven bekeek die door de wolken werden gevormd tijdens hun door de wind gedragen manoeuvres. Ze had geen zin zich uit te sloven voor die extra, winnende minuut, het kon haar niets schelen of haar navigeren wat uit de losse hand was zolang ze de

Stille Oceaan, die deze morgen een lavendelkleurige glans had, haar liet vertellen waar ze was, zonder op de kaart te hoeven kijken.

Deze vreugde was wat alle vliegeniers in gedachten hadden wanneer ze de hangar verlieten om naar hun vliegtuig te lopen met de opmerking: 'Ik ga vliegen,' die altijd nonchalante woorden waar de opwinding nimmer aan ontbrak. Freddy verbaasde zich over de heftigheid waarmee ze naar deze voldoening had verlangd. Ze had, meer dan ze zelf had willen beseffen, het gewone, eenvoudige contact met haar toestel gemist: het solide geluid van de motor, die niet bulderde of gromde of dreunde of bonsde, maar een geluid produceerde dat nergens mee kon worden vergeleken, het geluid van een vliegtuigmotor. Ze had de geur van haar leren stoel gemist en de aanraking van de riemen om haar lichaam en haar gashandel en haar knuppel en haar roerpedalen. Ze had haar machine gemist.

Tot vandaag had ze de tweeledigheid van het vliegen nog niet zó duidelijk ingezien. Ze kon pagina's vullen met lyrische beschrijvingen van de lucht, nog meer pagina's met eindeloos gedetailleerde ontdekkingen over hoe de aarde er van bovenaf uitzag, maar zonder haar eigen persoonlijke contact met haar machine zou het niet meer zijn dan wat elke passagier kon zien. Als ze niet achter het instrumentenbord zat was ze niet vrij! Zo simpel was dat. Het was de enige zuivere vrijheid die ze ooit had gekend, en ze kon deze nooit lang ontberen.

Een tijdlang bleef ze gedachtenloos vliegen, automatisch alle handelingen verrichtend, waarbij haar reflexen alles overnamen terwijl zij zich weg liet zinken in de naamloze, primitieve emotie die haar met haar kist verbond.

Na verloop van tijd besefte Freddy dat ze honger had en ze keek op haar vliegplan om te zien wat het dichtstbijzijnde vliegveld voor de lunch kon zijn. Ze zou binnen een half uur in Santa Cruz zijn. De witte Rider vloog zo'n tweehonderdtwintig kilometer per uur wanneer ze dat wilde en het café op het vliegveld van Santa Cruz was goed. Ze wenste dat ze eraan had gedacht een sandwich mee te nemen en draaide de kist toen in de richting van het kleine stadje aan de kust. Zelfs dat kleine beetje navigeren was op een dag als vandaag bijna al te veel, maar het was beter dan hongerlijden.

Toen Freddy zich opmaakte om hoogte te minderen, bedacht ze hoe gelukkig ze was. Het was niet alleen omdat ze was gaan vliegen. Het was ook om Mac. Wanneer was het eigenlijk niet om Mac? Maar gisteravond was hij, na het eten, in de auto gesprongen om ijs te halen, omdat ze opeens zo'n zin had gehad in ijs, en toen hij terug was gekomen met meer dan ze samen op hadden kunnen eten, had ze, heel luchtig, heel erg voor de grap, zonder ook maar iets te bedoelen, gezegd dat hij een geweldige vader zou zijn. Hij had zelfs niet zijn wenkbrauwen gefronst. Hij was niet nijdig geworden en had niet geprotesteerd dat hij te oud was of dat het niet goed was, hij had geen enkele belachelijke reden aangevoerd. Hij had alleen maar gezegd: 'Ik hoef geen andere baby als ik jou heb,' maar er had een vreemde blik in zijn ogen gelegen en ze had geweten dat ze een teer punt had geraakt. Ze was er, op dát moment, van overtuigd geweest dat ze er eens in zou slagen hem met haar te laten trouwen, ook al zou ze er zwanger voor moeten worden. Binnen afzienbare tijd.

Op de laatste dag van september 1938 zat Paul de Lancel gespannen de krant te lezen. De hele maand lang had hij zich geconcentreerd op niets anders dan de crisis in Europa, een crisis die de meeste inwoners van Californië beschouwden als één van die vele schermutselingen in een ver en vreemd land waarvan ze al het geharrewar zoveel mogelijk wensten te negeren.

In deze maand september had er tot drie keer toe oorlogsvrees geheerst. Begin september had Hitler de absolute annexatie van het Tsjechische Sudetenland door Duitsland geëist, waarbij hij zijn vroegere standpunt had verlaten dat hij slechts de rechten wilde garanderen van de Duitse minderheid die in dat gebied woonde, een gebied dat rijk aan mijnen, industrie en vestingwerken was.

Tot drie keer toe was de Britse eerste minister Neville Chamberlain naar Duitsland gevlogen om de dreigende dictator te kalmeren. De Tsjechen wilden vechten voor hun land, maar zij waren de enigen in Europa die puf hadden in een oorlog, behalve Stalin en die werd genegeerd. De bondgenoten van Tsjechoslowakije, Groot-Brittannië en Frankrijk, hadden geen vechtlust meer over nauwelijks twintig jaar nadat miljoenen mensen voor niets waren gestorven in de Eerste Wereldoorlog. Op de dertiende september tekenden Hitler en Chamberlain het Verdrag van München, met instemming van Daladier, de premier van Frankrijk. Deze keer zou er geen oorlog komen. Het gezonde verstand had gezegevierd.

'Goddank,' zei Paul tegen Eve.

'Denk je echt dat we ons niet langer ongerust hoeven maken?'

'Natuurlijk niet. Er blijft altijd wel iets om je ongerust over te maken . . . maar dit stuk papier is in ieder geval een bewijs van goede wil. Luister maar, liefste,' zei hij en hij las hardop uit de krant voor. ' "We beschouwen de overeenkomst die gisteravond is ondertekend, en het Engels-Duitse Vloot-verdrag, als symbolisch voor onze wens dat onze twee volken nimmer oorlog tegen elkaar zullen voeren." Zelfs als cynisch diplomaat moet ik toch zeggen dat dit als een stap in de goede richting klinkt.'

'En die Tsjechen dan?'

'Frankrijk en Groot-Brittannië hebben gezworen hun integriteit te beschermen. De Tsjechen zijn altijd een probleem geweest, maar niet om een oorlog te beginnen. Mooi, dan kunnen we nu weer plannen maken. Wat vind jij, liefste, zullen we proberen eind oktober passage te boeken naar Frankrijk of liever in het vroege voorjaar?'

'Hoe lang kun je verlof nemen?'

'Ik heb dit jaar al wat opgenomen. Als we wachten tot volgend voorjaar kan ik enkele maanden opnemen. Bovendien als we de volgende maand gaan is het misschien een beetje laat in het jaar voor Champagne.'

'Ik wou dat we weg hadden gekund toen Guillaume was gestorven,' zei Eve peinzend.

'Ik ook. Maar vaders brieven waren heel duidelijk. Hij wilde er niet van horen dat ik de buitenlandse dienst op zou geven om hem met het bedrijf te helpen. Hij schijnt te denken dat hij meer last dan gemak van me zal hebben,' zei Paul spijtig. 'Het is waar dat ik niet veel verstand heb van de champagnebereiding, en ook niet van de verkoop, maar je bent nooit te oud om te leren. Hij zegt dat zijn bedrijfsleiders zonder enig probleem Guillaume kunnen vervangen. Hun vaders hebben ook voor hem gewerkt, en hun grootvaders voor zijn vaders, zo lang als iedereen zich kan herinneren, net als de Martins, die drie keldermeesters die hij zo volledig vertrouwt. Vader is nog veel te kras om alles niet op zijn eigen manier gedaan te willen hebben, in alle opzichten nog veel te kras en te eigenzinnig.'

'Hoe zou jij het vinden om op je drieënvijftigste op het land te gaan leven?' vroeg Eve aarzelend. 'Op een plaats waar het eind oktober al onaangenaam koud is en het voorjaar nog minstens vijf maanden op zich laat wachten?'

'Bedoel je dat ik verwend ben door Californië?'

'Dat kan de beste overkomen. Zelfs de Fransen. Als je hier maar lang genoeg woont, verandert er iets aan de samenstelling van je bloed – net als in de tropen. Op zekere dag – veel te vroeg naar onze zin – zullen het Huis De Lancel en Valmont van jou zijn, of je dat leuk vindt of niet. En of ik het leuk vind of niet. Ik moet je eerlijk bekennen dat ik er wat tegenop zie. Dus waarom zouden we erop vooruitlopen? Ik denk dat we beter tot volgend voorjaar kunnen wachten. Dan kunnen we een maand bij Delphine in Parijs zijn en nog een maand in Champagne.'

'Goed. De maand mei in Parijs bij Delphine en juni in Champagne, bij mijn ouders, zodat we precies kunnen leren hoe de bijtjes het doen met de druivebloemetjes,' zei Paul kortaf.

Eve vond dat hij er voor de zoveelste keer in was geslaagd een gesprek te voeren dat zo ongeveer over alles ging, op China en Japan na, zonder ook maar één keer te refereren aan het feit dat ze nog een dochter hadden die op slechts enkele kilometers afstand woonde, zoals ze dacht dat hij toch wel zou vermoeden. Als hij echt niets over haar wilde weten, zou zij het hem ook niet vertellen. Het was voldoende dat ze Paul terug had, dat hij was hersteld van alle wrede emoties die hem in die eerste maanden na het vertrek van Freddy in hun greep hadden gehouden, dat hij zijn vrouw weer lief kon hebben, evenveel, even intens als daarvoor. Het onderwerp Freddy was als een onuitgesproken, ongeschreven Verdrag van München – ze hadden lang geleden besloten er geen overleg over te voeren.

Delphine begon in september aan een nieuwe film, met Jean-Pierre Aumont als tegenspeler. Ze begon aan de film in de hoop dat er iets op de set zou gebeuren wat verandering zou brengen in haar obsessie, want ze had ingezien dat het een obsessie moest zijn, geen liefde.

Maar tegen het eind van september begreep ze dat ze het moeilijker had dan ooit. Ze kon nog steeds acteren. Ze kon bouwen op haar echte natuurlijke talent en op de techniek die ze zich eigen had gemaakt in de afgelopen twee jaar van bijna non-stop werken, om haar op schitterende wijze door alle scènes heen te helpen. Hoe gecompliceerd de scène ook mocht zijn, wanneer een andere acteur haar de bal toewierp, ving zij hem altijd. Ze kon uitstekend luisteren en dat was het halve werk. De camera bleef veel meer emoties in haar gezicht ontdekken dan ze zelf voelde. Haar nieuwe regisseur was verrukt over haar en ze vond zijn manier van regisseren voldoende, ook al was het wat ongeïnspireerd. Abel maakte plannen voor een film met Gabin en de toekomst lachte.

Maar het heden stonk. Ze ging te laat naar bed en kon niet in slaap komen door haar gedachten aan Sadowski. Ze werd te vroeg wakker, met een abrupte schok uit de bewusteloosheid, om aan Sadowski te denken. Overdag, wanneer ze geen tekst hoefde te zeggen, dacht ze aan Sadowski. Zó kón het niet langer!

Er was één manier om die man te vergeten en dat was naar hem toe gaan. Haar obsessie zou niet bestand zijn tegen de realiteit. Het zou heel gênant, vernederend en potsierlijk zijn en het druiste in tegen al haar principes, maar als ze hem gewoon vertelde wat zij voor hem voelde, zou hij zo ongevoelig, zo bot zijn, dat ze eindelijk uit deze onnatuurlijke toestand zou worden opgeschrikt. In het gunstigste geval had hij misschien medelijden met haar. Hij was natuurlijk gemeen genoeg om haar dit te laten merken. Medelijden! Dat was afdoende.

Ze belde hem op en zei dat ze zijn advies wilde vragen voor een nieuwe film. Probleempjes met de regisseur.

'Hoor eens schat, ik heb 't krankzinnig druk, maar goed, als je echt problemen hebt, zal ik wat tijd voor je vrij proberen te maken. Laten we om halfnegen bij Lipp afspreken – nee, ik kan beter op de set eten, we moeten iets gecompliceerds opnieuw opnemen. Kom maar om tien uur naar mijn huis. Als ik dan nog niet thuis ben, komt dat doordat ik een acteur heb gewurgd. Je weet waar ik woon? Goed, tot dan.'

Of ze wist waar hij woonde? Ze wist het al een half jaar lang, ze was er tientallen keren langs gewandeld, in de hoop hem tegen het lijf te lopen; ze kon er met de bus, met de metro of te voet heen. Ze kon erheen kruipen als het moest, dwars door Parijs heen. Delphine bestelde echter een taxi, aangezien ze niet wilde dat haar chauffeur zich zou afvragen waarom ze om tien uur 's avonds ergens heen ging, om een half uur later weer te vertrekken, als een mislukte geveltoerist.

Het had geen enkele zin om mooie kleren aan te trekken. Wat ze ook droeg, het zou voor hem geen enkel verschil maken. Aan de andere kant leek een zwarte jurk wel gepast voor zo'n duivelsuitbanning. Iets priesterachtigs. Plechtig, streng – haar nieuwe Chanel-jurk, met één rij parels. De allerbeste, die ze vorig jaar op Bruno's advies had gekocht. Haar op één na beste parels waren natuurlijk even goed geweest, maar ze zou nu meer . . . wel verdraaid, sukkel, nou doe je het weer! mopperde Delphine op zichzelf, klappertandend ondanks de warmte in haar kamer. Je slooft je weer uit voor een man die zich er niets van aan zal trekken. Maar ze redeneerde dat de Chanel wel iets voor haar éigen moreel zou doen en ze glipte in de zware, diep uitgesneden cocktailjurk die de grote hit van het herfstseizoen was geweest. Legerofficieren droegen tenslotte ook hun beste uniform wanneer ze voor de krijgsraad moesten verschijnen. Zelfs Mata Hari had de moeite genomen er aardig uit te zien bij haar executie. Ze bracht haar make-up met bevende, maar vaardige handen aan en deed haar haar, tot ze zelfs jonger dan haar tweeëntwintig leek, en twee keer zo mooi als ooit, omdat haar ogen zo bang stonden en haar hartvormige gezicht zo treurig was.

Ze sloeg haar zwarte tussenseizoenjas van Chanel om zich heen en besloot geen hoed op te zetten aangezien het laat genoeg was om zonder hoed te gaan. Toen ze in de taxi zat en de Seine overstak, naar de Linkeroever, wenste ze dat ze een script had gehad. Een echte uitdrijving verliep altijd volgens een bepaald script, een aloud, overgeleverd script, maar zij had niets om haar te leiden, buiten haar overtuiging dat er een einde moest komen aan deze obsessie omdat het anders slecht met haar zou aflopen.

Armand Sadowski woonde bijna recht boven Chez Lipp, in een oud en ietwat vervallen appartementengebouw dat wat voorover scheen te leunen naar de Boulevard Saint-Germain. Delphine keek treurig naar de menigte op het terras van Café Flore aan de overkant; vrolijke mensen die dronken, de ober riepen, praatten, kennelijk een en al opgewektheid waren op deze laatste warme avond van de herfst. Ze wendde zich af van deze aangename, wonderlijk gewone aanblik en dwong zichzelf op de bel van de zware buitendeur te drukken en de conciërge te vragen op welke verdieping hij woonde, en vervolgens de steile, kale trap naar de bovenverdieping te beklimmen.

Armand Sadowski zag er vreemd opgewonden uit toen hij na haar tweede keer bellen de deur van zijn flat opendeed. Hij liep in hemdsmouwen, zonder das, en moest zich nodig scheren. Ze was vergeten dat hij zo lang was, dacht ze, verward door de abrupte overgang van het trappehuis naar zijn flat.

'Wat vind je hiervan?' vroeg hij snel, zonder haar te begroeten, met de avondkrant in de hand.

'Ik heb nog geen tijd gehad om het te lezen.'

'Het ziet eruit als vrede. De Duitsers hebben al even weinig zin om te vechten als wij. Hitler heeft eindelijk een verdrag getekend.'

'Misschien wilde hij de Maginot Linie niet aanvallen.'

'Dus zelfs jij weet wat de Maginot Linie is? Ik sta ervan te kijken.' Hij grijnsde en gebaarde haar de kamer in te gaan.

'Iedereen op deze wereld weet wat de Maginot Linie is. Daar hebben alle Fransen het over. Ach, waarom ben ik eigenlijk gekomen?'

'Om raad. Je zei dat je problemen had met je nieuwe regisseur.'

'Dat is niet helemaal het geval.'

'Ik vermoedde al zo iets. Het lijkt me waarschijnlijker dat hij problemen met jou heeft. Wil je iets drinken?'

'Gin, gewoon zó in het glas.'

'Amerikanen,' zei hij hoofdschuddend. 'Alleen Amerikanen drinken gin puur.'

'De Engelsen ook,' antwoordde ze vermoeid. Ze was niet erg ad rem meer.

'Hé, schat, ga eens even zitten. Ik vergeet mijn manieren.' Hij gaf haar een glas en wees naar een grote leren stoel. Ze keek zelfs niet om zich heen in de grote, wanordelijke kamer, maar liet zich gewoon in de stoel zakken en nam een slok.

'Waarom ben je gekomen? Wat is het probleem?'

'Ik houd van je.'

Het was gemakkelijker geweest om te zeggen dan ze had verwacht, omdat ze Frans had gesproken en dat had altijd als een soort masker gewerkt waarmee ze dingen kon zeggen die in het Engels onzegbaar zouden zijn. Ze dronk haar glas leeg en staarde naar de lege diepte ervan.

Sadowski zette bedachtzaam zijn bril af en nam haar enkele miuten lang zwijgend op. 'Het ziet eruit alsof dat inderdaad het geval is,' zei hij ten slotte, op een toon die een bevestiging vormde van alles wat zij zo moeizaam tot zich door had laten dringen.

'Ben je niet eens verbaasd? Allemachtig, wát een verbeelding!' snauwde Delphine woedend, blij dat ze zich kwaad kon maken.

'Je hebt er wel lang over gedaan om erachter te komen,' zei hij, alsof hij haar niet had gehoord, alsof ze een gesprek voerden dat heel anders was begonnen. Misschien met iemand anders?

'Heb je over mij gepraat?' vroeg ze achterdochtig.

'Waarom zou ik?'

'Laat maar zitten. Goed, nu weet je het. Heb je nog iets te zeggen?'

'Je bent ontstéllend verwend.'

'Dat weet ik. Nog meer?' zei Delphine kortaf. Dat ze kreeg te horen dat ze verwend was maakte haar niet heet of koud. Als hij nou maar medelijden had gehad. Waarom moest hij die bril nou toch afzetten! Ze wilde de vage afdrukken wegstrelen die de bril op zijn neus tussen zijn ogen had achtergelaten, tussen die opmerkelijke ogen, die zo bijziend of verziend of wat het ook mocht zijn, waren. Ze wilde haar gezicht langs de stoppels van die lelijke baard van een dag schuren, ze wilde handenvol grijpen van zijn veel te lange, verwarde haren en hem naar zich toe trekken en hem tegen haar lippen drukken.

'Je bent afgrijselijk bevoorrecht. Je hebt niets gedaan om dat te bereiken, behalve uitzonderlijk decoratief te zijn. Dat ben je altijd geweest en dat zul je altijd blijven en je zult er altijd door bevoorrecht worden.'

'Dat is niet mijn schuld. Ik kan het niet helpen.'

'Dat zei ik niet, ik zei alleen dat het afgrijselijk was.' Hij zweeg nadenkend.

'Wat heeft dat te maken met het feit dat ik van je houd?' dwong Delphine zich opnieuw die woorden te gebruiken. Hij scheen er de eerste keer geen gepaste aandacht aan te hebben besteed.

'Om te beginnen heb ik gehoord dat je je tegenover heel wat kerels heel lelijk hebt gedragen.'

'Kan ik het helpen als mensen verliefd op me worden? Ik kan een ander niet op bevel liefhebben,' zei Delphine, defensief. Wat had hij allemaal gehoord? Hoe slecht had ze geleken?

'Ik heb begrepen dat jij een onverbeterlijke rebel bent in seksuele zaken. Ze zouden een stormwaarschuwing moeten geven wanneer jij aan de rol bent, schat.'

'Ik ben nooit eerder verliefd geweest,' zei Delphine, in de hoop dat dat een excuus was.

'Dat is geen excuus.'

'Je lijkt m'n moeder wel.'

'Nou, en? Ik begrijp dat je bent gespecialiseerd in regisseurs, met zo nu en dan een producer als dessert.'

'Dat is walgelijk.'

'Maar waar. Het hoge woord is eruit. Ik heb geen zin deel uit te maken van jouw fantasieleven, een van de vele regisseurs die jij dezelfde eer hebt bewezen.'

'Dat heb ik je nooit gevraagd! Ik heb geen enkel gebaar in jouw richting gemaakt toen we samenwerkten. Ik wou dat het alleen maar fantasie wás! Je bent nu geen regisseur van me. Begrijp je het dan niet? Ik houd van je!'

'Ik begrijp je, schat, ik begrijp je maar al te goed. Er is iets demonisch aan jou. Om je de waarheid te zeggen: ik ben doodsbang voor je.'

'Lafbek! Nou is de maat vol. Ik ga.' Delphine stond op om te gaan. Hij had voldoende gezegd om goed nijdig te worden, en ze hield het niet langer vol. Het was té moeilijk om hier te zijn en hem niet aan te kunnen raken, zelfs wanneer hij over haar praatte, wat altijd nog beter was, wát hij ook zei, dan wanneer hij haar negeerde.

'Ga zitten. Ik ben nog niet met je klaar. Vraag je je niet af waarom ik weet dat je van me houdt?'

'Dat kan me geen klap schelen. Het is typisch iets voor jou om te proberen alles te analyseren,' zei ze verbitterd. 'Het is jouw werk om te weten hoe

mensen zich voelen. Ik heb me waarschijnlijk zo'n tien keer verraden. Wat maakt het allemaal uit? Gaan we nu een lezing krijgen over het uitbeelden van onwillige liefde als emotie, zoals gezien door het oog van de briljante regisseur Armand Sadowski?'
'Houd je mond, Delphine. Je praat te veel.' Hij leek zich vrolijk te maken over een binnenpretje.
'Jij hebt het wel zo geweldig met jezelf getroffen, echt om misselijk van te worden! Het spijt me dat ik hier ooit naar toe ben gekomen. Ik had beter moeten weten.'
'Ik houd ook van jou,' zei hij langzaam. De vrolijke ondertoon verdween. 'Ik houd nog meer van je dan dat ik bang voor je ben. Daardoor weet ik dat jij de waarheid vertelt.'
'Jij? Houd jij van mij?' zei Delphine snel, in opperste verbazing en ongeloof. 'Je kunt niet echt van me houden. Als je wel van me hield had je me dat allang verteld. Dan had ik niet hier hoeven komen om ... om ... voor jou op m'n knieën te vallen.'
'Ik hoopte dat als je van me hield, jij me dat op je zelfgekozen tijdstip zou laten weten.'
Als? Waar bleef haar uitbanning? Waarom zaten ze hier te muggeziften over een liefde die niet bestond, die niet kon bestaan, anders had hij het niet verborgen kunnen houden. Waarom was ze niet langer kwaad? Waarom luisterde ze naar hem alsof haar leven ervan afhing?
'Hoe kon ik het zeker weten toen ik je regisseerde? Ik had gewoon een onderdeel van jouw bekende patroon kunnen zijn.'
'O.'
'Precies.'
Ze zaten tegenover elkaar en keken naar de vloer, betoverd, verlegen, opgetogen, met de mond vol tanden, zonder te weten wat de toekomst zou brengen, terwijl de wereld verder draaide tot hij voor eeuwig om hen heen was veranderd.
'Wanneer?' wilde Delphine ten slotte weten, naar bekend terrein terugkerend om alles tot zich door te kunnen laten dringen. 'Wanneer ben je verliefd op me geworden?'
'Dat doet er niet toe.'
'Je moet het me vertellen.'
'Het is zo verrekte onnozel.'
'Wanneer?' Ze was onvermurwbaar. Hij móest het haar vertellen.
'Toen ik me omdraaide en naar jou keek, die eerste dag in mijn kantoor, die eerste keer ... ik kende je totaal niet, ik wist niets van je. Zelfs Hollywood zou zo iets onnozels niet slikken.'
'Ik wel. Ik zou dat wel slikken. Waarom ben je verliefd op me geworden?'
'Wie analyseert er hier nu alles?'
'Ik heb ook rechten,' beval ze, volmaakt zeker van zichzelf. 'Waarom?'

'Je hebt me vastgekletst, kind. Ik weet het gewoon niet. Geen goede reden, gewoon liefde op het eerste gezicht, God sta me bij. Geloof me, ik kan er niets aan doen. Kom eens hier.'
'Waarom zou ik?' Als ze hem kon uitdagen, moest die obsessie toch wel verdwenen zijn. Dit was heel gewone, eenvoudige, onschatbare, volmaakte liefde. Een wonder.
'Actrices!' Hij stond op, deed één grote stap en hees haar overeind. Hij sloeg zijn handen om haar hals en maakte de sluiting van haar parels los. 'Leg deze maar even ergens neer, ze zijn te mooi om kwijt te raken in deze rommel.'
'Ga je me niet kussen?'
'Alles op z'n tijd. Ik moet je eerst uitkleden. Knoopje voor knoopje. Ik moet voorzichtig zijn met je jurk, die is veel te mooi.'
'Te mooi voor wat?'
'Voor de scène waarin het meisje die vent vertelt dat ze van hem houdt, natuurlijk. Het is zo'n knappe jurk, zo streng, zo ontoegeeflijk, zo diep uitgesneden. Zo veel te diep uitgesneden. De arme sukkel, hij had geen enkele kans.'

Freddy was ongewoon vroeg naar bed gegaan op de avond nadat ze voor het eerst sinds haar ongeluk weer met haar witte Rider de lucht in was geweest. Mac zat aan de keukentafel met voor zich een velletje wit schrijfpapier, en hij had de krant die hij had gelezen vol afschuw op de vloer geschoven. Hij had te vaak in de lucht met onbevreesde, verraderlijke Duitse piloten gevochten om te kunnen geloven dat ze het ooit op zouden geven. De afgelopen twintig jaar hadden hem één lange, onzekere, halfbakken wapenstilstand toegeschenen, en München was gewoon de volgende slag die ze hadden gewonnen.
Waar zouden ze nu weer aanvallen? En hoe snel? De gebeurtenissen hadden elkaar snel opgevolgd sinds '33, toen hij voor het eerst duidelijk kanongebulder had horen naderen. Het was niet langer een kwestie van 'indien'; nu Sudetenland was opgeofferd was het slechts een kwestie van 'wanneer'. Elke man, dacht hij moeizaam, die wist hoe grenzen van landen verdwijnen wanneer je ze vanuit de lucht probeerde te vinden, wist dat het isolationisme het niet zou houden. Een jaar nog? Misschien minder?
Het nieuws uit München had het besluit nog onderstreept dat hij gisteren had genomen toen Freddy het erover had gehad dat hij zo'n goede vader zou zijn. Maar het had als een waarschuwing geklonken, het had hem het laatste duwtje gegeven in de richting waarover hij nu al enige weken met pijn in zijn hart en vol zelfhaat had geaarzeld. Freddy was niet zwanger. Dat wist hij. Ze was het nu nog niet, maar net als de volgende oorlog was ook dit een kwestie van tijd. Hij pakte een pen en begon te schrijven, moeizaam zoekend

naar elk woord dat hij gedoemd was te schrijven, uiteindelijk alles weg-
latend behalve de essentie.

Liefste Freddy,
Ik moet je verlaten. Het is voor ons de enige oplossing. Ik weet dat jij wilt
trouwen. Ik weet dat jij beseft dat als je zwanger was, ik met je zou trouwen.
Daarom ga ik weg, om je ruimte te geven om je leven te leven zoals je dat zou
horen te doen. Je bent nog niet eens aan je eigen leven begonnen. Ik wil je
vleugels niet afknippen.
Je weet hoe ik denk over een huwelijk met jou. Hoe unfair ik misschien
ook in het verleden ben geweest, ik zou het nog veel erger zijn als ik zo'n
misbruik van je maakte. Ik heb je dat zo direct mogelijk verteld, en ik zou
het je steeds weer vertellen, maar het helpt niets. Je gelooft nooit dat ik het
echt meen. En je zult mij nooit opgeven, tenzij ik vertrek. Alles wat ik bezit
is van jou, het huis, de vliegtuigen, het bedrijf. Je kunt het houden of verko-
pen, net wat je wilt.
Het enige dat je nooit moet denken, is dat ik niet genoeg van je hield. Als
ik een jonge man was, zou ik morgen met je trouwen – was ik allang met je
getrouwd. Omdat ik zoveel van je houd, moet ik je laten gaan. Ik kan jouw
toekomst niet zijn, mijn liefste meisje.

Mac

Hij las de brief nog eens over, legde de pen neer, pakte het papier, vouwde
het dubbel en schreef haar naam op de buitenkant. Toen zette hij de kan met
wilde bloemen, die ze altijd op de tafel had staan, erop en liep naar de kast
om de tas te halen die hij 's middags had ingepakt, toen zij was gaan vliegen.
Mac bedacht dat als er een betere manier was geweest om dit te doen, hij die
nu moest hebben gevonden. Maar die manier was er niet. Zij zou het verdriet
weer te boven komen. Hij niet.

Vele uren later, toen hij te snel met zijn auto naar het noorden reed, besefte
hij waar hij heen ging. Zijn enige gedachte, vele honderden kilometers lang,
was dat hij ver genoeg weg moest zijn voordat hij van gedachten kon veranderen, met als enige bestemming een plaats zonder herinneringen. Pas toen
de dageraad aanbrak voelde hij zich veilig, want nu zou ze zijn brief al snel
lezen.

Hij had een van zijn vliegtuigen kunnen nemen. Hij kon naar Vancouver
gaan, de grens over. Daar moest vast een Canadese luchtmachtbasis zijn.
En als er daar geen was, dan wel in Toronto. Ze hadden altijd instructeurs
nodig en ze deden nooit lastig over leeftijden. Niemand had ooit zin in dat
werk als ze eenmaal zelf konden vliegen. Hij kon in ieder geval een handje
helpen, dan had hij nog iets nuttigs te doen in wat hem nog van dit leven
restte.

15

Freddy scheurde woest over de startbaan van Dry Springs, ze reed zo snel als haar auto maar kon. Met gierende remmen kwam ze slippend tot stilstand, op een halve meter afstand van haar vliegtuig. Ze rende de auto uit, maakte de Rider los, schopte de blokken voor de wielen weg, sprong in de cockpit, drukte de startknop in, startte het vliegtuig en was binnen enkele seconden van de grond. Voor de eerste en de laatste keer in haar leven deed ze geen platform-check alvorens in te stappen en geen motorcontroles alvorens op te stijgen.

Ze had Macs brief nog geen half uur geleden gevonden en ze had onmiddellijk begrepen dat ze zou stikken van verdriet als ze niet snel de lucht in ging. Ze wist niet wat ze ermee aan moest. Ze wist niet hoe ze moest leven met deze plotselinge duik in een ondraaglijk verdriet. Ze moest ervoor vluchten of gek worden. Ze trok de neus van het toestel zo hoog als mogelijk was en klom op topsnelheid omhoog in de sombere, bewolkte hemel, waarbij haar overtrek-alarm keer op keer begon te piepen, zodat ze druk bezig bleef de stand van het vliegtuig te corrigeren om niet in een duikvlucht terecht te komen. Ze hijgde met open mond, als een hond, en moest voortdurend knipperen met haar ogen tegen de grijze massa die een witte gloed uitstraalde. Ze was haar vliegbril vergeten, ze had alleen haar spijkerbroek, overhemd en trui aan, waarin ze voor het ontbijt naar beneden was gegaan, en ze zat weldra te rillen van de kou op deze hoogte. Toch klom ze nog verder, steeds hoger en hoger was haar doel. Plotseling brak ze door de bewolking heen en zat ze boven de wolken. De blauwe hemel gaf de noodzakelijke klap waarnaar ze had gestreefd, als een hardloper naar het lint bij de finish, en ze zakte over haar instrumentenbord in elkaar, alsof alle kracht uit haar was verdwenen.

Nu de Rider niet werd bediend, nam hij snel de stand in waarvoor hij was ontworpen en weldra vloog Freddy horizontaal, zo'n honderd meter boven een wit wolkenveld.

De zon in de cockpit verwarmde haar en beetje bij beetje hield ze op met beven. Ze tilde haar hoofd op en nam de besturing weer over. Beneden zich zag ze nu wat gaten in het wolkendek en ze dook er als een dolfijn doorheen, klom toen over de rug van de volgende wolk, dook en klom, dook en klom in een eindeloze beweging, zonder na te denken. Ze zag een wolk met een afwijkende vorm en vloog er heel precies omheen, vlak langs de rand, de ene vleugel erin en de andere eruit. Ze vond smalle, bochtige, helder verlichte blauwe banen tussen hoge witte muren en ze volgde ze waar ze ook heen mochten voeren; ze vloog wolken binnen en bleef erin verborgen, met een zicht van minder dan vijftien meter in elke richting, om er plotseling op goed geluk weer uit te schieten, om te zoeken wat erachter mocht liggen.

Freddy speelde zo lang met de wolken als ze maar kon, ze kriskraste erdoorheen, volgde de randen, sneed ze aan flarden, naar beneden en naar opzij, botste er soms op alsof het zeepbellen waren en raakte ze soms heel voorzichtig aan, alsof het kostbare oude kant was, zonder ook maar één keer omlaag te kijken. Toen ze ten slotte naar haar bedieningspaneel keek, besefte ze dat ze bijna geen brandstof meer had. Ze had geen idee hoe lang ze in de lucht had gezeten. Nu werd ze weer wat doelbewuster en dook door een wolkenlaag om uit te vinden waar ze zat.

Beneden haar strekte de woestijn zich naar alle kanten uit. Er waren geen wegen, geen bomen, er was geen enkel oriëntatiepunt. Alle vliegers die de San Fernando-vallei kennen, weten dat op slechts enkele minuten afstand een grote woestijn ligt die niemand ooit in kaart heeft kunnen brengen. Freddy was even volslagen verloren als wanneer ze duizenden kilometers ver op zee had gezeten, maar net als alle zeelui bezat zij een kompas. Gehoorzaam aan de oude wetten die van toepassing zijn op iedereen die op avontuur gaat, en op iedereen die wil overleven, draaide ze de Rider naar het westen en vond Dry Springs slechts enkele minuten voordat ze zonder brandstof zou hebben gezeten.

Op de grond taxiede ze naar de verste rand van de baan en kwam tot stilstand. Ze zette de motor af, maar kon er niet toe komen uit het vliegtuig te stappen. Zolang ze bleef waar ze was, waande ze zich veilig, beschut. Zolang ze in de cockpit bleef was haar niets ergs overkomen. Zelfs toen deze woorden in haar opkwamen, besefte ze al dat de werkelijkheid was teruggekeerd. Zodra ze had beseft dat het vliegtuig een toevluchtsoord was, hield het op een toevluchtsoord te zijn. Vederlicht raakte Freddy de instrumenten aan en bedankte ze. Vandaag waren ze vergevingsgezind geweest, vandaag hadden ze haar niet laten boeten voor haar krankzinnig zorgeloze start. Bedrukt door de gedachte aan wat er allemaal had kunnen gebeuren, taxiede ze de Rider terug en tankte brandstof voordat ze hem naar de parkeerplaats reed en hem daar met tegenzin, maar grondig, afsloot en vastmaakte.

Wat nu, dacht ze, toen de laatste knoop dubbel was vastgelegd. Wat nu? Ze bleef bij haar toestel staan en streelde de huid, een lange, slanke gestalte met geen flauw idee wat ze moest doen of waarheen ze moest gaan. Ze vouwde haar armen over elkaar, leunde tegen de romp van de Rider en staarde met nietsziende ogen naar het stof aan haar voeten.

'Freddy, waar is Mac?'

'Wat?' Ze keek op. Gavin Ludwig, een van Macs assistenten, stond voor haar.

'Ik weet niet wat hij wilde dat ik verder met die Stuka moest doen,' zei Gavin. 'Moet ik Swede bellen om hem te zeggen dat we klaar zijn of moet ik wachten tot Mac hem heeft nagekeken?'

'Ben je er zelf tevreden over?'

'Hij is nog beter dan nieuw, al zeg ik het zelf.'

'Bel Swede dan maar op en vraag waar hij hem wil hebben.'

'Nou, laat ik daar maar even mee wachten. Mac is altijd heel precies met die vliegtuigen.'

'Mac moest een poosje weg. Hij heeft mij de leiding gegeven tot hij terug is. Bel Swede maar.'

'Goed, Freddy . . . als jij het zegt. Wanneer is Mac weer terug? Hij heeft niet gezegd dat hij weg moest.'

'Het zal een week of twee duren. Familie-omstandigheden. Je weet hoe dat gaat.'

'Wie zal dat niet weten? Dus jij bent in het kantoor?'

'Reken maar, Gavin, elke dag.'

'Er ligt een stapel boodschappen op zijn bureau, die zijn allemaal vanmorgen gekomen. Ik dacht dat ze wel tot morgen konden wachten, maar als jij vandaag toch hier blijft . . .?'

'Waar zou ik anders heen moeten, Gavin?'

'Je hebt al gevlogen.'

'Inderdaad.'

'Geen mooie dag ervoor,' zei hij en keek omhoog naar de hardnekkige bewolking.

'Het was niet slecht,' antwoordde Freddy. 'Altijd beter dan niet vliegen, dat kan ik je wel verzekeren.'

Toen ze aan het eind van die middag op weg was naar huis, stopte Freddy bij de plaatselijke supermarkt om alle ingrediënten te kopen voor Macs meest gecompliceerde rundvleesstoofpot, met rode wijn en zeven groenten. Tegen de tijd dat hij terugkwam, zou ze weten hoe ze die klaar moest maken, had ze zich voorgenomen. Waarom moest hij de enige zijn die dat gerecht kon bereiden? Waarom mocht zij steeds de gemakkelijke dingen doen, zoals hamburgers of kip? Ze aarzelde bij de toonbank van de slager. Moest ze ook om soepbeenderen vragen, en een mergpijpje en kalfsschenkel om eens een echte soep te trekken? Dat was ook zo'n specialiteit van Mac waar ze zich nooit aan had gewaagd. Ja, dacht ze, terwijl ze met de slager praatte, dit was een uitstekende gelegenheid om in de keuken even goed te worden als hij.

Toen ze weer thuis was, zette Freddy de zakken met boodschappen in de keuken. Macs brief lag opgevouwen op tafel. Ze pakte hem op, stak een gaspit aan en verbrandde de brief zonder hem op te vouwen. Toen liep ze resoluut naar boven om het bed op te maken, dat ze die morgen open had laten liggen. Toen de slaapkamer netjes was, liep ze naar de badkamer. Daar stond een mand die halfvol zat met Macs overhemden. Ze stopte ze in een zak om morgen naar de wasserij te brengen. Als hij terugkwam, zou hij al zijn overhemden op een keurig stapeltje in de kast aantreffen. Ze ruimde zijn kasten op, zorgde dat zijn schoenen netjes op een rij stonden, dat zijn jasjes recht hingen; ze vouwde zijn truien opnieuw op en legde de sokken en het ondergoed dat ze tegenkwam naast de wasbak om ze later te wassen.

Tegen de tijd dat Freddy klaar was, was het buiten donker. Ze deed alle lichten in de slaapkamer aan en liep naar beneden naar de woonkamer, deed daar ook alle lichten aan en zag dat de boekenkasten nodig moesten worden opgeruimd. Mac had nooit begrepen dat boeken netjes op een rij in de kast hoorden te staan. Dit was haar kans er iets aan te doen en te zorgen dat ze eens keurig opgeruimd werden. Misschien moest ze zelfs wat nieuwe boekenkasten aanschaffen, om wat ruimte te scheppen. Er was nu al bijna geen ruimte genoeg voor wat ze al bezaten – de boeken lagen op de raarste manieren opgestapeld en tegen elkaar aan gepropt, en als hij in de toekomst nog meer boeken kocht, zouden ze op de vloer belanden als ze er niet iets aan deed nu hij van huis was.

Ze schonk zich een beetje van zijn whisky in en liep naar de keuken om aan de slag te gaan met de groenten. Freddy was een expert in het schillen, snijden en hakken. Dit was een van de eerste werkjes die Mac haar had geleerd toen ze bij hem was ingetrokken. Terwijl ze snel de worteltjes schrapte, vroeg ze zich af hoe lang hij het vol zou houden om van huis weg te blijven. Vast wel een paar weken, hem kennende. Minder dan twee weken zou hij voor z'n goeie fatsoen niet kunnen maken. Vooral na zo'n dramatische brief. Als hij dan binnen een paar weken weer op de stoep stond, zou hij toch een beetje voor aap staan, en dat zouden ze allebei vinden, hoe zorgvuldig ze er tegenover elkaar ook over zouden zwijgen. Een maand? Misschien. Heel waarschijnlijk zelfs, als ze er zo over nadacht. Het was een stomme stijfkop en hij was echt in staat deze idiote toestand meer dan een maand te laten voortduren, of nog langer zelfs, maar niet veel langer. Veel langer dan een maand kon hij het niet uithouden.

Terwijl ze erwten dopte en het vlees in een grote braadpan bruin liet worden, besloot ze dat er geen twijfel over mogelijk was dat hij, nou, laten we zeggen, kort na Halloween terug zou zijn. Vorig jaar hadden ze een enorme uitgeholde pompoen gemaakt en die met een kaars erin naast de voordeur gehangen, voor de kinderen van de buren. Ze moest niet vergeten dat nu ook te doen, anders zouden de kinderen zo teleurgesteld zijn.

Ze ging de selderij met een scherp mes te lijf en maakte er korte metten mee. Terwijl ze aan de aardappelen begon, bedacht ze dat de keuken wel een verfje kon gebruiken. Eigenlijk moest het hele huis eens worden geschilderd, zowel van binnen als van buiten. Dat was het soort dingen dat Mac onveranderlijk voor zich uit bleef schuiven. Nu hij toch weg was, nu ze het rijk alleen had, kon ze dat eens mooi laten doen. En als ze toch bezig was, kon ze wat stof uitzoeken voor nieuwe slaapkamergordijnen, misschien zelfs nieuwe overtrekken voor de meubels in de zitkamer laten maken. Het zou er dan een stuk beter uitzien. Als het een gezelliger kamer was, zouden ze er ook meer tijd in doorbrengen, in plaats van alleen maar heen en weer te schieten tussen de keuken en de slaapkamer en weer terug. Er was zoveel te doen voor hij terugkwam, dat ze niet wist of ze alles wel op tijd af zou krijgen.

Maar dat gaf niet. Als er eenmaal aan werd gewerkt, kon hij niets doen om het tegen te houden, zelfs als hij eerder thuiskwam.

Hij haatte veranderingen. Die man was echt een gewoontedier. Sinds ze hem kende had hij geen enkel meubelstuk in zijn ongezellige kantoor verplaatst, behalve om de kaartendoos neer te zetten die zij vroeger op school voor hem had gemaakt. Nou, ze zou zijn kantoor ook eens gezelliger maken, als ze toch bezig was. Geen chintz, dat ging wat te ver, maar een vloerkleed en een paar fatsoenlijke stoelen konden echt geen kwaad. Dat was zijn verdiende loon, wanneer hij zei dat ze met het bedrijf mocht doen wat ze wilde. Hij zou leren dat hij haar niet zo snel *carte blanche* moest geven wanneer hij opeens een rothumeur had, want wat kon anders de reden zijn dat een eerzame man als Mac in het holst van de nacht zijn huis was uit geslopen?

Iemand moest tijdelijk zijn lessen overnemen zolang hij weg was, anders zou hij zijn leerlingen verliezen. Tegen het eind van de week zou zij haar instructeursdiploma kunnen hebben. Ze hoefde alleen maar even een afspraak te maken voor een examen. Ze wist eigenlijk niet waarom ze dat niet eerder had gedaan. Zijn leerlingen moesten bericht krijgen dat ze even moesten wachten tot zij hen overnam. En zij kon de stuntplanning van die zaterdagse serie wel overnemen, als ze maar niet zelf nog stuntwerk aannam. Alles bij elkaar was het hoe dan ook beter om op het bedrijf te passen dan ander werk aan te nemen. Ze wilde dat Mac zou moeten erkennen, wanneer hij terugkeerde naar alle dingen die hij zo hals over kop in de steek had gelaten, dat ze in zijn afwezigheid een goede rentmeester was geweest.

Freddy deed alle groenten in een grote gietijzeren pot, samen met wat sappige, kleingesneden tomaten, voegde het gebruinde vlees eraan toe, drie laurierblaadjes en wat zelfgemaakte bouillon die Mac altijd in de koelkast in voorraad had. Met de handen in de zij stond ze de inhoud van de pan te bekijken. Ze zou de wijn er later aan toevoegen, evenals de kruiden. Er leek verder niet veel anders aan te doen dan wachten tot het gaar werd. Ze keek op haar horloge. Negen uur. Hoe kon het al zo laat zijn? Wanneer je het druk had, vlóóg de tijd. Het eten was pas klaar om . . . middernacht. Die stoofpot moest minstens drie uur opstaan. Erger nog, naar Macs mening was het na de eerste keer stoven nog niet eens klaar om te worden genuttigd. Je moest het altijd een dag, liefst twee dagen laten staan en dan weer opwarmen, dan was de smaak pas echt goed doorgetrokken. Nou, zij zou het gewoon de eerste avond opeten en ze trok zich niets aan van doorgetrokken smaken. Ze had nu in ieder geval tijd om aan de boeken in de zitkamer te beginnen. Ze schonk zich nog wat whisky in en trok op naar de boekenkasten.

Gedurende de periode dat Delphine een reeks minnaars in haar huisje had ontvangen, hadden de vrouwen die voor haar werkten haar losbandige gedrag een bron van opwinding en spannende afleiding gevonden. Het was beslist niet minder dan wat ze van een flimster verwachtten. Ze had een reeks liaisons gehad, ja, inderdaad, maar op een fatsoenlijke manier, onder haar eigen dak, en hoeveel commentaar ze ook mochten hebben, ze hadden er geen regelrechte morele kritiek op.

Maar nu Delphine al haar nachten buitenshuis doorbracht en zij in volslagen onwetendheid verkeerden over haar verblijfplaats, scheen hun werkgeefster hun nog erger toe dan een gewone slet. Wie wist, opperde Annabelle de werkster vol afschuw, hoeveel verschillende mannen er wel niet bij betrokken waren? Wie wist welke smerige achterbuurten mademoiselle De Lancel bezocht, vroeg Claudine, de vrouw van de bewaker, zich woedend af. Maar Violet, Delphine's kamenier, vroeg zich af met wat voor mannen ze wel naar bed mocht gaan, en de toon waarop ze dit zei maakte duidelijk dat ze Delphine in staat achtte tot de meest fascinerende afwijkingen, de één nog liederlijker dan de ander.

Delphine, zeiden ze vol fatsoenlijke verontwaardiging, maakte zich schuldig aan de zondige bezigheid die bekendstond als *découcher*, een gezegde dat letterlijk 'ergens anders dan in je eigen huis slapen' betekende, maar dat een bijzonder immorele klank had. In 1939 gedroegen uitsluitend Françaises die zich niets aan hun seksuele reputatie gelegen lieten liggen, zich op een manier die anderen aanleiding gaf tot het gebruik van de term *découcher*, een woord dat het dichtst in de buurt kwam van 'met Jan en alleman naar bed gaan'.

De drie vrouwen, en ook Hélène, de kokkin, waren het volslagen eens over hun nieuwe mening over Delphine. Ze voelden zich persoonlijk beledigd dat Delphine aan hun observatie was ontsnapt; ze maakten hevig bezwaar tegen het feit dat ze niet langer de kennis bezaten die hun gedurende zo'n lange tijd een gevoel van macht over haar had gegeven. Erger nog was de dreiging die hun nieuw verworven vrijheid voor hun portemonnee kon betekenen.

Als Delphine haar eigen huis niet gebruikte, scheelde hun dat allemaal in hun inkomen. Ze bleef weliswaar hun salaris betalen, maar er waren veel extraatjes verdwenen nu ze het niet langer nodig vond op grote voet te leven. Ze misten de vette percentages die ieder van hen van het huishoudgeld inhield, dat Delphine nooit precies had bijgehouden op haar zorgeloze, goed-van-vertrouwen Amerikaanse manier van doen. Bovendien had ze de gewoonte gehad hun vaak cadeautjes en fooien te geven, waarbij ze deze veronderstelde bewakers van haar privacy heel zorgeloos en met een naïeve gulheid had behandeld. Dit was eveneens verdwenen nu ze nooit thuis was. De natuurlijke afgunst die de vier vrouwen altijd hadden gevoeld voor iemand die zo rijk, zo jong, zo mooi en zo vrij was als Delphine, kwam nu pas goed boven en werd steeds sterker naarmate de maanden verstreken en zij elke nacht in onbekende bedden bleef doorbrengen.

Niemand weet waar we zijn, dacht Delphine, zo door en door verzadigd van geluk dat ze vergat er bijgelovig over te zijn. Ze voelde zich voor het eerst in haar leven compleet, compleet op een manier die ze niet voor mogelijk had gehouden, zei ze bij zichzelf toen ze behaaglijk onder een dikke plaid op de bank lag in de zitkamer van de flat op de Boulevard Saint-Germain en toekeek hoe Armand het script zat te lezen van zijn nieuwe film, de meest gecompliceerde van zijn hele loopbaan, dat hij uit de studio mee naar huis had genomen. Ze was al haar berekeningen kwijtgeraakt, haar ambitie, haar neiging om anderen voortdurend te observeren zoals ze dat vroeger altijd had gedaan.

'Waar denk je aan?' vroeg hij, zonder zijn ogen van de pagina af te nemen.

'Nergens aan,' antwoordde ze. 'Helemaal nergens aan.'

'Mooi. Houden zo,' zei hij en las weer verder. Hij kon geen kwartier zonder enige vorm van contact met haar, hoe druk hij het ook met zijn werk mocht hebben. Als ze in de buurt was, rekte hij zich uit om even haar hand aan te raken; als ze aan de andere kant van de kamer was zei hij iets en was dan tevreden met elk antwoord. Delphine vroeg zich wel eens af of hij eigenlijk luisterde naar wat ze zei, of alleen naar het geluid van haar stem. Ze had het nooit gevraagd, omdat het niet van belang was. Voor haar was het voldoende dat hij er was en dat zij er was. Er konden uren voorbijgaan terwijl hij druk zat te lezen, zonder dat zij iets anders wenste dan met hem in één kamer te mogen zijn en de open haard gaande te houden. Wanneer hij naar de studio vertrok, klungelde ze de hele dag wat rond, verdroomde veel tijd en stofte een klein beetje af, in afwachting van zijn thuiskomst.

Het enige dat ze uit haar vorige leven miste, was de ketel van de centrale verwarming, die haar huisje zo warm had gehouden. De warmte die door de radiatoren in Armands flat werd afgegeven, was slechts merkbaar wanneer je er op nog geen dertig centimeter vanaf stond. Delphine had een theorie dat de bewoners van de lagere verdiepingen alle beschikbare warmte aftapten, zodat deze hen niet kon bereiken. Armand hield echter vol dat de warmte altijd naar boven steeg en dat zij het meeste moesten krijgen. Dit was het enige onderwerp waarover ze het oneens waren en nu het eind maart was, verschafte de conciërge geen warmte meer en hadden ze ook niets meer om over te kibbelen.

'Zodra we zijn getrouwd, zal ik een huis zoeken met een betere verwarming,' had hij gedurende de winter vaak gezegd, maar Delphine had voor zichzelf besloten dat ze liever bevroor dan deze flat te verlaten, die in de loop van vijf jaar Armands persoonlijkheid had gekregen. Hier hingen de tientallen avantgardistische schilderijen die hij hier in de buurt had gekocht kriskras door elkaar aan de muur; hier stond de vleugel waarop hij met veel enthousiasme uitstekend ragtimes en slecht Chopin speelde; hier stond het versleten, comfortabele meubilair dat hij op de vlooienmarkt had gevonden en de kleden die zijn ouders hem hadden gegeven toen hij uit huis was gegaan. Hier was de kamer waarin hij haar had verteld dat hij van haar hield, en hier was de slaapkamer waarin ze hadden geslapen en de liefde hadden bedreven, en geen enkel ander thuis dat ze in de toekomst zouden hebben, kon ooit zoveel voor haar betekenen.

Ze stond op en legde nog een blok op het vuur. Straks gingen ze naar beneden om te eten in een klein eethuisje hier in de buurt, zoals ze meestal deden. Geen van beiden kookte ooit. Wanneer ze niet buitenshuis aten kochten ze salades, kaas en worstjes in een van de vele delicatessenwinkels die deze buurt rijk was en hielden dan een picknick voor de open haard, die sinds het begin van oktober bijna elke dag had moeten branden. Elke morgen ging Armand naar beneden en haalde een croissant voor haar om in bed op te eten, met een kop *café au lait* die hij op de een of andere manier had leren klaarmaken.

Het was een leven waarin Delphine vond dat ze geen behoefte meer had aan de kleren die ze in het verleden had gekocht, het was een leven waarin geen plaats was voor de lingeriemaker of de *bottier*. Ze had het idee dat de kleren die ze beetje bij beetje uit de Villa Mozart had meegenomen, de rest van haar leven mee zouden gaan, want ze liep meestal in haar oude matrozenbroek van Chanel en Armands truien, waarvan ze er vaak twee of drie over elkaar aan had. Wanneer ze voor een paar uur terugkeerde naar de Villa Mozart om haar personeel te betalen en zich ervan te vergewissen dat het huis er nog steeds stond, droeg ze een keurig mantelpak en een hoed, maar ze gebruikte nooit haar auto of haar chauffeur om van en naar de Boulevard Saint-Germain te gaan. Ze had het huis of de auto niet verkocht omdat ze wist dat het bezit ervan haar een soort façade verschafte, waarvan ze vond dat ze die moest handhaven.

Delphine was ervan overtuigd dat ze haar leven met Armand Sadowski tegen de ogen van de buitenwereld had beschermd. Toen hij had gezegd dat hij het vreselijk vond om de volgende in een reeks minnaars te worden, was ze vastbesloten hun relatie geheim te laten blijven tot ze klaar was voor een huwelijk. Vanaf de eerste nacht die ze bij hem had doorgebracht, wees ze alle films die haar werden aangeboden af, waarbij ze haar impresario het ene geniale excuus na het andere gaf. Ze kon Abel niet de waarheid vertellen: dat ze al haar emoties op haar liefde had gericht, waardoor ze geen energie overhield om te acteren, om teksten uit haar hoofd te leren en al het goede van het bestaan als filmster aan haar hoofd te hebben. Ze had eveneens geweigerd de nieuwe film met Armand te maken, wetend dat de hele studio haar gevoelens zou kennen wanneer ze met hem moest werken. Doen alsof was voor haar niet langer interessant.

Evenmin als de werkelijkheid. Franco had Spanje veroverd en was door Frankrijk en Engeland erkend, maar Delphine slaagde erin er niets over te lezen, zoals ze ook niets had gelezen over het succes van *The Baker's Wife*, de film van Marcel Pagnol. Katherine Hepburns triomf in *Bringing Up Baby* was haar even onbekend als het feit dat Enrico Fermi de Nobelprijs had gekregen voor zijn atoomsplitsing. Ze wilde het gewoon niet weten. Zelfs het huwelijk was een daad die optreden in het openbaar noodzakelijk maakte. Ze slaagde erin het elke keer van zich af te schuiven, wanneer Armand voorstelde te gaan trouwen.

Delphine wilde de wereld volledig buitensluiten, ze wilde onzichtbaar veilig blijven in deze grot van ware liefde die Armand en zij hadden geschapen, waarin haar enige zorg bestond uit het zorgen voor een voldoende houtvoorraad voor de open haard – een kwestie van de jongen van de houtverkoper om de hoek een goede fooi geven, zodat hij het de trap op droeg.

Ze was in staat de weg over te steken om niet langs de kiosk van de krantenman te komen, ze keek nooit naar posters die aan de muren waren geplakt, ze zocht restaurants uit waar je de gesprekken aan de andere tafeltjes niet kon volgen, ze ging nooit iets in een café drinken, waar altijd mensen over politiek zaten te praten, ze zette de radio nooit aan en Armand wist dat hij nooit een krant mee naar huis moest nemen.

Gedurende die hele dreigende winter en onheilspellende lente van 1939 hield Delphine de wereld op een afstand om een leven vol vreugde te leiden met Armand Sadowski, die genoeg van haar hield om te begrijpen wat ze deed, en die te veel van haar hield om ook maar met één enkel woord deze fragiele illusie te verstoren.

'Mademoiselle De Lancel,' zei Violet een week later, begin april, toen Delphine haar volgende bezoek bracht aan het huis in de Villa Mozart, 'monsieur le vicomte heeft in de afgelopen week twee keer gebeld. Ik heb hem verteld dat u niet thuis was en ik heb hem beloofd u de boodschap door te geven dat hij had gebeld. Wat moet ik zeggen als hij weer belt? Hij scheen nogal ongerust te zijn omdat hij niets van u had gehoord.'

'Geeft niet, Violet, ik bel hem zelf wel,' zei Delphine met tegenzin. Sinds september was ze erin geslaagd Bruno te mijden en had ze voor hem een ander, maar even handig stel excuses in elkaar gedraaid als voor het afwijzen van filmaanbiedingen. Bruno was echter hardnekkiger dan Abel en in tegenstelling tot Abel waren zijn verzoeken om haar te spreken van persoonlijke aard en niet van professionele. Ze wist dat ze hem niet langer kon blijven ontwijken, ook al was het haar diepste instinct om niemand, zelfs Bruno niet, te laten doordringen in de solide geconstrueerde idylle van haar bestaan. Desalniettemin zei haar gezonde verstand haar dat ze het in dit geval toch echt moest opbrengen. Misschien een lunch, dacht ze, toen ze hem bij de bank belde.

'Delphine, ik móet je spreken,' zei Bruno. 'Het is maanden en maanden geleden.'

'Het spijt me geweldig dat ik je zo heb verwaarloosd, Bruno, engel van me, maar het is echt een absoluut krankzinnige winter voor me geweest. Het was zó ontzettend druk, met al die besprekingen, al die regisseurs die iets van me wilden, geen seconde voor mezelf, ik heb het gevoel dat ik als een gevangene heb geleefd. Die filmwereld! Maar ik mis je echt. Kunnen we samen gaan lunchen? 's Avonds is echt onmogelijk.'

'Wat dacht je van overmorgen?'

'Uitstekend. Waar ontmoeten we elkaar?'

'Wat dacht je van mijn nieuwe huis? Je hebt het nota bene nog niet eens gezien, en ik heb een uitstekende kok. Ik heb geen zin om in een restaurant te lunchen . . . dat moet ik voor mijn werk al zo vaak doen.'

'Je woont toch in de Rue de Lille, is het niet? Ik heb 't adres.'

'Om één uur dan. Tot woensdag.'

Delphine legde de hoorn met een zucht van berusting weer op de haak en liep naar haar kleedruimte om iets uit te zoeken dat ze naar Bruno aan kon trekken. Ze had dit voorjaar helemaal geen nieuwe kleren gekocht, maar er hingen nog tientallen ensembles van vorig jaar, allemaal keurig geperst, in haar kast. Ze pakte een marineblauw Molyneux pakje met een blauw-wit bedrukte zijden blouse die bij de voering van het jasje paste. Het geheel had een strakke taille, een wijde rok die tot vlak onder haar knieën viel en de enigszins overdreven gevulde schouders die nog steeds helemaal in de mode waren. Molyneux leek nooit gedateerd, vond ze, en blauw met wit had altijd iets voorjaarsachtigs. Violet pakte alles bij elkaar, samen met de grote, schotelachtige strohoed van Reboux met aan de achterkant een sliert van dezelfde zijde als de blouse, en de hooggelakte schoenen, de tas, de handschoenen en de kousen die allemaal bij dit pak waren gekocht.

'Wil je dit even voor me inpakken, Violet, en dan een taxi voor me bellen?' vroeg Delphine.

'Heeft u geen andere kleren nodig, mademoiselle? Alleen dit geheel? Misschien nog iets voor 's avonds?' vroeg Violet.

'Vandaag niet,' antwoordde Delphine op een toon die andere vragen in de kiem smoorde.

Toen ze twee dagen later in de Rue de Lille stond, zag ze tot haar verbazing dat Bruno kennelijk dit hele huis bezat. Een butler in pandjesjas deed open en liet haar in een grote hal met witte en zwarte marmeren tegels. De enige versiering in deze strenge, mannelijke, museumachtige ruimte werd gevormd door harnassen en wandkleden met veldslagen, zodat Delphine het idee kreeg dat ze in een middeleeuws kasteel was beland. Ze werd door het brede trappehuis naar een schitterende rood-met-gouden bibliotheek gebracht, waar Bruno overeind sprong om haar te begroeten.

'Eindelijk!' zei hij en kuste haar op beide wangen. 'En eleganter dan ooit.'

'Dank je, Bruno, engel. Ik ben erg blij je te zien. En is dit dat "kleine optrekje" van jou? Grappenmaker! Het gaat je kennelijk erg goed.'

'Dat is inderdaad het geval, al is dat zeker niet dank zij jou, ondeugende meid.'

'Sinds wanneer verzamel jij harnassen?'

'Ze zijn van mijn Saint-Fraycourt-voorouders geweest. Toen grootvader stierf, liet hij alles aan mij na. Ik heb hier eindelijk een plaats voor ze kunnen vinden.'

'O ja, ik was die heilige Saint-Fraycourt-voorouders van je vergeten. Wat jammer dat ik je grootouders nooit heb ontmoet voordat ze stierven.'

'Je weet hoe belachelijk ouderwets ze waren. Ze hebben nooit hun vooringenomenheid jegens je moeder kunnen overwinnen.'

'Dat was dan jammer voor hen,' zei Delphine luchthartig. Ze weigerde zich gepikeerd te voelen door het absurde snobisme van mensen die ze niet eens kende. Wat kon haar moeder hebben gedaan dat ze zelf niet tien keer erger had gedaan? Ze wenste dat ze Eve kon zeggen, in een van de brieven die ze naar huis schreef, dat ze haar nu begreep, maar dan moest ze zichzelf te veel bloot geven.

'Dat was zeer zeker jammer voor hen,' antwoordde Bruno en hij gaf haar een glas champagne. 'Zullen we een toost uitbrengen op onze gezamenlijke grootouders? Op de Lancels!'

'Op grootmoeder en grootvader,' zei Delphine, zich schuldig voelend. Ze had hen door haar liefde verwaarloosd, zoals ze iedereen had verwaarloosd. In de loop van de winter had ze af en toe naar Valmont gebeld, maar ze was niet meer terug geweest sinds die keer dat ze daar haar toevlucht had gezocht om te proberen Armand Sadowski te vergeten. Het leek wel een ander bestaan, maar toch was het pas afgelopen augustus geweest, acht maanden geleden. Te lang, veel te lang voor mensen op hun leeftijd, dacht ze, en ze nam zich stellig voor er binnenkort eens naar toe te gaan, al was het maar voor een dag.

Delphine at met lange tanden een lunch van vijf gangen die door twee bedienden werd geserveerd, terwijl Bruno het over zijn nieuwste paarden had, over zijn nieuwste passie: squash, over zijn reizen voor La Banque Duvivier Frères. Ze begreep dat hij iets van haar gedaan wilde hebben, waarom anders dat aandringen, die haast om haar te spreken? Maar tot hij daarover begon, bleef ze tevreden zitten met haar betoverende pak en haar betoverende hoed en antwoordde ze hem met haar betoverende glimlach terwijl ze zich afvroeg waarom een ongetrouwde man er zo'n uitvoerige huishouding op na wenste te houden.

'Je bent een grote schoonheid, Delphine,' merkte Bruno plotseling op, toen ze samen in de bibliotheek koffie dronken.

'Dat schijnen wel meer mensen te vinden,' antwoordde ze. Dus ze had gelijk, dacht ze. Hij had haar hulp nodig en het had vast iets te maken met een man die hij moest overhalen.

'Een grote schoonheid en een waar talent. Bovendien ben je heel charmant en dat is zeldzamer dan schoonheid en even waardevol als talent. Daarnaast ben je een Lancel, je bent van adel, je stamt uit een van de oudste families van de landadel. Je bezit alles wat een vrouw maar kan hebben. Er is geen man die jij niet zou kunnen onderwerpen.'

'Bruno, wil je me soms aan iemand verkópen?' Delphine moest lachen om zijn plechtige manier van doen.

'Je moet ophouden jezelf zo wég te gooien, Delphine. Het moest gewoon verboden zijn.'

'Waar héb je het in 's hemelsnaam over?' vroeg ze verbaasd. Zou hij weten dat ze in geen maanden een film had gemaakt?

'Ik heb het over je verhouding met Armand Sadowski.'

'Daar heb jij niets mee te maken, Bruno! Hoe durf je! Je gaat echt te ver!' Delphine zette haar kopje met een klap neer.

'Nee, Delphine, je moet echt naar me luisteren! Het is voor je eigen bestwil. Iedereen in Parijs weet dat jij met hem samenwoont. Ik heb het van minstens tien verschillende mensen.'

'Hoe kunnen die mensen dat weten?' Ze was stomverbaasd en vergat haar woede.

'In deze omgeving kun je je voor niemand verbergen. Je woont maar een paar straten hiervandaan . . . jullie appartement ligt in het hartje van het zesde arrondissement, je zult het wel heel bohémien vinden. Jullie eten in alle bistro's in die buurt . . . jullie zijn daar niet de enige klanten, dat verzeker ik je. Je koopt eten in dezelfde winkels als waar allerlei koks komen, je gaat een appartementengebouw in en uit dat naast Chez Lipp staat, waar vroeg of laat iedereen uit de wereld van de film, het theater en de politiek komt lunchen of dineren.'

'En wat zóu dat, Bruno? Zitten ze de hele tijd naar alle voorbijgangers te koekeloeren? Hebben ze echt niets beters te doen?'

'De mensen herkénnen je, Delphine, besef je dat niet? Je hebt zo'n beroemd gezicht dat je de straat niet over kunt steken zonder opzien te baren. Hoe jij je ook mag kleden, ze weten wie je bent zodra ze je in de gaten hebben, en als jij de winkel uit bent met je eieren of je kaas, zeggen ze: "Zag je haar?

Dat was Delphine de Lancel, de filmster. Ze heeft een verhouding met Sadowski, de regisseur, ze waren hier gisteren nog samen, net twee tortelduiven". De winkelier vertelt het aan de kok van de hertogin, de kok vertelt het aan de kamenier van de hertogin en de volgende week plaagt de hertogin mij ermee. Zo simpel ligt dat. En wat de filmwereld betreft, Guy Marchant wist het al maanden geleden. Hij had het zelfs van drie verschillende mensen gehoord, allemaal vaste klanten bij Lipp. Hij was de eerste die het me vertelde.'

'Wat mij betreft stikken ze in hun roddels! Alle hertoginnen van de *Bottin Mondain* en alle Guy Marchants van de filmwereld. Ze kunnen stikken! En wat mij betreft, Bruno, jij erbij!'

'Wel verdomme, luister dan toch even! Als het zomaar een verhouding was, had ik niet de moeite genomen om te proberen jou tot je positieven te laten komen, maar Sadowski, die jóód . . . hoe kón je, Delphine!'

Delphine was verbijsterd door alle koude minachting in zijn stem. Ze was zo geschokt alsof zojuist een straatjongen een lading mest in haar gezicht had gesmeten. Bruno kon dit echt niet hebben gezegd.

' "Die jood"? Die woorden méén je toch niet, hè Bruno?'

'Ja, ik meen ze wel. Hij is een jood, een Poolse jood, dat kun je niet ontkennen.'

'Waarom zou ik? Natuurlijk is hij een jood. Nou, en? En wat die Poolse afkomst betreft, zijn ouders zijn in Frankrijk geboren en hij voelt zich Franser dan ik. Hij is even Frans als jij, Bruno.' Delphine beefde van woede.

'Twee generaties geleden zat zijn familie nog in een Pools getto, maar zelfs als hij voorouders had gehad die honderden jaren lang in Frankrijk hadden gewoond zou hem dat niet minder joods maken,' kaatste Bruno terug.

'Dus het is alleen maar antisemitisme wat jij tegen hem hebt? Schaam je je niet, Bruno? Maakt het je niet misselijk, te weten dat je zo bent?'

'Ik wist wel dat je het niet zou begrijpen. Ik ben niet anti-joodser dan ieder ander. Als zij uit mijn buurt blijven, blijf ik uit de hunne. Maar het is mijn plicht jou te beschermen. Je bent mijn zuster . . . halfzuster . . . maar toch mijn bloedverwante. Als jij je inlaat met een jood, betekent dit niets dan moeilijkheden voor je. Je moet toch wel íets hebben gelezen over alle maatregelen die Hitler tegen de Duitse joden heeft genomen. Je moet hebben gemerkt dat ze uit alle landen van Europa naar Frankrijk komen, niet alleen uit Duitsland, om een plek te vinden waar ze veilig zijn. Sommigen van hen, de slimsten, vertrekken naar de Verenigde Staten of naar Zwitserland. Dacht je echt dat die Sadowski van jou minder joods wordt omdat hij de Franse nationaliteit bezit? Dacht je echt dat de Duitsers hem anders zullen behandelen omdat zijn ouders hier zijn geboren?'

'De Dúitsers hem anders zullen behandelen? Wat heeft hij met de Duitsers te maken?' vroeg Delphine met een stem waarin zowel woede als angst doorklonk.

'Grote goden, Delphine, hoe kun je toch zó onnozel zijn! We zullen oorlog krijgen met Duitsland, en we zullen het verliezen.'

'Je bent gék. Ik ga naar huis.' Delphine stond op en pakte haar tasje.

'Ga zitten en luister naar me.' Bruno legde zijn beide handen op haar schouders en duwde haar terug in de stoel. 'Blijf even zitten. Aangezien jij . . . met een jood omgaat, ben je het op z'n minst aan hem verplicht te weten wat er gaande is. De vorige maand heeft Chamberlain gegarandeerd dat Engeland Duitsland de oorlog zal verklaren als dat land Polen binnen-valt. Daladier heeft zich daarbij aangesloten. Dat betekent dat Frankrijk oorlog zal voeren om Polen. Oorlog, Delphine, óórlog . . .'

'Waarom Polen? Wat hebben wij met Polen te maken?' riep Delphine, met grote ogen van ontzetting.

'God mag het weten. Zes jaar geleden hadden we Hitler tegen kunnen houden. Nu is het echt te laat.'

'Maar dat moet je niet zeggen, Bruno. Je bent een defaitist, een onrust-zaaier. Wij hebben de Maginot Linie en het grootste leger van heel Europa.' Delphine sprak heel onrustig, ze moest zich dwingen over dingen te praten waartegen ze zo hard had gestreden om er niet aan te hoeven denken.

'De Maginot Linie zal hen heus niet tegenhouden.' Bruno schudde misprijzend zijn hoofd. 'België is neutraal, Luxemburg is neutraal, Rusland is neutraal. De Amerikanen zijn ervan overtuigd dat er oorlog komt en ze zijn niet van plan mee te doen. Die Charles Lindbergh van jullie, die meer over luchtmacht weet dan ieder ander in Frankrijk, heeft een tocht door Duitsland gemaakt en hun Luftwaffe gezien. Hij zegt dat Duitsland zo sterk is dat niemand het zal kunnen verslaan . . .'

'Maar het Verdrag van München . . .?'

'Delphine, hou op over München.' Bruno's minachting was bijtend. 'München heeft Hitler alleen maar tóestemming gegeven om door te gaan. Er komt echt weer een oorlog en die zullen we verliezen . . .'

'Ben je een militair genie . . . of misschien een waarzegger?' beet Delphine hem toe.

'En als wij de oorlog verliezen, mijn lieve Delphine, zal dat joodse vriend-je van jou net zo worden behandeld als de joden in Duitsland. Hij zal geen werk hebben, geen plaats om te wonen, geen burgerrechten, zelfs geen rijbewijs. Hij zal uit Frankrijk weg moeten vluchten, als hij dat kan betalen. Wil jij dat ook mee moeten maken? Want dat wordt wel je lot als je bij hem blijft, ik waarschuw je.'

'Je liegt! Zo iets kan niet gebeuren. Als er oorlog komt, zullen Frankrijk en Engeland Hitler verslaan. Je bent een smerige, gemene lafaard, Bruno. Ik schaam me familie van je te zijn.' Delphine stond op en liep naar de deur.

'Waarom kruip je niet beneden in een van die harnassen? Misschien krijg je dan weer wat moed. Bovendien is het misschien een goede plaats om je te verbergen, als Hitler je mocht komen zoeken.'

'Vlieg jij voor de Wereldtentoonstelling naar New York, Freddy?' vroeg Gavin Ludwig in mei 1939. Hij was in Dry Springs het kantoor in gelopen om een cola te pakken en zag haar met de rekeningen aan het bureau zitten.

'Ik heb geen geld voor de brandstof,' antwoordde Freddy. Hij bulderde van de lach. Alleen Freddy wist hoe waar die woorden waren. Ze was genoodzaakt geweest drie mannelijke piloten in dienst te nemen om vlieglessen te geven. De Amerikanen hadden meer belangstelling om te leren vliegen dan ooit tevoren, maar geen van hen, niet ééntje, was bereid een vrouw als instructeur te accepteren. Ze had Macs leerlingen alleen kunnen behouden door hun een man te beloven van wie ze les kregen. In de acht maanden sinds zijn vertrek had ze nog twee instructeurs in dienst genomen en was ze genoodzaakt geweest een aanbetaling te doen op een nieuw vliegtuig, een Waco N&C met een Jacobs-motor en een comfortabele achterbank, die zowel voor instructie kon worden gebruikt als voor haar eigen nieuwe luchtvaartspecialiteit, de 'wegloopexpress' naar Las Vegas en weer terug, op één avond. Ze had een hekel aan dit saaie werk, maar als ze nog iets te eten wilde hebben, zat er niets anders op dan voor vrouwelijke taxichauffeur te spelen.

Ze begreep werkelijk niet waarom de mensen haar wel voldoende vertrouwden om op tijd in de kerk te zijn, maar niet om hen te leren vliegen. Ze was een van de weinige vrouwen – slechts drieënzeventig in getal – in de Verenigde Staten met een commerciële status, maar elke willekeurige man, hoe kort geleden hij zijn instructeursdiploma ook mocht hebben behaald, stelde de leerlingen meer op hun gemak dan een vrouw die honderden manoeuvres met een vliegtuig kon volvoeren waarbij hij ter plekke neer zou storten als hij het ooit probeerde. Dachten ze soms dat je met je pik vloog?

De drie mannen die, in theorie, vóór haar werkten moesten per uur worden betaald, de vliegtuigen moesten worden onderhouden, Gavins monteurssalaris moest elke week worden opgebracht, de verzekeringen kostten een fortuin, de huur van de hangar en het kantoor kwamen elke maand, brandstof was niet goedkoop . . . de school, bedacht Freddy, bracht net voldoende op om zichzelf te bedruipen en het onderhoud van haar Rider te betalen. De incidentele tochtjes naar Las Vegas gaven haar te eten en stelden haar in staat de betalingen van de nieuwe Waco te voldoen. Anders had ze de school moeten sluiten.

Rusteloos zette ze zich tegen het bureau af en liep de hangar in, waar de collectie oude vliegtuigen stond, allemaal glimmend gepoetst, stofvrij en even pasgeschilderd als wanneer ze nieuw waren geweest: de 1910 Curtiss Pusher, de Fokker D.VII, de twee Nieuport 28's, de Thomas Morse Scout en de Garland Lincoln LF-1. Waarom verzamelde ze eigenlijk geen paarden en wagens, vroeg ze zich nijdig af terwijl ze met de neus van haar schoen tegen een wiel van de Nieuport tikte. Of eenhoorns, of eenwielers? Die zouden vast bruikbaarder zijn dan deze oude vogels, waaraan de filmmaatschappijen in het afgelopen jaar geen enkele behoefte hadden gehad. De markt voor oorlogsfilms was volledig ingezakt nu de schaduwen van een volgende oorlog steeds donkerder werden. Freddy deed het onderhoud aan die antieke vliegtuigen allemaal zelf, ze leerde zichzelf hoe ze die motoren moest onderhouden, ze was niet in staat een ander te betalen om dit precisiewerk goed te doen, maar ondanks hun onbruikbaarheid wilde ze ze niet tot puin laten vervallen.

Wings of the Navy, een produktie die een miljoen dollar had gekost, was afgelopen januari begonnen en de marine had Warner Brothers zo'n vierhonderdvijftig jagers en oefenvliegtuigen geleend, evenals vijftig reusachtige PBY-1's. Nee, haar arme oude kistjes waren nergens meer nodig. Dit antieke squadron van trotse vliegtuigen hield net zoveel verband met de film van 1939 als de sterren uit de stomme films dat deden. En zij had even weinig te maken met de marinepiloten die in de beelden vlogen die in Pensacola voor *Wings of the Navy* waren opgenomen, als met Lilian Gish. Ze had misschien als stand-in kunnen fungeren voor Olivia de Havilland, die het liefdeselement in de film vertegenwoordigde, maar de marine liet een vrouw nooit bij een vliegtuig in de buurt komen om iets meer te doen dan een kushandje te werpen. Er was geen twijfel over mogelijk, de zaken gingen slecht en het zou er niet beter op worden. Maar ze kon in ieder geval nog blijven vliegen, ook al was het een dure gewoonte. Maar wel een noodzakelijke. Een heel noodzakelijke.

Wanneer Freddy werd overmand door woede, een sterkere woede dan dit soort sombere inventarisatie kon verbergen, sprong ze in de Rider en vluchtte omhoog naar de blauwe horizon, tot ze zich voldoende had afgereageerd om het gevoel te hebben dat ze haar voeten weer veilig op vaste grond kon zetten.

Ze was er op de een of andere manier in geslaagd zich door die eerste maanden van Macs afwezigheid heen te worstelen door te geloven dat hij morgen terug zou komen, maar op een van die lege morgens had ze plotseling begrepen dat hij niet van plan was nog te voorschijn te komen, niet toen en misschien nog wel een hele tijd niet, en ze was onmiddellijk weer bij de keel gegrepen door de woede die ze met haar koortsachtige activiteiten de baas had willen blijven.

Het was een inwendige woede, bijna te sterk voor woorden. Hoe heeft hij mij dit kúnnen aandoen? Dat waren de enige woorden die steeds weer in haar boven kwamen, als een mantra uit de een of andere oosterse godsdienst die bezit had genomen van haar geest tot ze vreesde dat ze gek werd. Alleen maar die zeven woorden, die herhaald werden met emoties die uiteenliepen van de diepste diepten van zelfmedelijden tot een moorddadige haat jegens de man die haar in de steek had gelaten, haar alleen door het leven had laten ploeteren zonder de enige persoon op wie ze kon bouwen. Hoe heeft hij me dit kunnen aandoen?

Het was een vraag die Freddy niemand kon stellen, omdat ze niet wilde toegeven dat hij was vertrokken. Hij had gezegd dat hij zoveel van haar hield dat hij haar moest verlaten . . . Wat dat ook mocht betekenen, het was niet genoeg vond ze, wanneer ze van top tot teen ziedde van een woede die geen moment verflauwde. Wat het ook mocht betekenen, het kon nóóit goed genoeg zijn, en haar enige wens was nu dat hij op zijn knieën bij haar terug zou komen, zodat zij hem kon vertellen hoeveel verdriet hij haar had gedaan, hoezeer hij haar in de steek had gelaten, hoe hevig ze hem haatte, om hem vervolgens voor eeuwig te verlaten.

Als Freddy 's avonds alleen thuis was, vond ze na het eten enige troost in het drinken van een beetje whisky en het bestuderen van kranten en luchtvaarttijdschriften zoveel als ze maar te pakken kon krijgen, tot ze zichzelf in slaap had gesust. Misschien zou ze ergens Macs naam tegenkomen, dacht ze, ondanks zichzelf, veel te vaak.

Ze kwam zijn naam nooit tegen, maar ze verwierf wel een grondige kennis van de gebeurtenissen in deze wereld. Luchtvaartnieuws was inmiddels van wereldbelang en ze volgde met belangstelling de snelle ontwikkeling van de diverse luchtmachten, zowel in de Europese landen als in de Verenigde Staten. De redacteur van *Aviation Magazine* had bij zijn terugkeer na een verkennende reis Duitsland en Rusland boven aan de lijst gezet wat betrof het aantal militaire vliegtuigen; daarna Italië; Groot-Brittannië en de Verenigde Staten na Italië; en Frankrijk onder aan de lijst. In kwaliteit had hij Duitsland en de Verenigde Staten bovenaan gezet. In produktie Duitsland weer als eerste.

In Engeland was een burgerluchtbeschermingsplan opgesteld na het afsluiten van het Verdrag van München en was een begin gemaakt met de vliegersopleiding voor zowel mannen als vrouwen, die openstond voor iedereen die door de medische keuring kwam. Freddy volgde dit experiment met veel belangstelling, vooral toen er in de pers een storm opstak over het gebruik van vrouwelijke piloten die, naar het scheen, door de RAF voor alles behalve gevechten zouden worden ingezet, dit ondanks vele en woedende protesten.

C.G. Grey, de redacteur van *The Aeroplane*, de Britse tegenhanger van *Aviation Magazine*, schreef een artikel dat Freddy in staat stelde zich woedend te maken over iets dat niets met Mac te maken had.

De grootste bedreiging vormt de vrouw die denkt dat ze met een bommenwerper met hoge snelheden kan vliegen terwijl ze in werkelijkheid nauwelijks de intelligentie bezit de vloer van een ziekenhuis naar behoren te dweilen, of die zich als luchtbeschermingsfunctionaris met alles meent te

moeten bemoeien terwijl ze niet eens het eten voor haar man kan klaarma-
ken.

Freddy vroeg zich af wat de tweehonderd vrouwelijke piloten die al lid waren van de Civil Air Guard en die van kapitein Balfour, de staatssecretaris voor de Luchtvaart, te horen hadden gekregen dat ze in geval van een nationale noodtoestand konden worden ingezet om vliegtuigen over te brengen, met de heer C.G. Grey zouden doen als ze hem in handen kregen. Het ongewisse lot van C.G. Grey had haar in ieder geval een onderwerp van gesprek bezorgd voor de lunch met haar moeder, op Freddy's negentiende verjaardag, afgelopen januari. Ze had ervoor gezorgd de afgelopen maanden haar moeder niet te vaak te ontmoeten, uit angst dat Eve, die kennelijk nogal van Mac onder de indruk was geweest, haar vragen zou stellen die ze niet kon beantwoorden, maar haar moeder had de gesprekken luchtig en oppervlakkig gehouden.

Freddy was haar moeder dankbaar dat ze niet naar haar privé-leven zat te vissen. Ze kon haar niets vertellen over haar verdriet of haar woede – haar moeder zou waarschijnlijk ter plekke doodvallen als ze hoorde dat haar dochter geen maagd meer was, laat staan dat ze met een man had samengewoond – maar ze zou het vreselijk vinden als ze tegen haar zo had moeten liegen als tegen Swede Castelli, wanneer hij opbelde of langskwam, zoals hij trouw, té trouw naar haar zin, elke week deed. Hij had een vaderlijke belangstelling voor de manier waarop ze de vliegschool beheerde en hij was te traag van begrip of te druk bezig met andere dingen om te twijfelen aan het verhaal dat Freddy hem over Macs langdurige verblijf aan de oostkust had verteld. Freddy wist dat Mac verder geen familie had, maar ze had een oude vader en moeder in Maine ten tonele gevoerd en Swede, die goeie lobbes, geloofde echt dat Mac voor hen moest zorgen.

Swede Castelli was de enige man met wie Freddy kon praten zonder voortdurend op haar hoede te zijn. Ze had een aantal instructeurs, die ze in dienst had genomen, weer moeten ontslaan omdat ze zich hardnekkig aan haar hadden opgedrongen, wat tot een voortdurend probleem van vervanging had geleid. Toen Mac was vertrokken, had zij niet langer in de spiegel gekeken, maar kennelijk waren de emoties die in haar binnenste knaagden niet op haar gezicht te zien, want slechts de meest solide gehuwde mannen die in de afgelopen acht maanden voor haar hadden gewerkt, hadden geen pogingen gedaan een vluggertje bij haar te scoren. Wat moest ze dan doen – een papieren zak over haar hoofd trekken?

Freddy doolde nog steeds door de hangar, troost zoekend bij de eerbiedwaardige, aristocratische vliegtuigen waarvan zij bijna evenveel hield als Mac van ze had gehouden, toen ze buiten een auto hoorde stoppen. Ze liep de hangar uit, knipperend tegen het felle voorjaarslicht, en hield haar hand beschermend boven haar ogen. Swede Castelli stapte moeizaam uit zijn oude sedan en nam er omslachtig de tijd voor. Freddy vond dat hij eens wat op zijn gewicht zou moeten letten – hij bewoog zich vreselijk langzaam voor een gewezen stuntvlieger. Nou, hij zou tevreden zijn te zien dat al haar drie instructeurs bezig waren les te geven. Als ook maar een van hen stond te wachten tot de volgende leerling arriveerde, leek het altijd alsof de zaken erg slecht gingen.

Ze liep hartelijk naar hem toe, met haar dat door de wind bijna in haar ogen werd geblazen. Ze boog zich naar voren om hem op de wang te kussen. 'Hallo Freddy,' zei hij en sloeg een arm om haar schouders. 'Ben je hier helemaal alleen? Wat is het hier vreselijk stil.' Hij keek om zich heen en zag het drukke vliegveld en de verlaten vliegschool.

'Doe niet zo somber, Swede. Mijn instructeurs zitten op dit moment allemaal in de lucht. Om de kost te verdienen. Wacht maar eens, dan zie je straks een afgrijselijke landing van een leerling, dat beloof ik je.'

'Je hebt niet toevallig nog een kopje koffie warm?' vroeg hij.

'Hoe zou je een vliegschool zonder koffie kunnen runnen?' antwoordde Freddy, terwijl ze bij zichzelf dacht dat Swede eruitzag alsof hij iets sterkers nodig had dan koffie. De zware, kalende man was zo grauw in zijn gezicht dat ze plotseling bezorgd om hem was. Hij leek wel jaren ouder te zijn geworden sinds zijn laatste bezoek van nog maar een week geleden. Misschien was er iets met zijn gezondheid . . . in ieder geval was zijn gebruikelijke opgewekte blik volledig verdwenen. 'Kom maar mee naar mijn schitterende kantoor,' zei Freddy jolig, in een poging zijn glimlach terug te toveren, 'en probeer die nieuwe stoelen eens.'

Ze gaf Swede een grote mok van de koffie die ze voortdurend klaar had staan. De meeste leerlingen vroegen er heel beverig naar voordat ze de lucht in gingen en zodra ze weer geland waren, altijd even euforisch na een uur vlieges. Freddy schatte dat ze zo langzamerhand aan de leerlingen, de instructeurs en Gavin bij elkaar meer koffie had weggegeven dan ze ooit taartjes bij Van de Kamp had verkocht. Ze moest er wat voor gaan rekenen. Dat maakte de school misschien nog eens tot een winstgevende onderneming in plaats van een twijfelachtig project.

Freddy nestelde zich in een van de andere goedkope maar gerieflijke stoelen die ze had gekocht om het kantoor er iets uitnodigender uit te laten zien en keek vertederd naar de ongewoon zwijgzame man die haar geurige brouwsel opdronk. Hij bleef stug bezig tot de mok leeg was en zette hem toen even voorzichtig op haar bureau alsof hij van kostbaar porselein was.

'Hoor eens, Freddy, er is iets dat ik je moet vertellen.' Hij pakte een zakdoek en veegde met een bewuste zucht zijn voorhoofd af. 'Het gaat om Mac.'

'Kan dat niet wachten tot een andere keer, Swede?' zei Freddy smekend, een gevoel van ongeduld onderdrukkend. Ze was niet in de stemming om weer iets nieuws te bedenken over Macs trouwe familieleven in Maine.

Swede Castelli scheen Freddy's vraag niet te hebben gehoord. 'Het gaat over Mac,' herhaalde hij moeizaam. 'Ik heb . . . contact met hem gehad, Freddy.'

'Dat is niet wáár!' De woorden flapten eruit eer ze er erg in had. 'Mac heeft me elke week thuis opgebeld . . . vanaf zijn vertrek. Hij . . . hij wilde weten hoe het met je ging . . . hij wilde zeker weten of alles goed met je was.'

'Dus jij wist ervan en je hebt me niets gezegd!' Ze sprong overeind en keek hem ziedend aan, met ogen vol verwijten.

'Mac heeft me laten beloven niets te zullen zeggen. Ik heb gezworen dat ik dat niet zou doen. Ik kon hem niet in de steek laten, Freddy. We zijn ouwe kameraden . . . je begrijpt wat dat betekent. Hij vertrouwde erop dat ik mijn belofte zou houden en dat heb ik gedaan, Freddy. Denk niet dat het gemakkelijk is geweest. Ik vond het vreselijk om te doen alsof ik de waarheid niet wist . . . allemachtig, Freddy, ik vond het zo vreselijk dat jij al die verhalen moest bedenken, maar ik moest blijven komen. Mac zou woedend zijn geweest als hij me had gebeld en ik hem niet had kunnen vertellen dat alles goed met je ging. O, Freddy . . .'

'Wat is er gebéurd?' wilde Freddy geschrokken weten, zonder te begrijpen waarom ze die woorden gebruikte. Ze bleef dreigend bij Swede staan.

'Wacht even, Freddy, laat me het op m'n eigen manier vertellen . . . Mac . . . Freddy, Mac is . . . in Canada.'

'Wáár in Canada?' schreeuwde ze. Ze ging direct naar hem toe. Ze kon morgen bij hem zijn. Als ze nu meteen vertrok en de Rider flink door liet vliegen, kon ze binnen enkele uren bij hem zijn.

'In de buurt van Ottawa, op een oefenbasis van de Canadian Air Force,' antwoordde Swede. Freddy draaide zich razendsnel om en wilde naar de deur hollen. Swede stond op en legde een arm om haar heen. 'Nee, Freddy, nee, luister. Er is nog meer.'

'Meer?' herhaalde ze, terwijl de paniek door haar heen flitste toen ze de bange klank in zijn stem hoorde.

'Mac is dood, Freddy,' zei Swede moeizaam en er kwamen tranen in zijn ogen. 'Hij is neergestort . . . een tolvlucht, Freddy . . . het was in een paar seconden gebeurd. Ik heb vanmorgen een brief van zijn commandant gekregen. Mac had geen naaste familie en daarom had hij mijn adres gegeven, gewoon voor het geval dat. Volgens de brief gebeurde het toen hij een knul les gaf die het opeens op zijn zenuwen kreeg. Tenminste, ze denken dat het zo is gebeurd. Of dat er misschien iets met het toestel was. Ze weten het nog niet zeker. De generaal zei dat ze het waarschijnlijk nooit zeker zullen weten. De . . . begrafenis . . . was gisteren. Een militaire begrafenis . . . voor . . . voor allebei.'

'Begrafenis,' herhaalde Freddy. 'Begrafenis? Mac! Mác? Mijn Mac? Je liegt hè, je meent het toch niet? Zeg alsjeblieft dat je liegt, Swede. Toe, zeg het alsjeblieft.' Haar smekende stem brak toen de schok volledig tot haar doordrong. Swede Castelli sloeg onhandig beide armen om haar heen, alsof hij haar tegen zijn woorden kon beschermen.

'Jezus, ik wou dat ik het was geweest, Freddy,' hoorde ze hem zeggen. 'Die kerel was de enige broer die ik ooit heb gehad.'

'O, Swede,' riep ze uit, bijna onverstaanbaar door haar woeste gesnik, 'hoe kan ik verder leven als Mac dood is? Hoe, Swede, hoe? Waarom zou ik dat nog willen?'

'O, Freddy, ik vind 't zo erg. Het was . . . prachtig om jullie samen te zien.'

'Je hoefde helemaal niet weg te gaan, Mac, je hoefde helemaal niet te gaan!'

'Hij was er zeker van dat dat wel moest, Freddy. Hij heeft steeds tegen me gezegd dat hij wist dat hij het enige juiste had gedaan,' zei Castelli. 'Hij hield zo verdraaid veel van je, hij was er gewoon kapot van.'

Ze keken beiden op toen ze buiten de stem van een van Freddy's instructeurs hoorden, met een vraag die door een leerling werd beantwoord. Kennelijk was er een vliegtuig geland toen zij zaten te praten. Haastig deed Freddy de deur van haar kantoor op slot.

'Zou je misschien niet liever naar je familie teruggaan, Freddy?' vroeg Swede ongerust, toen ze steeds heviger begon te huilen. 'Je weet toch dat ik je moeder heb ontmoet? Volgens mij zou het een goed idee zijn als je naar haar toe ging.'

'Swede . . . hoe zou ik ons huis nou kunnen verlaten?' Dwars door haar hartverscheurende verdriet heen probeerde Freddy haar best te doen om te reageren op zijn pogingen haar te troosten. 'Begrijp je dan niet dat ons huis . . . zo'n lief huisje . . . hoe zou ik dat in de steek kunnen laten? Het is alles wat ik nog van hem heb.'

'Ik begrijp het,' zei hij. 'Maar wanneer je het hebt verwerkt . . . beloof je me dat je erover zult denken?'

'Wanneer ik het heb verwerkt? Ik zal het nooit kunnen verwerken, Swede, nooit, nooit voor de rest van mijn leven.'

'Alsjeblieft, Freddy, je moet me echt iets laten doen om je te helpen.'

'Zou je . . . morgenavond naar het huis willen komen om me alles te vertellen wat Mac tegen jou heeft gezegd? Alles over hoe het hem in Canada is vergaan? Wil je me alsjeblieft weer komen vertellen . . . hoeveel hij van me hield?'

Die avond, toen het donker was, ging Freddy terug naar de hangar waar de grote oude vliegtuigen stonden opgesteld. Een voor een rolde ze de fragiele, schitterende, gekoesterde toestellen naar buiten, naar een open grasveldje aan de andere kant van de startbaan. Met elk van die vliegtuigen kon nog worden gevlogen, elk vliegtuig kon een man – of vrouw – tot ver achter de blauwe horizon brengen.

Toen ze allemaal bij elkaar stonden, duwde en stapelde ze de lichtste vliegtuigen tegen en op de zwaardere. Daarna pakte Freddy een blik vliegtuigbenzine en goot het voorzichtig op en om de toestellen leeg. Ze liep er langzaam omheen, streelde hun vleugels en stijlen en rompen voor de laatste keer, gaf elke propeller nog een laatste slinger en sprak hun legendarische namen hardop uit, namen die Mac zo graag had uitgesproken. Er was niet één vliegtuig bij waaraan hij niet honderden uren werk had besteed om het in zijn oude glorie te herstellen.

Ten slotte stak ze met tegenzin, maar resoluut, een lucifer aan en hield die bij het dichtstbijzijnde vliegtuig. Toen het vuur op zijn hoogst was, toen het edele spook-squadron bijna was opgestegen om zich bij hem te voegen, sprak ze slechts drie woorden voordat ze zich omdraaide.

'Goeie vlucht, Mac.'

16

'Geef jij de blaren van je wintervoeten een naam, Jane, of tel je ze alleen maar?' vroeg Freddy aan haar kamergenoot, toen ze voorzichtig onder de kille dekens vandaan schoof een nog veel koudere kamer in, vroeg in de morgen van de zesde januari 1941. Ze deed de gordijnen een klein beetje opzij, tuurde de zwarte, bevroren, Britse nanacht in en schoof de gordijnen toen weer snel over elkaar.

'O, namen, schatje, namen . . . jongensnamen, alleen degenen die me een aanzoek hebben gedaan, uiteraard.' De hooggeboren Jane Longbridge geeuwde en probeerde opgewekt te doen terwijl ze naar de wasbak wankelde. 'Getallen zouden zo deprimerend zijn. Moet je echt weten hoeveel je er hebt?'

'Maar je hebt er nooit over geklaagd,' zei Freddy slaperig en verontwaardigd. Winterhanden en wintervoeten, die pijnlijke rode zwellingen van de huid, werden veroorzaakt door het koude weer. Ze groeiden en floreerden in de winter op haar tenen en vingers, ondanks de diverse paren wollen sokken die ze onder haar vlieglaarzen aantrok of de gevoerde handschoenen die ze altijd droeg wanneer ze naar buiten ging.

'Ik heb er op school wel over geklaagd. Ik heb me gek gejammerd, maar het hielp niets. De directrice trok er zich pas wat van aan als ze gingen zweren. Dat was afschuwelijk, maar het bezorgde me een paar weken vrijaf van gymnastiek. Dat was het bijna wel waard. Ik had de pést aan gymnastiek.' De bruinharige Jane waste haar gezicht, poetste uitvoerig haar tanden en bekeek zichzelf goedkeurend in de spiegel, om zoals ze elke morgen ongegeneerd deed, haar sluike haar te bewonderen en haar rechte tanden en rechte neus, die in combinatie met haar ondeugende grote bruine ogen en haar schalkse, snelle glimlach, haar tot een van de mooiste meisjes van John o' Groat's tot Land's End maakte, zoals ze dikwijls zelfvoldaan maar correct opmerkte.

'Jullie leven hier nog steeds in de tijd van Dickens,' protesteerde Freddy, toen het haar beurt was bij de wasbak.

'Door die wintervoeten?'

'Door kinderen naar scholen te sturen waar ze die oplopen. Wat heeft het voor zin dochter van een baron te zijn? Waarom heb je 't niet aan je moeder verteld?'

'Heb ik niet geprobeerd. Zonde van de tijd. Moeder is dol op gymnastiek. Zij was misschien trots op haar wintervoeten en -handen.' Jane zette haar tanden op elkaar en trok razendsnel haar dikke pyjama uit om snel een kostbaar stel vooroorlogs wollen winterondergoed aan te trekken. Freddy sliep in haar eigen wollen ondergoed, met daaroverheen de volumineuze bondvoering van haar Sidcot-overall, de enige manier die ze wist te bedenken om een bijna acceptabele lichaamstemperatuur te handhaven in de nagenoeg onverwarmde slaapkamer die ze met Jane deelde. Het was een van de strengste winters uit de geschiedenis. In de afgelopen maand had zelfs de Duitse luchtmacht de Blitzkrieg moeten staken. De massale nachtelijke bombardementen, die waren begonnen toen de Luftwaffe er niet in was geslaagd in de Battle of Brittain de RAF uit te schakelen, moesten tijdelijk worden gestaakt wegens het ondoordringbare weer boven Engeland.

Freddy zat nu bijna anderhalf jaar in Engeland, sinds eind juni 1939, toen ze haar bestaan in Californië had afgesloten. Met Macs dood was er geen reden meer om de vliegschool nog voort te zetten. Toen ze zich afvroeg wat ze nu wilde doen, was er maar één antwoord mogelijk: een manier vinden om mee te strijden in de zaak waarvoor hij was gestorven. De Verenigde Staten waren neutraal, bovendien was daar geen plaats voor een vrouw, in welk onderdeel van de strijdmacht dan ook. Maar de British Civil Air Guard was er ook nog, met vierduizend nieuwe recruten die allemaal wilden leren vliegen.

Mac had Freddy alles nagelaten in een testament dat Swede Castelli in zijn bezit had. Ze verkocht hun huis en alle oefenvliegtuigen van de school, met inbegrip van haar mooie witte Rider. Voordat ze als vrijwilligster naar Engeland vertrok, nam ze afscheid van Eve en Paul en sloot eindelijk vrede met haar vader. Freddy was onmiddellijk aangenomen als instructeur voor de opleiding van piloten.

Drie maanden later, op de eerste september van 1939, viel Hitler Polen binnen en twee dagen later verklaarden Engeland en Frankrijk, na jarenlang getreuzel, Duitsland de oorlog.

Op de eerste januari 1940 was een kleine groep zeer ervaren vrouwelijke piloten die, net als Freddy, instructeur in de Civil Air Guard waren, uitgekozen voor de Air Transport Auxiliary. De ATA was vroeger een uitsluitend mannelijke, burgerlijke organisatie geweest die verantwoordelijk was voor het transport van vliegtuigen voor de RAF, door heel Groot-Brittannië, door deze van de fabrieken waar ze werden gebouwd over te vliegen naar de luchthavens waar ze zo hard nodig waren.

Nu, een jaar later, steeg het aantal vrouwelijke piloten bij de ATA nog steeds, waardoor steeds meer mannen konden worden vrijgemaakt voor de strijd in de lucht. De vrouwen hadden bewezen dat ze in staat waren onder dezelfde uiterst riskante en vijandelijke omstandigheden te vliegen als de mannen: ze werkten dertien dagen achtereen voordat ze twee dagen vrijaf kregen; ze haalden vliegtuigen op en leverden ze af onder zulke riskante weersomstandigheden dat geen enkel jachtvliegtuig zich in de lucht waagde; ze vlogen zonder radio of navigatiehulp behalve een kompas; ze doken, zwenkten en draaiden boven een landschap dat was bezaaid met tienduizenden versperringsbalonnen, waarvan de stalen kabels een gemene val voor elk vliegtuig betekenden, zowel voor bevriende als voor vijandelijke. Boven het eiland dat Groot-Brittannië was, kon het volslagen onvoorspelbare weer elk moment omslaan in omstandigheden waarin een piloot binnen enkele seconden de weg kon kwijtraken; het landschap was bezaaid met RAF-vliegvelden die werden beschermd door luchtafweergeschut dat eerst schoot en pas later vragen stelde, want het land was in een oorlog waarin de vijand zo dichtbij was dat een ATA-piloot die op het punt stond te gaan landen, nooit vreemd opkeek als zij Messerschmitts boven de landingsbaan zag duiken waarop ze aankoerste.

In de winter ging de zon om negen uur op en om vijf uur onder, aangezien de Engelsen vasthielden aan wat ze heel optimistisch *British Double Summertime* noemden, om gedurende het hele jaar zoveel mogelijk van het daglicht te kunnen profiteren. Het was nog steeds donker tegen de tijd dat Freddy en Jane met de gedeukte MG waarmee Jane eens de omgeving had geterroriseerd op hun basis in Hatfield arriveerden. Vandaag was een verjaardag – ze herdachten het feit dat het één jaar geleden was dat de eerste transportvlucht door vrouwelijke piloten was verricht, en Pauline Gower, hun commandant, had voor die avond een feestje georganiseerd.

Gisteren was het een vreselijke dag geweest – sneeuw, ijs, mist, regen en wolken, 'de hele smeerboel bij elkaar', had Jane opgewekt verklaard, met een scheve blik naar de hemel – en op Hatfield waren alle vluchten na twaalf uur gecanceld. Zowel Freddy als Jane had de hele middag in hun gehuurde onderkomen doorgebracht met theedrinken, slapen en genieten van hun zeldzame onverwachte vrije tijd. Ondanks alles waren er van sommige bases toch enkele vliegers opgestegen, waaronder Amy Johnson – nu gescheiden van Jim Mollison – die zich kort na Freddy bij de ATA had aangemeld. Deze wereldberoemde pilote, gedurende vele jaren Freddy's grote heldin, had Blackpool aan de kust van Lancashire verlaten om een tweemotorig Oxford oefenvliegtuig over te brengen, hetzelfde soort vliegtuig waar Freddy en Jane vaak mee vlogen. Haar bestemming was niet ver, Kidlington, een luchtmachtbasis in de buurt van de kust van Somerset.

Freddy en Jane liepen haastig van de MG naar de betrekkelijke warmte van de commandopost, waar ze hun papieren ophaalden met informatie voor de vliegtuigen waarmee ze die dag moesten vliegen, als de weersomstandigheden dat toestonden. Met hun papieren in de hand liepen ze naar de mess, een houten keet met een eindeloze hoeveelheid koffie, thee en kletspraatjes, met een dartboard, een biljart en een aantal dagbladen. Enkele piloten namen schaak- en backgammonborden mee naar de mess en er was zelfs sprake van een bridgecursus in de kapiteinskamer, een cursus waaraan Jane en Freddy elkaar hadden gezworen niet mee te zullen doen. Jane speelde het liefste darts; Freddy zat het liefst met een stapeltje kaarten in haar pet te toepen, iets waarvoor je volgens haar heel goed en snel moest zijn. In werkelijkheid was ze als ze op wacht zat te gespannen om zich op een gecompliceerd spel te kunnen concentreren.

'O, help, ik geloof dat er problemen zijn,' zei Jane, zodra ze de mess in liepen. De piloten stonden in groepjes te praten, hun koffie was vergeten en ze spraken op zachte toon en met verschrikte gezichten.

'Wat is er aan de hand?' vroeg Freddy aan Helen Jones.

'Het is Amy Johnson. Ze is gisteren in de monding van de Theems neergestort.'

'O God . . . nee!' riep Freddy.

'Aan het eind van de middag was ze nog niet binnen,' zei Helen. 'Ze moet zonder brandstof hebben gezeten en boven de wolken zijn verdwaald, want ze zat zo'n honderdtachtig kilometer van Kidlington. Het is nu officieel . . . ze hebben haar vliegtas uit het water opgevist. Ze is er boven het wolkendek uitgesprongen en in het water terechtgekomen. Ze werd bijna gered . . . een trawler op konvooi zag haar Oxford zinken en probeerde haar nog op te pikken, maar ze verdween onder het achterschip.'

Freddy wendde zich abrupt af en liep naar het raam. Ze staarde naar buiten zonder iets te zien, intens geschokt. Amy Johnson, die zandstormen, tropische regenbuien en tientallen noodlandingen had overleefd toen ze de eerste vrouw werd die solo naar Australië was gevlogen, die waaghals over wie miljoenen mensen hadden gezongen: 'Amy, Wonderful Amy', die krankzinnig moedige Amy, die een onmetelijk uithoudingsvermogen bleek te bezitten toen ze het record voor lichte vliegtuigen van Londen naar Tokio had gevestigd, oogverblindende Amy die van Parijs naar Kaapstad een soloretourvlucht had gemaakt, gekleed in een Schiaparelli mantelpak met bijpassende hoed – het was onbestaanbaar dat Amy Johnson, háár Amy, de meest ervaren vrouwelijke piloot van Engeland, als eerste moest omkomen.

'Ik begrijp het, Freddy,' zei Jane en sloeg een arm om haar heen.

'Toen ik negen was, vloog ze met een kleine oude Moth naar Australië en nu ben ik bijna eenentwintig en komt zij om bij het overvliegen van een solide tweemotorige kist van Blackpool naar Kidlington. Ze was pas achtendertig. Ik kan het gewoon niet geloven. Hoe kon dit toch gebeuren?'

'We zullen het nooit weten, Freddy, kom op, dan gaan we een potje toepen. Wie wint betaalt 't eten,' zei Jane opgewekt.

'Als het nou niet boven water was geweest . . . als het niet zo ijskoud was geweest . . .'

'Geen ge-áls, liefje. Amy mocht zelf beslissen of het gisteren verantwoord was om op te stijgen. Ze had in Blackpool kunnen blijven. We kunnen allemaal op elk moment kiezen of we vliegen. We kunnen landen wanneer het er slecht uitziet en op de grond blijven tot het weer opklaart. Dat weet jij en dat wist zij. Zij heeft gisteren besloten te gaan vliegen. Bijna niemand anders deed het. De route ligt ver landinwaarts – we hebben hem allebei tientallen keren gevlogen. Ze ging over de top, Freddy, ze ging boven de wolken en ze verdwaalde. Anders was ze niet boven het water terechtgekomen. We horen niet bovenover te gaan ... nooit. Het was zowel haar karakter als het weer, liefje.'

'Karakter,' herhaalde Freddy bedachtzaam.

'Vliegt niet ieder van ons overeenkomstig haar eigen karakter?'

Freddy keek om zich heen naar alle vrouwen in het zaaltje en haar ogen bleven rusten op Winifred Crossley, die ook stuntvlieger was geweest; op Rosemary Rees, die zowel balletdanseres als verkenner voor nieuwe luchtvaartroutes was geweest; op Gabrielle Patterson, getrouwd en moeder, die al vanaf 1935 vlieglessen had gegeven; op Joan Hughes, die op haar vijftiende was begonnen en niet ouder was dan Jane en zij; op Margie Fairweather, dochter van lord Runciman, met een broer die algemeen directeur van BOAC was en een man die eveneens ATA-piloot was. Ze vormden het meest geweldige en eerbiedwaardige gezelschap vrouwelijke piloten dat waar ook ter wereld te vinden was, en ja, ieder van hen vloog overeenkomstig haar eigen karakter, ieder benadrukte elke nieuwe start met een andere combinatie van moed en voorzichtigheid, van rivaliteit en onderwerping aan regels, van precisie en aanvaarding van risico's. Wie van hen zou gisteren uit Blackpool zijn vertrokken? Waarschijnlijk niet één van hen ... of misschien eentje ... of twee. Het viel onmogelijk te zeggen, of zelfs maar te raden.

Ze draaide zich om naar Jane ... 'Ik begin nu te begrijpen waarom je klasseleidster was op die verschrikkelijke school, gymnastiek of geen gymnastiek.'

'Gaan we nog toepen of ga je een potje tegen me zitten slijmen?'

'Laten we maar gaan toepen. Als ik deze zogenaamde zonsopgang zie, denk ik dat er ook vandaag weer niet zal worden gevlogen. Heb ik je ooit verteld hoe in Californië de zon opgaat? Dat gebeurt daar elke dag, of je het gelooft of niet, zomer en winter. Wist je wel dat Engeland op dezelfde breedtegraad ligt als Labrador? Een rare plaats om te wonen, hoor.'

'Nog één zo'n opmerking en ik zoek een andere kamergenoot.'

Het ATA-feestje van die avond ging niet door, Freddy, Jane en nog enkele anderen gingen naar de plaatselijke pub in Hatfield om daar een glas op de nagedachtenis van Amy Johnson te drinken en liepen toen stil door de ijzige, donkere straten van de verduisterde stad terug naar hun pension.

Op de negende en tiende januari 1941 hadden Freddy en Jane beiden vrij en voor het eerst sinds ze elkaar kenden, was Freddy in staat Jane's uitnodiging te accepteren om mee te gaan naar haar familie, in hun landhuis in Kent. Longbridge Grange was het huis van Jane's vader, lord Gerald Henry Wilmot, de veertiende baron van Longbridge en Jane's moeder, lady Penelope Juliet Longbridge, geboren Fortescue.

Onder hun zware marine-overjassen droegen ze hun goedzittende, strenge, mannelijk uitziende uniformen: marineblauwe broek en marineblauw jasje, bekendstaand als tuniek, met twee borstzakken met knoop en twee grote zakken, eveneens met knoop, onder de riem met de koperen gesp. Boven hun rechterborstzak droegen ze een stel gouden vleugels van tien centimeter breed die met dik gouddraad waren geborduurd en op de tuniek waren genaaid. Op hun schouders zaten de twee gouden strepen van tweede officier, een brede en een smalle streep. Op Freddy's arm zat een rood, wit en blauw insigne dat haar als Amerikaanse identificeerde. Onder hun tuniek droegen beide meisjes een blauw RAF-overhemd en een zwarte stropdas. Vanwege de koude hadden ze besloten hun lange broek en hun vlieglaarzen aan te trekken, die strikt gesproken alleen voor gebruik op de vliegbasis waren bedoeld. Ze hadden allebei hun marineblauwe rok en stevige schoenen en kousen ingepakt, omdat dit de officiële kleding was voor alle tijden dat ze niet vloog, en ze hadden hun soldatenmuts ondeugend scheef op hun voorhoofd gezet.

Ze hadden een lift gekregen in een stevige Anson, een van de onmisbare werkpaarden die als taxivliegtuig dienst deden om ATA-piloten weg te brengen naar de vliegtuigen die ze op moesten halen en, als ze hun missie hadden volbracht, hen weer terug naar hun basis te brengen. Zowel Freddy als Jane vloog nu en dan met een Anson, die groot genoeg was om vijftien piloten, inclusief parachutes, te bergen. Het verlies van één enkele Anson zou een ramp zijn geweest, dus werd dit werk voor de meest betrouwbare piloten gereserveerd.

Na een kort vluchtje werden ze afgezet op een vliegveld in Kent, waar Jane's moeder, die haar benzinerantsoen had gespaard voor dit langverwachte bezoek, hen oppikte. Lady Penelope omhelsde haar dochter en wilde haar hand uitsteken om Freddy's hand te schudden, maar ze veranderde plotseling van gedachten en omhelsde Freddy eveneens.

'Ik ben toch zo blij dat je er eindelijk eens bent. Jane heeft me voortdurend over jou geschreven. Volgens mij heeft ze eindelijk iemand gevonden die een goede invloed op haar heeft,' zei de knappe, kastanjebruine vrouw, met een heimelijke blik vol trots naar haar dochter.

'Eigenlijk heeft Jane een goede invloed op mij,' protesteerde Freddy lachend.

'Onzin. Onmogelijk. We kennen Jane langer dan vandaag. Ze is soms niet te houden . . . maar ze kan ook heel lief zijn. Stap nu maar gauw in de auto, voordat jullie bevriezen. We willen niet te laat zijn voor de lunch.'

Ze reed snel en behendig en wees hun de vele plaatsen waar gedurende de periode dat de Blitzkrieg het hevigst was, veel bommen op de nu met sneeuw bedekte velden terecht waren gekomen. 'Ik weet zeker dat ze het eigenlijk niet op ons hadden gemunt – wij zijn tenslotte helemaal niet gevaarlijk – maar het huis ligt bijna pal onder de vliegroute tussen Londen en de havens aan het Kanaal. Heel vervelend . . . door één van die bommen is al het stucwerk in de salon omlaaggekomen . . . De tennisbaan was natuurlijk al geruïneerd door die brandbom in de herfst en op de weg naar het dorp ligt nog steeds die vervelende niet-ontplofte bom. Ik hoop dat ze niet vergeten dat ding onschadelijk te maken tegen de tijd dat de sneeuw gaat smelten. Een malle toestand. Maar al dat gedoe zorgt er in ieder geval voor, dat ik niet vergeet het huis elke avond goed te verduisteren.'

'Wie is het blokhoofd, mammie?' vroeg Jane.

'Wat dacht je? Ik, natuurlijk. Ik heb toch zeker niemand anders op wie ik aankan? Je arme vader kan in het donker niets zien, hoe hevig hij ook zijn best mag doen, hoewel Small, de nieuwe tuinman – minstens vijfenzeventig, zo niet meer – heel handig is. Hij maakt in zijn vrije tijd molotov-cocktails, voor het geval er een invasie komt. We hebben er inmiddels een indrukwek- kende voorraad van. Ik heb hem verteld dat we niet langer bang hoeven te zijn voor een invasie – dat is toch zo, hè Jane? – maar hij is te doof om te luisteren.' Ze draaide zich om en keek naar Freddy. 'Jane schreef ons dat je ouders in Londen zijn. Hebben ze het moeilijk gehad?'

'Nee. Tot dusver niet. Af en toe wat onhandig en een beetje griezelig, maar het viel wel mee. Ik ben de vorige keer dat ik verlof had naar Londen gegaan om hen op te zoeken, en aan het eind van de straat was een huis gebom- bardeerd, maar verder ging het hun goed.'

'Ik heb begrepen dat je vader zich bij generaal De Gaulle wilde voegen?'

'Hij is uit Los Angeles vertrokken zodra De Gaulle in juni 1940 vanuit Londen die oproep deed, en hij heeft zich hier bij de Vrije Fransen gevoegd. Hij werkt samen met Gustav Moutet en een groep journalisten die een nieuw dagblad, *France*, hebben opgericht. Mijn moeder werkt als chauffeur op een ambulance . . . Ze heeft dit weekend dienst.'

'Wat goed van haar,' zei lady Penelope en ze vroeg voorzichtigheidshalve niet naar Delphine, want Jane had geschreven dat niemand van de familie zeker wist wat er met haar was gebeurd sinds Parijs was bezet. De auto reed snel door een klein dorpje en minderde vaart bij het naderen van een groot hek. 'Ziezo, lieverds, welkom. We zijn er.'

Lady Penelope reed over een lange, met eiken omzoomde oprijlaan en hield stil voor een huis dat uit opgewaaide sneeuwhopen leek opgetrokken, zo duidelijk vormde het één geheel met de kale maar prachtig gevormde bomen en de groenblijvende taxushagen waardoor het werd omringd. Het huis was gedeeltelijk in vakwerk, met dikke muren van stevig eikehout en lichte baksteen, bouwmaterialen die afkomstig waren uit deze landstreek met zijn kalkrijke bodem en beboste heuvels. Niemand had ooit de verschillende niveaus van het dak van Longbridge Grange kunnen tellen, evenmin als de verschillende stijlen van met leien of bakstenen afgewerkte gevelspitsen en de ingenieuze, veelvuldige schoorstenen. De vele asymmetrisch geplaatste ramen hadden glas-in-loodruiten, waarvan de meeste zo oud waren dat ze lavendelkleurig waren geworden. De laatste keer dat lady Penelope wat stucwerk in de kleinste voorraadkamer had laten verwijderen, hadden de werklieden twee munten uit 1460 gevonden. Op The Grange was de tijd heel selectief te werk gegaan, door niets te bewaren wat niet een geweldige lust voor het oog was.

Longbridge Grange had vijf vleugels, die allemaal in verschillende perioden waren gebouwd en een afspiegeling vormden van het verloop van het familiefortuin. Ondanks de afmetingen wees niets aan dit geweldige, grillige huis op de klassieke formaliteit van een landhuis. Het was altijd de *manor* geweest, het middelpunt van een grote groep welvarende boerderijen die eigendom van de familie waren, en het bezat een belangrijke ciderfabriek, een groot stallenblok, een koetshuis, een duiventoren en een hele reeks schuren en bijgebouwen. Toen Freddy The Grange binnenstapte, kreeg ze het gevoel dat ze een geurig, gastvrij woud binnenliep. Elke deuropening en elke schoorsteenmantel boven de talrijke open haarden was versierd met sparretakken en in de hal hing nog mistletoe van Kerstmis. Overal kwamen honden hen blaffend en springend tegemoet.

Jane Longbridge was de op één na oudste van zeven kinderen. Haar twee jongere broers zaten op een kostschool, maar de drie jongsten, allen meisjes – een tweeling van negen, en de baby van de familie, die zeven was – gingen nog naar een school in een naburig dorp. Ze waren vandaag ter ere van Freddy's en Jane's komst van school thuis gehouden en ze gaven Freddy verlegen een hand voordat ze boven op Jane klommen en haar in hun enthousiasme bijna omvertrokken.

'Kom mee, jullie allemaal. Lunch in de keuken,' onderbrak lady Penelope hen, en ze bekeek haar springende kinderen en dieren met enige afstandelijkheid, alsof ze niet goed wist waar ze eigenlijk vandaan waren gekomen.

'In de keuken, mammie?' vroeg Jane verbaasd.

'Dat is de warmste ruimte, liefje. Ik heb het grootste gedeelte van het huis afgesloten en ik laat dat gewoon zachtjes vergaan. Wanneer we de oorlog hebben gewonnen, zal het een heidense toer zijn om alles weer af te stoffen, maar dat zien we dan wel weer.'

Jane en Freddy speelden een groot deel van de middag met de meisjes en genoten van hun lieve, bewonderende manier van doen. Ten slotte ging Freddy naar haar kamer om een dutje te doen voor het diner, nadat ze eerst

329

de verduisteringsgordijnen had dichtgetrokken. Ze sliep een uur lang, met als laatste gedachte dat ze eindelijk weer eens bijna, zo niet helemaal, door en door warm was geweest sinds ze The Grange was binnengekomen. Vijf hele uren van comfort ... of waren het er vijfeneenhalf geweest? Ze werd wakker door een tik op de deur. Jane kwam binnen in een badjas en dikke sokken en pantoffels. 'Ik heb een bad voor je klaargezet,' zei ze fluisterend, op samenzweerderstoon.

'Een bad?'

'Een warm bad. Een echt bad. Een vooroorlogs bad. Volslagen illegaal. Ik reken erop dat je het niet verder vertelt. Het moet een geheim blijven tussen jou en mij ...'

'Je bedoelt ...'

'Er staat meer dan tien centimeter water in de kuip,' verklaarde Jane plechtig.

'O, Jane, hoe kun je dat doen?' riep Freddy. 'Je weet dat je dat niet had mogen doen, het is tegen alle regels.'

'Stel niet van die stomme vragen. Kom nou maar mee. Zachtjes ... iedereen is ergens anders in huis bezig. Ik wil geen enkele piep van je horen.'

Ze legde haar vinger op haar lippen, gaf Freddy een badjas en liep met haar door de gang naar de deur van een grote badkamer waarin een enorme Victoriaanse badkuip op koperen leeuwepoten het pronkstuk vormde. Freddy liep op haar tenen naar de kuip, keek erin en hapte naar adem. In de diepte stond een laag water van minstens veertig centimeter te dampen. Sinds het uitbreken van de oorlog had ze geen badkuip met zoveel water meer gezien. Bij hun kamer mochten Jane en zij van hun jammerende hospita niet vaker dan één keer per week een lauw bad nemen, van de toegestane tien centimeter diepte. Het verdere waswerk diende beetje bij beetje te geschieden in de wasbak op hun kamer. Wat een weelde hier!

Freddy kleedde zich uit en liet zich snel in het water zakken, dat net tot boven haar middel kwam. Ze pakte het stuk zeep dat Jane haar voorhield en zeepte haar haar in en boende en spoelde het grondig voordat ze zichzelf begon te schrobben met een grote spons die op een stoel naast het bad lag.

'O, wat is dit héérlijk! Heerlijk, heerlijk! Ik blijf erin tot het koud wordt. Tot het dichtvriest. Ik kom er nooit meer uit!'

'Begint het water al af te koelen, liefje?' vroeg Jane bezorgd.

'Nou, eh ... eigenlijk wel, ja. Een klein beetje maar. Nee, Jane, je gaat die kraan niet nog eens opendraaien. Dat is niet eerlijk tegenover de anderen. Ik voel me nu al vreselijk schuldig. Hoe kan ik je moeder nog onder ogen komen?' Haar natte haar was naar achteren geveegd, uit een gezicht dat straalde van blijdschap. Haar lichaam was roze van het boenen.

'Doe niet zo mal. Mammie heeft nog bérgen hout.' Jane liep abrupt naar de deur van de badkamer en duwde hem open.

Happy birthday! zong een koor van stemmen, en Jane's drie zusjes mar-

330

cheerden naar binnen, ieder met een dampende ketel warm water. Ze werden gevolgd door lady Penelope, die breed glimlachend met een enorme ketel zeulde waaruit nog meer damp opsteeg. Ze stelden zich rond de badkuip op en zongen onder aanvoering van Jane *Happy Birthday to You*, terwijl ze plechtig nog meer warm water in de badkuip goten. Toen de laatste toon begon weg te sterven, klonk er een mannenstem uit de gang, die zong: 'Wie in januari geboren is, sta op . . .' en op slag lieten de vijf vrouwelijke Longbridges hun lege ketels met veel gekletter vallen en riepen: 'Tony!' Ze vergaten hun gast en stortten zich op hun grote broer.

Verscholen onder het water, bijna dubbelgevouwen, sloeg Freddy deze scène giechelend gade. Had Jane dit ook gepland? Ze was ertoe in staat!

'Tony, kom eens even gedag zeggen,' commandeerde Jane. 'Tweede officier Marie-Frédérique de Lancel, mag ik u voorstellen, mijn broer, majoor, de hooggeboren Antony Wilmot Alistair Longbridge. Freddy, Tony.'

'Weet je 't zeker?' vroeg Freddy achterdochtig en ze sloeg haar armen over haar borsten.

'O, zeker. Ik herinner me hem maar al te goed,' zei Jane.

'Goedenavond, majoor Longbridge.' Freddy knikte gracieus, zonder haar hoofd op te tillen.

'Goedenavond, officier. Niet in uniform, zie ik.'

'Met verlof, majoor.'

'Dat zeggen ze altijd.'

'Ik verzeker u dat het waar is, majoor.'

'Kunt u het bewijzen?'

'Neen.'

'Dan zal ik u op uw woord moeten geloven.'

'Dank u wel, meneer majoor.'

'Je hoeft niet zo uitvoerig te zijn. Enkel "majoor" is wel genoeg. Op de plaats rust.'

'Antony, wil je onmiddellijk uit die badkamer komen!' zei lady Penelope. 'Laat Freddy in alle rust haar bad nemen.'

'Maar het is haar verjaardag, mam, denk je niet dat ze dan een beetje gezelligheid wil? Ik kom gewoon even een babbeltje bij haar zitten maken. Jane, je kunt ons wel alleen laten. Meisjes, gaan jullie nog eens wat warm water halen.'

'Antony, je stelt mijn geduld op de proef,' zei zijn moeder waarschuwend.

'Stil maar, mam, ik ga al,' zei hij met tegenzin, zonder bij de rand van het bad weg te gaan. 'Je weet toch dat het oorlog is? De oude maatstaven moeten dan plaats maken voor nieuwe, en zo. Hé, mam, je hoeft me niet te knijpen, verdorie. Ik gá al!'

Onder het mompelen van iets wat nog het meest op druïdenbezweringen leek, zat Jane in haar kleerkast te rommelen en snuffelde door een rij voor-oorlogse avondjurken.

'Ik wist niet dat men zich hier nog voor het eten verkleedde,' zei Freddy, toekijkend.

'Dacht je dat je je verjaardagsdiner in uniform mocht nuttigen?'

'Sinds mijn publieke badvertoning weet ik niet meer wat ik moet denken . . . of verwachten.' Freddy borstelde haar haar en probeerde het plat te laten liggen, maar met het oog op de snerpende kou droeg ze het de laatste tijd langer dan anders en hoewel ze het op standaard-ATA-lengte liet knippen, zodat het de kraag van haar uniform vrijliet, kon ze het nu zo hevig horen knetteren en vonken dat haar handen ervan prikten.

'Wat een geluk dat Tony er ook is,' knorde Jane. 'Volgens mij vond hij je best aardig.'

'Ik hoop dat hij me met al die damp niet goed heeft kunnen zien. Ik heb in ieder geval niet naar hem kunnen kijken.'

'Zijn alle Amerikanen zo kuis?'

'Zijn alle Britten zo vrijmoedig?'

'Tony? Die is absoluut ongevaarlijk,' antwoordde Jane over haar schouder, met de oordeelkundige houding van een jongere zus jegens haar grote broer van vijfentwintig. 'Hij is er toch niet bij ingestapt, wel? Dát was pas vrijmoedig, of vrijpostig, of misschien zelfs grof geweest – het had zelfs op een gebrek aan goede manieren kunnen lijken. Hij hoopte alleen maar vriendschap te kunnen sluiten. Hij zal je geen problemen bezorgen, poppedijn. Tenzij je die zelf zoekt . . . of tenzij je een Duitse piloot bent die hier-boven rondvliegt met een Messerschmitt of een Junkers 88; in dat geval zal je wél problemen ondervinden, ernstige zelfs. Aha! Hier heb ik 'm. Ik vroeg me al af waar hij was gebleven.'

Jane dook uit de kleedruimte op met een hangertje waaraan een jurk van zilverkleurige stof hing, een strapless jurk die vonken van licht door de kamer deed schieten. De rok ervan was zo wijd dat het leek alsof hij uit zichzelf weg kon walsen. De taille was afgezet met een brede fluwelen ceintuur met aan één kant een strik, waarvan fluwelen serpentines tot bijna op de grond afhingen. Op een ander hangertje hing een zwarte fluwelen stola in de vorm van een grote gedrapeerde strik die met zilver was afgezet. 'Volgens mij is dit wel feestelijk genoeg,' zei Jane en ze hield de hangertjes voor zich uit. 'En mocht je het wat fris vinden, dan heb je hier de stola. Trek 'm maar eens aan en kijk of hij past.'

'Vast wel! Vast wel! Ik móet die jurk aan!' Freddy was helemaal ademloos door een bijna onverklaarbaar gevoel van verrukking. Alles wat er met haar was gebeurd sinds ze Longbridge Grange was binnengestapt, leek als een picknick op het gras, geïmproviseerd in een opwelling, en het was allemaal zo heerlijk in tegenspraak met de werkelijkheid van Engeland in oorlogs-toestand. Ze voelde zich opgetogen, onfatsoenlijk opgewonden en zeldzaam in haar schik met zichzelf. Zelfs haar wintervoeten deden geen pijn meer.

'Schoenen,' zei Jane, en ze sloeg tegen haar voorhoofd en dook snel weer in de kast, om terug te komen met zilveren schoenen en een handvol flinterdun chiffon ondergoed. 'Wat kan ik verder nog hebben vergeten?'

'Geen tiara?'

'Da's niet absoluut noodzakelijk voor het diner. Hoewel . . . hoewel . . .'

'Het was maar een grapje.'

'Ze zitten trouwens toch in de kluis. Voorlopig geen tiara's verkrijgbaar. Jammer, dat wel . . . We moesten ons maar aankleden. Papa zal zo langzamerhand wel thuis zijn en als hij geen drankje voor het eten krijgt, is dat slecht voor zijn humeur. Je roept maar als je hulp nodig hebt. Anders zie ik je over een half uur beneden?'

'O ja. Bedankt voor het opzoeken van die jurk, Jane.'

'Ik heb er vijf keer een aanzoek in gehad . . . Hij brengt geluk . . . maar niet voor hen natuurlijk, die arme kerels. Ik heb écht medelijden met ze.'

'Dat was dan pech voor hen,' zei Freddy, en ze draaide in het rond en zag hoe de rok van de zilveren jurk opbolde. 'Laat ze het heen-en-weer krijgen, Jane.'

'Ik héb ze heen en weer laten gaan, poppedijn, en hóé!'

Tegen de tijd dat Freddy zich in deze ongewone kledingstukken had gehuld, haar lipstick op had gedaan en een vruchteloze poging had ondernomen om haar glanzende rode haar te temmen, dat in een feestelijke wanorde vanaf haar gezicht naar achteren golfde, hadden de volwassen Longbridges zich in de bibliotheek voor de grote open haard verzameld, allemaal tegelijk en door elkaar heen pratend, terwijl lord Gerald, gewapend met een zilveren cocktailshaker, de drankjes klaarmaakte.

Vlak voor de deur aarzelde Freddy even en ze voelde een verwarrende combinatie van emoties. Ze vormden een gezin, zij was een buitenstaander, maar toch was ze vandaag verwelkomd zoals ze nooit tevoren door een groep vreemdelingen was ontvangen. Ze had het gevoel dat ze Jane beter kende dan ze zelfs haar eigen zusje ooit had gekend, maar ze had Jane's vader nooit ontmoet en ze had Tony slechts als een rijzige gestalte in RAF-uniform kunnen ontwaren. Ze voelde zich echt verlegen – een emotie die ze in geen jaren had gevoeld – maar ze kon zich níet timide voelen, niet in deze geweldige, theatrale jurk die haar, zoals ze had geweten, schitterend stond. Dit was haar eenentwintigste verjaardag. Zij was de eregast. En, lieve help, ze zaten allemaal op haar te wachten.

Die gedachte – Jane's vader stond de gin en de vermout al te mixen en ze kon alleen al aan het geluid horen dat hij op het punt stond in te schenken – deed haar met één grote, vloeiende stap snel de kamer binnengaan. Toen bleef ze staan en opnieuw kreeg de verlegenheid de overhand, want alle vier de mensen in de kamer waren opgehouden met praten en hadden zich omgedraaid om haar aan te kijken. Er viel een volslagen, verbijsterde stilte, waarvan Freddy niet begreep dat het het hoogst mogelijk eerbewijs aan haar schoonheid was, en toen zette lord Gerald Longbridge de cocktailshaker neer en liep naar haar toe.

'Van harte gefeliciteerd met uw verjaardag, juffrouw De Lancel,' zei hij en nam haar beide handen in de zijne en keek, ietwat verbaasd, in het stralende blauw van haar ongetemde ogen. 'Mijn zoon heeft me verteld dat ik het hoogtepunt van de dag, zo niet van het jaar, heb gemist. Ik vind dat bijzonder oneerlijk. Ik weet niet hoe ik ooit nog bij u in een goed blaadje kan komen na deze ongelijke behandeling. Ik vermoed dat ik voor u een uitzondering zal moeten maken, of, beter nog, u zou de vertoning morgen kunnen herhalen, maar geef me dan even een waarschuwing, zodat ik niet word buitengesloten. Ik vroeg me trouwens af of ik u iets mocht inschenken?'

'Ja, graag, lord Gerald. En zoudt u me alstublieft Freddy willen noemen?' lachte ze. Haar verlegenheid was volledig verdwenen door deze grijsharige, knappe charmeur die net zulke ondeugende ogen had als Jane.

'Dan is het Freddy,' antwoordde hij en bood haar zijn arm aan. 'Kom nu dichter bij de haard. Ik moet die drankjes inschenken voordat ze waterig worden.' Hij voerde haar door de grote, schemerige kamer met het hoge plafond naar Jane, die er verre van ingetogen uitzag in een overweldigende scharlakenrode satijnen jurk, en lady Penelope, in een schitterende bruine fluwelen japon die met oud ivoorkleurig kant was afgezet. Tony had zich onopvallend teruggetrokken bij de rijkversierde kerstboom in de hoek en deed alsof hij aan de lampjes prutste, zodat hij Freddy kon bekijken eer ze hem had begroet.

Vanaf het moment dat ze de kamer was binnengekomen, had het hem toegeschenen dat ze in een aureool van licht liep. Er was iets bijna hemels aan haar plotselinge, stille, zilverachtige verschijning in de deuropening, iets dat hem deed denken aan de eerste, altijd verrassende, op de een of andere manier gevaarlijk indringende glimp van de avondster. Kon zij die jolige zeehond uit de badkuip zijn? Ging een metamorfose zo snel? Zou ze in een bloeiende boomgaard veranderen voor het einde van de maaltijd?

'Tony, help eens even,' zei zijn vader. 'Geef jij Freddy even een martini?'

Toen hij het koele, beslagen glas naar de open haard bracht, struikelde majoor Antony Longbridge bijna over een kleed dat al vijf generaties vóór zijn geboorte op diezelfde plaats had gelegen. Freddy keek op. 'Nogmaals goedenavond, majoor,' zei ze. 'Niet in uniform, zie ik.'

'O, dit.' Hij keek omlaag naar zijn smoking. 'Ik dacht . . . ach, een speciale gelegenheid . . . mijn tuniek moest nodig worden geperst . . . dit leek me, tja, wat comfortabeler . . . tenslotte, thuis . . . met verlof . . .'

'Ze hebben ook altijd een excuus, vind je niet, Jane?' Freddy schudde kleinerend haar hoofd.

'Schokkend. Geen enkel moreel, die RAF-lieden. Kleden zich als boeren-kinkels. Vinden dat een ander zich maar op moet doffen. Hij heeft zich waarschijnlijk niet eens voor het diner geschoren,' stemde Jane in. Freddy moest zich beheersen om niet even met haar hand te voelen of dit waar was. Toen ze haar drankje aanpakte, dacht ze dat ze Tony al als Engelsman zou hebben herkend als ze hem ook maar gedurende een on-derdeel van een seconde in Sumatra of Antarctica had gezien. Hij bezat dat onmiskenbare gladde, fijngetekende gezicht, met die vastberadenheid die geen enkele aarzeling kent. Zijn voorhoofd was hoog en zijn gladde bruine haar, met een strenge scheiding opzij, viel lichtgolvend naar achteren. Zijn ogen waren lichtblauw, zijn neus scherp en opvallend, zijn mond breed en resoluut, zijn wangen vlak en verweerd, zijn oren groot en dicht tegen het hoofd liggend. Er was niets ontspannends, niets frivools aan zijn slanke, gebiedende hoofd. Tony was fors gebouwd maar leek ondanks zijn lengte bijna slank. Hij bewoog zich met de autoriteit van iemand die gewend is gezag uit te oefenen. Geen Britse inteelt hier, vond Freddy, en ze glimlachte tegen hem op een manier zoals ze in bijna geen drie jaar meer tegen een man had geglimlacht.

'Ik heb me nog kunnen scheren,' zei Tony, zijn zusje negerend, 'hoewel het water niet zo warm was als anders.'

'Ik zal u op uw woord geloven,' antwoordde Freddy luchtig, en geïn-spireerd door de meest berekenende, flirtende zet van haar leven wendde ze zich van hem af om lady Penelope een vraag te stellen over de herkomst van het kant op haar japon.

Het diner, in een kamer die door twee grote haardvuren werd verwarmd, werd opgediend door een oudere vrouw die werd bijgestaan door een jongen van veertien, die beiden in een naburig dorpje woonden en nog steeds beschikbaar waren om de kokkin bij speciale gelegenheden bij te staan. Deze zonderlinge verzameling huishoudelijke hulp vormde de enige her-innering, tijdens deze opgewekte en feestelijke maaltijd, aan het feit dat Engeland in oorlog was. Iedereen aan tafel zegende de hevige vorst die alle vijandelijkheden tijdelijk tot staan had gebracht, maar niemand had het verder over het weer, alsof de betovering dan zou worden verbroken.

Als de gebroeders Wright in hun wieg waren gewurgd, als de afstam-melingen van George III nog over de Nieuwe Wereld hadden geheerst en als de afstammelingen van Lodewijk XIV nog steeds de scepter over Frankrijk hadden gezwaaid, had dit geen enkel verschil gemaakt voor de gesprekken aan die beschaafde, met kaarslicht verlichte tafel. Maar als er niet langer druiven groeiden in Champagne, als Mozart en Gershwin nooit hadden geleefd, als er geen paarden werden gefokt op snelheid en kracht, als Bloomsbury nooit had gebloeid of als Fred Astaire zijn eerste paar tapdans-

335

schoenen nooit had gekocht, hadden ze andere onderwerpen van gesprek moeten vinden.

Toen de gezellige maaltijd ten einde liep, verdween lord Gerald in de keuken, om terug te komen met een jeroboam Dom Perignon. Hij maakte deze reusachtige champagneflles bijna even behendig open als Freddy het haar grootvader had zien doen en schonk hun, met Tony's hulp, allen in. 'Dit is een heel speciale toost,' zei hij. 'Vandaag heeft juffrouw Marie-Frédérique de Lancel – Freddy voor haar vrienden – een bijzonder belangwekkende leeftijd bereikt. Alexander Pope schreef al over de "ongeduldige minderjarige" die "snakt naar de eenentwintig" . . . Samuel Johnson had het over "hoogverheven is het zelfvertrouwen van een eenentwintigjarige" . . . Thackeray schreef over "de dappere dagen dat ik eenentwintig was". Ieder ander in deze kamer heeft die magische leeftijd al bereikt, misschien slechts met enkele maanden, zoals jij, Jane, of met vele jaren, zoals ik zelf, maar dat doet er niet toe. Het belangrijkste is dat Freddy niet langer naar de eenentwintig hoeft te snakken – ze leeft in dappere dagen en ze heeft alle vreugde verdiend die ze daar maar aan kan beleven. Moge de vreugde groot zijn en moge ze zelfs groter worden met elk jaar dat voorbijgaat. Op Freddy!'

Freddy zat er blozend bij terwijl ze allemaal op haar dronken. Haar blos werd nog heviger toen lady Penelope belde en de jongen, die kennelijk achter de keukendeur had gewacht, naar binnen kwam met een aantal kleurig ingepakte dozen en deze voor haar neerzette.

'O, nee,' protesteerde ze. 'Jullie zijn allemaal al zo lief voor me geweest. Dat fantastische bad was mijn cadeau.'

'Onzin, liefje. Dit zijn maar geïmproviseerde cadeaus – we konden niet naar een winkel gaan, maar je hebt nu in ieder geval wat souvenirs van zo'n belangrijke gebeurtenis,' zei lady Penelope.

'Vooruit, Freddy, maak eens open,' zei Jane enthousiast.

Lady Penelope had als cadeau een dikke, zachte, hemelsblauwe coltrui gegeven die ze zelf had gebreid en waarvan alleen Jane wist dat hij eigenlijk voor haar dochter bestemd was geweest. Lord Gerald had een zilveren heupfles met monogram bijgedragen, die hij altijd meenam wanneer hij op jacht ging, en een fles kostbare malt whiskey om hem te vullen. 'Zorg dat je 'm altijd bij je hebt,' drukte hij haar op het hart, 'in geval van een schipbreuk of een aanval van een dolle olifant.' Jane had zelf, in haar schatkamer van Ali Baba, een zwart, met kant afgezet chiffon nachthemd opgedoken, waarvan ze had besloten dat het te zalig onfatsoenlijk was om aan te trekken bij iets anders dan een heel speciale gebeurtenis, die zich om onverklaarbare redenen niet had voorgedaan voordat ze zich als vrijwilliger had aangemeld. 'Je kunt 't geloven of niet, schat, maar je zult vanzelf merken dat dit van pas komt nu je een grote meid bent geworden,' fluisterde ze tegen Freddy.

Het was ver na middernacht toen ze ten slotte in bed lag. Officieel was het niet langer haar verjaardag, maar Freddy was nog steeds in feeststemming en kon de slaap niet vatten. En ze had ook geen zin om te slapen. Dit feestelijke gevoel was veel te leuk om zomaar in dromen te laten verdwijnen. Ze lag met wijdopen ogen in het donker van de kamer te kijken en ze droeg haar zwarte chiffon nachthemd, met de blauwe trui en een paar wollen sokken, terwijl ze glimlachend naar het onzichtbare plafond lag te kijken.

Er werd zacht op de deur geklopt. Jane, dacht ze, die nog een nabeschouwing over de avond wilde houden. 'Binnen,' riep Freddy, en de deur ging op een kier open om Tony te onthullen, met een kandelaar met een kaars erin. Bij het flakkerende licht ervan zag Freddy dat hij nog in de broek en het overhemd van zijn smoking gehuld was, maar het jasje had hij vervangen door een vest. Hij kwam de kamer niet in, maar bleef in de deuropening staan.

'Ik kwam je nog een verjaardagscadeau brengen,' zei hij. 'Ik wist niet dat het vandaag je verjaardag zou zijn, ik wist niet dat je vandaag hier zou zijn, dus was ik er bij het eten niet op voorbereid ... wil je 't hebben?'

'Kan het niet tot morgen wachten?' opperde Freddy.

'Het is eigenlijk een cadeau voor de nacht.' Hij stak een langwerpig voorwerp naar haar uit, dat met linten was versierd en waaraan hier en daar kerstballen waren bevestigd, zodat ze geen flauw idee had wat het was. 'Morgenochtend heb je er niets aan.'

'Dus moet ik het nu maar aannemen.'

'Dat dacht ik ook ... nu meteen.' Hij liep naar het bed en legde het glinsterende voorwerp in Freddy's handen. Het was heel warm en het bewoog toen ze het aanraakte.

'Grote genade,' hijgde ze. 'Wat is dit ...?'

'Het is mijn kruik,' verklaarde hij, blij om haar verbazing. 'Ik heb 'm twee minuten geleden gevuld; het inpakken heeft zoveel tijd gekost.'

'O, Tony ... toch niet je eigen kruik? Die kan ik echt niet van je aannemen.'

'Ik heb inderdaad een sterke sentimentele band met dat ding ... we hebben samen heel wat lange koude nachten doorgemaakt ... maar nu wil hij van jou zijn. Ik zal een andere moeten vangen en die moeten temmen ... dat hoeft niet zó moeilijk te zijn. Ze komen meestal wanneer je ze fluit. Hou 'm alsjeblieft.'

'Als je het zeker weet ... dolgraag! En ik zal elke avond aan je denken als ik hem vul. Nu ga ik slapen. Welterusten, Tony.'

'Welterusten, Freddy,' zei hij en pakte een stoel, schoof die naast haar bed, zette de kandelaar op de vloer en ging op de stoel zitten. 'Er was nog één ander ding ... en nu je toch nog niet in slaap bent ... als ik je nog even zou kunnen spreken ...'

'Héél even dan,' zei ze en ze trok de verpakking van de warmwaterkruik en legde hem tegen zich aan, onder de dekens die ze stevig tot haar kin optrok.

'Weet je, ik ben zojuist overgeplaatst, ik ben commandant geworden van een nieuw squadron, een stelletje kerels dat ik nooit eerder heb ontmoet, kerels . . . tja, ik dacht dat jij misschien wist hoe ik het beste met die lieden om kon springen.'

'Moet ik een RAF-commandant uitleggen hoe hij met zijn piloten moet "omspringen"? Ha! Die is goed! Welterusten, Tony.'

'Het zijn Yanks, het Eagle Squadron, ze zitten hier al sinds september, maar ze hebben nog niet veel actie gezien . . . er was tijdens de Battle of Britain niemand om deze blitse knullen op te leiden . . . ze zijn paraat geweest vanaf het begin van het slechte weer en hun commandant is ziek . . . in ieder geval vormen deze snuiters nu mijn squadron en ik dacht dat jij, als Yank, me misschien wat raad kon geven hoe ik het het beste kan aanpakken bij die lieden. Ik heb geen flauw idee hoe ik ze moet benaderen. Ik voel me wat opgelaten met dit stelletje . . . vreemdelingen, met deze kerels, dus je begrijpt waarom ik hulp nodig heb.'

'Als je ze nou eens gewoon "mannen" noemde, in plaats van knullen, kerels, snuiters of blitskikkers of vreemdelingen, en dan zal de rest wel vanzelf gaan. Welterusten, Tony.'

'Mannen? Dat klinkt zo grof. Weet je 't zeker, Freddy?'

'Mannen. Of jongens of makkers, zoals "hé, makkers, zet 'm op" – dat lijkt me voldoende taalkundige aanpassing. Voor de rest moet je er maar van uitgaan dat zij het RAF-taalgebruik wel overnemen of jou het hunne bijbrengen. Welterusten, Tony.'

'Ik ben je bijzonder dankbaar, Freddy. Ik voel me nu een stuk zekerder.' Hij stond op van zijn stoel en kwam op de rand van haar bed zitten. 'Geweldig lief van je om daar de tijd voor te nemen, Freddy.'

'Ik ben altijd blij dat ik kan helpen. Welterusten, Tony.'

'Welterusten, Freddy,' zei hij, toen hij zich over haar heen boog en haar vol op haar lachende mond kuste, 'O, Freddy, jij lieve, mooie Freddy, ik geloof dat we dat nog eens over moeten doen,' mompelde hij, voordat hij haar in zijn armen nam en haar steeds weer kuste en beiden steeds heviger verlangden naar de nabije aanwezigheid van de ander. Ze wilden elkaar aanraken, vasthouden, beetgrijpen zoals dat onvermijdelijk was geweest vanaf het moment dat Freddy eerder op de avond de bibliotheek binnen was gekomen.

Ze waren verbaasd over de lang opgekropte explosie van kussen, alsof die niet onontkoombaar waren geweest, na tot het uiterste te zijn uitgesteld. Tony kreunde luidkeels van verrukking terwijl hij boven op de dekens lag en zijn armen om Freddy's trui heen had geslagen, zodat hij haar tegen zijn borst gedrukt kon houden. Vele lange, heerlijke minuten lang gaven ze zich over aan de bedwelmende ontdekking van de kus, gescheiden door vele lagen wol, slechts in staat vage glimpen van elkaar op te vangen bij het zwakke licht van de kaars op de vloer.

'Tony . . . lig je wel lekker?' fluisterde Freddy ten slotte.

'Niet echt . . .'

'Je mag best . . . je schoenen uitdoen, hoor . . .'

'Die zijn al uit.'

'Je trui . . . je overhemd . . . je broek . . .'

'Maar dan bevries ik.'

'Ik houd je wel warm.'

'Weet je 't zeker? Ik zou . . . ik kan . . . o, lieverd, als ik in dit bed stap . . .'

'Weet je zeker dat je piloot bent?' vroeg ze schalks, eindelijk begrijpend dat hij te zeer een heer was om onder zijn eigen dak met haar de liefde te willen bedrijven zonder eerst een duidelijke aanmoediging te hebben gekregen.

'Heel zeker.'

'Hou dan op met dit loze gefladder,' zei ze resoluut.

Terwijl ze dit zei, ging de kaars in de kandelaar, die Tony op de grond had gezet, opeens uit en hulde hen in een inktzwarte duisternis. 'Verdomme!' mompelde Tony en tastte ernaar. Zijn beweging was zo haastig dat hij de kaars naar de andere hoek van de kamer hoorde vliegen. Hij probeerde een andere kaars op Freddy's nachtkastje te vinden, en slaagde er slechts in de lamp naast haar bed om te gooien, met veel lawaai van brekend glas. 'O, shit,' mompelde hij en ging toen heel voorzichtig staan om snel zijn kleren uit te trekken, die hij vervolgens op de grond liet vallen. Hij sprong haastig, naakt, in bed en strekte zijn armen naar haar uit.

'Oef!' kermde ze, toen hun voorhoofden elkaar raakten.

'Deed dat pijn?' vroeg hij ongerust.

'Reken maar . . . hoe is het met jou?'

'Ik geloof dat ik mijn neus heb gebroken. Hier, voel eens, wat denk jij ervan, nee, dat is mijn oor.'

'Ik durf je neus niet te zoeken, straks steek ik je nog een oog uit,' protesteerde Freddy.

'Heb je dan helemaal geen katteogen,' gromde hij en probeerde haar trui uit te trekken.

'Je trekt mijn nachthemd kapot! Kijk uit! O bruut, laat toch los! Je hebt een schouderbandje gescheurd. En haal je knie uit mijn maag.'

'Volgens mij is dat m'n elleboog.'

'Wat moet je daar beneden? Kom eens gauw hierboven! Je bent veel te lang . . .'

'Heb je dan nergens een lucifer?' smeekte Tony, toen zijn nek beklemd raakte onder Freddy's oksel. Ze sloeg dubbel van de lach.

'Tony! Lig stil! Ik weet waar ik ben! Ik zal mijn kleren uittrekken en als jij je even niet beweegt, zal ik jou voorzichtig opzoeken en kijken hoe je ligt.'

'Oké.' Hij bleef roerloos liggen toen ze haar trui over haar hoofd trok en uit haar nachthemd glipte en haar sokken uitschoof, en hij luisterde naar de geluiden die elk kledingstuk maakte wanneer zij het weggooide. Daarna onderwierp hij zich aan vragende, verwarmende en triomfantelijke handen terwijl hij de lucht inademde van deze geurige grot onder de dekens. 'Lieve help, majoor, wat hebben we daar? O, het is de kruik – ik maakte me even zorgen – en wat kan dit nu zijn?'
'Dat moet je niet aanraken ... niet nu al ...'
'Waarom niet?' vroeg Freddy, een en al onschuld. 'Het voelt heel ... vriendelijk.'
'Laat ... los,' smeekte hij.
'Waarom zou ik? Weet je niet dat er een oorlog gaande is? Niets verspillen, alles gebruiken.' Ze schoof een lang been over zijn heup, in een ondeugend, onweerstaanbaar gebaar. 'Zal ik je eens wat vertellen?' fluisterde Freddy. 'Ik heb er toevallig een heel goed plekje voor.'

Die nacht, midden in de winter, sliepen Freddy en Tony slechts af en toe; ze dommelden weg om weer wakker te worden en tot de ontdekking te komen dat hun begeerte weer was toegenomen. Ze vonden de warmte en intiemste plekjes van elkaars lichaam, twee geduldige, toegewijde onderzoekers met vingertoppen en tongen en neusgaten in plaats van ogen. Ze prezen en dankten elkaar en vielen weer in slaap, om gedesoriënteerd wakker te worden, tot ze elkaar voldoende hadden afgetast om nieuwe grenzen te vinden om over te steken, nieuwe regels om te breken. Hun laatste slaap scheen Tony een lange tijd te hebben geduurd en hij dwong zichzelf uit bed te komen en de verduisteringsgordijnen een kiertje open te schuiven. Hij deinsde op slag achteruit en dook onder de dekens.
'Verdorie!'
'Wat is er aan de hand?' vroeg Freddy, geschrokken.
'De kinderen ... ze zijn allemaal buiten ... ze moeten net een sneeuwpop onder je raam hebben gemaakt, want hij stond er gisteren nog niet. De hemel mag weten hoe laat het is.'
'Kijk dan op je horloge, lieverd.'
'Dat heb ik gisteren op mijn kamer laten liggen.'
'Nou, ze denken hoogstens dat we ons hebben verslapen.'
'Jane niet,' zei hij stellig.
'Het kan me niets schelen,' verklaarde Freddy. 'Kus me, mallerd.'
'Ik wil dat ze het allemaal weten! Ik ga het ze allemaal vertellen!' zei hij opgetogen.
'Nee! Als je 't lef hebt!'
'Wat is het adres van je ouders in Londen?' wilde Tony weten.
'Wat ga je doen, ze opbellen en zeggen dat je vannacht bij mij hebt

geslapen?' vroeg Freddy, plotseling geschrokken. Hij leek tot alles in staat.
'Ik ga er volgende week heen. Ik wil je vader spreken.'
'Maar waarom in 's hemelsnaam . . .?'
'Om hem van mijn bedoelingen op de hoogte te stellen, natuurlijk. Om zijn toestemming te vragen,' zei Tony op de meest waardige toon die iemand in zijn verkreukelde, plakkerige toestand maar op kon brengen.
'Allemachtig,' zei Freddy zacht, en ze probeerde het zich voor te stellen.
'Ik denk niet dat dat een goed idee is . . . misschien . . . schrikt hij wel.'
'Maar ik wil met je trouwen. Ik bedoel, ik neem aan dat je dat begrijpt. Dus moet ik met hem praten.'
'Moet je niet eerst met mij praten?'
'Dat zal ik ook doen. Alles op z'n tijd. Maar eerst zal ik me aan hem moeten voorstellen. Zal hij het heel erg vinden dat ik niet zo best Frans spreek?'
'Nee,' giechelde Freddy, 'dat denk ik niet. Ben je echt van plan om . . . hem toestemming te vragen om mij . . . eh . . . het hof te mogen maken?'
'Zeer zeker. Tenzij jij daar bezwaar tegen hebt.'
'Ik heb er geen echte bezwaren tegen, nee. Ik bezit er niet eens de kracht toe.'
'Dus dan ga ik maar naar hem toe, goed?'
'Nu ik er zo over nadenk . . . heeft hij na al die jaren wel een leuke verrassing verdiend.'
'Wat bedoel je daarmee, Freddy?'
'Misschien vertel ik je dat nog wel eens. Of misschien ook niet.'
'Eens zul je me alles vertellen,' zei hij vol vertrouwen.
'Pas na een lange en volhardende verkering. En misschien zelfs dan niet. Ik vrees, Antony, dat recente gebeurtenissen er misschien toe hebben geleid dat je mij als een gemakkelijk te veroveren meisje beschouwt.'
'O, Freddy, ik aanbid je, echt waar . . . onvoorwaardelijk en voor altijd. Houd jij ook van mij?'
'Een beetje.'
'Niet meer dan dat?'
'Veel meer dan dat.'
'Hoeveel meer?' wilde hij gulzig weten.
'Ik zou het je wel willen vertellen . . . maar de kruik lekt.'

17

Delphine bleef als versuft in de deuropening van hun flat op de Boulevard Saint-Germain staan en luisterde naar Armands voetstappen toen hij de trap afliep. Een minuut geleden had ze nog in zijn armen gelegen, nog steeds min of meer beschermd, half beschut door het bolwerk van zijn liefde, zelfs toen de waarheid van zijn vertrek tot in haar wanhopende hart doordrong. Nu was ze echt alleen, want op het moment dat hij vertrok, was hij gewoon een van de miljoenen Fransen geworden die hun huis hadden verlaten voor een ongewisse toekomst, om zich in de algehele mobilisatie van 2 september 1939 bij hun militaire onderdeel te voegen. Gedurende enkele wanhopige, niet-begrijpende uren, waarin ze te treurig was om te kunnen huilen, doolde ze versuft door het appartement, speelde wat liedjes op de piano en probeerde, ineengedoken onder de plaid, zich zonder succes voor te stellen dat ze hem elk moment de trap op kon horen lopen, zijn sleutel in het slot kon horen, hem de kamer zou zien binnenkomen.

Op het moment dat Armand vertrok, verdween Delphine's vermogen om de werkelijkheid buiten te sluiten. Vele maanden had ze zich hiermee overeind gehouden, als in een evenwichtsoefening, alsof ze haar hele leven op het slappe koord had doorgebracht. Haar gevoel van evenwicht had echter berust op zijn aanwezigheid, want ze had het in leven geroepen voor het afweren van een dag waarvan ze weigerde te geloven dat hij zou komen.

Nu schoot haar gevoel voor zelfbehoud haar te hulp en Delphine zag in dat het tijd werd om terug te keren naar haar kleine burcht in de Villa Mozart, tijd om haar nieuwe situatie te inventariseren, te midden van alle wapens op het gebied van bezit en positie die ze had weten te vergaren in de jaren voordat ze de enige man had ontmoet van wie ze ooit had gehouden.

Het eerste dat ze deed toen ze de slaapkamer van haar roze en turkooizen Victoriaanse huis op slot had gedaan, was naar haar bureau lopen, met een sleutel de lade openmaken en haar juwelenkist te voorschijn halen. Daar, te midden van andere documenten en fluwelen etuis met haar juwelen, lag haar blauwe Franse paspoort en haar groene Amerikaanse. Jaren geleden, toen het duidelijk werd dat hun verblijf in Los Angeles van lange duur zou zijn, had Paul de Lancel stappen ondernomen om zich ervan te verzekeren dat zijn beide dochters zowel het Franse als het Amerikaanse staatsburgerschap kregen. Hoewel ze Frans van geboorte waren, van Franse ouders, hadden ze altijd buiten Frankrijk gewoond en als diplomaat had hij de macht van een Amerikaans paspoort nimmer onderschat.

Delphine begreep dat ze tot een besluit moest komen. Ze woog de twee paspoorten in haar handen; ze kon weggaan uit Europa, zoals de meeste Amerikanen in Parijs overhaast deden, ze kon zelfs nu nog teruggaan naar het neutrale Amerika. Binnen korte tijd, misschien minder dan twee weken, kon ze terug zijn in Los Angeles. Ze kon logeren in het Beverly Hills Hotel – ze kon er een suite reserveren door gewoon de telefoon op haar bureau te pakken en op te bellen. Ze speelde even met de gedachte, zag zichzelf al een Cobb-salade in het Hollywood Brown Derby bestellen, lunchen met een impresario, de keuze van een draaiboek bespreken. Niets aan dat beeld was onwaarschijnlijk of vergezocht. Integendeel, elk detail was even praktisch, waarschijnlijk en bereikbaar, er was slechts een bezoek aan een reisbureau, om een ticket te kopen, voor nodig om het waarheid te laten worden.

Wat was het alternatief als ze geen passage boekte op dat stoomschip? De Franse filmindustrie lag volledig plat, vanaf de dag van de mobilisatie, zoals met veel burgerbedrijven het geval was. Acteurs, technici en leden van de crew waren verdwenen, net als Armand. Twintig films die in produktie waren geweest lagen nu stil. Ze had geen werk, niemand had haar nodig en ze had zelfs geen enkel nut voor een land in staat van oorlog.

Maar toch kon ze niet zómaar vertrekken! Armand Sadowski was ergens dicht bij haar, met zijn voeten op dezelfde Franse bodem, en hij ademde dezelfde Franse lucht in als zij. Voorlopig had niemand enig idee waar elke soldaat zich bevond, maar binnenkort zou alles wel iets minder ongeregeld worden. Hij kon elk moment de kans krijgen haar vanuit een kazerne te bellen, vooropgesteld dat hij in een kazerne zat en niet in een loopgraaf. Misschien kreeg hij over twee of drie maanden wel verlof aangezien er, tot dusver tenminste, toch niet werd gevochten. Ze verwachtte nu elk moment een brief van Armand te zullen krijgen – hij had haar beloofd zo vaak te schrijven als maar mogelijk was. Zolang ze precies bleef waar ze was, zolang ze zich niet verroerde, niet wegging, hier in Parijs bleef, hadden ze nog een band, deelden ze hun toekomst. Hoe kon ze dan zelfs maar overwegen tienduizend kilometers tussen hen in te stellen?

Delphine schoof, met een gevoel van opluchting, de paspoorten terug in de juwelenkist. Er was eigenlijk geen enkele keuze geweest.

Gedurende die winter van 1940, de *drôle de guerre* of de 'nepoorlog', waarin het Franse leger zich niet verroerde en zelfs de RAF uitsluitend pamfletten uitstrooide, bleef Armand Sadowski bij zijn legereenheid aan de noordwestpunt van de Maginot Linie. In april vielen de Duitsers Noorwegen en

Denemarken binnen. Op tien mei maakte Hitler een eind aan de *drôle de guerre* door het tot nu toe neutrale Holland, België en Luxemburg binnen te vallen, op weg om Frankrijk te veroveren. Het Franse leger viel uiteen en streed gedemoraliseerd, samen met de Engelse troepen, tegen de oprukkende vijand. Binnen twee weken trokken de geallieerden zich terug naar de stranden van Duinkerken.

Het wonder van de evacuatie van Duinkerken, in mei, redde de meeste Britse strijdkrachten zodat zij nog een andere keer konden vechten, maar de Fransen bleven verslagen achter op de kust van hun vaderland, afgesneden zonder een mogelijkheid tot terugtocht, tenzij in de wateren van het Kanaal. Armand Sadowski werd, samen met honderdduizenden andere Fransen, krijgsgevangen gemaakt. Binnen enkele dagen werd hij te werk gesteld in een wapenfabriek in Duitsland.

Tijdens de slag bij Duinkerken bleef Delphine paraat, wachtend op nieuws. Ze bleef wachten tijdens de inname van Parijs; ze wachtte op die dag in juni, toen de wapenstilstand tussen Frankrijk en Duitsland werd getekend en het restant van het Franse leger dat nog op Franse bodem vertoefde, werd gedemobiliseerd; ze wachtte, standvastig en koppig, tijdens alle chaos van juli en augustus. Laat in september werd ze beloond. Er kwam een kaart, ergens uit Duitsland, die haar vertelde dat Armand in leven was en voldoende te eten kreeg.

Nu Duitsland niet langer met Frankrijk in oorlog was, werd het belangrijk om burgerlijke onrust in het bezette deel van Frankrijk te vermijden. De krijgsgevangenen kregen toestemming elke veertien dagen een kaart naar huis te sturen. Delphine begreep weldra, als elke Franse burger die deze kaarten ontving, dat ze uitsluitend als bewijs konden gelden dat de gevangene nog in leven was en nog steeds in staat was een potlood vast te houden, maar toch telde ze, als zovele duizenden andere vrouwen, elke dag die voorbijging tussen de kaarten die met duivelse onregelmatigheid verschenen.

Nu, in de herfst van 1941, waren er bij elkaar negentien kaarten in het kostbare stapeltje dat Delphine in haar juwelendoos bewaarde. In juni 1941, vier maanden geleden, was de Franse filmindustrie weer tot leven gekomen, toen er vijfendertig nieuwe films binnen vier maanden werden geproduceerd onder een organisatie die COIC heette en die de steun had van zowel de Vichy-regering als van de Duitse bezetters.

Delphine zag maar al te duidelijk dat er geen joden meer in de studio's werkten, maar het ontwaken van de filmindustrie viel samen met onderhandelingen die resulteerden in de terugkeer van een aantal krijgsgevangenen. Zelfs als Armand niet meer als regisseur kon werken tot de Duitsers waren verslagen, zou er misschien toch een kansje zijn dat hij naar Frankrijk werd teruggezonden. Deze hoop was voor haar voldoende om op te kunnen leven.

344

De sterkste, best gefinancierde en meest actieve produktiemaatschappij in Frankrijk was een nieuwe maatschappij, Continental. Grote regisseurs als Marcel Carné, Georges Lacombe, Henri Decoin en Christian-Jaque, en topacteurs als Pierre Fresnay, Danielle Darrieux, Jean-Louis Barrault, Louis Jourdan, Fernandel, Michel Simon en Edwige Feuillère hadden allen contracten getekend met Continental. Nu tekende Delphine de Lancel ook, even onwetend of even verontschuldigend als alle anderen die niet wisten of die het niets kon schelen dat Continental volledig door de Duitsers werd beheerd en dat het hoofd ervan, de autocratische Alfred Greven, die toezicht had op alle activiteiten van de maatschappij, direct aan Goebbels rapporteerde en een goede persoonlijke vriend was van Goering.

Luchtige, snelle komedies vormden bij Continental de hoofdmoot, ter vervanging van de Amerikaanse films die zo succesvol waren gebleken voordat ze werden verbannen. Continental produceerde ook misdaadfilms, geschreven door Georges Simenon, over zijn onsterfelijke inspecteur Maigret, naast uitvoerige en getrouwe weergaven van klassieke werken van Zola en Balzac.

In de grote oude traditie van filmmakers waar dan ook, produceerde Continental de films die het publiek wilde zien, het oorlogsequivalent voor de films die Hollywood in de crisisjaren had gemaakt, toen films over rijken zo populair waren geweest. In de films van Continental kwam geen pro-Duitse propaganda voor, aangezien de oorlog nooit had plaatsgevonden; iedereen had meer dan genoeg te eten, tabak was niet op de bon, alcohol was er in overvloed, niemand had het ooit koud en Duits werd er niet gesproken. Het tijdsbeeld van de meeste produkten was een geïdealiseerde periode halverwege de jaren dertig, in een Frankrijk dat uitsluitend door de Fransen werd bewoond.

Delphine was dankbaar voor de oproep weer aan het werk te gaan, de verplichting om bezig te zijn, waardoor ze gelukkig weinig tijd overhield om te piekeren. Ze stortte zich in een geweldig populaire serie die was gebaseerd op *The Thin Man*. Ze speelde de rol van een zekere Mila-Malou, het meisje Vrijdag van een zekere inspecteur Wens, gespeeld door de grote acteur Pierre Fresnay. Delphine, die nooit echte afgunst jegens een andere vrouw had gevoeld, benijdde nu de malle, frivole Mila-Malou. Die wildebras van een Vrijdag deed haar denken aan haarzelf, zoals ze slechts drie jaar geleden nog was geweest.

Toen Bruno's elite pantsereenheid, die geen actie had gezien, na de wapenstilstand werd gedemobiliseerd, keerde hij zo snel mogelijk naar Parijs terug. Hij ontleende geen enkele troost aan de gedachte dat hij gelijk had gehad met betrekking tot de afloop van de oorlog – het grote probleem was wat hij moest doen aan zijn toekomst, waarvan hij geen minuut betwijfelde dat die onder het Duizendjarige Rijk zou zijn, en wel zo aangenaam mogelijk. Hij bedacht dat een echt slimme man, die het niet erg vond om zich te vervelen, zich natuurlijk al jaren geleden in Zwitserland zou hebben gevestigd, maar het had geen zin over die gemiste kans te treuren. La Banque Duvivier Frères was niet meer opengegaan en in de gigantische verwarring van die eerste dagen na de overgave had Bruno weinig kijk op de toekomst van enige particuliere bank.

Wat, vroeg hij zich af, zou een verstandige Fransman in zo'n geval doen? Wat wist elke Franse man en elke Franse vrouw dat de beste plaats was om te wonen in tijden van politieke beroering? Waar lag de natuurlijke schuilplaats waar je moest blijven tot alles weer rustig was geworden en het normale leven zijn gang had hernomen? Waar was altijd iets te eten en iets te verkopen? Op de familieboerderij, als je een boerderij had, of op het familiechâteau, als je een château had. Lánd. Dat was het enige dat uiteindelijk van belang was, dacht hij toen hij op weg ging naar Champagne.

Tegen de tijd dat Bruno op Valmont arriveerde, hadden de bezettingsautoriteiten al een districtscommandant aangewezen: Herr Klaebisch, lid van een prominente familie van wijnbouwers uit het Rijnland. Toen vicomte Jean-Luc de Lancel zijn kleinzoon vertelde dat het kantoor van Klaebisch in Rheims had bevolen dat er elke week door de provincie Champagne tussen de drie- en vierhonderdduizend flessen champagne naar de Duitse krijgsmacht moesten worden gestuurd, haalde Bruno slechts zijn schouders op. Zo iets was wel te verwachten, vond hij, en het wees er in ieder geval op dat de Duitsers veel belang hadden bij het produktief houden van de bevolking van Champagne, en dat ze de wijnbouwers hun bedrijf lieten uitoefenen. Hij besloot zo snel mogelijk alles te leren over een bedrijf dat hem vroeger nooit had geïnteresseerd. Hij vond dat een oorlog ook positieve kanten moest kunnen hebben.

Binnen een jaar was Bruno, die steeds in gedachten hield dat de Wehrmacht zijn grootste klant was, erin geslaagd een indrukwekkende hoeveelheid kennis te vergaren over de champagnebereiding. Hij reed voortdurend langs de Lancel-wijngaarden, gezeten op een fraai paard waarvoor hij altijd voer wist te vinden. En zoals hij had voorzien, leed hijzelf evenmin ooit honger. Reeds voor de invasie in mei had Anette de Lancel, denkend aan de Eerste Wereldoorlog, opdracht gegeven de vruchtbare grond van haar rozentuin nu aan te wenden om groenten te verbouwen, en enkele oudere personeelsleden werd de zorg toevertrouwd voor het houden van kippen, konijnen, varkens, een stier en enkele koeien, in schuurtjes die waren neergezet op afgelegen open plaatsen in het bos dat bij het château hoorde. Het huishoudelijke personeel van Valmont stortte zich met enthousiasme op deze taken, want ze wisten dat de vicomtesse hen niet zou laten verhongeren, ook al konden ze zich niet verheugen op feestmalen in de keuken als in vooroorlogse tijden.

Jean-Lucs onmisbare triumviraat van keldermeesters, de neven Martin, waren allen de leeftijd te boven om automatisch te worden gemobiliseerd. Omdat ze bij hun gespecialiseerde werk onmisbaar waren, hadden ze toestemming gekregen op het land te blijven. Twee keer per jaar werden veel van de andere geschoolde arbeiders die gevangen waren genomen toen de vijand via Champagne Frankrijk was binnengedrongen en die nu in Duitsland werkten, naar huis gestuurd voor het vitale snoeien van de wijnstokken in maart en voor het binnenhalen van de oogst in september. Ondanks dit alles was het Huis Lancel aangewezen op een danig geslonken hoeveelheid personeel en kwamen er nu, net als in de Eerste Wereldoorlog, vrouwen en kinderen en oude mannen op het veld werken. Onder Bruno's waakzame oog slaagden deze sterke boeren, die heel gemotiveerd waren en trouw aan de Lancels, erin de wijngaarden produktief te houden. De oude vicomte was bij het uitbreken van de oorlog van de ene dag op de andere ziek geworden.

Waarom, vroeg Bruno zich af wanneer hij zijn inspectieronden deed, zou hij zo onnozel zijn te veronderstellen dat het Duitse karakter monolitisch was? Binnen de gelederen van de overwinnaars moest de menselijke natuur, met al haar fascinerende variaties, toch even goed aanwezig zijn als indertijd onder de rijken van Parijs, toen hij in de bankwereld terecht was gekomen. Goed, zijn eigen, persoonlijke waarde was gedevalueerd; zijn titel en zijn familie dwongen niet meer direct respect af; het accepteren van een invitatie was niet langer voldoende om een speciaal voordeel te verschaffen dat voor zakelijke doeleinden kon worden aangewend.

Maar was het niet mogelijk dat er onder de bezetters ook mannen waren die er gevoelig voor waren niet met de bedekte vijandigheid te worden bejegend die het grootste deel van de bevolking toonde? Ze zouden achterdochtig reageren op elke vorm van overvriendelijkheid van een Lancel, of van welke Fransman dan ook, maar hoffelijkheid ... gewoon hoffelijkheid ... bood hem misschien de opening naar iets anders ... naar een gunstige gelegenheid, een káns. Er moesten mogelijkheden bestaan, al was het nog te vroeg om je die duidelijk voor te kunnen stellen. Er bestonden altijd mogelijkheden en kansen voor iemand die alert was, zowel in oorlogstijd als in vredestijd, en nu, in deze tijd van wapenstilstand, in deze tweeslachtige, onzekere periode, moesten er meer kansen zijn dan ooit. Frankrijk had de oorlog verloren, maar Bruno was niet van plan de wapenstilstand te verliezen.

Er werden regelmatig inspecteurs door Champagne gestuurd, met hun glanzende zwarte Citroëns en hun goedgepoetste kaplaarzen, om te controleren of de champagnehuizen al het noodzakelijke deden om hun quota te halen. De machtige Luftwaffe en de machtige marine hadden de eerste rechten op een constante aanvoer van champagne – evenals een indrukwekkende dorst – en het was een bekend feit dat de sluwe Champenois goed in de gaten moesten worden gehouden. Met het oog daarop waren deze inspecteurs vaak mannen die zelf ook in de wijnbouw hadden gezeten, want het had alleen zin er iemand heen te sturen die zich geen knollen voor pinot meunier-druiven liet verkopen.

Hoe kon je hoffelijk doen tegen de overwinnaar zonder in onderdanigheid te vervallen? Je kon moeilijk iemand uitnodigen een bijzonder glas wijn te komen drinken dat feitelijk al van hem was. Je kon beleefd doen, ja, maar beleefdheid had weinig waarde wanneer een gebrek aan beleefdheid je je leven kon kosten.

Maar kon je, zonder achterdocht te wekken, redelijkerwijs advies vragen aan deze ervaren wijnmakers, vooral wanneer je zelf geen Champenois was, wanneer je niet in deze omgeving was opgegroeid? En door het advies te vragen kon je misschien iets overbrengen in de zin van het toevertrouwen van jouw problemen aan een – nee, niet aan een vriend, dat misschien niet, dat misschien nooit – maar wel aan een gelijke. Hoeveel mannen, vroeg hij zich af terwijl hij tijdens het scheren zijn eigen vertrouwen inboezemende gezicht in de spiegel bekeek, vonden het niet leuk om iemand goede raad te geven? Hoeveel mannen schiepen er niet een heimelijk plezier in door iemand van adel als gelijke te worden behandeld, ook al was die adel verslagen?

Binnen een verrassend korte tijd werd het bij bepaalde belangrijke vertegenwoordigers van de districtscommandant in Rheims bekend dat de jonge Lancel, daar op Valmont, begrijpelijkerwijs niet zoveel verstand had van bepaalde fundamentele zaken in het verbouwen van wijn. Hij bekleedde, zo had hij hun verteld toen hij hen bij hun inspectie vergezelde, deze verantwoordelijke positie uitsluitend omdat zijn grootvader te oud was om het bedrijf nog goed te kunnen beheren, en zeker te oud was om even onvermoeibaar als hij te paard de wijngaarden te inspecteren.

Een Parijse bankier die hier begraven zat – ach, ze hadden heus geen medelijden met hem, ze zaten zelf ook in Champagne begraven – maar hij was in ieder geval niet zo lastig in de omgang als vele anderen, láng niet zo lastig. Bovendien was die Lancel nog zo snugger om hun om raad te vragen wanneer hij die nodig had, en dat was vaak, en hij was niet te koppig om die raad aan te nemen en op te volgen. Als er meer Fransen als Lancel waren geweest, zou hun eigen werk een stuk gemakkelijker zijn geweest. En als je er goed over nadacht, ook een stuk aangenamer. Ze vonden het niet leuk om van hun huis en gezin weg te zijn, ze vonden het niet leuk om met die heidense berg papieren uit Berlijn te worden opgescheept, met de verplichting de getelde quota wijn te leveren, of met de manier waarop de bevolking van Rheims en Epernay deed alsof ze niet bestonden.

Bij Bruno de Lancel werd geen van de inspecteurs behandeld als een bezetter, geen van hen vermoedde ooit zijn goed verborgen trots of zijn gebruikelijke arrogantie. En toch was Bruno's houding onnaspeurbaar voor een Fransman die de moeite zou nemen hem te observeren. Het verschil lag slechts in een cruciale nuance in zijn manier van doen, in een aangename neutrale houding, in zijn van nature vriendelijke stem, in een bereidheid hen recht aan te kijken, een klein en onschuldig grapje te maken, te veronderstellen dat ze allen deel uitmaakten van dezelfde mensheid, en dit alles gebeurde met de aangeboren minzaamheid waarmee hij nog niet zoveel jaren geleden op bankcommissies joeg.

Binnen enkele maanden na zijn aankomst op Valmont had Bruno een *Ausweis* verkregen waarmee hij naar Parijs kon reizen. Een rechtvaardiging voor zijn tocht was niet moeilijk te bedenken. Zijn vroegere verblijf in Parijs gaf hem alle reden om een paar dagen afwezig te zijn en zo kon hij zich ervan vergewissen of zijn huis nog intact was.

Toen hij naar de voordeur liep, zag hij daar een Duitse soldaat op wacht staan. Behoedzaam liep hij naar de leveranciersingang en belde aan. Georges, zijn oude butler, deed de deur open en riep verrast en verheugd: 'Monsieur le vicomte, goddank!'

'Hoe ben je teruggekomen, Georges?' vroeg Bruno, toen hij in het butlerskamertje naast de keuken zat. 'Toen ik na de overgave weer in Parijs kwam, trof ik het huis leeg.'

'We zijn allemaal uit Parijs wegggevlucht,' antwoordde Georges, 'en toen we erin waren geslaagd terug te komen, hoorden we dat u naar het château was gegaan. Daar hadden we uiteraard alle begrip voor – uw plicht ligt daar.'

'Wie woont hier nu?' wilde Bruno weten, toen hij met een snelle blik had gezien dat Georges het beste zilver had zitten poetsen. Vanuit de keuken kwam de geur van gebraden vlees en in het kamertje zag alles er keurig netjes en glimmend uit.

'Het huis is gevorderd door generaal Von Stern. Hij werkt voor generaal Von Choltitz, op het bureau van culturele zaken, en hij spreekt uitstekend Frans. We hebben geluk gehad, monsieur le vicomte, de generaal heeft iedereen in dienst gehouden, zelfs uw kamerknecht, Boris, en die is ervan overtuigd dat Von Stern nooit eerder een persoonlijke knecht heeft gehad. Het is gelukkig een erg rustige man, geïnteresseerd in antiek, een groot bewonderaar van uw collectie oude wapens en boeken. Er is niets veranderd, monsieur, het huis verkeert nog in exact dezelfde staat als toen u vertrok.'

'Hij heeft geen vrouw of kinderen?'

'Ik betwijfel het. Ik heb in ieder geval geen foto's van hen gezien en dat is een zeker teken, dat weet ik uit ervaring. Hij neemt wel vaak een vrouw van de straat mee, maar hij laat haar 's nachts nooit blijven.'

'Ontvangt hij gasten?'

'Zo nu en dan wat andere officieren, rustige mannen, net als hijzelf. Ze praten over schilderijen en architectuur, niet over de oorlog.' Georges haalde zijn schouders op. 'De diners zijn niet erg sprankelend, monsieur, maar ze eten met graagte en genieten van de beste flessen uit uw kelder.'

'Een kleine prijs om te betalen, Georges. Je hebt me gerustgesteld. Misschien zou het verstandig zijn, omwille van jullie veiligheid, als ik zo hoffelijk was de generaal te bedanken voor zijn goede zorgen voor mijn bezittingen?' mompelde Bruno.

'Zijn louter tijdelijke zorgen, bedoelt u, monsieur le vicomte?' zei Georges zacht, op hoopvolle toon.

'Uiteraard slechts tijdelijk, hoe kun je daaraan twijfelen?' antwoordde Bruno. Hij gaf zijn kaartje aan de butler. 'Laat dit maar aan Von Stern zien. Vraag maar of het hem schikt als ik hem morgen kom bedanken. Ik wil graag zelf zien wat voor man er in mijn bed slaapt.'

'Dat begrijp ik, monsieur le vicomte. Heeft u nog nieuws van mademoiselle De Lancel? En van madame uw grootmoeder en monsieur uw grootvader, als ik mag vragen?'

'Droevig, Georges, droevig. Mademoiselle Delphine schijnt zich voor iedereen te hebben afgesloten ... zelfs ik heb geen enkel nieuws over haar ... en mijn grootvader is opeens een oude man geworden. Alleen mijn grootmoeder heeft nog haar oude veerkracht weten te bewaren.'

'We rekenen allemaal op u, monsieur le vicomte. U bent veel in onze gedachten.'

'Dank je, Georges. Als je bericht hebt over mijn ontmoeting met je generaal, kun je dat bij mijn hotel achterlaten.'

'Nooit "mijn generaal", monsieur le vicomte,' protesteerde Georges, toen hij Bruno uitliet.

'Een grapje, Georges. We moeten nog wel kunnen lachen, vind je niet?'

Binnen enkele minuten had Bruno generaal Von Stern naar waarde geschat. Een Pruis van de laagste adel, oordeelde hij, van een zeer verarmde familie, een man die niet beter geschikt was voor de titel 'generaal' dan Bruno zelf, een wetenschapper van bijna middelbare leeftijd die om zijn gespecialiseerde kennis een van Goerings uitgelezen experts was, die zijn dagen doorbracht met het uitzoeken van de grootste kunstwerken in Frankrijk om deze naar Duitsland te sturen voor de persoonlijke verzameling van de maarschalk. Een gematigd man, deze Von Stern, niet onaantrekkelijk en voldoende beschaafd om zich tegenover Bruno niet helemaal op zijn gemak te voelen, alsof hij wist dat hij, overwinnaar of niet, geen recht had op dit schitterende huis in de Rue de Lille. Bruno stelde hem snel op zijn gemak.

'Ik heb toch zulke afschuwelijke verhalen over huizen gehoord, generaal, historische huizen die als kazernes zijn behandeld ... u kunt zich voorstellen hoe opgelucht ik ben te zien dat u begrip hebt voor schoonheid, en ervan houdt,' zei Bruno, terwijl hij in zijn bibliotheek rondkeek met de houding van de volmaakte gast, alsof hij geen enkel eigendomsrecht had maar zich vrij voelde deze kamer alle gepaste bewondering te geven.

'Het is een van de mooiste huizen in deze stad, die de mooiste is die er bestaat, vicomte,' zei Von Stern, met een goed verborgen maar toch zichtbare voldoening in zijn ogen.

'Het is gebouwd in de tijd van Lodewijk XV. Ik heb zelf altijd beweerd dat zij die zo gelukkig zijn erin te mogen wonen, slechts huisbewaarders zijn, als de gelukkige curator van een museum.'

'Bent u een museumbezoeker, vicomte?'

'Het was mijn hartstocht, mijn reden tot bestaan. Voor de oorlog heb ik al mijn vrije uren in musea doorgebracht, elke vakantie was gewijd aan reizen. Florence, Rome, Londen, Berlijn, München, Madrid, Amsterdam – ach, dat waren nog eens tijden, nietwaar, generaal?'

Von Stern zuchtte. 'Zegt u dat wel. Maar ze zullen terugkeren, daar ben ik van overtuigd. Binnenkort zal onder de Führer overal in Europa vrede heersen.'

'We moeten altijd en overal op vrede hopen, generaal, anders zal alle schoonheid van deze wereld worden vernietigd. Ik denk dat we het daar zonder enig probleem over eens kunnen zijn.'

'Zullen we op de vrede drinken, vicomte?'

'Gaarne, generaal, bijzonder gaarne,' stemde Bruno in. Regels tegen verbroedering met de vijand waren bedoeld voor Duitse soldaten en Franse hoeren, niet voor heren die elkaar misschien een gemeenschappelijk belang hadden te bieden. Von Stern was geen man die uit eigen beweging graag alleen was, daar was hij van overtuigd toen hij zich wat verder in de leunstoel liet zakken, wachtend op de uitnodiging te blijven dineren, die zeker zou komen.

Ik houd van je, ik houd van je, dacht Freddy verrukt. Ik houd van al je twaalfhonderdvijftig vurige en krachtige paarden, ik houd van de heldere bol van je perspex koepel, ik houd van je spits toelopende, ellipsvormige vleugels en je lawaaierige, het-kan-me-niets-schelen uitlaat en je knusse kleine cockpit en je idioot volle instrumentenbord, ik houd zelfs van de te lange motorkap van je sublieme Merlin-motor die mijn uitzicht bij de start en de landing blokkeert, en je koplastigheid, die betekent dat ik zo voorzichtig moet remmen alsof het een kinderwagen is, ik houd tien keer meer van je dan van elke betrouwbare, zakelijke Hurricane waarmee ik ooit heb gevlogen en ik zou er alles voor over hebben jou door de lucht te jagen, vol gas met je te klimmen met tweeduizendachthonderdvijftig toeren per minuut en je dan in een gierende duikvlucht te brengen, tot we allebei onze welverdiende pret hebben gehad, om dan, bij wijze van dessert, je bij vijfhonderd kilometer per uur af te trimmen en je ervan langs te geven, want ik weet dat ik het kan en iedereen weet dat jij het kunt, want als jij eenmaal van de grond bent vlieg je zó gemakkelijk. Gewoon een lieve speelse kat, dát ben je, mijn Spitfire Mark V. Wat heb je daarop te zeggen?

'Stomme kletskont,' zei ze hardop, toen de aanblik van een bekende kalkafgraving beneden, in het speelgoedlandschap dat Engeland was, haar eraan herinnerde dat ze voor de zoveelste keer een Spitfire uit de Vickers Supermarine-fabriek in Eastleigh naar een vliegveld in Lee-on-Solent moest brengen. Vanaf haar hoogte kon ze duidelijk over het Kanaal de groene velden van Frankrijk zien, waarvandaan dagelijks Duitse aanvallen op Engeland werden gedaan.

Vandaag, in september 1941, was het een uitgelezen dag om te vliegen. Geen mist, zelfs geen klein beetje nevel boven Engeland, en alleen een paar grote, verspreide wolken boven de zee. De late middagzon, die onder een scherpe hoek stond en ongewoon helder was, verwarmde haar nek tussen haar helm en haar kraag. Op deze zeldzame dag had Freddy na twee andere transportvluchten naar haar smaak een veel te kort tochtje gekregen, dat slechts een half uur in beslag nam. Nog erger was dat de nieuwe Spitfires door de ATA op hun kruissnelheid van driehonderdvijftig kilometer per uur werden gevlogen, om hun krachtige motoren voorzichtig in te vliegen, een procedure die voor Freddy uiterst frustrerend was, hoezeer ze er ook aan gewend mocht zijn.

Ze vloog nu elke dag nieuwe Spitfires, want Jane en zij waren tijdelijk naar de 15th Ferry Pool in Hamble gestuurd om de Vickers-fabriek te ontlasten van de slanke, geperfectioneerde oorlogsvliegtuigen die ze elke maand met steeds grotere snelheid produceerden. Het was heel gevaarlijk om een groep nieuwe vliegtuigen op een terrein buiten de fabriek te zetten omdat ze op die manier een gemakkelijk doelwit vormden voor elke overvliegende Duitse bommenwerper, dus moesten ze zo snel mogelijk worden verhuisd.

Wanneer Freddy de nieuwe Spitfire op de basis had afgeleverd, zouden er squadroncodes op worden geschilderd, er kwamen wapens in en misschien speciale brandstoftanks voor lange afstanden, of camera's als het als verkenningsvliegtuig zou worden gebruikt; er zou een insigne op komen met de nationaliteit van de piloot en als hij majoor of luitenant-kolonel was, zouden zijn initialen op het achterste stuk van de romp worden geschilderd. Het zou de eigen kist worden van de een of andere gelukkige jachtvlieger, zijn meest trotse bezit, waarmee niemand anders mocht vliegen tenzij zijn baas ziek of dood was. Nu, alleen nu, was hij van haar, helemaal van haar.

Ze had juist naar links gekeken om te zien hoever ze van haar bestemming aan de kust was, toen er uit een grote wolkenmassa boven de zee twee stippen verschenen op het pas gepoetste glas van haar cockpit. Er was iets wat onmiddellijk Freddy's aandacht trok en ze keek oplettend, met alle buitengewone capaciteit van haar gezichtsvermogen. Er was daar iets abnormaals, zelfs op deze afstand gezien. Evenals voor half Engeland was het zien van een luchtgevecht vanaf de grond voor haar niets bijzonders, maar nu ze in de lucht zat vertelde de onderlinge posities van die twee vliegtuigen haar meteen dat de een de ander achtervolgde. Ze kon hoogte verliezen om zich uit de voeten te maken, zei ze bij zichzelf terwijl ze hoogte won om hen te observeren. Zij was onzichtbaar, met de zon in haar rug. De vliegtuigen hadden snel een plaats in de lucht bereikt, misschien op twee kilometer afstand, waar ze hen kon herkennen. Het eerste toestel, dat vluchtte voor zijn leven, was ook een Spitfire, met de ene vleugel lager dan de andere in een houding die erop wees dat de bediening van het rolroer was geraakt. Het tweede toestel, een Messerschmitt Bf 109F die kon wedijveren met elke Spitfire, haalde het Engelse vliegtuig in en kleefde aan zijn staart. De Spitfire schoot hevig heen en weer om de kogels uit de Messerschmitt te ontwijken, kogels die nu duidelijk zichtbaar waren omdat het tracers waren, die werden gebruikt om piloten te melden dat ze bijna aan het eind van hun munitie waren.

'Nee!' gilde Freddy, toen de brandstoftank van de Spitfire werd geraakt en de vlammen zich vanaf de motor naar de cockpit begonnen te verspreiden. De kap ging open en de piloot tuimelde naar buiten. Ze hield haar adem in tot ze de chute open zag gaan. De zegevierende Messerschmitt, met zijn balkenkruis en swastika, cirkelde rond, kennelijk om zich ervan te verzekeren dat alles was gelukt. Maar toen de Spitfire in het Kanaal te pletter sloeg, bleef de Messerschmitt rondcirkelen, zonder het vuur te openen, in een spiraal naar beneden, om de bungelende Spitfire-piloot heen. Die klootzak gaat op hem schieten nu hij nog in de lucht hangt, besefte ze vol ontzetting, en omdat hij weinig munitie meer heeft neemt hij er de tijd voor en wacht op het perfecte schot.

Freddy gaf onmiddellijk vol gas en ging erop af. Toen ze dit deed smolt alles wat ze ooit van Mac over luchtgevechten had geleerd, alle RAF-glorie die Tony haar had bijgebracht, alle vliegstunts die ze ooit voor films had gepland, in haar hoofd ineens tot één absolute overtuiging: haar enige hoop lag in een frontale aanval.

Ze had met een ongewapend vliegtuig precies één kans om een Messerschmitt weg te jagen. Ze moest op volle snelheid recht op zijn boordkanon afgaan. Hij moest ervan overtuigd raken dat ze naderde om zijn voorruit aan splinters te schieten en dat ze van plan was tot de laatste seconde te wachten met vuren.

Ze begreep dat hij haar moest hebben gezien, toen hij ophield met cirkelen en omhoogkoerste, frontaal op haar af. Freddy schatte automatisch dat ze zo'n vijfentwintighonderd meter van elkaar vandaan waren. Ze bleef haar roekeloze, meedogenloze koers aanhouden toen de twee vliegtuigen op elkaar afsnelden, in een moment dat in de lucht scheen te hangen, als een statisch schilderij van een oorlogsdans. Op bijna driehonderd meter afstand, in de allerlaatste seconde, zwenkte de Messerschmitt weg, deed een snelle klim en vluchtte naar het oosten.

'Ik heb je rotzak, ik heb je!' gilde ze en ze zat triomfantelijk op haar stoel te wippen terwijl ze het Duitse gevechtsvliegtuig achterna ging. Het duurde enige minuten eer ze haar positieven weer terugkreeg en besefte dat ze zich gedroeg als een maniak. Met bonzend hart en een hoger adrenalinegehalte dan ooit tevoren, luisterde ze met tegenzin naar het gezonde verstand en keerde terug naar het westen, waar ze de piloot van de Spitfire juist in het water zag plonzen.

Met zijn Mae West-reddingsvest aan worstelde hij zich uit de banden van zijn parachute en terwijl zij beschermend over hem heen en weer vloog, blies hij zijn eenpersoons 'K'-dinghy op, de kleine, bolle, ovale rubberboot die al zoveel levens van geallieerde luchtmachtmensen had gered. De piloot zwaaide geruststellend met zijn peddel naar haar, maar Freddy bleef boven hem rondcirkelen tot ze een van de Air-Sea Rescue-sloepen zag, die van een reddingsstation op het strand vertrok om hem op te halen. Ze kon geen weerstand bieden aan de verleiding de Spitfire tot zijn laagste snelheid te vertragen, net boven de honderd kilometer per uur waarop hij zou overtrekken. Impulsief schoof ze de kap van de cockpit naar achteren en boog zich naar buiten om een soort groet te wisselen met de piloot, die in een frisse bries ronddobberde. Maar ze zag slechts vaag een bruin, grijnzend gezicht.

Freddy begreep dat hij probeerde iets tegen haar te roepen, maar ze kon hem niet verstaan. Ze schoof haar helm naar achteren zodat haar oren onbedekt waren en er wapperden wat slierten haar los in de wind, maar ze ging nog steeds te snel om zijn woorden te kunnen verstaan. De sloep had hem nu bijna bereikt en ze begreep dat ze geen enkel excuus had om hier nog langer haar tijd te verdoen. Spijtig schoof Freddy de kap dicht, duwde de knuppel naar voren en maakte zich op om naar haar bestemming te vliegen, over een landschap dat haar zo langzamerhand zo vertrouwd was dat ze precies wist wanneer welke boer zijn hooi binnenhaalde.

'Freddy, weet jij hier iets van?' vroeg kapitein Lydia James, de commandant van de groep vrouwelijke transportvliegers, en ze hield een krant in de lucht. Freddy bekeek de bewuste pagina. 'Geheimzinnige Spit Redt RAF-Piloot' stond er als kop boven een verslag van haar heldendaad, geschreven door een verslaggever die op de reddingspost was geweest toen de piloot van de gezonken Spitfire nat maar ongedeerd was binnengebracht.

'Ik begrijp het niet, Lydia . . .'

'Ik ben over dit incident ondervraagd . . . over deze "geheimzinnige Spit". Jij hebt gisteren in dat gebied gevlogen. Heb je niets ongewoons gezien?'

'Nee, Lydia, er is me niets opgevallen.'

'Vreemd, niemand schijnt iets te hebben gezien. Die piloot beweert dat hij geen identificatietekenen heeft kunnen zien op het vliegtuig dat hem heeft gered, maar dat de piloot rood haar had. Ze denken dat het er misschien eentje van ons is geweest.'

'Dat lijkt me niet erg waarschijnlijk, een onbewapend vliegtuig dat het opneemt tegen een Messerschmitt. Wie zou er nu zo iets krankzinnigs doen ... tenzij het een van de mannen was? Waarom hebben ze het aan jou gevraagd? Er zijn drie mannelijke piloten op elke vrouw. Om nog maar te zwijgen van het feit dat het tegen alle ATA-regels is! Die RAF-piloot had waarschijnlijk een shock.'

'Dat heb ik ook al gezegd,' zei Lydia James op formele ATA-toon. 'Goed, Freddy, veel succes morgen. Of zeg je zo iets niet tegen een bruid?'

'Ik denk dat het een gepaste wens is, Lydia. Dank je wel ... en nogmaals dank voor die week buitengewoon verlof.'

'Dat lijkt me niet meer dan normaal onder deze omstandigheden.'

'Normaal, maar geweldig.' Freddy draaide zich om en wilde het kantoor uit lopen, met haar rug naar haar commandant.

'O, Freddy ... nog één ding ...'

'Ja?'

'Als je bij de ATA wilt blijven ...'

'Ja, Lydia?'

'Dan moet je zulke dingen niet meer doen.'

Longbridge Grange lag op Freddy's trouwdag in de lome septemberzon te dommelen, doortrokken van de welriekende geur van laatbloeiende gele klimrozen. Eve en Paul de Lancel waren de vorige avond gearriveerd, evenals Tony's schoolgaande broers, Nigel en Andrew. Ze stonden samen met de Longbridges ongeduldig buiten de voordeur te wachten toen Freddy en Jane ten slotte in de MG arriveerden, die werd gereden op benzine die ze als trouwcadeau van een aantal ATA-piloten had gekregen.

Het was een lange verlovingstijd geworden, zoals Freddy Tony had gewaarschuwd, omdat ze niet overhaast tot een huwelijk wilde besluiten zonder na te denken over de consequenties. Ze was niet gevoelig voor de gedachte dat het haar plicht was een dappere strijder gelukkig te maken, zoals vele thuiszittende vrouwen, omdat ze zo hard nodig was voor haar werk als er maar weinig vrouwen ooit in oorlogstijd nodig waren geweest.

Hoewel Freddy's rooster van dertien dagen dienst gevolgd door twee dagen vrijaf zelden samenviel met Tony's vrije dagen, hadden ze af en toe 's avonds een paar uren samen gehad, wanneer het vliegen voor die dag was gedaan. Ze was ten slotte gecapituleerd voor zijn vastberadenheid en hartstocht. Ze was schoorvoetend van hem gaan houden, met de nodige innerlijke vragen en heimelijke terugblikken, die in Tony's ogen een bekoorlijke ongrijpbaarheid werden.

Ze werd met veel gejuich en gekus begroet toen ze moeizaam uit de MG stapte, met drie kleine meisjes die haar op slag bij de benen grepen.

'Waar is mijn Antony?' vroeg ze aan zijn moeder, verbaasd hem niet te zien.

'Hij is onderweg. Heeft tien minuten geleden gebeld ... het is werkelijk al te mal, lieverd, maar het ziet ernaar uit dat je een volslagen onbekende als getuige zult hebben ... Patrick heeft uitgerekend vandaag de bof gekregen!'

'Beter vandaag dan morgen,' riep Jane uit. 'Wie zei Tony dat hij meebracht?'

'Ik geloof iemand uit zijn squadron ... de verbinding was erg slecht en hij had gloeiende haast.'

Freddy draaide zich om en kuste Eve en Paul, die zich volledig op hun gemak schenen te voelen te midden van de zwerm Longbridge-kinderen. Ze waren op uitnodiging van lady Penelope een aantal keren gedurende het voorjaar en de zomer van 1941 met de trein vanuit Londen naar Longbridge Grange gekomen en de twee oudere echtparen hadden een hartelijke vriendschap gesloten, zowel uit wederzijdse sympathie als door de hoop dat Freddy en Tony met elkaar zouden trouwen, wat nu dan ook echt het geval zou zijn.

'Mag een bruid ook honger hebben?' vroeg Freddy aan niemand in het bijzonder. Paul sloeg zijn arm om haar schouders, tilde haar kin op en kuste haar voorhoofd. Hij dankte God voor dit kind en wisselde toen een snelle blik met Eve. Waar was Delphine? Hun ogen stelden de vraag die hem al zo lang had gekweld. Ze hadden geleerd zo min mogelijk over haar te spreken, want in het bezette gebied van Frankrijk was ze even onbereikbaar als wanneer ze aan de achterkant van de maan had gezeten, maar de vraag hield hen voortdurend bezig. Eve draaide zich om en concentreerde zich op Freddy.

'Je zult al je krachten nodig hebben,' adviseerde ze haar dochter. Eve had geholpen bij alle voorbereidingen, van de trouwerij in de dorpskerk waarbij iedereen uit de hele buurt was uitgenodigd, tot de ontvangst op The Grange, waarbij ze uitsluitend familie verwachtten, waarvan het aantal door alle reisbeperkingen in oorlogstijd tot zestig mensen beperkt was gebleven, wat Freddy een enorm aantal leek.

Vergezeld door de kleinste meisjes – Sophie, de jongste, en Sarah en Kate, de tweeling– aten Freddy en Jane wat sandwiches in de pantry, met de waarschuwing vooral niet naar de keuken te gaan, waar verscheidene vrouwen van naburige boerderijen lady Penelope en Eve hielpen de laatste hand aan het feestmaal te leggen.

Het was traditie dat een trouwerij om twaalf uur plaatsvond, maar aangezien noch de bruid noch de bruidegom kon garanderen op tijd aanwezig te zijn, was alles geregeld voor drie uur in de middag, om voordeel te hebben van het daglicht en alle gasten voor de ontvangst in staat te stellen vóór het donker en de verduistering aanwezig te zijn.

'Volgens mij is dit helemaal geen goed idee,' mompelde Freddy tegen Jane, toen ze de laatste hap van haar sandwich doorslikte.
'Wat is er aan de hand ... buikpijn? Je hebt te snel gegeten. Je bent gewoon opgewonden, dat is alles.'
'Opgewonden, m'n zolen! Ik ben in paniek! Ik ben doodsbenauwd. Ik kan het niet doen, Jane. Het is een grote vergissing. Ik ken Antony nauwelijks. Ik had me nooit door jou moeten laten overhalen.'
'Door mij?' zei Jane verontwaardigd. 'Ik heb er geen stom woord over gezegd. Dacht je echt dat ik jóu graag als schoonzuster wilde, jij halfgare Yank? Mijn broer had de dochter van een hertog kunnen trouwen ... en nou vergooit hij zich aan het eerste het beste aardige smoeltje. In vredestijd had je niet de minste kans bij hem gemaakt! En wat nog erger is, je bent ook nog een halfbakken Fransoos, als puntje bij paaltje komt, en in mijn familie hebben we Willem de Veroveraar nooit vergeven. Die had echt aan zijn eigen kant van het Kanaal moeten blijven, om Engeland over te laten aan de Angelsaksen. Hoor eens, als je dat wilt loop ik gelijk naar mammie om de hele handel af te gelasten. We zitten al zonder getuige, dus waarom ook niet zonder bruid? De trouwcadeaus stelden ook al niet veel voor ... niets waarvan we het zonde vinden om terug te sturen. De mensen zouden er alle begrip voor hebben ... sinds we in oorlog zijn heeft iedereen geleerd zich flexibel op te stellen. Als Antony niet mijn broer was geweest, kon ik zelf nog met hem trouwen, om de gasten niet teleur te stellen, maar je hoeft het maar te zeggen of we zijn weer terug in Hamble, voordat zij iets in de gaten hebben. Nog beter, we zouden door kunnen rijden naar Londen, om daar een paar knappe, warmbloedige, naar seks hongerende rekruten op te pikken om eens een echt gezellig feestje te bouwen.'
'Goed, goed, ik ben al stil,' zei Freddy somber.
Ze verkleedde zich in Jane's slaapkamer, met Eve en lady Penelope om zich heen. De zolder van Longbridge Grange was doorzocht op trouwjurken, maar er was niets wat Freddy paste omdat zij langer was dan alle vorige Longbridge-bruiden. Alle oorlogsschaarste en gebrek aan kledingbonnen maakten de aanschaf van een nieuwe trouwjurk onmogelijk, maar lady Penelope was vastbesloten dat haar oudste zoon een bruid zou krijgen die eruitzag als een bruid.
In de oorlogsjaren was haar talent voor *petit point* bijna uitgegroeid tot de vaardigheden van een professionele naaister. Voor het lijfje had lady Penelope het bovenstuk van een laat-Victoriaans gewaad genomen, met een lage, wijde, met linten afgezette halsopening en pofmouwen die juist aan het eind van Freddy's blote schouders begonnen. Ze offerde meedogenloos twee jurken uit de tijd van George III op, waarvan de ene een wijde, geplooide satijnen rok bezat die door een brede ceintuur bijeen werd gehouden. Hij was niet lang genoeg om tot op de grond te reiken, maar hij stond prachtig onder een gespleten overrok die helemaal uit kant bestond en waaraan een

357

kanten sleep van meer dan een meter lengte zat. Sophie, Sarah en Kate hadden die morgen een bloemenkrans van kleine witte rozeknoppen gemaakt om de schouderlange sluier vast te houden, een familie-erfstuk dat reeds meer dan driehonderd jaar in hun bezit was en stamde uit de tijd van Karel II.

Toen Freddy gedwee haar transformatie in de spiegel volgde, bedacht ze dat met elke extra laag antieke, eeuwenoude, ivoorkleurige kant, het voor haar minder moeilijk werd om met de trouwerij door te gaan, want hoe minder ze zichzelf herkende, hoe minder onwaarschijnlijk de gedachte aan het huwelijk werd. Het enige bekende beeld dat ze nu nog in de spiegel zag was haar haar, dat als een vuurwerk oprees uit de ivoorkleurige wolken die haar omhulden.

Er waren massa's mensen die trouwden, zei ze bij zichzelf. Haar moeder was getrouwd, lady Penelope, die ze nu Penelope moest noemen, maar nooit Penny, was getrouwd . . . ze kende honderden getrouwde vrouwen die hun situatie niet abnormaal of bezwaarlijk vonden. Waarom leek trouwen dan zo iets vreemds om op een prachtige middag te doen? Het was aan de andere kant, ook het beste moment van de dag om te gaan vliegen.

'Is Antony al klaar? Uniform in de plooi, en zo?' vroeg ze aan Jane, gewoon om iets te zeggen te hebben.

'Antony?' Jane keek wat afwezig. Ze was veel te druk met het dichtritsen van haar lichtgroene bruidsmeisjesjurk om veel aandacht aan haar te besteden.

'Je broer Antony. De bruidegom, naar ik me heb laten vertellen.'

'O, grote God!' Jane rende weg om navraag te doen en kwam enkele minuten later hysterisch stotterend binnen. 'Hij is nergens te bekennen. Niemand weet er iets van!'

'Wat had je ook weer voor verhaal over die rekruten, Jane?' informeerde Freddy.

'Jane, kalmeer even,' zei Eve sussend. 'Hij had toch opgebeld om te zeggen dat hij onderweg was, nietwaar?'

'Dat is al uren geleden!'

'Misschien is hij van gedachten veranderd,' peinsde Freddy. 'Dat schijnt in de beste families voor te komen.'

'Ik heb met hem gepraat,' piepte de kleine Sophie van zeven.

'Wanneer, jij deugniet?' wilde haar moeder weten.

'Daarnet. Ik was beneden en toen ging de telefoon en toen nam ik op en toen was het Antony. Hij gaf me een boodschap.'

'Waarom heb je ons niets verteld?' fluisterde lady Penelope, om niet te gaan gillen.

'Hij gaf míj een boodschap. Hij zei niet dat ik het door moest geven,' antwoordde Sophie plechtig. 'Hij had een lekke band en hij komt wat later. Hij zei dat we hem bij de kerk konden ontmoeten.'

Lady Penelope keek op haar horloge. 'Sophie, Kate, Sarah, ga onmiddellijk jullie bruidsmeisjesjurk aantrekken. We gaan over precies twintig minuten de deur uit.'

'Maar als we nou bij de kerk moeten wachten, mama?' vroeg Sophie nadrukkelijk, alsof ze nog steeds een hoofdrol speelde.

'Sophie Harriet Helena Longbridge ... je ... begint ... mijn ... geduld ... op ... de ... proef ... te ... stellen.' Bij deze bijzonder onheilspellende woorden maakten de drie meisjes dat ze wegkwamen, in ritselend gefladder van witte kousen en onderrokken.

De trouwstoet van paarden en rijtuigen gevolgd door het hele dorp en alle buren, zowel te voet, te paard als in andere rijtuigen, was op tijd gearriveerd om de auto van de bruidegom met grote snelheid naar de kerk te zien rijden. Tony en zijn getuige doken de consistoriekamer in en haastten zich de kerk door, vlak voordat de klok drie uur sloeg.

Toen ze eenmaal aan de arm van Paul naar het altaar begon te lopen, veranderde Freddy in een figuur die in een wandkleed was geweven. Ze liep op die edele muziek, op dat middendeel van een statige sarabande, op muziek waar niemand naar kon luisteren zonder tevens, in een klein hoekje van de geest, alert te blijven op het geluid van overvliegende bommenwerpers.

'Dus dát is haar nou,' verzuchtte de *best man*, Jock Hampton, toen hij een eerste blik opving van de koninklijke, lange, zwaargesluierde gestalte die in de verte naderde. Nog maar enkele uren geleden had hij op het punt gestaan voor een dag met verlof naar Londen te gaan. 'Nu begrijp ik waarom je zo'n haast had.'

'Hou je kop,' zei Tony uit zijn mondhoek. Hij wilde geen enkel menselijk geluid tussen zichzelf en de aanblik van Freddy, hoewel ze onherkenbaar was. Hoe lang en recht hij ook mocht zijn, toch was Tony vijf centimeter kleiner dan die slungelige blonde vent uit Californië, die vanaf het begin bij het Eagle Squadron had gezeten, maanden voordat Tony majoor was geworden. De twee jongemannen in blauwe RAF-uniformen wachtten zwijgend terwijl het orgel speelde, tot Paul Freddy naar het altaar had gevoerd en haar hand in die van Tony legde.

Jock Hampton deed een stap naar achteren en keek toe hoe ze elkaar eeuwige trouw beloofden. Hij kon nauwelijks iets van Freddy's gesluierde gezicht zien in het schemerige licht van de oude kerk. Het antieke kant was zo dicht dat het de kleur van haar haar bedekte, en pas toen ze de sluier na de plechtigheid naar achteren sloeg, zodat ze Tony kon kussen, ving hij voor het eerst een blik van haar op. Nog voordat hij ook maar één samenhangende gedachte had weten te vormen, was zijn haar al overeind gaan staan. Niet alleen omdat ze mooi was, buitengewoon mooi zelfs, maar omdat hij haar één keer eerder had gezien en hij wist nu al dat hij dat gezicht nooit zou kunnen vergeten. De eerste keer dat hij haar onder ogen had gehad was vierentwintig uur geleden geweest, toen ze haar vlieghelm naar achteren had geschoven en naar hem had gewuifd, vierentwintig uur geleden, toen ze zojuist zijn leven had gered.

De grootste kamer van de oudste vleugel van Longbridge Grange was opengesteld voor het huwelijksfeest. Freddy danste met al haar nieuwe familieleden eer Jock Hampton het gepast vond om zich aan haar op te dringen, toen ze een dansje met haar nieuwe zwager Nigel maakte.

'Ik probeer je te bedanken,' zei hij, toen hij haar in de armen nam.

Freddy had haar sluier lang geleden afgedaan en haar haar stond nu alle kanten uit, vanaf een gezicht dat wat verhit was van het dansen met zoveel mannen, in de leeftijd van twaalf tot tachtig jaar, die allemaal beweerden naaste familie van haar te zijn. De *best man* was de enige man hier van wie ze niet had verwacht dat hij een aanslag op haar verwarde brein zou doen.

Freddy keek niet-begrijpend op naar Jock Hampton. Een typisch gezicht uit Californië, was haar eerste gedachte. Ze was met zulke typen naar highschool geweest, de voetbalhelden van de campus, altijd beter dan de rest, sportieve helden, de jongens met succes, niet veel jonger dan deze figuur, met zijn door de zon gebleekte blonde haar dat over zijn voorhoofd viel op een manier die zowel tegen de regels als tegen de mode van de dag was, die sommige mannen ertoe dreef hun haar met de vreemdste middelen tegen hun hoofd te plakken. Hij zag er sterk uit, vond ze en ze besefte met opluchting dat hij uitstekend danste, sterk en weerspannig, en er lagen vreemde pretlichtjes in zijn helderblauwe ogen, met daaromheen knijprimpeltjes zoals die alleen bij piloten kunnen ontstaan. Deze galante viking, die zo onverwacht op haar trouwerij was verschenen, was ontembaar en onverslaanbaar, daar was ze van overtuigd. Zijn sterke gelaatstrekken waren wat grof, alsof hij niet helemaal gepolijst was. Hij had iets van een schurk. Waar had Tony hem eigenlijk gevonden? Ze keek hem vragend aan. Waar had hij het over?

'Gisteren,' legde hij uit. 'Ik probeerde je te bedanken, omdat je mijn leven had gered . . . die vent in die dinghy . . . herinner je je me niet? Doe je dat elke dag?'

'Jij?'

'Jawel. Aardig staaltje vliegkunst, mevrouw Longbridge.'

'Wat, jij klootzak! Jij kletskous! Jij achterlijke idioot! Je hebt me bijna de ATA uit geschopt met je stomme geklets. Waarom kon je de details niet vóór je houden, zwamjurk? Klootzak! Nee, jij moet zo nodig alles aan de een of andere journalist vertellen . . . stomme, achterlijke . . .' Ze hield abrupt op met dansen en zakte bijna in zijn armen in elkaar, te verbijsterd over haar eigen uitbarsting om verder te kunnen gaan.

'U bezit beslist een gave om u bloemrijk uit te drukken,' zei Jock, terwijl hij haar overeind hield. 'Ik ben blij dat je vandaag geen wapens bij je hebt, zeg.'

'Die had ik gisteren ook niet. We vliegen onbewapend, slimmerd.'

'Dus je blúfte gewoon tegen die Messerschmitt?'

'Ik heb er niet erg bij nagedacht, om je de waarheid te zeggen.'

'Nou, nou, mevrouw Longbridge, ik weet niet zeker of ik mijn geweldige majoor moet benijden. Weet hij wel met wat voor maniak hij is getrouwd?'

'Ach, rot op, bemoeial! Gun een ander ook eens een verzetje! Jullie mannen pikken alle leuke dingen in en wij moeten een beetje voor postbode spelen. Zou jij dat de hele tijd willen doen? Hoe heet je trouwens?'

'Jock Hampton, mevrouw.'

'Nou, Jock Hampton, als je ooit het lef hebt Antony te vertellen wat ik heb gedaan! Waag het niet er ook maar over te dénken iemand anders op deze aardbol ook maar iets te zeggen, is dat begrepen? Of ik neem je te grazen, en goed ook. En als ik iemand te grazen heb genomen, blijft 'm dat voor eeuwig bij.'

'Je hebt mijn belofte. Ik ben zelfs te bang om me maar te herinneren . . .'

'Wat te herinneren?' vroeg ze, haar ogen achterdochtig wat dichtknijpend.

'Ik herinner me niet meer wat ik me wilde herinneren.'

'Misschien ben je niet zo zeldzaam onnozel als ik wel dacht,' zei ze.

'Ik geloof dat het tijd wordt om de taart aan te snijden, mevrouw Longbridge.'

'Je moet niet steeds van onderwerp veranderen.'

'Nee, echt waar. Ze staan op je te wachten. Maar zou ik misschien één ding mogen toelichten, als verzachtende omstandigheid, en zo? En dan zal ik er daarna nóóit meer iets over zeggen.'

'Nou, vooruit dan maar. Schiet op.'

'Ik heb die journalist niet verteld dat het een vrouw was. Ik heb het alleen maar over rood haar gehad. Maar ik zag direct dat het te lang was voor een man.'

Freddy dacht hierover na.

'Ik vermoed dat je dat inderdaad niet hebt gedaan,' antwoordde ze langzaam. 'Betekent dat, dat ik me moet verontschuldigen voor alle gemene dingen die ik heb gezegd?'

'Een bruid hoeft zich nooit te verontschuldigen, voor wat dan ook.'

'Ik zal het toch maar doen. Ik had niet moeten zeggen dat je moest oprotten. Zo iets zeg je niet op je trouwdag.'

O, ik wil deze vrouw, dacht Jock Hampton. *Ze had van mij moeten zijn!*

18

De affiche die begin 1943 overal in Frankrijk op de muren van gebouwen was geplakt liet een monumentale, stevig gespierde en goed doorvoede jonge Fransman zien, gekleed in een blauwe overall, staande onder een oranje hemel voor een reeks werktuigen. In de verte was nog een kleine Eiffeltoren te zien en de tekst op de poster, in grote rode, witte en blauwe letters, verkondigde: DOOR IN DUITSLAND TE WERKEN, BENT U DE AMBASSADEUR VAN FRANSE KWALITEIT.

Franse kwaliteit, peinsde Bruno elke keer dat hij langs die poster kwam, zou altijd een gewenst artikel blijven, in welke vorm dan ook . . . hoewel hij zichzelf feliciteerde dat hij niet persoonlijk die Franse kwaliteit hoefde te demonstreren in de vorm van gedwongen arbeid in Duitsland, zoals de poster dat zo stralend voorstelde. Zijn taken op Valmont maakten hem immuun voor zulk werk. Sinds 1942, toen zijn grootvader, Jean-Luc de Lancel, aan longontsteking was gestorven, had Bruno zich als hoofd opgeworpen van het Huis Lancel, van het Château de Valmont en alle daarbij behorende wijngaarden. Na de dood van haar man had Anette de Lancel zich, overmand door verdriet, teruggetrokken in haar kamers en had ze verder geen belang meer gesteld in het beheer van het landgoed.

Ondanks de betrekkelijk goede verstandhouding die Bruno had weten op te bouwen, en te handhaven, met de vertegenwoordigers van de districtsleiders van Champagne, kon hij niets veranderen aan het basisfeit dat zijn champagne werd beschouwd als oorlogsbuit. Goed, de Duitsers hadden ten slotte de wijnbouwers toegestaan bijna vijfentwintig procent van hun jaarlijkse produktie aan wijn te verkopen aan burgerlijke instanties in Frankrijk, België, Finland en Zweden, maar die concessie maakte het slechts mogelijk door te gaan met het verbouwen van wijn en stond hun geen enkele luxe toe.

Wat een verdraaid onprofijtelijk bedrijf was champagne geworden, dacht Bruno nijdig na de begrafenis van zijn grootvader, terwijl hij uitkeek over de oceaan van wijngaarden in het golvende dal beneden het château. Franse kwaliteit, jawel, hij kon het niet ontkennen, maar hij voelde zich net een slager die een toonbank vol slachtafval bekijkt – pens, lever, hersenen en zwezerik – wat betrof het esthetische genoegen dat dit uitzicht hem verschafte. Na de afgelopen twee jaar wist hij alles wat hij weten moest om toezicht te houden op de teelt van de champagnedruiven, en veel, veel meer dan hij ooit van plan was geweest te leren.

Hij was beslist niet van plan in deze zeldzaam vervelende uithoek van Frankrijk te blijven wonen als de oorlog was afgelopen, en eens moest die toch afgelopen zijn, wanneer alle landen van de wereld uitgeput waren. Maar had hij enig idee over hoeveel jaren dat zou gebeuren? Wie wist waar dan de nieuwe machtscentra zouden liggen? In Parijs wisten ze weinig over het verloop van de oorlog en hier in Champagne, ver van de strijdtonelen, nog minder. Hij vermoedde, als miljoenen anderen, dat Frankrijk uiteindelijk op de een of andere manier aan Duitsland zou worden vastgemaakt en, met een beetje geluk, als een jongere partner in het Reich zou worden behandeld in plaats van als een verslagen gebied.

Bruno gleed met zijn vingers over de sleutel van de enorme kelders vol verborgen Lancel-champagne, die sinds het begin van de oorlog onaangeroerd was gebleven, waarvan het bestaan niet door de Duitsers werd vermoed en die nu uitsluitend bekend was aan hem en de drie Martins, die in 1939 voor het laatst flessen millesimé naar binnen hadden gebracht. Pas de dag voor zijn dood had zijn grootvader hem ten slotte die gewijde sleutel afgestaan.

Bruno herinnerde zich hoe, toen hij in 1933 voor het eerst in die kelders was geweest, zijn grootvader had gezegd dat in geval van oorlog een Lancel, bij zijn terugkomst op Valmont, de wijngaarden kon herstellen en herbeplanten door deze grote voorraad champagne te verkopen. Wat hem betrof, peinsde Bruno, kon het château in elkaar vallen en de kalkrijke grond worden gebruikt voor het verbouwen van kool – hij kon geen wijnstok meer zien en had niet de minste behoefte nog één oogst mee te maken. Die Franse kwaliteit kon hem gestolen worden!

Zou hij wel van dit land hebben gehouden als het eens allemaal van hem was geweest, zonder aanspraken van zijn halfzusters? Nee, dacht hij, zelfs dan niet. Hij zou ... dankbaar ... zijn voor het bezit ervan, maar hij kon geen liefde opbrengen voor land dat zoveel van zijn eigenaar eiste. Land had je om van te genieten, niet om te dienen. Een château moest bekendstaan om de rijke hoeveelheid wild, om paarden en jachtpartijen, door schitterende kunstvoorwerpen en architectuur, door de bezoeken van lang geleden gestorven koningen en alle pracht en praal van vroeger tijden, zoals de Saint-Fraycourt-châteaux dat waren geweest voordat ze verloren gingen. Valmont was niet schitterend genoeg; de aanwezige kunst bestond uit familieportretten en goed, maar niet spectaculair meubilair. En de grond van Champagne was zonder meer tuinbouwgrond, hoeveel ophef er ook mocht

363

worden gemaakt over de bijzondere eigenschappen van de bodem, over het edele karakter van de druif.

Als hij de enige eigenaar was geweest, zou hij een bedrijfsleider in dienst nemen, om de laatste druppel winst uit elke hectare te wringen, en hij zou zelf alleen naar Valmont komen om zich ervan te vergewissen dat hij niet werd bedrogen. Wat had het voor zin van adel te zijn wanneer hij, op Valmont, dezelfde zorgen had als die van een boer, alsof hij een van de vele arbeiders was die een paar *arpents* met champagnedruiven bezat? Maar die schat aan champagne in de kelders, nou, dat was iets heel anders. Dat was een vermogen, beter dan goud, en het lag er voor hem. De dood van zijn grootvader had hem in staat gesteld het te verkopen en dat moest snel worden geregeld, want elke dag dat de groene flessen lagen te slapen, feestelijk gekleed in het glanzende folie, kwam het eind van de oorlog een dag dichterbij. Met dat onvermijdelijke staakt-het-vuren, of de Duitsers nu wel of niet heer en meester over Europa waren geworden, zou er net zo'n periode van onzekerheid en verwarring zijn als na de val van Frankrijk.

Maar deze keer, beloofde Bruno zichzelf, zou hij er beter op zijn voorbereid. De champagne was dan omgezet in veilige munt die in een stabiel land zou worden gedeponeerd, zodat hij gebruik kon maken van de beste mogelijkheden die de vrede zou bieden. Hij was al achtentwintig en hij had hier nu drie jaar verprutst. Franse kwaliteit, zeg dat wel!

Bruno bracht een bezoek, zoals hij zo vaak mogelijk had gedaan, aan zijn aangename vriend, generaal Von Stern, die zich inmiddels volledig thuisvoelde in het huis in de Rue de Lille. Ze hadden niet veel tijd nodig om tot een herenakkoord te komen betreffende het lot van de honderdduizenden flessen die zes meter hoog lagen opgestapeld en die de moeizaam verworven kracht van het huis Lancel vormden, het hartebloed, de toekomst ervan.

De generaal had tijdens het speuren naar kunstvoorwerpen een veel grotere kennis opgedaan van wie er in bezet Frankrijk wat aan wie verkocht, dan voor zijn missie strikt noodzakelijk was. Hij had direct begrip voor Bruno's probleem en na wat telefoontjes, een bespreking en een overeenkomst betreffende de verdeling van de opbrengst, wist hij het tot wederzijdse tevredenheid op te lossen.

Met regelmatige tussenpozen zou een onopvallend konvooi vrachtwagens dat de generaal ter beschikking stond, een korte nachtelijke tocht naar Valmont maken. Goed gedisciplineerde Duitse soldaten namen de flessen Lancel-champagne in hun armen en legden ze op karretjes, waarna ze de vrachtwagens even zorgvuldig en voorzichtig vulden alsof ze schilderijen of beeldhouwwerken verhuisden. Er werd niets gebroken of geplunderd, er was geen enkel vandalisme of opwinding waardoor op het château ook maar enige aandacht kon worden getrokken. En de officieren van de districtsleiding waren evenmin op de hoogte, want zij hielden zich na het invallen van de duisternis niet op in de kelders van Champagne.

De geheime kelders van Valmont gaven hun schatten prijs, maand na maand, totdat de kracht van de Lancels voor eeuwig op de zwarte markt was verdwenen en Bruno via bankrelaties in Zwitserland een gezonde basis had gelegd voor zijn vermogen. Niemand werd gedeerd, behalve de drie neven Martin, de loyale keldermeesters, die zo ongelukkig waren op de hoogte te zijn van het bestaan van deze wijn. Bruno achtte het noodzakelijk zich te ontdoen van hen en hun hinderlijke geheugen. Zij mochten de lege kelders van *Le Trésor* nimmer te zien krijgen.

De volgende keer dat er een officier van de districtsleiding van Rheims de Lancel-wijngaarden kwam inspecteren, trof hij Bruno bekommerd aan, opnieuw met de behoefte aan goede raad.

'Ik beschouw het als mijn plicht u te vertellen dat ik redenen heb aan te nemen dat drie van mijn meest vertrouwde medewerkers zich bij het verzet hebben aangesloten,' bekende Bruno hem. 'Ik weet niet wat ik moet doen . . . mijn grootvader hield van deze mensen . . . maar ik kan hen naar alle eer en geweten niet beschermen want daarmee zou ik me aan hun kant stellen.'

'Vicomte, u heeft een verstandig en patriottisch besluit genomen. Geef me hun namen en pieker er niet meer over. Ik zal deze zaak overdragen aan het Gestapo-kantoor in Rheims.'

Hij zou hun ervaren hulp missen, dacht Bruno, toen hij hoorde dat de drie Martins waren geëxecuteerd. Hij moest echter erkennen dat zelfs de Gestapo soms nuttig kon zijn.

Terwijl Delphine haar hoofd stil probeerde te houden, zodat de kapster al haar eigen haar onder een pruik kon duwen die haar veranderde in keizerin Josephine, bedacht Delphine dat ze er heel wat voor over had gehad om Gary Grant ironisch te horen lachen, of Fred Astaire zorgeloos een trap op te zien tapdansen, of Myrna Loy op geestige wijze een man voor aap te zien zetten. Maar Amerikaanse films waren slechts nostalgische herinneringen, aangezien ze sinds 1940 verbannen waren. Vandaag werd ze opgemaakt voor het zoveelste keurige, overdadige, historische en biografische drama zoals die de afgelopen jaren zo populair waren geworden bij de makers van Franse films.

'Prestige' en 'kunst' waren nu de sleutelwoorden en de producers bespraken de waarden van een script op basis van de vraag of de Franse cultuur en traditie wel of niet voldoende werden verheerlijkt. Bezet Frankrijk was geïsoleerd van de rest van de wereld, maar het schitterende verleden kon nooit worden uitgewist. De filmwereld keek achterom, achterom naar het trotse nationalisme van die vroegere grandeur, terug naar het beeld van vergane glorie.

Veel producers beweerden dat ze die verhalen gebruikten om het Franse volk in deze tijd van nederlaag hoop en inspiratie te geven; anderen legden zich openlijk bij dit nieuwe regime neer, gaven toe dat ze een welkom onderdak zochten in het veilige toevluchtsoord van de geschiedenis en in de tijdloosheid van mythe en legende, aangezien geen fractie van de tragische realiteit van het heden ooit op het witte doek kon worden gebracht. De bezetter was zo sluw te begrijpen dat de show moest doorgaan, vooral voor de bevolking van een verslagen natie die als nooit tevoren de bioscoopzalen vulde.

Delphine had pruiken en lange jurken moeten dragen in haar laatste vijf films, die allemaal waren opgenomen op châteaux die de Duitsers beschikbaar hadden gesteld voor het werken op locatie, of te midden van zorgvuldig opgebouwde decors. Haar scripts stonden vol hoogdravende literaire taal en de handelingen binnen de film vonden plaats met een starheid van vorm en een zoeken naar perfectie van gevoelens, een terugkeer naar het classicisme die geen ruimte liet voor de spontane pret en het raffinement van de eerste Continental-films.

Delphine keek met beroepsmatige wreedheid naar haar gezicht in de spiegel van de kleedkamer. Ja, ze kon nog steeds de toets van een close-up doorstaan, hoewel ze niet begreep hoe dit mogelijk was nu ze in geen vier maanden meer iets van Armand had gehoord. Wanneer ze alleen thuis was, zonder make-up, kon ze de kringen onder haar ogen zien die het gevolg waren van lange nachten van huilen, van vechten tegen de wanhoop, en van slapeloosheid. Als zij die kringen vandaag kon zien, zou de camera ze morgen zien, dacht ze ongerust, want net als ieder ander kon ze het zich niet veroorloven zonder werk te zitten. Ze moest goede raad krijgen, ze moest met iemand praten, besefte Delphine terwijl er een tiara van diamanten en smaragden op haar pruik werd gespeld, of ze zou bezwijken onder het gewicht van haar toenemende angst voor Armands veiligheid.

Maar wie kon ze daarvoor benaderen? Ze had sinds 1940 een regelmatige correspondentie gevoerd met haar grootmoeder op Valmont en ontleende evenveel troost aan het uitstorten van haar hart bij die oude vrouw als wanneer ze een dagboek had bijgehouden. Ze kreeg steeds onregelmatiger antwoord op haar brieven – het was bijna alsof ze ze in een fles had gepost – maar het gaf haar wel een klein beetje het gevoel dat ze familie had, dat ze ergens bijhoorde. Anette de Lancel, die nu in de tachtig was, kon uiteraard niet langer een antwoord vinden op de problemen van haar kleindochter, zoals ze dat eens had gedaan, toen ze zeven – of was het zevenhonderd? – jaar geleden dat etentje op het château had gegeven en daarmee Delphine's leven had veranderd.

Delphine besefte met tegenzin dat het tijd werd om Bruno om raad te vragen. Hij had gelijk gehad over de oorlog, hij had gelijk gehad over de manier waarop de Duitsers de joden in Frankrijk zouden behandelen en ze wenste voor de zoveelste keer dat ze zo verstandig was geweest naar hem te luisteren. Nu, achteraf bekeken, was het bijna onvoorstelbaar hoe verblind Armand en zij waren voortgegaan met hun leven – en toch waren ze even kortzichtig geweest als bijna ieder ander, op enkele verstandige pessimisten na zoals Robert Siodmak, Max Ophuls, Boris Kaufman en Jean-Pierre Aumont, die Frankrijk bijtijds hadden verlaten.

Toen Delphine Bruno op Valmont opbelde, bleek dat hij een paar dagen in Parijs was. Ze kreeg hem in zijn hotel aan de lijn en hoorde tot haar verbazing zijn stem heel vriendelijk klinken, alsof hun laatste ontmoeting nooit plaats had gevonden.

'Natuurlijk heb ik tijd om met je te praten, jij gansje. Hoe zou ik dat niet kunnen hebben?' riep hij en ze maakten een afspraak voor de volgende dag in de Villa Mozart. Delphine kleedde zich goed en maakte zich uitvoerig op voor deze ontmoeting en toen ze klaar was bekeek ze haar spiegelbeeld en besloot dat ze niet veel verschilde van het meisje dat hij bijna vier jaar geleden had gezien. Ze mocht niet laten blijken dat ze bijna werd overweldigd door al haar gevoelens van paniek, want haar instinct waarschuwde haar tegen ieder vertoon van zwakheid.

Ze is nog even beeldschoon als altijd, vond Bruno toen hij haar begroette. Delphine was nu vijfentwintig en haar houding, die altijd geweldig was geweest, was van die van een meisje uitgegroeid tot die van een vrouw. De betoverende charme van haar hartvormige gezicht, de plaatsing van die grote ogen, bezaten een magische kwaliteit die door de tijd nog werd benadrukt. Pas toen hij in haar omfloerste grijze ogen keek, begreep hij dat ze doodsbang was.

Ze gaf hem een aperitief en ze praatten een paar minuten over ditjes en datjes, waardoor Delphine kon ontdekken dat Bruno nog even gemakkelijk was om mee te praten als vroeger, in die dagen dat ze zo'n hechte band hadden gehad, toen ze elkaar gunsten hadden bewezen zonder vragen te stellen.

'Ik ben erg ongerust, Bruno,' zei ze abrupt. 'Armand is bij Duinkerken krijgsgevangen gemaakt en is toen naar Duitsland gestuurd om in een fabriek te werken. Tot vier maanden geleden heeft hij me steeds kaarten gestuurd om te zeggen dat hij het goed maakte ... maar nu blijft het opeens heel stil.'

'Wat heb je gedaan om erachter te komen waar hij is?' vroeg Bruno op zakelijke toon. Zo, dacht hij, dus nog steeds die verhipte jood. Wat een sof en wat stom. Wat vreselijk zónde.

'Wat moet ik doen, Bruno? Ik weet niet wat ik moet beginnen.'

'Maar je hebt toch vrienden ... mensen die begrip voor je hebben ...'

'Ik heb vrienden in de studio, kameraden, meer dan echte vrienden, maar hoe kunnen zij helpen?'

'Ik bedoel hen niet, Delphine, *chérie*, ik veronderstel dat je wel eens bent uitgenodigd in de salon van Obetz, de Duitse ambassadeur, of bij Herr Epting van het Duitse Instituut . . .'

'Uitgenodigd . . . uiteraard . . . maar gaan? Dat heb ik nooit overwogen.'

'Dat is echt een grote fout, gansje, als ik zo vrij mag zijn. Je hebt je afgesneden van potentiële vrienden, van belangrijke contacten, van mensen die je zouden kunnen helpen.'

'De Duitsers?'

'Wie anders? Zij heersen over Europa . . . wie anders dan de Duitsers?'

'Waarom zou een Duitser bereid zijn mij te helpen een jood te vinden?'

'Ach, Delphine, je ziet alles zo zwart-wit, dat heb je altijd al gedaan. In vredestijd was dat een heel charmante eigenschap, maar onder de huidige omstandigheden is dat grenzeloos naïef. Je hebt jarenlang regelmatig bericht gehad van Sadowski . . . voor mij wijst dat erop dat hij als Fransman van Poolse origine werd beschouwd, die als iedere andere krijgsgevangene werd behandeld. Was hij besneden? Nee? Nou, dat was dan zijn geluk. Het lijkt me heel onverstandig om in deze tijden rondvraag te doen naar nieuws over een jood die Sadowski heet, maar een Frans staatsburger, de bekende filmregisseur Armand Sadowski, waarom niet? Je zou natuurlijk je invloed kunnen aanwenden om bericht over hem te krijgen.'

'Mijn invloed? Welke invloed?'

'Je bent tegenwoordig veel beroemder, Delphine, dan je ooit bent geweest, besef je dat wel? En roem is invloed, als je er goed mee om weet te springen. Zulke invloed ongebruikt laten is als het verbranden van goed geld, mijn lieve kind. Het blijft niet altijd goed, als staven goud die onder de vloerplanken zijn verstopt.'

'Ik weet niet hoe ik moet beginnen.'

'Heb je me daarom niet juist gebeld?'

'Ik . . . ik wil je goede raad krijgen . . .'

'Leg jezelf in mijn handen, Delphine.'

'O, Bruno, denk je echt dat er nog hoop is?' riep Delphine uit, niet in staat de wankele toestand van haar emoties nog langer te verbergen.

'Natuurlijk is er hoop,' zei hij geruststellend. 'Ik zal moeten nadenken waar we het beste kunnen beginnen, maar als jij meewerkt, als je m'n goede raad opvolgt, zul je al het mogelijke voor Sadowski doen, waar hij op dit moment ook mag zijn.'

'O ja, Bruno, ja, ik zal doen wat je zegt!'

Toen hij in snel tempo naar zijn hotelletje op de Linkeroever liep, neuriede Bruno tevreden in zichzelf. Delphine's vertrek uit zijn leven had hem van een belangrijk instrument beroofd. Het bezit van zo'n zuster was in het verleden heel waardevol gebleken en zou nu wel eens nog veel waardevoller kunnen blijken te zijn. Ze wilde kennelijk graag geloven dat die jood nog in leven was. Wat jammer – ze zou veel meer nut hebben wanneer ze de intelligentie bezat in te zien dat hij dood moest zijn. Maar als ze nu van die hoop werd beroofd zou ze waardeloos zijn. Nou, hij kon haar hoop geven – hoop kostte niets – maar wat kon zíj voor hém doen?

Hij wilde gunsten van de Duitse ambassadeur in Parijs of van de vertegenwoordiger van de Duitse kunst en cultuur. Het was niet van belang dat Delphine geen werk had gemaakt van Obetz en Epting of zelfs maar van Greven, haar baas bij Continental, wat zo belachelijk eenvoudig zou zijn geweest.

Zijn eigen generaal Von Stern daarentegen . . . ja, Von Stern was een andere zaak. Die man was geweldig handig gebleken bij dat gedoe met die champagne. Waarom zouden ze niet wat vaker zaken doen?

Toen hij door de straten van Parijs liep, dacht Bruno na over het nieuws, of over de geruchten, want de pers verschafte bijna geen nieuws, over de nederlaag van een enorme Duitse legermacht bij Stalingrad, slechts enkele maanden geleden, in de vroege winter van 1943. Hij vroeg zich af of er een mogelijkheid bestond dat de Duitsers niet als enige grootmacht in Europa uit de strijd zouden komen, of dat het gewoon een misrekening was te midden van veel overwinningen? Tenslotte was zelfs Napoleon niet in staat geweest de Russische winter te overwinnen.

Bruno besloot dat het niet uitmaakte of hij in staat was de les van Stalingrad te begrijpen, want wat het ook mocht betekenen, het sterkte hem slechts in zijn overtuiging dat de tijd om zijn vermogen op te bouwen nú was, voor het eind van de oorlog. Von Stern was te subtiel om het daar niet mee eens te zijn. Ze wilden beiden hetzelfde: gegarandeerde welvaart in de toekomst.

Maar Von Stern wilde nog iets anders, iets dat iedere veroveraar en overwinnaar van een grote en roemruchte stad altijd heeft gewild: acceptatie. Hij was in macht en aanzien gegroeid en de gasten van zijn etentjes bleven niet langer beperkt tot rustige mede-officieren. Hij inviteerde bepaalde Franse dames en heren, zoals de ambassadeur en de directeur van het instituut dit ook deden, en sommigen – hoewel zeker niet allen – kwamen bij hem dineren in de Rue de Lille. Hij had vaak terloops tegen Bruno gezegd dat hij graag de eer wilde hebben te worden voorgesteld aan Delphine. Bruno was gedwongen geweest wat uitvluchten te verzinnen, wat hij in die tijd heel gênant had gevonden, maar wat nu een voordeel kon zijn. Het was veel beter Delphine te kunnen voorstellen na Von Stern een aantal keren te hebben teleurgesteld dan wanneer hij dit eerder had gedaan, toen zijn kelders op Valmont nog vol waren.

Ja, Delphine was aanspreekbaar door haar hoop. Ze zou haar mooiste juwelen dragen, haar meest elegante avondjurk en ze zou aan Von Sterns tafel zitten, terwijl hij die enkele woorden zou zeggen die haar die hoop konden geven. Ieder van hen zou krijgen wat hij wilde . . . niets meer . . . maar van evenveel waarde voor hem als *Le Trésor*, die nu veilig was afgesloten en vergeten, alsof hij nooit had bestaan.

Lady Penelope Longbridge was druk bezig in haar met flagstones belegde keuken op een ongewoon warme dag in het begin van mei 1944, om een picknick voor haar gezin te organiseren. Haar gedachten waren echter bij Freddy, ze was werkelijk dól op haar, maar ging ze niet een beetje te veel op in het rondvliegen met grote bommenwerpers? Het was nu een jaar geleden dat Freddy en Jane in Marston Moor waren opgeleid om met viermotorige vliegtuigen te vliegen en je zou toch denken dat Freddy in dat jaar wel genoeg zou hebben gekregen van een avontuur dat, naar haar eigen mening, toch een beetje . . . weinig damesachtig was. Het gaf haar een ongemakkelijk gevoel wanneer ze zich een van die meisjes achter het instrumentenpaneel van een bommenwerper moest voorstellen, zelfs al hadden ze een boord-werktuigkundige bij zich en soms een copiloot.

Het was schitterend voor een vrouw om een eenpersoons Spitfire van de fabriek naar de luchthaven te vliegen, om hem daar aan een gevechtspiloot af te geven, net als een staljongen op een renpaard kon klimmen om dat rustig naar de jockey te draven die stond te wachten om de wedstrijd te rijden, maar, en dat was iets dat ze tegen niemand anders dan die lieverd van een Gerald zou durven zeggen, het was toch een beetje ongepást voor de meisjes om met die reusachtige Stirlings en Halifaxes en Lancasters te vliegen, om nog maar te zwijgen van die enorme Boeing B-17 Flying Fortresses waarmee ze sinds vorige zomer hadden rondgezoefd. Ze had niet gedacht dat ze ooit een ontbijt zou meemaken waarbij ze eindeloze verhalen van haar dochter en schoondochter moest aanhoren over de spanningsverhoger van een 'elektronische turbocompressor' – wat dat ook mocht betekenen – terwijl ze de roereieren zaten te eten die waren gemaakt van het werkelijk fantastische poeder dat Jock gisteren had meegebracht, toen hij dit weekend hier kwam logeren. Ze klonken als twee oude monteurs in een smerige garage.

Ze zou wel eens willen weten wat Freddy na de oorlog ging doen, als ze een normaal leven moest gaan leiden. De invasie op het vasteland kon vast niet veraf zijn, te oordelen naar de verwachtingsvolle en gespannen blikken die ze op de gezichten van Tony en Jane en Freddy en Jock zag. Het was een eeuwigheid geleden dat ze voor het laatst tegelijk hier waren geweest, besefte Penelope Longbridge, al plakjes snijdend van de zeldzame en geweldig luxueuze traktatie van ingeblikt cornedbeef, eveneens een geschenk van Jock Hampton.

En waarom maakte ze zich zorgen over Freddy's aanpassing aan de toekomst en niet over die van haar eigen dochter? Was het omdat Freddy een volledig nieuw bestaan onder ogen zou moeten zien, terwijl Jane zou terugkeren naar een leven waarmee ze was opgegroeid? Aan de andere kant verwachtte ze niet dat Freddy in één klap in een model Engelse huisvrouw zou veranderen. Ze had te veel van een piraat, met haar vlammende haar, haar zwierige tred en haar levendige gebaren, om te kunnen verwachten dat

ze zonder problemen in de rol van vrouw des huizes zou glijden. En toch ...
toch ... zou zij op zekere dag meesteres op Longbridge Grange worden, de
vrouw van de vijftiende baron, en voor dit deel van Kent zou ze de vrouw
zijn naar wie anderen opkeken en die als voorbeeld zou worden beschouwd.
Het viel niet te ontkennen dat Freddy geen flauw idee had van wat er van
haar werd verwacht – hoewel ze natuurlijk pas vierentwintig was. Het lieve
kind zou gewoon moeten leren meer dan een oppervlakkige belangstelling
op te brengen voor de bazar van de kerk en het jachtbal en de dameskring
en het ziekenhuis en het tuinfeest en de plaatselijke paardenshow en de bals
in het graafschap ... o, na de oorlog was er zóveel dat weer tot leven moest
worden gebracht! Had Freddy enig idee van de hoeveelheid tijd en voorbereidingen die er gingen zitten in het geven van een fatsoenlijk etentje? Zou
ze zelfs maar weten hoe ze een boodschappenlijst moest maken? En was ze
bereid te leren bridgen? Ze zou toch moeten begrijpen dat bridge essentieel
was, wanneer Tony en zij op het land kwamen wonen. Penelope zuchtte
zonder er zelf erg in te hebben.

Wat Jane betrof, die was zo schaamteloos dat haar moeder van pure
wanhoop haar handen in de lucht stak. Het had geen zin echt geshockeerd
te zijn ... o, ze wist wel het een en ander over Jane en haar mannen, hoewel
zelfs die lieverd van een Gerald het niet vermoedde, maar op de een of
andere manier kon ze zich er toch niet echt over opwinden. In elke goede
familie komt zo nu en dan een Jane voor – dat ondeugende, zéér ondeugende
meisje zou ongetwijfeld toch een goed huwelijk sluiten, daar was ze van
overtuigd, en een handvol kinderen krijgen – ja, Jane was een fenomeen,
maar niet zo'n zorgelijk fenomeen als Freddy.

Maar Penelope Longbridge zei resoluut bij zichzelf dat ze, als de oorlog
was afgelopen, nog tijd genoeg had om zich daar het hoofd over te breken
en ze richtte haar aandacht weer op alle voorbereidingen. Een mand met
Milky Ways als dessert, een fles whisky om vóór de lunch te drinken, stapels
cornedbeef-sandwiches van dunne sneetjes oorlogsbrood, dat iets zachter
was gemaakt door het laagje ingeblikte boter dat erop was gesmeerd, een
salade van koude gekookte aardappelen, spruitjes en uien in haar eigen
dressing, waarin het gebrek aan olie werd gecompenseerd door een overma-
tig gebruik van peper; het was een maaltijd die, op het brood en de salade
na, slechts mogelijk was geweest dankzij Jocks gulle gaven. Nu het Eagle
Squadron was overgedragen aan de Amerikaanse Achtste Luchtmacht,
kwam hij nooit naar Longbridge Grange zonder een mand met voedsel, dat
hem werd verschaft door zijn sergeant-gerant, die vond dat niets goed
genoeg was voor de commandant van zijn squadron, luitenant-kolonel
Hampton. Die lieverd van een Jock, dacht Penelope Longbridge, wat zouden we zonder hem moeten beginnen?

Luitenant-kolonel, de hooggeboren Antony Longbridge legde een stapel door motten aangevreten dekens en kussens voor de picknick onder de bloeiende pereboom naast de duiventil en bedacht dat hij stapelgek was op Freddy, maar dat ze op de een of andere manier anders was geworden dan het meisje waarmee hij was getrouwd. Of om eerlijk te zijn, kon het zijn dat hij was veranderd sinds hij die ellende met zijn bijholten had gekregen? Hij had er nooit last van, behalve wanneer hij tot twintigduizend voet klom, of vanaf twintigduizend voet omlaagdook, maar toch maakte dat hem onbruikbaar, moest hij achter een bureau blijven zitten om het bevel te voeren over zesendertig gevechtsvliegers, in plaats van zijn eigen kist te mogen besturen. Als je niet tot de limiet kon vliegen, hadden ze niets aan je. Bijholten! Jezus, wat een soepzooi! Maar als hij eerlijk was, als hij zeldzaam eerlijk was, als hij véél té eerlijk was, moest hij dan niet erkennen dat het misschien het verschil was tussen aan de grond te moeten blijven en de vrijheid van de piloot, zoals Freddy, waardoor hij een verschil in haar was gaan bespeuren?

En wat was dat verschil precies? Ze had toch niet altijd zo'n houding gehad van . . . wat was het . . . controle, beheersing, leiderschap? Ze zag er verdomd geweldig, zo boven alles verheven uit in dat uniform waarvan hij van plan was het te verbranden zodra de oorlog was afgelopen. Hij zou het uniform verbranden, haar zwarte schoenen met stenen erin in de rivier laten zinken, haar soldatenmuts in een miljoen kleine stukjes knippen, haar vliegersinsigne inpikken en voor duizend jaar verstoppen en haar dwingen haar haar tot aan haar knieën te laten groeien en jurken te dragen die haar tieten tot aan haar tepels lieten zien, zonder dat het hem iets kon schelen wat de mensen ervan zeiden, en haar een goed pak slaag geven om voor eens en voor altijd duidelijk te maken wie er eigenlijk de baas was – hij kon gewoon niet wachten! Ze was zo hoteldebotel van alles wat ze deed dat ze zelfs die enkele keren dat ze tegelijk twee dagen vrij hadden gehad, voortdurend over die stomme bommenwerpers had zitten ratelen, tot hij in de verleiding kwam haar te vertellen dat ze haar kop moest houden. Hij was trots op haar, verdorie – wie zou er niet trots zijn op zo'n dappere vrouw als zij? – maar een bommenwerper was gewoon een grote slome bus met vleugels, snapte ze dat dan niet? Begreep ze niet dat de messias niet was gekomen toen ze het Norden-bommenvizier hadden uitgevonden? Je zou toch denken dat ze misschien een beetje . . . tactvoller . . . kon doen over de kick die ze van haar werk kreeg, in aanmerking genomen dat hij zijn werk niet naar behoren kon doen, niet zoals hij dat zelf wilde?

Eigenlijk, dacht Tony terwijl hij op een deken ging zitten en zijn armen om zijn knieën sloeg, was het heel normaal geweest dat ze zich twee jaar geleden uit die hele toestand had teruggetrokken, na de geboorte van Annie. De ATA was tenslotte een burgerorganisatie en Freddy had kunnen vertrekken zonder kritiek van wie dan ook, maar nee, zij moest zo nodig elke dag blijven vliegen, tot het begin van de zesde maand, toen ze niet langer in haar uniform paste, hoe handig ze de tailleband ook had laten uitnemen. Toen pas bleef ze hier thuis, op The Grange, om waarschijnlijk zijn arme moeder net zo tot wanhoop te drijven als ze dat hem had gedaan . . . goed, hij moest het toegeven, ze waren niet van plan geweest om midden in een oorlog een kind te krijgen, maar zulke dingen konden nu eenmaal gebeuren wanneer je trouwde; wat had hij dan moeten doen, zich verontschuldigen? Vervolgens had ze het wurm al na acht maanden ter wereld gebracht, alsof ze geen minuut langer wilde wachten dan strikt noodzakelijk was, en drie maanden later was ze teruggegaan naar de ATA, even sterk, even levendig, weer net zo'n vrijbuiter als vroeger, om die lieve kleine Annie achter te laten bij zijn moeder en Eve en Sophie en Kate en Sarah en ieder ander die zich geroepen voelde voor haar te zorgen, wat ze natuurlijk allemaal deden, zodat Annie waarschijnlijk dacht dat ze zes of zeven moeders had, het arme schaap.

De gedachte aan Annie deed Tony glimlachen. Het was een ondernemende dreumes, die niet liep als ze kon hollen; die alle groenten in de ommuurde groententuin al kende, elke boom en elke taxushaag rond het huis, elke roos en elke hond en elk paard dat ooit in de buurt van het huis was gekomen. Ze stelde een serieuze, bijna vroegwijze belangstelling in deze levende dingen, die ze veel leuker vond dan speelgoed. Ze stond heel evenwichtig op haar kleine voeten, ze was zo sierlijk als een hinde en zo lenig als een kat, die kleine Annie van hem, en ze vloog nergens mee, zelfs niet met een ballon, en als hij zijn zin kreeg zou ze dat ook nooit doen. Nee, ze zou even zedig en onbedorven opgroeien als ze nu was, ver weg in een vredig, groen landschap, ze zou net zo goed leren paardrijden en borduren als zijn moeder en ze zou uiteraard ook Frans leren spreken, wat ze nu al met Eve deed, die zo vaak mogelijk naar Longbridge Grange kwam om haar te kunnen zien. Nou, die Annie van hem zou een echte Engelse dame worden. En zodra de oorlog was afgelopen, *du moment* dat de vrede werd getekend, zou hij Freddy weer zwanger maken en als ze die baby had gekregen zou hij opnieuw beginnen, tot ze voldoende kinderen had om zich af te vragen wat ze in vredesnaam in al die lange, lege uren had gedaan die ze tijdens de oorlog had verknoeid. Bommenwerpers? Jachtvliegtuigen? Nooit van gehoord! Hoe kon een moeder van zoveel kinderen ooit belangstelling opbrengen voor vliegtuigen . . . vooral wanneer ze haar man op de eerste plaats stelde, zoals elke goede vrouw zou doen?

Ze hield van Freddy, ze hield echt van Freddy, dacht Jane terwijl ze haar moeder hielp het eten voor de picknick naar buiten te dragen, maar hoe langer ze haar kende, hoe meer ze besefte dat er aan Freddy iets was wat niet wilde verdwijnen, niet op wilde gaan in de eenheid waaruit een echt gezin moest bestaan. Soms dacht ze dat zij met z'n tweeën alles hadden besproken waarover twee vrouwen maar konden praten, vooral wanneer het schoonzusjes en collega-piloten waren, en dan kon Freddy opeens afwezig voor zich uitstaren, met een blik alsof ze iets zag wat Jane nooit had gezien en alsof ze aan iets dacht wat Jane nooit zou begrijpen. Ze had Freddy nooit naar die momenten gevraagd, maar ze wist dat er in haar verleden een mysterie was – over een man, natuurlijk, wat kon het anders zijn? – dat te veel voor haar betekende om ooit te worden onthuld. Het altijd verrassende blauw van Freddy's ogen werd grijs en haar snelle, schalkse glimlach die haar neus deed krullen, verdween en het leek dan even of ze er niet meer was.

Wat dit mysterie ook mocht zijn, het verklaarde in ieder geval waarom vliegen voor Freddy meer betekende dan het ooit voor haarzelf zou doen. In zekere zin benijdde Jane Freddy om haar voortdurende hartstocht, op de manier waarop een getrouwde vrouw die op niet onplezierige wijze een klein beetje genoeg heeft van haar man, wat afgunstig kan doen over een prille liefde vol enthousiasme. Wanneer de oorlog was afgelopen, dacht Jane niet dat ze ooit nog naar een vliegtuig om wilde kijken. Binnenkort was het bij elkaar vijf jaar van in en uit die verhipte dingen kruipen – o, het was geweldig opwindend en uitdagend geweest om zulk werk te doen, vooral wanneer het steeds gecompliceerder werd – en het was zonder twijfel nog steeds de meest directe manier waarop een vrouw een man kon vervangen om hem ten strijde te laten trekken. Het was geweldig spannend, vooral wanneer je een bommenwerper moest overvliegen. Freddy had het helemaal mis wat betrof die stomme Amerikaanse Minneapolis-Honeywell compressor – het was veel veiliger om de reservepropellers te gebruiken, maar hoe kon je in zo'n theoretisch gesprek iemand overtuigen? En kon het haar eigenlijk iets schelen, of had ze gewoon voor de gezelligheid wat gekibbeld?

Jane zette de schaal met sandwiches neer en dekte hem af tegen de insekten. Ze keek naar Tony, die in gedachten verzonken was en ze vond dat hij eruitzag zoals zij zich voelde. Het was net alsof haar plezier eraf was gegaan toen Margie Fairweather, die ooit samen met hen was begonnen, was verongelukt doordat de Proctor waarmee ze vloog motorstoring had gekregen. Ze was er nog veilig mee op een weiland geland, maar hij was in een verborgen sloot ontploft nog voordat de motor kon worden stilgezet. Er waren meer mensen van de ATA omgekomen, veel zelfs, maar Margie was wel een heel droevig geval geweest, want ze liet een baby alleen achter. Haar man, Douglas, eveneens vliegenier bij de ATA, was vier maanden eerder in slecht weer omgekomen bij een vrijwillige opdracht boven de Ierse Zee. Dacht Freddy nou nooit aan Annie wanneer ze achter het bedieningspaneel van de zwaarste vliegtuigen ging zitten? Op de een of andere manier was het niet iets dat je haar kon vragen, net zomin als je Jock kon vragen waarom hij in dat squadron bleef vliegen terwijl hij zoveel missies had volbracht dat hij zich allang had kunnen laten overplaatsen. Je moest het feit accepteren dat Freddy bereid was dit risico te nemen, baby of geen baby.

Ze vroeg zich af waar Jock eigenlijk zat. Op deze zeldzame dag dat ze allemaal naar The Grange hadden kunnen komen, zat hij waarschijnlijk met Freddy te praten over – wat anders? – de bombardementen op Duitsland die binnenkort, heel binnenkort, vooraf zouden gaan aan de invasie. Wanneer ze over Engeland vloog, leek het wel of het hele land één groot verzamelterrein was voor de komende strijd. Er was zoveel mankracht en materieel verzameld, zowel op de grond als in de havens, dat het een wonder was dat het hele eiland niet onder dit gewicht wegzonk. En na de invasie, na de overwinning waarvoor ze allemaal baden, wat ging Jock dan doen?

Er was geen twijfel over mogelijk dat Tony en Freddy hier op het land kwamen wonen, om een leven te leiden zoals dat door vijftien generaties Longbridge-landeigenaars en hereboeren was geleid. Zij zou zelf naar Londen gaan, een reeks opwindende escapades beleven om ten slotte de man te vinden met wie ze verder door het leven wilde en zich te gedragen zoals haar mama dat van haar verwachtte.

Maar Jock? Jane Longbridge ging op de deken zitten, met haar rug naar haar broer, alsof ze hem niet in zijn gedachtengang wilde storen, en ze dacht na over het onderwerp Jock Hampton. Misschien was het toch maar goed dat er van Freddy's stiekeme pogingen om Jock en haar aan elkaar te koppelen, niets terecht was gekomen. Stel dat hij verliefd op haar was geworden, zoals Freddy's bedoeling was geweest? Dan had ze zich nu zorgen zitten maken over met een Amerikaanse man teruggaan naar Californië en leren wennen aan een nieuw land en een nieuwe manier van leven. De zoveelste oorlogsbruid.

Nee, het was maar goed dat het niet zo had uitgepakt. Jane was nu gelukkig – bijna – niet meer verliefd op Jock. Als iemand haar ooit had verteld dat ze zo iets stoms zou doen als verliefd worden op een man die niets om haar gaf, zou ze diegene een klap op zijn kop hebben verkocht met een fles van wat er maar voorhanden was ... maar ze hield, helaas, van hem op een absurde, hartstochtelijke, pijnlijke manier, hoewel niemand dit wist, zelfs Freddy niet. Het geneesmiddel dat ze koos was even vernederend als effectief.

Ze hoefde Jock en Freddy maar samen te zien, ze hoefde alleen maar dat mooie blonde hoofd van de Californiër te zien, die nog steeds verliefd was op haar schoonzuster, en ze hoefde alleen maar te zien dat Freddy dat nog steeds niet wist, om haar hart weer te voelen verstarren. Nog even en dan was het schild rond haar hart even sterk als dat van een schaaldier, en zouden de gedachten aan Jock Hampton, en aan zijn ogen, zijn lippen en zijn vikinggezicht haar nachten niet langer verstoren en haar dagen niet langer verduisteren.

Wat Freddy betrof feliciteerde Jane zichzelf: ze kon oprecht zeggen dat ze nooit op een ander meisje jaloers was geweest en ze was het ook niet van plan dat nu te worden. Ach Jock ... als de oorlog was afgelopen zou hij Engeland ongetwijfeld verlaten en hoewel hij een gerespecteerd lid van de familie was geworden, zouden ze hem waarschijnlijk niet veel meer zien. En als hij Freddy na de oorlog terugzag, een Freddy met een twinset en een tweedrok, met een stel kinderen en een huishouden, zou hij dan nog steeds van haar houden? Ze zou dan een beetje dik zijn geworden en waarschijnlijk werd haar haar wat flets – misschien zelfs grijs – en ze had het veel te druk met de nieuwe baby of een zieke hond of een kokkin die niets voor bleek te stellen – ja, ongetwijfeld zou het Freddy over een paar jaar zó vergaan. Ze zou haar malle kuren wel afleren . . . Engeland zou haar wel krijgen. Aan de andere kant dacht Jane dat zijzelf nog steeds veel plezier kon hebben van haar diverse relaties. Tien heerlijke jaren vol avontuurtjes waren nauwelijks genoeg als compensatie voor de ontberingen van dertien dagen dienst en maar twee dagen vrijaf. Hoe snel, vroeg ze zich af, zouden er na de oorlog weer fatsoenlijke kousen te koop zijn?

Jock Hampton leunde over de vensterbank van zijn kamer naar buiten en keek naar Tony en Jane die zwijgend op een stel dekens onder de bloeiende pereboom zaten. Hij bedacht dat hij nog steeds min of meer dol was op Freddy, maar waarom kon ze verdorie niet eens ophouden met *Till We Meet Again* voor zijn peetdochter te zingen? Toen het Eagle Squadron in het eerste jaar na hun huwelijk nog intact was geweest, waren Tony en zij vaak meegegaan naar de favoriete pub van het squadron. Elke avond dat ze daar hadden zitten roken en drinken, hadden ze geprobeerd niet aan de mannen te denken die niet van hun laatste vlucht waren teruggekeerd en dan had zij urenlang voor hen gezongen, liedjes van nu en liedjes uit de Eerste Wereldoorlog, die ze van Eve had geleerd. De avond kon niet afgelopen zijn zonder dat Freddy die laatste mooie regel, die laatste woorden had gezongen, *Till we meet again*, waarvan Jock, dwars tegen alle logica in, altijd was blijven geloven dat het een belofte was, van haar aan hem. Zij wist dit niet . . . maar hij wel, en dat was het belangrijkste.

Annie's kamer was pal naast de zijne en zelfs door deze dikke muren heen kon hij Freddy's zangerige stem horen terwijl ze met het meisje rondwalste. Besefte Freddy dan niet dat dit het soort deuntje was dat in je hoofd bleef hangen en je maandenlang gék maakte? Waarom kon ze niet *Mairzy Doats* zingen, of iets anders wat even gemakkelijk te vergeten was? Hij kon natuurlijk vragen of ze ermee op wilde houden, maar hoe moest je tegen een moeder zeggen dat je het een kwelling vond om haar liedjes voor haar kind te horen zingen? Hoe moest je haar vertellen dat je dat deuntje nog in je hoofd had zitten wanneer je eigenlijk zou moeten concentreren op een van de tientallen mooie, gewillige meisjes die je in Londen met een stok van je lijf moest houden? Ze noemden de vliegeniersinsignes niet voor niets 'benenspreiders' . . .

Hij kon natuurlijk naar buiten lopen om bij Jane en Tony te gaan zitten, of lady Penelope in de keuken gaan helpen – die kokkin werd veel te oud om nog iets te presteren – maar op de een of andere manier kon hij er niet toe komen zich los te maken van zijn uitkijkpost. Het zou wel door het weer komen. Iedereen in Engeland zei dat dit de warmste maand mei was die ze ooit hadden meegemaakt ... maar thuis, in San Juan Capistrano, Californië, USA, zou het gewoon de zoveelste mooie dag zijn geweest, het soort dag waarop je het moeilijk vond om te kiezen of je ging surfen of tennissen, zodat je het uiteindelijk allebei deed. Of misschien was het het soort dag waarop een vent als hijzelf, die van snelheid hield en van gevaar, van opwinding en van vliegen, misschien net iets te veel had gehoord over de geweldige dingen die daarginds in Engeland gebeurden en daarom geld bij elkaar scharrelde voor een treinkaartje naar Canada, om daar genoeg vliegtrainingen te krijgen om zich bij het Eagle Squadron te kunnen voegen.

Het was precies het soort dag als vier jaar geleden, toen hij afscheid had genomen van zijn familie en was vertrokken – misschien was hij daarom zo rusteloos. Niet alleen maar rusteloos ... chagrijnig. Hij had gewoon de pest in ... hij had een rothumeur en dat was eigenlijk heel raar, want hij had in geen maanden tijd gehad om naar The Grange te komen en hij had het nu toch helemaal naar zijn zin horen te hebben. Was dit niet veel leuker dan zijn squadron door het vijandelijke luchtruim naar Duitsland voeren, de langzaam vliegende bommenwerpers begeleiden, ze beschermen tegen de Duitse luchtdoelkanonnen en jagers, tot ze hun doel naderden? Was dit niet veel leuker dan terug te vliegen door een hemel vol luchtafweergeschut, tot je beneden de kust zag en je je alleen maar zorgen maakte over de vraag of je werd neergehaald in water dat onveranderlijk verrekte nat en verrekte koud was? En toch, wanneer hij zijn werk deed, voelde hij zich nooit zo uit zijn humeur als nu. Hij was misschien verveeld of bang of woedend of krankzinnig opgetogen, maar één ding dat je van die P-51 Mustang, die verdomd goeie vechtmachine, dat geweldige stuk geschut met vleugels, kon zeggen was dat de piloot niet de tijd kreeg om chagrijnig te worden. Chagrijnig zijn was, in zijn boekje, even stomvervelend als een voortdurende lichte verhoging, een ergernis, een irritatie, een jeuk waartegen je niet kon krabben, een dorst die je niet kon lessen, hoeveel je ook dronk.

Een van de redenen dat hij bleef vliegen was dat hij wist dat als ze hem omhoog lieten vallen naar het hoofdkwartier, hij de hele tijd stinkend chagrijnig zou zijn in plaats van af en toe. Af en toe moest hij op bevel van bovenaf een poosje aan de grond blijven, met het verhaal dat hij wat rust moest hebben, maar ze konden hem niet lang aan de grond houden. Als je wilde vliegen en je was niet ziek of geschift, dan moesten ze je wel laten gaan, luitenant-kolonel of niet.

Toen hij van huis was gegaan om zich bij het Eagle Squadron te voegen, was hij gewoon het zoveelste wilde, vlieggrage, onervaren studentje van twintig geweest dat voor geen goud iets van de pret wilde missen. Nu was hij vierentwintig; hij was erachter gekomen dat pret en oorlog niet hetzelfde was, maar hij was heel blij dat hij om de verkeerde redenen toch op de goede plaats was gekomen. Voordat de Eagles waren overgedragen aan het United

States Army Air Corps, hadden ze het equivalent van zes Luftwaffe-eska-
ders neergehaald en dat was in '42, twee eeuwen geleden. Lang niet slecht.
En toen hadden ze nog geen Mustangs gehad.

Shit, wat zat hij hier filosofisch te zemelen wanneer hij in de keuken van
nut kon zijn? Natuurlijk was Freddy daar niet – zij wist waarschijnlijk niet
eens hoe je een fatsoenlijke sandwich met ham kon maken. Wat zou ze na
de oorlog een hopeloze vrouw zijn voor Tony – hij werd gewoon treurig als
hij daaraan dacht. Zo'n prima vent als Tony had echt iets beters verdiend.
Hij had een meisje verdiend dat was opgevoed om alles elegant te doen, een
meisje met zijn eigen soort tradities in haar bloed, een meisje dat in de
geneugten van de vredestijd zou wegzinken met niets meer aan haar hoofd
dan hem gelukkig maken. Zijn beste vriend – de beste vriend die hij ooit in
zijn leven had gehad – had volledig recht op een vrouw die hem in alles als
eerste zag. Dat was het enige soort meisje waarvan hij ooit ook maar zou
overwégen er zelf mee te trouwen, dát was zeker!

Maar die arme ouwe Tony zat opgescheept met Freddy, het bazigste
kreng dat een man zich maar kon voorstellen. Er deugde echt niets aan
Freddy. Ze was te koppig, te driftig, te agressief, te doordrijverig, hoe dan
ook. Goed, ze had zijn leven een keer gered, en wat dan nog? Dat bewees
alleen maar wat een zeldzaam onredelijke vrouw ze was. Hij begreep werkelijk niet hoe die arme Eve en Paul het al die jaren met haar hadden weten
uit te houden, toen ze had leren vliegen. Ze hadden net zo goed een jongen
als hij kunnen hebben in plaats van een wildebras als Freddy, die niet
scheen te beseffen dat ze een moeder was, laat staan een vrouw.

Jock keek omlaag naar het grasveld en zag Freddy en Annie vrolijk
hollend te voorschijn komen. Ze had het kind een kleine blauwe overall
aangetrokken – was dat nou niet typisch geschift van haar, wilde ze zijn
petekind ook in zo'n halve jongen veranderen? Was één niet genoeg voor die
veelgeplaagde familie Longbridge? En moet je haar nou toch zien, wat had
ze zich nu weer in haar hoofd gehaald, uitgedost in die strapless gebloemde
zonnejurk alsof dit verdorie de Franse Rivièra was! Ze had er zelfs een paar
rode sandalen met hoge hakken bij aan – ze had zeker Jane's kleerkast weer
overhoop gehaald. Nou, het was in ieder geval wat anders dan dat verrekte
marineblauwe uniform waarin ze zich als een soort kaperschip rondzeilde en
waarmee ze eruitzag alsof ze van hem verwachtte dat hij voor haar zou
salueren, met die grote pedante glimlach en die walgelijk vriendelijke blik
in haar ogen.

Zonder te beseffen dat hij dit had gedaan, stond Jock op van zijn plaats
bij de vensterbank en liep achter Freddy aan naar beneden en naar buiten,
niet langer in staat weerstand te bieden aan zijn verlangen dicht bij haar te
zijn, zoals hij ook niet in staat was geweest zich los te rukken van het geluid
van haar stem toen ze voor haar dochtertje zong.

Freddy lag languit op een van de oude dekens, een slanke versie van Renoirs zinnelijke roodharigen die toevallig een jurk van Matisse had geleend. Ze had haar blote armen over haar ogen gelegd, tegen de zon waar ze niet meer aan gewend was, en ze had haar schoenen uitgeschopt zodat ze met haar blote tenen kon wriemelen.

Whisky, sandwiches met cornedbeef en Milky Ways als toetje vormden een geheimzinnige combinatie. besloot ze; elk op zich was al perfect maar wanneer je het een na het ander kreeg, vormden ze een traktatie waar geen woorden voor waren. Voelde ze zich zo intens tevreden omdat zoveel van de mensen die ze liefhad binnen haar bereik waren? Over een paar uur werden haar ouders met de trein uit Londen verwacht ... als alleen Delphine nu maar hier had kunnen zijn. Toen deze gedachte in haar opkwam, voelde ze weer dezelfde bons van haar hart die ze elke keer voelde als ze besefte hoe lang geleden het was geweest dat ze voor het laatst iets van Delphine hadden gehoord.

Frankrijk lag zo hartverscheurend dichtbij. Er ging bijna geen dag voorbij dat ze de kust ervan niet vanuit haar cockpit zag, en toch had er evengoed een betonnen muur om het land heen kunnen staan die tot in de wolken reikte, een ondoordringbare gevangenismuur die niemand liet zien wat er zich aan de andere kant afspeelde. Haar vader zou via het hoofdkwartier van de Vrije Fransen in Londen, en hun netwerk van radioverbindingen met het verzet, bericht hebben gekregen als Delphine iets was overkomen en ze hadden in geen jaren iets gehoord. Ze probeerden elkaar gerust te stellen dat Delphine zich er vast wel doorheen zou weten te slaan, maar het gebrek aan contact was heel schrijnend. Het was iets waarover haar ouders en zij alleen spraken als ze onder elkaar waren; het was niet fair om de familie Longbridge met nog een extra last op te zadelen wanneer ze zelf al zoveel kinderen hadden om voor te zorgen, om nog maar te zwijgen van Annie.

Die lieve kleine Annie, dacht ze terwijl ze luisterde hoe Jock en Tony en Gerald haar allemaal verleidden om op hun schoot te komen zitten, had waarschijnlijk minder zorgen veroorzaakt dan welke baby ook. Ze leek een beetje op Delphine; ze had dezelfde volmaakte kin en lippen waarvan de mondhoeken omhoogkrulden, zelfs wanneer ze niet glimlachte. Ze was vernoemd naar Anette de Lancel, zeer tot haar grootvaders genoegen, maar Annie deed Freddy altijd denken aan de bijnaam die iedereen bij de ATA gebruikte voor de trouwe Anson-taxi's die hen naar en van alle vliegtuigen hadden gebracht die zij sinds het begin van de oorlog zo'n zeventig miljoen kilometer ver door Engeland hadden vervoerd. Ze deed haar ogen open om Annie op Geralds schouders te zien zitten, met haar armen om zijn nek.

Naast hem lag Jock naar de hemel te fronsen. Ze vroeg zich even af wat hem dwars zou zitten. Als Jock zich niet zo dwaas had opgesteld, zouden Jane en hij een leuk stel hebben kunnen vormen, zoals zij dat had bedacht. Dan zouden ze pas echt één grote gelukkige familie hebben gevormd. Ze ging achteroverliggen en sloot opnieuw haar ogen, bedenkend dat sommige mensen – met inbegrip van Jock, naar ze vermoedde – het niet eens waren met haar besluit zo snel na Annie's geboorte weer te gaan vliegen, waarbij ze haar op Longbridge Grange achterliet onder de hoede van haar grootmoeder en haar schare tantes in de prepuberteit. Maar ze was in 1939 naar Engeland gekomen om een taak te verrichten – en het deed er niet toe wat haar hierheen had gevoerd, het deed er niet toe dat ze eerder Macs voetsporen was gevolgd dan zelf te hebben nagedacht – en die taak was niet afgelopen voordat de oorlog was gewonnen. Als een van de slechts dertien vrouwen in Engeland die een training hadden gehad in het vliegen van viermotorige toestellen, kon ze er zelfs niet over denken om al haar tijd aan één kind te spenderen, vooral wanneer Penelope meer dan bereid was Annie onder haar bekwame en ervaren hoede te nemen.

Wanneer ze haar twee dagen vrij had, of zelfs maar één nacht, als ze van een andere ATA-piloot een lift kon krijgen naar het vliegveldje dat kortgeleden in de buurt van The Grange was aangelegd, ging ze naar huis naar haar dochter, zolang als ze zich de volgende morgen maar weer op White Waltham kon melden.

In welk ander land ter wereld lagen de vliegvelden zo dicht bij elkaar dat het wel haltes van de ondergrondse leken? Er was er nu minstens om de vijftien kilometer een, soms op de grote grasvelden van landhuizen, op cricketvelden, polovelden en voetbalvelden, en sommige waren zo nieuw dat ze nog op geen enkele kaart stonden zodat zij, net als elke andere ATA-piloot, veel tijd in de kaartenkamer doorbracht en zich de posities van de nieuwste landingsterreinen op haar route probeerde te herinneren, samen met de herkenningspunten eromheen.

Stirlings die naar Keevil werden gebracht, Spitfires die naar Brize Norton werden gebracht, Warwicks naar Kemble, Mosquito's naar Shawbury, Halifaxes naar Yorkshire, dacht ze in een slaperige litanie – zo verliepen haar dagen. Het enige vliegtuig waarvoor ze niet was opgeleid was een vliegboot, en ze dacht dat ze daar ook nog wel mee om zou kunnen gaan als de nood aan de man kwam.

Terwijl ze met haar ogen dicht lag, stelde Freddy zich Engeland voor als een grote, gecompliceerde landkaart, bezaaid met alle details die zo diep in haar geheugen stonden gegrift: de spoorlijnen, de wegen, de bossen, de fabrieken, de rivieren, de kastelen en landhuizen, de nauwe doorgangen tussen de duizenden versperringsballonnen die de grote steden beschermden, de kerktorens en zelfs de sporen van de oude Romeinse wegen die nog steeds vanuit de lucht te zien waren. Zou het ooit voor haar een driedimensionaal landschap worden, zou het niet meer – of was het niet minder? – dan dit huis zijn, met zijn vele vruchtbare hectaren land die duidelijk waren afgebakend door hekken en muren, of zou het altijd een tweedimensionale landkaart blijven?

Waar maakte ze zich druk over? Wat er na de oorlog gebeurde was niet van belang, want het enige dat er nu toe deed was dat ze wonnen. Wannéér zou de invasie plaatsvinden? Als ze hier zo in de zon lag te bakken, voelde ze zich een luie nietsnut, hoewel de vermoeidheid van de afgelopen dertien dagen diep in haar botten zat en ze wist dat ze profijt moest trekken uit dit respijt. Jane was al even moe als zij . . . of was ze rusteloos? Ze was bij het ontbijt zeldzaam prikkelbaar geweest. Of moest ze gewoon eens worden gepakt?

En als Tony er ook eens wat gelukkiger had uitgezien. Die vermoeide, strakke, bijna boze blik die er op zijn magere, gegroefde gezicht lag, scheen elke keer dat ze hem zag, na hun gedwongen afwezigheid, sterker te zijn. Het kwam waarschijnlijk door het gewicht van zijn nieuwe verantwoordelijkheden. Het moest heel enerverend zijn om elke avond zesendertig vliegtuigen de lucht in te sturen, na een dag van schema's maken voor bewapening en brandstof en onderhoud van elk toestel, om dan slechts onrustig te kunnen slapen wanneer ze waren vertrokken, want welke commandant van een gevechtseenheid was in staat echt te slapen als zijn mannen boven Europa zaten? Voordat ze dan terug werden verwacht, was hij alweer op en liep gespannen te wachten op de terugkeer van zijn vliegtuigen, de volgende morgen vroeg. Geen wonder dat hij er zo gespannen en afwezig uitzag. Ze probeerde met opgewekt gepraat zijn gedachten wat af te leiden, want tenslotte was het overvliegen zo'n eenvoudige taak vergeleken bij wat hij deed, maar het scheen niet erg te helpen.

Gelukkig hadden ze The Grange om af en toe naar terug te komen. Zij woonde met Jane en een stel andere vrouwen in een huisje dat ze in de buurt van White Waltham hadden gehuurd, terwijl Tony op de basis woonde. Het was een waardeloze manier van getrouwd zijn, het was een waardeloze wereld waarin ze nu leefden, maar voorlopig zouden ze het op deze manier moeten volhouden.

'Annie,' zei ze, en ze deed haar ogen half open, 'denk je dat je die aardige mannen lang genoeg alleen kunt laten om hierheen te komen en je moeder een kusje te geven?'

19

Delphine stapte resoluut haar huis op de Villa Mozart uit, maar toen ze de grote zwarte Mercedes op de hobbelige keien van het smalle straatje zag staan, bleef ze abrupt staan, alsof ze niet in staat was in de automobiel te stappen die generaal Von Stern naar haar toe had gestuurd. Ze had een zwarte chiffon stola afgezet met zilvervos, in haar handen gehad. Nu wierp ze hem snel over haar schouders en trok hem met beide handen stevig om zich heen, alsof het dunne kledingstuk haar kon beschermen.

'Alstublieft, mademoiselle,' zei de chauffeur in zijn nazi-uniform beleefd en hij hield het portier voor haar open. Slechts deze bekende, hoffelijke formule stelde haar in staat haar benen te dwingen haar naar de auto te dragen. Tijdens de rit naar het huis in de Rue de Lille zat ze als verstijfd, zo ver mogelijk naar achteren om maar niet door de raampjes te worden gezien, maar ook zonder haar rug tegen de kussens van de auto te willen laten steunen. Ze haalde oppervlakkig adem, met haar blik vol afschuw gericht op de helmen op het hoofd van de chauffeur en van de gewapende soldaat die naast hem zat.

Ze was genoodzaakt geweest zich door de auto van de generaal te laten ophalen. Sinds het begin van de bezetting had Delphine geen auto of chauffeur meer gehad; in het voorjaar van 1943 was er geen benzine meer voor de taxi's en was er geen ander vervoer dan te voet, met de fiets of met de metro – en hoe had zij in haar lange, blote avondjurk en met de diamanten die Bruno haar had aanbevolen te dragen, anders op dit officiële dineetje kunnen verschijnen? Bruno had haar beloofd dat de beschaafde en verrassend fatsoenlijke generaal die zijn huis had gevorderd, naar haar angsten zou luisteren en een zoekactie naar Armand zou laten verrichten. Hij had Delphine verder verzekerd dat ze niet nerveus hoefde te zijn, want zij zou de eregast zijn en ze zou er mensen uit haar eigen wereldje aantreffen.

Zodra Delphine het huis in de Rue de Lille binnenstapte, merkte ze dat hoewel alles in het werk was gesteld om haar op haar gemak te stellen, zij zich verdoofd en ijskoud voelde van afkeer. Het was geen nervositeit die haar gespannen maakte, maar walging. Hoewel George, Bruno's butler die ze in vroeger tijden zo goed had gekend, haar heel hartelijk begroette, kon ze hem niet in de ogen kijken en gaf ze met tegenzin haar avondcape af.

Hoewel Bruno zelf, glimlachend over het succes van zijn plan, in de hal stond te wachten om haar zijn beschermende arm aan te bieden toen ze de trap opliep naar de salon, woog haar dunne, zwarte chiffon jurk even zwaar alsof het een maliënkolder was. Hoewel generaal Von Stern haar met ouderwetse hoffelijkheid begroette, zich correct over haar hand boog, waren haar lippen star en was haar glimlach uitsluitend aan haar training te danken.

Bij het diner zat Delphine stijf rechtop, als een Edwardiaanse prinses, op de stoel waarop ze al zo vaak had gezeten en keek in opperste verbijstering om zich heen. Ze vroeg zich af of er buiten regelrecht kannibalisme iets bestond wat het wereldse uiterlijk van een diner in Parijs kon verstoren.

Arletty, de charmante, donkerharige actrice, hield een vrolijk en geestig verhaal over de problemen die voorafgingen aan de produktie van haar volgende film, *Les Enfants du Paradis*, die over enkele maanden in Nice zou worden opgenomen. Aan het andere einde van de perfect gedekte tafel probeerde Sacha Guitry, die Delphine had geregisseerd in *Le Destin Fabuleux de Désirée Clary*, een van de vele Napoleon-films die ze had gemaakt, tevergeefs het gesprek in zijn richting te laten gaan, terwijl Albert Préjean, Junie Astor en Viviane Romance, die met Jean Marais een hoofdrol zou krijgen in *Carmen*, allemaal geboeid luisterden naar Arletty's beschrijving van de plannen voor de duurste film die er ooit in de geschiedenis van de Franse filmindustrie was gemaakt.

Het had 1937 kunnen zijn, vond Delphine toen ze uit een wijnglas dronk dat eens van Bruno was geweest, een glas waarvan het gewicht en de vorm vertrouwd in haar hand lagen, als de charmante jonge officier, van wie heel Parijs wist dat het Arletty's minnaar was, geen nazi-uniform had gedragen. Het had een vrolijk diner met collega's kunnen zijn als Junie en Albert en Viviane niet bij het kleine groepje Continental-sterren waren geweest dat vorig jaar naar Berlijn was gegaan om Goebbels te ontmoeten in een vertoning van Frans-Duitse eenheid. Alleen de gedachte aan Armand weerhield haar ervan van haar stoel op te staan, de trap af te hollen en het huis te verlaten waarin de 'mensen van haar eigen wereldje', die Bruno haar had beloofd, de meest notoire collaborateurs van de filmwereld waren.

Na het diner bracht Bruno haar naar de bibliotheek waar generaal Von Stern in zijn eentje cognac zat te drinken. Hij stond op toen Delphine haar rok met een hand bijeennam en naast hem kwam zitten, in de stoel die hij aanwees.

'Ik ben een groot bewonderaar van uw kunst, mademoiselle,' zei hij gretig, en hij boog zich naar voren om haar een sigaret aan te bieden.

'Nee, dank u, generaal, ik rook alleen in films, wanneer het script dat verlangt.'

'U staat onder contract bij Continental, heb ik begrepen. Bravo, mademoiselle.' Hij taxeerde haar borsten met zijn ogen, en hij deed dit zo snel dat ze zijn blik bijna had gemist.

'Ja, generaal, ik werk voor Continental,' antwoordde ze droog.

'Greven is een goede vriend van me. Hij heeft wonderen verricht, vindt u niet?' vroeg hij minzaam, en raakte heel even haar arm aan.

'Ik veronderstel dat de films zo goed zijn als onder de huidige omstandigheden kan worden verwacht,' antwoordde Delphine en ze schoof sierlijk naar de verste rand van haar stoel en vouwde haar handen in haar schoot.

'Generaal,' begon ze abrupt, niet langer in staat allerlei loos gepraat te verdragen, 'mijn broer heeft me verteld dat ...'

'Ik heb de generaal verteld dat jij je wat ongerust maakt, Delphine,' viel Bruno haar in de rede. 'Hij heeft daar begrip voor.'

'Zoals u weet, mademoiselle, heb ik talent in de bioscoop altijd aangemoedigd,' zei generaal Von Stern met een weids gebaar. Hij keek haar glimlachend in de ogen.

'Generaal, kunt u me helpen Armand Sadowski te vinden?' riep Delphine uit, met een stem die veel te hard, een vraag die veel te duidelijk en een manier van doen die veel te abrupt was voor de delicate transactie die Bruno in gedachten had.

'Ik zou graag uw zorgen willen verlichten, mademoiselle, als dat in mijn macht ligt,' zei de generaal, nog steeds met een nadrukkelijke glimlach.

'Mijn zuster bedoelt dat ze u bijzonder erkentelijk zou zijn voor elke informatie die haar in staat stelt te hopen, generaal,' kwam Bruno tussenbeide en hij greep Delphine bij de schouder.

'U begrijpt toch wel dat zulke ... hoopvolle ... informatie normaliter onmogelijk te verkrijgen is?' vroeg de generaal. 'Zelfs voor mij?'

'Mijn zuster is zich dit probleem terdege bewust, generaal. Ze beseft hoezeer ze u verplicht zou zijn,' antwoordde Bruno. 'Ze begrijpt dat wat ze vraagt heel ongebruikelijk is, bijna tegen de regels.'

'Maar wilt u proberen uit te vinden waar hij is?' wilde Delphine kortaf weten, terwijl ze Bruno's waarschuwende vingers ongeduldig van zich afschudde. 'Kán ik hopen?'

Generaal Von Stern tuitte bedachtzaam zijn lippen toen hij Delphine openlijk opnam, van top tot teen. Hij was tevreden toen hij de diepte van haar wanhoop taxeerde en hij liet de tijd zwijgend voorbijgaan, alsof hij een winkelier was die een stuk antiek zilver in zijn handen hield, de keurstempels inspecteerde en probeerde te besluiten of dit een interessante aankoop kon zijn – tegen een zekere prijs, uiteraard.

'Niets is onmogelijk,' stemde de generaal ten slotte in, opnieuw glimlachend. 'Het is een kwestie van tijd ... van bijzonder voorzichtig informeren ... een zaak die veel behoedzaamheid vergt ... en tact ... mijn persoonlijke aandacht. Ik zou bepaalde gunsten moeten vragen ... belangrijke gunsten ... gunsten waar iets tegenover moet staan. Hoop is geen gemakkelijke zaak in deze dagen, helaas. Maar u bent een vrouw van de wereld, is het niet? Mijn vriend, uw broer, heeft u dat alles ongetwijfeld duidelijk gemaakt. Intussen zou het mij een groot genoegen doen u hier regelmatig te mogen ontvangen, mademoiselle De Lancel. Heel regelmatig zelfs. U verlicht elke kamer die u binnengaat. U siert mijn huis.'

'Dank u, generaal, maar wat monsieur Sadowski betreft . . .'

'Ik zal ons gesprek niet vergeten.'

Hij raakte haar arm opnieuw aan. Afwerend. Bevelend. Strelend.

'Neemt u toch een beetje cognac. U hebt uw glas niet eens aangeraakt. Heeft uw broer u wel verteld dat ik al uw films heb gezien? Nee? Nou, dat is heel slecht van hem. Ik ben een van uw grootste fans. Misschien . . . wie weet? . . . heb ik binnenkort nieuws voor u . . . als alles goed gaat. Welnu, mademoiselle De Lancel, wat zou u ervan zeggen om volgende week mijn gast te zijn in het theater. Raimu speelt dan in *Le Bourgeois Gentilhomme* in de Comédie-Française. Ik heb uitstekende plaatsen . . . ik hoop dat ik op u mag rekenen?'

Delphine dwong zich schijnheilig te knikken. Nee, dacht ze, nee, je mag níet op me rekenen, generaal, net zomin als ik op jou mag rekenen.

Bruno bood aan Delphine naar huis te vergezellen en hij reed zwijgend met haar langs de Seine. Hij zei de chauffeur te wachten tot hij haar veilig binnen had afgeleverd.

'Eén minuut nog, Bruno,' zei Delphine toen ze zich omdraaide, net binnen de deuropening.

'Ik moet wel meteen weg. Ik vind het vervelend om zo laat na de avondklok nog op straat te zijn.'

'Ik zal je niet lang ophouden. Wat voor vieze en smerige zaakjes doe jij met die generaal, Bruno?'

'Hoe dúrf je! Ik doe helemaal geen zaken met hem.'

'Hij behandelde me alsof ik te koop was. Nee, alsof ik al was verkocht en hij op de aflevering wachtte.'

'Generaal Von Stern was uiterst correct. Hoe heeft hij jouw delicate gevoelens kunnen kwetsen?'

'Bruno, je hebt het zelf gehoord en gezien. Doe nu niet alsof je niet weet wat hij van mij verwacht.'

'Dacht je echt dat hij voor niets al die moeite zou doen om die jood van jou op te sporen? Ben je echt zó naïef? Ben je soms zo bijzonder dat je vindt dat je récht hebt op die hoop? Je zult hem uiteraard wel iets terug moeten geven.'

'Is dat wat je bedoelde met het gebruiken van mijn invloed?' zei ze met zo'n bittere minachting dat hij woedend werd.

'Je hebt mijn hulp helemaal niet verdiend. Dacht je nou echt dat je in deze tijd nog trots kunt zijn? Nou, dan zal ik je één ding vertellen, stomme trut, en dat is dat trots iets is voor de overwinnaar, niet voor de overwonnenen. Dacht je echt dat jouw kont te hoog verheven was om te gebruiken als je iets wilt hebben? Je vroeg me je te helpen, je kwam me smeken, je had er alles voor over . . . "Help me, Bruno, help me, is er hoop, Bruno, is er hoop?" . . . en als ik jou dan een kans bied zoals je nóóit weer zult krijgen, nóóit weer, gooi je die weg. Laat me je één ding wel vertellen, Delphine . . . als je hulp wilt hebben, zul je daarvoor moeten betalen! Als jij echt hoop wilt hebben, zul je je moeten behelpen met de beste leverancier!'

'Zijn prijs is mij te hoog!' Ze smeet de woorden in zijn gezicht. 'Ik doe het wel zonder. Maar voor jou is geen prijs te hoog, hè Bruno? Je hebt me nog steeds niet verteld wat voor stinkende zaakjes jullie met z'n tweeën bedenken! Je bent vast niet alleen maar zijn pooier. Met welke munt betaalt hij jou, dat jij bereid bent je zuster in zijn bed te leggen?'

'Je bent gewoon gek! Ik geef je geen tweede kans.'

'Dat is het enige goede nieuws dat ik in lange tijd heb gehoord.' Delphine keek omhoog naar Bruno's knappe, wrede gezicht en ze lachte uitdagend voordat ze hem met volle kracht een duw gaf, zodat hij achterover struikelde toen zij de deur voor zijn neus dichtsloeg.

In haar woede jegens Bruno vond Delphine een tijdelijke uitlaatklep die haar door de volgende dagen heen hielp, maar weldra kwelden haar dappere woorden haar. Ze had gezegd dat ze het zonder hoop zou weten te stellen, ze had het zelfs geloofd toen ze het zei, maar hoop kon je niet zomaar van je afschudden, als kleding die je niet beviel. Hoop was een marteling en moest worden verdragen als een koorts, een voortdurende, grillige koorts die steeg en daalde zonder waarschuwing, een irrationele, hardnekkige koorts die zich door geen enkel medicijn liet bedwingen.

Ze werd soms midden in de nacht wakker alsof iemand haar naam had geroepen en dan voelde ze de ongewenste infectie van de hoop die ze had weggeworpen weer zo hoog opvlammen dat haar haar nat was van het zweet, dat haar hals en voorhoofd klam waren. Wanneer ze de volgende morgen bij de naaister een kostuum stond te passen, voelde ze het restant van die fragiele, koppige, dwaze hoop uit zich wegstromen, alsof de naaister, met spelden in haar mond, plotseling de macht bezat haar ter dood te veroordelen. Een enkel liedje – zoals Chevalier, die jolig voor de radio 'De symfonie van de houten zolen' zong, omdat er geen leer voor schoenen meer was – kon een ongevraagde hoop doen opvlammen, die zó hoog steeg dat ze het gevoel kreeg dat ze als een vonk uit het raam van haar slaapkamer zou schieten om over Parijs te zweven. Maar wanneer ze dezelfde avond Charles Trebet melodieus hoorde klagen: 'Wat is er overgebleven van onze liefde?' werd haar hart overspoeld door een golf van onverwachte en totale wanhoop, een angst zoals ze nog nooit had gekend, en dan moest ze tienvoudig boeten voor elk moment van onredelijke, ongevraagde hoop waardoor ze zich had laten overvallen.

Zonder dat ze dit wilde kon een zonsopgang of een volle maan haar tot een wilde, ongegronde hoop opzwepen, maar ze rook wanhoop in elke dode bloem, hoorde het in het getjilp van een vogel, zag het in het stof van een trap. Ze werd hulpeloos fijngemalen tussen de onredelijke opwellingen van hoop, waar ze het zonder had willen stellen, en de realiteit van gortdroge hopeloosheid, even vredig als het graf, waarvan ze wist dat ze die onder ogen moest zien, maar waar ze zich maar niet bij kon neerleggen.

Delphine werd bijgeloviger dan ooit. Ze hield op met het lezen van kranten en terwijl er in Anzio Amerikaanse troepen aan land gingen en de Russen Leningrad bevrijdden, raadpleegde zij allerlei waarzeggers; ze bezocht astrologen toen de Duitsers Hongarije bezetten en de Luftwaffe in februari 1944 in één week vierhonderdvijftig vliegtuigen verloor. Toen generaal De Gaulle in april van hetzelfde jaar tot bevelhebber van de legers van de Vrije Fransen werd benoemd, was Delphine door heel Parijs op jacht naar handlezers en helderzienden. Slechts valse profeten waren in staat de pijn van haar onuitwisbare hoop te stillen. Ze werd steeds magerder en mooier. Ze verkeerde op het randje van de waanzin.

In de hele geschiedenis van Parijs kon geen epidemie, geen kroning, geen revolutie, geen golf van bewondering van het volk, geen heerschappij van terreur, zich meten met de massahysterie en de opwinding die zich tegen half augustus 1944 van de stad had meester gemaakt. De meest wilde geruchten en oncontroleerbare onzekerheden snelden als een meute dolle honden door de straten die als elektrisch waren geladen. De bruggen waren door Duitse troepen gebarricadeerd, elke beweging had onmogelijk moeten zijn, maar de mensen zwermden uit naar alle kanten, ze wisten niet waarom, en ze verdwenen weer even snel als ze waren gekomen. Verwachting, angst en verbijstering stonden op ieders gezicht te lezen.

De bevrijding was op handen! Meer dan twee maanden nadat de Amerikanen, de Engelsen, de Canadezen en de Vrije Fransen op de kust van Normandië waren geland, naderde de bevrijding! Nee, er kwam geen bevrijding! Eisenhower zou de stad passeren, om de Duitsers naar de Rijn te drijven. Niets kon de bevrijding tegenhouden! Generaal Leclerc zou Eisenhower niet gehoorzamen en optrekken naar Parijs!

De geruchten verspreidden zich van mond tot mond; alles werd geloofd, niets werd geloofd, maar de vreugde en het verwarde begin van opstand waren overal. De spoorwegarbeiders gingen in staking. De metro-arbeiders gingen in staking. De politie heroverde haar eigen hoofdbureau, terwijl er zo'n duizend mensen routinematig naar een Duits concentratiekamp werden gedeporteerd. Franse tieners die vers bewapend waren met geweren, werden afgeslacht op de straathoeken waar ze als kind hadden gespeeld.

Het geknetter van geweerschoten – Duitse of Franse, dat wist niemand – werd van de daken, uit de ramen, op de straten gehoord. Er lagen plassen bloed op de trottoirs, op de straathoeken. De waanzin bloeide ongecontroleerd in de zomerlucht. Wat was er aan de hand? Wist iemand iets?

Op de twintigste augustus onderhandelde generaal Dietrich von Choltitz over een overgave, waarbij hij beloofde Parijs niet te zullen verwoesten, zoals Hitler hem had opgedragen, in ruil voor een ordelijke terugtrekking van zijn mensen. Maar het niet te onderdrukken oproer duurde voort, heviger dan eerst. Losse eenheden van Duitse troepen werden aangevallen door ongeoefende sluipschutters. Verzetskranten die jarenlang ondergronds waren gedrukt, werden nu in het volle daglicht aan waaghalzerige voorbijgangers verkocht terwijl nog geen kilometer verderop de Franse binnenlandse strijdkrachten vochten om het bezit van het stadhuis.

Continental was op de negentiende overgenomen door het *Comité de Libération du Cinéma Français* en alle produkties waren gestaakt. Delphine, die heel dicht bij het Gestapo-hoofdkwartier op de Avenue Foch woonde, waar een verwoede strijd werd gevoerd, bleef in huis en was volslagen alleen. Violet, Hélène en Annabelle durfden de straat niet meer op en hadden hun werk in de steek gelaten en de buren, die niet meer wisten dan zijzelf, hadden zich resoluut teruggetrokken achter hun gesloten luiken. Als ze uit haar eigen raam keek, zag ze geen enkel teken van leven in de lege straat.

Tegen de tweeëntwintigste had ze op een paar flessen wijn na totaal geen levensmiddelen meer in huis, zelfs geen klein stukje oud brood. Laat in de middag van de volgende dag had Delphine zo'n honger dat ze besloot een tocht te wagen naar de dichtstbijzijnde winkelstraat om te proberen daar iets eetbaars te vinden. Ze had in geen jaar zelf eten gekocht. Ze wist zelfs niet waar een bakker was. Ze zocht de meest onopvallende kleren op die ze bezat en vond een vergeten vooroorlogse blauwe katoenen rok met een rode riem en een oude witte mouwloze blouse. Om vooral niet te worden herkend, gebruikte ze geen make-up en borstelde haar haar naar voren, zodat het wat over haar gezicht viel.

Toen ze langs het lege, gesloten huis van de portier kwam en de hoofdstraat in liep, voelde ze zich kwetsbaar en bang in de onnatuurlijke, surrealistische stilte van deze omgeving. Ze vroeg zich af of iedereen soms de stad had verlaten. Of waren ze zo verstandig om binnen te blijven en af te wachten wat er gebeurde? Zij moesten toch ook zonder eten zijn komen te zitten, of waren ze zo verstandig geweest wat voorraden aan te leggen, hoe mager ook?

In de winkelstraat waren slechts twee winkels open en Delphine, gewapend met haar bonnenboekje, was in staat twee verschrompelde knolrapen, een ui en drie harde broodjes te kopen. Ze kauwde hongerig een broodje op terwijl ze zich naar huis haastte, waarbij ze dicht langs de gebouwen liep, zo snel mogelijk, zonder te hollen. Opgelucht bereikte ze de betrekkelijke veiligheid van de Villa Mozart en holde toen naar de beschutting van haar eigen muren. Buiten adem haalde ze de sleutel van haar eigen voordeur uit haar jaszak en had hem bijna in het slot gestoken toen opeens twee mannen om de hoek van haar huis verschenen. De angst sloeg haar om het hart want het waren zwervers, gekleed in lompen, met lange baarden, en ze zagen er woest en angstaanjagend uit.

'Nee, alsjeblieft niet,' fluisterde ze, te benauwd om te kunnen gillen, en ze keek wanhopig om zich heen op zoek naar de hulp waarvan ze wist dat ze die niet kon krijgen. Ze stak haar boodschappentas voor zich uit, in een poging hun dreiging af te wenden met het aanbieden van voedsel, maar ze bleven op haar afkomen. Ze rook hoe vies ze waren.

'Goed volk,' zei de ene zwerver hees.

'Wat?' Delphine deinsde achteruit, maar ze wist dat ze de huissleutel in haar hand hadden gezien en dat het nu te laat was.

'Mooi gebracht,' zei de zwerver, met brekende stem, 'eenvoudig, patriottisch . . . precies goed, schat . . .'

'Armánd!'

'. . . om een soldaat welkom te heten . . . als hij thuiskomt . . .' Hij zakte in haar armen in elkaar.

Op de vijfentwintigste augustus dirigeerde generaal Omar Bradley twee divisies naar Parijs: het Franse 2de onder generaal Leclerc en het 12de regiment van de Amerikaanse 4de divisie, vergezeld door de 102de Amerikaanse cavalerie-eenheid.

Huilend en juichend, in een vloed van extase die elke individuele vreugde te boven ging, stroomden alle burgers van Parijs naar buiten, de straten op. Alle kerkklokken luidden aan een stuk door en toen generaal De Gaulle op het stadhuis werd gevraagd de republiek uit te roepen, antwoordde hij: 'De republiek heeft nooit opgehouden te bestaan.'

Kolonel Paul de Lancel maakte deel uit van de troepenmacht die De Gaulle vergezelde. Hij had geholpen Gustave Moutets idee ten uitvoer te brengen om de kaarten van zijn *Guide Michelin* te gebruiken bij de operaties van D-Day, omdat die kaarten de Geallieerden onschatbare details verschaften. Paul was niet in staat Champagne per telefoon te bereiken omdat het nog steeds in handen van de Duitsers was. Drie dagen later, zodra hij hoorde dat Pattons Derde Leger Epernay had bevrijd, leende hij een Amerikaanse jeep en ging op weg om zijn ouders te zoeken.

Hij had maar een paar uur bij Delphine kunnen doorbrengen. Toen ze de deur had opengedaan op zijn onaangekondigde aanbellen, had de kracht van haar welkom hem bijna omvergemaaid. Haar emotie was groot, maar op de een of andere manier toch secundair, en toen ze hem snel naar boven bracht om Armand Sadowski te ontmoeten, hoefde Paul niet verder naar de reden van haar geluk te zoeken.

Delphine was licht en broos als zwanedons, maar hij kon zien dat ze haar teruggekeerde soldaat en zijn vriend, een Normandiër die Jules heette, onvermoeibaar verzorgde en de vrouwen van haar huishouding van hot naar her stuurde om in de wijde omgeving ingrediënten te voorschijn te toveren voor een soep die ze lepel voor lepel opvoerde aan de lange, vreselijk magere, vreselijk vermoeide man die als een gevangene in haar slaapkamer lag en niets anders mocht doen dan eten en uitrusten. 'Was ze altijd al zo bazig?' had Armand Sadowski aan Paul de Lancel gevraagd terwijl hij, als mannen onder elkaar, volhield dat hoe zwak hij ook mocht zijn, hij de kracht bezat zichzelf te scheren.

'Ja,' antwoordde Paul, 'maar ze bedoelt het goed.' Hij voelde zich direct op zijn gemak bij deze man van wiens bestaan hij nog maar net op de hoogte was. Delphine had gewild dat Armand Paul vertelde hoe hij was gevlucht, maar het enige dat Sadowski kon zeggen was: 'We hebben stom geluk gehad ...' voordat hij in slaap viel. Later vertelde Delphine aan Paul de magere details die Armand haar had gegeven over zijn vlucht uit de gigantische kogellagerfabriek in Schweinfurt, waar hij vele jaren had gewerkt en waar de Duitsers hem net niet dood lieten gaan vanwege hun behoefte aan slavenarbeid. Tijdens een van de vele Amerikaanse bombardementen van de enorme fabriek, hadden Sadowski en zijn kameraad Jules, die net als Armand wat Duits had opgepikt, uniformen van Duitse bewakers aangetrokken en hadden ze te voet hun gevaarlijke tocht door Duitsland gemaakt, de grens over naar Frankrijk.

Ze waren bijna onzichtbaar geweest, beschermd door de grote verwarring van de oorlog en de aanwezigheid van menigten van miljoenen vluchtelingen die dakloos waren geworden door de voortdurende bombardementen van de Geallieerden. Eenmaal terug op Frans grondgebied waren ze geholpen door boeren en groepen van de plaatselijke ondergrondse, die hun kleren gaven om te dragen.

Van de ene schakel in de keten van de ondergrondse naar de andere hadden ze een pijnlijke langzame tocht naar Parijs gemaakt, zich verbergend voor Duitse patrouilles die naar hun niet-bestaande papieren konden vragen. 'Het was geen geluk, vader, het was een wonder,' zei Delphine, hoog oprijzend in haar liefde voor Armand, en Paul had beseft dat zijn frivole, luchthartige, wispelturige dochter voor eeuwig was verdwenen in een sterke vrouw van zesentwintig.

Paul slaagde erin een korte boodschap aan Eve in Londen door te geven dat hij Delphine veilig had aangetroffen, eer hij, heel vroeg, op weg ging naar Champagne. De reis duurde langer dan hij had verwacht, want in elk dorp werd zijn jeep tot stilstand gebracht en toegejuicht door een opgewonden menigte, alsof hij een sprookjesridder op een draak was. Het was middag tegen de tijd dat Paul voor de grote deur van het Château de Valmont stopte. Hij aarzelde even voordat hij uit de jeep sprong, omdat hij moest denken aan een gesprek met Eve, in 1938, na München, toen hij heel nonchalant, heel dwaas, alsof de wereld alle tijd had, had besloten met zijn bezoek aan Frankrijk te wachten tot het volgende voorjaar. Consulaire bezigheden hadden hem genoodzaakt dat voorgenomen voorjaarsbezoek nog enige maanden uit te stellen en toen, terwijl de hele wereld in hulpeloos ongeloof toekeek, was zijn land terechtgekomen in de lange donkere, vreselijke nacht van de bezetting.

Het was nu meer dan tien jaar geleden sinds hij voor het laatst voet op de grond van Champagne had gezet, maar Paul wist dat er op Valmont iets ernstigs aan de hand moest zijn, want hij was langs het onvoorstelbare gezicht van lege wijngaarden gekomen waarin niemand, zelfs geen kind, aan het werk was. De voordeur stond open en niemand was te voorschijn gekomen om te zien wie er door de poort was gereden.

Paul stapte over de drempel van het huis van zijn kinderjaren en holde regelrecht naar de keukens, het hart van het huis, zonder iemand aan te treffen. Snel doorzocht hij de ontvangkamers en ten slotte de slaapkamers, zonder succes. Het château was leeg en verlaten, onaangeroerd en onveranderd, alsof het was betoverd, maar toch vertoonden alle kamers sporen van recente menselijke aanwezigheid. Het was kennelijk niet door de Duitsers bezet geweest. Hij liep naar de voordeur, om daar een minuut lang hevig verontrust te blijven staan, toen hij een lange rij in het zwart geklede mannen en vrouwen langzaam te voet zag naderen. Een oude vrouw maakte zich uit de rij los en holde moeizaam naar hem toe.

'Monsieur Paul, bent u het?' riep ze dringend, haar gerimpelde gezicht naar hem opgeheven, bijna alsof ze hoopte dat het iemand anders zou zijn. 'Bent u het echt?' Hij herkende Jeanne, de huishoudster, die in zijn jeugd een mollige jonge meid was geweest, meer dan veertig jaar geleden.

'Jeanne, Jeanne, mijn liefste Jeanne, natuurlijk ben ik het! Wat gebeurt er toch, waarom is het binnen zo leeg? Wáár zijn mijn ouders?'

'We komen van het kerkhof. We hebben vandaag uw moeder begraven, monsieur Paul,' zei ze en barstte in tranen uit.

'En mijn vader . . . waar is hij, Jeanne, waar?' vroeg hij, hoewel hij het antwoord al uit haar tranen kende.

'Het is meer dan twee jaar geleden sinds hij ons heeft verlaten, moge God hun ziel in vrede laten rusten.'

Paul wendde zich af. De lege wijngaarden, het verlaten château, ze hadden hem de waarheid al ingefluisterd. Het was altijd zo geweest wanneer de hele bevolking van Valmont een uit hun midden begroef. Maar ondanks alles had hij gehoopt dat het niet een van zijn ouders was. Jeanne trok aan zijn mouw.

'Monsieur Paul, bedenkt u wel dat monsieur Bruno in ieder geval in leven is,' zei ze, in een poging hem te troosten.

'Bruno . . .' Hij draaide zich om en keek naar de menigte die om hem heen stond, wachtend om hem te begroeten, hun verdriet vermengd met verbazing over de nieuwe aanblik van een Franse officier in uniform. 'Ja, Bruno . . . waarom is hij er niet bij?'

'Hij is direct na de begrafenis vertrokken. Hij zei dat hij zaken had in Parijs, maar dat hij vanavond terug zou komen. Hij maakt het goed, monsieur Paul, hij is hier in veiligheid geweest, sinds het begin van de wapenstilstand. Het was een wrede tijd, zo'n slechte lange tijd . . . de ergste tijd die ik me kan heugen . . . ik kan gewoon niet geloven dat het voorbij is. Kom toch binnen, monsieur Paul, dan zal ik iets te eten voor u maken, u zult wel honger hebben.'

'Ik kom straks, Jeanne, dank je wel. Eerst . . . moet ik naar het kerkhof.'

Toen Paul van zijn stille wacht bij het graf van zijn ouders terugkeerde, reed hij urenlang over de wegen langs de Lancel-wijngaarden en stopte wanneer hij werkers zag om hen te begroeten en naar hun welzijn te informeren. Paul de Lancel was op zijn negenenvijftigste, in het uniform dat hij had gedragen sinds hij zich in 1940 bij De Gaulle had gevoegd, nog steeds een knappe man; zijn dikke blonde haar was nu grijs, maar zijn houding was recht, zijn massieve lichaam even krachtig als altijd, zijn blik resoluut en tegelijkertijd sceptisch, kalm en indrukwekkend. Veel arbeiders hadden hem nooit eerder gezien. Paul was, op enkele vakanties na, niet meer in Champagne geweest sinds het begin van de Eerste Wereldoorlog, dertig jaar geleden. Maar veel van de oudere arbeiders herinnerden zich hem als een jongeman en ieder van hen gaf hem een welkom als van een held, want hij was een Lancel die naar huis terugkeerde en niemand van hen had ooit voor een ander gewerkt dan voor een Lancel, net als hun vaders of hun grootvaders.

Paul ving allerlei flarden nieuws op toen hij in de wijngaarden praatte: het beheer over Moët & Chandon en Piper-Heidsieck was in het begin van 1944 volledig overgenomen door de Duitsers; in de afgelopen jaren waren veel medewerkers en hoofden van andere huizen door de Gestapo gearresteerd wegens anti-Duitse activiteiten; enige honderden leden van de plaatselijke ondergrondse waren vermoord of gedeporteerd; massale geallieerde bombardementen op Mailly hadden de voltallige Von Stauffen-divisie vernietigd, die daar voor de invasie van Normandië was samengetrokken; er waren nog destructievere bombardementen op Rilly uitgevoerd, waar de Duitsers V2-raketten hadden opgeslagen in een tunnel die door de Montagne de Rheims liep. Nog tien dagen geleden was er een trein zwaar beladen met champagne uit Rheims naar Duitsland vertrokken. Nu was er in de hele provincie Champagne een groot tekort aan flessen, maar zoals ieder arbeider hem wist te vertellen had het district in de afgelopen drie jaren oogsten van een uitstekende kwaliteit opgeleverd. Ze waren het er allemaal over eens dat de wijngaarden tijdens de oorlog zwaar te lijden hadden gehad, de invasie had veel wijnstokken beschadigd, er was niet opnieuw ingeplant, maar kijk eens, monsieur Paul, kijkt u eens naar die rijpende druiven ... vormden die geen prachtig gezicht? De eerste oogst van de bevrijding zou een goede oogst zijn.

Ja, bij God, ja, dacht Paul, Champagne had opnieuw een oorlog over-leefd, want de bevolking was onverslaanbaar, met een kracht die hem zo hevig aangreep dat hij tranen in zijn ogen kreeg toen hij hen druk met de hand rond de kwetsbare stokken zag wieden, waarbij ze zonder klagen de op één na laatste taak verrichtten van de zevenentwintig verplichte han-delingen die een goede oogst verzekerden. Gisteren waren ze bevrijd, van-morgen hadden ze zijn moeder, van wie ze hun hele leven hadden gehouden, begraven, maar vanmiddag kwam, als altijd, het onderhoud van de wijn-gaarden vóór al het andere. Ze waren koppig, vastberaden, moedig, de enige wijnbouwers in Frankrijk die het zo ver naar het noorden hadden volgehou-den. Zonder hun verknochtheid aan het land dat Champagne heette, zou de wijn die champagne heette reeds lang hebben opgehouden te bestaan, want zo'n wijn kan alleen in een koud klimaat worden geproduceerd.

Paul at bij Jeanne in de keuken en daarna bracht hij uren alleen door, rekenend, peinzend, dolend door het château dat nu, met de dood van Anette de Lancel, zijn verantwoordelijkheid was geworden.

Hij had nooit kunnen dromen dat Bruno de stuwende kracht van de familie zou zijn, Bruno die kloek en moedig in de rol was gestapt die zijn grootvader zo lang had vervuld en die de wijngaarden, het Huis Lancel en het château op een veilig pad had gehouden, door alle moeilijkheden van de afgelopen vier jaar heen. Hij had veel aan zijn zoon te danken, besefte hij met een stijgend gevoel van blijdschap. Hoe had hij die jongen zo kunnen onderschatten? Was het nu mogelijk dat Bruno en hij eindelijk als vader en zoon konden samenwerken aan de gigantische taak van de wederopbouw van hun wijngaarden?

Zij waren de enige mannelijke Lancels die over waren; het was zowel hun plicht als hun erfenis om in deze opdracht te slagen en ze moesten deze taak op zich nemen omwille van de familie, het Huis Lancel, en omwille van alle loyale medewerkers in de wijngaarden. Paul wist dat er harde jaren van wederopbouw voor hem lagen, maar hij voelde zich vervuld van energie en een gevoel van absolute rechtvaardigheid. Hij moest veel leren – alles! – maar champagne bereiden was geen mysterie, het verliep volgens strenge regels die een voor een waren vastgelegd sinds Dom Perignon in 1668 keldermeester was geworden in Hautvillers. De belangrijkste medewerkers van zijn vader, de *chefs de cave*, de voormannen van de wijngaarden, waren nog springlevend en actief, klaar om hem alles te leren wat hij moest weten.

Hij liep door de salon te ijsberen en raakte bij elke stap meer opgetogen.

Een nieuw leven, en dat na al die jaren in de buitenlandse dienst! Hij verwelkomde dit met heel zijn hart, dit leven dat al zijn nog steeds overvloedig aanwezige krachten zou opeisen, naast al het vernuft van zijn intelligentie. Eve en hij zouden samen jong worden in Champagne! Wat een schitterende châtelaine zou ze zijn! Vier jaren als chauffeur op een ambulance in het platgebombardeerde Londen hadden bewezen dat ze nog steeds alles aankon. Samen met Bruno zouden ze het leven vol gratie en waardigheid en produktiviteit herstellen, zoals de Lancels dat eeuw na eeuw hadden geleid.

Paul besefte tegelijkertijd dat hij, Paul de Lancel, totaal geen vooruitziende blik had gehad. Druk bezig met zijn eigen problemen, tientallen jaren achtereen weg uit Frankrijk, had hij totaal niet over deze mogelijke toekomst nagedacht. Hij had geen plannen gemaakt voor de dag waarop hij plotseling de enige eigenaar van het Huis Lancel kon zijn, de enige bezitter van de wijngaarden die zich zover als het oog reikte om dit geliefde château uitstrekten, de heer van het woud, van de stallen, van alles wat hem omringde, tot aan het laatste ei dat door een van de kippen in hun goed verborgen ren, waar Jeanne zo trots op was, was gelegd. Hij was te vroeg uit Champagne vertrokken, te onvoorbereid om te dromen van een toekomst die zich nu aan hem presenteerde met de allure en de geheimzinnigheid van een bruid.

Paul werd met de minuut uitgelatener, juichender. Het voortzetten van het Huis Lancel betekende dat de rest van zijn leven een betekenis kreeg. Hij was te zeer een Champenois van geboorte en hoewel hij veel te lang van zijn geboortegrond was weggebleven, was het niet te laat om thuis te komen. Paul besloot van ganser harte gevolg te geven aan de uitdaging die hij nu pas ten volle herkende en omhelsde. Samen met dit besluit, zoals wel vaker met een echte Champenois het geval is, groeide er een dorst en Paul ging de mooiste fles champagne zoeken die de provincie hem maar kon bieden.

Enige tijd later, in het donkerst van de nacht, een uur voor de vroege ochtendschemering van augustus, keerde Bruno uit Parijs terug naar Valmont. Hij had deze tocht gemaakt om te zien hoe alles er in de Rue de Lille voorstond. Generaal Von Stern had het huis achtergelaten zoals hij het had aangetroffen; alles was in orde en Georges, zijn butler, was al bezig het personeel alles in gereedheid te laten brengen voor Bruno's terugkeer.

Uiteraard was de generaal nu in handen van de officiële instanties die de overgave van het Duitse garnizoen in Parijs hadden geaccepteerd, maar Bruno was niet bevreesd voor zijn toekomst. De man was even slim als filosofisch en in het afgelopen jaar hadden Bruno en hij samen met veel vernuft en connecties op de zwarte markt een fortuin vergaard. De mislukking met Delphine had Von Stern niet blind gemaakt voor alle winst en nu stond zijn geld veilig op een bank in Zwitserland, net als dat van Bruno.

Toen hij het kasteel binnenging waarin hij de oorlog had doorgebracht, wenste Bruno dat hij niet terug had hoeven gaan, maar de sfeer in Parijs was op dit moment uiterst explosief. Diverse geledingen van de ondergrondse voerden strijd met elkaar; beschuldigingen en tegenbeschuldigingen vlogen over en weer; bekende collaborateurs werden gearresteerd; groepjes jonge heethoofden doolden door de straten en pleegden volksgerichten. Vier jaren van frustratie en woede baanden zich nu een uitweg door heel Parijs. *Les réglements de comptes* – de laatste afrekening van dingen die in de oorlog waren gebeurd – waren aan de orde van de dag. Hij had niets te vrezen, want Von Stern en hij waren heel discreet geweest – maar je kon nooit helemaal zeker zijn. De mensen hadden de ongemakkelijke gewoonte soms meer te weten dan je verwachtte. Gewone mannen waren jaloers op hun meerderen, dat waren ze altijd al geweest, en openlijke beschuldigingen van heulen met de vijand waren een zekere manier om je te wreken voor de ongelijke kansen in dit leven. Waarom, vroeg Bruno zich af, zou hij ook maar het geringste risico lopen als zijn gezonde verstand hem zei dat hij beter nog wat voorzichtig kon doen? Nee, het was nog niet veilig om terug te gaan naar zijn mooie huis in Parijs, het was nog geen tijd om de beschutting van het platteland te verlaten.

Maar o, wat verlangde hij ernaar dat alles weer normaal zou zijn! De glorieuze toekomst lag op slechts enkele weken afstand. Parijs zou, als in de hele geschiedenis altijd was gebeurd, weer zichzelf worden en hij zou erbij zijn om zich te verheugen in deze wederopleving. Hij, vicomte Bruno de Saint-Fraycourt de Lancel, zou opnieuw zijn plaats innemen in de enige wereld die hij had gekend die de moeite waard was om in en voor te leven. Nu zou hij nooit meer hoeven ploeteren voor een baantje, zou hij nooit meer gedwongen zijn iets te doen, behalve zijn geld toestaan nog meer geld te verdienen terwijl hij genoot van alle pracht en praal van het bestaan als heer. Hij kon weer naar believen van de ene salon op de Boulevard Saint-Germain naar de andere gaan, gasten ontvangen in zijn prachtige huis, nieuwe vrouwen om zich heen verzamelen – Parijse vrouwen, na een noodzakelijkerwijs beperkt, maar verre van oninteressant dieet van provinciale vrouwen – zoals hij mooie schilderijen zou verzamelen en prachtige meubelen en kostbare kunstvoorwerpen van die stomme nieuwe armen die door de oorlog waren geruïneerd. Hij zou een van de Saint-Fraycourt-châteaux terugkopen en erin wonen alsof de Franse Revolutie nooit had plaatsgevonden. Ja, dacht Bruno toen hij in Valmont snel naar boven, naar zijn kamer liep, ja, alles bij elkaar had hij een heel goede oorlog gehad en over enkele weken, slechts enkele weken, zou hij triomfantelijk terugkeren, als een prins op de dag van zijn kroning, in de wereld van de oude aristocratie die, als het erop aankwam, zijn lust en zijn leven was.

Hij liep zijn kamer in, knipte het licht aan en verstijfde.

'Wel verduiveld!' riep hij uit.

Pauls lange gestalte rees op uit de stoel waarin hij, in het donker, op zijn zoon had zitten wachten.

'Mijn God!'

'Heb ik je laten schrikken, Bruno?'

'Maar dit kán niet . . . hoe kunt u . . . waar . . . wanneer?' daasde Bruno, die van schrik als aan de grond genageld stond.

'Ik ben vanmorgen hier aangekomen.'

'Maar dat is prachtig . . . ja, prachtig, een grote verrassing, u bent er bijna net zo snel als Patton . . . dan hebt u Jeanne zeker al gezien? Ik hoop dat ze u goed te eten heeft gegeven.' Bruno's goede manieren, die hem nooit in de steek lieten, slaagden erin hem door dit moment heen te slepen, met zijn vader die hij in geen elf jaar had gezien of zelfs maar had willen zien.

'Ik heb een uitstekend diner gehad. Ga je me geen glas champagne aanbieden, Bruno?'

'Bedoelt u dat Jeanne geen fles heeft opengemaakt? Het is wat laat voor champagne, het is bijna ochtend . . . maar om een toost op uw terugkeer uit te brengen . . . waarom niet? Net als alle anderen hebben we bijna alles wat we produceerden aan de Duitsers moeten verkopen – dat zal Jeanne u vast wel hebben verteld – maar ik denk dat ik nog wel iets geschikts te drinken kan vinden.'

'Waarom geen champagne rosé, Bruno, en dan een millésimé, waar je grootvader altijd zo trots op was? Bied je niet aan een fles van de beste Lancel open te maken?'

'U klinkt zo vreemd, vader, alsof u zichzelf niet bent. Ik begrijp . . . de schok door de dood van grootmoeder . . . een droevige thuiskomst . . . dat had ik eerder moeten begrijpen. Misschien moet u proberen wat te rusten.'

Paul pakte uit zijn zak een sleutel die aan een gouden ketting zat. 'Mijn vader heeft me deze gegeven toen ik in 1914 voor de oorlog van huis ging, als herinnering aan Valmont, waar ik me ook mocht bevinden. Ik heb hem vanavond gebruikt om *Le Trésor* te openen.'

Bruno deed onwillekeurig een stap naar achteren.

'Ik hoef je niet te vertellen wat ik daar heb aangetroffen.'

'Nee,' zei Bruno koud, 'die moeite kunt u zich wel besparen.'

'Er stond daar vroeger een half miljoen flessen, Bruno.'

'Ik heb ze gebruikt, zoals elk intelligent mens zou hebben gedaan. Toen u daar op uw gemak in Londen zat, ver van uw land, oorlogje spelen zonder ooit een Duitser te zien, deed ik wat me te doen stond.'

'Voor wie heb je dat gedaan?' Pauls droge stem klonk volmaakt emotieloos. Het leek alsof hij alleen maar nieuwsgierig was.

'Voor mezelf.'

'Zelfs niet voor de Duitsers?'

'Ik herhaal, voor mezelf. Ik vind het niet nodig om tegen u te liegen.' De primitieve minachting in Bruno's stem striemde als een zweepslag.

'Dan was het zeker op de zwarte markt.'

'Als u dat zegt. Een markt is een markt . . . het enige verschil is wie er koopt of verkoopt.'

'En het geld dat je ermee hebt verdiend?'

'Dat is veilig opgeborgen. U zult het nooit kunnen vinden.'

'Hoe kom je erbij te denken dat dat zomaar gaat?'

'Te dénken? Ik heb het gedaan. Het is gebeurd. Klaar, uit. U kunt die flessen niet meer terughalen. En u kunt niets bewijzen. Buiten wij tweeën is er niemand op deze wereld die weet dat ze er ooit waren.'

'Jouw woord tegen het mijne?'

'Precies.'

'Verdwijn uit Champagne,' beval Paul.

'Met alle genoegen.'

'Verdwijn uit Frankrijk.'

'Dat nóóit! Dit is mijn land.'

'Van nu af aan heb je geen vaderland meer. Als jij Frankrijk niet verlaat, zal ik je aan de kaak stellen en ik zal worden geloofd. Ik beloof je zoveel oneer als je je niet kunt voorstellen. Je onteert je naam, je onteert je familie, je onteert je traditie, je onteert onze doden. Niemand in Frankrijk zal ooit zonder afschuw aan jou denken. We bezitten lange geheugens. Je vaderland is voor jou verloren gegaan.'

'Dat kunt u de mensen nooit allemaal laten geloven,' sneerde Bruno.

'Dat risico durf je niet te nemen. De man die in staat was het hartebloed van Valmont op de zwarte markt te verkopen, is daarna niet gestopt. Welke andere misdrijven heb je tijdens de oorlog gepleegd? Alle misdadigers laten een spoor achter, vooral als ze niet alleen handelen. Dacht je nou echt dat de regering van een bevrijd Frankrijk níet met mensen als jij zou afrekenen? Ik laat je geen keus.'

Bruno draaide zich razendsnel om en dook naar zijn bureau, waarin hij een revolver bewaarde. Hij stak zijn hand in de lade maar vond niets, want Paul had de kamer doorzocht toen hij wachtte op de terugkeer van zijn zoon.

'Je bent in staat om zo iets te doen, hè?' riep Paul uit. Hij hief de rijzweep die hij van Bruno's nachtkastje had gepakt en met de bovennatuurlijke kracht van iemand die gedwongen is een verraderlijke, levensgevaarlijke slang te doden, haalde hij uit en legde Bruno's bovenlip open, zodat zijn tanden wit opblonken door het bloed heen.

'Verdwijn!' zei hij met lage stem. 'Verdwijn!' Toen Bruno weigerde, gebruikte Paul de rijzweep opnieuw, en nog eens, tot Bruno zich omdraaide en de trap afholde, met Paul met geheven arm achter zich aan, klaar om Bruno's gezicht open te rijten als die laaghartige bedrieger niet onmiddellijk het land verliet dat hij had ontwijd.

20

'Iets waar ik echt goed in ben is het verkopen van taart . . . dat vindt iedereen,' zei Freddy tegen Delphine, met een brede glimlach van enthousiasme. 'Ik heb toen in Los Angeles heel wat ervaring bij Van de Kamp opgedaan, en de kunst van het verkopen van gebak is iets dat je nooit verleert. Mijn schoonmoeder was geweldig in haar schik – ze zei dat ze nog nooit zo'n succesvolle taartenverkoop hadden gehad bij de winterbazar van de kerk – er was niet één klef broodje over, en de appeltaarten die ik zelf had gebakken waren het eerst verkocht. We hebben vijfentwintig pond opgehaald voor dokter Barnardo.'

Delphine leunde lui achterover in de kussens van de sofa in de zitkamer van de ruime nieuwe flat die Armand en zij, eindelijk getrouwd, hadden gehuurd in de Rue Guynemer, tegenover het Luxembourg. Freddy en Tony Longbridge logeerden een paar dagen bij hen voordat ze naar Eve en Paul op Valmont gingen, op hun eerste tocht buiten Engeland sinds het eind van de oorlog, een jaar geleden.

'Wie is dokter Barnardo?' vroeg Delphine in lome nieuwsgierigheid.

'Hij beheert weeshuizen . . . het geld is bestemd voor de kerstcadeautjes voor de kinderen. Ik heb ook meegeholpen met de rommelmarkt voor het bijeenzamelen van geld voor een nieuw dak voor de dorpskerk. Als we daar 's zondagsochtends zitten, moeten we zo zachtjes mogelijk zingen, uit angst dat het oude dak omlaagkomt. Een echt opzwepende preek zou een ramp betekenen.'

'Wat een vreselijke manier om aan je eind te komen, na al die jaren dat je net geen bom op je hoofd hebt gehad,' mompelde Delphine loom instemmend.

'Precies! Daarom heb ik aangeboden mee te helpen,' zei Freddy fanatiek. 'Aangezien we nog steeds geen benzine kunnen krijgen, ook al heb je er de bonnen voor, heb ik een paard voor een wagen gespannen om overal heen te rijden . . . je hebt geen idee wat de mensen me allemaal meegaven! Ze hebben hun zolders volledig overhoop gehaald; bergen bric-à-brac, oude boeken, porselein waarvan ze niet eens meer wisten dat ze het hadden, oude kleren – noem maar op. Ik heb geen enkele bijdrage afgewezen – je weet niet waar de mensen op zullen vallen – en we hebben bijna alles verkocht. Het is verbluffend wat je allemaal met één enkel oud paard kunt doen . . . Tony was toch zo trots op me.'

'En dat is 'm geraden ook, hooggeboren Freddy,' stemde Delphine minzaam in.

'In juni wordt de bazar van de kerk gehouden op het grasveld van de pastorie. Iedereen zegt dat dat heel kleurrijk is,' zei Freddy, stralend en vol verwachting. 'Er wordt rond een meiboom gedanst, er is ponyrijden en een dierententoonstelling, maar de grootste attractie vormt de wedstrijd voor de mooiste bloemen en de mooiste groenten. Ik heb me laten vertellen dat de competitie hevig is. Er staat zoveel prestige op het spel! Ik heb nog niet besloten of ik me zal toeleggen op pioenrozen of op tomaten, maar ik begin me af te vragen of ik het niet allebei zal doen. Ik moet zodra we terug zijn een besluit nemen en aan de slag gaan. Het lijkt me wel een grote uitdaging, vind je niet, Delphine, als je je niet op één terrein specialiseert?'

'O, beslist. Dat ben ik helemaal met je eens. Zelf zou ik het meeste voelen voor dat dansen rond die meiboom.'

'O, Delphine! Dat is voor de kinderen, niet voor oude getrouwde dames als wij!'

'Wees even voorzichtig met wie je een oude getrouwde dame noemt,' kreunde Delphine lui en ze klopte voldaan op haar buik.

'Oude getrouwde, zeer, zeer zwangere dame.'

'Laat dat "oude" maar weg, dan stem ik in met de rest.'

'Jij bent altijd zo ijdel geweest . . . ik denk dat je recht hebt op die concessie . . . achtentwintig is ook niet echt oud.'

'Zesentwintig ook niet,' merkte Delphine droog op. 'Zelfs al heb je die kleine Annie.'

'O, ik denk nooit over leeftijd na,' zei Freddy opgewekt. 'Daarvoor is er op Longbridge Grange gewoon te veel te doen. Ik heb mijn bridgelessen en nu een gedeelte van het personeel terug is gekomen om weer aan het werk te gaan, brengt Penelope me de fijne kneepjes van het geven van etentjes bij en ik leer borduren zodat ik kleedjes voor presenteerblaadjes kan maken en ik leer breien zodat ik voor de volgende bazar theemutsen en eierwarmers kan maken – appeltaarten zijn te gemakkelijk – en dan heb ik mijn zondagsschool natuurlijk ook nog.'

'Je éigen zondagsschool?' vroeg Delphine, zoveel verbazing tonend als haar liggende houding haar toestond.

'Inderdaad. Dat is een Longbridge-traditie, elke zondagmiddag van drie tot vier – alleen voor kinderen tot tien jaar. Daarna gaan ze naar de pastorie om zich voor te bereiden op hun belijdenis. Ik houd de presentatieschriften bij en als een kind zes weken achter elkaar is geweest, zet ik er een mooi stempel in, maar als ze een week overslaan moeten ze al die zes weken weer van vóren af aan beginnen om dat stempel te krijgen.'

'Dat lijkt me nogal drastisch,' wierp Delphine tegen.

'Opeenvolgend moet opeenvolgend zijn,' hield Freddy vurig vol. 'Het is een uitstekende karaktertraining. Penelope speelt liederen op de piano, de kinderen zingen en ik lees verhalen uit de bijbel voor. Ik begin er heel goed in te worden.'

'Ik had nooit gedacht dat jij zo'n godsdienstig type zou zijn . . . maar een mens kan veranderen, nietwaar? En we hebben elkaar zo lang niet gezien . . . je begint de perfecte Engelse dame te worden.'

'Ik hoop het . . . tenslotte ben ik met een echte landheer getrouwd, nietwaar? O, ik vergat je nog bijna het leukste te vertellen . . . ik maak mijn eigen potpourri! Penelope heeft een geheim recept – dat is al honderden jaren in de familie – en daarom heb ik mijn eigen recept bedacht. Ik ben natuurlijk begonnen met lavendel en rozen, en daarna heb ik er de gekste dingen bij gedaan: goudsbloemblaadjes, korenbloemen, heide, salie, ridderspoor, anjers, citroengras, verbena, tijm, moederkruid, pepermuntblaadjes, lievevrouwebedstro, foelie, kamille, iriswortelpoeder – een klein beetje maar – viooltjes, geraniumblaadjes, een vleugje nootmuskaatpoeder . . . eens zien, ben ik nog iets vergeten? Hemeltjelief! Kaneelstokjes! Het wordt echt niets als er geen kaneel in zit. Maar het geheim is natuurlijk het uitkiezen van het juiste moment om te plukken, zodat de bloemen goed kunnen drogen . . . alleen 's morgens als de dauw is opgetrokken en alleen als de bloem perféct is. Dan meng je alles heel voorzichtig en voeg je er aan het eind etherische olie aan toe. Het hele proces is veel gecompliceerder dan het klinkt. Mijn potpourri wordt schitterend als hij goed is gerijpt. Nu ruikt het nog een beetje . . . onaf . . . maar mijn schoonmoeder is heel optimistisch. Ik zal je er iets van sturen als het helemaal goed is geworden. Delphine . . . Delphine? . . . slaap je?'

Een uur later, toen Armand terugkwam van zijn wandeling met Tony, trof hij Delphine aan die bezig was haar haar voor het eten te borstelen, opgefrist door haar dutje.

'Heb je een gezellig, intiem, zusterlijk gesprek met Freddy gehad?' vroeg hij.

'Fascinerend. En jij met Tony?'

'Hoogst informatief. Ik weet nu meer dan ik ooit heb willen weten over het stupide gedrag van de Labour-regering, alle tekorten, het gebrek aan middelen, prijsbeperkingen, lage produktiviteit, hoge belastingen en de algehele onmogelijkheid om in Engeland iets gedaan te krijgen. Ik heb voortdurend lopen wensen dat ik thuis was gebleven om van jullie sexy meisjesgeklets te kunnen genieten.'

'Wees maar niet bang, je hebt niks gemist. Tenzij je het leuk had gevonden om een uiterst slechte actrice aan het werk te zien.'

'Welke slechte actrice?'

Delphine geeuwde behaaglijk. 'Mijn kleine zusje, lummel. Ik heb op briljante wijze gedaan alsof ik haar geloofde.'

'Even briljant als altijd?'

'Reken maar. Ik denk dat ik jou toch nog maar even laat blijven.'

Freddy keek op van haar borduurraam toen ze hoorde hoe Tony velletjes luchtpostpapier in kleine snippers scheurde en ze in het kleine haardvuur gooide dat met weinig resultaat probeerde de vochtige atmosfeer van een regenachtige middag in april 1946 uit hun slaapkamer op Longbridge Grange te verdrijven. Het was een somber voorjaar van kleine, niet-opengaande knoppen en een toegenomen rantsoenering.

'Was die brief niet van Jock?' protesteerde ze. 'Ik had 'm ook willen lezen.'

'Ik wilde je tijd niet verdoen,' zei Tony, duidelijk geïrriteerd door de brief van zijn vriend.

'Nog meer over zijn eindeloze liefdesleven? Ik vind al die details nogal spannend. Weer eens wat anders dan Trollope.'

'Zelfs dat niet, liefje. Hij heeft weer eens een idioot idee in zijn hoofd. Nu wil hij een stel overtollige vliegtuigen huren om een luchtvaartbedrijf te beginnen.'

'Dat betekent zeker dat Jock nog steeds geen baan heeft,' zei Freddy peinzend. 'Hoe lang denkt hij dat hij het uit kan zingen met het geld dat hij met pokeren heeft gewonnen?'

'Niet lang, als hij op deze manier doorgaat. Hij is helemaal vol van dit plan. Hij zegt dat hij DC-3's kan huren voor vierduizend dollar per jaar, een speciaal veteranentarief – "slechts vierduizend", moet je nagaan – en hij stelt voor dat we onze biezen pakken om naar Los Angeles te verhuizen en zijn compagnons te worden. Wij! Zomaar! Hij zegt dat het daar wemelt van de gedemobiliseerde piloten en grondmecaniciens die bereid zijn voor een hongerloontje te werken, als ze maar kunnen vliegen. Hij zegt dat we daar aan het begin van een hele nieuwe tak van handel zouden staan. Ik zeg dat hij een fantast is.'

'Sommige dingen veranderen nooit,' stemde Freddy in. 'Zei hij ook wat voor vracht hij bedoelde?'

'Je weet hoe Jock is . . . hij denkt aan verse produkten – zie je 't al vóór je: een DC-3 vol groenten? Jock beweert dat het vliegtuig drieëneenhalve ton vracht aan boord kan hebben. Typisch een Hampton-idee . . . de vliegende groenteman.'

'Als je er goed over nadenkt,' zei Freddy peinzend, 'is het misschien toch niet zó gek.'

'Hoe dat zo?' vroeg Tony, verbaasd over de ongewoon bedachtzame toon van haar stem.

'Aan de westkust verbouwen we zoveel spul dat in het oosten niet verkrijgbaar is en dat te snel bederft om per trein te vervoeren ... er zal vast wel een markt voor zijn.' Freddy had haar borduurwerk neergelegd en staarde in het vuur, met dromerige ogen die een land zagen waarvan Tony Longbridge nooit had gedacht dat het echt bestond.

'Wacht eens even, meisje. In de eerste, tweede en derde plaats, als het een waterdicht plan was en we wilden het doen, wat het niet is en wat wij niet willen, dan kunnen we ook nog eens geen geld dit land uit krijgen om compagnons van Jock te worden, dat warhoofd. Er mag geen geld worden uitgevoerd, weet je wel? We hadden niet eens naar Parijs kunnen gaan als de Sadowski's zich niet over ons hadden ontfermd.'

'Je weet heel goed dat ik nog steeds vijftienduizend dollar in Los Angeles op een bank heb staan, en die hebben sinds 1939 rente zitten kweken.'

'Dat is jouw eigen appeltje voor de dorst.'

'Het is mijn bruidsschat, mijn uitzet ... je bent niet getrouwd met een bruid met lege handen.'

'Daar ben ik het nooit mee eens geweest. Het is je eigen geld ... ik heb er niets mee te maken.'

Freddy besteedde geen aandacht aan dit afgezaagde protest. 'Als,' zei ze, 'en ik zeg alleen maar "als", Tony, het is alleen maar "bijvoorbeeld", dus ga er niet meteen tegenin – áls we bijvóórbeeld dat geld zouden gebruiken, konden we een stel vliegtuigen huren en nog voldoende overhouden om van te kunnen leven totdat we winst gaan maken. Als Jock er nog twee, misschien drie vliegtuigen bij huurde, nog steeds bijvóórbeeld, zodat we er bij elkaar vijf hadden ...'

'Rustig aan!'

'Laat me even mijn gedachten afmaken ... ik vraag me af wat Jock bedoelt als hij zegt dat die kerels bereid zijn voor bijna niets te werken ... hoeveel zou dat "niets" dan zijn?'

'Freddy! Waar heb je het in 's hemelsnaam allemaal over? Een vloot van vijf vrachtvliegtuigen! Je meent het toch niet serieus, hè?'

'Hmmm ... ik zat er gewoon voor de lol eens over na te denken ... om het een beetje te laten sudderen ...'

'Meen je dat echt?'

'Moet je je eens voorstellen, Tony, gewoon eens vóórstellen, die DC-3's, tot de nok toe geladen om naar New York of Boston of Chicago te vertrekken ... maar het is natuurlijk gewoon fantasie, ik weet ook wel dat we The Grange niet kunnen verlaten.'

'Reken maar van niet.'

'Jij hebt hier je leven lang gewoond. Hoe zou je ook maar kunnen overwegen alles in de steek te laten om te verhuizen naar een vreemd oord waar

de zon elke dag van het jaar schijnt, of ze geven je je geld terug?' Freddy was naar het raam gelopen en keek naar buiten naar de droefgeestige regen die nu al wekenlang neerviel in wat in Engeland voorjaar heette. 'Ik vraag me af hoe het boven de wolken is.' mompelde ze. 'Zou de avondster er nog staan?'
'Wat zei je, lieverd?'
'Niets.' Ze glimlachte even. 'Jock heeft ons trouwens helemaal niet nodig als hij aan vrachtvervoer wil doen. Hij zegt zelf dat het in Californië krioelt van de piloten. En wij hebben ons eigen leven hier – jij hebt de grond om te beheren en ik heb Annie en mijn bazaars en mijn bridgelessen en de zondagsschool. En toch ... als geen van ons nou salaris opnam ... nee, *never mind.*'
' *Never mind* – dat zijn de twee meest irritante woorden die er in het Engels bestaan, dat weet jij ook. Als geen van ons salaris opnam, wat dan?' wilde Tony weten.
'Ik zat me af te vragen wat ... wat de winst zou kunnen zijn. In het begin is het natuurlijk niets. Het zou niet zo eenvoudig zijn. We zouden er om te beginnen heen moeten gaan, een huis vinden om in te wonen, een auto kopen, een kantoor huren, hangarruimte organiseren, kantoorpersoneel betalen, piloten en bemanning uitzoeken ... het zou een lieve duit kosten om vijf DC-3's vol te tanken ...' Haar stem stierf weg toen ze naar de druipende taxusbomen buiten hun raam keek. Het leek alsof ze van de door het vuur verlichte kamer was afgescheiden door een nevel van verlangen die zo tastbaar was dat het in de lucht trilde.
' "Vijf DC-3's"? Zijn ze al zo reëel voor jou?' vroeg Tony, met een merkwaardige, raadselachtige klank in zijn stem.
'Ik herinner me gewoon even alle financiële problemen die ik met die vliegschool heb gehad.'
'Dat was moeilijk, hè?'
'Yep. Heel moeilijk.' Toen ze zich omdraaide om Tony's vraag te beantwoorden, keek er even een hartstochtelijk, wild, hoopvol kind uit Freddy's ogen voordat ze ze neersloeg, maar het was al te laat en Tony had het gezien.
'Was het moeilijker dan taart verkopen?'
'Op een ander niveau.'
'Moeilijker?'
'Aanzienlijk.'
'Maar je hebt het er goed afgebracht, hè?'
'Ik heb me erdoorheen geslagen.'
'Was het net zo spannend als potpourri maken?'
'Hou op met dat geplaag, Tony. Dat is hetzelfde als wanneer je ... o, vliegen ... vergelijkt met ... er is niets waarmee je dat kunt vergelijken, vind je wel?' Met een resolute trek rond haar kaken knoopte Freddy haar vest dicht, ging zitten en pakte haar borduurwerk weer op.

'Liefje, denk je nu echt dat je mij voor de gek kunt houden? Denk je nou echt dat ik niet zie dat je direct met alles ophoudt en luistert, elke keer dat er een vliegtuig overkomt?'

'Gewoonte, alleen maar gewoonte,' zei Freddy, kwaad blozend.

'Onzin! Als je oren konden flapperen, zouden ze het doen.'

'Nou ja, ook al zou Jocks idee me interessant lijken,' riep Freddy, 'hoe zouden we dan ooit zo'n gigantische stap kunnen overwegen? Het zou betekenen dat we bij jouw familie vandaan gingen, het zou een volslagen ander leven voor ons worden. Je zou het vreselijk vinden, Tony, dat weet ik zeker. Dus laten we er verder niet meer over praten.'

'Maar je zou het dolgraag willen proberen, hè? Probeer me niet wijs te maken dat dat niet waar is.'

'Ik kan niet goed tegen je liegen, hè? Maar de tijden zijn veranderd. De oorlog is afgelopen, Tony. Ik heb . . . me gesettled op dit koninklijke eiland . . . deze tuin van Eden . . . dit aardse paradijs.'

'Lariekoek, liefje. Je vergeet trouwens deze "bodem van majesteit" en "deze zetel van Mars". Dat slaat nergens op. O, je hebt geweldig je best gedaan, dat moet ik je nageven, maar wat had die oorlog met jouw liefde voor het vliegen te maken? Mijn arme aan de grond gezette meisje, met niet meer dan één onnozele paardekracht tot haar beschikking, en dan nog een ouwe knol ook.'

'Ik heb nooit geklaagd,' zei Freddy toonloos.

'Nee, en dat zit me nou net zo dwars. Het is niets voor jou om zo dociel te zijn . . . het maakt me zenuwachtig. Hoor eens, Freddy, ik zou eerlijk gezegd helemaal geen bezwaar hebben tegen een beetje verandering. Ik loop m'n vader af en toe geweldig voor de voeten. Hij heeft veel meer geduld met al die officiële instanties dan ik en hij heeft verdraaid veel meer ervaring. Als hij me hier echt nodig had, zou ik er geen moment over denken, dat kon gewoon niet, dat weet je, maar het hoeft ook niet voor altijd. . . ik bedoel, ach verdorie, waarom ook niet? Die ouwe Jock is niet gek, hij heeft een hoop ondernemingslust, die jongen. En als we al het geld erdoor jagen en daarna met de staart tussen de benen terugkomen . . .'

'. . . Dan heb ik gewoon pech gehad?' riep Freddy uit, nog steeds zonder hem te kunnen geloven. Tony knikte naar zijn vrouw, zonder enige reserve.

'Jóepie!' Freddy sprong overeind uit haar stoel en ze maakte zo'n hoge sprong dat ze met haar vingertoppen de balken van het plafond raakte.

Er klonk een zacht tikje op de deur en Annie glipte naar binnen, gekleed voor de nacht in een lang, gebloemd, flanellen nachthemd. 'Joepie wat?' vroeg ze.

'Moet je eens raden, Annie, we gaan allemaal op bezoek bij je grote vriend Jock, in de stad waar mama als kind heeft gewoond . . . de Stad van de Engelen, zoals ze het noemde,' zei Tony.

'Net zo iets als zondagsschool?' vroeg Annie achterdochtig, maar klaar om zich blij te laten maken.

'Iets totaal anders. Het wordt net als een mooie zomerdag, als een lekker warm mieters tochtje naar het strand. En weet je wat het allermooiste is? Je papa hoeft dan niet meer te bridgen met je arme mama, want – je moet niet zeggen dat je dat van mij hebt – maar ze weet nog steeds het verschil niet tussen klavers en schoppen, en dat zal ze wel nooit leren ook.'

'En hoe gaan we het nou noemen?' vroeg Jock, terwijl hij zich een biertje inschonk in de achtertuin van het huisje dat Freddy en Tony ten slotte in de buurt van Burbank Airport hadden gevonden.

'Iets vertrouwenwekkends, zou ik zo zeggen,' antwoordde Tony. 'Wat dacht je van National Airfreight Express Limited?'

'Een beetje gezwollen, makker, als je 't niet erg vindt dat ik 't zeg.'

'Dan heb jij vast wel iets beters?'

'Ik dacht iets als Fast Freight Forward.' Jock grijnsde trots om zijn eigen vondst.

'Ik zou m'n handel niet aan een instelling meegeven die zo'n naam heeft,' protesteerde Freddy. 'Het klinkt net als een voetbalelftal van een high-school . . . van een tweederangs highschool.'

'Nou, Freddy, ik vind dat Jock echt een geweldige naam heeft bedacht, hoor,' protesteerde Brenda, het nieuwste meisje van Jock en hun vrijwillige kantoorjuffrouw. 'Je zou het zelfs Fabulous Fast Freight Forward kunnen noemen . . . ik wed dat ik Hedda Hopper zou kunnen overhalen er een artikeltje aan te wijden.'

'Brenda, jij hebt hier eigenlijk geen stemrecht,' zei Jock haastig. 'Brenda kent veel mensen in de showwereld,' verklaarde hij tegen Freddy en Tony.

Freddy bekeek Brenda met enige verbazing. Haar donkere haar was zo lang en glanzend dat ze eruitzag alsof ze plassen op haar schouders had. Haar verbazingwekkende tieten wezen op een volle vrouwelijke rijpheid maar ze was waarschijnlijk nog niet eens oud genoeg om van een highschool te komen. Waar haalde Jock zulke meisjes toch vandaan? Hij had gezworen dat ze kon typen, administratie bijhouden en de telefoon opnemen, maar ze zag eruit alsof ze niet eens zelf haar lange, donkerrode nagels kon lakken. En waarom had ze zo'n zuidelijk accent als ze zei dat ze uit San Francisco kwam?

'Lieverd, heb jij nog ideeën?' vroeg Tony aan Freddy.

'Eagles,' zei Freddy prompt.

'Eagles? Wat is dat nou voor een naam?' wierp Jock onmiddellijk tegen. Het zat hem nog steeds niet lekker dat Freddy verscheidene dagen had moeten besteden om Tony en hem te leren omgaan met die grote, vreemde, tweemotorige vliegtuigen nadat ze het zelf na een half uurtje instructie al allemaal doorhad. Zes jaar met Spitfires gevlogen, en dan moest hij zich als een snotaap door haar laten begeleiden.

'Hoor eens,' zei Freddy geduldig, 'jullie zijn allebei helden en jullie hebben elkaar ontmoet via het Eagle Squadron, daarom lijkt het me logisch daar iets mee te doen. Eagles . . . kort, zakelijk, gemakkelijk te onthouden, geen verwarrende initialen.'

'Het heeft een zekere sentimentele waarde,' erkende Tony. 'Verzend uw bloemkool met Eagles . . . prima slagzin.'

'Jock?' vroeg Freddy. 'Wat vind jij ervan?'

'Het ziet ernaar uit dat jullie de meerderheid hebben. Ik denk dat Eagles wel goed is.'

'Jock, lieverd,' zei Brenda lijzig, 'wat was het Eagle Squadron voor iets?'

'En waar is Onze Lieve Vrouwe van de DC-3's vanmorgen?' vroeg Jock aan Tony, toen ze in hun kleine kantoortje de Gele Gids doornamen op zoek naar mogelijke klanten, terwijl Brenda bij de receptie tevergeefs een groep belangstellenden duidelijk probeerde te maken dat ze op dit moment nog niemand in dienst namen.

'Weg.'

'Kan ik me best voorstellen. Nu jullie dat prima kindermeisje voor Annie hebben, is ze waarschijnlijk gaan winkelen. Freddy is echt aan wat nieuwe kleren toe, of is je dat niet opgevallen? Misschien is ze naar de kapper . . . of gaat ze lunchen met een vriendin . . . misschien een matinee of weet ik veel . . . vrouwen kunnen in een bepaalde hoeveelheid tijd minder bereiken en meer uitgeven dan je ooit voor mogelijk zou houden. Komt ze vanmiddag wel?'

'Ze is een paar dagen weg,' zei Tony stroef.

'O ja? Waarheen?'

'Eerlijk gezegd weet ik het niet. Kijk maar naar dit briefje dat ze voor me heeft achtergelaten.' Hij stak een velletje papier naar voren en Jock las het hardop.

' "Lieverd, wil jij alsjeblieft zorgen dat Annie eet en daarna op haar passen, Helga zet alles klaar. Daarna Annie in bad, voorlezen uit het rode boek op haar nachtkastje, niet meer dan twintig minuten, in bed stoppen, nachtlampje mag als ze dat wil. Helga heeft om halfacht eten voor je klaar. Kijk in de loop van de avond alsjeblieft een paar keer bij Annie, laat je deur op een kier voor als ze wakker mocht worden.

Morgenochtend zorgen dat Annie haar ontbijt opeet, Helga brengt haar naar de kleuterschool en haalt haar weer op. Laat Helga weten wat je 's avonds wilt eten, voordat je naar kantoor gaat. Maak je geen zorgen over mij. Tot over een paar dagen. Annie begrijpt het. Liefs, ik houd van je. Ben gaan vliegen. Freddy." '

'Ik heb dit gevonden toen ik vanmorgen wakker werd,' zei Tony woedend. 'Ik ben werkelijk ziedend.'
'Is het je opgevallen dat ze tot twee keer toe "alsjeblieft" heeft gezegd? Heel aardig van d'r. Wat bedoelt ze met "ben gaan vliegen"?'
'Als ik het wist zou ik het je graag vertellen.'
'Waarmee is ze vertrokken?'
'Niet met een van onze toestellen, dat heb ik gelijk nagekeken. Misschien heeft ze iemand overgehaald haar een kist te lenen,' antwoordde Tony grimmig.
'Of heeft ze er een gestolen,' zei Jock peinzend.
'Zo iets zou ze thuis nooit hebben gedaan . . . in geen miljoen jaar. Het is ondénkbaar om er op zo'n manier tussenuit te knijpen. Het moet deze stomme omgeving zijn! Ze is niet meer dezelfde geweest vanaf het moment dat ze in Californië voet aan de grond heeft gezet. Ik kan niet precies aanwijzen wát het is, maar ze is gewoon . . . anders. Alsof de hele wereld van háár is. Allemachtig, ik zou d'r het liefst een pak voor d'r kont geven!'
'Brenda is doodsbenauwd voor haar. Zegt dat ze haar een minderwaardigheidscomplex bezorgt.'
'Brenda is nog niet zo stom als ze d'ruitziet.'
'Maak het nou even, Tony, dat is ze wel!'

In het snelle racevliegtuig dat ze had gehuurd, hopte Freddy omlaag om een aantal stops te maken in de Imperial Valley in de Colorado Desert, het zuidelijkste van de grote tuinbouwgebieden van Californië, en daarna koerste ze naar het noorden, naar de natte deltagebieden waar tien maanden van het jaar asperges en tomaten groeiden; vandaar wipte ze naar Salinas, met zijn tienduizenden vruchtbare hectaren, wipte terug naar Fresno voor vijgen en druiven en streek vele keren neer in de weelderige vegetatie van Imperial County, Kern County en Tulare County, de nationale tuinbouwcentra. Overal waar ze ging, vloog ze over grote boerderijen en boomgaarden die alleen maar groter en winstgevender waren geworden sinds zij ze voor het laatst had gezien.
Ze volgde een heerlijk zorgeloos vluchtplan dat uitsluitend afhing van haar lust en stemming. Ze daalde, dwaalde, ging op en neer, schoot omhoog en dook omlaag en achtervolgde haar eigen staart, en liet het vliegtuig van het ene uiteinde van de staart naar het andere dansen. Ze nam niet de moeite iets te calculeren, zolang ze maar voldoende brandstof bezat, en haar navigatie berustte op instinct en geheugen en een grillige, wisselvallige stemming. Ze was vrij om te doen en te laten wat ze wilde, ze zong in zichzelf en ging opnieuw op in het delirium van het vliegen, van vliegen zonder regels of voorschriften, vliegen in een extase van vrijheid die ze zeven jaar geleden had opgegeven, vrij voor nieuwe avonturen en wilde tijden met de wind en de wolken en de lucht en de ruimte. Rúimte! God, wat had ze in Engeland

die ruimte gemist. De ATA-routes waren zo beperkt geweest dat het had geleken alsof je je een weg door de mazen van een net moest banen om een vliegtuig te kunnen afleveren, maar Californië was een verrukking van lichte, eindeloze, zwevende ruimte, ruimte die opnieuw van haar was. Ze vroeg zich af hoe ze zo lang zonder deze directe verbinding met de horizon had kunnen leven. Hoe had ze het uitgehouden, hoe had ze zichzelf wijs kunnen maken wat er ook maar iets bestond wat de sublieme verbazing van de hemel kon vervangen?

Wanneer ze de hoofdgebouwen van een groot landbouwbedrijf ontwaarde, maakte ze een aantal spectaculaire loopings, voegde er wat indrukwekkende Immelmans en bloedstollende Chandelles aan toe om haar komst aan te kondigen voordat ze het toestel elegant op een half lege parkeerplaats zette of, bij afwezigheid daarvan, in een weiland onder omstandigheden die iedereen bij de ATA als lachwekkend eenvoudig zou hebben beschouwd.

Wanneer ze naar het kantoor stapte, op zoek naar de baas, had ze een officieel uitziend notitieboek bij zich, met een nieuwe Parker-pen met een dikke gouden dop. Ze droeg een uniform naar eigen inzicht, bestaande uit haar keurige ATA-rok en RAF-blauwe overhemd, zonder stropdas en bijna tot op haar beha losgeknoopt, met haar tien centimeter brede vliegersinsigne boven haar rechterzak genaaid. Haar weerbarstige haar was zakelijk naar achteren getrokken en met onwaarschijnlijke strengheid in haar nek vastgemaakt, waar het steeds uit een ontoereikend fluwelen bandje bleef springen. Haar rok was zo'n tien aandachttrekkende centimeters korter gemaakt en werd door een rode leren riem bijeengehouden, op een dermate strakke wijze dat ze alleen daarvoor al voor de krijgsraad zou hebben moeten verschijnen. Freddy had haar solide ATA-veterschoenen en zwarte kousen ingeruild voor doorzichtige nylons en een paar rode schoenen met de hoogste hakken die ze in heel Los Angeles had kunnen vinden. Als de baas niet aanwezig mocht zijn, arriveerde hij snel zodra het bericht over de bezoekster hem had bereikt.

Binnen vier dagen slaagde Freddy erin dikke en goede vrienden te worden met de grootste vervoerders van tuinbouwprodukten in het snelst groeiende gebied ter wereld wanneer ze hun, met de nodige overdrijving, de oprichting bekendmaakte van de grootste luchtvaartmaatschappij. Ze maakte voorzichtige en veelvuldige toespelingen op het grote corps van Amerikaanse Eagle Squadron-piloten die allen, stuk voor stuk, deel hadden uitgemaakt van de heldhaftige Enkelen aan wie Velen Zoveel te danken hadden. Eagles kon net zoveel produkten vervoeren als de kwekers maar konden telen, vertelde ze de geïnteresseerde mannen, terwijl ze ernstig vooroverleunde, zodat haar borsten tegen de stof van haar blouse werden geduwd en haar verkooppraatje haar bijna op hun schoot deed belanden. Haar notitieboek werd dik van de potentiële orders, met waardevolle gegevens en getallen en de namen van de grootste grossiers door het hele land, die veel vraag hadden naar Californische vruchten, groenten en bloemen, die ze konden verkopen, met winsten die hoog genoeg waren om de prijs van het luchtvervoer te betalen, mits die prijs niet te hoog was.

Alleen al de hongerige bloemenmarkt in New York City, die zelf van kassen afhankelijk was, kon elke week gigantische hoeveelheden versgeplukte bloemen opnemen als de juiste connecties werden gelegd, besefte Freddy toen ze op het vliegveld van Santa Paula in het café zat, vlak voor haar laatste vlucht naar huis, en boven twee stukken verse perziktaart zat te filosoferen. Hoeveel tonnen verse perziken konden ze in Chicago verkopen? Als die taarten hier, zeg door Van de Kamp, werden gemaakt, wat kon een keten van bakkerijen aan de oostkust daar in het hartje van de winter dan voor rekenen? Blijf nou eens van dat bakwerk af, sufhoofd! Wanneer zul jij ooit wijzer worden? Goed, vooruit dan maar, hoe kon je perziken vervoeren zonder ze te kneuzen? Hoe moet je druiven, aardbeien, malse kropsla, verse zalm uit Monterey vervoeren? Hoe moest je orchideeën vervoeren? Eagles was in staat het uiterlijk van de studentenfeestcorsage te veranderen.

Maar dat zijn allemaal problemen van later zorg, zei ze opgewekt bij zichzelf, waarna ze aan de slag ging om het recept voor perziktaart uit de eigenaar van het café los te peuteren. Laat Tony en Jock zich maar over de details buigen. Wat zouden ze enthousiast zijn als ze terugkwam met al die informatie . . . maar het was echt nodig geweest dat ze alleen ging. Haar man had tijdens de hele Battle of Britain gevlogen, maar de hooggeboren Antony Wilmot Alistair Longbridge was nou niet bepaald op en top een yankee. Jock was zo Amerikaans als maar mogelijk was, maar hij had net niet meegevlogen in de Slag om Engeland en ze had zich misschien ook wat krampachtig gevoeld als die twee hadden staan meeluisteren bij haar gesprekken. Of, de hemel verhoede, hun mond hadden opengedaan.

'Waar is de nieuwe Brenda?' vroeg Jock wanhopig, en hij drukte de twee telefoonhoorns tegen zijn borst zodat het stel druiventelers waarmee hij tegelijkertijd probeerde te praten, hem niet kon horen. 'Ik heb hier hulp nodig, snel!'

Freddy zat klem achter haar bureau toen ze drie teleurgestelde maar nog steeds gretige ex-bommenwerpervliegers moest vertellen dat tweehonderd-vijftig dollar per maand het maximum was dat Eagles voorlopig kon bieden en ze schreeuwde over hun hoofden heen: 'Die is gisteren opgestapt . . . ik heb nog geen tijd gehad een nieuwe te zoeken.' Waarom moest zij eigenlijk nieuwe Brenda's zoeken, vroeg ze zich nijdig af. Ze hadden er in de afgelopen veertien dagen al vier versleten sinds de eerste Brenda haar laatste vingernagel had gebroken en huilend en woedend was vertrokken omdat het lot het zó op haar had gemunt. Brenda's werden snel hysterisch, Brenda's konden niet tegen paniek en Freddy's tocht had een ware lawine van voortijdige klanten veroorzaakt, die voor minstens vijf kantoormensen werk met zich meebrachten.

'Wie neemt de telefoon van de receptie op? Het lijkt daar wel een oudejaarsavondpartijtje,' zei Jock verwilderd. 'Ik zou bijna zweren dat ik Annie's stem hoor.'

'Dat klopt, majoor. Helga neemt de telefoon op, Annie is bij haar.'

'Waar is Tony in 's hemelsnaam?' krijste Jock.

'De overste is op weg terug uit Newark. Hij heeft die drieëenhalve ton anjers afgeleverd. De kolonels Levine en Carlutti hebben aardbeien en tomaten afgeleverd in Detroit en Chicago . . . zij zijn eveneens op de terugweg.'

'Iets leuks?' vroeg Jock, de twee woorden gebruikend waarmee RAF-piloten na afloop altijd aan elkaar hadden gevraagd of ze nog vijandelijke vliegtuigen neer hadden gehaald.

'Niets,' antwoordde Freddy, en haar korte antwoord betekende dat geen van de drie Eagles-piloten in staat was geweest goederen op te sporen voor de terugtocht, de noodzakelijke retourvracht zonder welke er geen winst werd gemaakt op het vervoer. De drie vliegtuigen keerden allemaal terug als ongeladen *deadheads*, het meest afschuwelijke woord in dit bedrijf, op 'wrak' na.

'Mensen, willen jullie even een minuutje buiten wachten?' vroeg Jock aan de piloten, die hun gesprek met belangstelling volgden. 'Ik moet even iets met mijn compagnon hier bespreken.'

'Dit wordt helemaal niks,' zei hij wanhopig tegen Freddy toen de kamer leeg was. 'Hoe kunnen we allerlei zaken afwijzen en tegelijkertijd met verlies werken. Hoe? Hoe lang denk je dat we dit vol kunnen houden? Hoe lang? We zitten hier tien voet diep onder een ton aan kantoorwerk begraven, terwijl het oorspronkelijke plan was dat we alle drie zonder salaris zouden vliegen; die Brenda's van jou verdwijnen binnen de kortste keren; we hebben nog steeds niet genoeg monteurs in dienst; ik heb in Bakersfield een lading rijpe perziken staan – heb je eigenlijk énig idee hoe bederfelijk die zijn? – maar ik kan er niet één vliegtuig heen sturen als we niet meer piloten hebben dan Tony, Levine en Carlutti, en ik heb vandaag nog orders gekregen voor nog eens drie vrachten voor morgen . . . O shit! Ik en mijn goeie ideeën! Over een paar weken kunnen we niet eens de salarissen meer uitbetalen. Dan zijn we geld schúldig!'

Freddy wipte haar bureaustoel achterover zodat ze er bijna in lag, ze legde haar volmaakte benen op het bureau, trok haar rok een paar centimeter boven haar knieën en sloeg haar in rode schoenen met naaldhakken gestoken voeten over elkaar. Ze scheen zwijgend het plafond te raadplegen terwijl Jock op zijn bureau trommelde, wachtend op haar antwoord. Ze rommelde in haar tas naar haar poederdoos en bracht zorgvuldig een nieuwe laag rode lipstick aan, waarna ze haar spiegelbeeld goedkeurend bekeek. Toen zwaaide ze haar benen op de vloer, stond op en begon lenig en vrolijk naar de deur te stappen.

'Hé zeg, je kunt me niet zomaar alleen laten! Waar ga je eigenlijk heen? Ga je weer vliegen? Dan kunnen we het écht meteen wel vergeten!'

'Majoor Hampton,' zei Freddy met een opzettelijke, oneerlijk betoverende glimlach, 'blijft u voorál kalm, ik vind het vréselijk om u zo opgewonden te zien. U krijgt nog eens een maagzweer. Haalt u diep adem. Denk aan iets leuks . . . zelfs ú moet toch af en toe tot een goede gedachte in staat zijn. Maar u ziet er niet geweldig uit, hè?' kreunde ze en woelde in zijn haar en trok terloops aan zijn oren. 'Hebt u wel goed gegeten, majoor? Krijgt u wel voldoende vitamines? Ik weet wat, u mag Annie's lunch wel hebben . . . yum, yum, eet het maar allemaal op. Ik neem haar wel mee en geef haar iets anders te eten.'

'Ga je écht weg?' riep hij in ongelovige woede. 'Dat kun je niet menen!'

'Helga past wel even op jou. Ik ga . . . een nieuwe nertsjas kopen.'

'Kreng, kreng, kreng!' bulderde Jock, terwijl zijn twee telefoons en het tweetal van Freddy tegelijkertijd begonnen te rinkelen. 'Nu weet ik waarom je me niet dood hebt laten gaan toen je daar de kans toe had. Je hebt me gered zodat je me zelf kon vermoorden!'

'Word je niet een klein beetje paranoïde? Ik kende je toen nog niet eens,' zei Freddy liefjes, terwijl ze de deur achter zich dichtdeed.

Jock liet de telefoons rinkelen en probeerde ze niet op te nemen. Hij schudde zijn blonde hoofd heen en weer, met een blik vol consternatie. Waarom voelde hij zich opeens zo verrekte eenzaam? Waarom was het alsof hij in de steek was gelaten? 'Paranoïde'? Als dat het antwoord eens kon zijn. Hij had er alles voor over om alleen maar paranoïde te hoeven zijn.

Het vertrouwde kantoor van Swede Castelli stond even propvol met foto's en modelvliegtuigen en vliegrelikwieën als altijd, maar Swede zag er zelf, vond Freddy, minder vrolijk uit dan ze zich hem herinnerde. Hij had haar onverwachte bezoek met enthousiasme begroet, maar zijn gezicht bleef er wat triest uitzien onder zijn blijdschap. Hij tilde Annie met een zwaai omhoog en bekeek haar mooie gezichtje met bewondering, terwijl hij zijn hoofd schudde over hoe snel de tijd toch ging. 'Zo, *little lady*, ga jij maar eens hier zitten,' zei hij en hij zette haar voorzichtig neer.

'O, ik ben geen lady hoor,' zei Annie ernstig. 'Mijn oma Penelope is een barones en mijn oma Eve is een vicomtesse, en mijn tante Jane is verloofd met een markies en dat betekent dat ze later hertogin wordt, maar ik ben gewoon de kleine Annie.'

'Arm meisje toch. Wat jammer is dat. Misschien komt er nog eens een prins om jou te halen.'

'Wat voor prins?' wilde Annie weten.

'Annie, als jij nou eens met die modelvliegtuigjes ging spelen?' zei Freddy haastig.

'Ik praat liever even met meneer Castelli, mammie.'

'Later, Annie,' werkte Freddy haar weg.

'Ik vroeg me af wanneer je me zou komen opzoeken, Freddy. Je bent nu alweer een paar weken terug,' zei Swede, enigszins verwijtend.

'Het is ook allemaal zo gecompliceerd, Swede, oude makker. Ik weet gewoon niet waar ik moet beginnen.'

'Doe maar geen moeite, ik kan het me heel goed voorstellen. Geen werk te vinden, hoe hevig je ook je best doet, net als hier. Weet je nog die jaren dat we het zo druk hadden met het plannen van stunts dat ik bijna op kantoor moest slapen? Weet je nog hoe je van de ene film in de andere rolde zonder ook maar een weekend vrij te hebben, net als alle anderen? Weet je nog dat geweldige, kleine bedrijfje dat ik had? Het is afgelopen, Freddy. Niemand maakt meer films over vliegen. In de oorlog had ik werk zat met films over de luchtmacht, maar nu? Vergeet het maar. Allemaal decors, met rozen overgroeide huisjes, opbloeiende liefde en niemand, en ik bedoel niet één studio, heeft nog zin in die ouwe blauwe verten. Ik zit hier maar naar de muren te kijken en te hopen dat de telefoon gaat. Maar het ding heeft al in geen maanden meer een piep gegeven. Misschien trek ik 'm er maar eens uit.'

'Is het echt zo slecht geweest, Swede? Wat afschuwelijk!'

'Of zo goed, het is maar net hoe je 't bekijkt. Ik bedoel, ik had nooit gedacht dat ik nog eens zoveel geld en zo weinig lol zou hebben. Iets klopt er niet.' Hij zakte mismoedig in zijn stoel.

' "Zoveel geld"? En niks te doen? Hoe kan dát nou?'

'Sjonge, wat ben jíj lang weg geweest. Iedereen heeft in de oorlog geld verdiend en sommigen hebben dat weten te potten. Zoals ik. Alles wat ik aanraakte veranderde in goud. Ik ben rijk, meisje, echt rijk. Ik schijn daar goed in te zijn. Maar ik ben er het type niet naar om stil te zitten en mijn geld te tellen. Ik wou dat er eens wat te beleven was, maar ik denk dat ik niet mag klagen. Ik heb een hoop lol gehad.'

'Ik ben net op tijd gekomen,' zei Freddy. 'Want ik heb een baan voor je!' Hij trok zijn wenkbrauwen op. 'Waar? Toch zeker niet bij dat luchtvracht-bedrijf van je? Freddy, je hebt geen idee hoeveel van dat soort bedrijfjes er in het afgelopen jaar in L.A. zijn opgericht en vervolgens weer op de fles gegaan. Minstens honderd!'

'Dat heb ik gehoord. Jock Hampton blijkt niet de enige te zijn die op dat idee is gekomen. Maar er zullen een paar bedrijven bij zijn die het zullen overleven en groter zullen worden. Het is onvermijdelijk, het moet wel gebeuren, het is de toekomst. Eagles zal er één van zijn.'

'Hoe weet je dat zo zeker?'

'Omdat ik het zég!' Ze daagde hem uit met haar glimlach en haar flirtende blauwe ogen.

412

'Nog dezelfde Freddy als vroeger. Bazig, eigenwijs, koppig, ezelachtig, obstinaat, overheersend . . . als je niet zo verdraaid mooi was geweest, zou je onmogelijk zijn.' Swede zuchtte peinzend. 'Sommige dingen veranderen gelukkig nooit.'

'We hebben je nodig, Swede.'

'Om wat te doen? Ik zie mezelf echt geen vracht vervoeren, zelfs al zou je die weten te krijgen. Ik ben er te oud en te rijk voor, meisje. En waarschijnlijk ook te dik.'

'Ik wil dat je Eagles behéért, de leiding neemt. Ons probleem is te veel werk, te veel tegelijk. We hebben zes telefoons die de hele dag staan te rinkelen. Het is om je vingers bij áf te likken. O, Swede, het is echt iets voor jou, je bent ervoor geknipt. Je zult het veel te leuk vinden om onze perikelen op te lossen, ik zou bijna jaloers op je worden. Eerst moet je besluiten hoeveel méér vliegtuigen we zouden moeten huren en hoeveel méér piloten we nodig hebben, want als we niet al het werk grijpen dat ze ons nu toegooien, pakt een ander het wel. Vervolgens moet jij het probleem van de retourvracht oplossen . . . dat had je gísteren al moeten doen . . . je moet een kerel in dienst nemen voor het onderhoud en de reparaties, en nog eentje om de contracten af te handelen. Je zult direct kantoorpersoneel in dienst moeten nemen, eens goed moeten kijken naar onze chartertarieven naar de verschillende steden . . .'

'Is dat alles?' Zijn ronde gezicht stond nu niet langer somber en hij ging rechtop zitten.

'Dat is nog maar het begin. Je zou in je vrije tijd ook de telefoon kunnen opnemen, maar je zult geen vrije tijd hebben.'

'En hoe doen we het met het geld?'

'Ik heb nog wat spaarcentjes achter de hand. En als lid van de directie zul je er zelf ook in willen deelnemen, aangezien zoals je al zei alles wat jij aanraakt in goud verandert. We zullen verder . . . veel beloften doen.'

Castelli keek Freddy oplettend aan. Het kind droeg zevenmijlslaarzen. Ze was in staat zonder chute uit een vliegtuig te springen en op eigen kracht verder te vliegen . . . en hij twijfelde er niet aan dat ze dat ook kon. Nou, wel verdraaid, wat kon het hem schelen, hij had altijd al een zwak voor haar gehad en ze had hem vroeger een hoop geld opgeleverd. Hij zou er wat geld bij inschieten. Hij was bereid nog meer te verliezen voor een stelletje rinkelende telefoons.

'Ach, wat maakt het uit . . . ik doe mee. Ik heb een paar dagen nodig om hier alles af te handelen . . .'

Freddy omhelsde hem heftig en kuste hem op beide wangen. 'Je zult er geen spijt van krijgen, dat beloof ik je. O, Swede, je zult het énig vinden. We hebben niets dan problemen!' Ze pakte een bordje met 'Ben over vijf minuten terug' en wapperde er nadenkend mee. 'Ik sta beneden dubbel geparkeerd. Kom op, Swede, we moeten snel gaan! Ik zal dit aan je deur hangen. Je wilt toch zeker niet dat ik een parkeerbon krijg, hè? En ik moet over een uur met een lading perziken naar New York. Wanneer ik terug ben, zal ik je helpen orde op zaken te stellen.'

Volslagen overdonderd liep de ex-stuntman achter Freddy aan toen ze zijn kantoor uit galoppeerde, op haar hielen gevolgd door Annie. Pas toen ze halverwege Burbank waren, besefte hij dat Freddy op het terrein van de studio geen parkeerbon had kunnen krijgen, maar tegen die tijd was hij zelf veel te opgewonden om zich daar druk over te maken.

Het ergste aan die New Look van Dior, vond Freddy toen ze elegant uit de Buick stapte, was dat de rokken zo lang waren dat haar benen boven haar enkels erdoor verborgen werden. Aan de andere kant werden haar slanke taille en ronde heupen en borsten erdoor benadrukt. Maar benen, zie het maar eerlijk onder ogen, meneer Dior, benen waren bij mannen de aandachtstrekkers. Hoewel, wanneer je er zo over nadacht, als een vrouw eenmaal in bed lag, wat hadden benen dan nog met de liefde te maken? Je kon ze om een man heen slaan, maar tenzij hij een soort knie-fetisjist was, of een kuit-en-dij-freak, waarom benen?

Ze liep langzaam, zich bewust van de ingewikkelde constructies onder haar zeldzaam modieuze pak, dat een strak, dichtgeknoopt jasje van naturel zijden shantoeng had en een immens wijde zwarte shantoeng rok. Eerst kwam het gazen korset dat tegelijk dienst deed als strapless beha, een verraderlijk broos lijkend kledingstuk dat een onwrikbare eigen wil bleek te bezitten, met tientallen soepele, smalle baleinen verborgen in vele lagen tule die haar omvatten vanaf de bovenkant van haar borsten tot onder haar heupen. Daarna kwamen petticoats in diverse diktes om de rok mooi te laten uitstaan; een rok die zelf ook nog eens drie keer was gevoerd, één keer met tule, één keer met doorzichtige organdie en ten slotte met zijden voeringstof, zodat de andere voeringen haar kousen niet konden ophalen. Ze vroeg zich af of haar grootmoeder ooit zo was gevormd en gekneed en geremd door alles wat ze droeg. Als ze diep ademhaalde, vreesde Freddy, zouden er direct een stel knopen afspringen. En je armen boven je hoofd steken was helemaal ondoenlijk. Ze mocht blij zijn dat ze haar ellebogen nog kon buigen. Nee, in dit pak moest je kuieren en drentelen, niet stappen of springen.

Dat was de prijs die je in 1949 voor élégance diende te betalen, en Freddy begreep nu waarom Dior bij zijn eerste bezoek aan de Verenigde Staten in de ene stad na de andere door boze vrouwen was bedreigd met spandoeken die zeiden: 'Christian Dior, ga naar huis' en zelfs: 'Dior op de brandstapel'. Toen ze ontdekte dat er op het gebied van nieuwe kleren naast de New Look niets anders was, had ze deze mode schoorvoetend geaccepteerd, maar ze vertikte het om een hoed op te zetten. Sinds ze haar uniform aan de wilgen had kunnen hangen, had ze geen hoed of pet meer gedragen en ze was niet van plan daar nu verandering in te brengen. Haar haar was zorgvuldig geknipt en gemodelleerd en gekruld en uitgekamd door een dure dameskapper, maar nu, een dag later, was er van het model niets meer te zien en zat alles weer net als vroeger, in een uitbundige warboel van golven en krullen die er in ieder geval vertrouwd uitzagen. Ze schudde haar hoofd over de weigering van haar haar om zich aan de mode te onderwerpen, en het was alsof een reusachtige, felle, koperkleurige dahlia in het zonlicht heen en weer wiegde.

'Mevrouw Longbridge? De voordeur is daar, mevrouw Longbridge,' zei Hal Lane, de makelaar, in een poging haar verder te laten gaan. Dit was de tweede dag dat hij met Freddy op stap was en hij wilde nog steeds niet geloven dat ze, in tegenstelling tot zijn andere cliënten, met haar hoofd bij iets anders kon zijn dan bij het kopen van een huis. Het belangrijkste punt aan mevrouw Antony Longbridge was echter dat ze absoluut móest verhuizen; ze was geen huizenkijkster-voor-de-lol, zoals sommige andere vrouwen aan wie hij zijn tijd had verdaan. Ze moest weg uit dat krot dat haar man en zij drie jaar geleden hadden gehuurd. Het gaf gewoon geen pas voor twee compagnons van het grootste luchtvrachtbedrijf van het land om in zo'n versleten, benepen optrekje te wonen. Nog afgezien van hun eigen comfort konden ze daar onmogelijk gasten ontvangen. Stel je voor dat je mensen te eten zou vragen in een huis dat nog erger was dan de goedkoopste bouwval. Het was naar zijn mening hoog tijd dat de Longbridges hun intrek namen in iets wat in overeenstemming was met hun positie. Hij begreep echt niet waarom ze zo lang hadden gewacht.

'Dit is waarschijnlijk een van de mooiste gebouwen van Hancock Park,' kondigde Hal Lane aan toen ze naar de voordeur liepen. 'Het heeft nog de sfeer van de Oude Wereld.'

Freddy keek op van haar gefronste beschouwing van haar opbollende rokzoom en bleef abrupt op het plaveisel staan. 'Meneer Lane, ik heb u gisteren, toen we begonnen, verteld dat ik slechts twee dagen kon besteden aan het zoeken naar een huis en ik heb u gewaarschuwd dat namaak-Engels absoluut niet de bedoeling was. Waarom verspilt u mijn tijd?'

'Maar . . . maar . . . dit is geen namaak-Engels, mevrouw Longbridge, het is echt . . . eh . . . Queen Elizabeth. Wacht u maar eens tot u het interieur hebt gezien. Het is uitzonderlijk. Een badkamer om ú tegen te zeggen.'

'Ik zie steunbalkjes die geen enkele functie hebben, lelijke rode baksteentjes, kleine raampanelen die het licht tegenhouden. Sorry, maar het heeft geen enkele zin hier zelfs maar naar binnen te gaan, meneer Lane.' Ze keek op haar horloge. 'We hebben nog zes uur.'

Nou, nou! dacht hij toen hij haar weer in zijn Buick hielp. Misschien was een opgewekte, praatgrage huizenkijkster-voor-de-lol toch niet zo gek. Waarom had ze zo'n haast! Hij bladerde door zijn adressen, zette de helft ervan overboord – mevrouw Longbridge was kennelijk niet zo thuis in de wereld van onroerend goed om te weten dat in Los Angeles een Engels huis,

415

liefst Tudor, op slag respect afdwong en direct status verleende – en startte zijn nieuwe auto.

Freddy leunde achterover en had niet eens oog voor de driebaansstraten met hun vrolijke winterbloemen en tuinsproeiers die op deze novemberdag op de gazons speelden. Ze had wat gemengde gevoelens over deze verhuizing uit dat petieterige huisje in Burbank, waarin zoveel was gebeurd. Ze zou die wilde, gekke dagen van vierentwintig uur nooit vergeten, toen Swede Castelli de leiding had genomen over het kantoor, toen ze vijftien nieuwe piloten in dienst hadden genomen, midden in de ergste naoorlogse woningnood. Tussen alle vrachten door moesten die kerels op zoek naar caravans of motels om met hun gezin in te kunnen wonen terwijl ze tot die tijd kampeerden op de vloer van haar woonkamer – tenzij ze het geluk hadden het bed met Helga te mogen delen – en Freddy elke avond dat ze niet zelf moest vliegen grote stoofpotten voor hen klaarmaakte. Annie zorgde voor melk, koekjes en papieren servetten. Tony had achter de bar gestaan en Jock had leiding gegeven bij de spelletjes poker.

Dat waren de vroege dagen van het accepteren van elke retourvracht; de tragedie van drie waardevolle vliegtuigladingen met levende kreeften uit Maine die van schrik waren gestorven, voor zover men had kunnen bedenken, tijdens een onweersbui; de opwinding over de honderden ladingen blouses en jurken, felbegeerde artikelen die als warme broodjes werden verkocht, regelrecht van de ateliers op Seventh Avenue en afgeleverd zonder één kreukel omdat ze door het land waren gevlogen aan hangers die in rekken hingen die haastig in de toestellen waren gemonteerd; de wekelijkse ladingen *Life* en *Time*, waaraan ze geleidelijk nog een tiental andere grote tijdschriften hadden toegevoegd; de 'innig geliefden', zoals de Eagles de vele zorgvuldig verpakte lijken noemden die naar hun voormalige woonplaats werden vervoerd om daar op gepaste wijze te worden gekist en begraven; de racepaarden die veel sneller waren hersteld van een vliegtocht dan van een rit per trein of vrachtwagen en waarop de Eagles-piloten hun hele salaris begonnen te verwedden; en het belangrijkste van alles, de chartervluchten.

Zonder menselijke lichamen – levende, ademende, menselijke lichamen – hadden ze het nooit kunnen maken. Door het charteren van hele vliegtuigen hadden ze die eerste moeilijke begintijd kunnen doorstaan: de voetbalelftallen, de congresgangers, de kerkkoren die naar een concours gingen; de militairen met verlof, de groepen studenten, de gestrande circussen, met dieren en al; de fanfarecorpsen; de nonnen en verpleegsters – niemand had kunnen wachten tot alle naoorlogse transportproblemen waren opgelost. Ze stapten van de DC-3 over op de viermotorige DC-4, ontdekten het juiste soort opklapbare stoelen en het juiste soort lunchpakketten en verkochten voor negenennegentig dollar per persoon ruimte aan talloze groepen die bereid waren genoegen te nemen met een sobere vlucht die ze goedkoop en veilig naar de andere kant van het land bracht.

Hal Lane hield stil voor een huis met witte pilaren. 'Mevrouw Longbridge, ik denk dat deze residentie precies is wat u zoekt.'

'De Heer sta me bij,' zei Freddy, 'het lijkt Tara wel.'

'Tara was gekopieerd naar dit landhuis.'

'Ik zal eens kijken,' zei ze zo opgewekt mogelijk, aangezien het huis zich bevond binnen de cirkel die ze op de kaart had getrokken om Lane te laten weten op welke afstand van het vliegveld zij bereid was te wonen. Toen ze door de vele grote, lege kamers liep vroeg Freddy zich af hoe lang ze erover zou doen om te wennen aan het wonen in zo'n enorme hoeveelheid vierkante meters. Ze was van haar eigen kamer thuis naar Macs huisje gegaan, vandaar naar de diverse overvolle ATA-kamers die ze met Jane had gedeeld, en toen naar de comfortabele slaapkamer en kleine zitkamer die Tony en zij in Longbridge Grange hadden gehad, en ten slotte naar het huisje in Burbank. Zou ze het hier even gezellig hebben als in de afgelopen negenentwintig jaar?

Ze vroeg zich af of Jane aanpassingsproblemen had gehad toen ze met haar markies, de schattige Humphrey, was getrouwd, en was verhuisd naar dat eerbiedwaardige Tudor-bouwwerk in Norfolk – die overdreven feodale nederzetting. Maar Jane had daar vast niet mee gezeten. Ze had waarschijnlijk de helft van alle kamers van het kasteel omgebouwd tot kleedruimte en nu ze een erfgenaam voor het hertogdom had geproduceerd, bewonderd door heel Engeland, en opnieuw vorstelijk zwanger was, had ze ongetwijfeld een vleugel voor zichzelf opgeëist, voor alle kinderkamers, kinderjuffrouwen en getrouwe bedienden in alle soorten en maten. Jane was geboren om op een kasteel te wonen. The Grange was maar een aanloopje geweest.

'Mevrouw Longbridge, mag ik even uw aandacht voor deze damestoiletten? Vind u dit geen schitterend sanitair? En ik weet zeker dat u beseft dat een gastvrouw evenzeer op haar damestoiletten als op haar gastenlijst wordt beoordeeld.'

'Waarom kijken we niet even naar het souterrain?' stelde Freddy voor. Met tegenzin ging hij haar voor over een uitgesleten trap en zag hoe ze aandachtig om de verwarmingsketel heen liep en er een paar goedgerichte trappen tegen gaf, voordat ze haar jasje losknoopte en aandachtig de leidingen bekeek die naar boven liepen. 'De centrale verwarming is versleten,' zei Freddy. 'Ik ben helaas niet geïnteresseerd. Het spijt me, meneer Lane. Wat heeft u nog meer op uw lijstje?'

'Ik heb een trendsettende hedendaagse klassieker. Ik weet zeker dat u het gewéldig zult vinden.'

Het moderne geval was koud en ziekenhuisachtig, ondanks al het zonlicht dat door de bovenramen kwam, besloot Freddy, en ze staarde peinzend naar de enige gezellige ruimte van het hele huis, een inloop-kleerkast die met

417

cederhout was betimmerd. Maar er zat wel veel ruimte in. Misschien was dat het probleem met Tony . . . niet genoeg leefruimte? Kon dat misschien gedeeltelijk de oorzaak zijn van zijn . . . afstandelijke gedrag? Ze vroeg zich af wanneer ze voor het eerst die verwijdering tussen hen had bespeurd. Was het begonnen tijdens dat twee jaar durende trauma van de genadeloze tarievenoorlog met America Airlines? Ze hadden het allemaal te druk gehad om het hoofd boven water te houden, terwijl ze maand na maand geld verloren, om zich nog druk te maken over nuances in hun persoonlijke relatie, bedacht Freddy spijtig. Er was heel weinig tijd overgebleven voor gezinsleven toen ze elke vrijdag een gigantische loonlijst moesten betalen.

Swede had al zijn persoonlijke reserves in Eagles gestoken, maar de belangrijkste reden dat ze die eerste twee jaar hadden kunnen overleven was een fortuinlijk contract met het Air Transport Command geweest om militair personeel van Californië naar Hawaii, Guam en Honolulu te vliegen. Toen de Civil Aeronautics Board, tergend langzaam, eindelijk in april 1948 een einde had gemaakt aan de tarievenoorlog, was Eagles een van de weinige onafhankelijke bedrijven die er nog over waren van de meer dan tweeduizend van dergelijke ondernemingen die na de oorlog door veteranen waren gestart.

Freddy knipperde even met haar ogen en liep de kleedruimte uit naar de voordeur. 'Verder, meneer Lane, verder,' zei ze met een geduldige blik, terwijl ze ritselend met haar wijde rok en petticoats door de lange, kale gang liep. Het volgende huis was in een vriendelijke koloniale stijl en ze bekeek het zo aandachtig mogelijk terwijl ze het exacte moment probeerde te vinden waarop ze had ingezien dat Tony niet alleen achter de bar stond als ze piloten op bezoek hadden, maar dat hij zich elke avond volgoot, ook zonder gasten, en dat hij er vaak ónder belandde.

De jaren tussen 1946 en 1949 hadden veel strijd in het luchtvervoer gekend en Eagles had geprobeerd een CAB-certificaat voor een eigen route te krijgen. Die laatste en belangrijkste strijd die het bedrijf had gekend, was pas drie maanden geleden gewonnen, in augustus 1949, en van de dertien maatschappijen die in 1946 een aanvraag hadden ingediend, waren naast Eagles slechts vier andere niet bankroet op de dag van de victorie.

Wanneer, vroeg Freddy zich af, wanneer in al die lange, moeizame jaren zonder ook maar één penny winst voor al hun harde werken op te kunnen strijken, zonder ook maar één dollar vrijelijk uit te kunnen geven, ondanks de miljoenencontracten, op welk moment in al die jaren waarin ze alle zeilen hadden bijgezet, zelfs door zichzelf aan te bieden voor charterwerk op andere gevestigde lijnen, was Tony's drinken ernstig geworden? Op een manier die elk begrip te boven ging?

Tot drie maanden geleden had het water hun tot aan de lippen gestaan. Ze kon zich niet herinneren wanneer ze voor het eerst in had moeten zien dat Tony alleen tot rust kon komen en ophouden op de CAB te kankeren als hij echt te veel op had. Wanneer was hij voor het eerst thuis gebleven met een kater die te hevig was om mee te kunnen vliegen, of zelfs om mee naar kantoor te gaan? Een jaar geleden? Twee jaar geleden?

Niets kon afbreuk doen aan zijn aangeboren beschaving, maar er lag nu een vermoeide beschuldiging in zijn ogen, zowel overdag als 's nachts, die zijn opgewekte karakter en galante houding en gevoel voor humor deden verbleken. Het ergst van alles was nog dat nu de vruchten van hun strijd waren geoogst, nu een openbare garantie hen op slag miljonair had gemaakt, Tony nog evenveel dronk als ooit . . . of dronk hij nu zelfs nóg heviger? 'Laat maar zitten, Freddy, laat maar . . .' zei hij iedere keer dat ze probeerde er met hem over te praten, en er lag een blik in zijn ogen die haar direct had doen zwijgen.

'En, mevrouw Longbridge, wat vind u ervan?' zei Hal Lane. Freddy trok haar jasje uit en legde het over zijn arm, ze trok haar blouse een eindje uit haar rok, deed een raam van het huis in koloniale stijl open, hees haar rokken tot aan haar knieën op, klom op de radiator en leunde naar buiten om naar boven te reiken. Een paar seconden later liet ze zich in de kamer terugvallen, met een stuk dakgoot in haar hand.

'Het hele dak is lek,' zei ze. 'En wie weet hoe erg het is verrot? Laten we maar weer gaan, meneer Lane.' Ze pakte haar jasje aan en liep het huis uit, naar de auto, en stopte onderweg zo goed mogelijk haar blouse weer in haar rok.

Na een korte rit bleef de Buick staan. 'Een landgoed met een hek eromheen, mevrouw Longbridge, kortgeleden van top tot teen opnieuw geverfd en behangen. Een droombezit.'

'Ik hoop het,' verzuchtte Freddy en ze liep ongeduldig verder. Het was niet Engels, dat moest ze erkennen, maar het was veel te Frans, hoewel ze de verkoper niet had verteld dat ze niets Frans wilde zien – ze had niet zo'n hekel aan nep-Frans als Tony aan nep-Engels.

'*Regardez* dat prachtige trappehuis,' zei Lane. 'U hebt toch een dochter, mevrouw Longbridge? Stelt u zich eens voor hoe ze als bruid van die trap afdaalt. Dit uitzonderlijke huis is geknipt voor trouwerijen.'

'Annie is pas zeven,' zei Freddy.

'Ach, in dat geval kunnen we misschien beter even doorlopen naar de zitkamer met ingebouwde bar?'

'Een ingebouwde bar in het Petit Trian? Wat zullen we nu beleven, meneer Lane?'

'Dit is eenmaal Californië, mevrouw Longbridge – ingebouwde bars, grote zitkamers, damestoiletten, slaapkamersuites met aparte kleedruimten en een bad voor hem en voor haar – dat hoort er hier allemaal bij.'

'Als u dat zegt, meneer Lane. Waar is de keuken?' Freddy stak haar hoofd in de ovens, inspecteerde de koelkast en keek hoe het water uit de gootsteen wegstroomde. 'Hmm. Ik trek even een paar wc's door. U hoeft niet mee, ik red me wel.' Ze was drie minuten later terug. 'De leidingen moeten volledig vernieuwd worden, meneer Lane. Ik wou dat ze dat hadden gedaan voordat ze die muurschildering in de gastenbadkamer hadden aangebracht. Ik vrees dat we niet veel tijd meer hebben.'

'Zullen we dan alleen maar naar nieuwe optrekjes kijken?' snoof hij. 'Dan sluiten we in ieder geval al die kleine onvolmaaktheden ten aanzien van de constructie buiten.'

'Dat betwijfel ik. Het naoorlogse bouwen is niet zo degelijk als het vooroorlogse. Ze beknibbelen op de raarste dingen.'

Freddy liep door een replica van een Beiers jachtslot, een Palladiaanse villa en een moorse fantasie, systematisch hun vitale systemen controlerend terwijl Hal Lane zwijgend haar jasje vasthield. Terwijl ze onder en op plaatsen klom die hij nog nooit door een vrouw had zien onderzoeken, met de ritselende massa van haar rokken onder één arm gepropt, terwijl ze schopte en duwde en tuurde en klopte en dingen aan- en uitzette, merkte ze dat ze totaal niet in staat was zichzelf met Tony en Annie en Helga en hun nog onbekende personeel in één van deze huizen voor te stellen.

Maar toch moest ze vandaag een besluit nemen. De rest van haar week was bestemd voor het interview met *Life*, waarvoor een journalist speciaal uit New York was gekomen om een groot artikel over Eagles te maken. Ze hadden in hun moeilijke jaren veel publiciteit gehad en ze waren er altijd dankbaar voor, want het betekende meer klanten.

De journalisten hadden de neiging zich te concentreren op Freddy, omdat zij een vrouw in een mannenwereld was, om haar racetrofeeën, haar Hollywood-achtergrond met stuntvliegen en haar Lancel-afkomst. Ze vroeg zich even af of Tony misschien boos was op al die publiciteit, maar ze zette die gedachte al snel van zich af. Zo flauw was hij niet. Kon hij zich ergeren aan het feit dat hij nu miljoenen bezat zonder in staat te zijn geweest er geld van zichzelf in te steken? Kon dat technische punt hem dwarszitten? Door zijn trots had hij nooit helemaal vrede gehad met deze situatie, maar ze dacht niet dat dat op zich verantwoordelijk was voor zijn drankmisbruik.

Toen ze gehoord hadden van hun overwinning, was Jock aan de zwier gegaan en had tienduizend dollar bij één spelletje pokeren verloren – hij moest het exprés hebben gedaan – en was Swede naar Tijuana gevlogen en een week lang verdwenen; zij was naar Bullock's gegaan en had een dozijn nieuwe jurken en twintig paar schoenen besteld ... maar Tony had niets speciaals gedaan om het te vieren, buiten een fles whisky in de achtertuin leegdrinken en er zó somber bij te kijken dat zelfs Annie zijn aandacht niet had kunnen trekken.

Freddy was naar buiten gegaan, had zichzelf een glas ingeschonken en was in een ligstoel naast hem geploft, nu en dan een blik op Tony werpend. Maar ze was niet opgemerkt door deze man die in een intense droefheid was verzonken terwijl hij de lange zonsondergang van een warme augustusavond gadesloeg. De fijne, smalle bouw van zijn hoofd was even nobel als altijd, zijn Britse uiterlijk was niet veranderd door het losse Californische leven, maar er was iets essentiëlers veranderd.

Toen Freddy Tony voor het eerst had ontmoet, was hij de onbetwiste heer en meester op dat cruciale moment van de wereldgeschiedenis. Als er geen RAF en geen piloten als Tony waren geweest, had Hitler ongetwijfeld de oorlog gewonnen. Geen van hen had op dat moment enig historisch besef gehad, want ze hadden het allemaal veel te druk met overleven, maar Tony was de zekerheid zelve geweest; hij was een en al moed, hij was een bedreven strijder en heerser over het luchtruim, hij wijdde zich aan een grootse en gevaarlijke opdracht, die hij met vreugde op zich had genomen.

Maar nu? Er was iets vitaals verdwenen, zijn levensdoel was nagenoeg verdwenen en door niets anders vervangen. Hij was een strijder zonder tegenstander, een gladiator zonder wapens, een commandant zonder troepen. Freddy vroeg zich af of ze alleen maar romantisch deed of dat hij zich echt nog de glorie herinnerde van het voorgaan in de strijd van zijn gevechtseenheid. Was er iets in dit leven wat kon tippen aan de geweldige roes van die heldhaftige jaren? Hij praatte er nooit over, zelfs niet met Jock, in tegenstelling tot de tientallen andere oorlogspiloten die ze kende, die niets liever deden dan een gedetailleerd verslag geven van al die luchtgevechten, aan andere mannen met dezelfde ervaringen.

Had hij heimwee naar zijn familie die hij in Kent had achtergelaten? Zelfs in 1949 was Engeland nog niet zover opgeknapt dat onderdanen vrijelijk naar het buitenland konden reizen, tenzij het voor zaken was, en Tony had zijn ouders of broers en zusters al in geen drie jaar meer gezien. Of was hij somber vanwege zijn fantasie over de kinderen die ze hadden willen hebben? Freddy schoof wat ongemakkelijk heen en weer toen ze zijn uitdrukkingsloze gezicht zag, zijn lege ogen, zijn ongeïnteresseerde blik, de lethargische trek om zijn mond. Ze had geen idee waaraan hij dacht en hij had zoveel gedronken dat ze daar nu niet achter zou komen.

Ze was nog geen dertig en nu de toekomst van Eagles was veilig gesteld, konden ze proberen het gezin te krijgen dat ze altijd hadden willen hebben. Ze kon zich nu eindelijk de tijd gunnen voor een tweede kind ... voor een aantal kinderen. Voor het eerst sinds de dag dat ze had besloten Macs vliegschool te beheren tot hij terugkeerde, was ze eens niet nodig voor de een of andere klus. Ze kon dat wezen worden dat haar zo vreemd was, een dame zonder beroep.

Delphine en Armand hadden tweelingjongens en een derde zoon, maar toch was Delphine nu de toonaangevende filmster in Frankrijk. Kinderen hoefden nog niet het einde van je carrière te betekenen.

Maar om zwanger te worden, moest je wel de liefde bedrijven. En Tony en zij hadden al in geen maanden de liefde bedreven. Vele maanden. Zoveel maanden dat ze ze niet eens durfde te tellen. Zou een verhuizing naar een ander huis dat kunnen veranderen? Kon het hun al te kleine, propvolle slaapkamer zijn, die had gemaakt dat hij elke avond zo snel in slaap viel dat er zelfs geen tijd meer was geweest voor een nachtzoen die tot meer had kunnen leiden? Of kwam het gewoon door alle drank? Had hij een andere vrouw ontmoet tijdens een van die vele vrachtvluchten, toen één van hen beiden weg was?

Op de een of andere manier leek haar dat niet het juiste antwoord. Tony was zo afwezig, maar niet op een manier die haar het gevoel gaf dat hij zich op een ander richtte. Was ze gewoon naïef? Of was ze, zonder dit te beseffen, niet langer aantrekkelijk voor hem? Het was Tony niet ontgaan dat ze nieuwe jurken had, die heel vrouwelijk en romantisch waren, en hij had er met vriendelijke bewondering commentaar op gegeven, op zodanige wijze dat ze hem wel had kunnen slaan, want in zijn toon lag het hele langzame, geweldloze uiteenvallen van hun leven besloten. Ze kon zijn gebrek aan belangstelling niet wijten aan de lange rokken die haar benen tot op de enkels bedekten. Het probleem dateerde al uit de tijd voordat ze het zich had kunnen veroorloven de New Look aan te schaffen.

Als er ook maar de geringste kans bestond dat een nieuw huis hen weer tot elkaar zou brengen, moest ze die met beide handen aangrijpen.

'Stop hier!' riep Freddy opeens opgewonden tegen de makelaar. 'Bij dat bordje "Te Koop".'

Hij bleef op de hoek staan. 'Ik heb geen gegevens over dat huis,' protesteerde hij. 'We kunnen er helaas niet in. Het is gewoon een huis, mevrouw Longbridge, geen landhuis of een belangrijk onroerend goed, alleen maar een . . . huis . . . tja, groot, dat moet ik toegeven, maar niets bijzonders. Er zit een leuke tuin bij, maar u kunt zien dat die is verwaarloosd. Ik kan u deze omgeving niet aanbevelen voor beleggingsdoeleinden. De stand is wel goed, maar het ligt niet ver genoeg van het westen. Ik weet zeker dat ik u iets meer geschikts kan tonen, een woning die meer representatief is voor uw positie in deze maatschappij. Dit . . . dit húis . . . is zo lang geleden gebouwd dat het waarschijnlijk niet eens een bar bevat.'

Freddy bleef een paar minuten naar het huis staan kijken, zonder dichterbij te komen om de staat ervan te inspecteren. 'Ik neem dit huis,' zei ze. 'Bel me morgen even over de prijs. Ik zal uiteraard met een tegenbod komen, maar ik ben van plan het te kopen.'

'Mevrouw Longbridge, u hebt de binnenkant nog niet eens gezien!'

'Ik weet hoe het er van binnen uitziet,' zei Freddy. 'Ik ben erin opgegroeid.'

21

'Vraag het uitzendbureau eens even voor me aan, juffrouw Kelly,' zei Bruno tegen zijn secretaresse, toen hij zijn imposante kantoor in de Beecham Mercantile Trust in liep, een sterke particuliere investeringsbank die reeds meer dan honderd jaar in New York was gevestigd.

'Ja, meneer. Hier zijn uw berichten en uw post ligt op uw bureau.'

Bruno gaf haar zijn winterjas zodat ze die in zijn garderobe kon hangen. Het was winderig en koud in Manhattan op deze dag in het begin van december 1949, maar hij had er een gewoonte van gemaakt van zijn huis op Sutton Place naar zijn werk te lopen, tenzij het plensde van de regen. Hij was vierendertig en zijn belangrijke positie bij de bank betekende vaak dat hij zijn dagelijkse spelletjes squash moest afzeggen voor een zakenlunch. Doch de wandeling van 57th Street en de East River naar Wall Street verzekerde hem van een minimum aan lichaamsbeweging.

'Mevrouw McIver is aan de telefoon, meneer.'

'Goedemorgen, meneer De Lancel. Wat kan ik voor u doen?' vroeg de eigenares van het duurste uitzendbureau voor huishoudelijke hulp in Manhattan op optimistische toon.

'Mevrouw McIver, stuurt u me nog wat mensen om te bekijken. Butlers, koks en bedienden.'

'Meneer, ik heb u de beste mensen gestuurd die ik maar kon vinden en dat is pas twee weken geleden. Was er dan niets geschikts bij?'

'Er is er niet één bij die in Parijs een baan had kunnen krijgen. U zult iets beters moeten vinden, mevrouw McIver.'

'Meneer De Lancel, ik verzeker u dat ik ieder van die mannen persoonlijk in een positie heb geplaatst waarin ze vele jaren zijn gebleven. Er was er niet één bij die ik niet graag in mijn eigen huis aan het werk had willen hebben.'

'Maar voor mij zijn ze niet goed genoeg. Probeert u het nog eens.'

'Ik zal mijn best voor u doen, meneer. Zoals u weet, is het nooit eenvoudig. Ik ga direct aan de slag en ik zal juffrouw Kelly vragen de sollicitatiegesprekken te regelen.'

'Doe dat.' Bruno hing abrupt op. Aan de andere kant van de lijn glim-

423

lachte Nancy McIver liefdevol naar de telefoon. Als al haar klanten zo krankjorum lastig waren als deze Fransman, zou haar goudmijn van een kantoor zuiver platina produceren. Elke keer dat hij een probleem had met zijn personeel, streek zij commissie op voor een vervanger en bij Lancel had niemand het langer dan twee maanden vol weten te houden, in al die drie jaar dat ze zaken met hem deed. Maar hij kon nergens anders terecht dan bij haar bureau, want niemand in New York leverde zulke exclusieve werkkrachten, het neusje van de zalm, het beste van het beste op het gebied van huishoudelijk personeel, van wasvrouwen die nauwelijks iets anders wensten te hanteren dan oude erfstukken van linnengoed, tot majordomussen die er niet over peinsden een baan te accepteren bij een familie die niet minstens drie volledig van personeel voorziene huizen bezat. De namen van de mensen die ze plaatste en de namen van de families waarin ze hen plaatste, vormden een vorstendom op zich, dat regelmatig van een paar vierkante blokken in Manhattan naar Sea Island, naar Palm Beach, naar Saratoga of naar Southampton vertrok, al naar gelang de tijd van het jaar.

'Lancel heeft het weer te pakken, Gerry,' zei ze opgewekt tegen haar assistente.

'Wat mankeert hem toch? Hij is de lastigste man van de hele stad. Er is geen seniele ouwe tang in onze boeken die ons zoveel last bezorgt als die ene vrijgezel.'

'Wie weet? Bedenk wel, Gerry, als er geen verschuivingen zijn, krijgen wij ook geen geld. Geef me zijn dossier eens aan.'

'Maar hij heeft echt zo ongeveer iedereen al gehad die bij ons op de lijst staat. We hebben in alle hoeken en gaten voor hem gezocht,' protesteerde Gerry, toen ze zijn uitpuilende map pakte.

'Hij merkt er vast niets van wanneer ik hem mensen stuur die hij eerder op straat heeft gezet. Zijn huis loopt net zo snel als het draaihek van de ondergrondse. Wanneer een cliënt geen goed personeel kan houden, is dat onveranderlijk zijn probleem, niet het jouwe. Dat is de gulden regel in deze branche. Vergeet dat nooit.'

'Ik vraag me af hoe hij eigenlijk is.'

'Neem maar van mij aan dat je niets mist,' zei Nancy McIver minachtend. 'De echte vraag is, wie denkt hij wel dat hij is?'

'Bruno de Lancel? Marjorie, dat is een belachelijk voorstel,' zei Cynthia Beaumont tegen haar secretaresse.

'Ik dacht dat het het proberen waard was, nu Larry Bell het diner op de valreep moest afzeggen,' antwoordde Marjorie Stickley.

'Die verhipte Larry Bell! Een keelontsteking is geen excuus. Kon hij zich niet een beetje flink houden? Waar denkt hij dat ik op het laatste moment nog iemand vandaan kan halen? Niemand zou iets hebben gemerkt – ik was heus niet van plan met een stethoscoop in zijn verhipte keel te kijken!'

'Misschien is hij bang dat hij anderen zal aansteken,' opperde Marjorie terwijl haar werkgeefster, Cynthia Beaumont, woedend door haar zitkamer liep te ijsberen en wraakzuchtig naar de geruïneerde tafelschikking keek van haar zorgvuldig geplande, chique etentje in avondkleding.

'Hij niet! Hij is in staat een mens melaatsheid te bezorgen als hij weet dat ze er toch niet achter komen. Hij maakt zich alleen maar ongerust over zijn eigen kostbare gezondheid, dat egoïstische loeder! Wat kan hem mijn etentje schelen?'

'O, mevrouw Beaumont, u weet dat het de party van het seizoen zal zijn,' zei Marjorie, zo kalmerend mogelijk. Ze wist, na enige jaren als secretaresse van een aantal van New Yorks meest vooraanstaande gastvrouwen, dat niets zelfs een zeer ervaren en rustige vrouw zo boos kon maken als het op de valreep afzeggen van een extra man. Er was er niet één die het risico wilde lopen twee vrouwen naast elkaar te moeten zetten, hoewel naar haar eigen mening de meeste mannen weinig vrolijkheid of gezelligheid brachten bij een etentje, zoals ze meestal achterovergeleund zaten te wachten tot ze werden geamuseerd, terwijl elke levendige en interessante extra vrouw beslist de moeite zou nemen gezellig te zijn.

'Wat moeten we doen, Marjorie? Wat moeten we doen? Het is een catastrofe! En we hebben nog maar een paar uur de tijd. Denk je dat Tim Black misschien . . . nee, hij heeft net zijn verloving aangekondigd. Streep hem maar definitief van mijn lijst. Ik heb hem toch al nooit gemogen. Wat dacht je van . . . laat maar, ik heb gezworen dat ik die nooit meer zou vragen nadat hij zo walgelijk dronken was geworden en een onfatsoenlijke opmerking tegen mevrouw Astor had gemaakt bij het vorige etentje. O, waarom geef ik toch een feest in december? Ik had zo langzamerhand moeten weten dat er vanaf Thanksgiving Day tot oud en nieuw geen enkele enigszins presentabele man te vinden is.'

'Maar het is de verjaardag van meneer Beaumont,' protesteerde de secretaresse. Zelfs in de drukke society van New York was dit een bijzondere gebeurtenis.

'Nou, volgend jaar moet hij dat echt eens veranderen. Ik heb geen zin om deze hel nog eens mee te maken. Kom, Marjorie, wees eens creatief!'

'Ik zal naar mijn kamer gaan en alle levende wezens van uw reservelijst nagaan.'

'Probeer al onze dokters en onze tandarts ook. Misschien is er één nog vrijgezel, of bezig te scheiden. Ik zal James Junior op Princeton zelf bellen.'

'Maar mevrouw Beaumont, hij zit halverwege zijn eindexamens.'

'Hij kan toch wel iets voor zijn moeder overhebben! O, het is om dol van te worden! Heb je vijf zonen en zijn er vier direct na hun college getrouwd! Wat heeft het allemaal voor zin! Waarom heb ik die ondankbare lieden ter wereld gebracht? Moet je eens nagaan, als er niet één van was getrouwd, had ik nu vier knappe jongemannen extra . . . vijf, wanneer James klaar is! Maar nee, niemand denkt eens aan mij of aan mijn problemen. Ondankbare wezens! Het enige waar zij zich voor interesseren, is hun eigen geluk. Die jongelui van tegenwoordig hebben geen enkel plichtsbesef, geen gevoel voor traditie en familie. Je boft dat je geen kinderen hebt, Marjorie. Op die manier is je een hoop ellende bespaard gebleven.'

'Ik had misschien een meisje gekregen, mevrouw Beaumont.'

'Een extra vrouw? De hemel sta me bij! Ik zal proberen me aan te kleden terwijl jij opbelt.'

'Toch zou ik graag Bruno de Lancel willen proberen.'

'Marjorie! Hoe zou ik die op het laatste moment kunnen vragen ... ik plan een feestje rondóm die man! Maar je kunt in ieder geval van Bruno de Lancel zegggen dat hij nooit iets op het laatste moment zal afzeggen, tenzij hij op zijn sterfbed ligt. Hij is veel te goed opgevoed om dat zelfs maar te overwegen. Wat een geweldige beschaving heeft die man.'

'U vroeg of ik creatief wilde zijn, mevrouw Beaumont.'

'Creatief tot op zekere hoogte. Ik verwacht niet je Kerstmislijst. Bovendien zou hij zich beledigd voelen om voor dezelfde avond te worden gevraagd, om in te vallen voor iemand die verhinderd is.'

'Hij is hier zo vaak geweest dat hij er vast wel begrip voor zal hebben. Dat zou elke goede vriend hebben. Het kan echt heel goed.'

'Hij is er niet zo eentje. Als het nou een Amerikaan was, dan zou ik zeggen, ja, dan zou hij me graag uit de problemen helpen, maar je weet hoe ... koud ... hij is. Ik heb nooit het gevoel gehad dat ik hem ook maar iets beter heb leren kennen sinds de eerste keer dat ik hem heb ontmoet, en toch heb ik hem al vaker aan mijn rechterzijde geplaatst dan ik me kan heugen. Zijn geweldige manieren houden niet in dat hij iets over zichzelf vertelt. Maar het valt niet te ontkennen dat hij er echt hemels uitziet, heel, heel rijk is en ongetrouwd – plus een titel, natuurlijk – dus hij kan wat mij betreft zo weinig communicatief zijn als een sfinx, zo onbereikbaar als de paus zonder een audiëntie, zo formeel als de koningin van Engeland ... wacht eens ... de paus ... misschien kardinaal Spellman? Wat vind jij, Marjorie?'

'Als extra man op het laatste moment ... nou, nee, ik vind van niet, mevrouw Beaumont.'

'O, ik denk dat je gelijk hebt.' Cynthia Beaumont zuchtte geërgerd, maar juist in deze kleine nuances was Marjorie Stickley zo zeldzaam goed. Het was het waard om de beste secretaresse van de hele stad te hebben, ook al verdiende ze twee keer wat elke andere secretaresse verdiende. Zelfs als de kardinaal vrij was, wat niet waarschijnlijk was, gaf het geen pas.

Toen Cynthia Beaumont uit bad stapte en net voldoende make-up op deed om de bloemist te woord te staan, die juist met de versiering wilde beginnen, kwam Marjorie terug, één en al triomf. 'Ik heb Bruno de Lancel te pakken gekregen. Hij zei dat hij het erg leuk vond om te komen.'

'Wat fantastisch! Wat ben je toch geweldig! Je hebt mijn diner gered. Wat heb je gezegd? Hoe heb je het gebracht?'

'Tja, dat is nu net mijn kleine geheim, mevrouw Beaumont. Nu moet ik snel de bloemist vertellen dat u eraan komt, anders krijgt hij een zenuwinzinking.'

Toen ze door de gang naar de eetkamer verdween, dacht de secretaresse aan haar eigen Gulden Regel: nee heb je, ja kun je krijgen. Ze had een lange, voldoening gevende carrière opgebouwd en een comfortabele hoeveelheid spaarcentjes vergaard door telefoongesprekken te voeren waarvoor haar werkgeefsters feitelijk te verlegen waren. Society-vrouwen . . . soms kreeg ze bijna medelijden met hen. Maar niet vaak. Wat Bruno de Lancel betrof, zijn reputatie als stijf en afstandelijk had veel mogelijke gastvrouwen zo bang gemaakt dat de kans dat hij vanavond vrij was, behoorlijk groot was geweest. Het was tot daar aan toe om een snob te zijn, daar had de maatschappij begrip voor, maar je hoorde het niet te zijn bij mensen die even goed waren als jij. Wie dacht hij eigenlijk wel dat hij was?

Bruno vertrok die vrijdag 's middags wat vroeger van de bank om naar J.M. Kidder Inc. te lopen, om voor de vierde keer het nieuwe rijjasje te passen dat hij had besteld.

'Dus u gaat naar de Main Line om te jagen, meneer De Lancel?' vroeg Allensby, de oudste kleermaker minzaam.

Bruno gromde onduidelijk. Hij begreep niet waarom een kleermaker zich zou interesseren voor zijn doen en laten.

'Wij verzorgen veel heren van de Main Line. Hebben we altijd al gedaan. Het is goed jagen daar, zeggen ze allemaal.'

Bruno snoof minachtend. Als je het goed jagen wilt noemen, met een stelletje saaie, lompe effectenmakelaars, advocaten en zakenlieden uit een reeks saaie voorsteden, mannen die niets van deze nobele sport wisten, mannen die nog nooit een hele dag op hun eigen landgoed hadden kunnen jagen, ja, dan was het heel wat. In ieder geval was het, hoe armzalig ook, de beste manier om binnen enkele uren van New York te kunnen jagen – Fairfield was een grap – en een leven zonder de jacht was ondenkbaar.

'Die kraag zit nog steeds niet goed, Allensby.'

'Nou, meneer, ik heb hem na de vorige keer passen opnieuw geknipt. Dit is een volledig nieuwe lap stof. Kijkt u eens hoe goed hij om uw nek valt.'

Bruno bewoog zijn nek heen en weer, draaide met zijn hoofd en slaagde erin de schitterend geknipte kraag een fractie af te laten staan toen hij de andere kant op draaide. 'Nee, ik vind het niet goed. Ik vind 'm echt niet goed. Haal 'm er maar weer af en doe het over.' Hij wurmde zich uit het jasje en smeet het op een stoel. 'Bel mijn secretaresse maar wanneer ik weer kan passen.'

'Jawel, meneer,' zei Allensby minzaam. Toen hij het jasje weghing, dacht hij aan zijn eigen Gulden Regel: slechts een bepaald soort man is in staat zijn slechte humeur bot te vieren op zijn kleermaker, en dat soort man was niet de moeite waard je boos over te maken. Die Fransman, met zijn titel waarvan hij scheen te denken dat hij er hier indruk mee kon maken, kon net zo vaak komen passen als hij maar wilde; zulke voorzieningen waren vanaf het begin bij de prijs van het jasje inbegrepen. Het oude bedrijf had vele generaties van lastige klanten weten te overleven, hoewel er weinigen waren met zo'n fraaie tors als deze man. Het zou een genoegen moeten zijn om hem kleding aan te meten, dacht Allensby minachtend, als hij niet zo'n klootzak was geweest. Wie dacht hij eigenlijk wel dat hij was?

Toen hij bij de kleermaker vandaan kwam, keek Bruno op zijn horloge. Hij had nog bijna twee uur de tijd voordat hij zich voor het diner moest kleden. Een kleine wandeling hiervandaan zat een vrouw op hem te wachten, opgekruld voor de open haard, met de trotse gratie van een zeldzame en waardevolle kat. Er zou zachte muziek klinken en op haar gezicht, met de pruilende, volle mond die de aandacht trok alsof het een barbaars ornament was, zou een trek van ongeduld liggen. Ze was lui en weelderig, met blank en overvloedig vlees, grote donkerbruine tepels, een mond die liever zoog dan sprak en een dik rond achterste dat was geschapen voor de verrukkelijke straffen die Bruno zo bekwaam wist toe te dienen. Ze had dwingende, boosaardige, inventieve handen, deze vrouw die een van de grootste dames van de stad was, nog net geen veertig en enorm rijk. Ze was nu drie maanden van hem.

Bruno dacht na over het feit dat de vrouw op dit moment klaar voor hem was, bereid hem alles met haar te laten doen wat hem behaagde, want eerder op die dag had hij haar gebeld en tot in alle details verteld hoe hij wilde dat ze zichzelf zou strelen voordat hij arriveerde. Hij zag al voor zich hoe ze haar benen had gespreid zodat ze zichzelf goed kon betasten, met de natte geoefende vingers die ze had gelikt. Hij wist dat ze nu rusteloos lag te woelen en op haar lip moest bijten om geen voortijdig orgasme te bereiken.

Als hij die kamer nu binnenging, zich op de bank liet vallen en haar vertelde dat hij niets meer wilde dan dat ze haar hoofd over hem heen boog om hem uitsluitend met haar brede, wachtende mond langzaam te bevredigen, dan zou ze dit doen. Als hij op de bank ging liggen en haar niet aanraakte, als hij gewoon wachtte tot ze hem met haar knappe handen hard had gemaakt en haar vervolgens beval schrijlings op hem te gaan zitten en hem in haar lichaam op te nemen, en als hij haar het ruwe bevel gaf zich te verheffen en neer te laten tot hij de opluchting voelde waarvoor hij was gekomen, zou ze hem zonder meer gehoorzamen. Als hij haar vertelde op haar rug te gaan liggen en haar rok op te trekken en haar knieën omhoog te doen en haar benen voor hem te spreiden, en als hij dan bij haar binnendrong om haar even snel en egoïstisch als een schooljongen te nemen, zou ze dankbaar zijn. Als hij haar opdroeg op haar stoel te blijven zitten terwijl hij voor haar ging staan en zijn broek opendeed en zich in haar mond schoof, zou ze hem slechts verfijnd genot schenken en niet protesteren. Als hij slechts op de rand van de stoel ging zitten, als toeschouwer, en haar opdroeg zichzelf te betasten totdat ze kronkelde van haar eigen genot, zou ze gehoorzamen.

Zo'n vrouw was zij. Ze was van de leeftijd waaraan hij altijd al de voorkeur had gegeven. Ze wist wat ze wilde, en wat zij wilde was te worden behandeld als een hoer. Geen enkele andere man in New York had haar ooit durven behandelen zoals hij haar behandelde en toch was Bruno pas begonnen haar alle vernederingen te bezorgen waarvan hij wist dat ze ernaar verlangde. Ze was zijn schepping.

En dat was precies het probleem, dacht Bruno toen hij zich afwendde van die geurende kamer waar de vrouw zat te wachten, en naar zijn eigen huis liep. Hij kon al haar geheimen voorspellen. Ze waren niet nieuw voor hem. Hij had zelf bijna de leeftijd bereikt van die ervaren vrouwen aan wie hij altijd de voorkeur had gegeven, en naarmate de jaren verstreken werd het steeds moeilijker een vrouw te vinden wier geheime fantasieën geen ouwe koek voor hem waren. Hij bleef nog slechts zelden lang opgewonden door een nieuwe vrouw, vooral door de society-vrouwen van New York, die vaak een tamme en banale houding ten opzichte van seks hadden, zonder de intriges, de duistere en verboden scenario's die de vrouwen van Parijs koesterden.

Ja, hij gaf deze rijke, Amerikaanse glittervrouwen met hun schoongeboende, teleurstellend hygiënische voorstellingen, de schuld van zijn gebrek aan begeerte. Hij voelde geen welkome onrust in zijn kruis bij de gedachte aan die vrouw die nu, op dit moment, op hem zat te wachten, gretig, gulzig en nat. Hij benijdde haar om haar opwinding. Wanneer ze vanavond besefte dat hij niet zou komen, zou ze een manier vinden om zich te bevrijden van de lust die sinds zijn telefoontje van die morgen in haar was opgeweld. Ze bofte, ze had uren van kwellende opwinding gekend, uren die voor hem even leeg aan verwachting waren geweest als zijn hele dag, als het voorspelbare diner dat hem wachtte.

Waar viel in deze stad eigenlijk nog naar uit te kijken, vroeg hij zich af toen hij met nietsziende ogen door de bruisende straten van New York voor de kerstdagen liep, waar voor ieder ander tientallen beloften in de koude lucht hingen; waar voor ieder ander helder verlichte etalages om de aandacht wedijverden; waar voor ieder ander een stroom van energie en vitaliteit klaarlag bij het oversteken van de straat.

New York. Een lelijke, lelijke stad zonder charme, zonder intimiteit, zonder geschiedenis. De gebouwen waren te hoog of te klein en in alle gevallen te nieuw. Alle proporties waren verkeerd, oninteressant, grof. De straten waren te recht, te smal, te regelmatig, een rooster vol verveling. Er waren geen bomen – zelfs dat excuus voor een park was in een strenge rechthoek geplaatst – er waren geen verborgen binnenplaatsen, geen onverwachte cul-de-sacs, geen plaatsen waar je de hoek om kon gaan om verbijsterd te blijven staan bij het aanschouwen van het uitzicht. Er was geen rivier die zich door de stad slingerde, waarzonder een stadsgezicht maar half levend was. Mensen die zichzelf als elegant beschouwden, stelden zich tevreden met het wonen in appartementengebouwen in een drukke, veel te brede straat die Park Avenue heette, waar iedereen naar hun ramen kon koekeloeren omdat er geen muren waren om hun privacy te beschermen. De society van New York. Een volmaakte weerspiegeling van de stad. Te lawaaierig, te opzichtig en te uitbundig, zonder charme of geschiedenis, open om iedereen te verwelkomen die de entreeprijs kon betalen. Een society die nooit enig begrip kon opbrengen en gepaste aandacht kon besteden aan de voorrechten van een familie, een erfenis. Een society die geen enkele band had met het woord 'aristocratie'. Een flauwe grap die de pretentie had zichzelf serieus te nemen. Hij vroeg zich af of ook maar een van zijn uitsloverige gastvrouwen eigenlijk enig idee had wat hij van hen vond. Waarschijnlijk niet – ze waren gewoon te stom om zijn opperste minachting maar te kunnen vermoeden, en zijn manieren waren te automatisch om zelfs maar in die richting te kunnen wijzen. Het was niet anders, want zij waren de enige mensen die in aanmerking kwamen. De Franse kolonie bestond uit kappers en obers.

De enige verzachtende omstandigheid was dat New York geen Europese stad was. Hij had het niet kunnen verdragen om in het tweederangs, zelfingenomen en toch provinciale Europa van Rome of Madrid te moeten wonen, met Parijs op slechts enkele uren afstand maar toch verboden voor hem. Maar hier, in dit steriele verbanningsoord, was geld het belangrijkste onderwerp van gesprek en geld bleef hem, in tegenstelling tot seks, altijd fascineren, werd nooit voorspelbaar en afgezaagd; het streven naar geld werd nimmer oninteressant. Zelfs naarmate hij er meer en meer van vergaarde, vroeg hij zich nooit af met welk doel, wanneer hij er niet eens een goede bediende mee kon kopen, want geld was goed, het was een doel op zich.

Toen Bruno zijn huis naderde, waarin hij nooit iemand uitnodigde, een huis dat hij op precies dezelfde manier had ingericht als het huis in de Rue de Lille, vroeg hij zich af of er een brief van Jeanne zou liggen.

De huishoudster van Valmont was loyaal jegens hem gebleven. Ze schreef regelmatig vanuit het huisje in Epernay, waar ze na haar pensioen was gaan wonen, om hem het nieuws over de familie te vertellen, en hij antwoordde trouw, want zij was de enige manier om te weten te komen wat er in Champagne gebeurde. Paul de Lancel was pas vierenzestig en de Lancels vormden een langlevend geslacht. Zijn Lancel-grootouders waren beiden in de tachtig geweest toen ze stierven. Maar een ongeluk kon iedereen overkomen: bij het autorijden, het paardrijden, verwaarloosde infecties, zelfs een val in de badkamer. Ziekten konden zonder waarschuwing toeslaan. Zijn oom Guillaume was betrekkelijk jong gestorven.

Ja, hij wist dat er binnenkort – als het niet vandaag was, dan wel binnenkort, want hij werd gek als hij iets anders moest denken – een bedroefde brief van Jeanne moest komen, die hem zijn leven terug zou geven.

Op een vrijdagmiddag in maart 1950 zat Freddy op de rand van Tony's bureau en keek hem hoopvol aan. 'Tony, laten we een eindje gaan rijden. Jock en Swede zitten als vastgenageld achter hun bureau, maar ik zie niet in waarom alle bazen tegelijk aanwezig moeten zijn. Het is zo'n mooie dag.'

Tony keek op van het lege vloeiblad waarnaar hij had zitten staren toen ze zijn kamer was binnengekomen.

'Een eindje rijden? Waarheen? Hoe kom je daar opeens zo bij? Wou je naar Hollywood? Of naar het platte beige strand van Santa Monica? Je bedoelt toch niet dat ik mee moet in de nieuwe Bonanza van je? Je bedoelt toch geen vliegtochtje in plaats van een autoritje?'

'Nee, ik bedoel een autoritje,' zei Freddy geduldig. Hij had een slecht humeur. Te veel whisky bij de lunch of gewoon een pestbui? Het viel moeilijk te zeggen, zo vroeg op de dag. 'Kom mee, dan doen we de kap van mijn auto omlaag. Ik smacht ernaar om er even uit te zijn. Het is helemaal niet leuk meer, nu alles zo goed gaat, en zo vanzelf. Kom toch mee, liever.'

Tony zuchtte vol tegenzin, maar hij stond op en liep achter haar aan naar de parkeerplaats van hun nieuwe kantoor op Burbank Airport, en ging lusteloos zitten terwijl zij van de San Fernando Valley over de heuvels terugreed naar de omgeving van Los Feliz.

Freddy reed regelrecht door een straat die ze willekeurig scheen te hebben gekozen en parkeerde voor een huis op de top van de heuvel, een typisch Californische versie van een Spaanse haciënda, dat overdadige oude huis met balkons en twee binnenplaatsen dat ze in november had gekocht, nog geen vijf maanden geleden. Ze had op een snelle overdracht aangedrongen en de dag na de overdracht had ze een aannemer gezocht die met twee verschillende ploegen het huis in snel tempo volmaakt in orde bracht, terwijl meubelmakers en stoffeerders overuren maakten voor de inrichting. De oprijlaan met oude sinaasappelbomen stond geurig te bloeien en een tuinarchitect had alle bomen gesnoeid en de tuin, die Freddy zich zo goed herinnerde, opgeknapt en gemest en brede bedden met Engelse sleutelbloemen en kleine paarse viooltjes aangelegd. Overal stonden kleine blauwe plukjes vergeet-mij-niet te bloeien. Over een maand zouden de struiken van de rozentuin, waarvan de knoppen nu al zwollen, in hun eerste bloei staan; alle gazons waren groen van pas gelegde graszoden. Het huis was helemaal opnieuw geschilderd en de rode pannen op het dak waren uitstekend in orde. Ze zette de motor af.

'Ik dacht dat je een eindje wilde rijden,' zei Tony. 'We zijn pas een kwartier onderweg.'

'Hoe vind je dit huis?' vroeg ze.

'Leuk, ja. Dit is waarschijnlijk het enige soort huis dat echt in Californië thuishoort. Dat heb ik altijd al gezegd.'

'We hebben een nieuw huis nodig, hè?'

'Daar kan ik het niet mee oneens zijn.'

'Zo iets als dit bijvoorbeeld?' vroeg ze gretig.

'Ik veronderstel dat dit betekent dat je het al hebt gekocht?' Tony wierp een snelle blik op Freddy's gezicht. Ze had haar ogen neergeslagen om haar blik te verbergen, maar uit de verhoogde kleuren en de krampachtig neutrale blik op haar altijd veranderlijke, open gezicht, begreep hij wat het antwoord was. 'Het ziet er heel aardig uit, en in een goede conditie, neem ik aan,' vervolgde hij, zonder op haar antwoord te wachten. 'Van top tot teen prima in orde. Alles werkt, alles is nagekeken en klaar om in te wonen.'

'Je bent helemaal niet verbaasd.' Freddy voelde alle opwinding in één klap verdwijnen. Toen de aannemer en de tuinarchitect aan het werk waren geweest, was ze er elke dag in geslaagd even uit het kantoor weg te sluipen om te zien hoe alles vorderde, om schaamteloos te dreigen en te smeken, tot alles precies naar haar zin was, en in minder tijd dan iedereen voor mogelijk had gehouden. Ze had minstens vijf keer per dag met de stoffeerder aan de lijn gehangen en eens per week met hem afgesproken om van alles uit te zoeken zonder dat iemand bij Eagles wist wat ze deed. Ze was helemaal vervuld geweest van haar geweldige geheim.

'Tja, waarom zou ik dat zijn?' antwoordde Tony. 'Nu we zo stinkend rijk zijn, was een nieuw huis slechts een kwestie van tijd. Jij vindt het altijd leuk om dingen te regelen, hè Freddy?' Hij sprak op een zachte, vriendelijke toon die haar een vreemd gevoel bezorgde, als een onbekend akkoord in een vertrouwd deuntje. Het was het soort vriendelijkheid dat ze nog nooit van deze in wezen zo vriendelijke man had gehoord. Er was iets vreemds aan, iets geforceerds, alsof die vriendelijkheid een ander gevoel, dat ze niet kon thuisbrengen, moest verbergen.

'Zelfs als je niet verbaasd bent,' zei ze, haar kinderachtige teleurstelling over de manier waarop hij haar prestatie als iets heel gewoons beschouwde, voor zich houdend, 'ben je dan toch niet benieuwd om te zien hoe het er binnen uitziet?'

'Ik ben ervan overtuigd dat het heel fraai zal zijn. En ik weet dat ik een rondleiding zal krijgen, dus ga je gang.'

In al die tijd dat Freddy deze scène in haar hoofd had gespeeld, zich Tony's reactie op het nieuwe huis voorstellend, zijn verrukking over het nieuwe beeld van een dagelijks leven dat dit bood, de nieuwe mogelijkheden die er voor hen opengingen, had ze nooit gedacht aan zo'n tamme, bijna berustende reactie, alsof hij een gerecht te eten kreeg waarvan hij voor de beleefdheid wel iets moest nemen, ook al had hij geen trek. Misschien had hij een kater, dacht ze terwijl ze achter hem aanliep, in haar tasje de sleutel van de voordeur opvissend. Misschien probeerde hij zo aardig mogelijk te doen met een vreselijke hoofdpijn en een droge mond. Dat wist je bij Tony nooit. Hij kon veel te goed tegen alcohol. Zijn manier van drinken was heel verraderlijk. Soms merkte ze pas hoe dronken hij was geweest wanneer hij echt onderuitging.

Freddy liep met Tony door alle kamers van het huis. Overal stonden palmen en bloeiende planten; de vloeren waren bedekt met grote vierkante Mexicaanse terracotta-tegels waarop pastelkleurige kleden lagen; het meubilair, prachtig gemaakt maar eenvoudig van vorm, vormde een illustratie van de diepste betekenis van het woord 'comfort' en de stoffen waren van zacht linnen en katoen, handbedrukt met rustige patronen. In elke kamer waren zoveel ramen dat men urenlang naar het verschuiven van het licht kon kijken. Het was een huis dat opzettelijk eenvoudig was gehouden, ondanks de royale afmetingen van de kamers en de hoge balkenplafonds; het was ook een huis waarin een man zich net zo thuis zou voelen als een vrouw.

Toen ze van de ene kamer naar de andere liepen, bleef Tony in elke deuropening staan en mompelde: 'Leuk, heel leuk,' tot ze hem wel had kunnen slaan. Hij klonk als een goedgemanierde bezoeker, niet als een man die voor het eerst zijn eigen huis ziet. Hij had in geen kast gekeken, geen lade opengetrokken en had nog minder belangstelling aan de dag gelegd dan een hotelgast zou doen in aanwezigheid van de kruier. 'Leuk'. Maar ze had het huis niet gekocht en op laten knappen om hem 'leuk' te horen zeggen. Ze had het gedaan om hem gelukkig te maken. Of in ieder geval gelukkigér.

'Waar is de bar?' vroeg Tony, toen ze ten slotte in de woonkamer gingen zitten, waar zes grote openslaande deuren aan drie kanten naar de tuin opengingen.

'Dáár,' zei Freddy, wijzend naar een langwerpige, uitnodigend uitziende tafel waarop kristallen glazen in allerlei soorten en maten stonden, en een vrolijke opstelling van flessen, sodawater, gemberbier, potten met noten en olijven en een zilveren schaal met citroenen.

'Hoe kom je hier aan ijs?' vroeg Tony en hij schonk zich een whisky in.

'Dat haal je met een ijsemmertje uit de keuken,' antwoordde Freddy, zich tot een glimlach dwingend. Het was de eerste vraag die hij had gesteld. 'Maar je gebruikt toch nooit ijs, liever, dus dat hoeven we alleen te doen als we gasten hebben,' voegde ze eraan toe, zich voelend als een verkoopster die een onwillige klant iets op wil dringen.

Tony dronk in één teug zijn whisky op en schonk zich nog eens in. 'Wil jij ook een slokje?' vroeg hij.

'Graag. Hetzelfde als jij.'

'Cheers,' zei ze, toen hij haar het glas gaf en aan de andere kant van de lege tafel ging zitten. Nog nooit, dacht ze, had ze dat woord in zo'n vreemde atmosfeer uitgesproken. Hij was zo . . . aarzelend . . . terwijl hij toch wist dat het huis zonder meer van hen was, ook al ontbrak het hem aan het enthousiasme waarvan ze zo zeker was geweest dat hij het zou voelen.

Hij hief het glas een paar centimeter op in een vaag gebaar, maar hij zei niets voordat hij de helft van de inhoud op had.

Er viel een stilte. Freddy staarde naar de inhoud van haar zware kristallen glas alsof er misschien theebladeren met een verhelderende boodschap op de bodem lagen. Nerveus dronk ze haar glas leeg. Hij moest gewoon even wennen aan dit huis, zei ze bij zichzelf, hij moest het even tot zich door laten dringen. Misschien was hij in werkelijkheid veel verbaasder geweest dan hij had geleken en wist hij niet goed wat hij moest zeggen.

'Je vindt 't niet te groot, Tony?' vroeg Freddy, om de stilte te breken.

'Wanneer we meer kinderen hebben en als we gasten ontvangen en logés hebben en later, als de kinderen vriendjes meebrengen, zal het lang niet zo groot lijken als nu wij hier met z'n tweeën zitten.'

'Dus je hebt het alweer helemaal voor elkaar, hè? Je bent een wonder, Freddy, echt waar. Ik mag je nooit onderschatten. Ik weet dat je niet in verwachting kunt zijn, maar je bent in staat om de uitnodigingen voor onze house-warming party al te hebben verstuurd. Klopt dat?'

Freddy werd nijdig. Wat mankeerde hem toch? Waarom deze negatieve houding? Wat had ze misdaan?

'Natuurlijk heb ik nog geen uitnodigingen verstuurd,' zei ze zo luchthartig mogelijk, zijn toon negerend. 'Het huis was pas gisteren klaar. De verf is nog nauwelijks droog. Maar waarom zou ik niet een beetje over de toekomst mogen filosoferen? Wil je nog iets te drinken?'

'Nee, dank je.'

'Wat?' zei ze verbaasd.

'Ik kan hier beter nuchter voor zijn,' zei Tony en Freddy werd opeens ijskoud. Er ging werkelijk iets ijzingwekkends uit van zijn stem, alsof hij zijn woede moest bedwingen.

'Nuchter?' vroeg ze.

'Nuchter, broodnuchter, doodnuchter. En dat ben ik niet vaak, zoals je wel al zult hebben ontdekt. Ik had gehoopt dat ik dit dronken kon doen, maar als ik eerlijk ben, heeft dronkemansmoed me nog nooit geholpen. Zeker hiervoor niet.'

' "Hiervoor"? Vind je het huis niet mooi? Probeer je me te vertellen dat je er niet in wilt wonen?'

'Het is een heel aardig huis. Het is alleen toevallig het soort dingen dat jij doet, waar ik niet tegen kan. Hier heb ik een huis voor je, Tony, helemaal klaar om erin te trekken. Hier heb ik een toekomst voor je, Tony, feestjes, logés, een groot gezin, o, wat zul jij het leuk hebben! Hier is een bedrijf voor je, Tony, je kunt jezelf adjunct-directeur noemen, hier is een paar miljoen

434

dollar, Tony, hier is je hele voorgekookte leven, Tony, op een zilveren blaadje! Freddy zal het wel even regelen!' Hij pakte zijn glas en smeet het tegen de stenen van de open haard. 'Lieve Jezus, Freddy, jouw dromen zijn de feiten van morgen! Wanneer jij iets wilt, staat niets je meer in de weg tot je het hebt bereikt. Op eigen kracht. Ik ben maar een toevallige voorbijganger, ik ben alleen maar je man! We passen niet bij elkaar, Freddy. Dat had ik je al heel lang willen vertellen. Ik moest nuchter blijven om dat simpele feit te kunnen noemen. We passen totaal niet bij elkaar. Ik wil uit dit huwelijk. Ik wil een scheiding. Ik kan niet langer met je getrouwd blijven.'

De brute toon in Tony's stem verbijsterde haar evenzeer als zijn woorden. Hij klonk even gekweld en vastbesloten als een dier dat zijn eigen poot afbijt om zich uit de val te kunnen bevrijden.

'Je bent gek! Je bent wél dronken! Het kan me niets schelen of jij zegt dat het niet zo is. Je hebt waarschijnlijk al vanaf vanmorgen, toen je opstond, gedronken, jij klootzak!' Freddy hoorde zichzelf vanaf een afstand, zelfs toen ze opsprong en gilde: 'Als je jezelf eens kon horen, je moest je schámen!'

'Ik scháám me ook. Ik schaam me al jaren. Ik ben er al bijna aan gewend . . . maar nog niet helemaal, goddank. Hoor eens, Freddy, luister eens goed, laat me uitspreken. Het doet er niet toe of je denkt dat ik dronken ben of nuchter. Daar gaat het niet om. Het feit is dat jíj ons leven hebt bepaald vanaf het moment dat we hier aankwamen, vijf jaar geleden. Jij maakte verdraaid snel de dienst uit. Jij was onoverwinnelijk, onverslaanbaar. En ik had niets in te brengen. Als jij er niet was geweest, zouden we binnen een paar maanden blut zijn geweest en naar Engeland hebben moeten terugkeren. Jij hebt Eagles draaiende gehouden. Jock en ik hadden het niet zonder jou kunnen redden. Je had Swede erbij nodig, maar níemand had mij nodig. Ik heb niets anders gedaan dan vrachten vliegen . . . en dat had elke piloot kunnen doen. Ik ben vanaf het eerste begin een blok aan je been geweest, en jij . . .'

'Tony, hou op! Hoe kun je zo afschuwelijk gemeen zijn? Ik had het al die jaren zonder jou niet vol kunnen houden, ik had er de moed niet toe gehad, ik had het niet op kunnen brengen toen alles zo moeilijk was . . .'

'Onzin. Dat had je wel gekund en dat zou je ook hebben gedaan. Je zou het nooit hebben opgegeven, je zou een manier hebben gevonden. Ik heb me diezelfde gezichtsreddende leugen ook vaak voorgehouden, ik heb mezelf wijsgemaakt dat je me nodig had. Dat Annie me nodig had. Het was de enige manier waarop ik de waarheid niet onder ogen hoefde te zien . . . dat en de drank. Nu we zo'n groot succes zijn, is er geen excuus meer over, geen manier om mezelf voor de gek te houden. De grote strijd is gestreden. Maar probeer me niet wijs te maken dat jij ooit kunt ophouden de lakens uit te delen. Zo ben je niet. Ik kan niet tegen je op en ik wil niet zo leven. Het

435

vermóórdt me, Freddy. Ik heb geen énkel zelfrespect meer. Weet je wel wat dat betekent?'

'Tony, hoor eens, ik ga met je mee terug naar Engeland, ik houd op met werken, we kunnen toch weer net zo leven als eerst, alleen hebben we nu geld ... bedenk wel dat het naar huis gaan een experiment was, niemand heeft gezegd dat het voor altijd was.' Freddy sprak zo beheerst mogelijk. Hij meende het vast niet wat hij allemaal zei. Als ze kalm bleef, als ze zich niet opwond, als ze met hem praatte ...

'Arme kleine Freddy. Je denkt echt dat je alles naar jouw hand kunt zetten, dat je alles kunt krijgen zoals je het wilt hebben. Dat je zelfs je eigen karakter kunt veranderen. Dacht je nou echt dat je ooit weer die rol van lady kon spelen? Je was toen zo wanhopig ... hoewel je het zo sportief opvatte toen we geen keus hadden, dat ik geen idee had wat ik je aandeed. Maar nu ... zou het een belachelijke vertoning zijn, alsof een groot renpaard in topvorm zou doen alsof het liever een karretje over een zandweg reed. Heb je niet zelf gehoord wat je zojuist zei – "naar huis gaan was een experiment" – thuis is voor jou hier in Californië, zoals het voor mij Longbridge Grange is. Ik mis het vréselijk, Freddy. Met regen en al. Het is niet onze – jouw of mijn – schuld. Geen van ons beiden is voorbestemd in een ander land te wonen. Jij bent te Amerikaans. Ik ben te Engels. Het had nooit kunnen werken. Als we niet naar Californië waren verhuisd, had jij niet in Engeland kunnen blijven wonen zonder alle dingen te smoren die maakten dat jij was wie je was ... het meisje dat ik liefhad.'

'Maar ... maar ... wat is er misgegaan?' vroeg Freddy. Ze besefte dat Tony echt nuchter was en zelfs in haar grote verdriet kon ze niet ontkennen dat haar jaren als dame op het land een slechte grap hadden geleken. Maar er moesten toch woorden zijn om dit uit te leggen, woorden om deze nacht-merrie op te laten houden, om hem te veranderen, niet waar te laten zijn. 'Vertel me dat eens ... o, vertel het me alsjeblieft, Tony.'

'Toen we trouwden, kenden we slechts een gedeelte van elkaar,' zei hij. 'Weet je niet meer hoe we, als we niet de liefde bedreven, alleen maar over vliegen en vechten konden praten? We waren met hetzelfde bezig, jij en ik, we hadden dezelfde belangstelling. Ik was dol op die vechtlust in jou, maar hoe had ik kunnen weten dat jij nog steeds ten strijde wilde trekken, ook als de oorlog voorbij was? Dat je nog steeds de wereld wilde beheersen? Ik heb nooit begrepen wat voor vrouw jij eigenlijk was, tot we met Eagles begon-nen. Ik bewonder je, Freddy, dat heb ik altijd al gedaan, maar je bent geen vrouw die ik als vrouw wil hebben. We hebben niets gemeen behalve Annie en de oude dagen van glorie. Dat is niet genoeg. Het spijt me, maar het is gewoon niet genoeg.'

Freddy keek hem strak aan. Tony zag er tien jaar jonger uit dan hij eruit had gezien toen ze het huis binnen waren gegaan, en de blik van opluchting op zijn gezicht was haar te duidelijk om nog aan zijn woorden te kunnen twijfelen.

'Je hebt een meisje, hè Tony?' zei ze met plotselinge zekerheid.

'Ja. Ik dacht dat dat wel duidelijk was. Wat had jij dan gedacht toen ik je al die tijd niet meer aanraakte?'

'Ik weet het niet. Dat niet. Wie is het?'

'Gewoon een vrouw. Aardig, inschikkelijk, vriendelijk, ontspannend, het soort vrouw dat je bij mij zou verwachten.'

'Wil je met haar trouwen?'

'Grote God, nee. Ik wil met niemand trouwen. Ik wil weg, Freddy. Wég. Ik wil naar huis.'

Delphine las Freddy's brief en gaf hem toen over de ontbijttafel aan Armand. Hij keek hem snel door, toen wat aandachtiger en ten slotte bestudeerde hij hem heel uitvoerig terwijl Delphine naar zijn gezicht keek. Zodra hij de brief had neergelegd, vroeg ze: 'Ben je verbaasd?'

'Ik ben verbijsterd. Wie had er nou een scheiding verwacht? Acht huwelijksjaren zonder noemenswaardige problemen, voor zover wij dat tenminste na kunnen gaan, en dan dit, zomaar . . . voorbij, afgelopen en ze zegt dat het níemands schuld is. Wanneer twee beschaafde menselijke wezens acht jaar met elkaar getrouwd zijn, wanneer ze samen een kind hebben, een leven samen, hoe kunnen ze dan zomaar scheiden, zonder schuld? Is dit zo'n nieuw, verlicht Amerikaans idee?'

'Nee, dat is Freddy's manier om ons te laten weten dat ze er in de toekomst nooit over zal praten en dat ze geen vragen wil horen. Het is haar trots, het arme kind. Ze is echt veel te trots om ooit haar emoties te tonen. Ze bezit geen ijdelheid, of nee, het is iets anders, het is een soort primitief gevoel van privacy. Herinner je je nog die keer dat ze bij ons logeerden, toen ze nog in Engeland woonden? Ze heeft toen niet één keer laten merken hoe ongelukkig ze was, ze probeerde me zelfs wijs te maken dat haar leven een en al vreugde was, maar als ze het niet eens haar eigen zus kon vertellen als ze problemen had, wie dan wel? Ze heeft nooit geleerd zich door andere mensen te laten helpen. Ze is halsstarrig en koppig.'

'En ben jij zo anders. liefje?'

'Nee, ik ben ook zo gesloten als een oester . . . behalve bij jou,' antwoordde Delphine langzaam. Op haar tweeëndertigste had ze nog twee jaar te gaan eer het grote Franse publiek zou vinden dat ze een echt interessante leeftijd had bereikt, en ze genoot van elke seconde van haar jeugd. 'Daarom begrijp ik Freddy. Jij had mij direct door, zodra we elkaar ontmoetten. Ik ben nooit in staat geweest ook maar één seconde iets voor jou te verbergen. Tony heeft Freddy nooit goed begrepen, heb je dat niet gemerkt?'

'Mijn sinds kort ex-zwager is altijd een mysterie voor me gebleven . . . er zit iets aan dat bestaan als erfgenaam van vijftien generaties van Britse

aristocratie wat ik nooit zal bevatten, hoe groot mijn kennis van de menselijke geest ook mag zijn. Dat is één van de redenen dat ik nooit heb geprobeerd een film over Engeland te regisseren ... in begrijp hun spelletjes
niet zo goed.'
'Ik weet niet waarom, maar ik moet ineens weer denken aan een liefdes-
affaire die Freddy als jong meisje heeft gehad.'
'Waar heb je 't over?'
'Vorige zomer, toen we met de kinderen op Valmont waren, hadden
moeder en ik een gesprek onder vier ogen en toen vertelde ze me dat Freddy
op haar zestiende krankzinnig verliefd was op haar vlieginstructeur en dat
ze zelfs van huis is weggelopen om jarenlang met hem samen te wonen.
Niemand wist er iets van, maar moeder heeft ze toevallig samen gezien en
ze begreep het. Ze zei dat het de grote liefde was, voor allebei ... maar toen
ze Freddy na de oorlog vroeg wat er van hem was geworden, zei Freddy
alleen maar dat ze in geen jaren contact met elkaar hadden gehad en veranderde ze snel van onderwerp. Ik zou het niet hebben geloofd als moeder niet
zo zeker was geweest.'
'Dus dáar praten moeders en dochters over als ze het rijk alleen hebben.'
'Natuurlijk. Als we niet over onze echtgenoten zitten te klagen. Je moet
nog een hoop leren over vrouwen, Sadowski. Goed opletten maar. Dat die
kleine, onschuldige kwajongen van een Freddy in zonde samenleefde met
een man van in de veertig ... en ik dacht dat ik het grote schandaal van de
familie was. Nou, het lijkt me duidelijk wat er is gebeurd. Ze kreeg genoeg
van Tony en heeft 'm aan de dijk gezet. Ik wed dat Freddy al een opvolger
achter de schermen heeft klaarstaan, en we zullen het wel horen als ze zover
is dat ze het ons wil vertellen. Dat lijkt me de ondertiteling van deze brief.
Toch heb ik medelijden met haar ... die acht jaar zijn niet gemakkelijk
geweest. Ik heb medelijden met Annie. En ik heb vooral medelijden met
Tony, die arme jongen. Het is heel moeilijk om een echtscheiding te
doorstaan zonder het gevoel te krijgen dat je bent afgedankt. Het is een klap
in je gezicht.'

Op Valmont kwam de post niet voor twaalf uur. Eve legde Freddy's brief
terzijde om hem op haar gemak te kunnen lezen, want ze was te druk bezig
met de voorbereidingen voor een lunch met een groep bezoekers om er goed
aandacht aan te kunnen schenken. Ze liep om de lange ovale, glanzende
eetkamertafel met voor elke stoel kanten kleedjes, en zette de naamkaarten
neer, een taak die ze aan niemand anders toevertrouwde. Hier plaatste ze
een wijninkoper voor een groeiende keten Britse hotels; daar, besloot Eve,
was de plaats voor de inkoper van het Waldorf Astoria in New York en zijn
vrouw; en hier rechts, aan haar rechterhand, op de ereplaats, de wijninkoper
van het Ritz in Parijs. Zijn vrouw zou aan Pauls linkerhand zitten. Wat het
echtpaar uit dat lieve kleine België betrof, waar per hoofd van de bevolking

meer champagne werd gedronken dan waar ook ter wereld, zou hij aan haar linkerhand zitten en zijn vrouw aan Pauls rechter, naast de *chef de cave*, die hen altijd gezelschap hield.

Eve bedacht dat ze dankbaar moest zijn dat ze zoveel ervaring als vrouw van een diplomaat had dat ze deze delicate besluiten bijna automatisch kon nemen, want haar week bevatte minstens vier van zulke lunches en bijna evenveel diners.

Gastvrijheid was nu meer dan een goede gewoonte in Champagne, het was het meest krachtige verkoopwapen en Eve was zeer bedreven in deze kunst. In 1949 hadden de kwekers in Champagne evenveel flessen verkocht als gedurende het eerste decennium van deze eeuw en nu, in 1950, zouden ze beslist dat record breken.

'Meisjes, komen jullie nu maar verder,' riep Eve, en er verschenen twee jonge Engelse studenten die in de deuropening hadden staan wachten tot ze klaar was met de tafelschikking. Ze logeerden beiden een heel seizoen op het château, teneinde van alles over de wijnbouw te weten te komen en ze hielpen haar ook met de bloemen voor het château. Zoals altijd wanneer ze klaar was met de kaartjes, brachten ze dienbladen met vaasjes met bloemen naar binnen die zo laag mogelijk waren opgemaakt, zoals zij hun dit had geleerd. Eve zou nooit begrijpen waarom zoveel gastvrouwen hoge boeketten in het midden van hun tafel zetten, waardoor mensen elkaar niet goed konden zien en gesprekken aanzienlijk werden gehinderd. Ze versierde het midden van de tafel met kleine boeketten totdat het eruitzag als een klein bloemenveld waaruit de langere glazen, vier bij ieder bord, in hun wachtende trots opbloeiden.

Binnen een uur zou er een groep vreemdelingen aan haar tafel bijeen zijn, en met slechts champagne als hun gezamenlijke belangstelling zouden ze zo'n levendig gesprek voeren dat het leek alsof ze wekenlang op haar gastenlijst had gestudeerd. Misschien was het de rondleiding voor de lunch, die hen in zo'n gezellige stemming had gebracht; eerst de rituele tocht naar de kerk in Hautvillers, waar Dom Perignon lag begraven, en daarna, na hun terugkeer op Valmont, de rondleiding door het pershuis en een indruk van de kelders, terwijl Paul hun vragen beantwoordde. In de proefruimte voor de kelders maakte hij een fles open en schonk zelf hun glazen in, waar ze uit konden drinken terwijl ze naar het château terugliepen over de paden boven de wijnstokken, waaraan nu, in mei, de beginnende druiventrossen hingen die met de dag groter werden.

Toen haar tafel klaar was, liep Eve naar haar kleedkamer om zich voor de lunch te verkleden. Gezeten voor haar toilettafel werkte ze geroutineerd haar make-up bij, zonder erbij na te denken, tot iets, een vage voorjaarsgeur, haar stil deed houden om zichzelf in de spiegel te bekijken. Was ze echt la vicomtesse de Lancel geworden, châtelaine van het Château de Valmont, vroeg ze aan haar spiegelbeeld, terwijl ze haar kin optilde op een manier die de vage rimpels in haar hals verborg. Ze herinnerde zich een andere meimaand, een avond in 1917, toen ze eenentwintig was geweest en niet vierenvijftig, zoals nu. Ze had toen aan een andere toilettafel al haar make-up afgedaan, achter de schermen van het Casino de Paris, en een dappere officier was op bezoek gekomen bij een meisje met rossig haar dat in het midden was gescheiden en over haar oren was gekruld; een eigenzinnig, vrijgevochten meisje, een meisje dat zich Maddy noemde en dat veel geheimen had, dat niet wist hoe ze een tafelschikking moest maken of hoe ze een tafel met vreemdelingen zich als vrienden kon laten voelen, of hoe ze een château met twaalf bedienden en veel logeerkamers moest beheren dat gedurende zeven maanden van het jaar kopers uit alle delen van de wereld onderdak bood.

Eve zuchtte filosofisch. Ze herinnerde zich nog de paniek van haar goedbedoelende tante Marie-France, die ervan overtuigd was dat ze nooit een fatsoenlijk huwelijk kon sluiten omdat ze in een variététheater zong. Ze was nu veel meer dan alleen maar fatsoenlijk; ze was 'gedistingeerd', zoals de wijnschrijvers haar altijd noemden wanneer ze over hun bezoeken aan Valmont schreven. Haar wenkbrauwen konden nog even snel omhooggaan, haar ogen waren niet minder grijs, niet minder levendig, ze liep nog steeds allerlei deuntjes te neuriën wanneer ze in het château bezig was, ze had het nog steeds moeilijk met alle conventies van dit leven, wanneer ze haar in haar opwellingen beperkten ... maar ze moest toegeven dat het gezicht dat ze in de spiegel zag meer bij een château dan bij een toneel paste. Had ze het anders gewild? Nee, echt niet. In de drieëndertig jaar van haar huwelijk had ze niet één keer spijt gehad van haar keuze, buiten die enkele normale periode van aarzeling betreffende het huwelijkse bestaan zoals elke vrouw dat geacht wordt te beleven, gezien de werkelijke aard van het mannetjesdier.

Van Dijon naar Parijs, daarna Canberra, Kaapstad, Los Angeles, Londen ... en nu Epernay. Ze had bijna een volmaakte cirkel beschreven. De ondeugende, weggelopen dochter van dokter Coudert was geëindigd op nog geen tweehonderd kilometer van haar geboorteplaats. Zoals Vivianne de Biron, nu tegen de tachtig, en even bijdehand als altijd, had opgemerkt toen ze hun vorig jaar een bezoek had gebracht, was het maar goed dat haar Madeleine niet met een mosterdprins was getrouwd en zich in Dijon had gevestigd, hoewel ze nog steeds niet helemaal verzoend was met de manier waarop haar protégée haar grootse carrière had weggeworpen.

Eve trok een dun wollen pakje van Balenciaga aan, dat hij in zijn meest Spaanse bui had ontworpen en dat zo zwart was als het habijt van een moederoverste en twee keer zo chic als de hele collectie van Dior van het volgende jaar. Ze koos deze kleding evenzeer voor het effect als een torero dat deed met zijn theatrale kledij. Als ze voor gedistingeerd moest doorgaan in plaats van voor betoverend, dan zou ze hun waar voor hun geld geven.

Met nog vijf minuten voordat haar gasten arriveerden, staarde ze uit het raam naar de levende belofte van de wijnranken, en ze was dankbaar voor het verbluffende herstel van het Huis Lancel. Toen Paul haar had verteld dat er niets was overgebleven in *Le Trésor*, dat Bruno alles op de zwarte markt had verkocht en dat het enige dat er in de kelders lag de millésimés uit de oorlogsjaren waren, die nog als *cuvée de tirage* onder de tijdelijke kurk zaten, leek overleven onmogelijk. Niet alleen op Valmont, maar overal in Champagne. Maar ze had zich vergist in de toewijding van de mensen van Champagne, en ze had evenmin beseft dat de oorlogs-millésimés, hoewel klein in kwantiteit, als om te compenseren superieur van kwaliteit waren. Tegen 1945 waren alle krijgsgevangenen naar huis teruggekeerd en de arbeiders van de wijngaarden, die meestal zelf ook kleine lapjes grond bezaten, hadden zich rond de nieuwe eigenaar verenigd en hem alles verkocht wat er nog was overgebleven van hun eigen kleine reserves aan wijn, die veelal met succes op typische Champenois-wijze tijdens de bezettingsjaren verstopt waren geweest.

Desalniettemin hadden ze de afgelopen jaren een zwaardere strijd moeten leveren dan ooit, toen elke centime die ze verdienden weer terug werd gestopt in het land om de oudste wijnstokken te vervangen, en te herstellen en weer op te bouwen. Tot vorig jaar waren er geen nieuwe kleren geweest, geen tochtjes naar Alexandre in Parijs om haar haar te laten doen. In het hele château was niet één versleten casserole vervangen, maar ze was erin geslaagd gasten te ontvangen zodra de eerste kopers terugkwamen. Ze hadden nog steeds zware schulden bij de bank in Rheims – misschien kwamen ze die wel nooit te boven – maar het Huis Lancel had, als zovele *Grands Marques*, getriomfeerd.

De naoorlogse jaren hadden een zware tol geëist. Paul was na zijn zestigste sneller verouderd dan ze ooit zou hebben verwacht. Hij werkte op een demonische, uitputtende wijze en wanneer hij gedurende een enkele zeldzame minuut rustig ging zitten, na uren boven zijn administratie te hebben doorgebracht, zag ze vaak hoe zijn gezicht was vertrokken van verbitterdheid en droefheid, maar hij noemde Bruno's naam nooit meer.

Eve keek op haar horloge. Tijd om naar beneden te gaan. Ze liet Freddy's brief – deze keer een teleurstellend dunne – op haar toilettafel liggen en vond geen tijd hem open te maken tot na het diner, toen Paul en zij eindelijk in staat waren hun logés welterusten te wensen en zich terug te trekken in hun eigen gedeelte van het château.

Paul was in zijn kleedkamer bezig zijn pyjama aan te trekken toen ze in de deuropening verscheen, met de velletjes papier in haar hand.

'Freddy en Tony gaan scheiden,' riep Eve ongelovig uit, met tranen in haar ogen.

'Laat me eens zien,' zei Paul en hij pakte de brief. Hij las hem en drukte haar toen tegen zich aan en kuste haar haar. 'Lieverd, je moet niet huilen, ik weet hoe jij je voelt, maar dit is niet het ergste dat kon gebeuren,' zei hij. 'Maar ik begrijp het gewoon niet! Wat bedoelt ze daar toch mee . . . het is niemands schuld? Dat is belachelijk. Je weet dat dat niet waar kan zijn.' 'Natuurlijk is het dat niet. En ik begrijp het wel,' zei Paul langzaam. 'Wat bedoel je?'

'Vorige winter, toen we naar Californië gingen om onze kopers te bezoeken, ben ik veel met Tony opgetrokken. Hij was meer dan een zware drinker, hij was een alcoholist geworden. De tekenen waren me duidelijk, hoewel hij ze goed verborgen wist te houden. Ik vermoed dat het tijdens de oorlog is begonnen . . . die Britten hebben altijd verbijsterende hoeveelheden whisky naar binnen kunnen gieten en toch de volgende dag als gekken kunnen vechten. In tegenstelling tot ons moeten zij levers van zuiver koper bezitten. Ik heb toen niets tegen jou gezegd omdat je het niet in de gaten had en Freddy zo vreselijk haar best deed om mij niets te laten merken. Ik had gehoopt dat hij er zelf weer uit zou komen, maar ik had eerlijk gezegd niet veel hoop. Kennelijk heeft zijn drinken nu een punt bereikt waarop zij een besluit moest nemen. Ik denk niet dat ze ons er ooit iets over zal vertellen, maar het is me duidelijk dat ze bij hem weg moest, zowel om Annie als om zichzelf.'

'Mijn lieve Freddy,' mompelde Eve, bijna in zichzelf.

'Ja, maar het is beter dat ze zich losrukt uit een onmogelijke positie voordat ze de zaken volledig laat ontsporen. Ze komt er wel weer bovenop, liefste, dat beloof ik je. Freddy is zo sterk. Ik heb medelijden met Tony. Als je zo heldhaftig hebt gevochten, alles hebt overleefd . . . om dan nu te eindigen als afgedankte echtgenoot.'

22

'Onder ons gezegd en gezwegen, Swede, vind je niet dat wij samen zo langzamerhand wel alles moeten weten wat er over vrouwen te melden valt?' vroeg Jock Hampton, toen de twee mannen op een dag in februari 1951 zaten te lunchen. 'Ik durf te wedden dat wij het tegen alle wijven op kunnen nemen, als we de koppen eens goed bij elkaar steken.'

'Help me herinneren dat ik nooit met jou naar de renbaan ga,' gromde Swede.

'Hoeveel vrouwen heb jij gehad? Tientallen? Honderden?'

'Te veel om me zelfs maar te kunnen herinneren hoeveel.'

'Ik ook. Maar jij bent ouder, je hebt meer levenservaring en je kent haar veel langer dan ik. Dus zeg eens, wat is er verdomme toch met Freddy aan de hand?'

'Ik dacht dat we een algemeen gesprek over wijven gingen hebben. Over wijven in het algemeen kan ik je wel wat vertellen. Freddy ... daar waag ik me niet aan.'

'Hoor eens, ik weet dat ze bijzonder is, ik ben niet helemaal een pummel, neem in ieder geval van me aan dat ik het verschil weet tussen wijven en Freddy, maar ze is toch altijd nog een vrouw, een méisje. Ze moet toch meer met andere vrouwen geméén hebben dan dat ze van hen verschilt, ja?'

'Misschien. Misschien ook niet.'

'Weet je, Castelli, ik ben echt blij dat ik dit ter sprake heb gebracht. Je bent een geweldige hulp, aan jou heb ik wat! Verdorie man, ze is de Heilige Graal niet, ze is een vrouw van vlees en bloed en ik mis haar! Ik wil Freddy terug, zoals ze was voor die scheiding. Herinner je je dat nog?'

'Reken maar van yes.'

'Ze liet ons toch altijd paf staan, hè? Shit, Swede, wat hebben we een lol gehad met de manier waarop ze ons op onze nek zat, liep te snoeven, ons verbaasd deed staan, altijd haantje de voorste was, ons met de tong op de schoenen liet lopen? En ons ondertussen ook nog eens uitlachte? Ze maakte dat elke dag wel de vierde juli leek. Het ene geweldige vuurwerk na het andere. Allemachtig, ik ben dol op zo'n lastig kreng. Elk geweldig wijf dat

443

ik ooit heb gekend was een lastig kreng . . . en Freddy maakte dat de rest een stelletje halve heiligen leek. Wat is er met haar gebeurd, Swede?'
'Ze is . . . damesachtig geworden. Dat is de beste omschrijving die ik ervoor kan geven.'
'Ik heb veel gescheiden vrouwen gekend, maar damesachtig worden is niet de normale volgorde. Meestal barsten ze los, gaan ze aan de zwier, kopen nieuwe sexy kleren, laten zich door vriendinnen aan andere kerels voorstellen . . . misschien niet meteen, maar wel na een poosje. Freddy en Tony zijn een jaar geleden uit elkaar gegaan, hun scheiding is definitief en ze zit elke avond in haar eentje in dat grote huis om samen met Annie te eten. Een kind van acht helpen met haar huiswerk is voor Freddy het hoogtepunt van haar sociale leven. Ik weet dat toevallig omdat ik af en toe eens langs kom waaien om m'n petekind te zien, en het is altijd hetzelfde liedje. Maak mij niet wijs dat dát normaal is!'
'Dat is de manier waarop zij haar privé-leven wenst te leiden, Jock. Daar hebben wij niets mee te maken.'
'Oké. Het zij zo. Maar ze is toevallig ook onze compagnon. We hebben een hoop geld te verliezen als Freddy niet snel weer een beetje in vorm komt. Wanneer heeft ze voor het laatst een dikke klant in de wacht gesleept, die misschien nog wat schopte en spartelde, maar niet in staat was haar te weerstaan? Ik heb niets waarmee ik harten kan doen smelten, en jij ook niet, en we verliezen klanten aan de Flying Tigers omdat zij zo verrekte dames-achtig is geworden dat ze niet eens meer een klein beetje met d'r wimpers kan wapperen. Ze is zelfs anders gaan lopen! Wanneer heeft ze voor het laatst zo'n bazige aanval gehad dat ze ons smeekte en dreigde om iets te doen waar we totaal geen zin in hadden en waarmee we uiteindelijk scheppen geld hebben verdiend? Goed, ze komt naar kantoor en zit daar de hele dag en doet het werk dat er gedaan moet worden, maar ze is niet meer als vroeger. Ze gaat zelfs niet meer vliegen, en dan krijgt ze altijd de beste ideeën. Het is net alsof we een grote, mooie roetsjbaan hebben gekocht die bij aankomst een speelgoeddingetje bleek te zijn. Het is niet eerlijk tegenover ons en ik vind dat jij eens een hartig woordje met haar moet spreken.'
'Waarom ben ik daarvoor uitgekozen?'
'Omdat jij haar al als kind hebt gekend. Naar jou zal ze luisteren. Tegen mij zegt ze toch maar dat ik m'n kop moet houden.'
'Nee, bedankt. Knap jij je zaakjes zelf maar op, Jock.'
'Durf je niet?'
'Precies.'
'Nou, ik wel. Ik vond het alleen wat gepaster als het van jou kwam, Swede, maar aangezien je zo'n doetje bent geworden, zal ik dat varkentje zelf wel gaan wassen. Wat kan me eigenlijk gebeuren? Stel dat ze zegt dat ik de pot op kan? Misschien zet ik haar weer eens aan het denken. Je kunt toch zeker niet de rest van je leven over een scheiding lopen simmen?'

'Wil je het op die manier zeggen?'

'Nee hoor, ik zal het tactisch aanpakken. Eerst moet ik haar dat huis eens uit en van kantoor weg zien te krijgen.'

'Ga dan mee als ze naar de kapper moet. Dat is de enige keer dat ze stil moet blijven zitten,' grijnsde Swede Castelli. De dag dat hij zijn neus in Freddy's privé-leven stak, zou nooit aanbreken. Daar kende hij haar te goed voor. Wie anders wist hoeveel ellende ze had gehad met de enige twee mannen die ooit iets voor haar hadden betekend? Als ze zich van de wereld wilde afschermen, wie kon haar dat kwalijk nemen? Bovendien was Jock Hampton degene die zich er het meest over opwond. Voor zover hij het kon bekijken – en als hij dat niet kon, wie dan wel? – liepen hun zaken uitstekend.

'Ik ga haar uitnodigen voor de reünie van het Eagle Squadron. Dát is het! Dat kan ze niet weigeren – ze is de enige vrouw die weet waar het over gaat, de enige die het verdient erbij te zijn.'

'Denk je dat ze komt?'

'Als ze niet uit eigen vrije wil meegaat, bind ik d'r vast en gooi haar achter in de auto. Ik ontvoer haar gewoon.'

'Weet je zeker dat je het niet liever op die manier zou doen?'

'Je bent pervers, Swede. Je bent een walgelijke, smerige ouwe vent. Ik laat jou deze lunch betalen.'

Freddy fronste naar zichzelf, zeldzaam nijdig dat ze gedwongen was naar dit feestje te gaan. Vanaf het moment dat Jock die reünie van het Eagle Squadron had genoemd, had zij geweten dat als er één gebeurtenis was waarbij zij niet van de partij wilde zijn, het wel deze was.

Van al Jocks ideeën was dit wel de ergste. Het was zo zeldzaam ongevoelig, zo ongelooflijk tactloos, dat ze haar oren niet had kunnen geloven toen hij haar had uitgenodigd. Waar haalde hij het lef vandaan om haar te vragen? Bezat hij dan werkelijk niet voldoende benul om te beseffen dat de mannen van het Eagle Squadron haar onvermijdelijk zouden herinneren aan alles wat zo geweldig was geweest en nu voor eeuwig verloren was? De dagen van glorie, zoals Tony ze had genoemd in zijn laatste, vreselijke toespraak, waarvan ze geen woord was vergeten. De dagen dat ze van haar werk had gehouden en van Tony, tot die twee liefdes op de een of andere manier tot één waren versmolten. Ze was vervuld geweest van een plichtsbesef dat haar tot hoogten had gevoerd die ze zich nu nog slechts met misselijkmakende jaloezie jegens zichzelf kon herinneren. Jock had haar gevraagd mee te gaan, met zo'n volslagen gebrek aan begrip voor haar gevoelens, dat ze sprakeloos met open mond was blijven staan terwijl hij zijn zielige verhaaltjes afdraaide.

'Ik kan het echt niet maken als jij niet met me meegaat,' zei hij, heel laaghartig. 'Al die kerels hebben een vrouw en tweeëneenhalf kind, en je hebt geen idee wat ze op die vorige reünie zeiden . . . "arme Jock, hoe komt het toch dat jij geen vrouw aan de haak hebt geslagen, is er soms iets mis met jou, heb je een te hevige moederbinding gehad, jij trouwt vast nooit, jij eindigt nog als een eenzame oude vrijgezel die probeert zijn lege bestaan te vullen", en, het ergst van alles, "zeg ik heb een meisje voor je!" Ze hebben stuk voor stuk al geprobeerd me met hun zuster op te zadelen. Het zijn echt aardige kerels, Freddy, maar ik ga niet meer naar zo'n reünie als ik geen vrouw bij me heb en ik kan niet een van de meisjes meenemen die ik ken, want die voelen zich daar helemaal niet thuis en dat is echt een ramp. Waarom is het nou zo erg om mij een avondje uit de brand te helpen? Je zou gewoon een beetje bij me in de buurt kunnen blijven, als mijn rechtsbinnen, en als ze me beginnen aan te vallen – vooral de vrouwen – dan stuur je het gesprek een andere kant uit, schud je ze van me af. Het schijnt een misdaad tegen de Amerikaanse manier van leven te zijn om in dit land een ongetrouwde vent van eenendertig te zijn. Ik zou hetzelfde voor jou doen wanneer jij een begeleider nodig zou hebben, voor wat dan ook, je weet dat je op me zou kunnen rekenen.' Enzovoort, enzovoort, bijna jengelend.

Ze zat snel zonder excuses, aangezien de enige reden waarmee ze hem de mond had kunnen snoeren de enige was die ze nooit zou erkennen: dat sinds Tony weg was, omdat zijn enige redding lag in het zo snel mogelijk zo ver mogelijk bij haar vandaan zien te komen, zij op verlammende wijze met zichzelf in de knoop had gezeten, niet in staat om iets uit haar handen te laten komen. Aan de ene kant was ze diep beschaamd, ze was verpletterd door zijn beschuldigingen, die ze accepteerde als een waar beeld van de manier waarop zij zich jegens hem had gedragen. Haar zelfverwijt verpletterde haar. Aan de andere kant was ze bozer dan ze ooit eerder in haar leven was geweest. Welke futloze vent zou de hele last van zijn mislukkingen op zijn vrouw schuiven? Maar zodra haar woede haar te hulp schoot, beweerde haar geheugen dat hij gelijk had, dat in Engeland alles goed was geweest, dat het pas bergafwaarts met hem was gegaan toen ze naar Californië waren verhuisd.

Avond aan avond zat Freddy thuis. Als Annie in bed lag stond zij tegenover zichzelf terecht, waarbij ze tegelijkertijd als aanklager en als advocaat fungeerde, als rechter en als jury, zichzelf beschuldigend en verdedigend, heen en weer gaand over de afgelopen vijftien jaar van haar leven. Mac zou nooit bij haar zijn weggelopen als ze niet zo overduidelijk had willen manipuleren. Als hij had geloofd dat ze bereid was redelijk te zijn, zou hij nooit naar Canada zijn gegaan en was hij daar niet gestorven. Wat Tony betrof, waarom had ze zich niet in een leven op Longbridge Grange kunnen schikken? Het was een leven dat talloze vrouwen dolgraag hadden willen leiden. Waarom kon ze zich niet beter aanpassen? Wat vrouwelijker zijn? Meer als Penelope en Jane en Delphine en haar moeder? Die stelden hun man op de eerste plaats; hun kinderen hadden niet onder een echtscheiding te lijden en ze hadden een goed, compleet, tevreden bestaan.

Maar wel verdorie, had ze niet zelf ook rechten? Waren haar dromen en hartstochten dan van nul en generlei waarde? Wat was er mis aan het willen van dingen waarvoor je bereid was te werken? Slechts binnen de muren van haar huis kon Freddy af en toe een soort uitgeputte wapenstilstand bereiken waarin schaamte en woede elkaar tijdelijk in evenwicht hielden. In ieder geval had de buitenwereld geen flauw idee van de feiten van haar scheiding, van de vernederende manier waarop Tony haar had verworpen, van de maîtresse waarvan ze zelfs niet had gedroomd dat hij die bezat. Ze had alle geloof in zichzelf verloren, al haar zelfvertrouwen. Maar Freddy besefte dat dit niet het soort excuus was dat je kon gebruiken om niet naar een feestje te gaan.

En dan was Annie er nog. Jock, die achterbakse stiekemerd, had nota bene gezegd: 'Annie, zou jij het niet leuk vinden als mammie weer eens een avondje uitging om een beetje pret te maken? Zou het niet goed voor mammie zijn om zich eens helemaal op te doffen om voor één keer met mij uit te gaan?' Wat had hij dat kind van acht even treurig en hoopvol en hongerig laten kijken als Oliver Twist! Had hij haar gedwongen te zeggen: 'O, je moet echt gaan, mammie! Ik kan mijn huiswerk wel alleen doen en ik vind het heel leuk om bij Helga in de keuken te eten. Je hebt al zo lang geen pret meer kunnen maken,' met een toon in haar stem die Freddy deed beseffen dat het misschien niet zo'n goed idee was als Annie dacht dat haar moeder zielig was.

Nee, zei Freddy grimmig bij zichzelf, ze hadden haar erin geluisd. Jock Hampton had dat op zijn geweten. De prachtige zwarte zijden jurk, met hoge hals en lange mouwen, zat te wijd, als al haar kleren. Ze was haar eetlust kwijtgeraakt toen Tony haar in de steek had gelaten en ze was alleen nog in staat enkele happen door haar keel te krijgen door zichzelf voor te houden dat ze Annie het goede voorbeeld moest geven.

Freddy deed een brede zwarte ceintuur om die de dure zijde strak bijeen trok. Het was een heel geschikte jurk: onopvallend, op geen enkele manier agressief, het soort japon waarmee een vrouw in de menigte verdween. Slechts de prijs, die niemand eraan af zou zien, maakte de japon net iets anders dan wat de meeste andere vrouwen zouden dragen. Ze had haar haar die middag door de kapper laten doen en het zag er redelijk gedisciplineerd uit. Voor deze ene keer scheen het in het gareel te willen blijven. Ze bracht wat lipstick aan, maar geen mascara of oogschaduw. De vrouwen van de voormalige piloten zouden een stel bedrijvige, gelukkige zielen zijn die hun energie besteedden aan het krijgen van gelukkige baby's en het omtoveren van hun huis tot gelukkige plaatsen voor gelukkige echtgenoten . . . het was meer dan waarschijnlijk dat ze geen make-up zouden gebruiken, zelfs als de Amerikaanse modetijdschriften dit tegenwoordig voorzichtig aan de ge-

middelde vrouw begonnen te vertonen. Ze wilde er beslist niet te Holly-
wood-achtig uitzien. Een paar eenvoudige oorbellen en zwarte pumps voltooiden het geheel.

Toen Jock arriveerde, was Freddy al een half uur aangekleed, maar ze
scheen zich er niet toe te kunnen brengen uit haar kamer te komen. Ze hing
wat rond, ruimde wat spullen op en controleerde voor de vijfde keer de
inhoud van haar handtasje. Jock en Annie voerden een levendig gesprek. Ze
kon het boven helemaal horen. Waarom had hij Annie niet uitgenodigd
voor die stomme reünie? Nu was het te laat om dat nog voor te stellen. Ten
slotte dwong ze zich naar beneden te gaan en ze luisterde naar hun gelach.
Toen ze de kamer in liep, zwegen ze abrupt.

'Mammie!' jammerde Annie.

'Freddy, we gaan niet naar een begrafenis!' zei Jock. 'Wat heb je nou in
godsnaam aangetrokken? Ga direct iets anders aantrekken. We zijn toch al
te laat, dan maken die paar minuten ook niets meer uit.'

'O, mammie, je ziet er vreselijk uit!' riep Annie.

'Zwart is altijd netjes, altijd chic . . . wat weten jullie van kleren? Dit is
toevallig een Jacques Fath.'

'Het kan me geen moer schelen wat het is, maar trek alsjeblieft iets leuks
aan . . . en géén zwart!' brulde Jock.

'Je lijkt net een weduwe!' voegde Annie eraan toe, met een gekwelde blik
op haar lieve gezichtje.

'Goed, goed.' Freddy wierp een woedende blik in de richting van Jock.
Met al die Brenda's van hem kon ze wel raden wat voor opvallende, ordinaire mokkeljurken hij gewend was te zien. En die patser had ook niet
gezegd dat hij in uniform ging. Die eigenwijze kerels ook altijd! Ze rende
naar haar slaapkamer en bekeek haar jurken, veegde woedend de hangers
opzij.

'Iets leuks' . . . die druiloor! Léuk. Dat was nou net wat hij vond dat een
vrouw moest zijn. Leuk . . . een woord waar ze altijd al de pest aan had
gehad. Zo'n truttig woord, zo'n truttemienig woord, zo'n roesjes-en-lintjes-
woord, zo'n achterlijk onnozel stóm woord. Er was maar één woord dat nóg
erger was, en dat was 'schattig'. In ieder geval had niemand haar gelukkig
ooit 'schattig' genoemd.

Ze griste een hanger uit de kast en hield de jurk tegen zich omhoog. Hij
was te strak geweest toen ze hem had gekocht, vlak voordat Tony haar in de
steek had gelaten, een jurk die ze van plan was geweest met de house-
warming party te dragen die nooit plaats had gevonden. Ze had nog niet de
moeite genomen ermee terug te gaan om hem te laten vermaken. Maar het
was het enige in haar kast dat niet donker van kleur was, en inmiddels zou
hij wel passen. De rits gleed volmaakt soepel dicht. Maar ze moest wel
andere schoenen aantrekken die bij de jurk pasten en ze had een andere tas
nodig en andere, grotere, opvallender oorbellen. En ze moest meer make-up

aanbrengen, anders was die jurk een vlag op een modderschuit. En dan moest ze nog iets aan haar haar doen, want dat zat veel te strak. Wel verdorie!

In vliegende haast bracht Freddy haar make-up aan met een vaardigheid die ze bijna was vergeten. Ze borstelde haar haar met grote halen, tot alles weer net zo was als voordat ze naar de kapper ging en het één geheel vormde met de jurk die ze had uitgekozen, de knalrode strapless chiffon jurk met het strakke, kleine bovenlijf en de zeldzaam wijde rok, een jurk die was gemaakt om de hele nacht in te dansen, de maan mee te verleiden en de sterren van de hemel te lokken. Ze bleef voor de spiegel staan, volledig veranderd. Ze zag er niet echt leuk uit. Ze zag er ... tja ... in ieder geval béter uit.

Maar er ontbrak nog steeds iets. Freddy liep naar haar juwelendoos, maakte een laadje open en haalde haar ATA-insigne eruit. Als Jock zich had opgedoft in zijn uniform, zijn gala-uniform van kolonel nog wel, met alle onderscheidingen die hij ooit had gekregen, kon zij niet achterblijven. Gelukkig zat de stof van het bovenstuk van de jurk zo stevig vast aan het ingebouwde ondergoed, dat het insigne erop kon worden vastgespeld zonder dat de jurk over haar naakte borsten omlaagzakte. Ja, die twee prachtige vleugels van zwaar gouddraad op een zwarte ondergrond, met het ATA-embleem in het midden, verleende de jurk precies de finishing touch die hij nodig had.

Freddy stevende naar beneden, zo verontwaardigd als een vrouw op een paar dunne sandaaltjes met hoge hakken maar kan stevenen.

'Ik hoop dat jullie tevreden zijn,' kondigde ze strijdlustig aan.

Jock en Annie sprongen uit hun stoel overeind en gaapten haar aan.

'Dit was het beste dat ik zo gauw kon vinden,' snauwde Freddy.

'O, Jezus, Freddy!'

'Je bent zo ... wauw ... zo hartstikke móói,' verzuchtte Annie.

'Dank je, liefje. Ik kom niet laat thuis, maar beloof me dat je op tijd naar bed zult gaan. Dan zal ik je morgen alles vertellen.'

'O, mam, je ziet er mieters uit! Hoe oud moet ik zijn voordat ik zo'n jurk aan mag hebben?'

'Oud, Annie, heel oud,' zei Freddy.

'Eenendertig, Annie, net als je mama,' zei Jock. 'Heel, heel jong. Kom mee, schoonheid. We moeten niet de laatsten zijn.'

'Jock, doe dat niet, ik bedoel noem me geen "schoonheid", op die patserige toon van je, of ik zet geen voet buiten de deur. Ik ben je meisje niet, ik ben je rechtsbinnen, anders ging ik niet mee.'

'Jawel, commandant!' Hij salueerde. 'Neemt u me niet kwalijk, commandant.'

'Dat lijkt er meer op,' zei Freddy kribbig. Jock hing haar nieuwe nertsjasje over haar schouders en bood zijn arm aan. Ze trok haar wenkbrauwen op bij dit overbodige gebaar.

'Ik kan mezelf wel redden, dank je,' zei ze toen ze snel naar de voordeur stapte, toch ietwat snoevend.

Freddy bleef als aan de grond genageld staan toen ze buiten de zaal de klanken hoorde van *The White Cliffs of Dover.*

'Jock,' zei ze smekend, 'die muziek . . .'

Jock, die zeldzaam in zijn schik was, hoorde haar niet. Hij had de hele reünie zelf georganiseerd, het orkest gecontracteerd, ze een lijst gegeven van de muziek die hij wilde horen, de kleine balzaal van het Beverly Wilshire gehuurd, het menu opgesteld en alle piloten van het Eagle Squadron opgespoord. Zij die niet in de buurt van Los Angeles woonden, waren met hun vrouw overgevlogen, op rekening van Eagles, en ieder echtpaar was ondergebracht in het Beverly Wilshire, opnieuw op kosten van Eagles. Jock was degene die had besloten dat ze hun uniform moesten dragen. Hij vermoedde dat de zes weken die hij hen van tevoren had bericht, voldoende waren om ze de extra pondjes te laten afvallen die er sinds het eind van de oorlog bij waren gekomen . . . zelf was hij geen ons aangekomen.

Hij had zijn uiterste best gedaan Freddy op zo'n manier uit te nodigen dat ze hem hoe dan ook niet had kunnen weigeren. Raar was dat eigenlijk, dat hij haar op geen enkele andere manier mee uit had durven vragen, behalve voor deze speciale gebeurtenis. Op de een of andere manier schenen Freddy en hij, hoewel ze elkaar al jaren kenden, toch niet op zo'n ontspannen voet met elkaar te staan dat hij haar zomaar voor een etentje kon uitnodigen. Er lag een onuitgesproken barrière tussen hen en hij begreep niet wat die precies inhield, maar hij kon niet gewoon gemakkelijk met haar omgaan. Als hij Annie niet als smoes had gehad, had hij nooit af en toe bij haar langs durven gaan, en hij belde altijd eerst nog even of het schikte. Als hij niet beter had geweten, zou hij bijna denken dat hij een beetje verlegen was voor Freddy. Kon je iemand zó goed kennen dat het contraproduktief werkte?

'Die muziek,' herhaalde Freddy, 'is zo . . .'

'Geweldig, hè?' straalde Jock.

'Afgrijselijk!' riep Freddy uit. 'Ik vind dat gezwelg in al die kant-en-klare nostalgie iets vreselijks!'

'Kan ik het helpen als die jongens verzoeknummers aanvragen?' vroeg Jock, en hij pakte haar bij de elleboog en voerde haar meedogenloos mee.

'Het is zo banaal! Zo sentimenteel!'

'Vreselijk. Je hebt gelijk. Maar we kunnen hier niet blijven staan. Ik vind je heel sportief, Freddy, ik waardeer dit bijzonder. Denk er wel aan dat als ze over hun zusters beginnen, jij zegt: "Jock heeft een heel lief vriendinnetje, maar zij kon vanavond niet komen".'

'Het is onmogelijk om dat met een uitgestreken gezicht te zeggen.'

'Lach dan, schater voor mijn part, als je 't maar zegt.'

De muziek ging nu over op *Waltzing Matilda*, en op deze opwekkende klanken liet Freddy zich door hem de balzaal in duwen, waar ze onmiddellijk werden omringd door geüniformeerde mannen die Jock op de schouder sloegen en Freddy omhelsden, en Freddy op de schouder sloegen en Jock omhelsden.

Freddy vond dat het wel leek of ze gisteren al aan dit feest waren begonnen. Het was lawaaierig en vol en verwarrend en vrolijk, en alle vrouwen hadden zulke jurken aan als zij. Het zou niet zo erg zijn als ze had gevreesd.

Tegen de tijd dat Jock haar beetgreep en naar de dansvloer troonde, terwijl de band *Long Ago and Far Away* speelde, was ze voldoende opgevrolijkt om niet terug te denken aan de laatste keer dat ze met Tony op dit lied had gedanst, of op het volgende, *Spring Will Be a Little Late This Year*. Ze besefte dat ze was vergeten hoe goed Jock kon dansen. Ze begon er bijna plezier in te krijgen. De muziek ging over in *You'd Be So Nice to Come Home To*.

'Wil je eens ophouden met in m'n oor te zingen?' siste ze tegen hem.

'Ik ken alle woorden,' wierp hij tegen.

'Dat is geen excuus. Je bent Bing Crosby niet.'

Gelukkig kwamen er nu allerlei oude vrienden langs en gedurende het volgende uur werd Freddy van het ene paar gretige armen in het andere gestort, waarbij Jock haar slechts af en toe, een paar passen achter elkaar, mocht houden. Misschien was dit toch niet de meest ideale achtergrond voor een babbeltje met haar over haar ongezellige houding, besefte hij timide. Ze was de belle van dit verhipte bal, een beeldschone duivelin die haar hielen omhooggooide in een prachtjurk waarin hij haar nooit het huis uit zou hebben laten gaan, een explosievenexpert die ongetwijfeld na afloop van dit feest een aantal stevige echtelijke ruzies op haar geweten zou hebben. En wie had haar verteld dat ze haar vliegersinsigne kon dragen? Daardoor zagen alle andere vrouwen er zo . . . onaf uit.

Het diner ging voorbij in een vrolijke mengelmoes van toosts en grapjes en veranderen van plaatsen en veel verhalen over grootse daden die werkelijk waren verricht, en toen begon het dansen weer. Freddy had die muziek nu al enige uren gehoord, zodat de eraan verbonden herinneringen wat waren afgezwakt en het nu slechts als achtergrondmuziek fungeerde. Zelfs *When the Lights Go On Again* had de macht verloren haar terug te werpen in de tijd. Ze voelde zich alsof ze op een heerlijk vrolijke, maar toch voorzichtige manier aan de rol was, ze was vrolijker en uitgelatener dan ze zich kon herinneren in tijden te zijn geweest en de wijn, die de obers voortdurend inschonken, begon effect te krijgen.

De leider van de band liep naar Jock en fluisterde hem iets in. Jock aarzelde en knikte toen even. Hij klom op het podium en met een fanfare, om de menigte tot stilte te brengen, deed hij een aankondiging.

'Beste mensen . . . herinneren jullie je hoe we ons uit onze kist lieten vallen en onze chutes neergooiden en zo snel mogelijk naar de Blue Swan holden, om daar warm bier te drinken en te zingen tot we erbij neervielen, om kracht

451

te vinden om het de volgende dag weer allemaal opnieuw te doen? Herinneren jullie je dat er soms een meisje bij was dat liedjes uit de Eerste Wereldoorlog zong die ze ons heeft geleerd? Laten we nog eens allemaal naar haar luisteren. Freddy, waar ben je? Kom eens hier, eerste officier De Lancel.'

Er ging een gejuich op en Freddy hoorde een zaal vol mannen verzoeknummers schreeuwen, en ze besefte dat het doorgestoken kaart was. Niemand had ook maar met één woord gerept over Jock aan zijn zuster voorstellen en Jock had haar niet verteld dat ze zou moeten zingen. Ze wierp hem een van haar dodelijkste blikken toe, maar hij bleef haar naar het podium gebaren, waar de band al de melodie had ingezet van *Hallo Central! Get Me No Man's Land*, muziek die ze onmogelijk op hun gewone repertoire konden hebben staan.

Maak je er zo snel mogelijk op een nette manier vanaf, zei Freddy tegen zichzelf, en ze merkte hoe ze zo ongeveer van hand tot hand werd doorgegeven naar het podium, waar ze door Jock omhoog werd geholpen.

'Schattig,' zei ze tegen hem.

'Ik wist dat je dit voor de jongens wilde doen.'

Ze keek de dirigent aan. 'We hebben alle muziek,' verzekerde hij haar, 'van meneer Hampton gekregen. We hebben dagenlang gerepeteerd. Zingt u maar, wij volgen wel.'

Freddy schudde haar hoofd. Ze was in de val gelokt. Jock had zelfs een barkruk voor haar neergezet. Ze klom erop en toen ze de balzaal inkeek en alle wachtende mannen zag, voelde ze haar hart overslaan en zette ze *Tipperary* in, met een stem die eerst nog wat stroef klonk totdat het orkest en zij aan elkaar gewend waren. Freddy voelde hoe er op slag een emotie ontstond die heel anders was dan de sfeer die eerst was opgeroepen, door de liedjes uit de afgelopen oorlog. Deze oude liedjes waren soldatenliedjes – niet de romantische ballades over gescheiden geliefden waarop ze in de jaren veertig allemaal hadden gedanst, maar de liedjes die bange, dappere mannen twintig jaar eerder in de loopgraven voor zichzelf hadden gezongen. De piloten van het Eagle Squadron, die de woorden met haar meeneurieden, werden door de muziek verenigd met een andere generatie van strijders, hun wapenbroeders. Ze gleed moeiteloos door *Tipperary* en zette toen in met *Pack Up Your Troubles in Your Old Kitbag*.

Freddy's diepe alt, hoewel ongeoefend, leek heel veel op die van Eve, donker en onweerstaanbaar, caramelzoet in de hoogste noten, met iets wrangs in het middenregister en iets zondig lokkends dat onder het laagste octaaf verborgen lag. Ze ging op in de muziek, voelde haar macht met elk couplet groeien. Ze zweefde van *Keep the Home Fires Burning* naar de *Blue Horizon Waltz*, ze suisde van *Good-Bye Broadway, Hello France!* naar *I'm Always Chasing Rainbows*, met haar hoofd achterover, terwijl ze de liedjes als valentijnskaarten naar de luisterende mannen omlaag liet dwarrelen. Ze werd Maddy, ook in een rode jurk, die bij het licht van de maan voor gewonde Franse soldaten en hun officier zong, in een nacht die beslissend was geweest voor de rest van haar leven. Ze was zichzelf, tien jaar jonger, zingend in een propvolle pub voor mannen die wisten – en die wetenschap van zich afzetten – dat sommigen van hen de volgende dag in de lucht zouden sneuvelen, maar die vanavond een lied wilden horen. Freddy was fosforescerend, ze had geen spotlight nodig om zelf te stralen, een oplichtend meisje dat de liedjes die ze als kind van Eve had geleerd, even fris zong alsof ze ze zojuist had bedacht.

Freddy kwam aan het einde van alle bekende oude liedjes, hoewel het publiek nog steeds als in een betovering zat en ze wel uren had kunnen doorzingen. Ze glipte van de barkruk en gebaarde de dirigent iets anders te spelen, terwijl zij keek hoe ze weer van het podium af kon komen. Maar Jock, die zich vlak bij haar had opgesteld, begon het ene liedje te zingen dat ze niet wilde horen, omdat het te veel voor haar betekende. Alle mannen in de zaal beschouwden Jocks stem als teken om mee te zingen. Freddy kon haar lippen zelfs niet bewegen toen de eenvoudige, onvergetelijke melodie haar omhulde.

> *Smile a while, you kiss me sad adieu,*
> *When the clouds roll by I'll come to you,*
> *Then the skies will seem more blue,*
> *Down in Lovers' Lane, my dearie . . .*

'Kom op, Freddy, zing!' drong Jock aan. 'Je hield nooit op voordat je dit voor ons had gezongen.' Sommige mannen van het Eagle Squadron waren op het podium geklommen en ze voelde hun armen om haar middel toen ze heen en weer deinden en de woorden bulderden.

> *Wedding bells will ring so merrily,*
> *Every tear will be a memory.*
> *So wait and pray each night for me,*
> *Till we meet again.*

Ze begonnen het lied steeds weer van voren af aan te zingen, en Freddy, die niet in staat was hen tegen te houden, voelde de tranen over haar gezicht lopen. O nee! Ik kan niet meer, dacht ze, en ze sprong omlaag naar de dansvloer, baande zich snel een weg door de menigte zingende piloten en hun vrouwen en vluchtte de balzaal uit, de brede gang door die met wijnrood en goud was gestoffeerd, naar de Wilshire Boulevard, om een taxi aan te roepen.

'Wacht even! Je vergeet je jasje!' Jock kwam abrupt slippend naast haar tot stilstand en legde het bont over haar schouders. Hij pakte zijn zakdoek

453

en veegde onhandig de tranen van haar wangen. 'Jezus . . . het spijt me dat ik je van streek heb gemaakt . . . dat . . . daar had ik niet aan gedacht.'

'Nou, je hebt in ieder geval wel aan de rest gedacht,' zei ze beschuldigend.

'Die oude liedjes . . . waar heb je die muziek vandaan gehaald?'

'Toe nou, Freddy, je was echt geweldig! Vond je 't niet leuk dat ik je liet zingen?'

'Ik moet toegeven . . . het was niet zo erg . . . als ik had verwacht. Ik wist zelfs niet dat ik me die teksten nog allemaal herinnerde,' zei ze, hem met haar blik vergevend.

De portier reed Jocks Cadillac met linnen dak voor en hij bracht haar zwijgend naar huis; de echo's van die onsterfelijke melodieën hingen nog zo duidelijk in de auto dat er geen ruimte was voor woorden. Het was zo laat dat er geen verkeer was en hij reed volledig op zijn diepingebouwde reflexen, met de voor piloten gebruikelijke snelheid en minachting van regels en bepalingen, ondanks alles wat hij had gedronken. Hij parkeerde op de oprit van Freddy's huis met een bocht en veel geknerp van grind.

'Zo, die reünie is voorbij. Ik denk dat we dat in geen tien jaar meer over kunnen doen,' mompelde Jock. Hij klonk heel spijtig, vond ze, spijtiger dan terecht was.

'Misschien moet je dit wel nooit overdoen,' opperde Freddy. 'Misschien moet je gewoon deze ene avond hebben en dan . . . niet meer . . .'

'Maar dan zou ik je nooit meer horen zingen . . . en dat zou ik vreselijk missen, Freddy, je was weer net als vroeger . . .'

'Niets is net als vroeger, Jock, alles verandert, en niet altijd ten goede,' zei Freddy, met iets definitiefs in haar stem, terwijl ze haar tas en haar handschoenen pakte om uit de auto te stappen.

'Nee. Wacht. Blijf nog even, kunnen we niet gewoon wat praten? We praten nooit zomaar, alleen over zaken . . .'

'Wat praten?' vroeg Freddy verbaasd.

'Ja, over . . . o, van alles . . . zoals mensen kunnen praten wanneer ze elkaar al meer dan tien jaar kennen, maar elkaar toch eigenlijk niet echt goed kennen . . . terwijl dat misschien toch zo zou moeten zijn.'

' "Zou moeten zijn?" ' Ze keek oprecht geamuseerd. In al die jaren dat ze hem had gekend, had ze Jock nooit onder invloed van sterke drank gezien en zou hij beslist nooit een zinloos gesprek tussen hen beiden hebben opgezet. 'Heeft u niet iets te veel te drinken gehad, majoor?'

'Reken maar. Ik ben straalbezopen. *In vino veritas*, wat dat ook mag betekenen.'

'Vind je niet dat het tijd wordt om naar huis te gaan en je roes uit te slapen? We kunnen een andere keer wel verder praten,' zei ze, haar lachen onderdrukkend. Hij zag er zo serieus uit, helemaal niet als Jock.

'Allemachtig, Freddy,' riep hij verontwaardigd, 'je kent me ook helemaal niet, hè? Je wilt me niet eens leren kennen.'

'Jock,' berispte ze hem, even vrolijk alsof hij van Annie's leeftijd was en net zulke overdreven dingen zei. 'Je was Tony's beste vriend, de Longbridges beschouwen je als een lid van de familie, we zijn nu al vijf jaar compagnons, je bent Annie's peetoom, je was zelfs getuige bij mijn trouwerij ... natuurlijk ken ik je.'

'Dat dacht je. Voor jou heb ik altijd deel uitgemaakt van een groep ... dat heb je zojuist nog bewezen. Dacht je niet dat ik geen bestaan van mezelf had, een leven – een heel leven vol hoop en dromen en gevoelens die niets met de familie Longbridge of de Eagles te maken hebben?' Bezopen of niet, dacht Freddy, er klonk een onmiskenbaar eerlijke woede door in zijn onverwachte woorden die haar het zwijgen oplegden. En er lag waarheid in wat hij had gezegd. Hij keek haar aan en de contouren van zijn hoofd en zijn schouders zagen er opeens heel anders uit.

'Jock ...' Ze stak haar hand uit als om zijn arm in een aarzelende verontschuldiging aan te raken. Hij zag haar gebaar en strekte zich kreunend naar haar uit en trok haar naar zich toe. 'Wel verdomme, Freddy, is het ooit ook maar één seconde bij je opgekomen dat ik zoveel van je houd dat ik het niet langer kan verdragen?'

'Jóck.' Verbaasd, ongelovig, lachend om deze absurditeit, duwde ze hem van zich af. 'Toe nou! Dat komt door alle drank – dat en die hele avond, de oude vrienden, de muziek, de herinneringen, de ... dagen van glorie ... niet liefde. Kijk eens naar alle dames in je leven.' Freddy's stem klonk geamuseerd, alleen al bij de gedachte aan hen. 'Hoe kun jij zelfs maar weten of je ooit verliefd bent geweest?'

'Wel verdomme! Luister je nou nooit eens naar mij? En hou op met dat akelig superieure gegiechel. Ik had de pech maar één keer in mijn leven verliefd te worden – het gebeurde in een kerk in Engeland, vijf seconden nadat jij getrouwd was, toen je je sluier achteroversloeg en ik je gezicht zag. Stomme hufter die ik was, raakte ik voor eeuwig verliefd en ik heb al die jaren sinds toen geprobeerd er vanaf te komen – ik heb geprobeerd het weg te laten gaan, te laten verdwijnen, veranderen, verbleken – maar dat lukte gewoon niet. Ik wíl helemaal niet verliefd op je zijn! Dacht je soms dat het leuk was om verliefd te zijn op iemand die jou als behang beschouwt – grappig behang eventueel – iemand die je beschouwt als iets dat samen met de trouwcadeaus in huis is gekomen?'

'Maar ... maar ...' stamelde Freddy. Ze had Jock nog nooit op deze eerlijke, niet te bedwingen manier horen praten; zijn koele, harde-jongenshouding was volledig verdwenen.

'Niets te maren, ik weet precies wat je wilt zeggen. Ik ben te laat in je leven gekomen, je was al bezet, je hield van een ander, ik ben gewoon een aardige vriend, ik maak deel uit van jouw geschiedenis en niemand kan de geschiedenis herschrijven, het is te laat om op die manier over me te denken – bespaar me die verhalen – er is geen enkele "maar" dat je naar voren kunt brengen zonder dat ik het al duizend keer heb bedacht. Maar luister, Freddy, luister naar me, ik weet dat gedane zaken geen keer nemen, wat gebeurd is, is gebeurd, maar we kunnen de tóekomst wel herschrijven. Heb je enig idee hoe vaak ik het verleden heb herschreven – wat er zou zijn gebeurd als we elkaar hadden ontmoet toen we elkaar hadden móeten ontmoeten? Nee, probeer me niet tegen te houden. Ja, ik weet dat ik een beetje aangeschoten ben . . . daardoor heb ik de moed bijeen kunnen rapen om jou dit te vertellen, je moet echt luisteren! O Freddy, als we samen naar highschool waren gegaan, of naar college, had het zo gemakkelijk op die manier kunnen gebeuren, we zijn maar een goeie honderd kilometer bij elkaar vandaan opgegroeid, we zijn in hetzelfde jaar geboren, dezelfde máánd nog wel! Ik zou je direct hebben gezien en je hebben meegevraagd naar een schoolfeest en dan hadden we alleen maar over vliegtuigen zitten praten en zouden we vergeten zijn te dansen, en tegen de tijd dat ik je naar huis bracht zou je hebben geweten dat we voor elkaar bestemd waren. Misschien zou je me je zelfs hebben laten kussen. We hadden dan voor de rest van ons leven nooit meer naar een ander gekeken. We hebben elkaar gewoon op een paar centimeter gemist, Freddy! Verdorie, kun je je dan niet eens voorstellen hoe gelukkig we zouden zijn geweest?'

'Ik denk . . . dat het . . . niet volslagen onmogelijk was geweest . . . als je in de tijd kon reizen,' gaf ze toe, niet in staat een fout in zijn redenering aan te wijzen. Haar geest werkte niet zo logisch als anders.

'Ik wilde je net iets stoms vragen,' zei Jock, opeens vol moed toen hij de eerste aarzeling in haar stem hoorde.

'Me wat vragen?'

'Alleen een zak vraagt een meisje eerst om toestemming,' zei hij. 'Herinner je je dat niet meer van school?' Hij schoof naar haar toe en nam haar in zijn armen, en voordat ze de kans kreeg te protesteren, kuste hij haar op haar lippen, vol respect, tederheid en liefde, maar met de onmiskenbare waardigheid van een man die weet dat zijn keus niet geheel onwelkom zal zijn.

'Hou op!' piepte Freddy, verbaasd. Het was zo lang geleden dat ze was gekust, dat ze verstijfde van schrik.

'Sla je armen om me heen, Freddy,' zei hij. 'Toe dan, probeer het eens, als je het niet leuk vindt houd ik meteen op.'

'Wat denk je eigenlijk dat je doet, Jock Hampton?'

'Kussen. Dat is alles, ik kus,' zei hij, en kuste haar opnieuw.

'Je zei dat je wilde praten,' protesteerde ze verwilderd, totaal van slag door de warmte en de compleetheid van zijn lippen en het ontoelaatbare begin van een heerlijk gevoel van troost dat uit die sterke armen om haar heen kwam. Hij was zo groot, hij rook zo lekker, als gepofte kastanjes, zijn armen waren zo veilig. Wie had kunnen denken dat hij zulke heerlijke lippen had?

'Later. Kus me, Freddy, lieverd, probeer me terug te kussen als ik jou kus.

Ja, dat is beter, veel beter, wees niet zo verlegen, je bent zo mooi, ik hou van je, ik heb altijd al van je gehouden, je hoeft niet meteen van mij te houden, maar laat mij alsjeblieft proberen jou van mij te laten houden, beloof me dat, ik heb al zo lang op je gewacht en ik heb zo naar je verlangd – ik heb mijn leven lang naar je verlangd – ik heb me altijd afgevraagd hoe het zou zijn om jou te kussen, maar ik wist niet dat het zo heerlijk zou zijn.' Hij begroef zijn gezicht in haar haar en hun harten bonsden hevig toen ze zich aan elkaar vastklampten om steun te zoeken in een wereld die plotseling van zijn ankerkettingen was losgeslagen, met als enige oorzaak de aanraking van lippen op lippen.

Jock nam Freddy's gezicht in zijn handen en kuste haar met langzame, onderzoekende kussen langs haar haargrens, omlaag over haar gloeiende wang naar de onderste hoek van haar oor, en toen tilde hij haar hoofd op en begon de zachte huid van haar hals te kussen, waarbij hij de bontkraag die haar nog steeds strak omhulde, opzij duwde. Freddy dwong zichzelf terug te deinzen, hoewel ze beefde van genot bij de aanraking van zijn onderzoekende mond, hoewel ze het liefst was weggezonken in de geweldige geborgenheid die ze in zijn armen voelde. Ze probeerde zonder succes, in het schemerlicht in de auto, zijn ogen te ontwaren.

'Jock, wacht! Je gaat te snel, ik weet niet wat ik wel en niet voel, hou op, geef me de kans met mezelf in het reine te komen, doe alsof het na een schoolfeest is, kalm aan, Jock!' Freddy's gekwetste zelfvertrouwen waarschuwde haar dat ze te kwetsbaar, te verlangend was, dat ze moest vasthouden aan het beetje realiteit zoals ze dat in lange nachten van zelfonderzoek bijeen had gegaard en ze moest zich niet laten meeslepen door de verwarring van onverwachte gevoelens die zijn woorden en kussen bij haar teweeg hadden gebracht.

Hij liet haar los en legde haar hoofd op zijn borst, tegen zijn uniform. Met één arm hield hij haar voorzichtig vast en met zijn andere hand streelde hij haar haar, alsof ze een kind was. 'Het is na het schoolfeest, Freddy, en het enige dat ik wil is jou hier bij me houden, voor een lange, lange tijd. Ik kan m'n geluk gewoon niet op. Ik kan niet geloven dat er een mooi, roodharig, blauwogig meisje is dat net zo graag wil vliegen als ik. Ik vraag me af of er een kans is dat we eens op een dag samen zullen vliegen. Tot zover reikt mijn voorstellingsvermogen, want ik ben pas zestien.' Hij lachte vrolijk. 'Ik ben veel te jong om te denken dat ik ooit iets anders zou durven doen met een meisje als jij.'

Freddy ontspande zich tegen hem aan. Ze voelde een bereidheid hem te laten praten en praten, alsof elk woord haar verzekerde dat ze nog steeds haar leven vóór zich had, alsof zijn woorden bij elkaar konden worden opgeteld en dan op de een of andere manier tot waarheid werden. Jock was heerlijk, zo onverwacht lief, dacht ze dromerig, zo oprecht in zijn onhandige manier van doen, zo eerlijk als een klein kind. De eerste keer dat ze hem had

457

gezien, had ze gevonden dat hij eruitzag als een dappere viking ... misschien had ze het niet mis gehad. Er lag zo'n naakt verlangen in zijn stem ... als hij altijd al van haar had gehouden, verklaarde dat waarom hij altijd een beetje boos tegen haar had gedaan – boos om zich te wapenen tegen het tonen van zijn liefde. Als hij van haar had gehouden. Plotseling verdween elke twijfel. Ze herkende de stem van de liefde toen ze hem weer hoorde na het zoveel jaren zonder te hebben gesteld. Freddy strekte zich uit en sloeg haar lange armen om Jocks sterke hals, ze schoof omhoog zodat ze haar bereidwillige lippen op de zijne kon leggen, om hem de eerste kus te geven die hij haar niet zelf had ontnomen, een nadrukkelijke, oprechte, hartstochtelijke kus waarin ze, voor het eerst, niets terughield.

'Jezus!' hijgde Jock. 'Hoe kan een man ooit zo stom zijn om jou in de steek te laten? Ik heb tegen Tony gezegd dat hij niet wijs was! Elke keer dat ik hem met die griet zag, heb ik hem gewaarschuwd dat hij geschift was ... goddank heeft hij niet naar me geluisterd.'

Freddy voelde zich alsof ze een ongekende klap op haar hoofd kreeg. 'Je ... jij hebt Tony met háár gezien ... je hebt 't tegen hem gezegd!' Haar armen vielen slap langs haar neer.

'Nou ja ... eh ... weet je ... kerels onder elkaar, vrienden die ... eh ... praten natuurlijk wel eens met elkaar.'

'Mijn God, dus jullie hebben met z'n tweeën over mij zitten kletsen!' Freddy stikte van woede en ontzetting. 'Je hebt met hem samengespannen ... je bent met mijn man en zijn maîtresse op stap geweest en jullie hadden allerlei knusse onderonsjes en toen heeft hij je ongetwijfeld van alles toevertrouwd, alle akelige, treurige, privé-details van wat er zich tussen ons afspeelde ... je wist alles allang en ik had geen idee ... geen idee ...' Woest rukte ze het portier van de auto open. Voordat Jock zich kon verroeren was Freddy uit de auto gekrabbeld, het tuinpad op geholt, had ze de voordeur opengemaakt om naar binnen te vluchten en de deur achter zich dicht te smijten met een geluid dat zonder enige twijfel zeer definitief klonk.

In de enkele uren die er nog over waren van deze nacht, bleef Freddy in een stoel op haar slaapkamer zitten, verzonken in een cirkel van woede en haat. Op een gegeven moment werd ze koud genoeg om haar jurk uit te doen en een warme ochtendjas en sokken aan te trekken, maar verder kwam ze niet uit haar stoel, behalve om naar de badkamer te hollen en over te geven tot er niets anders in haar maag zat dan wat gal.

Als in een obsessie herhaalde ze ieder woord van het gesprek dat ze met Jock in de auto had gehad. Een gemakkelijk doelwit, dáár had hij haar voor aangezien, herhaalde ze steeds weer bij zichzelf. Een aangeschoten vliegtuig zonder munitie, afgedwaald van zijn metgezellen, achtergebleven om zich alleen boven vijandelijk grondgebied terug te worstelen, met een piloot die slechts kon bidden thuis te zijn voordat hij werd ontdekt en neergehaald ...

een hulpeloos, zielig, weerloos doelwit, het soort prooi waar zelfs de meest onervaren piloot niet over op kon scheppen, een doel waar een jongetje op de grond met een geweer op kon schieten, in de hoop het te raken. Niets meer. Niets beters. Niets gemakkelijkers.

Hoe had ze hem ook maar even kunnen geloven? raasde Freddy bij zichzelf, in zo'n machteloze vernedering dat ze de aanvallen van misselijkheid als een opluchting verwelkomde. Ze kon zelfs zichzelf niet voor de gek houden. Ze had hem geloofd. Ze had hem echt geloofd toen hij haar al die flauwe kul vertelde over hoeveel hij wel van haar hield en zij had – o, hoe had ze zo stom kunnen zijn – hem geloofd, het fijn gevonden. O ja, ze had ervan genoten en dat zou ze zichzelf nooit vergeven. Maar ze kende Jock Hampton, ze kende die smerige kletskous, ze wist precies op wat voor vrouwen hij viel, ze had er genoeg van zien komen en gaan, vanaf de eerste dagen van haar huwelijk met Tony. Britse Brenda's en Amerikaanse Brenda's, allemaal één pot nat, maar één minuut van lieve woordjes en mooie praatjes – dronken mooie praatjes nog wel – en ze viel al net zo hard.

Ze moest wel zo radeloos zijn dat het als op haar voorhoofd gedrukt stond: alsjeblieft meneer, wees zo genadig me een keertje te neuken – dat móest een man zien wanneer hij haar aankeek. Elke omhelzing was voldoende om haar te doen smelten. Eén onnozele omhelzing maar. Hij was de enige mens op deze wereld, buiten Tony, die wist dat er al in meer dan een jaar niet meer de liefde met haar was bedreven. Hij wist hoe kwetsbaar ze was, en daar had hij binnen de kortste keren misbruik van gemaakt.

Of . . . wacht eens even . . . was Jock de enige die iets wist? Had Tony het aan Swede verteld? Had hij het aan iemand anders verteld? Misschien wist iedereen het wel! Misschien was het de bekende roddel, Tony Longbridge en zijn maîtresse, Tony die haar aan de kant had gezet, Tony die zo graag weg wilde dat hij die arme Freddy met geen vinger meer aanraakte.

Niemand had vanavond ook maar met één woord over Tony gerept. Zij had er uitgedost als een idioot bij gelopen, met haar vliegersinsigne en al, en wonder boven wonder had iedereen de zeldzame tact opgebracht totaal niet nieuwsgierig of gegeneerd te doen. En toch moesten ze allemaal van haar scheiding op de hoogte zijn. Ze kon zichzelf niet voor de gek houden dat in een klein wereldje als dat van het Eagle Squadron zulk nieuws niet snel was gegaan, vooral omdat ze verder ook zoveel publiciteit hadden gehad. Kennelijk was iedereen – zeker iedere man – ervan overtuigd dat ze Jocks vriendin was. Anders had er toch iets van een opmerking, een gebaar, een woord van medeleven moeten komen. Tony was direct naar Engeland vertrokken, zodra ze hun echtscheidingspapieren hadden getekend . . . het zou niet meer dan natuurlijk zijn geweest als ook maar één iemand iets had gezegd, maar niemand had iets gezegd. Jocks vriendin. O God, ze dachten vast dat ze regelrecht met Jock in bed was gerold . . . een bed dat nog warm zou zijn van het vorige meisje. Gemakkelijk te krijgen.

Wanneer werd het licht? Zelfs in Californië werd het 's winters laat licht. Voordat de zon opging, was Freddy al warm aangekleed, liet in de keuken een briefje achter voor Helga en Annie en toen de zon echt opkwam was zij op Burbank bezig haar Bonanza uit de hangar te rollen. Ze had heel weinig gevlogen sinds de dag dat ze Tony het huis had laten zien. Het was de kroon op haar werk, het vliegtuig waarmee ze had gedacht dat ze ermee op stap zouden gaan, zij en Annie en Tony . . . het gezinsvliegtuig waar nooit een gezin in had gezeten.

In het afgelopen jaar had Freddy af en toe geprobeerd zich uit haar verdriet over de scheiding los te rukken door 's middags een tochtje met de Bonanza te maken, maar tot haar teleurstelling was ze niet in staat geweest die genezende vergetelheid te hervinden zoals ze die vroeger bij het vliegen had beleefd. Meer en meer had ze slechts tijdelijke vergetelheid kunnen vinden door zich in het werk op het Eagles-kantoor te begraven, waar haar eenzaamheid werd bevolkt door medewerkers en een voortdurende aanvoer van problemen die om een oplossing vroegen. Ze had behoefte gehad aan het geluid van menselijke stemmen, het contact met secretaressen en accountants en marketing managers en alle andere menselijke wezens die ze in de loop van de dag tegenkwam, als compensatie voor de verpletterende eenzaamheid van haar avonden, wanneer Annie in slaap was.

Maar deze winterochtend kon er geen sprake zijn van naar kantoor gaan en het risico te lopen Jock of Swede tegen het lijf te lopen. Jock had haar ook van Eagles beroofd, dacht ze, toen ze haar vliegtuig begon te checken. Ze zou haar aandeel in het bedrijf verkopen om zich terug te trekken uit de luchtvracht-business. Ze konden geen compagnons blijven. Dat was ondenkbaar. Maar ze zou later wel bedenken hoe ze van Eagles af wilde. Dat zou ze doen als ze terug was van haar vlucht, want als er ooit een moment was geweest, sinds haar terugkeer uit Engeland, dat ze behoefte had aan de rust en de troost van het luchtruim, dan was het wel vandaag.

Freddy keek even omhoog. Er was bijna geen zicht. De lage, nevelige winterwolken van het Californische regenseizoen begonnen aan het eind van de startbaan iets op te lossen, maar op de grond was het donker, vochtig en naargeestig. Voor niet-vliegers zou dit geen verleidelijke dag lijken om met een vliegtuig de lucht in te gaan. Maar eenmaal boven de wolken, zodra ze erdoorheen en in het zonlicht was gekomen, zou het een even mooie dag zijn als anders, met als enige verschil dat ze de aarde niet kon zien. En dat was nog wel zo goed, vond Freddy toen ze voorzichtig om de Beechcraft heen liep, het was wel zo plezierig om er niet steeds aan te worden herinnerd hoe hoog ze ook mocht vliegen, dat er beneden nog mensen rondkrioelden. Alleen maar lucht. Alleen maar horizon. En bovenal, wolken om mee te spelen. Daar had ze het meeste behoefte aan.

De Bonanza werd onderhouden door een van de meest ervaren monteurs van Eagles, maar Freddy besteedde extra zorg aan haar visuele en fysieke inspectie van de buitenkant van het vliegtuig, aangezien ze hem enige maanden lang niet zelf had nagekeken. Ze dwong zichzelf extra zorgvuldig te zijn omdat ze zo graag wilde opstijgen. Op dit vroege uur was het nog stil op het vliegveld en door het slechte weer waren er geen andere particuliere vliegers die wilden landen of opstijgen. Ze taxiede naar het eind van de startbaan, met kloppend hart, als een vluchteling die wil ontsnappen, nam de motorcheck door, zag dat geen van de wijzers op haar instrumentenbord op rood stond en toen alle disciplines waren afgehandeld, stortte ze zich in de vergetelheid van de elementen en koerste over haar vertrouwde startbaan naar de lokkende belofte van het luchtruim.

Eenmaal boven de bewolking was het overweldigend helder. Het wolkendek was zo platgedrukt dat het als een deksel op een eindeloos grote pan lag. Het aanlokkelijke wolkenlandschap dat Freddy had gehoopt te zullen aantreffen, bleef afwezig. Zelfs de kleinste pieken en dalen waren samengedrukt onder het deksel, waarboven alles helder en blauw was, een blauw zonder enige verrassing of afwisseling. Een stomvervelend blauw, besefte Freddy met vijandige teleurstelling, een blauw dat niets bevatte wat haar kon helpen haar hoofd helder te maken en haar woede te verminderen, het soort blauw waar een piloot ongeduldig doorheen kon dreunen, op weg naar elders.

Ze koerste naar het noorden, hopend op een plukje wolk dat zich misschien had losgemaakt uit de massa beneden, een heel klein plukje maar, om mee te spelen, om mee te stoeien. Als ze maar een onweersbui had kunnen vinden, het soort bui waar elke verstandige piloot omheen zou vliegen, een gewone, voor de hand liggende, ordinaire onweersbui vol dreiging, met gevaar van turbulentie, van bliksem, een storm die haar in haar cockpit deed schudden en al het mogelijke eiste van haar bekwaamheid en ervaring. Ze bedacht vol weerzin dat er waarschijnlijk tussen hier en Chicago niet één regenbui te vinden was. Het was een dag met een zicht van niks en geen enkele actie.

Freddy bekeek de ruime, comfortabele cockpit met een plotselinge minachting. Wat een karakterloos toestel! Het leer was onberispelijk, het instrumentenpaneel blonk van nieuwigheid, het metaal van het rempedaal, dat nog geen sporen van iemands voet vertoonde, was zo nieuw en gaaf dat ze er nijdig van werd. Ze had al met duizenden nieuwe vliegtuigen gevlogen, regelrecht van de fabriek naar het vliegveld, dat was haar werk bij de ATA geweest, maar ze had nog nooit zo'n hekel aan nieuwigheid gehad als bij deze Bonanza.

Het toestel was niet alleen nieuw, het was ook zeldzaam oninteressant, besloot Freddy grimmig, en ze vroeg zich af waarom ze het zo graag had willen kopen. Het model was pas een paar jaar op de markt, het eerste eenmotorige vliegtuig dat vier mensen kon vervoeren met een kruissnelheid van dik tweehonderd kilometer per uur, een bijzonder stabiel vliegtuig dat met veel oog voor kwaliteit en details was gebouwd, een vliegtuig dat ieder-

461

een onvergelijkelijk vond. Maar Freddy vond het net een dikke, vette koe, een vliegende koe die pa en moe, twee kinderen, een picknickmand, een weekendtas en een stelletje kwijlende honden kon dragen – en eventueel ook nog een po, waarom niet? Ze liet de Bonanza door de lege lucht glijden, voerde wat stuntbewegingen uit en constateerde, lauw en niet onder de indruk, dat de koe ertegen was opgewassen. En waarom niet? Ze had in ieder geval genoeg betaald voor deze vliegende limousine, en ze voelde een hevig verlangen naar het vliegen met een oud, versleten toestel, een eerbiedwaardige oude kist met geschiedenis in elk van zijn met zeildoek overtrokken vleugels, een vliegtuig met persoonlijkheid en moed, die duidelijk en op alle instrumenten waren af te lezen. Ze was in de loop der tijden op veel vliegtuigen verliefd geraakt en niet één ervan had haar ooit bedrogen, niet één had haar in de steek gelaten en haar op de meest afschuwelijke manier voor gek gezet, en vliegtuigen maakten geen misbruik van het feit dat je een vrouw was, met vrouwelijke zwakheden waarmee je kon worden vernederd, gepest, voor de gek kon worden gehouden . . . als een gemakkelijke, te gemakkelijke prooi.

Ze zag rechts van zich een kleine opening in het wolkendek, en ze vloog erheen en dook omlaag om te zien waar ze terecht was gekomen. Ze besefte dat ze geen flauw idee had waar ze zat en haar horloge vertelde haar dat er bijna twee uur voorbij waren gegaan sinds ze van Burbank was vertrokken. Ze zat boven de oceaan, een grijze oceaan met een horizon die slechts een fractie minder grijs was. Er rolde een dichte mist landinwaarts, naar Santa Monica. Alle vliegvelden binnen kilometers in de omtrek zouden alleen nog open zijn voor vliegen op instrumenten, of misschien wel helemaal niet.

Freddy bedacht dat het evengoed Lapland had kunnen zijn en ze schudde verbitterd haar hoofd toen ze terugdacht aan die dag dat ze voor het eerst over de Stille Oceaan had gevlogen en het zo te pakken had gehad dat ze in staat was geweest de zeilboten tot achter de horizon te achtervolgen, als Mac haar niet had tegengehouden. Zo jong, zo onbesuisd . . . zo gelúkkig. Dat was ze geweest op die dag van haar eerste solovlucht. De negende januari 1936 – over een paar dagen was dat zestien jaar geleden. De helft van haar leven.

Niet terugblikken, zei Freddy tegen zichzelf, je moet nóóit terugblikken. Ze besloot dat ze honger moest hebben. Ze had geen ontbijt gehad, ze had vannacht overgegeven, dus zelfs als ze geen honger had, had ze waarschijnlijk toch eten nodig. De snelste plek om iets te eten te vinden was het vliegveld op Catalina Island. Ze was daar vaak geweest, een verwaarloosd klein vliegveldje zonder toren, maar de enige plaats hier in de buurt om te landen, met als opvallend gegeven dat het vierhonderdvijftig meter hoog lag, boven op een rotsachtig woestijneiland met een romantische naam en een haven die eens, in de jaren dertig, een toevluchtsoord voor spelers en gokkers was geweest. Er was altijd een coffeeshop in bedrijf, want Catalina was bij goed weer voor dagjesmensen een geliefd en eenvoudig uitstapje. Ze zou er die dag waarschijnlijk het rijk alleen hebben en dat paste precies bij haar stemming, vond Freddy terwijl ze koers zette naar de bekende, platte steenklomp die ver in de oceaan lag.

Bij helder weer kon je, zoals onroerend-goedmakelaars altijd zeiden, Catalina zien liggen. Maar vandaag niet, besefte ze toen het begon te verdwijnen. Ze keek op haar kompas, stelde haar koers bij en dirigeerde de Bonanza regelrecht naar het eiland.

Toen ze Catalina naderde, schoof er opeens een dikke en desoriënterende nevelmassa over haar voorruit, veel sneller dan ze had gedacht. Haar neus en vleugels verdwenen. Het leek alsof ze in een magische cockpit vloog. En wat dan nog, dacht Freddy nijdig, en wat dan nog. Een Californische mist was niets. Ze kon altijd weer naar boven gaan en het zonlicht in duiken, maar verdraaid, ze had zo'n zin in koffie, dit was haar eigen territorium, het was haar persoonlijke luchtruim, ze had het als kind al veroverd, keer op keer, en ze liet het zich niet afnemen door zo'n stom beetje mist. Zij was de enige persoon in haar luchtruim en ze kende de nadering van Catalina zo goed dat ze het geblinddoekt kon vliegen. Ze controleerde haar hoogtemeter. Ze bezat voldoende hoogte en dat was het enige om je zorgen over te maken bij het beginnen van de landing.

Behendig werkend, met een volmaakt zelfvertrouwen en een gevoel voor coördinatie dat niet door haar emoties of door de mist was aangetast, vloog Freddy de onzichtbare rechthoek binnen die haar, over een minuut, keurig zou doen neerkomen op de landingsbaan, boven op deze met stenen bezaaide, boomloze rots. De Bonanza gleed langzaam omlaag op de juiste landingssnelheid, het landingsgestel uitgeklapt, de kleppen omlaag.

'Te laag!' waren de enige woorden die Freddy nog kon denken toen Catalina als een geluidloze donderslag uit de mist voor haar oprees, een muur van rots, onvermijdelijk. Er was nog één seconde over, slechts voldoende om de neus scherp omhoog te trekken, zodat ze toen ze tegen de berg botste, dit onder een schuine hoek deed. De verpletterde Bonanza klom nog vele meters langs de berghelling omhoog, tot hij schokte, begon te glijden en in een ravijn stortte, waar hij uiteenviel en het geluid stopte.

23

Marie de la Rochefoucauld kon een jonge tsarina zijn, of een Spaanse infante, vond Bruno. En toch was ze zo wonderbaarlijk Frans. Hij had nooit gedacht dat iemand in dit barbaarse circus van Manhattan zo vlekkeloos, zo op en top Frans kon zijn, in haar houding en verschijning zo doordrenkt kon zijn van de essentie van een Française van hoge komaf dat het als een geur in de lucht om haar heen hing. Ze droeg Frankrijk – het oude Frankrijk – met zich mee als ze een kamer binnenkwam. Ze deed dit heel onopvallend, maar haar rustige aanwezigheid straalde zo iets beschaafds en waardigs uit dat vele hoofden in haar richting werden gewend, blikken werden gewisseld en mensen vragend naar elkaar gebaarden, nu reeds jaloers, nu reeds wervend. Ze moesten weten wie dat was, deze harde burgers van deze koude stenen stad, want zij was alles wat zij nooit zelfs maar konden hopen te worden. Zelfs te weten wie ze was verleende hun al een speciale glans.

Bruno was een van de eerste mensen in New York die kennis maakten met Marie de la Rochefoucauld, een van de vele dochters van de meest uitgebreide adellijke familie in de Franse geschiedenis, een familie waarvan de leden onder de noot 'Huis van La Rochefoucauld' meer dan een volle pagina in beslag namen in de bijbel van de aristocratie, de *Bottin Mondain*, een familie van dooreengestrengelde takken die door drie hertogen werden gesierd; een familie zo groot dat menig La Rochefoucauld-erfgenaam in een lange reeks van eeuwen was getrouwd met een La Rochefoucauld-erfgename; een familie die was gelieerd aan alle grote namen van Frankrijk; een familie waarvan de oorsprong, zoals *Debrett's Peerage* met de nodige egards over een Engelse hertog kon aantekenen, 'tot in zeer verre tijden terugging'.

Bruno had met een van haar broers op school gezeten en via hem had Bruno Marie ontmoet, kort nadat ze was gearriveerd om aan de Columbia Universiteit haar *master's degree* in oosterse kunst te behalen. Waarom ze dat had uitgekozen, was een van de vele mysteries van haar uiterst beheerste persoonlijkheid.

Hoe had hij kunnen denken dat hij verliefd zou worden? Waarom was hij er zo zeker van geweest dat hij anders was dan andere mannen, vroeg Bruno zich af, maar aan de andere kant, als hij het had geweten, als hij ook maar had kunnen vermoeden hoe de liefde was, hoe had hij dan die jaren van wachten kunnen doorstaan tot hij Marie ontmoette? In dit voorjaar van 1951 werd hij vervuld van een verbluffende emotie die zich door al zijn ledematen verspreidde, tot hij zichzelf als een schematische voorstelling van de bloedsomloop zag, met elke ader en slagader en elk bloedvat doorstroomd met eerste liefde, die des te pijnlijker was omdat hij zesendertig was en Marie pas tweeëntwintig.

Toch behandelde Marie hem niet alsof hij te oud voor haar was, peinsde Bruno wanneer hij, als verlamd door liefde, in zijn kantoor op de bank zat. Ze wist uiteraard nog niet wat hij voor haar voelde. Ze gedroeg zich tegenover hem met een geweldig eenvoudige, maar ietwat gereserveerde vriendelijkheid, dezelfde vriendelijkheid, moest hij erkennen, die ze tegenover iedereen aan de dag legde.

Marie woonde bij John Allen in zijn grote huis in de stad. De Allens waren reeds vele jaren bevriend met Marie's ouders; de twee echtparen deelden hun hartstocht voor Chinese keramiek, die ze verzamelden onder het welwillende maar ongeïnteresseerde oog van hun kennissen. De Allens hadden Marie uitgenodigd gedurende de twee jaar van haar studie bij hen te logeren en ze hadden haar enkele kamers ter beschikking gesteld. Ze had een zitkamer waar ze, van tijd tot tijd, haar nieuwe Amerikaanse vrienden ontving op de thee of de sherry, hoewel haar dagen zelden lang genoeg waren om haar tijd aan zulke dingen te spenderen, want op Columbia stortte ze zich diep in haar studie.

Marie was klein en slank en even mooi als een kroonjuweel. Ze had lang, sluik, glanzend zwart haar dat ze loshangend tot bijna op haar middel droeg en dat met een zijden lint vanaf haar voorhoofd naar achteren werd gehouden. Haar ogen waren grijs, onder kleine zwarte wenkbrauwen die zo mooi van vorm waren dat ze door Leonardo da Vinci konden zijn getekend, en haar fraaie neus had een sierlijke boog. Haar mond was vriendelijk, prachtig gevormd en onaangeroerd door lipstick. Ze had weinig kleur op haar delicate gezicht; het betoverende school vooral in het contrast tussen de zwartheid van haar haar, de blankheid van haar tere huid en het heldere, exceptioneel lichte grijs van haar ogen.

Marie kleedde zich heel onschuldig, bijna kinderlijk, in eenvoudige truien, blouses en rokken die zorgeloos bijeen waren gezocht, samen met een zijden sjaal of een fluwelen vest of een geborduurd jasje, waarmee ze er verrukkelijk ouderwets uitzag in een stad waar strak getailleerde mantelpakjes de regel waren. Ze kon haar kleren op de zolder van een van de châteaux van haar familie hebben gevonden, dacht Bruno, terwijl hij er hevig naar verlangde weelderige kleren en fraaie juwelen voor haar te kopen. Op haar verjaardag was hij naar de beste handelaar in oosters antiek gegaan om een kom van wit Tsjing-te-tsjen porselein uit de Soeng-dynastie voor haar te kopen, die ongeëvenaard was in zijn eenvoudige vorm en onversierde glazuur, en ze had er één betoverende blik op geworpen en hem geweigerd te accepteren, omdat ze de waarde kende van dit zevenhonderd jaar oude kunstwerk. Als ze de kom had aangenomen, was het geweest alsof ze hem had toegestaan haar een jas van sabelbont te geven. Nu stond het afgewezen stuk keramiek in zijn slaapkamer op de schoorsteenmantel, om hem eraan te herinneren dat hij zich tegenover Marie de la Rochefoucauld niet als een verdwaasde nouveau riche moest gedragen.

Ze had zo iets puurs over zich dat het hem krankzinnig maakte. Marie had het nooit genoemd, maar Bruno, die de speurhond was geworden die elke verliefde man in zichzelf ontdekt, had uitgevonden dat ze elke morgen vroeg naar de mis ging. Op zekere dag, toen hij een paar minuten te vroeg voor de thee was gearriveerd en de enige gast bleek te zijn, had hij, toen hij alleen in haar zitkamer had gezeten, door een gedeeltelijk openstaande deur gekeken en een glimp opgevangen van een hoek van haar slaapkamer waar een versleten knielkussentje voor een crucifix lag. Hij had de deur niet verder open durven doen en het beeld van haar ongeziene bed was voor hem een heilig mysterie geworden, een mysterie waarvoor hij zich als te onwaardig beschouwde om erover te kunnen speculeren.

Wanneer hij midden in de nacht wakker werd, zoals nu steeds vaker het geval was, merkte Bruno dat hij zich afvroeg hoe het had kunnen gebeuren dat hij zo volledig en zo onverwacht verliefd was geworden op een onervaren, godsdienstig, intellectueel, deugdzaam meisje wier jonge leven rustig was verlopen in kloosters en klaslokalen en musea; dat niets gaf om maatschappelijke rangen en standen, om intriges of bezittingen; wier enige wens, als hij dat goed begreep, was haar leven in dienst van de wetenschap te stellen, om de pure vreugde van het studeren; een meisje dat vanuit sensueel oogpunt een blanco pagina was, dat zonder ongeduld wachtte op het lot dat haar wel of niet een man en kinderen zou brengen.

Was het alleen maar het beeld van een geïdealiseerde maagd dat hem had overvallen, na zoveel jaren te hebben doorgebracht met het realiseren van de meest verborgen, met schaamte beladen fantasieën van volwassen vrouwen van de wereld? Was dit een aberratie die was voortgekomen uit seksuele oververzadiging? Of was hij zo van haar onder de indruk omdat ze volledig Frans was, waardoor hij, de balling met heimwee, geloofde dat Marie, en Marie alleen, hem kon redden uit de puinhoop van zijn leven?

Geen van deze rationele verklaringen duurde ooit langer dan de tijd die Bruno nodig had om ze op te stellen. Ze verdwenen zodra hij aan Marie dacht, aan de manier waarop ze haar kleine koninklijke hoofd naar hem toe draaide en lachte om zijn grapjes, aan de keren dat ze zich door hem mee uit eten liet nemen of naar een film, want ze was dol op Amerikaanse films, hoe maller hoe beter, en ze genoot van New York, ze dwong hem mee te gaan in de ondergrondse en de bus te nemen over Fifth Avenue, helemaal tot aan

Washington Square Park. Ze keken dan naar de schaakspelers in het park en liepen vervolgens naar Bleeker Street, naar een goedkoop studentenkoffiehuis, waar ze graag het bohémien-leven aan zich voorbij zag trekken. Hij genoot deze vreugden slechts af en toe in het weekend, want op werkdagen at Marie 's avonds bij de Allens en studeerde ze tot ze naar bed ging. Er waren andere mannen rond Marie. De Allens hadden haar voorgesteld aan enkele van de meest verkieslijke jonge vrijgezellen in New York, maar voor zover Bruno's waakzame en jaloerse oog dit kon bekijken, had ze tot nog toe geen voorkeur voor een van hen laten blijken. Bovendien was geen van de andere mannen die een aanslag op haar tijd deden, Frans van origine, niet een van hen kon zelfs fatsoenlijk Frans spreken, en hij was er zeker van, zo zeker als hij maar ergens van kon zijn, dat Marie niet van plan was de rest van haar leven in de Verenigde Staten door te brengen. Hoezeer ze zich ook in New York mocht amuseren, hoezeer ze ook genoot van haar studie, toch had ze hem toevertrouwd dat ze haar grote familie vreselijk miste. Bruno kende Marie de la Rochefoucauld sinds Kerstmis 1950 en nu, in het late voorjaar van 1951, verheugde ze zich hevig op de zomer in Frankrijk.

'Ik ga aan boord van de *Ile de France* op de dag dat de colleges zijn afgelopen en ik kom pas vlak voor het begin van het herfstsemester terug: drie hele maanden,' zei ze blij. 'Jij gaat toch ook voor de zomervakantie naar Frankrijk, hè, Bruno? Zelfs Newyorkse bankiers moeten er een paar weken uit.'

'Natuurlijk,' had hij geantwoord, omdat hij geen reden kon bedenken waarom een Fransman niet voor zijn vakantie naar huis zou gaan. Het was zo traditioneel, zo iets wezenlijks om te doen, dat het vreemd zou klinken als hij zou zeggen dat hij andere plannen had. Fransen reisden niet buiten hun eigen land, als ze dat maar enigszins konden vermijden.

Marie had hem uitgenodigd op het château in de omgeving van Tours, waar haar familie iedere zomer doorbracht. Hij had haar verteld dat hij zou proberen te komen, zelfs al had hij geweten dat hij de hele zomer van haar gescheiden zou zijn en dat elke dag van die zomer de mogelijkheid kon brengen dat Marie verliefd werd. Zijn grootste vrees was dat Marie misschien niet eens naar New York terug zou komen om haar studie af te maken, want het leek hem onmogelijk dat haar hart vrij zou blijven in de vrolijke, plezierige dagen en nachten van een hele zomer.

Toch durfde Bruno niet naar Frankrijk terug te keren, zelfs niet om Marie een paar weken te kunnen bezoeken. Dat château van La Rochefoucauld was niet in de buurt van Valmont, maar de oerwoudtamtams van de Franse aristocratie zouden onmiddellijk het bericht doorgeven dat Bruno de Lancel na een lange en opmerkelijke afwezigheid terug was in zijn geboorteland. Zijn vader zou onvermijdelijk te weten komen dat hij terug was gekomen en Bruno wist dat Pauls verbod en Pauls dreigementen in die zes jaren niet zouden zijn veranderd. Hij zou doen wat hij had gezegd te zullen doen. Bruno betastte het litteken dat op zijn bovenlip was achtergebleven.

Waarom zou hij haar niet ten huwelijk vragen voordat ze vertrok, vroeg Bruno zich voor de duizendste keer af, en het antwoord was hetzelfde als altijd. Marie was niet verliefd op hem en ze zou hem weigeren, op even charmante en duidelijke wijze als ze de Tsjing-te-tsjen kom had geweigerd. Dan zou hij haar niet vaak meer kunnen ontmoeten, geen beslag kunnen leggen op haar vrije avond, haar liefde niet kunnen winnen. De regels volgens welke Marie leefde, regels die hij respecteerde, want ze hoorden bij de wereld die zij deelden, zouden haar ervan weerhouden valse verwachtingen te wekken. Als ze eenmaal wist wat hij voor haar voelde, zou ze er heel zorgvuldig op letten geen tijd met hem alleen door te brengen. Ze zou hem heel voorzichtig maar resoluut haar leven uit werken, want Bruno de Lancel was geen man die ze kon degraderen tot de positie van een oppervlakkige vriend.

Hij moest het risico nemen dat hij haar die zomer kwijt zou raken, aangezien het enige alternatief was haar nu, voor eens en altijd, te verliezen.

Hij kreeg nog steeds brieven van Jeanne. Ze kon hem tot haar vreugde verzekeren dat alles goed ging met de familie. 'Ja, monsieur Bruno, het zal u goeddoen te weten dat op Valmont alles naar wens gaat.'

'Meneer Hampton, het heeft echt geen zin om hier nog langer te blijven,' zei dokter David Weitz tegen Jock, die niet uit de gang voor Freddy's kamer in het Cedars of Lebanon Hospital was weg te branden sinds ze daar achttien uur geleden op een brancard naar binnen was gereden, als een groteske mummie in een witte sarcofaag, met slechts wat dappere slierten haar om haar te identificeren. 'Ik beloof dat ik u direct zal bellen als er ook maar de minste verandering optreedt in de toestand van mevrouw Longbridge.'

'Ik blijf gewoon in de buurt,' zei Jock koppig, voor de tiende keer.

'Het valt totaal niet te voorspellen wanneer ze uit die coma zal komen. Het kan dagen duren. Het kan weken duren. Het zou maanden kunnen duren, meneer Hampton. U bent echt niet redelijk.'

'Dat weet ik.' Jock wendde zich af en voelde opnieuw een golf intense, onlogische vijandigheid jegens David Weitz. Die man was veel te jong, hield Jock vol, om de leiding te hebben over wat dan ook. Hij had Swede opgebeld om inlichtingen over die vent in te winnen.

Weitz was tweeënveertig, stond zeer hoog aangeschreven en was het jongste hoofd van de afdeling neurologie die het ziekenhuis ooit had benoemd. Er was in het Cedars geen hogere autoriteit op wie hij een beroep kon doen voor een oudere, wijzere, meer ervaren dokter. Elke arts waarmee Swede sprak, zei dat ze boften dat Weitz Freddy behandelde.

Die informatie kon Jock slechts heel kort geruststellen. Die knul van tweeënveertig liep daar een stelletje artsen in opleiding te commanderen, haalde er allerlei specialisten bij, nam tientallen beslissingen die hij doorgaf aan Freddy's dag-en-nacht verpleegsters waarover hij nauwelijks iets aan Jock meedeelde, afgezien van wat typische dokterskreten voor onnozele leken.

Ondertussen lag Freddy daar maar, zonder dat Jock haar kon zien of helpen, verbrijzeld, gewond op manieren die hij niet begreep, op manieren die zelfs zij niet schenen te begrijpen, anders zouden ze wel wat preciezer doen over haar toestand. Deze arts, deze vreemde was plots de belangrijkste persoon op deze wereld, want hij had het in zijn macht Freddy erdoorheen te slepen, haar beter te maken en hij kende haar niet eens, hij had haar nooit ontmoet of horen lachen of praten of haar zien lopen, hij had geen idee hoe . . . hoe belangrijk . . . hoe nódig Freddy was.

Freddy's leven lag in handen van deze man, hetgeen betekende dat Jock volledig afhankelijk was van Weitz, en daar haatte hij hem om. Hij had die lange jonge dokter het liefst bij de schouders gepakt en door elkaar gerammeld, tot die aanmatigende, beheerste, strakke blik van zijn gezicht verdween, tot zijn bril van zijn neus viel en brak, hij had hem het liefst toegeschreeuwd dat hij Freddy beter moest maken, helemaal beter . . . hij wilde die klootzak de stuipen op het lijf jagen, hem laten inzien hoeveel er op het spel stond, dat als Weitz zijn werk niet goed deed, hij hem met zijn blote handen zou wurgen . . . en tegelijkertijd durfde hij hem niet tegen zich in het harnas te jagen.

Jock liep door de gang te ijsberen en dacht vol woede aan de verpleegster die had geprobeerd hem te vertellen dat het een wonder was dat Freddy die ramp had overleefd. Wat wist die vrouw ervan? Natuurlijk had ze het overleefd. Het was geen ramp, ze was niet neergestort, ze had gewoon een slechte landing gemaakt. Het was een slechte landing omdat ze met te veel snelheid was genaderd. Je ging niet dood aan een slechte landing, je maakte gewoon een rare smak, je brak een been of een sleutelbeen, of zelfs een stuk of wat beenderen, maar botten konden genezen, niemand ging dood aan gebroken botten. Wat had Weitz bedoeld met een 'schedelbasisfractuur'?

Er stonden stoelen in de gang en Jock probeerde zich te dwingen even te gaan zitten. Hij had zoveel kilometers gelopen dat hij zijn benen bijna niet meer op kon tillen, maar gaan zitten was nog moeilijker, want zolang hij bleef bewegen, had hij het gevoel dat hij iets deed, niet alleen maar hulpeloos zat te wachten. Hij ging op het randje van de bank zitten, in dezelfde quasi ontspannen houding als wanneer hij vlak bij zijn vliegtuig op twee minuten stand-by zat, klaar om elk moment voor een gevecht te vertrekken.

Dat die verdomde idioten van de verkeerstoren van Burbank het vliegveld gisteren ook niet hadden gesloten. In dat weer had niemand mogen vertrekken. En dan die goedbedoelende idioten van de coffeeshop op Catalina, die naar beneden waren geklommen om haar uit dat ravijn te halen. God mocht weten hoeveel schade ze hadden veroorzaakt door haar als een zak aardappelen naar boven te halen, of haar met een hobbelende auto over die kronkelweg naar de haven te brengen, of bij die boottocht naar het vasteland. Jezus, wat een plaats voor een noodlanding in de mist! Dat vliegveld van Catalina hoorde gewoon niet te bestaan. Vierhonderdvijftig meter hoog, geen toren, geen radioverkeer – ze hadden het plat moeten gooien zodat niemand ooit nog in de verleiding zou komen daar te landen. Niet dat hij ook maar één minuut had gedacht dat Freddy zonder enig zicht had geprobeerd daar te landen. Kennelijk was ze de koers kwijtgeraakt, verdwaald in de plotseling opkomende mist, dat was de enig mogelijke verklaring voor haar aanwezigheid zo dicht bij die gemene, moorddadige rots. Freddy was een voorzichtige piloot. Ze had in al die zes jaar bij de ATA nog geen grassprietje geknakt, laat staan een kist.

Maar wat had haar bezield om gistermorgen zo vroeg op pad te gaan? Wat was dat voor een idioot idee geweest, vroeg Jock zich wanhopig af, denkend aan alle dingen die hij zichzelf beloofd had aan Freddy uit te leggen, alle woorden die hij had gerepeteerd in die lange slapeloze nacht na de reünie van het Eagle Squadron. Hij was van plan geweest rond het ontbijt naar haar huis te gaan en haar te dwingen naar hem te luisteren, haar te dwingen hem te begrijpen, hem te vergeven. En dat zou ze hebben gedaan, daar was hij zeker van, want je maakte hem niet wijs dat Freddy er niet aan toe was van hem te houden, zoals hij altijd van haar had gehouden. Je kon toch niet ... de ware liefde verliezen, juist wanneer je die bijna had gevonden. Dat kon toch niet?

In de lichtbak aan het plafond was een dode vlieg blijven steken, dacht Freddy, zich vaag bewust dat ze die gedachte al eerder had gehad, diverse keren in een verwarrende reeks van tijden, die zonder begin en einde aan haar voorbijtrokken. Misschien was dit de hel, hier eindeloos te moeten liggen, onbeweeglijk, volslagen alleen, niet in staat iemand te roepen, op de bodem van een witte kom die tot de rand met donker, gevaarlijk water was gevuld, en naar het donkere stipje van een dode vlieg in een glazen lichtbak te kijken die voortdurend verlicht scheen te zijn. Keek ze soms in een spiegel? Was zij die zwarte, dode stip in die bak? Er begon een ongekende paniek achter haar slapen te bonzen en ze wist dat ze nooit in staat zou zijn om hulp te roepen. Haar ogen gingen open maar haar mond was bedekt, haar handen als verstijfd. Ze was levend begraven.

'U bent wakker,' zei de stem van een man, 'mooi zo.' Een hand pakte haar pols, vingers voelden haar hartslag. Dit was de redding. Ze was niet in de hel. Ze was niet verdoemd.

'Probeer niets te vragen,' zei de stem van de man de volgende keer dat ze wakker werd. 'Uw kaak is gebroken en met draad gehecht om te kunnen genezen. Daarom kunt u niet praten. Ik zal u alles vertellen wat u wilt weten.

Verspil uw krachten niet, u heeft ze hard nodig. U zult weer opknappen en helemaal de oude worden, dat beloof ik u, maar nu bent u heel zwak en ik weet dat u pijn hebt. We geven u zoveel pijnstillers als mogelijk en wenselijk is, maar we kunnen het niet helemaal voorkomen. Ik ben dokter David Weitz. U bent Freddy Longbridge. U ligt in het Cedars of Lebanon Hospital. Uw moeder is hier uit Frankrijk, en zij zorgt voor uw dochtertje. Ze maken het allebei uitstekend. Het enige dat u hoeft te doen is beter worden. U mag voorlopig nog geen bezoek hebben. U moet proberen nergens aan te denken. De wereld zal voor zichzelf zorgen, dat verzeker ik u. Laat u zich gewoon maar gaan en slaap. Terwijl u slaapt wordt u beter. Wanneer u wakker wordt, zal de zuster me waarschuwen, waar ik ook ben, en dan kom ik zo snel mogelijk naar u toe.

U hebt hier uw eigen verpleegsters en u zult absoluut niet alleen worden gelaten, nog geen minuut. Maakt u zich maar geen zorgen, alles komt weer goed. Gaat u nu slapen, mevrouw Longbridge, sluit gewoon uw ogen en laat u gaan. Er is niets om u zorgen over te maken. Ik ben hier voor u.'

Freddy probeerde hem met haar ogen te bedanken. Hij keek op haar neer en glimlachte en ze zag dat hij haar begreep. Ze deed haar ogen dicht en sliep.

'Misschien kunt u vandaag proberen te spreken,' opperde David Weitz tegen Freddy. Ze was drie weken lang intraveneus gevoed toen ze in coma lag, en daarna via een rietje tot haar kaak was genezen. Gisteren waren de draadjes eruit gehaald, maar ze had nog niet durven praten.

'Annie?' vroeg ze, zonder haar lippen te bewegen, met een klein stemmetje dat ergens achter uit haar keel kwam.

'Die maakt het prima. Ze is nu op school. Uw moeder komt straks. Hoe voelt u zich?'

'Beter.'

'Dat bent u ook. U bent een stuk beter.'

'Hoe . . . lang?'

'Hoe lang u hier bent geweest? Meer dan een maand, maar dat is niet van belang, het zal niet meer zo lang lijken nu u kunt praten.'

'Hoe lang . . . nog?'

'Dat kan ik niet met zekerheid zeggen. Uw hoofd is geraakt toen u uit het vliegtuig werd geslingerd. Dat veroorzaakte een zeer zware hersenschudding, waardoor een zwelling, een hersenoedeem is ontstaan. Daardoor hebt u zo lang in coma gelegen. Wanneer die zwelling helemaal is verdwenen, kunt u volledig herstellen, met misschien een lichte vorm van geheugenverlies. We weten echter niet hoe lang dat zal duren. Het is een langzaam proces dat we niet kunnen verhaasten. In die tussentijd heeft u een hoop ander geneeswerk te verrichten. Twee gebroken benen, een arm, een pols, een gebroken neus, een gebroken jukbeen . . . gelukkig heeft u geen letsel opgelopen aan uw ruggegraat en ook geen bekkenfractuur. Het gaat goed met u.'

David Weitz boog zich over haar heen, tuurde aandachtig door zijn bril en keek haar met zijn donkere ogen aan, terwijl ze naar hem knipperde en probeerde te begrijpen wat hij haar allemaal had verteld. 'Denk niet aan alle verwondingen,' zei hij, haar gedachten lezend. 'Ik ben trots op u ... alles komt weer prima in orde. Ik wil dat u beseft dat er veel moet gebeuren, maar dat er geen onoverkomelijke problemen zijn. Bent u zover dat u uw moeder kunt ontvangen? Ja? Goed, maar ik zal tegen haar zeggen dat ze maar een paar minuten mag blijven. Ik kom straks terug.'

Ze was blij geweest haar moeder te zien, dacht Freddy, terwijl haar ogen dichtvielen, maar ze voelde zich uitgeput na dit korte bezoek. Ze had de kracht niet om met iemand anders te praten dan met de dokter. Tot vandaag was elke minuut gevuld geweest met de strijd om het bestaan. 'De wereld zal wel voor zichzelf zorgen,' had David Weitz gezegd, en te midden van alle pijn, van alle verwarring in haar hoofd, in al die vreselijke nachten en afschuwelijke dagen, aan alle kanten in het verband, met kaken die vast waren gezet, met ledematen in het gips, slechts één arm die niet gebroken was, klampte ze zich vast aan de reddingslijn van zijn woorden. Ze herhaalde ze in zichzelf, steeds weer; er school een zekere toverkracht in, iets van zijn sterkte werd op haar overgedragen. Ze deed afstand van haar eigen wil, zette deze opzij, deed wat hij haar vroeg, omdat ze een volmaakt vertrouwen had in David Weitz. Zijn toewijding was abstract, diende voor het genezingsproces, en toch was hij persoonlijk, omdat ze zijn patiënte was.

Nu, met de komst van Eve, was de werkelijke wereld het ziekenhuis binnengekomen, een wereld waar ze niet naar verlangde. Ze was nog te broos, te gebroken, te ziek om ermee te worden geconfronteerd. Ze wilde niet hoeven denken, met mensen hoeven praten, zelfs haar mondhoeken omhoogkrullen tot een glimlach was al te veel van haar gevraagd. Ze zou tegen de zusters zeggen dat het echt nog te vroeg was om bezoek te krijgen. Wanneer, vroeg ze zich af, kwam David Weitz weer langs, om bij haar te kijken?

'De zusters zeiden dat u nog niet om een spiegel hebt gevraagd,' zei David Weitz tegen Freddy.
'Nee.'
'Het is niet zo erg als u denkt. Met wat plastische chirurgie wordt u echt weer als vroeger. Gelukkig is Californië het Mekka van die tak van de geneeskunde. Misschien houdt u een paar heel kleine littekentjes over – het hangt ervan af hoe uw huid geneest – maar de meeste zult u met uw haar kunnen bedekken. Wat cellospelen betreft, echter ...'
'Wie zei u dat ik cello speelde? Ik heb er nog nooit een aangeraakt.'

472

'Gelukkig maar. Dat is het enige waarvan ik niet kan garanderen dat het zal herstellen.'

Freddy schoot, voor het eerst sinds haar ongeluk, in de lach. 'Is dat een doktersgrapje?'

'Een klassieke.'

'En als ik nou wel cello had gespeeld?'

'Dan had ik dat grapje niet gemaakt. Ik heb het eerst even bij Annie gecontroleerd.'

'Ik vind het fijn dat u haar hebt verteld hoe ik eruit zou zien. Ik was bang dat ze erg zou schrikken als ze me zag. Ze zeiden dat u voor haar had getekend waar alle verbanden en gips voor dienden.'

'Het is een geweldig kind.'

'Heeft u kinderen?'

'Nee. Ik ben lang geleden gescheiden, nog voordat ik ze me kon veroorloven.'

'Ik ben ook gescheiden.'

'Dat heeft Annie me verteld.'

'Dat moet een gezellig gesprek zijn geweest. Waar hebben jullie het verder nog over gehad?'

'Over haar vader, haar huiswerk, haar plannen om te leren vliegen.'

'Ben ik hier al uit als Annie's zomervakantie begint?'

'Dat denk ik niet. U mag nog niet uit bed. Als u dat wel mag, zult u merken dat uw spieren erg zijn verslapt door al het liggen. U zult veel fysiotherapie nodig hebben.'

'Dan stuur ik haar maar naar Engeland. Ze kan dan de zomer bij haar grootouders doorbrengen, op Longbridge Grange. Haar vader is er waarschijnlijk ook.'

'Dat klopt. Ik heb hem een paar keer aan de telefoon gehad. Maar niet zo vaak als meneer Hampton.'

'Valt hij u lastig?'

'Niet vaker dan twee keer per dag. Soms drie keer. Hij weigert te geloven dat u nog geen bezoek wilt. Weet u zeker dat u hem niet wilt spreken?'

'Absoluut zeker. Maar ik wil Swede Castelli wel spreken en ik zal ervoor zorgen dat Jock u niet meer opbelt,' zei Freddy vastbesloten.

'Heeft u enig idee hoeveel beter het met u gaat, mevrouw Longbridge?'

'Dankzij u, dokter Weitz.'

'Onzin. U bent gewoon een vechter. Die eerste weken . . . heb ik me zorgen gemaakt.'

'Ik niet. U zei dat ik dat niet moest doen, dus heb ik het niet gedaan. U zei dat u er voor mij was.'

'Dus dat herinnert u zich, mevrouw Longbridge?'

'Freddy. Ik word graag Freddy genoemd.'

'Ik ben David.'

473

'Dat weet ik.'

'Ik moet nu gaan. Ik kom nog wel even terug voordat ik naar mijn kantoor ga.'

'Dank je, David.'

'Jezus, Freddy, dacht je soms dat je nog steeds stuntvlieger was? Wat heeft dit te betekenen?'

'Stil maar, Swede. Ze hebben me verteld dat het er erger uitziet dan het is. Ik heb nog niet de moeite genomen de schade te inventariseren. Maar ze lappen me wel weer op . . . gewoon een kwestie van tijd en geduld. Maak je maar niet ongerust. Hoe is het met Eagles?'

'De zaken gaan prima. Alle vliegtuigen vliegen, volle vrachten in beide richtingen en we maken onze aandeelhouders heel gelukkig. Het moreel is echter laag op het hoofdkantoor.'

'Dat zal wel!'

'We missen je, we missen de aanblik van je lieve snuitje en het geluid van je lieve voetjes en de manier waarop je ons op je lieve manier zo achter onze vodden kunt zitten.'

'Daar moet je dan maar gauw aan wennen, Swede. Ik kom niet meer terug.'

'Je bent op dit moment niet in een conditie om beslissingen te nemen. Ik geloof je niet.'

'Dan moet je 't zelf maar weten. Het kan me niks schelen. Hoor eens, Swede, je moet tegen Jock zeggen dat hij moet ophouden dokter Weitz steeds te bellen. Die man heeft het geweldig druk en hij heeft echt geen tijd voor al die onzin.'

'Dat moet je niet zomaar zeggen. Jock is er heel slecht aan toe. Erger dan jij, op dat gips en verband na.'

'Het kan me geen klap schelen hoe het met hem is. Ik wil 'm gewoon niet zien. Maar hij moet dokter Weitz niet lastig vallen. Kun je 'm dat aan zijn verstand brengen?'

'Ik zal 't proberen. Maar je weet hoe Jock is.'

'Helaas wel, ja. Veel te goed.'

'Allemachtig, Freddy, ik wist niet dat je zo verbitterd kon zijn.'

'Het wordt tijd dat ik m'n eigen peultjes leer doppen, Swede.'

'Wat heeft dat nou weer te betekenen?'

'Swede, ouwe makker, ik bezit nog niet veel kracht. Bedankt voor je komst. Ik reken op je, wat Jock betreft.'

'Goed, Freddy. Pas goed op jezelf. Jock is niet de enige met een laag moreel.'

'Geef me een kus, Swede.'

'Je grote tenen lijken me heel geschikt.'

'Ik wist wel dat je een plekje zou vinden.'

Eve haalde Freddy over Annie wat eerder van school te nemen, zodat ze met haar kleindochter naar Europa terug kon vliegen om haar in Londen bij Tony achter te laten, voordat ze verder vloog naar Parijs. Eve was hard nodig in Champagne, waar de hele cyclus van gastvrijheid niet goed zonder haar kon beginnen. Ze was al veel te lang van Valmont weg gebleven. Jock reed hen naar het vliegveld waarvandaan ze naar New York zouden vliegen. Terwijl Annie het vliegveld verkende toen ze moesten wachten voor ze konden instappen, zat Jock somber naast Eve, spijtig dat ze moest vertrekken.

'Wel verdorie, Eve, ik zal je echt geweldig missen,' zei hij, en hij greep haar hand en kneep erin.

'Lieve Jock. Al die etentjes, al die films, die weekendtochtjes . . . wat hadden Annie en ik moeten beginnen zonder jou? Je bent een geweldige vriend. Je hebt een blijvende invitatie om bij ons in Champagne te komen logeren, wanneer en zo lang als je maar wilt.'

'Misschien . . . Eve, luister, wat Freddy betreft . . .'

'Ik heb het geprobeerd, Jock, je weet dat ik het heb geprobeerd, verscheidene keren, maar ze wil je gewoon niet zien. Ik dacht . . . misschien wacht ze tot ze er beter uitziet. Misschien is het alleen maar ijdelheid.'

'Hoe ijdel is Freddy? Toe nou, Eve, je weet dat het daar echt niets mee te maken heeft.' Jocks openhartige gezicht was nu een en al misère.

'Je hebt waarschijnlijk gelijk,' zuchtte Eve. 'Maar ze wilde er niet over praten. Ik kon geen enkele reden uit haar los krijgen. Er zijn dingen die Freddy me nooit zal vertellen, we hebben nooit zo'n relatie gehad . . . mijn beide dochters hebben altijd veel geheimen voor me gehad. En ik . . . ach, ik had ook mijn geheimen. Zo'n familie zijn we nu eenmaal. Nu, met Delphine, is het anders – we praten veel met elkaar – maar Freddy . . .' Eve haalde haar schouders op. Zelfs in haar gewonde, verzwakte toestand was ze niet iemand om haar moeder hartsgeheimen toe te vertrouwen.

'Die klootzak van een Weitz, ik weet dat hij werk van d'r probeert te maken,' zei Jock somber en achterdochtig. Zelfs het goudblonde haar dat over zijn voorhoofd viel, scheen donker te zijn geworden in al zijn wanhoop.

'Jock, echt! Laat je je verbeelding niet een beetje erg op hol slaan? Die arme Freddy kan nu toch echt geen voorwerp van begeerte zijn.'

'Jij bent haar moeder, je begrijpt Freddy niet. Het is haar . . . haar spirit . . . dáár komt-ie op af.'

'Freddy is doker Weitz' patiënte. Zijn belang ligt in het beter maken van haar. Dokters maken geen "werk" van elke vrouwelijke patiënt die ze onder hun hoede hebben.'

'Ze is anders dan andere vrouwen. Altijd al geweest. Geen meisje kon aan haar tippen.'

'Daar ga ik niet met je over redetwisten, Jock. Hoor eens, als ze eenmaal uit het ziekenhuis is, als je eenmaal weer met haar kunt praten, zal alles weer anders worden tussen jullie. Maar wat het probleem ook mag zijn, je kunt er nu niets aan doen. Geef haar even de tijd.'

'Heb ik een keuze?' vroeg hij, met zijn voorhoofd op zijn hand, en hij schudde zijn hoofd.

Nee, dacht Eve, je hebt geen enkele keus. Op de een of andere manier moet je haar geweldig hebben gekwetst, Jock, lief, edelmoedig, rondborstig, overrompelend mannelijk wezen dat je bent, zonder te weten dat je dit deed. Freddy schenkt haar liefde heel compleet, heel blindelings, heel onvoorwaardelijk en heel zélden ... maar als ze je eenmaal uit haar leven heeft verstoten, is er niet veel hoop meer. Kijk maar eens wat er met Tony is gebeurd. Ze heeft nooit één woord over hem gezegd. Net als die McGuire – het is net alsof ze allebei zijn opgehouden te bestaan ... alsof ze nooit hebben bestaan. Eve keek naar Jock, die in een poel van ellende naast haar zat, en ze besloot dat haar geliefde, onbegrijpelijke, stijfkoppige dochter Marie-Frédérique geestelijk gestoord moest worden verklaard. Als een zo door en door vriendelijke en beschaafde man als Jock, een man die zo schandalig – zo bijna belachelijk – knap om te zien was, even lang op haar verliefd was geweest als ze vermoedde dat Jock dit op Freddy was geweest, zou ze hem zeker een kans hebben gegeven, wat hij ook mocht hebben gedaan. Ze zou hem in ieder geval één schamele, kleine kans hebben gegeven. Of waarom eigenlijk niet tien? Wat viel er te verliezen?

Er was geen twijfel over mogelijk dat ze er weer goed uitzag, moest Freddy erkennen toen ze op een middag aan het eind van augustus in de spiegel keek. Op een lang, smal, wit litteken na dat van haar oor bijna tot het puntje van haar kin reikte, een litteken dat nooit door make-up of zonnebruin of een kunstig kapsel te verbergen viel – herkende ze zichzelf. Haar fysiotherapie nam haar dagen in het ziekenhuis bijna volledig in beslag. Ze liep niet langer mank; haar spieren hadden hun vroegere kracht hervonden.

Waarom was ze nog steeds in het ziekenhuis? Ze had het recht niet een bed in een privé-kamer te blijven bezetten wanneer er zoveel echt zieke mensen waren die het nodig hadden. Maar de gedachte om naar huis te gaan, naar een groot, eenzaam huis, met alleen Helga en het dienstmeisje, was angstaanjagend. Haar ouders hadden haar gevraagd voor de druivenpluk naar Valmont te komen. Delphine had haar uitgenodigd in St. Tropez, waar Armand en zij een villa hadden gekocht waarin ze tot oktober konden blijven.

Zelfs als ze maar aan deze mogelijkheden dacht, kromp Freddy inwendig ineen. Ze durfde zich nauwelijks uit haar kamer naar de hal van het ziekenhuis te wagen, laat staan naar Europa te reizen. Misschien kon Annie de rest van het jaar in Engeland blijven. Ja, een jaar op een school in Engeland zou goed voor haar zijn en ze voelde zich volmaakt thuis bij Penelope en Gerald en Tony. Op die manier, dacht Freddy, hoefde ze het ziekenhuis niet te verlaten; hoefde ze haar kamer niet te verlaten.

Ze was veilig hier in het Cedars. Er was zo afschuwelijk weinig veiligheid op deze wereld. Beseften Delphine en haar moeder dat dan niet? Hadden ze dan geen enkel begrip van gevaar? Hoe konden ze nou denken dat zij even op bezoek kwam, alsof ze om de hoek woonden? Wisten ze dan niet dat een mens op een klein, vertrouwd plekje wilde blijven, een veilig plekje zonder verantwoordelijkheden, zonder beslissingen, zonder zorgen, zonder angsten, risico's of verrassingen? Van haar kamer naar de afdeling fysiotherapie van het ziekenhuis was de langste tocht die ze zichzelf kon dwingen te ondernemen, en slechts de zekerheid dat ze weer in haar veilige kamer terug zou keren, in haar veilige ziekenhuisbed, stelde haar in staat door de lange, drukke gang te lopen, en de trap op en af. Ze had de lift niet gebruikt . . . ze wilde hem niet gebruiken . . . ze zou hem nooit gebruiken, hoe moe ze ook van de trap mocht worden . . . het was een slechte plaats om te zijn . . . een slechte en gevaarlijke plaats.

'Hoe voelt u zich vandaag, mevrouw Longbridge?' vroeg de hoofdzuster, toen ze de kamer binnenkwam. 'Wat ziet u er vandaag goed uit!'

'Ik voel me vreselijk,' zei Freddy. 'Ik heb overal pijn. Ik weet niet waarom ik me zo ellendig voel. Ik hoef vanavond geen eten, zuster, ik heb de kracht niet om het op te eten.'

'Ik hoor dat je een slechte dag hebt gehad,' zei David Weitz vriendelijk. 'Niets gegeten?'

'Alles doet pijn,' mompelde Freddy, die opgekruld in haar bed lag, met het laken opgetrokken tot haar kin.

'Echt alles? Van top tot teen?'

'Ja.'

'Dan geef ik je twee aspirientjes en neem ik je mee uit rijden. Het is de enige bekende remedie tegen wanneer alles pijn doet.'

'Nee!'

'Je wilt zeker niet het ziekenhuis uit, hè Freddy?'

'Doe niet zo belachelijk!'

'Aha! Dat is een zeker teken van een voorspoedig herstel. Zodra je tegen de dokter zegt dat hij belachelijk is, ben je eraan toe hier weg te gaan. Geen enkele dokter is ooit belachelijk geweest in een ziekenhuis. Dat is tegen alle regels. Ik geef je vijf minuten om je aan te kleden. We gaan naar het strand om de zon te zien ondergaan.'

'Dat kan ik niet. Dat wil ik niet. Ik kan me echt niet aankleden. Daar voel ik me veel te ellendig voor.'

'Vijf minuten. Of je gaat maar in je nachthemd en je badjas.'

'Heb je niets beters te doen dan mij te kwellen?'

'Op dit moment niet, nee.'

'Shit!'
'Je hebt zelfs geen aspirine nodig. Vijf minuten en ik begin nu te tellen.'

'De dame wil kippesoep on the rocks en ik een wodka-martini puur,' zei David tegen de barkeeper van Jack's at the Beach, toen ze op de barkrukken gingen zitten met uitzicht op de zonsondergang.
'Maak er maar twee martini's van,' ging Freddy ertegenin. 'En die van mij dubbel.'
'Mijn moeder zegt altijd kippesoep,' protesteerde David.
'Haar zoon zegt dat ik goed genoeg ben om het ziekenhuis te verlaten. Heeft je moeder medicijnen gestudeerd?'
'Alle joodse moeders zijn automatisch gekwalificeerd om de geneeskunde te praktizeren, zelfs als hun zoon geen arts is. Zelfs als ze alleen maar dochters hebben.'
'Maar ik mag wel sterke drank drinken? Het is niet slecht voor me? Ik wil jouw mening, niet die van je moeder.'
'Natuurlijk. Je mag alles doen wat je ook vóór het ongeluk hebt gedaan.'
'Ik heb geluk gehad, hè?' zei ze ernstig.
'Verdraaid veel geluk.'
'Ik weet nog steeds niet wat er is gebeurd.'
'Dat is heel typerend. Geheugenverlies komt veel voor na een zware hersenschudding. Je geheugen kan volledig terugkeren, of niet. Daar valt niets over te zeggen.'
Freddy zweeg en keek door de enorme spiegelglazen ruit naar buiten, waar twee mannen bezig waren een scherm van dun, grijs plastic te laten zakken om de te felle stralen van de zon af te schermen, zoals ze dat iedere avond deden in dit beroemde visrestaurant op de pier. Links van het restaurant zag ze in de verte een amusementspark met een oude achtbaan. Ze besefte dat ze alle mensen heel duidelijk in hun wagentjes kon zien zitten, met hun hand op de stang vóór zich. Haar gezichtsvermogen was nog steeds heel goed. Ze sloeg snel haar ogen neer. Zo ver en zo scherp kunnen kijken maakte haar heel zenuwachtig. Freddy draaide zich om naar David Weitz en begon hem even intens aan te kijken als hij al deze maanden bij haar had gedaan. Het was niet meer dan eerlijk om de rollen ook eens om te draaien. Donker haar, goed geknipt, met een enkele grijze pluk; diepe rimpels aan weerszijden van zijn mond; een smal gedistingeerd gezicht met iets van een treurige clown, dat volledig verdween wanneer hij glimlachte, met een brede, volle mond en een professioneel aandoende bril met hoornen montuur. Ze had hem nog nooit zonder die bril gezien.
'Draag je die bril altijd?' vroeg ze.
'Alleen wanneer ik iets wil zien. Als ik me goed herinner, doe ik hem onder de douche meestal af, wanneer ik heb gezien waar de zeep ligt.'

'Ik weet helemaal niets van je, behalve dat de zusters denken dat jij God in eigen persoon bent, wat waarschijnlijk de minimale score is.'

'Ze hebben wel eens de neiging te overdrijven. Ach . . . een klein beetje maar.'

'En wat doet God als hij niet werkt?'

'Ik ben onvoorspelbaar, complex, lichtgeraakt en geheimzinnig tegenstrijdig. Heel fascinerend, eigenlijk. Ik ben een ex-rugbyspeler – de meest waardevolle quarterback van de schoolcompetitie. Ik ben eveneens schaakmeester. Mijn hobby is polo en mijn stal met pony's staat 's zomers in Argentinië in de wei. Ik laat mijn pakken op Savile Row maken en ik heb een goede collectie premiers crus bourgogne in mijn wijnkelder met airconditioning. Ik bezoek ze van tijd tot tijd zodat ze zich niet verwaarloosd voelen. Voor ik ga slapen lees ik altijd drie pagina's Sartre in het Frans en ik kan uit het hoofd citeren uit de verzamelde werken van Tolstoj, de *Kama Soetra*, Jane Austen en Henry Miller.'

'Hmm.'

'Ik hebt écht schaak gespeeld . . . op highschool. Maar ik kan heel aardig partij geven bij het pingpongen.'

'Wat heb je in de oorlog gedaan?'

'Geneeskundige Dienst. Nooit overzee.'

'Wat doe je in je vrije tijd?'

'Ik heb een huis in Brentwood en als ik de kans krijg, blijf ik graag thuis. Ik lees een beetje, luister wat naar muziek, soms, in het weekend, maak ik wel eens een wandeling over het strand, ik ga bij een paar oude vrienden op bezoek, ik heb eens een afspraak . . . restaurants, films . . . meestal werk ik.'

'Als je probeert het saai te laten klinken, dan is dat niet gelukt.'

'Vergeleken bij wat ik van jouw leven heb gehoord, klinkt het zo weinig avontuurlijk en saai als het leven maar kan zijn . . . maar de geneeskunde is nooit saai, en dat doe ik het meest.'

'Door elke dag een patiënt te redden?'

'Niet helemaal, maar er zijn heel bevredigende momenten. Wat kan ik je vertellen?'

'Dat heb je al gedaan. Ik rammel.' Freddy was redelijk tevreden over zichzelf, wetend dat ze er met haar lavendelblauwe rok en diep uitgesneden linnen boerenblouse, die Eve voor haar vertrek bij haar in de kast had gehangen, beter uitzag dan ze in maanden had gedaan.

'De specialiteit hier is Californische pompano, een soort makreel die in vetvrij papier wordt gebakken, maar ik ben meer in de stemming voor gestoomde kreeft. Zal ik voor jou een menukaart laten komen?'

'Ik heb ook wel zin in kreeft,' zei Freddy, danig met zichzelf in haar schik. Dokters wisten altijd alles over jou en jij wist nooit iets over hen, zodat je altijd in het nadeel was. Maar nu, dacht ze, wist ze eindelijk wat meer over David Weitz. Ze wist al veel belangrijke dingen: zijn vriendelijkheid, zijn geduld, zijn gevoeligheid tegenover zijn patiënten die resulteerde in een ultragevoelig waarnemingsvermogen, en zijn liefde voor zijn werk. Nu kon ze zich hem ook voorstellen in een door bomen overschaduwd huis in Brentwood, een boek lezend of wandelend langs het strand, langs de vloedlijn, met opgerolde broekspijpen. Met zijn bril op, uiteraard, zodat hij niet zou verdwalen of over een zeester zou struikelen.

Toen de kreeften klaar waren, verhuisden ze naar een tafeltje en lieten zich braaf de grote slab omknopen die elke kreeftklant kreeg, of hij er om vroeg of niet. De enorme tweescharige kreeften uit Maine – kreeften, bedacht Freddy zonder enige interesse, die waarschijnlijk met Eagles waren overgevlogen – namen hun aandacht volledig in beslag.

Het is niet mogelijk kreeft te eten in het gezelschap van iemand bij wie je je niet op je gemak voelt, tenzij je bereid bent om kieskeurig en verkwistend genoegen te nemen met de middelste stukken, waar het vlees gemakkelijk uit loslaat, en geen enkele belangstelling hebt voor de scharen en de sprieten en al die hoeken en gaatjes waar de lekkerste stukjes in zitten. Dit was Freddy's eerste kreeft in bijna een jaar en ze ging er volledig in op. Ze begon met visvork en mes en haalde met behulp van het kreeftevorkje het vlees uit de scharen. De dunne scharen en de sprieten brak ze met haar vingers doormidden en de helften zoog ze uit. Ze vroeg tot twee keer toe om nog wat gesmolten boter, maar verder had ze weinig te zeggen, behalve: 'Mag ik alsjeblieft even de citroen?'

Toen de kreeften genuttigd waren, slaakte Freddy een diepe zucht van genoegen en begon zichzelf schoon te poetsen met behulp van nieuwe servetten en de grote vingerkom met warm water waarin schijfjes citroen ronddreven. Toen ze haar gezicht en handen zo goed mogelijk had schoongemaakt, maakte ze haar slab los, met glimmende wangen als een baby die juist in bad is geweest. 'Kwarktaart?' vroeg ze zich hardop af. 'Of ijs?'

'Allebei,' zei David en hij boog zich naar haar toe en kuste haar op de lippen. Freddy slaakte een kreetje van schrik. 'Ik ken een meisje dat weet hoe je een kreeft het lekkerst op moet eten,' verklaarde hij.

'En moet je haar daarom kussen?'

'Zeg dat wel.' Hij kuste haar opnieuw, waarbij zijn bril tegen haar neus botste. 'Sorry,' zei hij.

'Zet die bril dan ook af,' mopperde ze.

'Dan kan ik je niet zien.'

'Je weet heel goed hoe ik eruitzie.'

'Niet zoals nu, niet wanneer je gelukkig bent. Je bént nu toch gelukkig, hè Freddy?'

'Ja,' zei ze langzaam, 'ja, dat ben ik.'

'Maar niet helemaal?'

'Nee . . . niet helemaal . . .' zei Freddy, terwijl ze worstelde om volledig eerlijk te zijn over emoties die ze niet begreep en waarover ze zichzelf niet kon en niet wilde dwingen na te denken. 'Er kan niets aan veranderd worden . . . ik denk dat ik een beetje . . . een beetje gedeprimeerd ben door . . . door iets . . . allerlei redenen . . . en het is heel gecompliceerd . . . ik hoop dat het gewoon vanzelf over zal gaan. Het is waarschijnlijk een kwestie van tijd.

David, het belangrijkste is dat ik op dit moment gelukkig ben, ik ben eigenlijk vanaf dat we hier binnenkwamen gelukkig geweest, en dat is meer geluk dan ik me in tijden kan heugen te hebben gevoeld. Dat andere . . . dat verdriet is jouw probleem niet.'

'Dat is het wel.'

'Waarom zou het dat zijn? Je zei dat ik klaar was om naar huis te gaan. Na de manier waarop ik me op die kreeft heb gestort, kan ik echt niet meer doen alsof ik het nog niet allemaal aankan. Heb ik nog een dokter nodig?'

'Technisch gesproken niet, nee. Maar ik wil wel voor je blijven zorgen.'

'Hoe dan?' vroeg Freddy, verbaasd.

'Ik wil . . . ik wil met je trouwen. Zeg geen nee! Zeg helemaal niets! Zeg niet dat ik niet weet waar ik het over heb, Freddy. Zeg niet dat je geen meisje ten huwelijk kunt vragen na één afspraakje en twee kussen. Dat kan wel . . . ik heb 't net gedaan en ik heb nooit eerder in mijn leven iets impulsiefs gedaan. Ik ken je beter dan je ooit had kunnen dromen dat ik zou doen. Ik weet dat het nog veel te vroeg is en ik weet dat ik niets had horen te zeggen . . . maar ik kon het niet helpen. Ik wil dat je weet wat ik voor je voel . . . ik zal dat voor je blijven voelen en jij kunt me op je gemak leren kennen en alle tijd nemen om te besluiten . . . Dat is alles, geen woord meer erover.'

'Allemachtig,' zei Freddy zwakjes. 'Waar zullen we het bij ons tweede uitje over hebben?'

24

Newyorkers kunnen geweldig opscheppen over hun stad en Bruno de Lancel was bereid het daar helemaal mee eens te zijn. Was Manhattan meer gecultiveerd, intellectueler dan Londen? Rijker, koninklijker dan Rome? Dramatischer, of zelfs romantischer dan Parijs? Ja, dat alles en nog veel meer. Wat ze ook mochten beweren, hij was het er bij voorbaat mee eens toen hij met een taxi naar het diner reed dat John Allen gaf op een avond, begin oktober 1951.

Marie de la Rochefoucauld was teruggekomen van haar vakantie aan de Loire, even vrij, even ongebonden als ze was geweest toen hij haar in juni met de *Ile de France* had uitgezwaaid. Sinds haar terugkeer was Bruno erin geslaagd bijna elke weekend enige tijd met haar door te brengen, hoewel ze nog steeds andere uitjes afsloeg dan middagexcursies en rustige avonden in kleine restaurantjes. Ze vertelde hem dat haar familie teleurgesteld was geweest toen hij door onverwachte omstandigheden niet in staat was geweest die zomer naar Frankrijk te reizen.

'Maman zei dat ze je graag had willen leren kennen, na alles wat ik haar over jou had verteld, en mijn broers wilden graag met je tennissen ... om kort te gaan, we hebben je gemist, Bruno. Je mag ons niet meer zo teleurstellen,' zei Marie vriendelijk, half verwijtend en met een verlegen blik naar Bruno, die elke wisseling in haar gelaatsuitdrukking gretig in zich opnam en besefte dat dit de warmste blik was die ze hem ooit had toegeworpen.

Het feestje van vanavond was ter ere van Marie's verjaardag en Bruno had een week lopen zoeken eer hij een cadeau had gevonden dat ze niet te groot zou vinden om te accepteren, maar dat zo'n vorstelijk meisje toch waardig was. Na lang wikken en wegen had hij ten slotte een eerste editie van *Alice in Wonderland* gekozen, een boek waarop ze was gesteld om allerlei redenen die hij niet helemaal kon doorgronden, hoewel hij het had gelezen met de zorgvuldige aandacht van een verliefde man, alsof het tastbare gegevens over haar karakter kon verschaffen. Het had hem een aanzienlijke hoeveelheid geld gekost, maar hij was ervan overtuigd dat ze dat deze keer niet kon weten en het was bovendien altijd gepast om een boek te geven.

Bruno zat in de zitkamer van de familie Allen, in een geagiteerde maar goed verborgen staat van verwachtingsvolle jaloezie, want hij wist dat de gastenlijst was opgesteld door Marie, niet door mevrouw Allen. Toen hij arriveerde, begroette Sarah Allen hem en verklaarde dat Marie nog bezig was zich te verkleden. 'Ze had vertraging in die afschuwelijke ondergrondse vanaf Columbia, uitgerekend vanavond . . . bovendien mocht ik voor dit officiële diner naast jou niet meer dan twaalf vrienden uitnodigen,' klaagde ze. 'Ik vind het zo jammer dat ik geen bal voor Marie mocht geven . . . ze heeft zoveel vrienden gemaakt . . . maar ze wilde niet dat er veel ophef van werd gemaakt.'

Dus zouden er behalve hem maar twaalf andere gasten zijn, dacht Bruno toen de gasten arriveerden. Vier ervan waren Marie's twee geliefde professoren en hun vrouwen; één stel was de dochter des huizes, Joan, met haar verloofde; twee andere paren werden gevormd door getrouwde vrienden uit haar studentenwereld. Er was slechts één andere ongehuwde man behalve Bruno, maar hij had een meisje meegebracht, een goede vriendin van Marie. Bruno had iedereen al eens eerder ontmoet. Hij was de enige loslopende man in dit gezelschap! Ze had hem gekozen . . . of had ze het mogelijk gemaakt dat hij haar zou kiezen? Of – en Marie kennende, was dit zeer wel mogelijk – had ze gewoon onschuldig de namen uitgezocht van de mensen bij wie ze zich in New York het meest op haar gemak voelde? Had deze uitnodiging niets meer te betekenen dan het feit dat hij gewoon een vriend was, een vriend op hetzelfde niveau als de andere gasten? Hij wist het niet. Hij zou het misschien wel nooit weten.

Bruno stond in een hoekje te fronsen, met een strakke mond van ergernis over zijn eigen verwarring. Marie kwam de kamer in, gekleed in een slankvallende, lange strapless jurk van zware witte zijde. Haar lange zwarte haar was om haar hoofd heen gevlochten tot een kroontje, waardoor haar lange slanke hals nog beter uitkwam. Aan haar oren hingen lange oorbellen met diamanten en in cabochon geslepen robijnen, en ze had een grote bijpassende broche in het midden van haar bovenstuk gespeld, vlak boven waar de ivoorkleurige huid van haar schouders boven de jurk uitkwam.

Marie's juwelen waren zo schitterend dat slechts het feit dat ze ze had geërfd kon rechtvaardigen dat zo'n jong iemand ze droeg, maar ze had een houding alsof het de onopvallende gouden oorbellen, de gouden ketting en het gouden horloge waren, de enige andere juwelen die Bruno haar ooit had zien dragen. Hij beet op zijn lip in onmachtige emotie. Hoe hevig hij ook verliefd mocht zijn, toch werd hij woedend om de laconieke manier waarop Marie familiejuwelen droeg die niets met hem te maken hadden. Ze hoorde niets te dragen, nog geen paar schoenen, als hij het haar niet had gegeven; ze mocht hem nooit verbaasd doen staan door te verschijnen in een gedaante die hij niet kende, waarover hij geen controle had, hoe mooi ze ook mocht zijn. O, als ze van hem was, dan zou hij haar léren! Het diner was voor Bruno één lange, voortdurende marteling, omdat hij heel ver bij Marie vandaan was geplaatst. Ze zat tussen John Allen en één van haar hoogleraren in en zag er gelukkiger en levendiger uit dan hij haar ooit had gezien. Met zestien mensen aan de ovale tafel was een algemeen gesprek onmogelijk en Bruno was gedwongen zich met zijn buren bezig te houden, terwijl hij probeerde Marie in de gaten te houden zonder onbeleefd te zijn tegen de dames aan zijn linker- en rechterkant. Ze had hem niet bij zich in de buurt geplaatst. Het was duidelijk dat zij de tafelschikking had bepaald, evenals de uitnodigingen. Toen ze de verjaardagstaart aansneed, bedacht hij grimmig dat ze zelfs niet had geprobeerd zijn blik te vangen. De meest volleerde flirt in deze wereld had hem niet listiger kunnen behandelen dan de ogenschijnlijk zo onschuldige Marie de la Rochefoucauld. O, als hij de baas was, zou hij haar bijbrengen dat ze hem zo iets niet moest leveren!

Na het diner, toen de koffie en cognac in de salon werden geserveerd, probeerde Bruno naast Marie te zitten, maar hij merkte dat de andere plaats op het tweezitsbankje terloops was ingepikt door de jongste van haar twee hoogleraren, degene die aan tafel niet naast haar had gezeten. De man was waarschijnlijk nog geen vijfendertig, dacht Bruno terwijl hij met zijn kopje espressokoffie in de hand nijdig naar deze geleerde keek die Chinese keramiek als levensvervulling beschouwde. Hij zag er niet zo uitsloverig en stoffig uit als Bruno zich had voorgesteld. Hij was duidelijk van goede komaf en moest, te oordelen naar het uiterlijk van zijn vrouw, over een royaal inkomen van zichzelf kunnen beschikken. De blonde professor maakte Marie aan het lachen en ontlokte haar allerlei tegenwerpingen op zijn malle opmerkingen over de universiteit, tot Bruno was gedwongen zich om te draaien om de grimas van wraakzuchtige jaloezie te verbergen die hij op zijn gezicht voelde komen.

Was het mogelijk dat dit de reden was dat ze van haar zomervakantie was teruggekeerd zonder een Franse aanbidder te hebben opgedaan? Was het denkbaar dat ze verliefd was op deze vent, die haar diepste belangstelling deelde? Had ze hem vanavond met zijn vrouw uitgenodigd om mogelijke achterdocht weg te nemen? Wat een schat aan mogelijkheden moesten zij overdag niet hebben, dacht Bruno, zich herinnerend hoe eenvoudig het voor zijn maîtresses was geweest om hun man te bedriegen. Ontmoetten die twee elkaar heimelijk in het magazijn van de bibliotheek, in de werkkamer waar potscherven werden bestudeerd, lunchten ze samen, en gingen ze na de lunch . . . Nee!

Als Marie van hem was, zou ze hem zulke smerige dingen niet leveren! Hij zou haar voortdurend in de gaten houden, hij zou ervoor zorgen dat ze geen intieme vrienden had, geen interesses die hij niet passend voor haar zou vinden, hij zou haar geen enkel aspect van haar leven toestaan als dat hem

484

buitensloot. Hij zou haar dagen en haar nachten controleren, langzaam, stukje bij beetje, met zoveel behoedzaamheid dat ze nooit zou vermoeden hoe ze werd getraind, tot het te laat was om ertegen in opstand te komen. La vicomtesse Bruno de Saint-Fraycourt de Lancel zou nooit de kans krijgen in een salon rond te hangen en te giechelen als een schoolmeisje. Ze zou leren dat hij haar dat nooit zou toestaan en ze zou het niet wagen iets te ondernemen waar hij het niet mee eens was.

'Nog koffie, Bruno?' vroeg Marie de la Rochefoucauld, hem opschrikkend uit zijn overpeinzingen. Even flikkerde er iets in zijn ogen toen hij op haar neerkeek.

'Nee, dank je, Marie. Ik vind je haar heel leuk, zoals het om je hoofd zit. Je lijkt zo bijna vijftien.'

'Ik vrees dat ik er wat bezadigd uitzie. Je moet me niet plagen,' zei ze heel rustig, heel zelfverzekerd, maar ook zo charmant dat zijn hart pijn deed toen hij haar aankeek, hoewel zijn manier van doen onder zijn sterke onzichtbare harnas niets verried. 'Dank je wel voor *Alice*,' ging ze verder, 'het is het mooiste cadeau dat ik ooit heb gekregen ... hoe heb je het gevonden?'

'Dat is geheim.'

'Bruno, toe, vertel het me,' smeekte ze. 'Het is niet het soort boek dat je zomaar in de boekwinkel vindt. En ik heb een hekel aan geheimen, jij ook?'

'Je schijnt anders wel zo je geheimpjes te hebben met die professor van je,' zei Bruno luchtig, vaag in de richting van de blonde academicus wijzend.

'Joe? Vind je hem niet leuk? Hij is toch zo aardig, dat vindt iedereen! En zijn vrouw, Ellen, is een geweldig charmante vrouw – heb je nog met haar gesproken? Nee? Wat jammer ... ze zijn pas één jaar getrouwd – ze vertelde me dat ze een baby verwacht ... het is geweldig om twee mensen zó gelukkig te zien. Misschien ...'

'Misschien wat?'

'Joe en Ellen geven volgende week een feestje voor een groep studenten. Zou je het leuk vinden om mee te gaan? Ik waarschuw je, de andere gasten zullen allemaal van de afdeling oosterse kunst zijn, maar ik denk dat je hen wel aardig zult vinden en ... ik weet dat zij jou aardig zullen vinden.'

'Hoe kom je daar zo bij?' vroeg Bruno. 'Ik deel hun gespecialiseerde interesses niet.'

'Bruno, soms ben je toch zo ... zo bot! Ze zouden je vast aardig vinden omdat jij jij bent en ...' Ze aarzelde en Bruno kreeg even de indruk dat ze iets anders wilde zeggen.

'En,' probeerde hij, 'en wat?'

'Alsjeblieft, Bruno ... ze ... ze hebben zoveel over je gehoord,' zei Marie, ietwat nerveus. 'Ik denk dat ze ... nieuwsgierig zijn. Sommigen denken dat jij niet eens bestaat, ze denken dat ik maar wat fantaseer.'

'Dus je hebt met andere studentes over mij gepraat?'

Marie keek hem eerlijk en oprecht in de ogen, haar kalme zelfverzekerdheid was verdwenen om plaats te maken voor wat er in haar hart lag. 'Ik kan het niet helpen, Bruno. Hoe zou ik jou vóór me kunnen houden?'

'Je bent de meest gehoorzame, gezagsgetrouwe automobilist die ik ooit heb gekend,' zei Freddy tegen David, toen hij zijn marineblauwe Cadillac over het bijna verlaten stuk Sunset Boulevard manoeuvreerde waar lange, weelderige bochten schenen te zijn ontworpen om autobestuurders in de verleiding te brengen er zwierig overheen te zeilen. 'Heb je ooit een snelheidslimiet overschreden?'

'Waarschijnlijk wel, tijdens mijn studie, maar niet met opzet, liefje. Wanneer je maar genoeg auto-ongelukken de operatiekamer hebt zien binnenbrengen, heb je niet zo'n dringende behoefte om ergens een minuut eerder te zijn of de auto vóór je in te halen.'

'Dat kan ik me heel goed voorstellen,' stemde Freddy in. Toen ze eerder met David naar Jack's at the Beach was gereden, zo'n twee maanden geleden, had ze gedacht dat zijn voorzichtige rijstijl, met het op de meest gedetailleerde manier in acht nemen van het verkeersreglement, het gevolg was van zijn kennis over haar angst zich buiten het ziekenhuis te wagen. Ze had verondersteld dat hij extra voorzichtig met haar was, omdat hij wist dat ze wat duizelig was van alle indrukken van deze wereld na alle maanden die ze in het ziekenhuis had gelegen. Ze dacht dat hij zich moest bedwingen om onder de maximumsnelheid te blijven, waar geen enkele andere inwoner van Californië zich aan scheen te houden. Maar nu, na twee maanden waarin ze David minstens drie keer per week had gezien, besefte ze dat zijn verkeersgedrag onderdeel was van zijn persoonlijkheid.

Freddy glimlachte tevreden in zichzelf. Hij was zo'n fantastisch georganiséérde man. Zou er één vrouw zijn die kon bevroeden dat een dokter die zulke gewaagde dingen aan het menselijke zenuwstelsel kon verrichten, een gourmet-kok was die allerlei gecompliceerde recepten tot op de letter volgde, zonder ooit ergens een snufje of vleugje aan toe te voegen zonder zich vragen te stellen over de exacte afmetingen van dat snufje of vleugje? Welke patiënt van hem die onderworpen was geweest aan zijn vernieuwde, inventieve gebruik van de geneeskunde, had kunnen denken dat hij thuis de boeken in zijn bibliotheek niet alleen op auteur rangschikte, maar ook op titel, even alfabetisch als de woorden in een woordenboek, en nooit, werkelijk nooit, een boek opengeslagen voorover liet liggen, zelfs niet voor een paar minuten, omdat dat slecht was voor de band? Als hij iemand in een boekwinkel een nieuw boek hoorde openslaan en de rug hoorde breken, moest David worden tegengehouden om niet luidkeels te protesteren. Hij was heel aandoenlijk jongensachtig wanneer hij zich over iets opwond.

En dan zijn grammofoonplaten! Hij had Freddy geleerd hoe ze ze altijd bij de randen moest vasthouden, met de palmen van haar handen, zodat er geen vingerafdrukken op het zwarte gegroefde oppervlak konden komen; hij legde haar uit waarom ze in hun papieren beschermhoes moesten voordat ze in de kartonnen hoes gingen, nadat ze heel grondig waren schoongeveegd met een speciale doek die elk stofpluisje opnam. Hun enige onenigheid ging over de vraag of een grammofoonplaat, als hij eenmaal op de draaitafel lag, daar moest blijven tot hij was uitgespeeld. Soms wilde Freddy om de een of andere reden ergens halverwege een muziekstuk ophouden, maar David stond erop te wachten tot de arm van zijn Magnavox de naald van de plaat had gelicht. 'Je kunt er onmogelijk zeker van zijn dat je de plaat niet krast als je de naald er met de hand afhaalt,' legde hij uit, en ze besefte dat hij helemaal gelijk had en ze huiverde bij de gedachte aan de schandelijke manier waarop Jane en zij allerlei deuntjes op hun kleine, met de hand opgedraaide apparaat hadden gespeeld, waarbij ze even gemakkelijk van plaat waren gewisseld alsof het speelgoed was.

David had haar echt gefatsoeneerd, vond Freddy. Ze had in haar slaapkamer altijd een rommelhoek gehad, een soort 'hamsterhol' waarin ze van alles liet slingeren, van tijdschriften tot truien, brieven, uitgescheurde kranteartikelen, rekeningen waarmee ze wachtte met betalen, schoenen waar nieuwe hakken onder moesten, een kiekje dat ze nog eens in een album wilde plakken, alles bij elkaar één grote bende die een weliswaar informeel maar verrassend effectief opbergsysteem bleek te vormen. Als Freddy iets niet kon vinden op de plaats waar het hoorde te zijn, keek ze in haar rommelhoek en vond het. Maar toen ze in Davids slaapkamer was begonnen een klein buitenshuis hamsterholletje te vormen, want ze bracht nu veel tijd bij hem door, was hij verbazend resoluut geweest.

'Het is een slechte gewoonte, lieverd,' had hij gezegd. 'Het is net zo eenvoudig voor je om alles meteen op te ruimen of direct weg te hangen als je het uittrekt. Ik weet dat het vervelend is. Ik weet dat ik een geweldige lastpak ben wat netheid betreft, maar in een operatiekamer moet je elke seconde precies weten waar alles ligt.' Ze kon begrip opbrengen voor deze redenering, het bleek bovendien helemaal niet zo moeilijk om alles opgeruimd te houden, als je jezelf er maar even toe bracht. Ze had thuis nog wel steeds een rommelhoek, maar ze begon zich nu elke keer schuldig te voelen als ze er in zat te rommelen. Ze besloot ferm dat ze die slechte gewoonte maar snel kwijt moest zien te raken.

En áls ze inderdaad gingen trouwen, kon ze er maar beter snel mee aan de gang gaan, en Annie ook helpen, want die had diezelfde gewoonte overgenomen. Kon zo iets erfelijk zijn?

Zodra ze uit het ziekenhuis was, besefte Freddy dat er geen sprake van kon zijn Annie een jaar van school te nemen om haar in Engeland te laten blijven. Ze zou haar veel te erg missen. Haar dochter was weer thuis geweest vanaf het begin van het schooljaar, hoewel het niet eenvoudig was om een romance te hebben met een opmerkzame dochter van negen die haar elke morgen aan het ontbijt verwachtte. David en zij hadden nog geen enkele nacht bij elkaar kunnen slapen; ze waren nog niet één keer in hetzelfde bed wakker geworden, want hij bracht haar altijd op een fatsoenlijke tijd van de avond naar huis, aangezien hij bijna altijd de volgende morgen weer vroeg in het Cedars moest zijn.

Hij was de meest begrijpende minnaar die een vrouw zich kon dromen: teder, lief, aardig, met evenveel aandacht voor haar genot als voor dat van hemzelf . . . of misschien nog wel meer? Ze had pas twee andere minnaars gehad met wie ze David kon vergelijken en ze kon zich niet herinneren of Tony, of Mac, zoveel jaren geleden, haar bevrediging net zo belangrijk hadden gevonden als David nu. Bezat David een unieke, ingebouwde gevoeligheid voor vrouwen, of was het zijn kennis van de neurologische reacties? En was het niet een beetje flauw om dat te denken, terwijl ze altijd zo voldaan was wanneer hij de liefde met haar had bedreven?

Zou David haar nooit eens onverwachts pakken, voor een heethoofdig, slecht getimed maar heerlijk vluggertje, het soort sexy geheim waar je de hele avond samen van kunt nagenieten? Of paste dat niet bij hem? Mischien deed hij dat later nog wel . . . als ze getrouwd waren . . .?

David had zijn woord gehouden. Hij had niets meer over trouwen gezegd, zoals hij had beloofd. Hij had niet de minste druk op haar uitgeoefend om tot een besluit te komen. Waarom had ze dan toch het gevoel alsof er een onzichtbare kracht was die haar dwong om ja te zeggen tegen die aardige man die zo goed voor haar was, die zo geweldig voor haar zorgde, die zijn liefde op zoveel manieren toonde? Misschien kwam het wel doordat hij zo duidelijk een man was met wie alleen een vrouw die krankzinnig was niet zou willen trouwen.

Het was alleen maar het diner van vanavond dat haar een beetje zenuwachtig maakte. Een etentje bij Davids moeder. Het was een uitnodiging waaraan ze zich al tot twee keer toe had weten te onttrekken, totdat ze ten slotte had moeten accepteren. Een etentje bij iemands moeder was nog geen officiële huwelijksaankondiging. Het was gewoon een compliment om te worden uitgenodigd. Niets meer. Geen enkele druk. Hij had haar toch zeker ook nog niet meegenomen om haar voor te stellen aan zijn zusters, hoewel ze dacht dat het hebben van die zusters de reden was dat hij zo goed met Annie overweg kon.

Hij verzekerde haar dat het vanavond een heel gewone avond was, niets bijzonders, het gebruikelijke wekelijkse etentje dat hij al vele jaren bij zijn moeder had. 'Ik ben nog zo'n belachelijk ouderwets iemand die ze als een goede zoon plegen te zien,' had David haar verteld, een en al zelfspot. 'Het is toch niet mijn schuld dat ze zo'n lief moedertje is, wel?' Zij had ook een lief moedertje, en als Eve niet tienduizend kilometer bij haar vandaan had gewoond, zou zij net zo'n goede band met haar moeder hebben gehad als Eve en Delphine nu hadden.

Susan Grunwald Weitz, die sinds drie jaar weduwe was, woonde in een van de groene lanen van het luxueuze Bel Air, iets ten oosten van Brentwood. Ze sloegen af op de Sunset Boulevard en arriveerden weldra bij haar huis, een fraai wit landhuis in elegante Virginia-stijl dat goed beschermd lag achter hoge hekken.

'Hm,' merkte Freddy op, geïmponeerd en ietwat verbaasd. Davids eigen huis was meer op vrijgezel-formaat. 'Ik dacht dat je vader ook arts was geweest?'

'Zijn hobby was beleggen – in olie en onroerend goed. Hij heeft zijn interessen altijd goed kunnen combineren.'

'Wat een schitterende tuin,' merkte Freddy op, ietwat treuzelend omdat ze toch wat opzag tegen de ontmoeting met Davids moeder, hoe aardig of hoe klein ze ook mocht zijn.

'Dat is de hobby van mijn moeder. Kom, liever, ze eet je echt niet op, hoor.' Hij begroette het meisje dat de deur opendeed en hen voorging naar de zitkamer. Freddy kreeg een snelle indruk van een weelde aan schilderijen en beeldhouwwerken en overal vazen met bloemen, voordat ze merkte dat de zitkamer veel meer mensen bleek te bevatten dan het ene moedertje waarop ze zich had voorbereid.

Susan Weitz, die bijna even lang was als haar zoon, stond op en begroette haar beheerst en vriendelijk. Er was geen enkele grijze streep in haar gladde, asblonde haar te zien, haar parels waren de beste die Freddy ooit had gezien, haar blauwe jurk was eenvoudig en duurder dan Freddy – die zulke verschillen tegenwoordig in één oogopslag kon herkennen – ooit een andere vrouw in Los Angeles had zien dragen. Freddy's eerste gedachte was dat die jurk in Parijs moest zijn gemaakt. Haar tweede was dat Susan Weitz de tweede vrouw van de overleden dokter moest zijn geweest, want ze was onmogelijk oud genoeg om Davids moeder te kunnen zijn.

Maar toen ze werd voorgesteld aan de andere mensen in de kamer, moest Freddy toegeven dat de vrouwen van in de dertig, de drie getrouwde zusters van David, veel gelijkenis vertoonden met Susan Weitz en David zelf. Met hun drie echtgenoten vormden ze een uitzonderlijk lange, uitzonderlijk slanke, uitzonderlijk aantrekkelijke groep mensen, die heel hartelijk maar ook weer niet overdreven hartelijk waren. Ze schenen Freddy niet op enige bedekte of opvallende manier op te nemen. Het was gewoon een eenvoudig familie-etentje, zei ze bij zichzelf, terwijl ze haar hooggeboren mevrouw Longbridge-glimlach opzette. Iedereen in die kamer leek werkelijk boven haar uit te torenen. Ze voelde zich als een lilliputter.

'Moeder, je had me niet gewaarschuwd dat de meisjes er ook zouden zijn,' protesteerde David verbaasd.

'Nou, liever, je zusjes waren vrij en wilden dolgraag komen – je weet dat ik nooit nee kan zeggen.'

'Ik had je toch over mijn zusjes verteld, hè?' mompelde hij tegen Freddy.

'Sorry, hoor.'

'Ze schijnen gegroeid te zijn sinds je het over hen had.'

'Nou ja, ik ben de oudste, met vele lichtjaren. Moeder kreeg mij toen ze achttien was. Voor mij zullen het altijd kleintjes blijven,' zei hij en gaf haar iets te drinken.

De familie Weitz, zoals Freddy hen in gedachten noemde omdat ze de achternamen niet goed had verstaan, voerde een luchtig gesprek waarin Freddy zo vanzelfsprekend werd betrokken dat ze zich weldra weer als een mens van normale afmetingen beschouwde. Ze leken trouwens ook kleiner als ze zaten.

Na het opgewekte, met vrolijk gepraat gevulde diner gingen ze allemaal terug naar de zitkamer, waar Freddy in beslag werd genomen door Barbara, die verkondigde dat zij de baby van het gezin was.

'Jij hebt maar één zusje, hè?' vroeg Barbara, met een vriendelijke glimlach.

'Ja, en ze woont heel ver weg,' zei Freddy spijtig. De aanblik van die grote gezellige familie Weitz maakte dat zij heimwee kreeg naar haar eigen familie.

'Ik heb veel films van haar gezien. Ze is echt geweldig. David zegt dat je dochtertje Annie veel op haar lijkt.'

'Ja, dat is heel treffend. Maar verder zijn ze heel verschillend. Ik denk niet dat Annie ooit actrice zal worden.'

'David zegt dat Annie nog steeds piloot wil worden. Ben je daar blij mee? Als ik haar moeder was, zou ik geloof ik niet zo blij zijn met die ambities, vooral nu je het vliegen zelf ook op hebt gegeven. Het lijkt me zo'n moeilijk leven voor een meisje, niet echt ... tja, niet echt vrouwelijk, als je begrijpt wat ik bedoel. Maar je zult het haar vast wel uit haar hoofd kunnen praten. David hoopt dat je dat kunt, maar dat heeft hij je waarschijnlijk zelf al verteld. Duw haar zachtjes een andere kant uit – golf bijvoorbeeld. Of tennis. Dat zijn zulke nuttige sporten. Niet iets wat je helemaal alleen moet doen, zoals vliegen. Ik ben zelf een verwoed golfer. Speel jij ook, Freddy? Nee? Wat jammer! Nou, als je ooit wilt leren golfen, kan ik je naar de beste instructeur van de hele stad sturen. Met jouw coördinatievermogen, of wat piloten ook mogen hebben, moet je een geboren talent zijn! Ik heb een idee – waarom gaan we niet op de club lunchen, dan zal ik je na afloop aan hem voorstellen. Dan kun je gelijk een afspraak maken voor lessen, als je daar zin in hebt. Maar ik zal je hoe dan ook over een paar dagen bellen.'

'Dat lijkt me geweldig,' zei Freddy, moeizaam een glimlach producerend. Ze had op dit moment nog niet gevlogen, uit eigen keuze, om redenen die ze nog niet wilde analyseren, maar dat betekende nog niet dat ze 'het had opgegeven'. En hoe kwam Barbara erbij dat je iemand door praten van vliegen kon afhouden, als die iemand echt niets liever wilde? Had enige logica of overredingskracht, hoe vriendelijk ook – hoe zwaar ook – haar ooit tegen kunnen houden? Wanneer je die behoefte had, dat verlangen om in de lucht omhoog te klimmen, om die van jou te maken, was er niets wat een moeder kon doen. Of hoorde te doen. Maar Barbara was heel hartelijk en ze bedoelde het goed.

'Schuif 'ns een eindje op, Barbara,' zei Dianne, een andere zus die zonder pardon Barbara's plaats inpikte. 'Heeft ze weer over die golfleraar zitten vertellen? Let er maar niet op. Ze is echt ver heen. Ze is de clubkampioen, liefje, al drie jaren achtereen. Volgens mij is het stomvervelend, al dat gezwets over golf. Maar ik heb ook geen tijd om golf te spelen, met vijf kinderen en de volgende op komst. O, ik weet het, er valt nog niets te zien, maar bij mij valt er meestal tot de zesde maand niets te zien . . . daar bof ik echt mee. Jij hebt maar één kind, heb ik begrepen? Wat jammer!'

'Annie is halverwege de oorlog geboren. Ik had een baan . . .' hoorde Freddy zich verontschuldigen.

'Wat sneu! Maar je bent nog zó jong. Pas eenendertig, zegt David. Je hebt nog alle tijd om er tien bij te krijgen als je dat wilt, nietwaar? Hemel, dat klinkt als een hoop werk, hè? Je zou je gezicht eens moeten zien! Heus, Freddy, ik maakte maar een grapje. Maar David wil natuurlijk dolgraag een stuk of wat kinderen. Dat eerste huwelijk . . . ach, ze zijn niet lang genoeg getrouwd geweest om kinderen te kunnen krijgen . . . maar dat heeft hij je natuurlijk verteld. En ik hoor dat je bent opgehouden met werken. Ik heb vriendinnen met kinderen die zich nog steeds vastklampen aan hun baantje, maar ik heb echt medelijden met hen . . . je wordt altijd zo twee kanten uit getrokken . . . ze kunnen zich nooit volledig inzetten voor hun baan of voor hun baby's, hoe hevig ze ook hun best mogen doen. Maar ze willen nu eenmaal graag blijven werken, ik kan dat respecteren, maar onwillekeurig heb ik toch het idee dat ze de verkeerde keuze hebben gemaakt en dat ze er later spijt van zullen krijgen. Wat vind jij daarvan?'

'Ik heb er nooit echt over nagedacht,' antwoordde Freddy. 'Annie is grootgebracht door een werkende moeder en ik heb niet de indruk dat ze daaronder geleden heeft. Tot nu toe in ieder geval niet.'

'O nee, natuurlijk niet!' riep Dianne. 'Bovendien was het oorlog, en zo. En toen heb je dat bedrijf opgezet. Jíj kon het niet helpen. Maar ze vindt het vast heel leuk dat je nu bij haar thuis bent. En als ze een tiener wordt, zal ze je echt nodig hebben. Die kleintjes hebben je eigenlijk altijd nodig, ook wanneer ze groter worden. Vond je het niet heerlijk om zwanger te zijn? Ik ben dan gelukkiger dan ooit . . . ik vraag me af hoe dat komt. Waarschijnlijk iets primitiefs en atavistisch. Nu je niet werkt, heb je misschien tijd om volgende week een keer te komen lunchen? Ik bel je nog wel om een afspraak te maken. Het lijkt me énig als je een keer bij me thuis komt om mijn kinderen te zien.'

Wie had Dianne in 's hemelsnaam de indruk gegeven dat zij nooit meer aan het werk zou gaan, vroeg Freddy zich af terwijl ze een glimlach produceerde bij wijze van antwoord op Dianne's vriendelijke, hartelijke blik. Ze had nog geen definitieve beslissing genomen wat Eagles betrof. In een moment van fysieke zwakheid had ze Swede verteld dat ze niet meer naar het werk terug zou komen en ze was nog niet van mening veranderd, maar ze hield wel alle mogelijkheden open. Eagles was nog steeds . . . haar baby. Nou ja, Dianne was gewoon een beetje enthousiast. Ze moest een geweldige moeder zijn. En ze bedoelde het goed.

'Ik kom je redden,' zei Bob, een van Dianne's zwagers tegen Freddy, en hij hees Dianne overeind en nam haar stoel in beslag. 'Is ze al begonnen over de vreugden van de bevalling, over de extase van de weeën? Nee? Dan heb je geluk gehad.' Hij gaf Dianne een klein tikje voor haar bil en stuurde haar weg. Toen keek hij Freddy aan. 'Ik ben Elaine's man – de middelste zus – en zij heeft me hierheen gestuurd toen ze jou in Dianne's moederlijke greep zag. Ik weet wat je moet denken, deze familie is bij elkaar overweldigend – ik kreeg hetzelfde gevoel toen ik hier voor het eerst kwam. Ik kon ze niet eens uit elkaar houden . . . en de manier waarop ze David aanbidden! Het is een geweldige kerel, begrijp me goed, maar hij is niet de Almachtige in eigen persoon. Maar zeg dat niet tegen zijn zussen of tegen zijn moeder! Ik hoop echt dat je zult begrijpen dat je je niet op sleeptouw hoeft te laten nemen door die meiden, met al hun hobby's en meningen, als je daar geen zin in hebt. Neem ons, bijvoorbeeld – Elaine en ik hebben maar twee kinderen en geen plannen voor meer, we spelen geen golf of tennis – we zwemmen een beetje voor onze conditie. We zijn de gematigden van de familie. We zijn dol op kamermuziek, maar we proberen niet het anderen door de strot te duwen. Als je van opera houdt, des te beter, zeggen wij altijd. Als je van concerten houdt, moet je het orkest steunen. Als ballet je kostje is, alles goed en wel, en als je er een hekel aan hebt, zijn er tal van andere doelen die actieve hulp nodig hebben – het museum, de UCLA, ziekenhuizen – noem maar op. Het belangrijkste is dat je je echt ín iets stort, vind je niet, Freddy? Het leukste van genoeg tijd en genoeg geld is het betrokken zijn bij de gemeenschap, om te geven, niet alleen maar te nemen.'

'Daar ben ik het mee eens,' zei Freddy, knipperend met haar ogen bij deze dynamische man. 'Helemaal.'

'Elaine en ik hadden al zo'n gevoel dat je dat zou zijn,' verklaarde Bob tevreden. 'We hoopten dat David en jij volgende week een keer bij ons komen dineren. We krijgen een interessant groepje mensen op bezoek, wat mensen uit de muziekwereld, een paar uit de kunstwereld . . . ze staan allemaal te popelen om jou te ontmoeten. Elaine zal je morgen wel bellen om verdere informatie te geven. Vóór je het in de gaten hebt, zit je al tot je nek in iets fascinerends. En bedenk goed wat ik over de Weitzes heb gezegd: ook al lijken we op elkaar, toch zijn we allemaal heel verschillend.'

O nee, dacht Freddy, toen Bob werd vervangen door Jimmy, de volgende zwager. Jullie zijn allemaal één pot nat: lieve, vriendelijke, hartelijke, lief-hebbende mensen, heel gelukkig, produktief, gastvrij, geborgen in wie je bent en wat je van dit leven verwacht. Jullie zijn benijdenswaardig, een burcht van een familie.

'Jimmy, iedereen heeft de kans gehad om met Freddy te praten, behalve ik,' zei Davids moeder, toen Jimmy opstond bij haar nadering. 'En ze is hier niet voor jullie gekomen, maar voor mij – ik had me nooit moeten laten overhalen om jullie jezelf voor dit etentje uit te laten nodigen.'

Toen Jimmy afdroop, keek Susan Weitz Freddy heel openhartig aan, met een bewonderende blik in haar bruine ogen. 'Het zijn net kinderen met een nieuwe puppy,' zei ze. 'Het verbaast me dat ze niet tegen je op zijn gespron-gen om je over je gezicht te likken. Maar ze zijn zo blij David gelukkig te zien, dat je 't hun niet kwalijk kunt nemen.'

'In de ogen van zijn zusters gaat de zon op en onder over David,' durfde Freddy te beweren.

'Op zo'n manier dat zelfs ik dat zie,' stemde Davids moeder lachend in. 'Mijn man zei altijd dat ik het ergste was. Maar als je maar één zoon en drie dochters hebt, is het moeilijk om niet partijdig te zijn, vooral wanneer die zoon David is.'

'Ja,' stemde Freddy in. 'Vooral als het David is.'

'Ik heb me vele jaren afgevraagd wanneer hij weer verliefd zou worden. Hij zei altijd dat hij het daar te druk voor had – wat een onzin! Ik wist dat als de ware vrouw maar langs zou komen, hij wel tijd zou weten te vinden. Hij is nooit een verstokte vrijgezel geweest. Nou ja! Ik wilde je echt niet nog erger laten blozen dan je al deed! Maar je komt volgende week weer terug, hè Freddy? Ik beloof je dat de meisjes er dan niet zullen zijn . . . alleen wij drietjes, zodat we elkaar wat beter kunnen leren kennen. Zeg dat je dat doet!'

'Ik zal het proberen,' antwoordde Freddy. 'Wat hebt u een prachtige schilderijen, mevrouw Weitz,' zei ze, om zich heen kijkend.

'Dank je, Freddy. Mijn man en ik hebben samen de collectie opgezet en na zijn dood ben ik kunst blijven kopen . . . het houdt me bezig.'

Freddy pakte de zilveren schaal die op een tafeltje naast haar stoel stond en ze tilde hem naar haar neus en snoof eraan. 'Heeft u dit zelf gemaakt?' vroeg ze.

'Maar Freddy toch!' riep Susan Weitz verrukt. 'Hoe kon je dat weten? Ik heb mijn eigen, heel, heel speciale manier om potpourri te maken. Mijn moeders geheime recept, om precies te zijn. Maar de meeste mensen merken het niet – ze denken dat ik het heb gekocht. En van de meisjes heeft niet één het geduld om het zelf te maken. Als je het leuk vindt, zal ik je wel laten zien hoe je het moet doen. Het kost een hoop tijd, maar het is de moeite waard.'

'O ja,' zei Freddy, 'dat begrijp ik.'

De wijnstokken van de champagnedruif slapen tijdens de winter en worden niet wakker vóór eind februari, wanneer ze wit sap uit hun oude wonden beginnen te huilen, wonden die zijn veroorzaakt door het snoeien in maart van het voorafgaande jaar. De tranen van de wijnstok zijn voor een Champenois als het geschal van trompetten, want het is het signaal dat het groeiseizoen is begonnen. De onweerstaanbare opleving van de sapstroom doet de knoppen aan de kale takken zwellen. Tegen het eind van maart zijn alle knoppen die trossen zullen worden, geopend. De periode vanaf het huilen tot aan de oogst, over zo'n zes of zeven maanden, is een tijd waarin niemand die champagnedruiven teelt, van de boer met zijn paar hectaren tot de eigenaar van een *Grand Marque* zoals Paul de Lancel, ooit vrij is van spanning, door alle mogelijke dreigingen die van uur tot uur, van dag tot dag, de oogst kunnen beïnvloeden.

Tegen het eind van oktober 1951 konden Paul en Eve de Lancel eindelijk gerust zijn. Paul was de hele zomer druk bezig geweest met de leiding over de hele Lancel-onderneming, Eve met het beheer van het château en de zorg voor de gasten die Valmont in en uit gingen met de regelmaat van een getij.

In heel Champagne was de oogst binnen. Het leger van tienduizend seizoenplukkers, meestal mijnwerkers en fabrieksarbeiders uit andere delen van Frankrijk, soms zigeuners of rondtrekkende landarbeiders, was eindelijk vertrokken, uitgeput, tevreden en goedgehumeurd na tien dagen van hard werken, waarbij ze hadden geslapen in de slaapzalen die de grote wijnbouwers voor hen in de wijngaarden hadden gebouwd. Ze hadden de vijf enorme maaltijden genuttigd die hun dagelijks werden verschaft. Ze hadden kannen vol rode wijn gedronken die voor hen klaarstonden wanneer ze dorst hadden. Ze hadden elke avond gezongen en gedanst en ze waren naar de vele kermissen geweest die hen in de wijde omgeving lokten. Als ze niet aten, sliepen, dronken of pret maakten, hadden de robuuste, sterke plukkers zonder onderbreking van 's morgens vroeg tot zonsondergang gewerkt, altijd dubbelgebogen in pijnlijke houdingen, op hun knieën, kruipend, zelfs plat op de grond liggend om de delicate vruchten van de laaggroeiende druiveranken te plukken, steeds uiterst voorzichtig om niet het velletje van één enkele rijpe druif te kneuzen en daardoor een voortijdige gisting te veroorzaken.

'Ik voel me net als een schoolmeisje dat alle examens achter de rug heeft en zich in de eerste vijf maanden bijna nergens druk over hoeft te maken,' zei Eve bij het ontbijt tegen Paul. 'Het is heel vreemd . . . ik heb steeds het gevoel dat ik de menu's voor volgende week nog moet opstellen.'

'Je ziet er ook uit als een schoolmeisje, maar wel als eentje die moe is. Wat jij eens moet doen, is lekker uitslapen. Ik wil dat je jezelf van nu af aan gaat verwennen.' Hij strekte zich over zijn bord uit, pakte haar hand en kuste die. Hij vond het heerlijk om Eve 's ochtends te zien, voordat ze haar make-up op had gedaan of haar haar had opgemaakt. Voor Paul zag ze er privé, op haar vijfenvijftigste, vijftien jaar jonger uit dan wanneer ze helemaal was opgedoft om het publiek onder ogen te komen.

'Het probleem met al die maanden van vroeg opstaan is dat het een gewoonte wordt – ik heb zelfs geen wekker nodig. En wat dat verwennen betreft, maak je geen zorgen, lieve, ik heb allerlei plannen voor ons beiden.

Na Thanksgiving bij Freddy in Californië en Kerstmis en oud en nieuw bij Delphine en Armand op Barbados, gaan we terug naar Parijs zodat ik mijn nieuwe garderobe bij Balenciaga kan bestellen – ik heb een grote dure suite in het Ritz besteld, uiteraard aan de Vendôme-zijde ... theaters, musea, restaurants ... ik ben van plan de hele winst van dit jaar erdoor te jagen ...

Zolang je me maar niet vraagt vóór volgend voorjaar nog één druppel champagne te drinken, ben ik volmaakt gelukkig.'

'De mensen die champagne oprecht naar waarde weten te schatten, zeggen dat het nooit beter smaakt dan voor de lunch – liefst als ontbijt met gepocheerde eieren.'

'Dat klinkt als een medicijn tegen een kater.' Eve huiverde even en schonk zich nog een kopje thee in.

'Het helpt bij een kater alleen als je het half om half mengt met donker bier ... of met een derde sinaasappelsap, een derde cognac en twee scheutjes Cointreau en grenadine – dat heb ik me tenminste laten vertellen.'

'Laten we het maar niet proberen,' vond Eve.

'Goed.' Paul was een volmaakt gelukkig mens zoals hij daar achteroverleunde en naar de verre horizon keek, over de Lancel-wijngaarden heen.

'Is het niet heerlijk om Valmont weer helemaal voor onszelf te hebben,' zei Eve. 'Toen die laatste Engelse wijnschrijver gisteren vertrok, had ik hem wel kunnen zoenen, zo blij was ik dat hij ophoepelde. Ik laat alle logeerkamers schilderen als we weg zijn, en ik heb al stof uitgezocht voor nieuwe spreien en gordijnen. De kleden moeten nog maar een jaartje mee.'

'Heb je geen zin om vanmorgen mee te gaan rijden? Het is zulk heerlijk weer,' zei Paul.

'Nee, ik heb al een oude afspraak om mijn rozen te mulchen.'

'Waarom doen de tuinlui dat niet?'

'Iedereen kan het doen. Maar ik doe het het liefste zelf. Waarom zou ik die tuinlui alle leuke werkjes laten doen?' vroeg Eve.

'Mijn moeder deed het ook altijd zelf,' herinnerde Paul zich. 'Ze zei dat als ze de rozen goed afdekte en mest gaf in het najaar, ze zich nooit zorgen hoefde te maken, hoe streng de winter ook mocht zijn, en het was een werkje dat ze niemand anders toevertrouwde.'

'En ze had gelijk, zoals altijd – of bijna altijd. Ik ga mijn tuinbroek aantrekken. Geen Balenciaga meer! Heerlijk!' Eve kuste hem boven op zijn hoofd, waar zijn dikke haar nog steeds meer blond dan grijs was. 'Een goede rit. Ik zie je wel weer bij de lunch.'

Drieëneenhalf uur later, toen een deel van de rozentuin vele centimeters

dik onder de mulch lag, was Eve in haar badkamer bezig haar nagels schoon
te borstelen voor de lunch. Plotseling klopte de huishoudster op de deur. Het
geluid klonk dringend.
'Madame! Madame! Komt u gauw naar de stallen, snel!'
'Lucie! Wat is er?' vroeg Eve toen ze de trap afholde.
'Ik weet het niet, madame. De staljongen zei dat ik u direct moest waarschuwen.'
Eve rende naar de stallen zo snel als ze kon. Een val, dacht ze, het moet
een val zijn. Zelfs een goede ruiter als Paul kon altijd een val maken.
Voor de openstaande deur lag Paul met zijn hoofd op een paardedeken,
met vijf of zes mannen om hem heen die haar bijna schuldbewust aankeken,
alsof ze zich niet hadden durven verroeren voordat zij er was.
'Hebben jullie de dokter gebeld?' riep ze, zelfs nog voordat ze voldoende
dichtbij was om te kunnen zien wat er was gebeurd.
De mannen bleven, met hun pet in de handen, als aan de grond genageld
staan en zeiden niets. Geen van hen knikte instemmend.
'Hebben jullie dan geen verstand in jullie hoofd? Snel, rén naar het huis!
Bel op!'
Niemand gaf antwoord. Niemand verroerde zich. 'Paul? Paul?' Eve
wiegde zijn hoofd in haar armen. Ze keek op naar de oudste stalknecht.
'Emile, hoe is hij gevallen?'
'Monsieur Paul, madame . . . tja . . . eh . . . hij kwam aanrijden, hij stopte,
hij zei tegen me dat hij hoofdpijn had. Hij wees naar de achterkant van zijn
hoofd. Hij schoof een voet uit de stijgbeugel, pakte de teugels in één hand
en toen, voordat ik hem kon helpen . . . gleed . . . gleed hij van het paard en
viel op de grond . . . weet u, dáár. Ik heb hem toen op een deken gelegd.'
'O, mijn God, waarom heb je hem bewogen. Je hebt hem pijn gedaan!'
'Nee, madame, ik zou hem nooit hebben bewogen als ik niet had geweten . . . dat hij al . . .'
'Al? Wat al? Ben je nou helemaal gek, Emile? Haal een dokter!'
'Dat zou ik hebben gedaan, madame, dat zou ik hebben gedaan, maar de
dokter kon hem niet helpen . . . hij is heengegaan, madame.'
'Heengegaan?'
'Ja, arme madame. Hij is overleden.'

Het enige besluit dat Eve in alle uren van verwarring na Pauls dood kon
nemen, in alle uren van zo'n ongeloof dat ze nog niet in staat was te treuren,
was dat de begrafenis niet plaats zou vinden voordat al zijn kinderen op
Valmont waren verenigd. Delphine kwam snel uit Parijs en was binnen
enkele uren bij haar. Zij nam het op zich om Bruno en Freddy te telefoneren.
Eve doolde verdoofd door de schok door het château, van de ene kamer naar
de andere, ze bekeek het uitzicht uit de verschillende ramen alsof ze het voor
het eerst zag, ze gleed met haar koude vingertoppen over de lijsten van de

496

schilderijen, bekeek de geborduurde kussens, alsof ze op de een of andere manier een geheime code moest vinden die haar kon vertellen wat er met haar leven was gebeurd.

Freddy's vlucht zou lang duren. Ze moest met TWA van Los Angeles naar New York. In New York zou ze een Air France-vlucht naar Parijs nemen, met een route over de pool en stops in Gander en Shannon. In Parijs zou ze worden opgehaald door Armand, die haar met de auto naar Champagne zou brengen.

Swede Castelli bracht Freddy naar het vliegveld. Toen het bericht haar had bereikt, had Freddy, in haar verdriet, beseft dat Swede in Los Angeles degene was die nog het dichtst bij familie in de buurt kwam ... de enige stabiele rots in een wereld die zo snel was veranderd in de vijftien jaar dat ze elkaar kenden.

'Hoor eens, Freddy, je moet echt proberen aan boord van het vliegtuig wat slaap te krijgen. Je ziet er afgedraaid uit,' zei hij, toen ze de gate naderden. Freddy keek door het raam naar de enorme viermotorige Lockheed Constellation die buiten op het asfalt stond te wachten. Een open bagagewagen werd langzaam overgeladen in het bagageruim.

'Swede, waar is hier een bar?' vroeg ze plotseling.

'Op elk vliegveld moet een bar zijn. Zullen we hem opzoeken?'

'Graag.'

Freddy en Swede goten zwijgend een whisky naar binnen. 'Nog een?' vroeg Swede. Freddy knikte instemmend.

'Waarom helpen die bardrankjes zo weinig? Het lijkt wel water,' klaagde ze, toen ze haar tweede glas leegdronk.

'Om te beginnen bestaan ze waarschijnlijk voor de helft uit water, en daar doen ze nog eens al die ijsblokjes bij. Ik zal er nog eentje voor je bestellen. Dan weet je zeker dat je onderweg kunt slapen.'

'Een goed idee.'

Swede had Freddy nog nooit drie glazen achter elkaar naar binnen zien gieten, zelfs niet in een bar, en zeker niet voor elf uur 's morgens, zoals ze nu deed, maar hij vermoedde dat het haar manier was om haar emoties de baas te blijven.

Freddy dronk somber en snel. Het zou een lange, uitputtende tocht worden en ze wist dat als ze eenmaal in de lucht zat, haar meer drinken en eten zou worden aangeboden dan ze opkon, maar ze had een ongekende behoefte aan het effect van de whisky nu, op dit moment. Als ze maar niet alleen had hoeven reizen.

Als David al in staat was geweest zijn patiënten op staande voet in de steek te laten, zou hij een rustgevende reisgenoot zijn geweest, maar ze had die mogelijkheid verspeeld toen ze hem had verteld dat ze er zeker van was dat ze nooit met hem zou kunnen trouwen, hoeveel tijd hij haar ook gaf. Hij had gedacht dat haar besluit was veroorzaakt door het effect van zijn familieleden, die zich hadden gedragen alsof een huwelijk een vaststaand feit was en die verwachtten dat zij zich zou aanpassen aan hun goed georganiseerde levens.

'Begrijp je dan niet dat je helemaal je gang zou kunnen gaan? Begrijp je dan niet dat ik hen nooit zou laten proberen jou naar hun hand te zetten?' had hij wanhopig gevraagd. Maar het was niet dat, had ze hem moeten vertellen, want ze had die Weitzes best aangekund, na haar ervaringen als zestiende barones Longbridge-in-opleiding. Toen ze merkte dat haar toekomst als iets vanzelfsprekends werd beschouwd, besefte ze dat ze niet *d'amour* van David hield. *Aimer d'amour*, 'liefhebben met liefde', die Franse uitdrukking die echt romantische liefde betekende, was niet de manier waarop ze van hem hield. En toch hield Freddy echt van David, en zou ze altijd van hem blijven houden. Ze hield van hem als een goed mens, als een geweldige dokter, als een liefhebbende vriend . . . maar er kwam geen romantiek aan te pas. Hij zou een geweldige echtgenoot zijn – dat wist ze verstandelijk – maar Freddy's hart zei haar dat dat niet genoeg was. Toch wenste ze dat hij nu bij haar was geweest. Misschien had hij haar kunnen uitleggen waarom haar vader, die volmaakt gezond was, opeens moest sterven aan een cerebraal aneurysma, dat volgens de Franse dokter een zwakke plek in een ader in de hersenen was, die zonder voorafgaande symptomen elk moment kon bezwijken.

'We moesten maar eens teruggaan,' zei Swede. 'Ze zijn waarschijnlijk al bezig met instappen.'

Freddy keek op haar horloge. 'Vanwaar die haast? We hebben nog tien minuten,' antwoordde ze uitdagend. 'Ze zullen heus niet zonder mij vertrekken.'

'Hoe lang is het geleden dat jij commerciële vluchten hebt gevlogen?' vroeg hij vriendelijk.

'Jaren. Ik kan me de tijd niet heugen.'

'Als ze echt op tijd willen zijn, zijn ze in staat om zonder jou te vertrekken. Kom, jongedame, tijd om te gaan.'

'Jongedame?'

'Dat ontglipte me even, mevrouw. Het zal niet weer gebeuren.'

'Het is al goed. Ik vind 't niet erg.' Ze pakte een pinda van het schaaltje en kauwde er bedachtzaam op.

'Freddy, sta je nu op? En ga je mee?'

'Kalm aan.' Freddy pakte uitvoerig haar jas en tas, controleerde of ze haar ticket had, alsof ze dat vijf minuten geleden niet ook had gedaan, en liep ten slotte treuzelend achter hem aan, als een kind, vond Swede, dat voor het eerst naar school gaat.

Ach, hij kon het haar niet kwalijk nemen. Zelfs als je voor je plezier reisde, was dit een vreselijke tocht, maar het was nog moeilijker om de eerste stap

498

op weg naar je vaders begrafenis te zetten. Hij omhelsde haar bij het hek en was verbaasd over de manier waarop ze zich aan hem vastklampte. Swede gaf Freddy haar vliegtas die hij voor haar had gedragen en gaf haar een duwtje, langs de ticketcontrole het asfalt op. Ze liep naar de Lockheed, een eenzame, terneergeslagen gestalte in de vlagerige wind, even langzaam alsof ze alle tijd van de wereld had, hoewel ze de laatste passagier was die aan boord ging.

Freddy zat stijfjes bij het raam voor in het vliegtuig en weigerde haar jas aan de stewardess te geven. Ze voelde zich kil tot op het bot. Ze klappertandde van de kou, hoewel ze begreep dat het toch niet zo koud kon zijn in de cabine. Overal om haar heen zag ze andere passagiers, meest mannen, hun jasjes losknopen, dassen losdoen en achteroverleunen tot de reis zou beginnen.

Freddy ontdekte dat ze twee plaatsen voor zichzelf had. Ze rommelde wat in haar tas en viste een boek op dat ze op deze eindeloze vlucht had willen lezen. Ze maakte haar veiligheidsriem vast, opende het boek op de eerste pagina en begon een paar regels te lezen. Ze sloegen werkelijk nergens op. Ze las ze nog eens zorgvuldig. Er mankeerde niets aan de woorden in de zinnen. Maar haar geest wilde ze niet vertalen in het begin van een verhaal.

Freddy deed haar ogen dicht en luisterde gespannen naar het geluid van de motoren die werden gestart. Er klonk niets verdachts aan dat geluid. Ze draaide zich om en boog haar hoofd naar achteren om uit het raampje te kunnen kijken. De vleugel was te ver naar achteren geplaatst om hiervandaan de propellers te zien. Ze moest aannemen dat alles in orde was, zei ze bij zichzelf, ze moest aannemen dat de mecaniciens die het onderhoud aan dit toestel hadden verricht, heel precies en nauwkeurig waren geweest en dat ze het werk niet hadden afgeraffeld en geen kleine details hadden overgeslagen. Ze moest aannemen dat de piloot en de copiloot en de boordwerktuigkundige allemaal ervaren, bekwame mannen waren die hun werk verstonden en die zich te allen tijde bewust waren dat hun eigen veiligheid evenzeer op het spel stond als die van hun passagiers.

Ze wist gewoon te veel, dacht Freddy bij zichzelf, terwijl het boek ongemerkt op de grond gleed. Als ze niet wist wat er allemaal mis kon gaan, zou ze zich niet zoveel zorgen hebben gemaakt. Daarom wilden dokters ook noooit familieleden opereren. Daarom verdedigden advocaten nooit zichzelf. Allemachtig, ze moest echt iets te drinken hebben!

Freddy deed haar ogen open en zag dat de stewardessen op hun plaats waren gaan zitten en hun riemen hadden vastgemaakt. Het vliegtuig stond nog op de grond, aan het begin van de startbaan, terwijl in de cockpit de bemanning bezig was met de controlelijst voor de start. In gedachten volgde ze die lijst, stap voor stap. Toen het grote toestel snelheid begon te meerderen om op te kunnen stijgen, dacht ze: te snél! te snél! Er was niet voldoende tijd aan de controlelijst besteed, daar was ze van overtuigd, maar er was niemand die ze kon waarschuwen. Ze wilde hard gillen, krijsen om deze stomme nonchalance, tegen de passagiers die niet wisten in welk gevaar ze verkeerden, gillen tot de start werd onderbroken en de controlelijst opnieuw werd doorgenomen. Te snél! Maar ze zaten al in de lucht. Onder hen zakte de grond gelijkmatig weg en ze beschreven het patroon voor vertrek. De hoek van de bocht was te steil. Veel en veel te steil, gevaarlijk veel te steil. Bij zo'n manoeuvre kon het vliegtuig elk moment overtrekken, snapte die cowboy aan de stuurknuppel dat dan niet? Het vliegtuig werd wat rechter getrokken en begon toen naar kruishoogte te klimmen, veel te snel te klimmen, waarom had die vent zo'n haast, wist hij niet dat zijn stijghoek veel te groot was? Wat voor mensen lieten ze met deze dingen vliegen? Wat voor opleiding hadden ze gehad? Waarschijnlijk de een of andere jonge knul, een groentje nog – alle oudere captains werden met pensioen gestuurd, dat had ze laatst nog gehoord – een knul die niet in de oorlog had gevlogen, die nog niet voldoende uren in dit toestel had gemaakt om precies te weten wat hij deed.

Het seatbelt-teken ging uit en ze belde de stewardess. 'Heeft u misschien een dubbele whisky voor me, zonder ijs?'

'Natuurlijk, mevrouw Longbridge. Is er verder nog iets wat ik voor u kan doen? Tijdschriften, kranten? Het is een eer u aan boord te mogen hebben. We zullen straks de lunch serveren. Ik zal u meteen het menu brengen.'

'Nee, dank u, ik hoef alleen iets te drinken.' Wel verdorie! Die vrouw wist wie ze was! Freddy probeerde haar verkrampte vingers los te maken van de armleuningen. Ze voelde het zweet onder haar blouse lopen, haar haar plakte aan haar hoofd, maar ze had het nog steeds te koud om haar jas uit te trekken. Haar hart bonsde zwaar, ze slaagde er niet in diep adem te halen en ze voelde zich alsof ze voor het eerst van haar leven luchtziek zou worden. Ze kreeg hier geen lucht! Dát was het probleem. Geen wonder dat ze geen adem kon halen. Dit grote vliegtuig was volledig afgesloten van de buitenwereld, zonder enige zuurstof, op dat kleine beetje na dat door het armzalige tochtgaatje boven haar stoel naar binnen floot. Hoe konden ze van mensen verwachten dat ze hier uren bleven zitten zonder enige frisse lucht? Ze was in staat met haar vuist het raampje in te slaan en wat echte schone frisse lucht naar binnen te laten stromen in deze bedompte kist met zijn afschuwelijke interieur, die veel te groot was om een goed vliegtuig te kunnen zijn en veel te klein om zo'n zware last aan menselijke wezens te vervoeren.

Het toestel zwoegde moeizaam door de lucht, de vier motoren maakten een geluid dat vreselijk verkeerd klonk. Er zat ergens iets vast, in een van de honderden vitale delen die ze zich stuk voor stuk voor de geest kon halen en kon benoemen, er moest ergens iets vastzitten wat moest worden losgemaakt, anders waren ze er geweest.

Freddy belde nogmaals de stewardess.

'Ja, mevrouw Longbridge?'

'Ik wil graag de captain even spreken. Het is dringend. Dríngend!'
'Ik weet niet of hij nu met u kan spreken, maar ik zal het hem vragen.'
Er gingen jaren voorbij terwijl Freddy naar de defecte motor luisterde, met gesloten ogen om beter te kunnen horen. Daar was het . . . een hapering, een hik, een snik, iets dat elke piloot zelf zou horen, behalve een die niet wist waar hij op moest letten.
'Mevrouw Longbridge?'
Freddy keek omlaag naar het paar zwarte gepoetste schoenen, naar de blauwe uniformbroek. 'Captain?'
'Ja, mevrouw, wat waren de problemen?'
'Er mankeert iets aan een van uw linkermotoren. Hoort u het niet?'
'Nee, mevrouw Longbridge. Ze functioneren allemaal prima. Ik heb ze net gecontroleerd.'
Freddy vroeg zich woedend af of die man zowel doof als achterlijk was en ze gluurde even omhoog. Een man van begin middelbare leeftijd, zonder enige twijfel een oudere piloot, onmiskenbaar zeer bekwaam, geroutineerd, de situatie volledig meester. Ze had niet meer dan een snelle blik nodig om dat te kunnen constateren. Ze zou het uiterlijk van zo'n man overal hebben herkend.
'Het spijt me, captain. Ik vermoed dat ik spoken hoor.' Ze dwong zich tot een lachje. Hij mocht het niet weten, hij mocht het niet weten. Ze schaamde zich te erg.
'Geen probleem, mevrouw Longbridge. We zouden het heel leuk vinden als u ons, na de lunch, voorin even kwam bezoeken, als u daar zin in hebt.'
'Dank u, captain. Maar ik ga waarschijnlijk slapen.'
'Net zoals u wilt. Laat u het de stewardess maar weten wanneer u van gedachten mocht zijn veranderd.'
Toen haar lunch werd geserveerd, wees Freddy die af en vroeg om een deken, een kussen en nog iets te drinken. Ze moest proberen zich te ontspannen, zei ze tegen het kleine, dolgeworden dier dat in haar hoofd rondspookte, een klein, onderaards dier dat tunnels groef om zich paniekerig te kunnen verbergen voor duizend gevaren. Ze merkte dat het nog erger was wanneer ze haar ogen dichtdeed. Wanneer haar ogen open waren, kon ze de mensen met smaak van hun lunch zien genieten en zolang zij zich maar op hen concentreerde zou het vliegtuig niet uit de lucht vallen, want als ze op het punt stonden te sterven, zouden ze toch zeker niet eten?
Freddy slaakte een plotselinge kreet van schrik. Het vliegtuig dook zonder waarschuwing een wolk in. Geváár, er was geváár!
Plotseling, toen het toestel nog dieper in de smerige witte massa dook, kwamen de herinneringen aan die laatste minuten vóór haar ongeluk weer bij haar boven. Ze had op haar hoogtemeter gekeken en gezien dat ze voldoende hoogte had om op Catalina te landen. Maar ze had geen radiocontact opgenomen met een verkeerstoren in de buurt om te vragen of er nog

501

veranderingen waren geweest in de barometerstand na haar vertrek van Burbank. Elke beginnende piloot had geweten dat hij dat uiterst belangrijke gegeven moest hebben, gezien de tijdsduur sinds de start en de veranderingen in hoogte die ze tijdens het vliegen had gemaakt. Elke piloot, iedere piloot, behalve een die zo eigenwijs, zo kwaad was, zo genoeg had van deze wereld en zo zeker van zichzelf was dat ze de meest elementaire voorzorgsmaatregelen had vergeten. Als zij zo iets essentieels kon vergeten, dan kon die doorgewinterde captain met wie ze net had gesproken dat ook, dan kon de meest ervaren piloot van elke luchtvaartmaatschappij ter wereld dat ook op de verkeerde dag, wanneer hij in de verkeerde stemming was. Er was nergens veiligheid. Ze mocht niet gaan gillen!

25

Na de begrafenis van Paul de Lancel keerden de honderden mensen die zijn kist te voet naar de dorpskerk waren gevolgd, weer terug naar Valmont om zijn weduwe en haar kinderen te condoleren. In de loop van de middag was de laatste van hen ten slotte verdwenen en zaten Eve en haar dochters bij elkaar, uitgeput door de verplichting op zoveel droevige woorden te reageren, op zoveel verdrietige gezichten, terwijl ze zelf hevig behoefte hadden om elkaar te troosten.

Bruno had deze moeilijke dag steeds naast hen gestaan, met neergeslagen ogen, zijn heerszuchtige gezicht ernstig en ondoorgrondelijk, een donker manspersoon dat handen schudde en de condoléances beantwoordde met precies die graad van ernst die de vrienden en buren van Paul de Lancel zouden verwachten. Delphine en hij hadden elkaar kortaf en terloops begroet, alsof ze verre familieleden waren. Hun laatste gesprek, op de avond van het etentje bij generaal Von Stern, stond hen beiden nog levendig voor de geest, maar Delphine was zo'n volleerd actrice en Bruno was zo bedreven in zijn beschaving, dat ieder van hen zou kunnen denken dat de ander het had vergeten, hoewel sommige dingen nooit worden vergeten, zoals ze zich beiden terdege bewust waren. Nooit vergeten, nooit vergeven, nooit besproken.

Voor Eve was het alsof Bruno onzichtbaar was. Ze stak haar hand niet naar hem uit toen hij arriveerde en ze keek niet één keer zijn kant uit. Ze negeerde hem niet, want door te negeren zou ze hebben erkend dat hij bestond. Ze liet gewoon, door geen enkel teken hoe dan ook, merken dat hij aanwezig was bij deze bijeenkomst, en ze deed het zo behendig dat, met uitzondering van Bruno, niemand dit merkte.

Nu alle formaliteiten waren afgehandeld, ontvluchtte Bruno het château om een wandeling te maken in de naburige bossen. Armand Sadowski was vertrokken om Tony Longbridge en zijn ouders, Penelope en Gerald, naar Rheims te brengen waar ze op de trein naar Parijs zouden stappen. Jane, die die nacht bleef logeren, was naar boven gegaan voor een dutje.

'Heb je al bedacht . . . wat . . . wat je verder gaat doen?' vroeg Delphine ten slotte voorzichtig aan Eve. Zolang hun moeder geen besluit had genomen over de toekomst, kon ze haar eigenlijk niet alleen achterlaten, maar over een week moest ze beginnen met de opnamen van Armands nieuwe film.

'Ja, dat heb ik gedaan,' antwoordde Eve, met onverwacht resolute stem. Freddy en Delphine wisselden een verbaasde blik. Tot nu toe had Eve zich in haar verdriet gehuld als in een cape van eenzaamheid. Ze was niet ingestort en had geen huilbuien gekregen, zoals ze half en half hadden verwacht, maar ze had hun gezelschap geweigerd en had veel tijd alleen doorgebracht, in haar rozentuin, om het mulchen af te maken waarmee ze vlak voor Pauls dood was begonnen.

'Ik houd me gewoon aan de plannen die je vader en ik voor de winter hadden gemaakt,' zei Eve rustig. 'Als ik was gestorven, zou ik ook hebben gewild dat hij dat deed. Ik vlieg met jou mee terug naar Californië, Freddy, en daar blijf ik zoals dat was gepland, tot ik naar Delphine en Armand op Barbados ga. Na de kerstvakantie ga ik terug naar Parijs om alle dingen te doen die we van plan waren te doen. Het enige verschil zal in het Ritz zijn – ik zal daar een kleinere suite nemen. Wanneer de wijnstokken slapen kan ik reizen, als ze ontwaken moet ik thuis zijn.'

'Maar . . . kunt u dan het bedrijf leiden . . . in uw eentje?' vroeg Delphine.

'Ik zal niet alleen zijn, lieverd. De meeste mannen die hier waren toen we na de oorlog terugkwamen, werken er nog steeds. Sommigen die naar Duitsland werden gestuurd, zijn niet meer teruggekomen; sommigen, zoals de keldermeesters, de drie neven Martin, zijn door de Gestapo geëxecuteerd, maar zij zijn door famillieleden vervangen. Geen enkele man in het Huis Lancel is onmisbaar, zelfs niet de *chef de cave*. Maar samen vormen zij de sleutel tot het succes bij de druiventeelt en het wijnmaken. Ik zal iemand in dienst moeten nemen om alles te organiseren en om toezicht te houden, iemand om het Huis Lancel te beheren zoals jullie vader dat deed. Ik zal de beste man van Champagne weten te vinden, zelfs al zal ik hem van mijn concurrenten moeten stelen. Vergeet niet, ik heb in de afgelopen zes jaar heel veel over dit bedrijf geleerd . . . het was een spoedcursus, zowel voor je vader als voor mij. Als het huis van een *Grand Marque* echt alleen op bepaalde mensen steunde, hoe lang denk je dan dat zo'n huis zou blijven bestaan? Champagne maakt sterke weduwen, Delphine.'

'Moeder! Hoe kunt u zo praten?'

'Omdat het waar is. Leer de geschiedenis van de wijn maar, dan zul je het begrijpen. Je wordt er realistisch door. En ik hoop dat jullie de volgende zomer allemaal hierheen komen, met de kinderen – tenslotte behoort Valmont nu ook aan jullie, niet alleen aan mij.' Eve's stem was weliswaar hees van het huilen, maar klonk toch sterk en resoluut. De kale wijnstokken rond Valmont zouden in het voorjaar vrucht zetten, zoals ze dit eeuwenlang hadden gedaan. Dit elementaire, onveranderlijke proces gaf haar de moed vooruit te kijken en zich een toekomst voor te stellen zonder Paul. Zonder de wijnstokken was ze verloren – maar ze zou nooit zonder ze zijn.

'Wat mij betreft,' zei Freddy, 'is Valmont helemaal niet van mij. Ik kan me niet voorstellen dat ik het ooit zal bezitten.'

'Maar het is wel zo. En na jou is het van Annie. Wanneer de notaris morgen het testament komt voorlezen, moeten er geen verrassingen zijn. Eén derde gaat naar mij, de andere twee derden moeten, volgens de wet, worden verdeeld tussen jou, Delphine . . . en Bruno. Wanneer ik kom te overlijden zal het Huis Lancel van jullie drieën zijn en als jullie overlijden van al jullie kinderen. Als geen van jullie, geen van hen belangstelling heeft voor het bedrijf, of als jullie het niet eens kunnen worden wat betreft het beheer erover, dan moet je bedenken dat het altijd kan worden verkocht. In Champagne ontbreekt het nooit aan kopers voor land.'

'Doe niet zo morbide, moeder!' protesteerde Delphine.

'Het is niet morbide om over de dood te praten, lieverd. Het is wat ongemakkelijk, omdat het je dwingt je te realiseren dat je niet eeuwig zult leven, maar wanneer het grond betreft is het nooit irrelevant. Het zal in ieder geval altijd Lancel-champagne zijn die van onze wijnstokken wordt gemaakt, wie het land ook mag bezitten. De naam zal onsterfelijk zijn zolang de druiven worden verbouwd.'

Eve glimlachte zachtmoedig naar haar dochters. Ze had vele uren in de rozentuin nodig gehad om haar leven zonder Paul onder ogen te zien en ze wist dat hoe gedetailleerd haar plannen ook mochten zijn, ze haar niet konden beschermen tegen haar nimmer aflatende gemis. Maar dat was de prijs die je voor de liefde moest betalen. Je kon het één niet hebben zonder het ander.

Bruno zat op een boomstam op een open plek in het bos die werd verlicht door schuininvallende zonnestralen en hij had een ongekend nieuw gevoel over zich. Dit was het moment in zijn leven waarop hij tegen zichzelf kon zeggen: 'Dit is het beste moment, beter kán het niet.' De toekomst had een reeks glorieuze gebeurtenissen voor hem in petto, maar hij had geen haast daarbij stil te staan, hij had geen behoefte na te denken over alle aardse geneugten die zijn vaders dood nu voor hem mogelijk maakte. Het was nu, op dit moment, voldoende om aan Marie de la Rochefoucauld te kunnen denken. Nog geen drie weken geleden, op haar verjaardag, had haar erkenning dat ze met haar vrienden over hem had gepraat, hem laten weten dat ze van hem hield. Een meisje als Marie zou haar hart nooit duidelijker laten spreken dan ze toen had gedaan.

In de dagen na het feest had hij haar vaak gezien, en met deze nieuwe kijk op haar emoties begreep hij dat zij op haar zedige, vorstelijke, ouderwetse manier wachtte tot hij hierop inging. Ze verborg haar verlangen bijna zo goed dat als ze zich niet al had verraden, hij nog steeds in dezelfde angst en vrees zou verkeren.

Marie de la Rochefoucauld was klaar om door hem te worden gevraagd, wist Bruno, terwijl hij zijn armen en benen strekte, uitgeput door zoveel vreugde. Vanaf het moment dat ze had toegegeven dat ze hem niet vóór zich kon houden, was hij begonnen aan die gehoorzaamheidstraining die hij zichzelf had beloofd haar op te leggen. Hij liet haar wachten, bungelen, hopen in onzekerheid terwijl hij al zijn opzettelijke en krachtige charme in de strijd wierp om haar nog meer verliefd op hem te laten worden. In de afgelopen weken hadden haar blikken haar geestestoestand verraden. Op bepaalde momenten, waarop Marie dacht dat hij niet naar haar keek, had hij haar gekwelde, vragende blikken opgevangen. Wanneer Bruno die angst bemerkte, deed hij een half uur lang heel afstandelijk en oppervlakkig beleefd tegen haar, lang genoeg om haar in verwarring te brengen, maar niet zo lang dat ze reden had hem te vragen wat er aan de hand was. Zelfs vóór het bericht van Pauls overlijden begon de wereld van Marie geregeerd te worden door Bruno's stemmingen. Hij had alle tijd van de wereld, zei hij triomfantelijk bij zichzelf, om haar tot het punt van een zenuwinstorting te drijven als hij dat wenste, maar nu hij wist dat het mogelijk was, vond hij het nog niet nodig dat uit te testen.

Bruno besloot dat hij zodra hij terug was in New York hun verloving zou regelen, aangezien niets zijn terugkeer naar Frankrijk nog in de weg stond. Ze zouden over een paar weken samen terugvliegen naar Parijs, zodat hij Marie's ouders kon ontmoeten. Haar moeder zou plannen gaan maken voor een grootse trouwerij, waarbij alle adellijke families met wie ze waren verbonden aanwezig zouden zijn om hen in de echt te zien worden verenigd. Hij vermoedde dat deze plechtigheid in het voorjaar plaats zou vinden – vroeg genoeg, aangezien het onvermijdelijk was dat Marie uiteindelijk de ongeëvenaarde vicomtesse Bruno de Saint-Fraycourt de Lancel zou worden. Ze zou bestaan om hem te behagen; samen zouden ze een dynastie stichten.

Maar niet hier in Champagne. Hij wilde Valmont nooit meer zien. Alleen deze begrafenis, die zo bitter laat was, zo lang verwacht, zo vurig gehoopt, was in staat geweest hem voor zelfs maar één dag terug te brengen. Laten degenen die hier willen wonen dat maar doen, begraven onder alle zorgen en lasten van een boer. Laat een ander Valmont maar beheren, zolang hij maar zijn eerlijke deel kreeg van de opbrengsten van het Huis Lancel.

Misschien werd het tijd om terug te gaan, dacht Bruno, terwijl een lome afkeer zijn volmaakte geluk even verstoorde. Hij vond het vreselijk om op te staan en zijn gedachten van zich af te moeten zetten, nu alles wat hij begeerde eindelijk binnen zijn bereik lag, maar het begon kil en vochtig te worden daar in het bos. 'Dit is het mooiste moment, beter dan nu kan het niet worden,' herhaalde hij bij zichzelf, wetend dat dit moment keer op keer in zijn leven zou terugkeren. Er stak een briesje op toen de bladeren achter hem begonnen te ritselen.

Er werd een grote, ruwe hand over zijn mond gelegd, die zijn hoofd achterover dwong. Een stevige, gespierde arm werd strak om zijn hals gedrukt. Andere handen grepen zijn armen beet, rukten ze ruw op zijn rug en maakten ze stevig aan elkaar vast. Hij werd overeind gehesen en moest lopen of vallen. Bruno's overvallers bleven achter hem lopen, zo dichtbij dat hij hun adem in zijn nek voelde.

'Je had niet terug moeten komen,' mompelde een mannenstem die Bruno niet herkende. 'Je moet nooit terugkeren naar de plaats van de misdaad. Wist je dat niet?'

'Herinner je je nog de drie Martins? Herinner je je de mannen die jij aan de Gestapo hebt verraden? Wij zijn hun jongere broers,' fluisterde een tweede stem, nauwelijks hoorbaar boven het geritsel van de herfstbladeren onder hun schoenen.

Nu zei een derde man, bijna even zacht: 'We kwamen je halen op de dag dat je vader uit de oorlog terugkeerde, maar je was verdwenen.'

'We zullen je een lesje leren,' gromde de man die het eerst had gesproken. 'Lopen.'

In zijn doodsangst begreep Bruno niet dat ze dicht langs het pad naar de kelders liepen. Nergens in het landschap was een menselijk wezen te bekennen in het steeds zwakker wordende herfstlicht. De reusachtige hand op zijn mond deed hem het zwijgen bewaren en duwde zijn lippen pijnlijk tegen zijn tanden.

'Je dacht dat je er zomaar vanaf kwam, hè? Je dacht dat je de enige mannen had laten doden die iets van *Le Trésor* afwisten.'

Bruno probeerde wanhopig zijn hoofd te schudden.

'Lieg er maar niet om. We weten dat jij het was,' mompelde de derde stem in zijn oor, met een genadeloze klank die nog extra dreigend klonk doordat hij zo zacht moest spreken.

'Er was nog een sleutel,' zei de tweede stem, even dreigend. 'Die sleutel was van mijn broer Jacques, de oudste van de Martins. Je grootvader vertrouwde hem evenveel als hij de anderen vertrouwde. Buiten jouw vader had hij de enige andere sleutel. Er zijn in de geschiedenis van Valmont nooit meer dan drie sleutels geweest van *Le Trésor*.

Jacques zag op zekere avond een Duits konvooi in de buurt van de kelders. Hij volgde het, hield zich goed verscholen en zag de soldaten champagne naar hun vrachtwagens brengen. De volgende dag ging hij naar *Le Trésor* en zag dat alles leeg was. Hij was bang dat iemand hem of onze broers de schuld zou geven, tot hij begreep dat jij de enige was die het geheim van Valmont aan de Duitsers kon hebben verkocht. Hij vertelde ons alles en gaf ons de sleutel in bewaring.

Toen de Gestapo onze broers kwam halen,' ging de wolfachtige stem verder, 'beseften we dat jij hen had laten vermoorden. We konden niets doen omdat je nazi-vriend je beschermde. Na de oorlog heeft je vader tegen niemand iets over *Le Trésor* gezegd. Hij wist wie de echte dief was. We respecteerden zijn schaamte. We respecteerden zijn verdriet. We wisten dat jij een keer terug zou komen. Hij moet het ook hebben geweten.'

Ze gingen de grote, goedgevulde kelders in, waar nu geen arbeiders meer aan het werk waren, en liepen naar de verste muur waarachter de ingang naar *Le Trésor* verborgen lag. Bruno worstelde wanhopig, maar hij was even hulpeloos in hun handen als een stuk vlees in de greep van een slager. Eén van hen drukte op het kalkstenen oppervlak en de muur zwaaide open, waarbij het slot van de verborgen deur even helder glansde als die keer dat Bruno's grootvader hem voor het eerst het geheim van Valmont had toevertrouwd. De sleutel werd in het slot gestoken en de deur van *Le Trésor* zwaaide wijd open.

Een van de Martins deed het licht aan en sloot de zware deur van dikke kalksteenblokken.

De drie mannen sleepten Bruno door de grote, lege kelder. Zijn voeten schuurden over de grond. Hij was machteloos en slap omdat hij begreep wat er ging gebeuren, maar zijn ogen waren nog open, zagen alles toen ze hem tegen de muur zetten. Ze liepen snel bij hem vandaan, onder de batterij lampen. De neven maakten de geweren los die om hun schouders hingen, tilden ze op en richtten.

Er klonken drie schoten. De Martins liepen langzaam naar het lichaam op de cementen vloer. Een van hen draaide Bruno met zijn schoen om, keek naar de nietsziende ogen, de mond die was opengegaan om te gillen. Hij was dood geweest voordat hij de vloer raakte. Een van de anderen pakte een stuk papier waarop hij snel de woorden schreef: *Réglement de comptes.*

'Rekening voldaan,' zei hij langzaam, en hij legde het papier op Bruno's borst. Ze draaiden zich om om te vertrekken en hingen hun geweren weer over hun schouder.

Toen de deur van *Le Trésor* achter hen dichtviel, zei één van de Martins tegen de anderen: 'Morgen moeten we de sleutel opsturen en zorgen dat de politie weet waar hij is. Er zal geen nader onderzoek worden verricht ... wanneer ze het briefje hebben gevonden. Het zou anders niet eerlijk zijn tegenover madame De Lancel. Er zou eindeloos worden gezocht en ze zouden hem nooit vinden.'

'Zijn beenderen horen niet op Valmont te liggen. Ze ontwijden het,' zei een andere neef.

'Daar ben ik het mee eens,' zei de derde Martin. 'En het is evenmin goed als de mensen geloven dat er geen laatste afrekening bestaat. Die man heeft te lang geleefd.'

Delphine en Armand haalden Eve over nog even te rusten voor het eten en ze gingen met haar naar boven, terwijl Freddy beneden in de kleine salon bleef met Jane, die haar dutje had gedaan. Ze probeerden alle draden weer op te pakken die waren verbroken toen Freddy en Tony vijf jaar geleden naar Los Angeles vertrokken.

'Ik vond het vreselijk toen jullie weggingen,' klaagde Jane. 'Wat had het voor nut jou als schoonzuster te hebben geregeld, als jullie toch zo ver weg gingen wonen?'

'Nou, je hebt in ieder geval Tony terug,' zei Freddy, 'en, geloof me, ik vind dat hij er nu een stuk beter uitziet dan de vorige keer dat ik hem heb gezien. Het feit dat hij nu een *squire* is, heeft hem erg veranderd. En dat aardige meisje waarmee hij zegt te gaan trouwen . . . én de drank opgegeven. Ik ben erg blij voor hen.'

'Als ik had kunnen kiezen had ik liever jóu gehad . . . broers heb ik genoeg. Grote genade, wat hebben jullie er samen een puinzooi van gemaakt. Wat een klereboel! Oorlogshuwelijken . . . ik vraag me af of die ooit standhouden. Ik ben maar blij dat ik heb gewacht.' Jane wierp Freddy de tevreden blik toe van een vrouw die een volledig succes heeft gemaakt van haar leven.

'Stel je eens voor, Freddy, dan had ik nooit die lieverd van een Humphrey ontmoet, dan had ik niet die schatten van kinderen gehad en was ik geen markiezin geweest, wat echt iets heerlijks is, hoewel je er zelden een zult aantreffen die dat eerlijk toegeeft. Het belangrijkste is dat je je nooit zorgen maakt over successierechten. Ze kunnen tenslotte nooit álles afpakken! Ja, het was maar goed dat ik niet ook een oorlogsbruid was. Het is allemaal prima gelopen, zo.'

'Je hebt nooit de kans gelopen een oorlogsbruid te worden, Jane, als ik het me goed herinner,' protesteerde Freddy, 'hoe kun je dan hier zo walgelijk zelfvoldaan zitten doen over het feit dat je ontsnapt bent aan een lot dat je nooit heeft bedreigd?'

'Als Jock me had gevraagd, zou ik op staande voet met hem zijn getrouwd om me naar het woestijnzand van het barre Californië te laten slepen, net als die arme Tony.'

'Máák het een beetje, Jane! Jij hebt nooit een romance gehad met Jock!'

'Daar hoef je niet nog eens de nadruk op te leggen,' zei Jane ietwat bitter. Haar statige toestand verzachtte het felle bruin van haar ogen iets, maar verder was ze nog altijd het ondeugende, oprechte meisje van vroeger.

'Waar heb je 't over?' zei Freddy verbaasd. Het was niets voor Jane om sterke verhalen te vertellen wanneer ze in het echt meer dan voldoende verhoudingen had gehad.

'Heb je nooit een vermoeden gehad? Nee, kennelijk niet. Maar ik wilde ook niet dat jij, of iemand anders, het zou vermoeden. Het was al erg genoeg om belachelijk verliefd te zijn op iemand die niet eens wist dat ik bestond, zonder ook nog eens het voorwerp van algeheel medelijden te worden.'

'Was je verliefd op Jock Hampton?'

'Jarenlang. En je hoeft niet zo ongelovig te doen . . . dat lijkt op een bedenking tegen mijn smaak, en mijn smaak is uitstekend, dat wil ik u wel verzekeren, mevrouw Longbridge! Ik ben verliefd geweest op die man, langer dan ik zou willen toegeven. Ik kon Jock niet vergeten, niet goed vergeten, tot ik Humphrey ontmoette. Ik vrees dat ik altijd wel een beetje verliefd zal blijven op die mooie blonde Tarzan.'

'Die pummel? Die over het paard getilde cowboy? Die lompe beer, dat achterlijke uilskuiken?' vroeg Freddy verbaasd, en vreemd genoeg ook kwaad. 'Nee, Jane, zeg dat het niet waar is.'

'Dat was het wel. En hóe! Ik vraag me af of je Jock ooit goed hebt bekeken. Maar laat maar zitten – over smaak valt niet te twisten. Maar Freddy, ben je het niet met me eens dat als je één keer echt verliefd bent geweest, zelfs wanneer je daarna verliefd wordt op een ander, je eerste liefde je toch altijd bij zal blijven?' vroeg Jane.

'Dat wil ik niet ontkennen,' zei Freddy, met een stem die ontroerd was door een gecompliceerde nostalgie, door bitterzoete herinneringen aan uren die nooit terug konden keren. 'Maar waarom heb jij dan niet een beetje je best gedaan bij Jock . . . ik heb je niet eens met hem zien flirten . . . jij, de meest schaamteloze, schandelijke flirt van het hele Britse Rijk? Waar liet je je door weerhouden?'

'Door jou,' zei Jane.

'Door mij?' wierp Freddy woedend tegen. 'Dat is het meest onredelijke dat ik ooit heb gehoord! Hoe had ik jou kunnen weerhouden . . .? Waarom zóu ik jou, in godsnaam, weerhouden?'

'Niet jijzelf, domoor . . . ik bedoelde dat Jock zo helemaal, zo tot over zijn oren, zo hopeloos verliefd op je was dat er geen enkele manier was om zijn aandacht te trekken, laat staan met hem te flirten. Hij hing maar rond en keek naar je – of nog erger, probeerde niet naar je te kijken – op een manier die me alles vertelde wat ik moest weten. God, wat was het afschuwelijk om hem zo te moeten zien! Ik moest me echt vastklampen aan mijn trots, want het was alles wat ik nog had. Het was zo gênant om toe te moeten zien hoe hij naar jou zat te smachten terwijl ik naar hem smachtte – en al die tijd hadden Freddy en Tony, onze twee gelukkige, in elkaar opgaande geliefden, niets in de gaten. Ach, liefde! Maar zoals ik al zei, het is allemaal toch beter zo – in ieder geval voor mij. En je weet hoe jammer ik het vond – en nog vind – dat het mis is gegaan tussen jou en Tony. Wat Jock betreft . . . hoe gaat het eigenlijk met hem?'

'Jock . . .? O, je weet hoe Jock is, hij . . . maakt het goed . . . zoals altijd . . .'

'Arme Jock, nog steeds met die grote brandende liefde voor jou als een toorts in zijn hand . . . net het vrijheidsbeeld. Tony zei dat hij het al jaren had gedacht. Maar . . . als iemand je type niet is, dan kun je niets dwingen, hè?'

'Wat?'

'Ik zei . . . nee, laat maar zitten. Je zit natuurlijk met je hoofd bij andere dingen. Zal ik je iets te drinken inschenken, poppedijn?'
'Wie?'
'Iets te drinken? Wil je iets drinken? Freddy? Freddy? Hoeveel vingers steek ik op?'
'Wat?'
'Ik schenk wel iets in. Blijf jij nou maar zitten, het is een lange dag geweest. Ik ben blij dat ik ben blijven logeren . . . je hebt iemand nodig die voor je zorgt.'

In de middag van de dag na de begrafenis van Paul de Lancel kwamen vier agenten van het hoofdbureau van politie in Epernay naar Valmont. Ze vroegen de huishoudster madame De Lancel te zeggen dat ze het betreurden haar in haar verdriet te moeten storen, maar dat ze verplicht waren een anonieme brief te onderzoeken die zij hadden ontvangen en die betrekking had op haar kelders.

'Ga uw gang, doe uw plicht,' had Lucie met gezag verklaard. 'Madame De Lancel zal u hetzelfde zeggen, maar ik ben niet van plan haar nu met deze onzin lastig te vallen.'

De politiemannen vertrokken naar de kelders, gewapend met de sleutel en de plattegrond waarop de geheime deur naar *Le Trésor* stond aangegeven, die eerder op de dag door een onbekende hand bij het hoofdbureau waren afgegeven. Een kwartier later stonden ze vol ontzag en verbijstering toe te kijken toen de deur naar *Le Trésor* openzwaaide, om een immense duisternis te onthullen. Eén van hen tastte rond en vond het lichtknopje. De grote ruimte, die in het licht baadde, was leeg, op een lichaam na dat aan de andere kant van de ruimte lag. Ze liepen er snel heen. Al toen ze ernaar toe liepen herkenden drie van de vier mannen, die tijdens de oorlog allen in Epernay hadden gewoond, het lijk als dat van Bruno. Twee van hen vloekten zacht, maar zonder verbazing. Ze bleven aarzelend staan toen één van hen, de hoofdagent, zich bukte om het papier op te rapen dat op Bruno's borst was achtergelaten. Hij las het zwijgend en gaf het toen aan de man naast hem. De politiemensen lazen het briefje zonder wat te zeggen en de drie die Bruno hadden gekend, keken elkaar in zwijgend begrip aan.

'Wat doen we nu, commandant?' vroeg de jongste van de mannen.

'We brengen het lijk naar het château en dan gaan we het ongeluk op het hoofdbureau rapporteren, jongen.'

'Het óngeluk?'

'Jij bent in de oorlog niet hier geweest, Henri. Veel mensen hadden een reden om deze man dood te willen. Hoe komen we erachter wie dat allemaal konden zijn? Waarom al die onnodige problemen? Dat lukt toch niet, Henri. Dat mág ook niet lukken. Geloof mij op m'n woord, Henri, als je iets nuttigs wilt leren, dit was een ongeluk dat was bedoeld om te gebeuren.'

'Als u dat zegt, commandant.'

'Dat zeg ik, Henri. Dat zeggen we allemaal.'

'Ik begrijp werkelijk niet waarom de politie Bruno's dood als een jacht-ongeluk heeft gerapporteerd,' zei Freddy. 'Ik ben nog steeds geschokt. Ze zouden toch moeten begrijpen dat het een moord was – wanneer ze hem na een anonieme tip hebben gevonden – wat kan het anders zijn geweest? En toch verrichten ze geen onderzoek. Het is niet dat ik echt om Bruno loop te treuren, maar wat is hier aan de hand? Ik ben toch zeker niet de enige die dit echt ongeloofwaardig vindt?'

Freddy, Eve, Delphine en Armand waren juist teruggekeerd van de haastige formaliteiten van Bruno's begrafenis en zaten buiten op het terras van Valmont, waar de oude stenen de warmte van de zomer nog vasthielden.

'Het was geen ongeluk of moord,' zei Eve, en ze sloeg een arm om Fred-dy's schouders. 'Het was een executie.'

'Wát! Een executie? Wat heeft dát te betekenen? En sinds wanneer zijn privé-executies in Frankrijk toegestaan? Waarom zijn jullie allemaal ... ik weet het niet precies ... niet wat meer verbáásd? Ja, dat is het! Toen ze Bruno's lichaam naar het huis brachten, was ik geloof ik de enige persoon in de familie die echt verbijsterd was. De rest van jullie scheen het al bijna te accepteren – op een manier alsof jullie allemaal ... al hadden verwacht dat zo iets zou gebeuren. Maar dat kónden jullie niet! Waarom zou iemand ook maar kunnen denken dat Bruno ijskoud dood zou worden gevonden, een dag nadat hij in het bos was gaan wandelen?'

'Liefje, je hebt in het centrum van Epernay het monument zien staan, is het niet?' vroeg Eve.

'Ja, maar wat heeft dat hiermee te maken?'

'Het is geen eerbetoon aan gesneuvelde soldaten, daarin staan gegra-veerd de namen van tweehonderdacht mannen en vrouwen uit dit kleine gebied die in het verzet zijn gestorven, sommigen in handen van de Gestapo, vele anderen in concentratiekampen. Een aantal van hen heeft hier op Valmont gewerkt. De politie begreep dat Bruno's dood verband hield met die doden. Hij was een collaborateur.'

'Wíst u dat?' riep Delphine verbijsterd uit, met haar handen tegen haar mond geslagen.

'Je vader heeft het me verteld, maar alleen aan mij. Hij wilde dat niemand anders het ooit te weten zou komen – deze schending van de familienaam door zijn eigen zoon – het moest verborgen blijven, zelfs voor jullie. Wie weet wat voor slechts Bruno hier tijdens de bezetting heeft gedaan? Hij is na de dood van jullie grootvader hier drie donkere jaren alleen geweest op Valmont. Veel mensen moeten een goede reden hebben gehad om hem terecht te stellen.'

'Maar de oorlog is al meer dan zes jaar afgelopen,' protesteerde Freddy.

'Het is goed te merken dat jij nooit in een bezet land hebt geleefd, Freddy,' zei Armand. 'Zes jaar is niets. Als hij hier over tien jaar, over twintig jaar terug zou komen, zouden Bruno's scherprechters – wie het ook waren – nog steeds op hem hebben gewacht. Het kan zelfs de politie zelf zijn geweest, of mensen die ze kenden, familieleden of vrienden. De politie kan allerlei redenen hebben gehad om dit sterfgeval niet te onderzoeken.'

'Had hij iets vermoed, Delphine?' vroeg Freddy. 'Jij hebt tijdens de oorlog min of meer contact gehad met Bruno – heb jij enig idee waarom dit kan zijn geweest?'

'Nee, niets. Bruno was altijd . . . heel correct . . . tegen mij,' antwoordde Delphine kalm en ze pakte Armands hand. Sommige dingen konden veel, veel beter diep begraven blijven. Het dineetje bij generaal Von Stern had nooit plaatsgevonden. Ze had Bruno nooit om hulp gesmeekt. Ze had nooit ingestemd haar diamanten om te doen om de generaal een gunst te gaan vragen, in het huis in de Rue de Lille. Waar Bruno ook voor mocht zijn gedood, ze was ervan overtuigd dat hij zijn lot had verdiend. Niemand, Freddy noch haar moeder noch zelfs Armand, zou ooit ten volle kunnen begrijpen hoe het tijdens de bezetting was geweest. Als je het geluk had gehad in leven te blijven, kon je maar beter alles vergeten. De hemel zij dank voor die pragmatische Franse politie.

'Ik sta gewoon te trappelen om te vertrekken,' riep Eve een dag later, toen de notaris was vertrokken, en ze zwaaide haar armen wijd open. 'Ik heb na al die officiële papieren behoefte aan een flinke dosis Californische zonneschijn.'

'Ik vroeg me af, moeder – zou het niet leuk zijn om met de boot terug te gaan?' opperde Freddy. 'Ik heb sinds m'n vroegste kinderjaren nooit meer een zeereis gemaakt, en het weer is nog goed. Wat dacht je ervan?'

'Dat is het slechtste idee dat ik in jaren heb gehoord! Ten eerste ben je nu al weken bij Annie vandaan – veel te lang – en ik smacht ernaar dat lieve kind weer in m'n armen te drukken. Ten tweede kan ik me niets deprimerenders voorstellen dan vijf dagen lang naar de klotsende oceaan te moeten kijken, omringd door allerlei onbekenden. Jij zou helemaal stapeldol worden van dat trage tempo, Freddy, en dat is wel het laatste waar ik behoefte aan heb.'

'Ik dacht dat het misschien . . . o, nou ja . . . ontspannend, kalmerend, vredig, luxueus zou zijn. Een soort rustkuur.'

'Het is stomvervelend, het duurt eindeloos en iedereen eet veel te veel. Het is heel aardig van je om dat ter wille van mij te overwegen, lieverd, maar ik zou er niet over peinzen anders te gaan dan met het vliegtuig. De enige vraag is nog hoe snel we kunnen vertrekken. Ik ben zo goed als gepakt, ik heb alles geregeld met de huishoudster, de tuinlui, de verkoopleider en de *chef de cave*. Ik zou vandaag weg kunnen, desnoods morgen.'

'Ik zal met Parijs bellen om jullie tickets te reserveren,' bood Armand aan en hij verdween in de richting van de telefoon.

'Geweldig,' mompelde Freddy. 'Is hij altijd zo hulpvaardig, Delphine?'

'We moeten hoognodig terug naar Parijs. Dat zal er wel iets mee te maken hebben. Hoe moeilijk het ook mag zijn om op het laatste moment nog te reserveren, ik wed dat hij tickets voor morgen zal weten te bemachtigen.'

'Ik kan haast niet wachten,' mompelde Freddy in zichzelf. Misschien, als Eve de plaats bij het raam nam en ze elkaars hand vasthielden, zou het niet zo erg zijn. Ze kon altijd nog haar hoofd in haar moeders schoot leggen en met gesloten ogen blijven liggen. Maar niet de hele weg naar Los Angeles. Ze kon zeggen dat ze luchtziek was, maar niet de hele weg naar Los Angeles. Ze kon zich niet volledig lam drinken, met haar moeder naast zich. Er scheen een nieuw medicijn te bestaan dat tegen alle soorten angst hielp. Stel dat . . .

'Delphine, heb je wel eens gehoord van iets dat Miltown heet?' vroeg Freddy.

'Miltown? Nee, nooit.'

'Wat is Miltown, Freddy?' vroeg Eve.

'De een of andere Amerikaanse uitvinding. Niets . . . belangrijks.'

'Ik had jullie zo vroeg nog niet verwacht!' riep Helga toen Freddy en Eve uit de taxi stapten waarmee ze van het vliegveld waren gekomen.

'Geeft u maar hier, madame De Lancel, laat mij uw tassen dragen,' zei Helga bedrijvig en een beetje verward.

'Wat is het heerlijk om weer terug te zijn,' zei Eve, 'maar ik ben wel volledig afgedraaid, Freddy, ik ga meteen even naar bed. Ik weet niet eens welke dag het is, laat staan hoe laat.'

'Als je weer wakker wordt, mama, kom dan naar beneden en kijk of je me kunt vinden, hoe laat het ook mag zijn. Ik ben waarschijnlijk wel op.'

'Dat zou ik zo denken, na de manier waarop je de hele weg naar huis met je hoofd onder een deken hebt gelegen. Tot straks, lieverd.'

'Helga, waar is Annie?' wilde Freddy weten zodra Eve naar boven ging.

'U hebt haar net gemist, mevrouw Longbridge. Ze is even weggegaan.'

'Weg? Waarheen? Wanneer komt ze terug?' vroeg Freddy ongeduldig.

'Ik weet zeker dat ze vóór donker terug zal zijn. Ze blijft maar een paar uur weg,' zei Helga, en ze verdween in de richting van de keuken.

'Helga! Is Annie helemaal alleen op stap?' vroeg Freddy scherp. 'Wat bedoel je met "voor donker terug", je weet toch dat je haar niet weg mag laten gaan als we niet weten bij wie ze is?'

'Ze is niet alleen, mevrouw Longbridge,' antwoordde Helga haastig. 'Ze is bij meneer Hampton.'

'Zei hij waar ze naar toe gingen?'

'Niet precies.'

'Helga! Waarom kijk je zo schuldig? Wat is er verdorie aan de hand?'

'O,' jammerde Helga, 'het moest een verrassing zijn. Ze hebben me gedwongen te beloven dat ik niets zou vertellen. Annie zei dat u trots op haar zou zijn als u thuiskwam, ze wilde het zo dolgraag, en meneer Hampton zei dat Annie lang genoeg en verstandig genoeg was, o, mevrouw Longbridge, ze hebben me gewoon omgepraat, die twee, ik durfde echt geen nee te zeggen, toen ze zo met z'n tweeën tegen mij aan de gang gingen. Meneer Hampton . . . hij is . . . hij geeft haar vliegles . . . hij is bijna elke middag met haar de lucht in geweest sinds u van huis bent . . . ik dacht echt dat u het niet erg zou vinden, ik had u altijd horen vertellen hoe jong u was toen u uw eerste vliegles kreeg . . . misschien had ik hen toch tegen moeten houden . . . maar meneer Hampton heeft zoveel ervaring – en hij is bovendien haar peetvader – en Annie was zo verdrietig dat u weg was en dat haar arme grootvader opeens dood was – o, mevrouw Longbridge . . .'

'Alsjeblieft, Helga, hou op, het is al goed. Ik begrijp wat er is gebeurd . . . hou op met huilen en probeer na te denken. Waar zijn ze heen gegaan?'

'Naar een plaatsje dat Santa Paula heet. Meneer Hampton zei dat dat een goede plek was om het te leren, niet te druk, niet te groot.'

'Juist ja.' Freddy snelde met twee treden tegelijk de trap op en trok razendsnel haar reiskleren uit. Binnen enkele mintuen, nog vochtig van een haastige douche en met druipende, maar schone haren, schoot ze in een spijkerbroek en een oud, versleten blauw overhemd en een paar sportschoenen. Ze racete met haar auto door de San Fernando Valley naar Santa Paula. Ze had haar hielen nog niet gelicht of die klootzak zat haar kind al te verpesten! Ze had zelf tot haar vijftiende gewacht met vlieglessen, maar Jock Hampton moest zo nodig les geven – Jock, die nog nooit met een lesvliegtuig had gevlogen – aan een kind van nog geen tien! Welke idioot zou zo iets doen, hoe hevig Annie er ook om mocht hebben gesmeekt?

Op het kleine, vertrouwde vliegveld rende ze naar het schuurtje van de verkeersleiding dat naast het hoofdgebouw stond.

'Hebben jullie ook een blonde man met een klein meisje met donker haar gezien?'

'Reken maar. Ze zijn net opgestegen, met een Piper Cub. Ze waren geland om iets te eten en daarna zijn ze weer naar boven gegaan.'

'Hebben ze nog gezegd wanneer ze terug zouden zijn?'

'Ik heb niet met hen gepraat. Probeer het meisje in het restaurant eens, misschien weet die er meer van.' Freddy holde zijn kantoor uit naar het grotere houten gebouw.

'Bedoel je Jock en Annie? Die hebben zoals altijd chocoladecake en melk besteld en zijn toen weer opgestegen,' vertelde de juffrouw achter het buffet. 'Een leuk kind, die Annie. Een beetje jong om te leren vliegen, dacht ik toen ik haar voor het eerst zag, maar die kinderen hier . . . allemachtig, ze beginnen elk jaar jonger, als je 't mij vraagt. Wat wilt u hebben?'

'Niets! Ik wacht alleen maar op ze.'

Freddy liep naar buiten en zocht ongeduldig de lege lucht af. Aan de andere kant van de enkele startbaan lag een diepe, bijna uitgedroogde rivierbedding en aan de overkant van de rivier stond het vertrouwde bosje met grijsgroene bomen – eucalyptus, pijnbomen, eiken, een typisch Californische begroeiing – in de wind te ritselen, dezelfde bomen die de wacht hadden gehouden op de dag dat zij met Mac haar eerste cross-country-vlucht had gemaakt en de Stille Oceaan voor het eerst vanuit de lucht had gezien. De dag van haar solovlucht. Ze plofte neer in het droge gras aan de rand van de baan, in de naar kerosine ruikende bries, en wachtte.

Een half uur lang bleef ze in kleermakerszit in het novemberzonnetje zitten. Het begon al eerder donker te worden, merkte Freddy ondanks haar briesende ongeduld. Binnen twee maanden hadden ze de kortste dag. Aan de andere kant zouden daarna de dagen weer langer worden, minuut na minuut, tot midzomer, als je het van de positieve kant wilde bekijken. Gezien het feit dat ze de afgelopen twee dagen voornamelijk in een vliegtuig had doorgebracht, diep verscholen onder een deken, en slechts de aanwezigheid van haar moeder had weten te voorkomen dat ze volledig was ingestort, zag Freddy geen reden iets van de positieve kant te bekijken. Niet als haar kind met een maniak in een Piper Cub zat.

Ze hoorde het vage gedreun van een klein vliegtuig en toen ze met geoefende ogen de lucht afzocht, zag ze een kleine gele Piper Cub, heel ver weg, die recht en op gelijke hoogte vloog. Ging hij landen of niet? Ze bleef strak kijken en zag dat het toestel het landingscircuit inzette, en bepaald niet strak. Ze schudde afkeurend haar hoofd. De hoek van het vliegtuig deugde net niet, niets bijzonders op zich, je zag zo iets elke dag op elk willekeurig vliegveld als je er oog voor had, maar het was niets voor Jock. Een kleine zwenking, een correctie die werd overgecorrigeerd, gevolgd door een nieuwe correctie die de hoek iets te veel naar de andere kant bracht. Jock werd slordig. En hij was nooit slordig geweest. Je kon veel van hem zeggen, maar niet dat hij een slordige piloot was. Nooit.

Annie bestuurde het vliegtuig! Freddy sprong overeind en bleef hulpeloos staan, als aan de grond genageld bij het plotselinge besef dat haar dochter achter het bedieningspaneel zat. Ze had niets om mee te zwaaien, niets om te gebaren, geen enkele manier om Jock dit krankzinnige experiment te laten staken. Plotseling werd het onzekere gehobbel van het toestel vervangen door de soepele glijvlucht van een perfecte precisielanding, en binnen een minuut had de Cub alle vaart verloren en raakte de grond, als een grote gele vlinder die op een bloem neerstrijkt.

Freddy keek roerloos toe terwijl het toestel naar de standplaats taxiede en de motor werd afgezet. De deur ging open en Annie klom voorzichtig naar buiten, terwijl Jocks hand haar arm stevig vasthield tot ze met één voet op de grond stond.

516

'Hierheen, Annie!' riep Freddy en het voor haar leeftijd lange meisje draaide zich om en rende over het gras haar armen in.

'Heb je het gezien, mam? Heb je 't gezien?' gilde ze opgewonden, en ze kuste Freddy's gezicht op twintig plaatsen.

'Ik heb je inderdaad gezien. Het . . . ging goed, Annie.'

'O, mam! Helemaal niet. Ik zwalkte alle kanten uit. Jock zei het zelf. Maar ik word elke keer een beetje beter. Hij wil alleen nog niet dat ik zelf land.'

'Dat . . . spreekt vanzelf.'

'Hij zegt dat ik nog veel moet leren,' meldde Annie ernstig. 'Ben je erg verbaasd, mammie? Ik wilde iets leuks voor je doen, omdat ik wist dat je zo verdrietig was over opa. Het was allemaal mijn idee, mammie.' Annie keek naar het vliegtuig dat net buiten de rand van de startbaan stond geparkeerd. 'Ik denk dat Jock bang is dat je kwaad bent omdat ik hem heb overgehaald mij les te geven. Hij blijft er kennelijk maar liever in zitten.'

'Als jij nu eens bij het buffet op me wacht, Annie, dan maak ik een praatje met Jock. Dat kan even duren. Hier heb je wat geld. Bestel maar wat je wilt.'

Freddy stevende naar de Piper Cub, klom naar boven en stak haar hoofd naar binnen. Jock zat achter het rechtergedeelte van het bedieningspaneel met zijn armen over elkaar in de verte te staren. Zijn vastbesloten kaak stond in de onmiskenbaar defensieve stand van een man die weet dat hij in de fout is gegaan, maar niet van plan is dit toe te geven.

'Kom eruit!' beval ze.

'Waarom zou ik?'

'Dan kan ik je vertellen wat ik van je vind!'

'Klinkt heel aanlokkelijk, maar nee, dank je.'

Freddy was zo kwaad dat ze al haar angsten vergat en naar binnen stapte om op de rand van de stoel in de solide kleine Piper te gaan zitten.

'Hoe heb je dat kunnen doen, Jock, hoe kon je zo roekeloos doen met Annie? Ik zou je het liefst met mijn blote handen aan stukken scheuren.'

'Ik was niet roekeloos. Ik was zeldzaam voorzichtig, geloof me. Luister, Freddy, ik besef heel goed dat ik je eigenlijk in Frankrijk had moeten bellen om toestemming te vragen. Ik ging alleen maar naar het huis om Annie een beetje gezelschap te houden zolang jij weg was, en opeens hoorde ik mezelf beloven dat ik haar een keertje mee de lucht in zou nemen, en toen leidde het een tot het ander . . . ze bezit echt talent, Freddy, ik heb me er tegen beter weten in bij laten betrekken.'

'Heeft een klein kind jou kunnen omkletsen om iets te doen wat jij niet wilde? En moet ik dat slikken?'

'Annie kan nog overredender zijn dan jij ooit bent geweest, maar ik denk, heel diep in mijn hart, dat ik . . . dat ik haar eigenlijk graag les wilde geven.' Jock keek haar aan. 'Het spijt me, Freddy. Het spijt me echt als ik je van streek heb gemaakt, maar je weet toch wel dat ik haar niets gevaarlijks of zelfs maar riskants zou laten doen? Wil je me vergeven?'

517

Freddy keek hem nadenkend aan. Ze had Jock in geen jaar meer gezien en ze was vergeten hoe groot hij was. De cockpit van de Piper Cub leek in verhouding klein nu hij in al zijn oprechtheid wat naar voren leunde en bijna meelijwekkend keek. Hoe kon ze boos op hem blijven, wanneer hij het afgelopen jaar zo goed voor haar moeder en voor Annie was geweest?

'Goed, Jock. Ik vergeef het je. Maar geen lessen meer voordat ze wat ouder is. Ik zal haar dat wel uitleggen.'

'Net zo je wilt.' Jock haalde diep en opgelucht adem. 'Zeg, waarom gaan we niet even samen met deze kist de lucht in, Freddy? Ik heb altijd al eens met jou willen vliegen . . . je bent zo'n geweldige piloot.' Hoe kon hij haar vertellen dat zo dicht bij haar te zijn hem even aarzelend maakte als wanneer hij een vuurvliegje had gevangen, het enige vuurvliegje ter wereld, en dat als hij haar nu liet gaan, hij haar nooit meer terug zou krijgen?

'Nee.' Freddy kromp bij deze woorden ineen, maar probeerde normaal te klinken.

'Een paar minuutjes maar? Hoor eens, dit is de mooiste tijd van de dag. Kom mee, dan gaan we naar de zonsondergang kijken.' Hij reikte voor haar langs en sloeg de vliegtuigdeur, die ze open had laten staan, dicht.

'Nee! Jock, hou op!'

'Waarom niet? Annie zal het heus wel begrijpen als ze ons op ziet stijgen.'

'Ik kan het niet,' zei ze dof.

'Ik begrijp je niet,' zei hij, toen hij haar bleek zag worden, met een wanhopige uitdrukking vol angst en verdriet op haar gezicht.

'Ik . . . o, verdraaid, Jock, ik ben bang geworden,' bracht Freddy moeizaam uit. 'Sinds het ongeluk heb ik niet meer in vliegtuigen willen zitten – ik maakte mezelf wijs dat ik er gewoon nog geen zin in had, er niet aan toe was. Maar toen ik naar Frankrijk moest vliegen, werd het me duidelijk. Het was een nachtmerrie. Ik was volledig in paniek, bijna gek van angst en het hield niet op, de hele tijd niet. Het klamme zweet brak me aan alle kanten uit, ik verwachtte elk moment te pletter te zullen slaan . . . ik wil nooit meer vliegen, nooit meer. Buiten jou weet niemand hier iets van. Ik kon het aan niemand vertellen – ze zouden het niet hebben begrepen. Zeg alsjeblieft niets . . . ik wil niet dat de mensen het te weten komen.'

'Je mág niet bang blijven, Freddy. Vliegen betekent veel te veel voor jou. Je moet weer de lucht in – zoals een ruiter die van zijn paard is gevallen, er toch altijd weer opklimt.' Hij bewoog zijn handen snel en draaide de sleutel in het contact om.

'Jock! Stop! Zet die motor af. O, Jezus, niet opstijgen, klootzak!' gilde Freddy, toen hij het vliegtuigje snel liet zwenken en naar het eind van de lege startbaan reed.

'Ga zitten en hou je mond! Ik zit achter de instrumenten, jij hoeft niets te doen!' riep hij boven het geluid van de motor tegen haar. 'Maak je veiligheidsriem vast!'

Freddy gehoorzaamde. Ze kon onmogelijk uit een taxiënd vliegtuig springen en als ze zijn handen van de instrumenten zou losrukken, zou dit hun dood kunnen worden. Toen de Piper over de startbaan snelde, kneep ze haar ogen stijf dicht, balde haar vuisten, sloeg haar armen gekruist over haar borst, duwde haar kin omlaag en trok haar schouders op naar haar oren – een verstarde, verkrampte, blinde gestalte die alle spieren had gespannen, in afwachting van de klap. Toen ze het vliegtuig van de grond voelde loskomen, maakte ze zich nog kleiner en scheen haar hart te willen ontploffen.

'Haal eens adem! Je wordt blauw,' riep Jock, terwijl de Piper gelijkmatig hoogte won. Freddy liet alle adem los en hapte een mondvol frisse lucht die de cockpit binnenstroomde.

'Beter?' vroeg hij.

'Zet 'm néér!'

'Niet voor jij je ogen open hebt gedaan.'

'Jock, ik smeek je, doe me dit niet aan!'

'Ik kan het je jezelf niet aan laten doen. Doe die malle ogen eens open en doe niet zo dwaas.'

Freddy tilde haar oogleden een fractie op. Als hij niet wilde landen voordat ze haar ogen had opengedaan, moest ze doen wat hij zei. Ze gluurde door haar oogharen naar haar knieën, en achter haar knieën naar de knuppel, en achter de knuppel naar het instrumentenpaneel, en ze ving een glimp op van Jocks handen om de andere knuppel.

'Ze zijn open. En nu landen, verdomme!'

'Zijn ze open? Ik noem dat niet open. Je ogen zijn pas open wanneer je naar buiten kunt kijken. Wanneer je om je heen kijkt, wanneer je naar de aarde kijkt en ziet dat je zo hoog als een vogel in de lucht vliegt en dat de wereld niet is vergaan, wanneer eerste officier Marie-Frédérique de Lancel beseft dat de wetten van de aerodynamica nog steeds gelden, dan zal ik overwegen of, tot mijn voldoening, haar ogen officieel voor geopend kunnen worden verklaard.'

'O, je vindt dit leuk hè, rotzak! Mij te mogen kwellen is het leukste dat je in jaren hebt meegemaakt. Waarom heb ik jou ooit iets verteld, jij zelfvoldane, ellendige, gemene, achterbakse lamstraal! Waarom heb ik jou ooit een kans gegeven!'

'Hela, je ogen zijn open! Ik heb een theorie dat het onmogelijk is om kwaad te blijven als je ogen dicht zijn. Je kunt dan geen boze blikken werpen. Logische gedachte, vind je niet?'

'Bewaar die theorie maar voor de grond. Je had me iets beloofd,' hield Freddy aan.

'Ik zei: "Als je om je heen hebt gekeken, als je naar beneden hebt gekeken" – tot dusver heb je alleen maar naar de cockpit gekeken. Je had net zo goed in een auto kunnen zitten.'

Freddy zette haar kiezen op elkaar en bewoog behoedzaam haar ogen van de ene kant naar de andere, zonder de starre stand van haar hoofd op haar hals te wijzigen. Toen boog ze, zonder opzij te draaien, haar bovenlichaam iets naar het raam en blikte naar beneden. Ze ging direct weer rechtop zitten en richtte haar blik op de voorruit.

'Iets interessants gezien?'

'Heel grappig.'

'En? Wat heb je gezien?' hield hij vol.

'Jij stomme zanik, ik zag hetzelfde wat ik hier altijd heb gezien; wat had jij dan verwacht, olifanten?'

'Je weet maar nooit. Het is hier een behoorlijk wild gebied, pal aan de rand van de woestijn – je zou verdwalen voor je er erg in had.'

'Dacht je dat ik dat niet wist?'

'Je kent het plaatselijke landschap?' vroeg Jock.

'Je weet heel goed dat ik in deze omgeving heb leren vliegen, dat ik vanaf een klein veldje hier in de buurt mijn eerste solovlucht heb gemaakt.'

'Dat wist ik niet. Waarom zou ik dat moeten weten? Dacht je dat ik op de hoogte was van alle details van jouw verleden?'

'Kennelijk niet.' Freddy voelde zich wat lachwekkend. Natuurlijk kon hij dat niet weten. Ervaren piloten hadden het nooit over waar en wanneer ze hun solovlucht hadden gemaakt, tenzij ze oude herinneringen zaten op te halen.

'Ik wed dat jij niet weet waar ik mijn solovlucht heb gemaakt, wel?' zei Jock.

'Nee, en het kan me geen donder schelen. Ik wil alleen maar naar beneden,' zei Freddy wraakzuchtig.

'Goed. Oké. Eén minuutje. Laat me je dit nog even vertellen. Het was mijn zestiende verjaardag en mijn instructeur wist uiteraard dat ik popelde om solo te vliegen. Ik had negen uur vliegervaring en ik vond mezelf een hele piet. Het was op zo'n klein vliegveldje bij San Juan Capistrano en het was na schooltijd en het werd al laat en ik dacht dat het dan of nooit zou zijn. Nou, mijn instructeur liet me circuitjes vliegen en doorstartoefeningen doen zonder ook maar één opmerking te maken, zelfs geen veelbetekenende blik te werpen. Daarna, toen het uur voorbij was, helemaal voorbij, en het praktisch donker was, zei die vent – en ik zal 't nooit vergeten –: "Jock, taxie eens tot de parkeerplaats" en toen we daar waren, stapte hij als eerste uit en zei: "Nou knul, ik ga naar binnen om koffie te drinken, maar jij bent te jong om koffie te drinken, dus ga nog maar eens een keertje omhoog en draai een paar rondjes – ik zie je straks wel", en hij liep gewoon weg. Keek niet één keer om. Nou, dacht ik eerst, wil hij dat ik alléén naar boven ga, of hoe zit 't? En toen snapte ik het en ik slaakte toch een kreet! En toen ben ik de lucht in gegaan en . . . tja, je weet hoe dat voelt, Freddy, er zijn geen woorden voor. Als je 't nooit hebt gedaan, heb je 't nooit gedaan. Als je 't wel hebt gedaan, heb je 't gedaan. Zo is het maar net. Ik wilde nooit meer naar beneden. Ik had de hele nacht wel door kunnen vliegen, tot ik geen brandstof meer had, als ik niet de avondster had gezien die zo'n beetje naar me stond te knipogen. Me waarschuwde. Plotseling besefte ik dat het echt donker werd, dus zette ik 'm snel aan de grond, niet grof, gewoon met de juiste snelheid . . . en het was voorbij. Jawel – januari 1936. Maar eigenlijk is het nooit voorbij, goddank. Soms denk je dat het voorbij is, denk je dat de spanning eraf is, denk je dat je aan al het bijzondere gewend bent, maar dan komt het opeens terug. Het komt altijd terug. Zoals vandaag, toen ik die kleine Annie met haar handjes aan de knuppel zag . . . toen dacht ik aan jou en wenste ik dat jij erbij was geweest om haar gezicht te zien. Nou ja . . . hoe dan ook. Het verhaal van mijn leven. Heel bijzonder, nietwaar? Nog nooit vertoond. Een unieke ervaring, ongekend in de wereld van de luchtvaart!' Jock geeuwde. 'Oef! Ik krijg slaap, een gewéldige slaap . . . te veel opwinding voor één dag . . . ik denk dat ik oud word . . . Freddy? Neem jij even over.'

Hij rekte zich eens goed uit, met zijn armen boven zijn hoofd, zijn handen plat tegen het dak van de cockpit. Freddy nam automatisch de besturing over, ging automatisch met haar voeten naar de roerpedalen, controleerde automatisch het instrumentenpaneel, ze vloog automatisch met het toestel. Mooi, Jock, heel mooi, je hebt me erin geluisd, je hebt me erin laten stinken, heel knap hoor, en ik had het niet eens in de gaten.

Ze keek even zijn kant uit. Jock gaf een heel goede imitatie van een slapende man. Zijn ogen waren gesloten, daar was geen twijfel over mogelijk en zijn ademhaling ging regelmatig en scheen dieper te worden. Het zonlicht in de cockpit verguldde het blonde haar op zijn blote, gespierde onderarmen. Zijn lange, lenige lichaam was onderuitgezakt. Nog even, dacht ze, en hij begint te doen alsof hij snurkt – en vervolgens zette ze hem uit haar gedachten.

Freddy was druk bezig de Piper Cub aan te voelen, na een jaar lang niet te hebben gevlogen. Ze maakte een paar voorzichtige bochten met een geringe helling. Het vliegtuig was licht maar bezat voldoende vermogen. Ze had er al eerder mee gevlogen en ze kende de capaciteiten ervan. Het was zo'n gemakkelijk vliegtuig dat een kind ermee overweg kon. En er wás een kind mee de lucht in gegaan, bedacht ze.

Ze draaide wat steiler, zwierde van de ene scherpe bocht naar de andere in een sierlijke slingerbeweging die beginnende leerlingen altijd zo verbazingwekkend vinden, de koppige, bedwelmende dans die iedereen met enig gevoel voor evenwicht met een vliegtuig kan doen, zelfs als hij niet weet hoe het allemaal precies in elkaar zit. Freddy keek naar alle kanten om zich heen. Er was niemand te zien. Ze bracht de Piper Cub nog hoger, tot ze de vierduizend voet had bereikt. Dit was beter. O, dit was . . . geweldig. Dit was . . . fantastisch! Er kwamen tranen in haar ogen toen ze merkte dat ze niet de minste angst voelde. Ze dacht met opzet aan alle details van haar vlucht naar Parijs en weer terug. Ze zag ze weer voor zich, probeerde ze weer te beleven, maar het enige dat ze kon was ze zich herinneren. Ze wist diep in haar binnenste dat ze zich nooit meer zo zou voelen. Ze was haar zelf-beheersing kwijtgeraakt. Jawel. Maar nu had ze die weer terug. Ja, inder-daad. Zo iets kon iedereen overkomen.

Freddy keek om zich heen naar een wolk om mee te spelen, maar het was een onbewolkte dag. De zon begon naar de horizon te dalen en Annie zat, hopelijk geduldig, op het vliegveld op haar te wachten. Jock lag niet echt te snurken maar ook niet niet te snurken. Ze bracht de Piper Cub nog zo'n vijfhonderd voet hoger, keek nogmaals goed om zich heen en bracht toen, zonder Jock te waarschuwen, het vliegtuig in een steile duikvlucht. De Piper raasde gewillig naar het tapijt van de aarde, alsof hij had gewacht tot ze iets interessants ging doen. Freddy keek naar de snel oplopende meter op het bedieningspaneel, een en al aandacht, tot ze voldoende snelheid had op-gepikt voor haar looping. Nu gaf ze meer hoogteroer en trok de neus omhoog zodat ze aan de cirkelbeweging begon die haar over de top van de horizon zou voeren, over de top van de wereld. Toen ze klom, wierp ze een snelle blik op Jock. Hij deed nog steeds alsof hij sliep, rustig ademhalend, ontspannen bijna – ja – bijna glimlachend. Misselijke kerel!

Ze steeg nog meer, hoger en hoger, haar hele lichaam een en al opwinding – hoger en hoger – en óver! Over de top, ondersteboven, lachend, zoevend, vrij om te vliegen. Vrij, hemels vrij, meesteres van het luchtruim, koningin van de horizon, hoedster van de wolken, zuster van de wind, losgesneden van de nederige, saaie realiteit van de zwaartekracht, in het enige element dat de mensheid deze keuze kan bieden.

Freddy herstelde zich van de looping en haalde haar handen van de instrumenten.

'Neem jij het weer over, Jock,' zei ze, 'als je wakker bent.'

Jock landde op Santa Paula en taxiede langzaam naar de rand van de startbaan. Geen van beiden maakte aanstalten om uit te stappen.

'Dank je, Jock,' zei Freddy, 'je bent een vriend.'

'Het was niets.'

'Het was alles.'

'Het was . . . wat het was.' Hij grijnsde naar haar, opgetogen en met zijn mond vol tanden. Ze zag er zo hopeloos mooi uit, zonder make-up en met dat malle haar naar alle kanten en een opgewonden blik in haar ogen zoals hij veel te lang niet meer had gezien.

'Ik moet erkennen dat jij me hebt genezen.' Freddy schudde haar hoofd in oprechte bewondering. 'Misschien . . . misschien kun je ook iets doen aan een ander probleem dat me bezighoudt,' vervolgde ze peinzend. 'Het is net zo iets . . . het zit in m'n hoofd.'

'Ik zal m'n best doen,' zei hij gretig.

'Ik lijd aan een soort geheugenverlies. De dokters zeggen dat dat wel vaker voorkomt na een ongeluk. Ze zeggen dat ik dat stuk geheugen misschien nooit meer terugkrijg – een hele periode uit mijn leven! Het is om dol van te worden. Het laatste dat ik me herinner is dat ik allerlei oude songs stond te zingen op het podium in een hotel. Ik herinner me het laatste nummer nog goed: *I'm Always Chasing Rainbows* – en het volgende dat ik weet is dat ik wakker werd in een ziekenhuis – wéken later, naar het bleek. Het schijnt dat ik de lucht in ben gegaan en tegen een berg ben gevlogen, dat weet ik omdat ze het me hebben verteld, maar ik herinner me niets na dat zingen.'

'Niets? Echt niets?'

'Absoluut niets. Ik weet niet wat ik daarna heb gedaan. Ik neem aan dat ik ben opgehouden met zingen, anders had ik niet met een vliegtuig kunnen vliegen. Moet je zien hoe ik allerlei conclusies moet trekken. Is het niet zielig? Ik ben net een half mens.'

'Brengen de woorden *Till We Meet Again* niets bij je boven?' vroeg hij gespannen, terwijl een pluk van zijn blonde haar over zijn voorhoofd viel en hij zijn ogen samenkneep.

'Toe nou, Jock, dat is het liedje waarvan mijn moeder altijd zei dat het geluk bracht, hoewel ze nooit precies heeft uitgelegd waarom. Ik heb het voor jullie in de Blue Swan gezongen omdat ik dacht dat er een zekere . . . toverkracht in school – ik hoopte dat het jullie de volgende dag weer allemaal veilig terug zou brengen. Ik zei niet dat ik m'n héle leven was vergeten, alleen maar een stukje ervan.'

'Dus je herinnert je niets van *Rainbows* – je weet zelfs niet hoe je die avond bent thuisgekomen, je herinnert je . . . verder . . . niets?'

'Hoe vaak moet ik je nog vertellen dat het één groot, leeg niets is?'

'Hm. Tja, dat ís een probleem.'

'Aan jou heb ik ook niet veel. Je bent er in ieder geval van overtuigd dat er een probleem is. We boeken vooruitgang. Het is wel langzaam, maar we gaan vooruit.'

'Ik heb een idee, als je me tenminste even niet uitlacht.'

'Ik luister.' Haar ondeugende glimlach was die van iemand die opeens aan iets heel leuks moet denken.

'We zouden de gebeurtenissen van die avond nog eens over kunnen doen. Ik denk niet dat het nodig is om weer een Eagle Squadron-reünie te houden, want dat herinner je je nog, maar andere stappen kunnen we opnieuw zetten. Je zou bijvoorbeeld dezelfde jurk weer aan kunnen doen, die wilde en woeste rode jurk, als je 'm nog hebt, en die flitsende rode schoenen, en je

ATA-insigne, en dan konden we ergens heen gaan waar een dansvloer en muziek is, en dan zouden we weer samen kunnen eten en dansen, net als toen, en dan zou ik de orkestleider een fooi kunnen geven om weer wat oude deuntjes te spelen en . . . tja, zo ongeveer vanaf dan. Dan moet er vast iets gebeuren wat jouw geheugen weer terugbrengt.'

'Dat lijkt me een geweldig idee – als ik maar niet hoef te zingen. Wanneer doen we dat?'

'Wanneer je maar wilt. Ik ben beschikbaar. Ik had geen andere plannen.'

'Wat dacht je van vanavond? Zou vanavond te snel zijn?' vroeg Freddy.

'Vanavond lijkt me . . . geweldig. Ik heb niets beters te doen. Jij?'

'Nee, Jock, niets beters.'

Haastig gaf Freddy Jock een vluchtige zoen op zijn wang en maakte aanstalten uit het vliegtuig te stappen. Als haar geheugen nog langer werd geprikkeld, was ze in staat in Jocks armen te vallen en een ongepaste, weinig damesachtige, onfatsoenlijke vertoning van zichzelf te maken, zomaar hier in die Piper Cub. Hij zou heel hard moeten werken om haar geheugen weer terug te brengen. O já! Geheugenverlies was iets dat je alleen kon genezen met veel hartstochtelijke liefde, veel hartstochtelijke kussen, een sneeuwstorm van knuffels, een encyclopedie van woorden; alle liefde die Jock bezat, alle liefde die al die jaren op haar had liggen wachten. Ze wilde het hem weer allemaal horen zeggen. En nog eens.

'Freddy . . .' Jock leunde impulsief naar haar over en er sprak zoveel emotie uit zijn ogen dat ze bijna uit het vliegtuig tuimelde. Stel dat hij haar gedachten kon lezen! Niet zo snél! Geheugenverlies, ze leed aan geheugenverlies. Freddy klampte zich vast aan die gedachte en ze probeerde zich te dwingen onnozel te kijken. Ze knipperde met haar ogen.

'Ja?' vroeg ze onschuldig.

'Ik houd van je, Freddy, verdorie, ik houd zóveel van je, dat ik het niet meer uithoud!'

'Wacht! Zeg dat nog eens!' beval Freddy. Ze hees zich overeind, niet langer kwetsbaar, niet langer hulpbehoevend, klaar om naar haar hart te luisteren.

'Waarom, zodat je me weer eens als vanouds kunt uitkafferen?' Hij grijnsde opnieuw, plotseling zeker van zichzelf. Voor het eerst had ze hem echt gehoord.

'Nee . . . het gaat om wat je zei . . . ik geloof . . . ik geloof dat er iets van mijn geheugen terug begint te komen . . . iets over een . . . schoolfeest . . . kan dat? Iets over samen gaan vliegen? Hmm . . . heb jij niet ook het idee dat we al eens samen hebben gevlogen?'

'Hou op met dat geplaag. Je mag me elke dag van de rest van je leven plagen, als ik je nu maar een kus mag geven.'

'U wilt niet veel, hè, majoor?'

'O, lieveling, ik wil alles. Alles. Te beginnen met een kus. Alsjeblieft, Freddy.'

'Ik herinner me hoe iemand eens zei ... ja ... ik herinner het me duidelijk ... "Alleen een pummel vraagt een meisje eerst om toestemming",' zei Freddy op een verbaasde toon, toen ze zich uitstrekte naar Jock en haar armen open en omhoogsloeg in een gebaar dat een halve overgave en een hele belofte was.